DIE RÖMISCHEN KAISER

55 historische Portraits
von
Caesar bis Iustinian

*Herausgegeben von
Manfred Clauss*

VERLAG C.H. BECK MÜNCHEN

Mit fünfundfünfzig Zeichnungen, zwei Karten und einer Zeittafel;
alle Zeichnungen und Karten von Gertrud Seidensticker, Berlin

1. Auflage. 1997
2., durchgesehene Auflage. 2001
3. Auflage. 2005

4., aktualisierte Auflage. 2010
© Verlag C.H. Beck oHG, München 2005

Umschlaggestaltung: Fritz Lüdtke, München
Umschlagabbildungen (von links nach rechts):
1) Publius Aelius Hadrianus, Portraitbüste, Marmor, 2. Jh. n. Chr., British Museum, London; 2) Marcus Aurelius Antoninus, Portraitbüste, Marmor, 2. Jh. n. Chr., Louvre, Paris; 3) Caius Iulius Caesar, Portraitbüste, grüner Schiefer, 1. Jh. n. Chr.; Antikensammlung im Pergamonmuseum, Berlin; 4) Augustus, Teilansicht der Augustusstatue von Prima Porta, Marmor, Kopie des 1. Jh. n. Chr. nach einem Original um 20/17 v. Chr., Vatikanische Museen, Rom.
© für alle Umschlagabbildungen: akg-images, Berlin

Gesamtherstellung: CPI – Ebner & Spiegel, Ulm
Gedruckt auf alterungsbeständigem Papier
(hergestellt aus chlorfrei gebleichtem Zellstoff)
Printed in Germany
ISBN 978 3 406 60911 4

www.beck.de

Inhalt

Einleitung *von Manfred Clauss* 7

Caesar *von Karl Christ* 13
Augustus *von Werner Dahlheim* 26
Tiberius *von Raban von Haehling* 50
Caligula *von Heinz Bellen* 63
Claudius *von Wilhelm Kierdorf* 67
Nero *von Helmuth Schneider* 77
Vespasian *von Jürgen Malitz* 86
Titus *von Ines Stahlmann* 95
Domitian *von Christian Witschel* 98
Traian *von Werner Eck* 110
Hadrian *von Michael Zahrnt* 124
Antoninus Pius *von Hildegard Temporini-Gräfin Vitzthum* 137
Marc Aurel und Lucius Verus *von Klaus Rosen* 145
Commodus *von Michael Stahl* 159
Pertinax *von Alfons Rösger* 169
Septimius Severus *von Anthony R. Birley* 173
Caracalla *von Anthony R. Birley* 185
Elagabal *von Matthäus Heil* 192
Severus Alexander *von Karlheinz Dietz* 195
Gordian III. *von Hans-Joachim Gehrke* 202
Philippus Arabs *von Hans Kloft* 210
Decius *von Walter Eder* 216
Valerian *von Wolfgang Kuhoff* 223
Gallienus *von Helmut Halfmann* 229
Postumus *von Ingemar König* 236
Zenobia *von Kai Brodersen* 241
Aurelian *von Leonhard Schumacher* 245
Probus *von Hartwin Brandt* 252
Diocletian *von Pedro Barceló* 258
Maximian *von Jörn Kobes* 272

Inhalt

Galerius *von Richard Klein* 276
Konstantin I. *von Manfred Clauss* 282
Maxentius *von Hartmut Leppin* 302
Licinius *von Heinrich Chantraine* 305
Maximinus Daia *von Thomas Grünewald* 312
Constans *von Gunther Gottlieb* 315
Constantius II. *von Kirsten Groß-Albenhausen* 322
Iulian *von Hans-Ulrich Wiemer* 334
Valentinian I. *von Christine van Hoof* 341
Valens *von R. Malcolm Errington* 348
Gratian *von Klaus Martin Girardet* 354
Valentinian II. *von Angela Pabst* 362
Theodosius I. *von Adolf Lippold* 368
Arcadius *von Johannes Hahn* 374
Honorius *von Dieter Timpe* 380
Theodosius II. *von Wolfgang Schuller* 388
Valentinian III. *von Edgar Pack* 395
Marcian *von Andreas Gutsfeld* 402
Leo I. *von Eckhard Wirbelauer* 406
Zeno *von Gregor Weber* 412
Romulus Augustulus *von Maria H. Dettenhofer* 415
Anastasius *von Linda-Marie Günther* 418
Iustin I. *von Werner Portmann* 424
Iustinian I. *von Klaus Bringmann* 431

Anhang
Karten 452
Liste der Kaiser 456
Zeittafel 459
Ausgewählte Literatur 465
Personen- und Ortsregister 476
Verzeichnis der Autoren 499

Einleitung

«Wenn nun schön gespielt worden ist, spendet Beifall
und gebet alle uns mit Freuden Geleit.»

Schauspieler auf großer Bühne

Mit diesen Worten, mit denen die Schauspieler griechischer Komödien am Schluß die Zuschauer zum Applaus aufforderten, soll Octavian/Augustus gegen Ende seines Lebens (14 n. Chr.) seine Freunde entlassen haben (Sueton, *Augustus* 99,1). Der Vergleich des eigenen Lebens mit einem Schauspiel und der eigenen Person mit einem Schauspieler war in Anbetracht der Wandlungsfähigkeit der Persönlichkeit des Augustus im Laufe seines langen Lebens vom ‹Knaben› über den ‹Henker› zum ‹Vater des Vaterlandes› sowie seiner nahezu ebenso langen Herrschaft so unangebracht nicht. Doch welche Rolle hatte er eigentlich gespielt? War er *imperator, Caesar, Augustus* oder *princeps* gewesen?

Als *imperator* begrüßten die römischen Truppen einen siegreich heimkehrenden Feldherrn. Den ursprünglichen Ehrentitel, durch Akklamation für kurze Zeit verliehen, verband Augustus dauerhaft mit seiner Person. Dahinter stand eine militärische Macht, die auf dem Oberkommando des *imperator* über das gesamte Heer basierte; vor Ort übten seine persönlichen Statthalter das Kommando aus. Dies ermöglichte es, die Tatsache zu verschleiern, daß Augustus – modern gesprochen – eine Militärdiktatur innehatte; der Geschichtsschreiber Tacitus sprach demgemäß später von den Geheimnissen einer Herrschaft, die nicht offen zutage traten (*Annalen* 2,36). Mit *imperator* bezeichneten die antiken Historiker gerne den Herrscher in seiner Funktion als Feldherr. Der Begriff hat sich – als Bezeichnung dessen, was wir im deutschen Kaiser nennen – im englischen *emperor* und im französischen *empereur* erhalten.

Gaius Iulius *Caesar* hatte seinen Namen an Octavian, den späteren Augustus, vererbt, und dieser hatte ihn seinerseits an seine Adoptivsöhne weitergegeben; Tiberius und Caligula trugen *Caesar* als individuellen Namen. Seit Claudius wurde *Caesar* dann zum festen Bestandteil des Herrschernamens. *Caesar* bildete in der Folgezeit auch einen Titel für den vorgesehenen Nachfolger oder in der Spätantike für die sogenannten Unterkaiser. Mit *Caesar* konnte ferner in manchen Wortverbindungen der Herrscher bezeichnet werden, wenn beispielsweise vom *fiscus Caesaris*, von der Kasse des Herrschers, die Rede war. Von diesem

Begriff leitet sich seit dem Mittelalter unser Wort Kaiser ab – später auch das Wort für den russischen Herrscher: *Zar.*

Den religiösen Ehrennamen *Augustus* hatte Octavian 27 v. Chr. erhalten, um die das menschliche Maß übersteigende Bedeutung seiner Person für jeden sichtbar zu dokumentieren. Augustus vererbte diesen Namen an seinen Adoptivsohn Tiberius. Seither wurde er als Titel verstanden und den Herrschern bei ihrer Erhebung vom Senat oder vom Heer übertragen. Bis Antoninus Pius blieb er dem einen regierenden Kaiser vorbehalten. Erst Marc Aurel ließ während seiner eigenen Regierungszeit auch seinem Bruder Lucius Verus und später seinem Sohn Commodus den Augustusnamen übertragen.

Imperator, Caesar oder *Augustus* nennen die antiken Quellen wechselweise den Herrscher. Insgesamt wurden diese drei Bezeichnungen zum festen Bestandteil der herrscherlichen Titulatur, bei der zwischen *Imperator Caesar* und *Augustus* der Name der jeweiligen Person eingefügt wurde, also beispielsweise *Imperator Caesar* Vespasianus *Augustus*.

Doch die Liste der Benennungen der Herrscher ist mit diesen drei Begriffen noch keineswegs erschöpft.

Als *principes*, Erste, wurden in der römischen Republik – also während jener Epoche zwischen der legendenhaften Vertreibung der Könige (509 v. Chr.) bis zur Verleihung des Augustustitels an Octavian und dem Beginn der Monarchie (27 v. Chr.) – Männer bezeichnet, die eine herausragende Stellung in Staat und Gesellschaft einnahmen. Erster, *princeps*, ist auch jener Begriff, den Augustus in dem gegen Ende seines Lebens von ihm verfaßten *Tatenbericht* gelegentlich verwendet, wenn er seine Rolle in Staat und Gesellschaft umschreiben will. Und er verbindet ihn mit einem anderen wichtigen Begriff der Republik, der alles beschreibt und zugleich alles verhüllt: «Seit dieser Zeit», so schrieb Augustus später (*Tatenbericht* 34) und meinte das Jahr 27 v. Chr., «habe ich alle an *auctoritas* überragt.» *Auctoritas* oder Autorität ist in diesem Zusammenhang juristisch und staatsrechtlich weder zu fassen noch zu normieren. So gehörte zur Monarchie bzw. zum Kaisertum auch die Verhüllung der realen Machtverhältnisse. Und doch verstand jeder, was gemeint war: militärische Macht in bislang ungeahnten Dimensionen und die entsprechenden Erfolge, materieller Besitz in unvorstellbarer Größe – wie beispielsweise die reichste Provinz Ägypten –, eine Gefolgschaft aus allen sozialen Schichten und göttliche Eigenschaften zu Lebzeiten. All dies wurde vom ersten Mann der Gemeinschaft, dem *princeps*, eingesetzt zum Wohl der Gemeinschaft.

Der Schauspieler Augustus spielte seine Rolle in dem Stück «Das Weiterleben der römischen Republik»; diese war freilich nach langer Agonie und blutigen Bürgerkriegen bei der Machtübernahme des Augustus im Jahre 27 v. Chr. entschlafen. Zugleich überspielte er die Realität der neuen Staatsform, die nicht länger Senat und Volk von Rom, sondern ihn selbst als alleinige Quelle und einzigen Träger der Herrschaft kannte; Rom war Monarchie geworden. Seine Macht kaschierte Augustus mit Harmlosigkeiten – nicht um die breite Masse der Bevölkerung zu täuschen, sie wünschte sich ohnehin einen Gott als Kaiser. Aber eine Handvoll Leute, eine kleine, aber ungemein einflußreiche Gruppe von führenden Senatoren – alle hatte auch Augustus nicht ausrotten können – wollte, daß man ein Spiel spielte; für sie war der Anschein wesentlicher als die Wirklichkeit. So war Augustus offiziell nicht Alleinherrscher, sondern nur Erster. Nicht Macht sollte diesen *princeps* auszeichnen, sondern Autorität. Im Rückblick wird man Augustus die Anerkennung seiner bühnenreifen Leistung nicht versagen können.

Manche Forscher tragen derartigen Phänomenen Rechnung, wenn sie den Begriff Prinzeps für den Kaiser oder Prinzipat für das Kaisertum verwenden. Sie greifen damit in gewisser Weise die antike Propaganda auf, wie sie von den Herrschern und der adligen Führungsschicht gleichermaßen verbreitet wurde. Es gab Regeln für das Schauspiel, an die sich beide Seiten – Herrscher wie Untertan – zu halten hatten. Dabei bemühten sich die meisten Kaiser, ihren Part innerhalb dieses Theaterstücks kontinuierlich zu vergrößern. Geschah dies allmählich und behutsam, ging alles gut; gab ein Herrscher zu deutlich zu verstehen, daß die Funktion eines *princeps* nur die wahren Kräfteverhältnisse verschleiere, war er folglich nicht mehr bereit, seine Rolle zu übernehmen, kam es zu Spannungen mit der für die Existenz des Staates notwendigen Aristokratie.

Kaiser, die sich mit den tradierten Formen des Spiels nicht länger aufhalten wollten und ihre Macht von Anfang an ohne Zurückhaltung auslebten, trugen auf der einen Seite zwar häufig zu ihrem persönlichen Scheitern bei, trieben aber auf der anderen Seite die Ausgestaltung der Monarchie voran. Bereits Caligula wollte seine Rolle nicht mehr spielen: Er war Gott und betonte dies, er war Monarch und dokumentierte die Macht, die er wie sämtliche Vorgänger vor ihm besaß. Und als Nero vielleicht wirklich ein Schauspieler sein wollte, war dies auch wieder nicht recht. Der Kaiser sollte zwar spielen, aber die Bühne sollte der Staat sein und das Theaterstück «Verantwortung und Leitung im Kreis der ehrwürdigen Senatoren» heißen, während Nero wohl die richtige Bühne und das wahre Theater vorzog.

Die Rollen verändern sich

Die durch die folgenden 55 Portraits behandelte Epoche des römischen Kaisertums umfaßt eine Zeitspanne von über 600 Jahren. Mit der Aufnahme Caesars in die Liste der Kaiser folge ich Sueton. Mit der Konzeption seiner Portraits wollte er deutlich machen, daß die Reihe der Alleinherrscher und damit die monokratische Herrschaftsform mit Caesar begann, der in Octavian/Augustus seinen Nachfolger sah (*Augustus* 94, 11). Die Liste der Herrscher des Weströmischen Reiches schließe ich mit Romulus Augustulus ab, ohne damit in die Diskussion über das ‹Ende des (West-)Römischen Reiches› eingreifen zu wollen. Vielmehr allein die unübertroffene Charakterisierung dieses Kaisers und seiner Zeit durch Friedrich Dürrenmatts «ungeschichtliche Komödie» *Romulus der Große* mag sein Portrait als Abschluß dieses Stranges der römischen Herrscher begründen. Die Reihe der oströmischen Kaiser beschließt Iustinian, in dessen Person sich der Anspruch des römischen Kaisertums nochmals exemplarisch verkörperte.

Wie sich in diesen sechs Jahrhunderten die Rolle des Kaisers veränderte, kann hier nur in äußerster Knappheit angedeutet werden. Wir beobachten eine immer stärkere Institutionalisierung der Monarchie, die immer weniger die tatsächlichen Machtverhältnisse verschleierte, sondern die völlige Andersartigkeit und Überlegenheit des Kaisers gegenüber allen Untertanen – auch den Mitgliedern der Aristokratie – betonte und durch ein entsprechendes Zeremoniell ins Bild setzte. Vor allem an zwei Episoden der Kaiser Caesar und Iulian mag verdeutlicht werden, wie sich der Erwartungshorizont der Beherrschten im Laufe der Jahrhunderte verschob. Als Gaius Iulius Caesar vor dem Senat in der Vorhalle des Tempels der Venus Genetrix sitzen blieb, trug ihm dies den unversöhnlichen Haß des erlauchten, aber gedemütigten Gremiums ein. Der Kaiser Iulian indes erregte dadurch Anstoß, daß er einem Senator, einem Konsul, bei dessen Amtsantritt entgegenging.

Spätestens seit Diocletian und Konstantin waren von Seiten der Kaiser die immer wieder zu beobachtenden Bemühungen abgeschlossen, der monarchischen Gewalt zu einer angemessenen und eindeutigen Form zu verhelfen. Wer Herrscher war, zeigte sich nun auch als Herr, *dominus*, aller Untertanen, weshalb gelegentlich von der Umgestaltung des Prinzipats zum Dominat die Rede ist; das heißt, man glaubt eine Veränderung in der Staatsführung wahrzunehmen, die sich von der durch den Senat moderierten Regentschaft eines «Ersten» zur absoluten Monarchie gewandelt haben soll – wie weit diese Vorstellung vom Prinzipat eine Fiktion ist, sei dahingestellt. Es ist richtig, daß die Römer gerne mit solchen Begriffen wie *princeps* und *dominus* spielten und zweifellos auch die dahinter befindlichen Unterschiede lebten und erlebten.

Die Kaiser lösten sich nun endgültig aus der Gesellschaft und formalisierten das Kaisertum selbst, indem sie ein Hofzeremoniell inszenierten, das darauf abzielte, die Distanz zwischen Kaiser und Untertan als prinzipiell unüberbrückbar darzustellen. Dem Kaiser gegenüber, der hoch über allem thronte, waren somit schließlich auch die Mitglieder der Führungsschicht nivelliert.

Es entwickelte sich eine Formensprache, die das Individuelle am Kaisertum, die einzelne Herrscherpersönlichkeit, immer stärker zurückdrängte. Dazu trug auch bei, daß der Herrscher sich seit Konstantin zum Christentum bekannte und als *imperator christianissimus*, als allerchristlichster Herrscher, gleichfalls der irdischen Sphäre entrückt wurde. Bildlich war diese Entwicklung an der statuenhaften Unbewegtheit des Kaisers Constantius II. während seines Rombesuchs greifbar. Schließlich triumphierte die Form über den Inhalt, und damit konnte in der Spätantike eintreten, was in der frühen Kaiserzeit undenkbar gewesen war: Das römische Kaisertum wurde zeitweise von Kindern repräsentiert. Das Imperium Romanum besaß nun ein formalisiertes Kaisertum, eine mit Hilfe von Zeremonien und Insignien eindeutig als solche erkennbare absolute Monarchie.

Helden, Schurken, Primadonnen

Wer ist ein Kaiser? Die Beantwortung dieser Frage ist so einfach nicht. Weil zu Beginn der Monarchie eben das monarchische Element verschleiert worden war, blieb auch die Nachfolgeregelung stets mit Unsicherheiten belastet. Gewiß war der Sohn eines Kaisers der erste Nachfolgekandidat. Aber schon Caesar und Augustus hatten keine Söhne hinterlassen, und so kam die Adoption ins Spiel, die ja auf der einen Seite die familiären Bindungen betonte, da es darum ging, jemanden als Sohn anzunehmen. Auf der anderen Seite dokumentierte die Adoption eine Wahlmöglichkeit des regierenden Kaisers. Weiterhin gab es den Senat, der dem Herrscher seine Vollmachten übertrug. Vor allem aber wuchs der Einfluß der Soldaten, weil sie es waren, die die Macht hatten, jedem auf den Thron zu verhelfen. War es zunächst die Leibgarde in Rom gewesen, die Prätorianer, die den Kaiser ‹machte›, so übernahmen seit dem Tod Neros die Legionen in den Provinzen zunehmend diese Rolle. Es war somit ein ganzes Bündel von Mechanismen, durch das sich entschied, wer Kaiser wurde.

Dieses relativ offene Verfahren führte dazu, daß zeitweise Kaiserkandidaten wie Pilze aus der Erde schossen. Von den Personen, die ich in die ‹Liste der Kaiser› aufgenommen habe, gelten viele als ‹Kaiser›, die meisten aber als ‹Usurpatoren›. Der entscheidende Unterschied zwischen beiden Gruppen aus heutiger Sicht ist der Erfolg, mögen sich auch damals alle als Repräsentanten der Idee des römischen Kaisertums verstanden haben. Setzte sich jemand durch, war er – zumindest für einige Zeit – Held und Kaiser, scheiterte er, war er ein Schurke und Usurpator. Der vielleicht bekannteste Usurpator und Kaiser zugleich war Konstantin I. Als ihn das Heer nach dem Tod seines Vaters zum Augustus ausrief, war dies Aufruhr, Konstantin ein Usurpator. Als er sich fast 20 Jahre später gegen sämtliche Konkurrenten durchgesetzt hatte, war er der unbestrittene Kaiser des Römischen Reiches. – Eine Bemerkung am Rande: Als Regierungszeit wird in diesem Band allerdings nur diejenige als Alleinherrscher angegeben, also nicht die offizielle, die mit der Verleihung des Augustus-Titels begann.

Ich habe mich für insgesamt 182 Personen entschieden, die in die Liste aufgenommen sind; in Zweifelsfällen hat die Erwähnung auf Münzen, Inschriften oder Papyri den Ausschlag gegeben. Es wurden keine Usurpatoren, die nicht den Titel des Augustus annahmen, aufgenommen, ebenso keine Caesares wie Piso (unter Galba) oder Lucius Aelius Caesar (unter Hadrian).

Ein faszinierender Aspekt des Kaisertums ist die im einzelnen höchst unterschiedliche Rolle der Frauen im Kaiserhaus, als Ehefrauen, Mütter, Schwestern oder Konkubinen. Sie sind sicher einer eigenständigen Betrachtung wert, erscheinen aber bei den ohnehin knappen Portraits ihrer Ehemänner, Söhne, Brüder und Liebhaber meist nur am Rande. Eine Ausnahme bildet Zenobia, Herrscherin in Palmyra und ‹Kaiser›, eine Frau, die für die antike Geschichtsschreibung die vermännlichte Herrscherin par excellence war.

Die Protagonisten und ihre Portraitisten

Die Beiträge dieses Bandes sind von unterschiedlicher Länge; sie richtet sich in etwa danach, ob die Akteure Haupt- oder Nebenrollen spielten bzw. nur bessere Statisten waren. Wie letzten Endes solche schriftstellerischen Portraits sogar in knappster Form gefaßt werden können, dafür stehen die Arbeiten des spätantiken Dichters Ausonius. Er verfaßte Gedichte, in denen er die Herrschaftsnachfolge einzelner Kaiser, die Länge ihrer Regierungszeit oder die Art ihres Todes in jeweils einer Zeile beschrieb. Geradezu üppig fielen da schon die Lebensbeschreibungen aus, die jeweils aus einem *Tetrastichon*, aus einem Vierzeiler, bestanden. Ich zitiere die Verse des ersten Kaisers – Caesar (Ausonius Buch 14, Tetrasticha 5–8):

«Die Herrschaft, die einst in feierlicher Weise zwei
Konsuln eigen war, hat Iulius Caesar ergriffen.
Doch kurz war seine Gewaltherrschaft, die drei Jahre dauerte:
Ein wütender Aufruhr bewaffneter Bürger schlug sie nieder.»

Als Herausgeber gilt mein Dank den Autoren, die mit ihren Beiträgen diesen Band gestaltet haben. Manchen habe ich mit meiner Strenge hinsichtlich der Länge der Beiträge strapaziert; dafür bitte ich auch an dieser Stelle um Verständnis. Die Idee für das Projekt ist Herrn Dr. Stefan von der Lahr vom Verlag C.H. Beck zu verdanken, der zudem die Arbeit an dem Band mit vielen guten Ratschlägen begleitet hat. Es waren Stefanie Böpple, Kirsten Groß-Albenhausen, Jörn Kobes, Stefanie Lotz, Irmgard Staub, Edgitha Stork und Rene Pfeilschifter, die mir dankenswerterweise bei der Zusammenstellung der Manuskripte geholfen haben.

CAESAR
100–44 v. Chr.

Von Karl Christ

Caesars Name ist identisch mit einer Erschütterung des gesamten Imperium Romanum, mit dem Höhepunkt der «Römischen Revolution», mit Leiden und Tod von Hunderttausenden von Menschen als Folge von Expansion und Bürgerkrieg, als Preis der letzten römischen Diktatur. Aber Caesars Name ist zugleich ebenso identisch mit einer bis auf den heutigen Tag faszinierenden Persönlichkeit, mit einem Politiker, der zwischen allen Fronten stand, mit einem Feldherrn, der den Krieg kraft seines Intellekts ebenso meisterte wie durch seinen exponierten Einsatz, mit einem Menschen, der vor radikalen Entschlüssen und Maßnahmen nicht zurückschreckte, der seine Person verabsolutierte und der gleichwohl voll Illusionen an die integrierende Macht seiner *clementia*, seiner Milde, glaubte. Gehaßt und bewundert zugleich blieb er, zumindest im westlichen Geschichtsbild, lebendig und wirkt fort. Denn noch immer spaltet dieser Name historische Wertung wie politisches Urteil.

Die Krise der späten Römischen Republik gleicht einem Syndrom aus langfristigen Prozessen und katastrophalen punktuellen Eruptionen. Sie ist ein Resultat des tiefgreifenden wirtschaftlichen Wandels von der kleinbäuerlichen Subsistenzwirtschaft zur rational organisierten, marktbezogenen und auf dem Einsatz von Sklaven beruhenden «Villenwirtschaft». Sie ist eine Konsequenz der Intensivierung des Handels wie der Geldwirtschaft, der Einbindung der Ökonomie Italiens in den gesamtmediterranen Wirtschaftsraum. Ihre Spannungen erwuchsen aus der Überführung großer Sklavenmassen in die Apenninhalbinsel, aus der Konzentration verelendeter freier Bürger in der Stadt Rom, dem Ungenügen der Sozialleistungen hier, Kapitalkonzentration, Wucher und Korruption dort. Dazu traten die Gegensätze innerhalb der aristokratischen Führungsschicht, die mit der herkömmlichen Polarisierung zwischen Optimaten und Popularen nur ungenau und zu schematisch bezeichnet sind. Unter Optimaten werden dabei primär konservative und traditionalistische Politiker, unter Popularen solche verstanden, die zumindest vorgaben, sich für die Interessen der gesamten freien Bürgerschaft einzusetzen.

Gerade im Zuge des unaufhaltsamen Expansionsprozesses römischer

Macht zeigte es sich, daß die anstehenden administrativen und militärischen Aufgaben mit dem Instrumentarium des alten republikanischen «Gemeindestaates» nicht mehr zu bewältigen waren, daß die stets nur kurzfristig übertragenen Kompetenzen und Leitungsfunktionen römischer Magistrate nicht ausreichten, um den Anforderungen des «Reichsstaates» (M. Gelzer) gerecht zu werden.

In sozialer wie in machtpolitischer Hinsicht wurde vor allem die Ablösung der alten römischen Bürgermiliz durch nun langfristig dienende Legionen und damit zugleich die Überlagerung der traditionellen Bindungsformen aristokratisch dominierter, primär privater Klientelen durch die Herausbildung der großen Heeresklientelen der verschiedenen Oberbefehlshaber entscheidend. Da diese Heeresgruppen von ihren jeweiligen Feldherrn nicht nur die materielle Beteiligung an der Kriegsbeute, sondern nach dem Abschluß der Kämpfe auch eine großzügige Versorgung erwarteten, waren sie existentiell in erster Linie mit dem Schicksal ihrer Feldherrn verbunden. Sie zögerten deshalb auch nicht, gegen deren innenpolitische Gegner vorzugehen. Damit war der entscheidende Machtfaktor der späten Römischen Republik formiert.

Parallel dazu führte die Verschärfung der inneren Gegensätze seit den Tagen der Gracchen zur Radikalisierung der römischen Politik. In Bürgerkriegen und Proskriptionen triumphierten Brutalität und Fanatismus nicht weniger als in der Niedermetzelung von Römern und Italikern in der «Vesper von Ephesos» (88 v. Chr.) als Folge des «Blutbefehls» Mithradates' VI. von Pontus. Die Erhebungen in den unter Roms Hegemonie stehenden Gebieten, große Sklavenaufstände, der Bundesgenossenkrieg wie der Terror der Seeräuber waren zugleich Fanale des Scheiterns der römischen Politik.

Aus den somit gegebenen politischen und militärischen Sachzwängen, aber auch durch die zunehmenden Kontakte mit der hellenistischen Welt entwickelte sich in der römischen Führungsschicht wie im gesamten geistesgeschichtlichen Bereich eine vordem undenkbare Individualisierung. Die Scipionen und Cato, der Zensor, hatten jene Reihe der «kolossalen Individualitäten» Roms im hegelschen Sinne eröffnet, welche Gesellschaft und Staat dominierten und schließlich die alten Normen und Bindungen sprengten. Weder die Gracchen noch Marius, Cinna und Sertorius oder Sulla und Pompeius konnten die traditionelle römische Verfassung respektieren. Caesar war keineswegs der erste, der seine Person wie seine politischen und militärischen Ziele absolut setzte. Aber langfristig gesehen war er der konsequenteste und rücksichtsloseste, geraume Zeit freilich auch der erfolgreichste Politiker und Militär in dieser Reihe.

Der am 13. Juli 100 v. Chr. geborene Gaius Iulius Caesar entstammte einer Familie des alten römischen Patriziats, die in den Generationen vor ihm freilich keinen entscheidenden Einfluß in der Stadt ausüben konnte. Wohl gerade deshalb sah sich der junge Aristokrat gezwungen, die Tradition seiner Familie demonstrativ ins Licht zu rücken. Nach einem der ältesten erhaltenen Fragmente seiner Reden wies er bei der Bestattung seiner einst mit Marius verheirateten Tante Iulia darauf hin: «Meiner Vaterschwester Iulia mütterliche Abstammung geht von Königen aus, die väterliche ist mit den unsterblichen Göttern verbunden. Denn von Ancus Martius stammen die Marcii Reges ab, welches der Name der Mutter war, von Venus die Iulii, deren Geschlecht unsere Familie angehört. Es trägt also die Abstammung in sich die Ehrwürdigkeit der Könige, welche am meisten vermögen bei den Menschen, und die Heiligkeit der Götter, in deren Gewalt die Könige selbst stehen.»

Doch noch wichtiger als die Verbindung mit Königen und Göttern sollte für den jungen Caesar diejenige mit den Popularen, den Anhängern des Marius und Cinna, werden. Seit 84 v. Chr. mit Cinnas Tochter Cornelia verheiratet und für die Stellung eines *flamen Dialis*, eines der höchsten römischen Priester, designiert, schien ihm der Aufstieg in die Spitze der römischen Gesellschaft offenzustehen, als er durch Sullas Sieg im Jahre 82 v. Chr. zum Opfer dieses Triumphes der Optimaten wurde. Als er Sullas Weisung, sich von Cornelia zu trennen, nicht nachkam, geriet er in äußerste Gefahr, mußte sich von Sullas Häschern freikaufen und verdankte nur der Gnade des Diktators eine bescheidene Existenz. Die Erlebnisse und Erfahrungen dieser Jahre sollten für Caesar zum Trauma werden.

Nach der Überwindung der Krise lebte Caesar in einer denkbar prekären Konstellation: Den herrschenden Anhängern Sullas erschien er nach wie vor suspekt; ein politischer und gesellschaftlicher Aufstieg des jungen Aristokraten konnte indessen nur im Rahmen des politischen Systems der nachsullanischen Epoche erfolgen. Es spricht für Caesar, daß er selbst in dieser Situation nicht nur den familiären, sondern auch den politischen Bindungen treu blieb. Er beteiligte sich zwar nicht an innenpolitischen Vabanquespielen, ließ indessen an seiner Treue gegenüber den Popularen keinen Zweifel aufkommen.

Die Überlieferung über Caesars Leben und Wirken nach 82 v. Chr. beschränkt sich auf wenige Episoden: Als Mitglied des Stabes des Statthalters Minucius Thermus kam er mit dem König Nikomedes IV. von Bithynien in Verbindung, ein Kontakt, der noch lange Zeit als provozierende homoerotische Beziehung diffamiert wurde. Doch Caesar war auch an der Eroberung von Mytilene auf Lesbos beteiligt; er wurde dabei mit der *corona civica*, der Bürgerkrone, einer hohen Tapferkeitsauszeichnung, belohnt und kämpfte dann kurze Zeit später unter Servilius Vatia in Kilikien gegen die Seeräuber. Mit den Seeräubern ist das oft ausgeschmückte Abenteuer des Jahres 75 v. Chr. verbunden, als er die Piraten, die ihn gefangengenommen und erst nach der Zahlung eines Lösegeldes von 50 Talenten wieder freigelassen hatten, verfolgte, schlug und hinrichten ließ. Schon damals wie ein Jahr später, als er aus eigener Initiative in einer Region Kleinasiens den militärischen Widerstand gegen die dort eingefallenen Truppen Mithradates' VI. organisierte, zeigte sich Caesars ungewöhnliche Einsatzfreude.

Neben diesem herausragenden militärischen Engagement traten früh eine außerordentliche rhetorische Begabung und ein ungewöhnliches Interesse für den Bereich der Religion hervor. Als Redner von Marcus Antonius Gripho in Rom und von Apollonios Molon in Rhodos geschult, zählte Caesar schon früh zu den eindrucksvollsten politischen Rednern der Republik. Im religiösen Sektor ist es bezeichnend, daß er nach der Verdrängung vom Posten des *flamen Dialis* im Jahre 73 v. Chr. zum *pontifex* kooptiert und schließlich 63 v. Chr. zum *pontifex maximus* gewählt wurde. Es überrascht daher auch nicht, daß er später immer wieder priesterliche Attribute und Symbole auf seine Münzen prägen ließ.

Caesars Ämterlaufbahn verlief zunächst durchaus im traditionellen Rahmen. Als Quästor wirkte er 68 v. Chr. in der Provinz Hispania ulterior, als kurulischer Ädil gab er ein Vermögen für besonders prachtvolle Spiele aus, als Prätor suchte er 62 v. Chr. wiederholt Pompeius' Interessen zu vertreten. In jenen innenpolitisch turbulenten Jahren sind Caesars politische Schachzüge und Pläne nicht eindeutig zu erfassen. Man unterstellte ihm jedenfalls auch die Beteiligung an konspirativen Aktionen, nicht zuletzt deshalb, weil er sich zur Zeit der Catilinarischen Verschwörung in der berühmten Senatssitzung vom 5. Dezember 63 v. Chr. gegen die Todesstrafe für die bereits inhaftierten Standesgenossen aussprach.

Caesars Beziehung zu Crassus, dem reichsten Römer jener Jahre, wurde damals immer enger. Zur Deckung seiner exorbitanten Schulden und zum Schutz vor seinen aggressiven Gläubigern mußte er eine Bürgschaft des Crassus in Höhe von 830 Talenten in Anspruch nehmen. Erst danach konnte er die Statthalterschaft der Provinz Hispania ulterior antreten (61–60 v. Chr.), die sein Wirken nun auf eine neue Ebene hob. Schon hier war für Caesar charakteristisch, daß er die ihm übertragenen militärischen und administrativen Kompetenzen exzessiv nutzte. Er schuf sich eine kleine Streitmacht, mit der er die Stämme zwischen Tajo und Duero unterwarf, in Gallaecien einfiel und die Stadt Brigantium einnehmen konnte.

Die von Caesar begeisterten Truppen riefen ihn zum Imperator aus; die Beute war groß genug, um diese Verbände ebenso zufriedenzustellen wie die stadtrömische Bevölkerung, die von den Abgaben an den Staatsschatz profitierte. Nicht zuletzt aber konnte Caesar nun seine Vermögensverhältnisse stabilisieren. Da er gleichzeitig durch faire Kompromisse die die Provinz lähmenden Verschuldungsfragen zur Befriedigung aller Seiten bereinigt hatte, wurde seine Leistung als Statthalter auch anerkannt.

Caesars Ehrgeiz war damit freilich keineswegs gestillt. In nüchterner

Einschätzung der innenpolitischen Konstellation initiierte er eine enge Zusammenarbeit mit Pompeius und Crassus, eine Koalition, welche den drei Politikern mittelfristig die Realisierung ihrer Interessen und die dominierende Stellung in Gesellschaft und Staat sichern sollte. Nach einer berühmten Formulierung Suetons «sollte nichts im Staat geschehen, was einem der Drei mißfalle». Entscheidend war dabei nicht nur die systematische Koordination der Ziele der drei Männer, der sogenannten «Triumvirn», sondern mehr noch die Zusammenfassung ihrer drei mächtigen Klientelen, die angesichts der sich versteifenden Gegenwehr der Senatsoligarchie – diese hatte Caesar den Triumph verwehrt – auch Gewaltanwendung und innenpolitischen Terror nicht scheuten.

Der erste Erfolg der neuen Koalition war Caesars Wahl zum Konsul für das Jahr 59 v. Chr., ein Jahr, das durch eine Vielzahl von Initiativen zu einem der turbulentesten der römischen Geschichte werden sollte. Die Berechtigung der Gesetzesvorhaben und administrativen Maßnahmen, mit denen sich Caesar identifizierte, war dabei nicht zu bestreiten. Die Ablehnung, die vor allem Caesars Kollege im Konsulat, Bibulus, und sein alter Opponent, Cato, organisierten, war primär machtpolitisch bedingt. Denn weder gegen die Anerkennung der Neuordnung des Pompeius im Osten noch gegen die iulischen Ackergesetze, die alte populare Ziele verfolgten, noch gegen das neue Repetundengesetz, das eklatante Mißstände in der Provinzialverwaltung beheben sollte, ließen sich überzeugende Argumente ins Feld führen. Eher galt dies schon für die Reduzierung der Steuerpachtsumme für die Provinz Asia, von der die Triumvirn selbst profitierten, und erst recht für die *lex Vatinia*, einen Volksbeschluß, der Caesar ein fünfjähriges Imperium für die Provinz Gallia Cisalpina und für Illyricum mit einem Heer von drei Legionen übertrug. Doch zu diesem Machtbereich fügte der Senat auch noch die Gallia Transalpina mit einer weiteren Legion hinzu.

Noch wichtiger als alle diese Einzelheiten war indessen die Eskalation der inneren Auseinandersetzung. Schon hier wurde deutlich, daß sich Caesar konsequent über alle Hindernisse hinwegsetzte. Auf die Blockadepolitik seiner Gegner, die Manipulation mit religiösen Vorzeichen und auf die vielfältige Obstruktion des Senats antwortete er mit der Verlagerung der Gesetzgebung in die Volksversammlung, in der die Initiativen der Triumvirn dann zum Teil auch in tumultuarischer Form und mit offener Gewalt durchgesetzt wurden. Die römische Innenpolitik war damit zutiefst erschüttert, die Gegenkräfte gegen die Triumvirn verstärkt.

Ein Auswanderungsversuch der Helvetier, der als eine Gefährdung des nördlichen Teils der Gallia Transalpina gelten konnte, löste im Frühjahr 58 v. Chr. geradezu eine militärische und politische Kettenreaktion aus. Es muß als paradox erscheinen, daß die Gegenmaßnahmen des römischen Prokonsuls Caesar innerhalb weniger Jahre (58–50 v. Chr.) schließlich zur Unterwerfung ganz Galliens, zu Rheinübergängen und zu römischen Machtdemonstrationen selbst in Britannien führten. Doch schon der Sieg über die Helvetier bei Bibracte leitete unmittelbar in eine Auseinandersetzung mit dem germanischen Heerkönig Ariovist über, dessen weiträumiger linksrheinischer Herrschaftsbereich noch im Herbst 58 v. Chr. zerschlagen wurde. Die erneute extensive Ausweitung seines Imperiums rechtfertigte Caesar mit einer historischen Argumentation, nicht zuletzt mit der Schutzverpflichtung gegenüber römischen Verbündeten wie den Häduern.

Vor allem Caesars Operationen des Jahres 57 v. Chr. beweisen, daß es ihm von Anfang an um mehr ging als lediglich um die Stabilisierung der alten Provinz. Er trieb die Angriffe seiner inzwischen verdoppelten Armee weit in den Norden und Nordwesten Galliens vor, unterwarf die Stämme der Belgae, wobei er freilich in der «Nervierschlacht» eine der gefährlichsten Krisen des ganzen Feldzuges durchzustehen hatte. Auf den ersten Blick mochte es danach scheinen, als würden selbst die Gebiete der Bretagne und der Normandie bereits endgültig beherrscht. Doch schon im Winter 57/56 v. Chr. brachen in vielen Regionen Erhebungen aus, die auch 56 v. Chr. neue Kampfhandlungen erzwangen. Vor allem die Bewohner der Küstengebiete, die Veneter, Moriner und Menapier, leisteten erbitterten Widerstand, den Caesar schließlich doch brechen konnte; daneben ließ er selbst Aquitania, den Raum im Südwesten Galliens, besetzen.

In einer brutalen Vernichtungsaktion zerschlug er dann 55 v. Chr. die germanischen Stämme der Usipeter und Tenkterer, die damals westlich des Rheins neue Siedlungsgebiete erlangen wollten. Caesars Täuschungsmanöver und sein rücksichtsloses Vorgehen riefen im römischen Senat leidenschaftliche Proteste hervor, Cato forderte sogar Caesars Auslieferung an die Germanen. Doch all dies war vergessen, als dieser kurz nacheinander zwei aufsehenerregende Vorstöße in unbekanntes Land unternahm. Auf einen ersten Rheinübergang und eine dreiwöchige militärische Demonstration im rechtsrheinischen Gebiet folgte noch im Herbst 55 v. Chr. die erste Landung römischer Truppen in Britannien. Obwohl auch eine größere Invasion des Jahres 54 v. Chr., die immerhin bereits die Themse erreichte, auf die Dauer zu lediglich ephemeren Resultaten führte, feierte man in Rom diese Aktionen mit aller Emphase.

Doch auch jetzt zeigte es sich, daß die Basis der weitausgreifenden Vorstöße nicht endgültig gesichert war. Im Winter 54/53 v. Chr. wurden die in großer Distanz dislozierten römischen Winterlager von überlegenen keltischen Kräften angegriffen und zum Teil eingenommen. Während es Caesar gelang, das eingeschlossene Lager des Quintus Cicero freizukämpfen, sind immerhin 15 römische Kohorten durch einen Angriff der von Ambiorix geführten Eburonen vernichtet worden. Das Jahr 53 v. Chr. brachte dann die Niederwerfung weiterer Aufstandsherde, einen zweiten Rheinübergang und erneut schwere Kämpfe mit den Eburonen, aus denen Ambiorix freilich entkommen konnte. Die Gesamtlage blieb angespannt. Der Terror der römischen Verbände hatte den Kelten inzwischen die Folgen der Okkupation und die Belastungen für die Zukunft vor Augen geführt; Nachrichten von bürgerkriegsähnlichen Zuständen in Rom mußten vollends zu einer weitgespannten Erhebung Galliens stimulieren.

Der große Aufstand brach zu Anfang des Jahres 52 v. Chr. aus. Der zum Anführer gewählte Arverner Vercingetorix erwies sich bald als äußerst fähiger Taktiker und als ein Caesar gleichrangiger Stratege, der freilich die oft unterschiedlichsten Interessen der verschiedenen gallischen Stämme nur schwer koordinieren konnte. Dennoch erzielten die Aufständischen zunächst bedeutende Erfolge; Caesar hatte große Verluste hinzunehmen, eroberte dann aber Avaricum wieder zurück. Die wechselvollen Kämpfe verlagerten sich danach in den Raum von Gergovia. Dessen Erstürmung gelang Caesar nicht; die Niederlage der Römer war evident. Allein nach weiteren Kampfhandlungen wurde Vercingetorix auf Alesia zurückgeworfen, die Stadt durch ausgedehnte Feldbefestigungen eingeschlossen, ein riesiges inzwischen aufgebotenes Entsatzheer der Kelten abgewehrt. Nachdem Ausbruchsversuche und gleichzeitige Entlastungsangriffe in erbittertem Ringen zurückgeschlagen worden waren, blieb Vercingetorix nur die Kapitulation.

Damit war zugleich die Entscheidung gefallen. Das Jahr 51 v. Chr. brachte das Niederkämpfen letzter Widerstandsherde, so vor allem bei den Bellovakern und um das erbittert verteidigte Uxellodunum. Dort wurden allen Gefangenen die Hände abgeschlagen und damit eines der scheußlichsten Exempel des ganzen Krieges statuiert. Mit der Paralysierung der Gegner, deren Lähmung durch schwerste Verluste an Menschen wie an Besitz, der Ausplünderung des Landes und großzügigsten Belohnungen für Offiziere, Truppen und Anhänger endete schließlich der Feldzug.

In noch nicht einmal einem Jahrzehnt hatte Caesar damit die römische Herrschaft über Westeuropa ausgedehnt, die Romanisierung Galliens eingeleitet, Germanien wie Britannien betreten und in römische Horizonte eingeführt. So wurde eine Entwicklung forciert, welche die Geschicke dieses Raumes für Jahrhunderte bestimmen sollte. Angesichts dieser weitreichenden Auswirkungen des Geschehens hat die neuere Forschung freilich nachdrücklich auf den Preis hingewiesen, den die aus universalhistorischer oder aus genuin römischer Sicht scheinbar so «fortschrittlichen» Erfolge erforderten, auf die unsäglichen Leiden der von diesen Kämpfen betroffenen Bevölkerung, die Vernichtung der keltischen Stadtzivilisation, die Zerstörung von Hunderten von Siedlungen und die Ausraubung weiter Gebiete des reichen gallischen Landes.

Aus Caesars Sicht stellten sich die Ereignisse anders dar: In den langen Jahren der schweren Kämpfe hatte sich seine Persönlichkeit endgültig profiliert. Aus dem in die stadtrömischen Wirren verstrickten Politiker war ein selbstsicherer Feldherr geworden, ein Pompeius zumindest ebenbürtiger Oberbefehlshaber, der alle Aufgaben der Kriegskunst, Taktik wie Strategie, rational meisterte. In seinen umfassenden Lagebeurteilungen wie in seinem risikofreudigen Handeln sah er in erster Linie intellektuelle Herausforderungen. Die immensen Erfolge hatten sein Selbstbewußtsein weiter erhöht. Es konnte nicht überraschen, daß er nun die eigene Person absolut setzte, alles seiner persönlichen *dignitas*, seiner Ehre, unterwarf. Gleichzeitig hatte er aus seiner Heeresgruppe ein persönliches Machtinstrument geschaffen, das fortan die römische Politik beherrschen sollte. Seine Gegner aber sahen nicht, daß ein solcher Mann und eine solche Heeresklientel nicht mehr in das Gleichmaß der römischen Senatsaristokratie und der römischen Politik einzubinden waren.

Inzwischen hatten sich die innenpolitischen Auseinandersetzungen verschärft. Es war Caesar zwar gelungen, das bereits brüchige Triumvirat im Frühjahr 56 v. Chr. durch Verhandlungen in Ravenna und Luca erneut zu festigen, doch auf die Dauer hielt das Bündnis nicht. Nach dem Tode von Caesars mit Pompeius verheirateter Tochter Iulia (54 v. Chr.) und nach Crassus' Katastrophe im Partherkrieg bei Carrhae (53 v. Chr.) kam es rasch zur Polarisierung zwischen den Kräften der Senatsoligarchie, die inzwischen Pompeius auf ihre Seite ziehen konnte, und den Anhängern Caesars. Straßenkämpfe eskalierten, die Optimaten versuchten, Caesars Abberufung zu erreichen, und kündigten an, ihn vor Gericht zu stellen. Vermittlungsversuche scheiterten.

Als der Senat Anfang Januar 49 v. Chr. den Staatsnotstand ausrief und von Caesar die Auflösung seiner Heeresgruppe forderte, war der Bruch unvermeidlich geworden. Mit relativ schwachen Kräften überschritt Caesar in der Nacht vom 10. zum 11. Januar 49 v. Chr. den Rubicon, den kleinen Grenzfluß der Gallia Cisalpina, und stieß überraschend weit nach Süden vor. Mit der Parole, für seine Ehre, aber auch für die Rechte der Volkstribunen zu fechten, löste er einen Bürgerkrieg aus, der bis zum Jahre 45 v. Chr. den gesamten Mittelmeerraum, von Spanien bis nach Kleinasien, erfassen und der das immense Potential eines Weltreiches für den Machtkampf römischer Innenpolitik mobilisieren sollte.

Dieser Bürgerkrieg stand von Anfang an im Schatten Sullas. Während sich Pompeius und die führenden Optimaten an Sullas Strategie und Methoden orientierten und bereits an neue Proskriptionen dachten, formulierte Caesar sein betont antisullanisches Programm: «Das sei die neue Art zu siegen, daß wir uns durch Erbarmen und Weitherzigkeit sichern» – schrieb er an seine Vertrauensmänner Oppius und Balbus. An die Stelle des sullanischen Terrors sollte die Milde Caesars treten. Dabei sah Caesar von Anfang an durchaus auch die Risiken einer solchen Politik. In einem Brief an Cicero heißt es: «Es kümmert mich auch nicht, daß diejenigen, die von mir entlassen wurden, entflohen sein sollen, um wiederum gegen mich zu kämpfen; denn nichts will ich lieber, als daß ich mir treu bleibe, jene sich.» Zunächst sollten freilich nicht politische, sondern militärische Strategien entscheiden.

Caesars erfolgreiche Offensive löste in ganz Italien Panik aus. Doch es gelang Pompeius, der über die Seeherrschaft verfügte, mit starken Kräften über die Adria zu entkommen und von einer Basis um Dyrrhachium aus rasch weitere Verbände der Balkanhalbinsel und des ganzen römischen Ostens an sich zu ziehen. Caesar warf deshalb das Gros seiner Truppen nach Spanien; im August 49 v. Chr. zwang er die sieben von Afranius und Petreius befehligten Legionen der Pompeianer zur Kapitulation. Er setzte sich danach in Hispania ulterior ebenso durch wie vor Marseille. Rückschläge seiner Anhänger in Nordafrika und in der nördlichen Adria konnten ihn nicht aufhalten; zu Anfang des Jahres 48 v. Chr. begannen seine Landungsoperationen im Norden von Epirus. Die Belagerung von Dyrrhachium mußte er zwar erfolglos abbrechen, konnte dann jedoch in der offenen Feldschlacht von Pharsalos am 9. August 48 v. Chr. die doppelt so starke Armee des Pompeius entscheidend schlagen.

Doch die Auseinandersetzungen gingen weiter. Sie endeten auch nicht, als der fliehende Pompeius vor der ägyptischen Küste ermordet wurde; sie schwelten weiter, während sich Caesar in die Thronwirren der Ptolemäer und in seine Leidenschaft für Kleopatra verstricken ließ. Das ägyptische Abenteuer entwickelte sich bald zu einem riskanten Einsatz, der erst im Frühjahr 47 v. Chr. mit dem Untergang Ptolemaios' XIII. in der Schlacht am Nil seinen Abschluß fand. Der Sommer dieses Jahres brachte dann Kämpfe gegen König Pharnakes II. von Pontus, dessen Heer bei Zela aufgerieben wurde; in diesem Zusammenhang schrieb Caesar seine berühmte Depesche: «Ich kam, ich sah, ich siegte!» (*veni, vidi, vici*).

Noch vor Jahresende landete Caesar in Nordafrika, das inzwischen – wie Spanien – zu einem militärischen Zentrum der Caesargegner geworden war. Das Gemetzel der Schlacht von Thapsus vom 6. April 46 v. Chr., in der die Truppen Caesars in einen wahren Blutrausch verfielen, ein Sieg, nach dem Cato in Utica Selbstmord verübte, schien das Ringen zu beenden. Doch bereits im November desselben Jahres sah sich Caesar gezwungen, noch einmal persönlich den Oberbefehl gegen die Söhne des Pompeius in Spanien zu übernehmen. In der blutigen Schlacht von Munda am 17. März 45 v. Chr. mußte Caesar nicht nur um den Sieg, sondern um sein Leben kämpfen. Erst damit wurden die militärischen Operationen beendet.

Die Feldzüge des Bürgerkrieges waren so kein ununterbrochener Siegeslauf eines militärischen Genies. Immer wieder hatte Caesar Krisen, Schlappen, auch verlustreiche Katastrophen hinzunehmen. Curios Untergang gegen die Verbände Jubas in Nordafrika, das Scheitern von See-

und Landungsoperationen, die Niederlage vor Dyrrhachium, das immer neue Aufflammen der Herde des Bürgerkrieges in Nordafrika und Spanien markieren die Kette der Rückschläge. Doch nicht, daß Caesar sie erlitt, wurde entscheidend, sondern daß er in solchen, oft scheinbar aussichtslosen Situationen das Kriegsglück durch den rücksichtslosen Einsatz seiner Person wieder auf seine Seite zwingen konnte.

Alle verfassungs- und staatsrechtlichen Fragen um Caesars Stellung in Staat und Gesellschaft wurden durch die Macht entschieden. Caesars Macht aber beruhte in erster Linie auf seinem Oberbefehl, zuletzt über das gesamte römische Heer mit seinen 39 Legionen oder rund 200000 Mann. Sie fußte weiter auf einer denkbar breiten Klientel und nicht zuletzt auf seiner Verfügungsgewalt über immense materielle Mittel, die ihm als Sieger des Gallischen wie des Bürgerkrieges zugefallen waren. Seit dem Jahr 49 v. Chr. war diese Macht zudem immer stärker verrechtlicht worden: Caesar hat insgesamt fünfmal, jedoch nicht durchgängig, den Konsulat bekleidet. Was noch wichtiger werden sollte: Er wurde nach Ilerda kurzfristig, nach Pharsalos für ein Jahr, nach Thapsus für zehn Jahre, im Februar 44 v. Chr. schließlich auf Lebenszeit zum Diktator ernannt. Weitere Kompetenzen, Vorrechte und Ehrungen kamen hinzu. In immer neuen Auszeichnungen, Ansätzen zu kultischer Verehrung, Übertragung von Insignien und Würden überboten sich Senat und Volk. Es mag zutreffen, daß einzelnes davon auch der «Entlarvung des Tyrannen» dienen sollte.

Noch während der Kämpfe des Bürgerkrieges hatte Caesar eine Vielzahl von administrativen und sozialpolitischen Maßnahmen durchgeführt. Er erhöhte die Zahl der Senatoren wie der Beamten, forcierte die Kolonisation römischen wie latinischen Rechts, von der immerhin rund 80000 Bürger profitierten, bemühte sich um die Normierung der Stadtrechte wie um die Kodifikation des römischen Rechts insgesamt. Seine Bürgerrechtspolitik war ebenso fortschrittlich wie differenziert, die Reduktion der Empfänger kostenlosen Getreides in der Stadt Rom einschneidend, aber notwendig. Caesars Lösung der Schuldenkrise erwies sich, wie einst in Spanien, als ausgewogen und sinnvoll, die Auflage für die Grundbesitzer, auf den Weiden mindestens ein Drittel freier Arbeiter einzusetzen, als plausibel. Die von ihm neu etablierte Goldwährung diente der wirtschaftlichen Prosperität nicht weniger als die zahlreichen Großbauten, die er in Rom, aber auch in anderen Städten des Imperiums errichten ließ oder zumindest plante. In diesen wenigen Beispielen aus einer ganzen Flut von Einzelverordnungen zeigt sich jener ausgesprochen rationale Grundzug von Caesars Politik, der auch die Einführung des auf dem Sonnenjahr fußenden, «julianischen» Kalenders am 1. April 45 v. Chr. bestimmte, eines Kalenders, der erst wieder durch die Reform Papst Gregors XIII. von 1582 berichtigt werden mußte.

Bei all dem handelte es sich um keine neue, konsistente Staatsverfassung, wie sie moderne Verfassungsjuristen postulieren mögen, nicht um ein in sich geschlossenes, neues administratives System, erst recht nicht um «Sozialpakete». Es handelte sich vielmehr um Fallentscheidungen und konkrete Einzellösungen bestimmter Probleme und Mißstände, wie dies römischer Tradition entsprach, um Initiativen, die sich am Ende dann doch alle zum Mosaik der neuen Struktur einer Militärmonokratie zusammenfügten, weil sie sämtlich durch einen einheitlichen, starken Willen geprägt waren.

«Caesars Staat» war im übrigen nicht auf Institutionen, sondern auf Personen aufgebaut. Dabei ist es für den Diktator charakteristisch, daß er an den Personen seines Vertrauens, Offizieren, Mitarbeitern wie politischen Parteigängern und Klienten, auch dann noch festhielt, wenn sie ihn durch Fehlentscheidungen, Exzesse oder moralische Defizite enttäuschten oder belasteten, wie Mamurra, Sallust oder Antonius. Dies gilt allerdings nicht für seine zweite Frau, Pompeia, von der er sich 62 v. Chr. trennte, weil sie in den Religions- und Sittlichkeitsskandal verwickelt war, den der berüchtigte Volkstribun Publius Clodius Pulcher im Hause Caesars angezettelt hatte.

Caesars neues Regime, von dem bereits so viele Tausende profitierten und das Jahr für Jahr größere Stabilität gewann, stand und fiel so mit seiner Person. Seine Verachtung der alten Oligarchie kam ganz offen zum Ausdruck. Nach Sueton schrieb der zeitgenössische Historiker Titus Ampius, «Caesar habe gesagt, der Staat sei ein Nichts, nur ein Name ohne Körper und Gestalt. Sulla habe sich wie ein politischer Analphabet benommen, als er die Diktatur niederlegte; die Leute müßten von nun an überlegter zu ihm sprechen und seine Worte wie Gesetze achten.» Sein unerschütterliches optimistisches Festhalten an der Politik der Milde, seine Akzeptanz der Überhöhung seiner Person, die ihn in die Nähe von Königs- und Tyrannenvorstellungen rückte, provozierten schließlich eine aristokratische Opposition von angeblich 60 Männern, die zur Beseitigung des Diktators entschlossen waren. Angeführt wurde sie durch Gaius Cassius Longinus und zuletzt vor allem durch Marcus Iunius Brutus, der schon aus familiärer Tradition mit der Ideologie des Tyrannenmordes verbunden war.

Allein die Ermordung Caesars an den Iden des März 44 v. Chr., kurz vor dem Aufbruch zu einem Krieg gegen die Parther, erwies sich rasch als fataler Akt. Da die Verschwörer lediglich den Mord, aber keine systematische Übernahme der Macht organisiert hatten, stürzte die römische Welt ins Chaos. Sogleich brach ein neuer, verlustreicher Bürgerkrieg aus. Während dabei der Kampf gegen die Caesarmörder schon im Jahre 42 v. Chr. mit deren Untergang bei Philippi endete, sollte das Ringen um Caesars Erbe noch bis zum Jahre 30 v. Chr. andauern, bis zur Einnahme Alexandrias durch Caesars Adoptivsohn Octavian und dem Tod von Antonius und Kleopatra.

Als Persönlichkeit imponierte Caesar nicht allein durch seine militärischen und politischen Vorzüge. Nach Cicero verfügte er allgemein über «Genie, Scharfsinn, Erinnerungsvermögen, Bildung, Fürsorglichkeit, Gedankenzucht und Umsicht...»; er selbst hob – neben seiner Milde – vor allem seine Uneigennützigkeit, sein Glück und seine Sorgfalt in allen Dingen hervor. Das Wesen dieses Mannes faszinierte viele, nicht zuletzt die Frauen. Während seiner Feldzüge bewies der von seiner Macht besessene, ruhelose Caesar höchste physische Leistungskraft. Die letzten Münzbilder zeigen dagegen einen «ausgeglühten» Menschen. Der Diktator war zum erschöpften Epileptiker geworden, der seine Aufgaben allein durch seine Willensstärke und seine Selbstdisziplin bewältigen konnte und der den nahen Tod zu ahnen schien. Neben den Münzen haben lediglich rund ein Dutzend Portraits der verschiedensten Zeitstellung seine Züge bewahrt, während von Augustus immerhin etwa 250 Bildnisse überliefert sind. Aus Caesars Lebzeiten stammt wohl nur das Marmorportrait von Tusculum, ein lediglich 33 cm hoher Kopf, der sich heute im Castel di Agliè bei Turin befindet.

Wenigstens zum Teil ist Caesars Persönlichkeit auch in seinen Schriften zu fassen. Die Publikation seiner Jugendwerke – ein Lob des Herkules, eine Ödipus-Tragödie und eine Sammlung von Aussprüchen – hatte freilich Augustus verboten. Auch Caesars Reisegedicht «Der Weg», das eine vierundzwanzigtägige Reise von Rom nach Südspanien zum Thema hatte, und eine vor Munda entstandene Schmähschrift, die zwei Bücher des «Anti-Cato», anscheinend eine haßerfüllte Herabsetzung des toten Gegners, gewinnen kein schärferes Profil mehr.

Etwas besser ist es um die 54 v. Chr. während der Reise von Oberitalien nach Gallien verfaßte zweibändige Schrift «Analogie» bestellt. In ihr drängte Caesar offensichtlich auf eine vernünftige Sprachdisziplin: «Wie der Schiffer das Felsenriff, so sollst Du das ungebräuchliche und ungewöhnliche Wort meiden!» Ein Sprachprinzip, das Caesar selbst in seinen berühmten «Commentarii» über den Gallischen und den Bürgerkrieg befolgt hat. Bei diesen Büchern handelt es sich um geraffte, extrem personalisierte Berichte, in denen die rein militärischen Aspekte dominieren. Eine objektive Darstellung des politischen und des Kriegsgeschehens war in ihnen von vornherein nicht zu erwarten. In der Sprache eines Kommandeurs, nicht in der eines reflektierenden Historikers, vermitteln sie lediglich die Sicht des handelnden Prokonsuls und des Führers einer Bürgerkriegspartei, dies freilich in höchster Prägnanz und stilistischer Meisterschaft.

Einen anderen Zugang zu Caesars Persönlichkeit eröffnen schließlich seine römischen Bauten: Im Mittelpunkt steht hier das 160 x 75 m große Areal des Forum Iulium. Es war auf drei Seiten von Säulenhallen umgeben und erhielt seine architektonischen und künstlerischen Hauptakzente durch den vor Pharsalos gelobten Venus-Genetrix-Tempel an der beherrschenden Schmalseite sowie durch eine Reiterstatue Caesars inmitten des weiten Platzes. Angeschlossen wurde die *curia Iulia*, ein Gebäude für die Senatssitzungen.

Ein zweiter Schwerpunkt von Caesars Bautätigkeit lag seit 54 v. Chr. auf dem Marsfeld, wo ein neuer, repräsentativer Rahmen für die großen Versammlungen der Bürgerschaft errichtet wurde, den ein Amtsgebäude für die Zensoren ergänzte. Dazu kamen Ansätze zur Verbesserung der römischen Infrastruktur und weiter ausgreifende urbanistische Vorhaben wie die Tiberregulierung und die Anlage eines neuen, künstlichen Hafens an der Tibermündung. Im Vergleich zu den Bauten Sullas und Pompeius' herrschte in all dem keine Megalomanie, sondern entschiedene Rationalität.

Sucht man am Ende Caesars Stellung im Rahmen der römischen Geschichte zu bestimmen, so nahm er – im Gegensatz zu Augustus – die Macht im ganzen Imperium Romanum für sich in Anspruch. Er übte sie ganz offen aus und benötigte weder Kompromisse noch Fiktionen, weder Stilisierung noch eine neue Ideologie, um sich durchzusetzen. Sein Wirken erscheint als eine entschiedene, dynamische, teilweise brutale politische Zäsur, jenes des Augustus als vorsichtig eingeleiteter, verdeckter Umwandlungsprozeß von Staat und Gesellschaft.

Es ist offensichtlich, daß Caesars Handeln in erster Linie die endgültige Destruktion der Römischen Republik nach sich zog, daß dieses Handeln mit dem «entscheidenden Ruck» identisch war, der die alten Strukturen zerstörte. Ohne Caesars Eingriffe und ohne das Scheitern seiner Diktatur wäre der Prinzipat des Augustus ebensowenig denkbar wie die lange Reihe der römischen Kaiser. Man konnte deshalb in Caesar den Tyrannen sehen, den «Volkskönig» wie den «Staatsmann», den Demagogen wie den «Außenseiter», den Gewaltherrscher wie den Landesvater. In jedem Falle aber bleibt er der letzte und größte Diktator der Römischen Republik.

AUGUSTUS
27 v.–14 n. Chr.

Von Werner Dahlheim

Der Erbe

Brindisi, die alte Hafenstadt am Endpunkt der *via Appia*, die von Rom an die adriatische Südküste führte, war im Frühjahr des Jahres 44 v. Chr. kein Ort, um Besucher anzulocken. Wie so häufig in ihrer Geschichte drängten sich in ihren Gassen Soldaten, die auf Schiffe warteten, um mit Glück und gutem Wind in die illyrischen Häfen zu gelangen. Der Aufmarsch für den großen Krieg gegen das Partherreich hatte sie hergeführt: Er sollte Caesar fern von Rom die Lorbeeren des großen Alexander verleihen und ihn von der schier übermächtigen Pflicht zur Reform des durch fünf Jahre Bürgerkrieg zerrütteten Gemeinwesens entbinden – ein für viele Senatoren unerträglicher Gedanke und Grund genug für einen Mord.

Die Kunde vom Gelingen des Anschlags an den Iden des März trugen Boten in wenigen Tagen nach Brindisi und versetzten die dort biwakierenden Truppen in Aufruhr: Was sollte nun aus dem Krieg werden, der erhofften riesigen Beute, den versprochenen Belohnungen, den Landschenkungen am Ende des Krieges? Sie hatten gute Gründe, die Restauration der Senatsherrschaft zu fürchten: Wann immer in den vergangenen Jahrzehnten die Verteilung von Ländereien an Soldaten auf der Tagesordnung war, standen die führenden Optimaten im Senat auf und leisteten erbitterten Widerstand. Erst Caesar hatte ihre Macht gebrochen, seine Legionäre wie Fürsten belohnt und den Veteranen Land gegeben – alles dies sollte nun nicht mehr sein? An wen sich aber wenden? Die weiteren Nachrichten aus Rom verhießen nichts Gutes: An dem Mordanschlag gegen Caesar waren viele seiner alten Waffengefährten beteiligt gewesen, der Senat hatte eine Amnestie für die Mörder beschlossen, Unruhen erschütterten die Hauptstadt, die Caesarianer Antonius und Lepidus – Konsul der eine, Statthalter der Gallia Narbonensis der andere – blieben anscheinend untätig in Rom, und auch die bereits nach Illyrien verschifften und in Makedonien in Lagern zusammengezogenen Kameraden und ihre Offiziere sahen keinen Ausweg.

Da traf eine neue Nachricht ein, die wie ein Geschenk der Götter gefeiert wurde: Im südlich gelegenen stillen Landstädtchen Lecce sei ein gewisser Octavius mit wenigen Freunden aus Apollonia angekommen; er sei der Großneffe Caesars und von diesem testamentarisch zu seinem Sohn und Erben erklärt worden. Die Ratlosigkeit der Soldaten schlug in Begeisterung um. Viele machten sich auf den Weg, um den Ankömmling als Sohn Caesars zu begrüßen und ihm Hilfe bei einem Unternehmen anzutragen, an dessen Notwendigkeit und Erfolg niemand zweifelte: Rache für ihren ermordeten Feldherrn. Bedenken wollte man nicht hören, obwohl der Mann, auf den man die Caesar gelobte Treue übertragen und mit dem man nach Rom marschieren wollte, erst sein neunzehntes Lebensjahr halb vollendet hatte, militärisch ein Lehrling und dazu noch von jungen Männern umgeben, deren Namen in den ersten Häusern Roms unbekannt waren.

Wenige wußten es ganz genau: Dieser Octavius war am 23. September 63 v. Chr. in Rom geboren worden und in der alten Volskerstadt Velitrae am Südhang der Albanerberge aufgewachsen. Seine Familie war dort seit langem ansässig und durch nicht sonderlich ehrenhafte, aber einträgliche Bankgeschäfte zu Vermögen und Ansehen gekommen. Der Vater hatte als erster den Ausbruch aus der Enge der Provinz gewagt und in Rom die Ämterlaufbahn eingeschlagen, wo er es bis zur Prätur und zur Statthalterschaft über Makedonien brachte; er starb im Jahre 58 v. Chr., als sein Sohn eben fünf Jahre alt geworden war. Die Mutter Atia war die Tochter des Atius Balbus, eines Senators aus dem benachbarten Aricia, und der Iulia, der Schwester des Iulius Caesar; sie hatte sofort nach dem Tod ihres Mannes wieder geheiratet. Sie sorgte für eine strenge Erziehung und ließ den Heranwachsenden nur selten die verderbte Hauptstadt besuchen. Ein einziges Mal, als Zwölfjähriger, war er dort öffentlich aufgetreten, um beim Begräbnis seiner Großmutter Iulia die Gedenkrede zu halten. Das beschauliche Leben in der Provinz endete abrupt, als Caesar nach dem Sieg über Pompeius seinen gerade sechzehnjährigen Großneffen durch Ehrungen und Ämter zu fördern begann, und keinen Hehl daraus machte, daß dieser ferne Verwandte seinem Herzen besonders nahestand. Er sollte ihn auch auf seinem Feldzug in den Orient begleiten und dort die Taten vollbringen, die ihn zum Nachfolger des alt gewordenen Diktators legitimierten.

Es waren große Pläne, die an den Iden des März zerrannen. Geblieben war nur noch das Testament, und es wartete auf Anerkennung. So kam in der lärmenden Aufregung von Brindisi die Stunde der Entscheidung für einen Mann, der auf der politischen Bühne noch keinen Schritt allein getan hatte. Dieser hier entschied über sein ganzes Leben, und war er getan, so gab es kein Zurück mehr. Denn er forderte zu wählen zwischen einem Leben unter den Honoratioren der Heimatstadt Velitrae oder einem langen und mörderischen Kampf um die Macht, der nicht nur gegen die Feinde, sondern auch gegen die alten Freunde Caesars zu führen war und den Unterlegenen zum Tode verurteilte. In Apollonia hatte Octavius die Gesandten der in Makedonien stationierten Legionen, die von Hilfe und einem Marsch auf Rom sprachen, noch hingehalten. Jetzt, auf italischem Boden, gab es kein Zögern mehr, verhallten die Mahnungen der Mutter Atia und des Stiefvaters ungehört, die dringend rieten, die gefährliche Erbschaft auszuschlagen.

So nahm Octavius in Brindisi unter dem begeisterten Gebrüll der Soldaten das Erbe des toten Diktators an. Er schüttelte den alten Namen wie ein lästiges Insekt ab, nannte sich fürderhin Iulius Caesar und vermied selbst den Zusatz *Octavianus*, der allein noch auf seine Herkunft hätte hinweisen können. Von jetzt an brauchte er neben Energie und Tatkraft das Glück, das Caesar erst an den Iden des März verlassen hatte, um zu überleben und zu siegen. Mitte April machte er sich, begleitet von einer großen Menschenmenge, auf den Weg nach Rom, um dort vor dem Stadtprätor die Annahme des Erbes zu erklären. «Seit dieser Zeit», schrieb Sueton, der die historische Bedeutung der Entscheidung von Brindisi zutreffend würdigte, «stand Augustus an der Spitze großer Heere, zuerst mit Marcus Antonius und Marcus Lepidus, dann nur noch mit Antonius zwölf Jahre lang. Zuletzt war er 44 Jahre lang allein Beherrscher des Staates» (*Augustus* 8).

Das Testament und der Name Caesars verschafften dem Erben Geld, Waffen und Männer. Die meisten von ihnen gehörten nicht zum alten Adel, in dessen Familien der Bürgerkrieg blutige Ernte gehalten hatte, und gewiß nicht alle hatten ehrenwerte Motive. So mancher wäre in ruhigen Zeiten zu den Feinden der Gesellschaft gezählt worden: Schuldner, Bankrotteure, Söhne ehrenwerter Eltern, deren Vermögen verjubelt worden war, Veteranen, die ihre Landlose verspielt hatten, Hasardeure, die auf jeden Umsturz setzten – gleich, wer ihn betrieb. Aber es gab andere, und ihre Loyalität und Hilfe waren entscheidend. Zu ihnen zählten Oppius und Cornelius Balbus, verschwiegene und unauffällige Männer, die schon Caesar unschätzbare Dienste erwiesen hatten. Nach Cicero waren sie während der Abwesenheit des Diktators die eigentlichen Regenten gewesen, und Tacitus schrieb beiden die Befugnis zu, «über Friedensbedingungen und nach freiem Ermessen über Krieg zu entscheiden» (*Annalen* 12,60). Ihre auf Wissen und Einfluß gegründete Macht hielt die Gefolgschaft zusammen, erschloß neue Geldquellen und öffnete die Türen zu vielen Senatorenhäusern, an die der revolutionäre Abenteurer vergebens geklopft hätte.

Schließlich die Generäle: Allen voran Salvidienus Rufus und Vipsanius Agrippa. Beide kamen aus dem Nichts, beide lehrten die Gegner des vermeintlich unreifen Knaben schon bald das Fürchten. Nur mit ihnen konnte die Aufstellung einer Armee gewagt werden, ohne die jedes noch so geschickte politische Taktieren am Ende doch nur leeres Stroh drosch. Denn allein Soldaten sicherten das Überleben in einem Staate, in dem Ciceros prophetischer Satz Wirklichkeit zu werden begann:

«Geschehen wird, was die wollen, die die Macht in Händen halten. Und die Macht wird immer bei den Waffen sein» (*An seine Freunde* 9,17,2). Im Herbst 44 war es soweit: Unter den Fahnen des neuen Caesar sammelten sich in Campanien und Samnium angesiedelte Veteranen, zu denen Ende November zwei der vier aus Makedonien zurückgeholten Legionen stießen; sie hatten schäumend vor Wut über den abgesagten Partherfeldzug in Brindisi die Transportschiffe verlassen und verlangten Beschäftigung. Sie alle köderte ein Handgeld, welches das Zweijahresgehalt eines Legionärs überstieg, und ihre Moral hob die Hoffnung, jetzt endlich Rache an den Mördern des toten Caesar üben zu können. Als sie wenig später erkennen mußten, daß sie getäuscht worden waren und ihr Führer dem Senat seine und ihre Dienste für einen Feldzug gegen Antonius anbot, war es den meisten auch so recht: Der Krieg hatte über viele Jahre hinweg von ihnen Besitz ergriffen und ihnen neue und umfassende Werte geboten. Dazu zählten die vertraute Welt der Kameradschaft und die Nestwärme des Feldlagers, dazu zählte jenseits von Lohn und Beute die Gewißheit einer Zusammengehörigkeit, die in der extremen Situation des Kampfes und in der Ferne des Einsatzortes geschmiedet worden war. Dagegen wogen die Lockungen der zivilen Welt wenig. Von ihrer bürgerlichen Warte aus betrachtet, erschien der Soldat Caesars als Außenseiter, vor dem man sich angesichts seiner mitgebrachten Ansprüche und Privilegien auch noch zu ducken und zu fürchten hatte.

Der Revolutionär

Die Erinnerung an die Wochen, in denen Octavian nach Legionen und Waffen griff, blieb lange lebendig. Und wenn sie die Monarchie auch nicht mehr gefährden konnte, als alles vorbei war, so hielt sie doch eine peinliche Wahrheit fest: Die Herrschaft des Augustus ruhte auf einem Gründungsakt revolutionärer Willkür. Denn niemand vergaß, daß mit der Anwerbung von Truppen im Herbst 44 v. Chr. der Bürgerkrieg erneut ausbrach, der fünfzehn Jahre lang das Unterste zuoberst kehrte und die Alleinherrschaft des Einen unvermeidlich machte. Nirgendwo war so deutlich zu erkennen wie hier: Die Anfänge des allmächtigen Augustus waren die eines gesetzlosen Abenteurers, der sich des Hochverrats schuldig gemacht hatte, als er eigenmächtig Truppen anwarb. Wie aber sollte eine Herrschaft Bestand haben, auf deren Gründungsakt die tiefen Schatten von Aufruhr und Verrat fielen, und wie sollte ein Mann vor der Geschichte bestehen können, der alles, was er besaß, letztendlich räuberischer Erpressung verdankte?

Der alt gewordene Kaiser mußte darauf eine Antwort finden. Sie brauchte nicht originell zu sein, aber sie mußte überzeugen. Ihren Grundgedanken hatte bereits Cicero formuliert, als ihn in der Senatssitzung am 20. Dezember 44 v. Chr. der Haß auf Antonius überwältigte: Die Veteranen und Soldaten, schrie er, hätten sich für die Freiheit des römischen Volkes erhoben, und ihr Führer habe aus eigenem Entschluß und mit seinem Geld der Republik einen großen Dienst erwiesen und ihr die Freiheit bewahrt; beide seien daher zu loben und vom Senat zu ehren – was dieser auch tat (Cicero, 3. *Philippica*, bes. 5 und 8). Jeder Rebell hört solche Sätze erleichtert und dankbar. Augustus wird sich an sie oder ähnliche erinnert haben, als er sich entschloß, seinen Tatenbericht, den er am 3. April 13 im Tempel der Vesta hinterlegen ließ, mit der Entscheidung des Herbstes 44 v. Chr. zu beginnen. Gerade sie, die das Stigma des Verbrechens so offenkundig trug, bedurfte in seinem politischen Testament der Begründung. Denn sein Leben und seine Taten sollten als gültiges Leitbild einer Alleinherrschaft dienen, die sich bewußt in die Geschichte der Republik einordnete. So verdeckte er den Hochverrat mit dem Motiv, das allein geeignet schien, die Kritiker zum Verstummen zu bringen – der Rettung des Staates:

«Im Alter von neunzehn Jahren habe ich als Privatmann aus eigenem Entschluß und aus eigenen Mitteln ein Heer aufgestellt, mit dessen Hilfe ich den durch die Willkürherrschaft einer bestimmten Gruppe versklavten Staat befreite. Aus diesem Grund», so leitet er seinen Bericht über zu den Ereignissen des Jahres 43 v. Chr., die ihm die ersehnte Legitimation nach dem Buchstaben von Recht und Gesetz verschafften, «hat mich der Senat unter ehrenvollen Beschlüssen in seine Reihen aufgenommen, wobei er mir konsularischen Rang bei den Abstimmungen zuerkannte. Ebenso verlieh er mir militärische Befehlsgewalt. Auf daß der Staat keinen Schaden nehme, sollte ich als Proprätor zugleich mit den Konsuln Sorge tragen. Das Volk aber wählte mich im selben Jahr zum Konsul, nachdem beide Konsuln gefallen waren, und zum Triumvirn für die Neuordnung des Staates.»

Mit der historischen Realität hat diese Wertung der Ereignisse nichts zu tun. Einzig und allein die Waffen seiner Soldaten verschafften dem Erben Caesars Ämter und Vollmachten. So war es denn auch ein Legionär, der Hauptmann Cornelius, der die nackte Wahrheit in einer obszönen Geste enthüllte: Als der Senat im August 43 v. Chr. zögerte, einer soldatischen Abordnung den Konsulat für ihren Kommandeur zu versprechen, schlug er seinen Kriegsmantel zurück, deutete auf sein Schwert und rief den Senatoren zu: «Wenn ihr's nicht tut – dies wird es tun» (Sueton, *Augustus* 26). Es tat es und verwandelte Politik in die Kunst, Soldaten im Wettstreit mit anderen zu kaufen und ihre Loyalität möglichst lange zu sichern; die Gier nach der Macht, deren Kehrseite die eigene Angst vor Schmach und Tod war, wurde als Dienst am Rachewerk für den toten Caesar getarnt. Wer wie Cicero die Republik liebte und sie hüten und bewahren wollte, brach unter dem Druck dieser Verhältnisse sich und seiner Sache das Rückgrat, als er ihre Werte verriet

und im Senat den Antrag stellte, einer Horde Rebellen «für ihre Verdienste um den Staat» Ehre zu erweisen und Dank abzustatten.
Auch Antonius gehorchte diesen Spielregeln. Er, der sich als der einzig legitime Sachwalter des toten Caesar verstand und in den ersten Wochen nach dessen Tod gehofft hatte, als Konsul Herr der Verhältnisse werden zu können, war von dem jungen und sträflich unterschätzten Erben überrumpelt worden und zahlte bitteres Lehrgeld. Verfolgt vom Mißtrauen der Senatsaristokratie, die mit der Stimme Ciceros seine zur Schau gestellte Treue zur Republik verhöhnte, herausgefordert von den Attentätern, die Rom verlassen hatten, um in den Provinzen des Ostens Geld und Truppen zu sammeln, bedrängt von allen Parteigängern Caesars, die Respekt vor dem letzten Willen ihres Abgottes verlangten, mußte er den Anspruch des neuen Caesar auf Teilhabe an der Macht anerkennen. Er tat es erst nach schweren Kämpfen Ende Oktober 43 v. Chr., als Octavian militärisch nicht mehr zu bezwingen war und sich mit Lepidus der General fand, der in dem zu schließenden Triumvirat die Sache des Antonius stärkte.

Der Diktator

Zehn Jahre dauerte der Triumvirat, und seine erste Tat war der durch Gesetz legalisierte Massenmord. Wie zu Sullas Zeiten rechneten die Machthaber mit dem politischen Gegner ab: Öffentliche Listen machten alle bekannt (*proscribere*), die als Feinde der neuen Ordnung galten. Sie wurden für vogelfrei erklärt, ihr Vermögen versteigert, und jeder römische Bürger war unter Strafe verpflichtet, flüchtige Proskribierte anzuzeigen. So verfielen 300 Senatoren, unter ihnen Cicero, und 2000 Ritter selbsternannten Kopfjägern oder flohen ins Exil – ein Aderlaß, von dem sich die politische Elite Roms nicht mehr erholen sollte. Die zweite Tat, die Rache für den Mord an Caesar, war schnell und gründlich getan: Im Herbst 42 v. Chr. stürzte sich die Koalition auf die vereinigten Republikaner und schlug ihre Legionen in Nordwestgriechenland bei Philippi vernichtend; den Kopf des Brutus warfen Soldaten in Rom vor die Füße der Bildsäule Caesars. Der tote Diktator durfte mit dem Werk seines Sohnes und seines besten Generals zufrieden sein: «Von seinen Mördern», schrieb Sueton, «überlebte ihn fast keiner länger als drei Jahre, und keiner starb eines natürlichen Todes. Nachdem sie alle insgesamt verurteilt waren, fand der eine auf diese, der andere auf jene Weise ein gewaltsames Ende, ein Teil durch Schiffbruch, ein anderer in der Schlacht. Einige nahmen sich mit demselben Dolch, mit dem sie Caesar verletzt hatten, das Leben» (*Caesar* 89).

Die Republik war wieder dorthin zurückgekehrt, wo sie zu Beginn des Jahres 44 v. Chr. gestanden hatte. Nur hörte sie jetzt nicht auf einen, sondern auf drei Diktatoren. Keiner von ihnen dachte daran, freiwillig die einmal errungene Herrschaft wieder aus der Hand zu geben – seine Anhänger, ohnehin ständig von der Furcht geplagt, mit der Macht ihres Patrons auch die eigene zu verlieren, hätten ihn daran gehindert. Und keiner durfte dem anderen vertrauen. Denn nach der Logik der Bürgerkriege mündete alles in den letzten Waffengang der Sieger. Ihn verhinderten zunächst die des Kampfes müden Legionen, die ihre Feldherrn an den Verhandlungstisch zwangen. So rettete der 40 v. Chr. geschlossene Vertrag von Brindisi den brüchigen Frieden: Octavian erhielt den Westen des Reiches, Antonius den Osten, Italien blieb gemeinsamer Besitz, während der Stern des Lepidus sank: Octavian nahm ihm schließlich mit sanfter Gewalt die afrikanischen Provinzen, ließ ihm aber das Leben und mit dem Amt des *pontifex maximus* das Gnadenbrot.

Die beiden Übriggebliebenen, die jetzt gleich stark waren, hatten nun die Wahl: Freundschaft, familiäre Verbindung, Teilung der Welt oder Krieg. Der Frieden besaß nur eine, aber mächtige Fürsprecherin: Octavia, die Schwester des Octavian. Sie, die «Schönheit mit Würde und Klugheit vereinigte» (Plutarch, *Antonius* 31), hatte nach dem Tod ihres ersten Gatten Marcellus und nach der Einigung von Brindisi in Rom unter großer öffentlicher Anteilnahme Hochzeit mit Antonius gehalten. Aber die Natur versagte ihr, was jedermann so sehnlichst erwartete: den Sohn. Ihn hätten beide, Antonius und Octavian, als gemeinsamen Erben ihrer Macht und künftigen Weltenherrscher anerkennen können. Vergil, selbst geschlagen wie viele andere und durch das Elend der Veteranenversorgung um Haus und Hof gebracht, hat dieses Kind gepriesen und mit ihm die Wiederkehr des Goldenen Zeitalters erhofft:

«Nun kehrt wieder die Jungfrau, kehrt wieder saturnische Herrschaft,
nun wird neu ein Sproß entsandt aus himmlischen Höhen.
Sei der Geburt nur des Knaben, mit dem die eiserne Weltzeit
gleich sich endet und rings in der Welt eine goldene aufsteigt,
sei nur, Lucina, du reine, ihm hold»
(4. *Ekloge*; übersetzt von J. Götte).

Das fürstliche Paar bekam das Kind – aber es konnte die Prophezeiung nicht erfüllen. Denn es war ein Mädchen, dem Octavia das Leben schenkte, ebenso das vier Jahre später geborene zweite Kind. Damit war die Hoffnung dahin, daß die feindseligen Nachfolger Caesars an der Wiege eines Kindes ihren Streit begraben würden und durch eine dynastische Verbindung auf Dauer verbunden blieben. Der Krieg rückte wieder ins Zentrum aller Überlegungen und unterwarf die Politik seinen Interessen. Antonius versuchte vergeblich, durch einen großen Partherkrieg neue militärische Lorbeeren zu ernten, die ihn als wahren Nachfolger Caesars empfohlen hätten. Die römische Öffentlichkeit nahm seine Erfolge pflichtschuldigst zur Kenntnis, der Senat dekretierte Ehrungen, die Götter erhielten die gewohnten Dankopfer, und alle wandten sich den Nachrichten über das private und politische Treiben ihres Generals und Triumvirn zu. Diese waren fesselnder als Siegesmeldungen aus dem fernen Armenien. Denn Antonius hatte politisches Kalkül mit der Leidenschaft des Herzens verbunden und war in die Arme der ägyptischen Königin Kleopatra gesunken, während er vor seinen Untertanen als neuer Dionysos paradierte. Als Gerüchte von einer Heirat in Alexandria umliefen und ruchbar wurde, daß die Kinder Kleopatras große Landschenkungen erwarteten, schlug das römische Kopfschütteln in Abneigung um: Wer Teile des Imperiums verschenkte, war ein Feind Roms.

Weit besser machte es Octavian. Es gelang ihm 36 v. Chr., bei Naulochos Sextus Pompeius, den Erben eines großen Namens und Herrn einer ansehnlichen Piratenflotte, zu besiegen und mit Sizilien und Afrika jene Provinzen wieder an Rom zu binden, die Italien Brot und Getreide lieferten. In den Jahren 35 und 34 v. Chr. führte er erfolgreich Krieg gegen die Volksstämme Illyriens, kämpfte Seite an Seite mit seinen Soldaten und wurde verwundet: Niemand durfte jetzt mehr daran zweifeln, daß der junge tapfer wie der alte Caesar war und als bewährter Truppenführer die Achtung und Zuneigung seiner Soldaten verdiente. In diesen Jahren fand er auch die Männer, die im Senat, in den Städten Italiens und in den Provinzen des Westens die Kunst des Regierens und die Loyalität gegenüber ihrem Patron lernten und dankbar seine Gunstbeweise in der Form von Ämtern, Geld und Ehrungen entgegennahmen. Als es soweit war, folgten ihm die einen aus Überzeugung, die anderen als Geiseln ihres eigenen Wohlverhaltens widerspruchslos in den Krieg gegen seinen Widersacher: «Damals», so preist der greise Kaiser in seinem Tatenbericht diese Gefolgschaft aus Furcht und Eigennutz, «kämpften unter meinen Fahnen mehr als siebenhundert Männer senatorischen Ranges, und unter diesen befanden sich dreiundachtzig, die vorher oder später, bis zu dem Tag, an dem ich dies niederschreibe, zum Konsulat gelangt sind, sowie einhundertsiebzig Inhaber von Priesterämtern» (*Tatenbericht* 25).

Der Krieg rückte näher, als der Triumvirat nach zehnjähriger Dauer am 31. Dezember 33 v. Chr. endete und das Zerwürfnis der beiden Machthaber eine weitere Verlängerung ausschloß. Die Lage war für Octavian weit mißlicher als für Antonius, da in Rom und Italien niemandem verborgen blieb, was im Osten kaum Bedeutung hatte: Beide Kontrahenten waren formal ohne Amt und nach geltendem Recht Herren ihrer Provinzen nur solange, bis dort die vom Senat zu bestimmenden Nachfolger einträfen. Es war nicht zu befürchten, daß ein solcher Beschluß zustande kam, und da der 1. Januar 31 v. Chr. als Antrittstag seines Konsulats längst feststand, mochte Octavian hoffen, gestützt auf willfährige Volkstribune und seine Getreuen im Senat, die Monate ohne Amt durchstehen zu können. Es zeigte sich jedoch schnell, daß seine

Gegner entschlossen waren, ihre Chance zu nutzen und ihm mit dem Amt auch die Macht zu nehmen. Die amtierenden Konsuln Sosius und Domitius Ahenobarbus, beide treue Paladine des Antonius, agitierten so geschickt und erfolgreich, daß der Senat zu wanken und das Veto höriger Volkstribunen stumpf zu werden begannen.

Es gab keine Wahl: Noch einmal mußte nackte Gewalt retten, was im politischen Schlagabtausch verloren zu gehen drohte. Umgeben von Soldaten und Freunden, die unter der Toga nur schlecht die mitgebrachten Waffen verbargen, betrat Octavian den Sitzungssaal des Senats und forderte den Amtssessel zwischen den Konsuln: Dort hatte er noch vor Wochen als Triumvir gesessen, dort sollte für jeden augenfällig werden, daß der Herr der Westprovinzen nicht bereit war, seine Macht kampflos aufzugeben. Die tödliche Drohung, die hinter dieser Geste lauerte, tat ihre Wirkung. Keiner begehrte auf, die Konsuln flohen zu Antonius und mit ihnen etwa dreihundert Senatoren, die mißliebig geworden waren und in den Jahren der Proskriptionen gelernt hatten, wozu dieser Caesar fähig war. Antonius, dessen Armee die Zahl von dreißig Legionen erreicht hatte, verschärfte den Propagandakrieg und ließ in Italien von seinen Agenten Geld unter die Leute bringen; schließlich trennte er sich nun auch in aller Form von Octavia, was in dieser Situation der Kriegserklärung gleichkam. Octavian reagierte mit Steuererhöhungen und forderte, durch Tumulte und schwere Unruhen ungerührt, von den italischen Städten Kontributionen – Gelder, die als Extrasold in die Taschen der Soldaten flossen und den Ausbau der Kriegsflotte finanzieren halfen.

Legionen und Flotten sind in einem Bürgerkrieg wichtig – gewiß. Aber ohne ein politisches Ziel, das mehr enthalten mußte als den Appell an alte Freundschaften und an die Treue der Gefolgschaft, war er nicht zu gewinnen. Auf diesem Feld entschied Octavian den Krieg für sich, bevor er überhaupt ausbrach. Da ihm als Privatmann in Rom die rechtliche Legitimation fehlte, mußte eine unerhörte moralische an ihre Stelle treten. Wiederum war es die militärische Klientel, auf die es noch einmal ankam: In einer Art Volksabstimmung bekundete sie in den Städten Italiens und der Westprovinzen ihre unverrückbare Treue und forderte ihren Patron auf, den Krieg nach Osten zu tragen: «Mir hat aus freiem Entschluß», schrieb Augustus stolz in seinem *Tatenbericht*, «ganz Italien den Gefolgschaftseid geleistet und mich als Führer für den Krieg erwählt, in welchem ich den Sieg bei Aktium errang. Ebenso legten auf mich den Eid ab die gallischen und spanischen Provinzen, Afrika, Sizilien und Sardinien» (25). Jetzt mußte der zu führende Krieg nur noch einen besonderen Schlachtruf erhalten. Er fand sich mit dem Namen der Königin Ägyptens: Kleopatra. Sie, die «Hure», hatte Antonius verhext, römische Provinzen für ihre Kinder erschlichen und die Ehre Roms beleidigt. Wer römisch fühlte, wußte nun, wofür es unter den Fahnen Octavians zu kämpfen galt: für die von der Geschichte aufgetragene Führungsrolle Italiens, für die Werte der Ahnen, für die Götter Roms.

An der Westküste Griechenlands, im Seekrieg vor Aktium, krönte Octavian am 2. September 31 v. Chr. seinen politischen mit dem militärischen Sieg. Er war endgültig. Ein Jahr später kapitulierte Alexandria, und Antonius und Kleopatra starben von eigener Hand; der Sieger ließ ihnen ein gemeinsames Grab und nahm ihren Kindern Caesarion, dem Sohn Caesars, und Antyllos, dem ältesten Sohn des Antonius, das Leben: Die Angst vor ihrer Rache und die Räson der neuen monarchischen Ordnung erstickten jeden Gedanken an Gnade. Ägypten, das an Korn und Menschen reichste Land des Mittelmeerraumes, wurde als Kronland des Siegers eingerichtet: Seine in Jahrhunderten gesammelten Schätze dienten nun dazu, den Hunger einer riesigen Gefolgschaft nach Beute und Lohn zu stillen. Denn jetzt endlich war Zahltag für alle: für die immer treu gebliebenen ebenso wie für die, welche gerade noch rechtzeitig die Fronten gewechselt hatten.

Hundert Jahre Bürgerkrieg waren zu Ende. Im August 29 v. Chr. schlossen sich auf Beschluß des Senats die Tore des Ianus-Tempels in Rom zum Zeichen des inneren und äußeren Friedens. Eine erschöpfte Welt richtete sich darauf ein, künftig von einem Mann regiert zu werden, dessen Macht umfassend und schrankenlos geworden war. Es tat nichts, daß der so lang ersehnte Friede jetzt nur noch als Beute des Siegers zu haben war. Sein Leben war nun unendlich wertvoll geworden, und die Menschen hatten allen Grund, für seine Gesundheit zu beten:

«Stammväter, Vaterlandsgötter! Du, Romulus, du, Mutter Vesta,
die du den uralten Tiber und Roms Palatin schirmst,
diesen Herrscher im Jugendglanz, wollt ihn doch nicht hindern,
Retter zu sein der zerrütteten Welt» (Vergil, *Georgica* 1,499–502).

Prinzeps und Monarch

Der Retter, der jetzt 33 Jahre alt war, ließ sich Zeit, bis er der Welt die bange Frage beantwortete, wie ihre Zukunft aussehen sollte. Leicht war die Suche nach der neuen Ordnung nicht. Vorbilder, die den Weg hätten weisen können – wie es etwa die altorientalischen Monarchien den Generälen Alexanders getan hatten –, gab es nicht. Aber die in fünfzehn Jahren Bürgerkrieg gemachten Erfahrungen wogen schwer und hielten wichtige Lehren bereit: Die Freiheit der Republik, die in ihrem Kern die selbstherrliche Verfügung der Senatsaristokratie über Ämter und Provinzen bedeutet hatte, war für immer dahin, die Alleinherrschaft da und unvermeidlich. Dann: Die größte Gefahr, die der neuen Ordnung und dem inneren Frieden drohte, ging jetzt von denen aus, denen der Sieger alles zu verdanken hatte – den Legionen, die in den letzten Tagen des

Bürgerkrieges auf siebzig angeschwollen waren. Und schließlich: Vor der Tradition der Republik gab es trotz ihrer Vergewaltigung kein Entrinnen; sie hatte das Weltreich gegründet, also gebührten ihren Normen und ihrer Moral Achtung und Respekt.

Die Zahl der adelsstolzen Familien der Stadt Rom, die die Katastrophe überlebt hatten, war klein. Geschlagen durch die Proskriptionen und auf den Schlachtfeldern des Bürgerkrieges, wußten jetzt auch sie, daß ihre Sache verloren war und die Regeln, nach denen sie die Macht unter sich verteilt hatten, keine Geltung mehr besaßen. Wider Erwarten waren sie am Leben geblieben und wollten nun nichts mehr aufs Spiel setzen. Sie kannten den Preis, den sie für das weitere Überleben zahlen mußten: loyales Dienen, Teilhabe an der Macht statt selbstherrlicher Verfügung. Aber sie waren nicht wehrlos, denn die hypothetische Alternative, sie durch eine neue, in die politische Entscheidung drängende Schicht zu ersetzen, existierte in der historischen Realität nicht. Denn nur sie gehorchten der über Jahrhunderte eingeübten ethischen Pflicht, den eigenen Machtanspruch untrennbar mit dem Schicksal des Staates zu verbinden, nur sie verfügten über die militärischen und administrativen Erfahrungen, die das Imperium forderte. Die Summe ihrer Moral und ihrer Taten umschloß alle inneren und äußeren Erfolge der Republik, und sie galt viel, als es darum ging, die Chancen für einen völligen Neuanfang zu prüfen. Selbst die aus dem Nichts aufgestiegenen Anhänger wie Agrippa, so sehr sie die regierenden Häupter des Senats verachteten und stolz auf ihre Leistung pochten, dachten und handelten längst in den Kategorien ihrer einstigen Gegner und wollten leben und regieren wie sie.

Trotzdem – der Gedanke an eine Zukunft als Diener eines Mächtigen fiel den Neulingen leichter, die alle durch Krieg und Mord freigepreßten Plätze im Senat einnahmen. Sie stammten zumeist aus den Honoratiorenfamilien der italischen Landstädte oder hatten sich als Militärs den Weg nach oben gebahnt und das Gehorchen gelernt. Sie alle waren fügsam, und der gesellschaftliche Glanz der Macht entschädigte sie für vieles, was ihnen der Alleinherrscher an tatsächlicher politischer Machtfülle vorenthielt. Tacitus fällte über sie ein boshaftes, aber treffendes Urteil: Je unterwürfiger sie gewesen wären, um so steiler seien sie durch Reichtum und Ehrenstellen nach oben gelangt; dort angekommen, hätten sie als «Günstlinge der neuen Verhältnisse die Sicherheit der Gegenwart den Gefahren der Vergangenheit vorgezogen» (*Annalen* 1,2).

Die alten und die neuen Herren, die Gewinner des Krieges ebenso wie die noch einmal Davongekommenen, die Bauern, die kriegsmüden Veteranen und allen voran die Bürger der Städte Italiens dachten nur noch daran, ihren geretteten oder neu erworbenen Besitz zu bewahren. Die Anarchie der Bürgerkriege hatte die bestehende soziale Ordnung erschüttert, aber nicht verändert. Nach wie vor kannte jeder seinen Platz in der sozialen Hierarchie und wußte, wo oben und unten war. Aber der Lebensstil wurde ein anderer, und das Verständnis von Politik änderte sich. Die frühere Gewißheit, daß die Regeln der Republik die besten waren, schwand mit den alten Familien und im Feuer des Bürgerkrieges. Die übermäßige Anspannung aller Kräfte nach dem Tode Caesars hatte den Zustand seelischer Erschöpfung herbeigeführt, in dem jeder bereit war, um des Friedens, der Ordnung und der Sicherheit des Eigentums willen den Streit um die politische Macht zu beenden. Der Garant einer neuen Friedensordnung, daran zweifelten jetzt nur noch Narren, hatte bei Aktium gerade noch zur rechten Zeit gesiegt.

Was aber prägte und bewegte ihn, der als Sohn eines Diktators aufgestiegen war und auf dem Weg zur Macht die Gesetze der Republik mißachtet, ihre Elite, wenn sie das Knie nicht beugen wollte, durch Proskriptionen und Krieg verfolgt und sich selbst zum Sohn eines in den Himmel erhobenen Gottes erklärt hatte? Jetzt, als die Republik und ihr Reich ihm, dem Übermächtigen, huldigen mußten, räumte er ihr Urteil und Entscheidung über sein Leben und seine politischen Ziele ein. Jetzt lernte er die Unterordnung unter die Geschichte und nahm Abschied von der anmaßenden Selbstherrlichkeit, mit der Caesar seinen Standort innerhalb des Staates bestimmt hatte. Jetzt schickte er sich an, mit der Geduld eines langen Lebens und der manchmal wunderlichen Beharrlichkeit des Moralisten die Institutionen und die Ideale der alten Republik zu restaurieren und sie den Zeitgenossen aufzuzwingen. Jetzt beugte er sich der Einsicht, daß die beiden Machtzentren, die das staatliche Leben beherrscht hatten, solange man denken konnte, am Leben erhalten werden mußten: Senat und Magistratur.

Am 13. Januar 27 v. Chr. betrat der sehnlichst Erwartete nach sorgfältiger Vorbereitung als Konsul den Sitzungssaal des Senats und übertraf alle Hoffnungen, als er dort in feierlicher Form und mit großer Geste die eigene revolutionäre Vergangenheit begrub und den Senat wieder zum Mittelpunkt des staatlichen Lebens machte. Nachdem er bereits vor Monaten etliche besonders anstößige Edikte der Triumvirn aufgehoben hatte, legte er jetzt die gesamte usurpierte militärische Gewalt, für die der Gefolgschaftseid des Jahres 32 v. Chr. die notdürftige Legitimationshülse hatte liefern müssen, in die Hände von Senat und Volk. In Rom und Italien beanspruchte der erste Mann im Staate bis 23 v. Chr. nur noch den Konsulat; ab 23 gab er sich mit der tribunizischen Amtsvollmacht zufrieden, welche die Gesetzesinitiative, das Recht, den Senat einzuberufen, und das Interzessionsrecht beinhaltete. Die so gewonnenen Befugnisse reichten aus, um jede gegen den Prinzeps gerichtete Aktion zu unterbinden und in allen Bereichen der staatlichen Ordnung selbst handeln zu können.

Der denkwürdige Januartag erlebte einen zweiten, nicht minder dramatischen Akt: die Anerkennung der Alleinherrschaft als Teil der öffentlichen Rechtsordnung. Sie geschah in der Form eines Senatsbeschlusses, der den geläuterten Revolutionär als Statthalter mit prokonsularischem *imperium* einsetzte und ihm die Regierung der nicht befriedeten Provinzen, darunter Gallien, Spanien und Syrien, für die nächsten zehn Jahre auftrug; über den befriedeten Herrschaftsraum durfte der Senat wie in den ruhmreichen Jahren der Republik entscheiden und von ihm bestellte Statthalter auf den Weg in die Provinzen Asien, Africa und Sizilien schicken. Diesem Kompromiß mit dem tradierten Herrschaftsanspruch des Senats waren von vornherein enge Grenzen gesetzt, vergab er doch die Macht über die Legionen, die nach dem Ende des Bürgerkrieges in den von Augustus verwalteten Grenzprovinzen feste Lager bezogen. Sein wichtigstes Ziel bestand folglich darin, die militärische Befehlsgewalt auf legalem Wege in die Hände des Prinzeps zu legen. Diesem blieben jede außenpolitische Initiative und die Kriegführung vorbehalten, so daß sich künftig kein konkurrierender Feldherr mit militärischen Lorbeeren schmücken konnte, die die Taten des Kaisers verdunkelt hätten.

Die magische Formel, die den Machtanspruch des einzelnen mit der Tradition der republikanischen Vielzahl versöhnen sollte, war gefunden: Dem weitgehenden Rückzug aus dem innerrömischen Regelkreis der Macht, in dem die dem Konsulat beziehungsweise der tribunizischen Amtsgewalt eigenen Initiativrechte ausreichen sollten, entsprachen der Rückzug aus dem inneren Kreis des Provinzialreiches und die Bindung der militärischen Befehlsgewalt an konkrete und zeitlich befristete Aufgaben. Diesen Regelungen stimmten Senat und Volk zu. Sie hatten allen Grund dazu, erleichtert, ja dankbar zu sein. Denn mit der Niederlegung der Bürgerkriegsgewalten, der Teilung der Aufgaben im Reich mit dem Senat und durch die Weiterführung des Konsulats war aus den Trümmern der alten Ordnung mehr Republikanisches gezimmert worden, als auch der Kühnste nach Aktium hätte hoffen können. «Ich habe», so brachte Augustus selbst die Grundlagen seiner Herrschaft auf den rationalsten Nenner, den politische Weisheit und diplomatischer Verzicht auf die ganze Wahrheit zuließen, «ich habe alle Bürger durch meine persönliche Geltung (*auctoritas*) überragt, an Rechtsmacht (*potestas*) jedoch nicht mehr besessen als meine jeweiligen magistratischen Kollegen» (*Tatenbericht* 34).

Seine monarchische Gewalt verhüllte Augustus in dieser Formulierung allerdings nicht ganz. Er zeigte sie mit dem Begriff, der die Summe aller seiner Taten für den Staat und für jeden einzelnen Bürger umschloß: *auctoritas*. Ihr Sinngehalt entstammt der sozialen Ordnung und verschließt sich der juristisch eindeutigen Definition. Aber jeder Römer wußte sofort, wofür er hier stand: Anspruch auf Anerkennung einer singulären Machtfülle, die materieller Besitz in kaum vorstellbarer Größe, militärische Erfolge, eine riesige Gefolgschaft aus allen sozialen Schichten, die Pflichterfüllung gegenüber der Tradition und schließlich die Rettung des Staates begründet hatten.

Wenige Tage nach der denkwürdigen Senatssitzung des 13. Januar erfuhr die Öffentlichkeit auch, welchen Beinamen der mit der Republik versöhnte Monarch in Abstimmung mit dem Senat führen wollte. Schon einmal hatte Octavian nach seiner Adoption durch Caesar seinen Namen geändert: Im Jahre 38 machte er den Titel *Imperator*, den der Magistrat im Feld trug, zum Vornamen, um ihn auf Dauer an den Mann zu binden, der sich als militärischer Führer seinen Soldaten für immer verpflichtet wissen wollte und ihnen in der Glorie des triumphierenden Feldherrn ständig neue Siege und neue Beute versprach. Sein Name mußte jetzt in sinnfälliger Weise zusammenfassen, was den Prinzeps selbst bewegte und Senat und Volk an Dankbarkeit und Hoffnung an seine Person knüpften. Augustus – dies verwies auf die Berufung der Götter durch das heilige Vorzeichen (*augurium*), das dem ersten Stadtgründer Romulus seine Aufgabe gewiesen hatte, und es erinnerte an die Tugenden des Romulus ohne den lastenden Gedanken an den Brudermörder und späteren Tyrannen. In seiner nun abschließend gefundenen Form fing der Name *Imperator Caesar Divi filius Augustus* wie in einem Hohlspiegel alle Grundgedanken der Politik seines Trägers ein: das Nahverhältnis zur wichtigsten sozialen Stütze der Macht, dem Heer (*Imperator*), die Bindung des Herrschaftsanspruches an die iulische Dynastie des Caesar, dessen göttliche Ehren auch den Sohn sakral umhüllten (*Divi filius*), und die Würde eines zweiten Staatsgründers (*Augustus*).

Unverhüllt zeigte sich Augustus als Monarch dort, wo es der Erhalt der Macht forderte: gegenüber der Armee, dem eigenen bürokratischen Apparat, der bald das ganze Imperium überzog, und den Untertanen. Die äußere Form, in die er seine Rolle zu kleiden pflegte, war die des Dienstherrn, der Widerspruch nicht duldete, geschmückt mit den Attributen eines Gottes. Vor allem den einfachen Bürger in den Städten des Ostens, aber auch in Italien drängte es, Augustus mit göttlichen Ehren auszuzeichnen, da es nur einem Gott gegeben sein konnte, die Dauer des neuen glücklichen Zustands der Welt und die Gerechtigkeit des römischen Regiments zu gewährleisten. Die Provinzen des Ostens kannten die kultische Verehrung ihrer Monarchen seit Menschengedenken; wie sollten sie sich den mit universalem Anspruch auftretenden Römer anders vorstellen denn als einen Sachwalter göttlicher Kräfte?

In Rom dagegen widersprach die Einbindung der Monarchie in die republikanische Rechtsordnung jeder sakralen Überhöhung des Prinzeps. Konsequent verbat sich Augustus denn auch alle Vergöttlichung seiner Person durch Kulte, Standbilder und Tempel. Aber die sakrale Autorität, die ihm bereits der Augustus-Name verliehen hatte, fand einen weiteren Ausdruck im Ehrentitel «Vater des Vaterlandes» (*pater patriae*), den er im Jahre 2 v. Chr. erhielt. Der Sechzigjährige hat die Verleihung als den Höhepunkt seines Lebens verstanden. So erlebten die zum Festakt in der Kurie versammelten Senatoren einen Monarchen, der weinend das Einvernehmen von Prinzeps und Senat als das höchste Geschenk der Götter beschwor: «Um was kann ich, versammelte Väter, am Ziel aller meiner Wünsche die unsterblichen Götter noch bitten, als daß ich das Glück habe, mir diese Eure gemeinsame Liebe bis an mein Lebensende zu erhalten?» (Sueton, *Augustus* 58)

Der Patron

Die Macht war dem Erben Caesars als General zugefallen, der seine Gefolgschaft zum Sieg geführt hatte. Zu den Nutznießern gehörten die Heere, die Veteranen, die in Krieg und Not Aufgestiegenen, die Parteigänger, die sich in den innenpolitischen Konflikten der caesarischen Sache ohne Wenn und Aber verschrieben hatten, die Überläufer und die Kriegsgewinnler, die immer wußten, «auf welchem Wege selbst Bettler reich werden können» (Cicero, 8. *Philippica* 9). Sie alle forderten jetzt ihren Lohn in der Form von Land, Geld, Ämtern und Senatssitzen, und die riesige Kriegsbeute und die Reichtümer Ägyptens ließen unerschöpfliche Möglichkeiten der Auszeichnung zu. Als der Lärm der Waffen nach Aktium verstummte, hörte man über lange Jahre hin das Schmatzen der Sieger, die ihre Beute verzehrten. Denn auch das gehörte zu den Grundgesetzen der Macht, denen der Alleinherrscher zu gehorchen hatte: Hände, die man zum Regieren braucht, aber zugleich fürchten muß, beschwert man mit Gold und schmückt sie mit allen äußeren Attributen der Macht. So stärkte Augustus zuerst das soziale Gewicht seiner im Bürgerkrieg gewonnenen Klientel. Aber er konnte dabei nicht stehenbleiben. Auch die Anhängerschaft mußte sich wandeln und ausweiten, als der siegreiche Parteiführer zum Monarchen aufstieg und um die Zustimmung aller Schichten der Gesellschaft zu seiner Herrschaft warb.

Besondere Aufmerksamkeit verlangten die Hauptstadt und die Bürger Italiens. In Rom, das zur Millionenstadt gewachsen war, hatte die Bevölkerung längst gelernt, an die Großzügigkeit der hohen Herren besondere Ansprüche zu stellen. Generöse Getreidespenden gehörten ebenso dazu wie großartige Spiele und Feste. Vergleichbares forderten die Bürger der italischen Landstädte nicht. Sie hatten unter den Veteranenansiedlungen und den Kriegskontributionen unsäglich gelitten und erwarteten voller Ungeduld, daß der Prinzeps, dessen Familie aus einer italischen Provinzstadt stammte, auch ihnen das Leben erträglich und sicher machte. Ihre Stimme mußte Gehör finden, da ihre Macht zusammen mit der des Heeres die Stabilität des monarchischen Regiments garantierte. Denn ihre Zahl überstieg die der hauptstädtischen Bevölkerung um das Vierfache, die Söhne ihrer Bauern traten in die Legionen ein, und von ihrem sozialen und wirtschaftlichen Wohlergehen hing die

Aufrechterhaltung der Weltherrschaft ab. Ihnen sprach Velleius Paterculus aus dem Herzen, als er Jahrzehnte später den Segen des Prinzipats feierte: «Die Äcker fanden wieder Pflege, die Heiligtümer wurden geehrt, die Menschen genossen Ruhe und Frieden und waren sicher im Besitz ihres Eigentums» (2,89,3).

Nicht anders erging es den Provinzen. Sie erfuhren zum erstenmal in ihrer Geschichte den Nutzen eines Verwaltungs- und Rechtssystems, das ihre Pflichten als Untertanen zwar nicht verringerte, sie aber von der Willkür habgieriger Adelscliquen und ausbeuterischer Pachtgesellschaften befreite. Ihre Leiden im Bürgerkrieg hatte Cicero bereits Mitte der sechziger Jahre mehr angedeutet als exakt beschrieben, aber es reichte seinem sachkundigen römischen Publikum auch so: «Erinnert euch an die Märsche durch die Fluren Italiens und durch römische Bürgerstädte, wie sie unsere Feldherrn während der letzten Jahre durchgeführt haben, dann könnt ihr ermessen, was sich wohl bei den auswärtigen Völkern zutragen mag» (*Über den Oberbefehl des Pompeius* 37). Auch der strengste Kritiker des Prinzipats verurteilte diese Todsünde des blutsaugerischen republikanischen Regiments und beugte sich der Einsicht, daß die geschundenen Provinzialen den neuen Herrn zu Recht als «leibhaftig erschienenen Gott und Retter des Menschengeschlechts» begrüßten (*Sylloge Inscriptionum Graecarum*[3] 760).

Die wichtigste Stütze blieb jedoch immer das Heer, mit dem die Macht erobert worden war und dessen Treue um jeden Preis gesichert werden mußte. Denn der innere Friede, der Bestand des Imperiums und die Fortsetzung der Expansion hingen von der Verfügbarkeit loyaler Truppen ab. Die Situation nach Aktium, vorab gekennzeichnet durch 230000 ungeduldig auf Lohn oder Beschäftigung drängende Legionäre, entsprach dem, was in der Regel militärische Usurpatoren erwartet: Es erwies sich als leichter, eine Armee unter die Fahnen Caesars zu sammeln, als sie wieder zu entwaffnen und aufzulösen. Trotzdem mußte dies sein, mußte der sich seiner Macht bewußt gewordene Soldat, der seinen Feldherrn zum ersten Mann im Staat gemacht hatte, aus dem politischen Entscheidungsprozeß wieder hinausgedrängt werden.

Es dauerte Jahre, und es begann mit der Abmusterung von etwa 80000 Mann, die in Italien und den Provinzen mit Land versorgt wurden. Großzügige Geldgeschenke, die die eroberten Schätze des Ostens möglich machten, halfen den Veteranen, eine bäuerliche Existenz aufzubauen und Familien zu gründen. Bauernsöhne und Proleten, die am Tag ihrer Geburt verurteilt worden waren, ihr Leben als Habenichtse zu verbringen, und unter den Legionsadlern ihrem Schicksal zu entkommen suchten, übten sich in den neu gegründeten Städten der Westprovinzen als brave Bürger. Schwierig blieb die Behandlung der ausgemusterten Offiziere. Die meisten von ihnen waren keine Männer von ausgeprägter Loyalität gegenüber dem Staat, sondern Haudegen und

Glücksritter, die die Fronten zu oft gewechselt hatten, um über den Esprit de corps hinaus noch andere Werte anzuerkennen. Sie drohten am wirkungsvollsten, den Parteiführer zu bekämpfen, wenn das verheißene Utopia nicht sofort Wirklichkeit wurde oder der Beuteanteil zu gering ausfiel. So wurden sie mit Positionen versorgt, in denen sie neben dem Reichtum, den zu fordern das Leichteste von der Welt geworden war, eine ihren Fähigkeiten adäquate Aufgabe und das daraus fließende Ansehen erreichen konnten. Ihnen bot Augustus nach der Entlassung die Aufnahme in die lokalen Senate ihrer neuen Heimatstädte, deren Führungsschichten sie sich ohne weiteres Zutun zugesellen durften. Es war ein massiver Eingriff in die Gesellschaftsordnung und in die Rechtsverhältnisse der Städte, aber in den Augen des Monarchen leichter zu ertragen als die latente Unzufriedenheit der Offiziere, die an den Lagerfeuern des Bürgerkrieges von ihrem Einzug in die senatorischen Villen und Parks von Tusculum, Alba, Puteoli und anderswo geträumt hatten (Cicero, 8. *Philippica* 9).

Herr über Krieg und Frieden

Wenige Monate nach den Regelungen des Januar 27 v. Chr. verließ Augustus auf der neu gebauten *via Flaminia* Rom, um die längst überfällige Organisation Galliens in Angriff zu nehmen, das man seit Caesars Sieg sich selbst und den dort stationierten Militärs überlassen hatte. Zu Beginn des Jahres 26 v. Chr. stürzte er sich im nordwestlichen Spanien noch einmal persönlich in den Krieg. Die Tore des Ianus-Tempels, gerade eben zum Zeichen des Friedens geschlossen, öffneten sich wieder: Jedermann in Rom sollte sehen, daß sich die Weltmacht wie zu der Väter Zeiten wieder im Krieg befand. Niemand nahm daran Anstoß – im Gegenteil. «Unsere Vorfahren führten Krieg, nicht nur um die Freiheit zu gewinnen, sondern um zu herrschen», notierte Cicero und sprach für alle (8. *Philippica* 12). Denn Krieg und Eroberung hatten das Leben der Generationen vor Augustus geprägt und ein neues Grundgesetz für das staatliche Leben verkündet: Wer in Rom nach der Macht greifen will, kann dies nur als Kriegsherr tun, der das Reich verteidigt und mehrt. So lastete auf Augustus ganz selbstverständlich die Pflicht, sich mit den gefeierten großen Feldherrn der Republik zu messen. Daher führte er Krieg wie niemand vor und niemand nach ihm und wie es die Rolle des omnipotenten Weltherrschers vorschrieb.

Der Fürst, der von früher Jugend an hatte lernen müssen, die Hinfälligkeit seines Körpers zu ertragen, überforderte in Spanien seine Kräfte. Als er 25 v. Chr. nach Rom zurückkehrte und ihn zwei Jahre später eine schwere Erkrankung auf Leben und Tod niederwarf, wußte er, daß er nie wieder persönlich seine Legionen kommandieren würde. Was blieb, war der Krieg als Lebensaufgabe. Denn die Fortsetzung des imperialen

Siegeszuges der Republik bis an die Grenzen der Erde mußte neben der Herstellung des inneren Friedens am überzeugendsten beweisen, daß die Alleinherrschaft und die mit ihr verbundene neue Ordnung dem Willen von Göttern und Menschen entsprachen. Die erste Aufgabe war lange gestellt und unausweichlich: die Niederwerfung des Partherreiches. Sie war von Caesar als letzte Großtat geplant und seit der Niederlage des Crassus bei Carrhae im Jahre 53 v. Chr. von Jahr zu Jahr stürmischer gefordert worden. So marschierten im Frühjahr des Jahres 20 v. Chr. drei römische Heere auf Mesopotamien zu und rüsteten sich zum Angriff. Er endete, ehe er begann. Denn Augustus begnügte sich trotz des greifbar nahen Erfolges mit einem Friedensschluß, der die römische Überlegenheit durch die Rückgabe der verlorenen Feldzeichen des Crassus sinnfällig zum Ausdruck brachte. Die offizielle Propaganda verkündete dies als einen großen Sieg: «Die Parther habe ich gezwungen», triumphierte der Kaiser, «die Beute und Feldzeichen dreier römischer Heere zurückzugeben und demütig die Freundschaft des römischen Volkes zu erbitten» (*Tatenbericht* 29), was nichts anderes als die Unterwerfung unter die römische Oberhoheit besagen wollte. Horaz nahm die Botschaft auf und verlieh ihr Schwingen: «Auf den Knien nahm Phraates Caesars Gebot und Befehl entgegen. Goldene Fülle hat aus üppigem Horn ihre Früchte ausgeschüttet über Italiens Fluren» (*Briefe* 1,12,25). Wunderschön formuliert, aber meilenweit an der historischen Wahrheit vorbei. Denn in Wirklichkeit begründeten die getroffenen Vereinbarungen eine für zwei Jahrhunderte mal mehr, mal weniger stabile Abgrenzung der Interessensphären, die den endgültigen Verzicht Roms auf die Nachfolge des Weltreiches Alexanders des Großen festlegte.

Damit war der Weg frei, auf dem von Caesar in Gallien eingeschlagenen Weg fortzuschreiten und die Eroberung Mittel- und Nordeuropas gründlich vorzubereiten. Die Binnenräume des westlichen Mittelmeeres, die Alpen, der Balkan und der germanische Siedlungsraum wurden das neue Ziel zahlreicher Angriffskriege. Nichts blieb dem Zufall überlassen. Denn auf einen Krieg, so dozierte der Kaiser gerne, dürfe sich nur der einlassen, «dessen Hoffnung auf Erfolg größer sei als die Furcht vor Verlust»; wer dies vergesse, gleiche Leuten, «welche mit einem goldenen Angelhaken fischen; reißt dieser ab, so ist der Verlust durch keinen Fang zu ersetzen» (Sueton, *Augustus* 25). Trotz aller Vorsicht: Der Haken riß – wenn auch erst nach ungeheuren Siegen und Triumphen. Als im Jahre 6 die Zeit reif für die Unterwerfung Germaniens bis zur Elbe schien und Rom sich anschickte, in einer sorgfältig vorbereiteten Zangenbewegung der rheinischen und illyrischen Legionen dem Markomannenkönig Marbod in Böhmen den Garaus zu machen, verließen die Götter die römischen Kriegsadler. Ein Aufstand in Dalmatien und Pannonien zwang zum Abbruch der Offensive in Böhmen und zum Frieden mit den Markomannen. In Germanien vernichteten meuternde germanische Auxiliarkohorten, die gemeinsame Sache mit aufständischen Stämmen machten, im Jahre 9 drei Legionen unter dem Kommando des unglücklichen Quinctilius Varus und stießen bis zum Rhein vor. Ihr Anführer, der Cherusker Arminius, einst hochdekorierter Offizier im römischen Heer, übernahm die Führung des Krieges, an dem sich bald die Mehrzahl der germanischen Stämme beteiligte. Als die Nachricht von der Katastrophe nach Rom gelangte, zogen in der Hauptstadt militärische Wachen auf, um Unruhen im Keim zu ersticken, und der erschütterte Augustus leitete die Verteidigung Italiens ein, das keine einsatzbereiten Truppen beherbergte.

Es zeigte sich schnell, daß die Angst vor einem Zusammenbruch der Rheinfront übertrieben war. Der Kaiser ließ zum Zeichen der Trauer Bart und Haupthaar wachsen und fastete am Jahrestag des Untergangs seiner Legionen. Aber er verlor darüber den Mut nicht. Denn trotz des Rückschlags war das Erreichte gewaltig und wog schwer auf der Waage der Geschichte. «Bei allen Provinzen, die Völker zu Nachbarn hatten, die unserem Spruchrecht nicht gehorchten, habe ich die Grenzen erweitert», verkündete stolz der Monarch zu Beginn des militärischen Teils seines *Tatenberichts* (26), und je weiter sich der Leser in die anschließenden Einzelheiten des Kriegsgeschehens vertiefte, um so unverhüllter trat ihm der Herr der Welt entgegen. Tatsächlich besaß das Imperium nun große territoriale Binnenräume in Mitteleuropa und hatte seinen Charakter als ein auf das Mittelmeer zentriertes Weltreich verändert. Künftig lag sein militärischer Schwerpunkt für vier Jahrhunderte an Rhein und Donau.

Das Heer, geschrumpft auf ein dem staatlichen Wohlergehen erträgliches Maß und in ein stehendes umgewandelt, paßte sich den neuen Aufgaben an. Rekruten kamen nun auch aus den Provinzen und kämpften in gesonderten Einheiten (*Auxilien*) Seite an Seite mit den italischen Legionären. Die Dienstzeiten wurden länger und der Pflicht angepaßt, die erreichten Grenzen zu schützen und auszubauen. Damit war zugleich über die Frage der Stationierung entschieden: Die Truppen bezogen stark befestigte Lager an den neuralgischen Punkten der Reichsgrenze und verließen diese nur noch zu gelegentlichen offensiven Vorstößen ins Feindesland. Die Realität des Krieges, in den Jahrzehnten von Marius bis Octavian jedermann vertraut und von vielen leidvoll erfahren, verschwand nach und nach aus dem Blickfeld der Menschen in Italien und den Provinzen des Mittelmeerraumes. Kämpfe und Siege, Niederlagen und Tod rückten im inneren Kreis des weltumspannenden Imperiums an den Rand des öffentlichen Bewußtseins.

Ihre Stelle nahm jetzt der Gedanke des Friedens ein. Alle Hoffnungen, die der Kaiser einer geschundenen Welt erfüllte, gipfelten in dieser Vorstellung. Sie verkündete als frohe Botschaft die Wiederherstellung der Eintracht der Bürger, und sie umfaßte das ganze Spektrum der inneren

Befriedung: die Einigung mit dem Senat, die Bändigung des Militärs, die Sicherheit vor Umsturz, Enteignung und politischem Terror. Nicht damit gemeint war der Frieden nach außen, im Gegenteil: Die Erfolge der römischen Waffen bildeten die andere Seite des inneren Friedens, den sie bewahrten. Der in Rom dem vergöttlichten Frieden gebaute Altar enthielt dieses Evangelium in aller wünschenswerten Klarheit. «Als ich aus Spanien und Gallien nach der glücklichen Ordnung dieser Provinzen nach Rom zurückkehrte», so schildert Augustus die näheren Umstände, «beschloß der Senat wegen meiner Rückkehr die Weihung eines Altars des ‹Augustusfriedens› auf dem Marsfeld, an welchem die Magistrate, die Priester und die Vestalinnen ein jährliches Opfer darbringen sollten» (*Tatenbericht* 12). An der Ostseite der 9 v. Chr. fertiggestellten Opferstätte sitzen sich seitdem Roma, die Schutzgöttin der Stadt, und der vergöttlichte Friede – verkörpert durch die Erdgöttin Tellus oder Ceres – gegenüber. Die eine, thronend auf einem Waffenhügel, spricht von den Siegen, die den Frieden begründeten, die andere, umgeben von den Sinnbildern der Fruchtbarkeit, kündet von den Segnungen des Friedens und vom allgemeinen Glück, kurz: von der Wiederkehr des Goldenen Zeitalters. Die Dichter der Zeit, beflügelt durch das kaiserliche Wohlwollen, berauschten sich an diesem Gedanken, der die Erfüllung eines Menschheitstraums, die Rückkehr ins Paradies versprach. «Der, ja der ist der Mann», jubelt der Anchises des Vergil, als in der Unterwelt sein Blick auf den letzten in der langen Reihe der künftigen Helden Roms fällt, «er, der dir so häufig verheißen, Caesar Augustus, des Göttlichen Sohn; die goldenen Zeiten bringt er nach Latium wieder, wo einst Saturnus regierte» (*Aeneis* 6, 790 ff.). Horaz kleidete in die Form eines Kultliedes, was die Zeit bewegte und was der aus Gallien Heimgekehrte als die dichterische Überhöhung seiner politischen Ziele verbreitet sehen wollte: das Ende des Sittenverfalls, der Zwietracht und Bürgerkrieg heraufbeschworen hatte, die imperiale Ausdehnung des Friedens bis an die Grenzen der Erde und die sakrale Überhöhung des Fürsten, dem alles zu danken war:

«Nunmehr zieht seines Wegs sicher der Stier dahin,
Ceres segnet die Flur wieder mit reicher Saat,
Friedlich schaukelt das Schiff durch die versöhnte Flut,
Treu und Glauben sind neu erwacht...
Wen erfüllt noch mit Angst Parther und Skythe jetzt?
Wen Germaniens Brut, Söhne der rauhen Luft?
Wen, da Caesar uns lebt, kümmert des Krieges Dräun
Fern im wilden Hiberien?...
[Jeder] betet inbrünstig für dich, gießt aus dem Opferkelch
Reichlich Spende dir aus, stellt dein vergöttertes Bild
Zu den Laren...
‹Schenke gütiger Fürst, dauernden Frieden nun

Der hesperischen Flur!› Siehe, so flehen wir
Nüchtern frühe am Tag, flehen wir trunken dir
Spät, wenn Phöbus zum Meere taucht»
(*Carmina* 4,5; übersetzt nach Kayser, Nordenflycht und Burger,
hg. H. Färber).

Pater familias

Nach langen Jahren des Krieges und der Not lag Augustus die Welt zu Füßen und gehorchte seinem Wort. Als Familienvater jedoch verließ ihn das Glück, als ihm der Sohn, der natürliche Nachfolger, versagt blieb. Über die Gefahren, die daraus für die Politik entstanden, war er sich selbst im klaren. Trotzdem verfolgte er mit der eisernen Beharrlichkeit, zu der Emporkömmlinge fähig sind, über vier Jahrzehnte nur ein Ziel: Wenn schon nicht der eigene Sohn, so sollte wenigstens einer aus dem Geschlecht der Iulier seine Macht und seinen Reichtum erben. Die Frau, die er als junger Mann geheiratet hatte, die er liebte und in deren Armen er starb, war in diesem Spiel seine Gegnerin: Livia.

Er sah sie zum erstenmal Ende des Jahres 39 v. Chr. Ohne zu zögern trennte er sich von seiner Gattin Scribonia und verband sich in unziemlicher Hast mit einer Frau, die von den Claudiern abstammte und einen nahen Verwandten, Tiberius Claudius Nero, geheiratet hatte. Ihr Vater hatte bei Philippi mit Brutus und Cassius gekämpft und den Tod von eigener Hand der zweifelhaften Gnade der Sieger vorgezogen. Ihr Gatte war aus Furcht vor der Rache Octavians aus Italien geflohen und nun, nach der Einigung von Brindisi, mit seiner hochschwangeren Frau und dem erstgeborenen Sohn Tiberius zurückgekehrt; am 17. Januar 38 v. Chr. zierte er das Festbankett des neuen Hochzeitspaares und erlebte drei Monate später die Geburt seines zweiten Sohnes Drusus im fremden Haus. Octavian, der Enkel eines wenig geachteten Bankiers, hatte es mit dieser Ehe nun auch gesellschaftlich weit gebracht und politisch einen großen Erfolg erzielt. Denn mit dem fürstlichen Clan der Claudier hielt, kaum daß sich die Aufregung um den Skandal gelegt hatte, der alte römische Adel Einzug in das Haus des jungen und gehaßten Triumvirn.

Herz und Verstand waren die Brautväter dieser Ehe, und sie blieben es auch. Ihre Kinderlosigkeit jedoch trieb einen Keil zwischen die Ehegatten. Tacitus, der Livia nicht mochte, hat sie als ewige Stiefmutter beschrieben, ohne Liebe für ihre Stiefkinder, einzig besorgt um das Wohlergehen und die Karriere ihrer Söhne Tiberius und Drusus. Auf diese beiden Claudier wartete gewiß eine glänzende Laufbahn in Politik und Krieg; als Prinzeps aber kam keiner von ihnen in Frage, solange Augustus hoffen konnte, seinem eigenen, wie weit auch immer entfernten Fleisch und Blut die Thronfolge erkämpfen zu können – wenn es not tat, auch gegen Livia und gegen den Einspruch der treuesten Gefolgsleute. So war der Knoten geschürzt für eine ausladende Familientragödie, die das Leben am Hof zu vergiften begann und über deren Ausgang erst nach Jahrzehnten der Tod entschied.

Der erste suchende Blick des Familienvaters fiel auf Marcellus, den 42 v. Chr. geborenen Sohn seiner Schwester Octavia; der junge Mann wurde mit außerordentlichen Ehren überhäuft und erhielt im Jahre 25 v. Chr. die Hand der vierzehnjährigen Tochter des Augustus, Iulia. Als sich zwei Jahre später die Gerüchte verdichteten, der Kaiser plane die Adoption des jungen Mannes, kam es zum Konflikt mit Agrippa. Dieser plebejische Freund aus frühen Jugendjahren hatte in allen Kriegen und an allen Fronten für seinen Patron gekämpft und war als seine eiserne Faust zum zweiten Mann im Staate aufgestiegen. Nun, konfrontiert mit einem unbedarften Jüngling, begehrte er auf und forderte, offenbar im stillen Einvernehmen mit Livia, Gehör. Der Konflikt endete mit der Versöhnung, als Marcellus noch im gleichen Jahr starb und der aus Schaden klug gewordene Monarch seinen treuesten Knappen in seine Planungen einbezog. 21 v. Chr. gab er Agrippa die Hand der verwitweten Iulia, die wenig später zwei Söhne, Gaius und Lucius, gebar. Endlich hatten die Götter seine Gebete erhört und ihm Enkel geschenkt, die er nun gefahrlos adoptieren und wie seine Söhne großziehen konnte, da Agrippa mit der möglichen Rolle eines Regenten für seine Söhne zufrieden war. Als dieser 12 v. Chr. starb, wurde ein neuer Beschützer für die Prinzen bestellt: Tiberius, der älteste Sohn Livias, der gezwungen wurde, seine Ehe mit Vipsania, der Tochter Agrippas, zu lösen und Iulia zu heiraten.

Der Einfall war verhängnisvoll, wie sich fünf Jahre später herausstellte. Denn Tiberius, der an der Peinlichkeit schier erstickte, zusammen mit einer ungeliebten und lasterhaften Frau den Platzhalter für die iulische Brut spielen zu müssen, begehrte auf. Taub gegen alle Drohungen des Stiefvaters verließ er Rom und ging nach Rhodos ins selbstgewählte Exil. Erst Jahre später kehrte er zurück, als beide Enkel tot waren und ihre Mutter fern in der Verbannung lebte: Ihre Ausschweifungen und die Zahl ihrer Liebhaber hatten das Maß überschritten, das der Prinzeps, der allerorten die Rückkehr zur keuschen Moral der Vorväter predigte, ertragen konnte. Nun war nur noch der älteste Sohn der Livia am Leben, nun blieb keine Wahl: Augustus rief Tiberius aus dem Exil zurück, adoptierte ihn und erhob ihn im Jahre 13 zum Mitregenten. Aber selbst jetzt, als das Schicksal alle Versuche zerstört hatte, einem Iulier die direkte Thronfolge zu sichern, wollte der Greis von seinem Traum nicht lassen, eines wie immer fernen Tages einen Blutsverwandten im Besitz seiner Macht zu wissen. Also zwang er den Claudier, der einen eigenen Sohn hatte, einen Knaben zu adoptieren, in dessen Adern das Blut der Octavier floß: Germanicus, den Sohn seines Bruders und Enkel der Octavia.

Die Verbissenheit, mit der Augustus für seine Familienangehörigen kämpfte, bis er sie schließlich alle im Mausoleum der Iulier auf dem Marsfeld beisetzte, enthüllt seinen wichtigsten Charakterzug, der auch seine ganze politische Existenz bestimmte: Er gab nie auf. So rang er auch seinem kränklichen Körper das Wunder eines langen Lebens ab. Als es im August 14 erlosch, war Livia bei dem Sterbenden und umsorgte seinen sanften Tod. Dann brach sie auf, um das Schicksal Roms in die Hände ihres Sohnes Tiberius zu legen – nichts und niemand durfte jetzt mehr zwischen der Macht und ihrer Familie stehen. «In Rom aber», so schrieb es die böse Feder des Tacitus nieder, «drängten sich in die Sklaverei Konsuln, Senatoren, Ritter. Je höher der Rang, desto größer Heuchelei und Hast, wohlkomponiert die Mienen, damit sie weder Vergnügen über das Ende des alten, noch gar Kummer über den Beginn des neuen Regimes ausdrückten, Tränen also und Freude, Klagen und Schmeicheleien in der rechten Mischung» (*Annalen* 1,7,1; übersetzt von Golo Mann). Die Monarchie ging wohlgerüstet in ihre erste Bewährungsprobe.

Das Totengericht

In den ersten Septembertagen fand das Leichenbegängnis auf dem Forum statt. Der Bahre trug man das mit den Triumphalgewändern behängte Bildnis des Toten und die Statue der Victoria voran, die als persönliche Siegesgöttin seit dem Triumph von Aktium in der Kurie stand: Über der Weltkugel schwebend und mit dem Siegeskranz in der Rechten symbolisierte sie die Weltherrschaft Roms und des Mannes, der sie für immer gesichert hatte. Es folgten im Trauerzug die Darstellungen der Kriegstaten und der unterworfenen Völker, die Bilder der Vorfahren und die Masken aller Großen der römischen Geschichte, angeführt von Romulus als Gründer der Stadt.

Noch einmal legte Augustus, der den Ablauf der Zeremonie selbst bestimmt hatte, Zeugnis von seiner Leistung für Rom ab: Ich habe, so lautete die Botschaft, das Imperium gemehrt, und alles, was ich tat, geschah in der Tradition der großen Führer der Republik. Sie hatte er an allen Wegkreuzungen seines Lebens beschworen, sie ehrte er in den Säulengängen seines eigenen Forums durch Statuen und Inschriften: «Meine Absicht hierbei ist es gewesen: Nach dem Vorbild jener großen Männer soll ich selbst, so lange ich lebe, von den Bürgern beurteilt werden und ebenso die Herrscher kommender Geschlechter» (Sueton, *Augustus* 31).

Die Nachwelt hielt anderes für wichtiger. «Es hat noch nie einer die Herrschaft, die er durch Verbrechen erlangte, auf löbliche Weise ausgeübt», lautet eine der Sentenzen des Tacitus (*Historien* 1,30,2). War es wirklich so? Ist nicht das Leben des Augustus der schlagende Beweis dafür, daß es ganz anders sein kann? Als der greise Monarch kurz vor seinem Tod auf dem Wege nach Capri an der Bucht von Puteoli vorbeikam, riefen ihm, weiß gekleidet und mit Kränzen geschmückt, die Matrosen und Passagiere eines Schiffes, das aus Alexandria kam, ihre Glückwünsche zu und spendeten ihm höchstes Lob: «Nur dank ihm würden sie leben, dank ihm zur See fahren und dank ihm Freiheit und Wohlstand genießen» (Sueton, *Augustus* 98).

Diese Menschen waren in der Provinz Ägypten aufgebrochen, und sie wußten wie alle Provinzialen, wovon sie sprachen. «Verleidet war ihnen», erinnert sich selbst Tacitus, «Senats- und Volksherrschaft wegen der Machtkämpfe der führenden Männer und der Habsucht der Beamten; schwach war der Schutz der Gesetze, die durch Eigenmächtigkeit, politische Umtriebe, zuletzt durch Bestechung unwirksam gemacht wurden» (*Annalen* 1,2). Bitterer ist über die Republik und ihr Herrschaftsvermögen selten das Urteil gefällt worden. Es enthält Absolution und Segen zugleich für die von Tacitus gehaßte Monarchie und den Mann, der Ströme von Blut vergoß, um Herr der Welt zu werden. Als er es war, gab er ihr, was sie begehrte: die Eintracht der Bürger, die Sicherheit der Gesetze, die Herrschaft über die Völker der Erde. «Unter dem Titel Prinzeps», sagten seine Anhänger, und Tacitus widerspricht ihnen nicht, «habe Augustus den Staat neu gegründet; durch den Ozean oder durch weit entlegene Ströme sei das Reich geschützt; Legionen, Provinzen, Flotten, alles sei untereinander straff verbunden; Recht gelte gegenüber den Bürgern, Recht gegenüber den Provinzialen» (*Annalen* 1,9,5).

Es ist der uralte Traum vom ewigen Frieden, der das Urteil über Augustus auch dann noch umhüllte, als sein Imperium christlich geworden war. «Es begab sich in jenen Tagen, daß ein Gebot vom Kaiser Augustus ausging», leitete Lukas sein Evangelium von der Niederkunft des Gottessohnes auf Erden ein, und der Engel, der vom Himmel stieg, pries den «Frieden auf Erden» (2,1; 14). Die Autorität des Evangelisten wog schwer; sie förderte die Vorstellung, Augustus sei wie das in Bethlehem geborene Kind ein Werkzeug der göttlichen Vorsehung gewesen. Der Gedanke drängte sich schließlich geradezu auf, theologisch zu verknüpfen, was zeitlich so offensichtlich war: «Unsere Religion», schrieb der Bischof Melito von Sardes an seinen Kaiser Marc Aurel, «reifte während der ruhmreichen Regierung eures Vorgängers Augustus unter euren Völkern zur Blüte und brachte vor allem eurer Regierung Glück und Segen. Von da ab erhob sich nämlich die römische Macht zu Größe und Glanz» (Eusebius, *Kirchengeschichte* 4,26,7). Das Imperium Roms als Teil des göttlichen Heilsplans und sein Kaiser Retter und Heiland seiner Untertanen – Augustus, an dessen Scheiterhaufen ein Senator bezeugte, er habe die Gestalt des Toten zum Himmel emporsteigen sehen, hätte zugestimmt. Nicht so der in Bethlehem geborene Sohn eines Zimmermanns, der zum Mann geworden war, als ihn in einem verborgenen Winkel Galiläas die Nachricht vom Tod des Kaisers erreichte. Denn seine Predigt galt nicht einem Reich von dieser Welt, sondern einem jenseitigen, zu dessen Glückseligkeit nur der Tod das Tor öffnete. Der Retter, der den Weg dorthin wies, konnte auch kein Mensch sein, der zum Gott wurde, sondern nur ein Gott, der Menschengestalt annahm.

Tiberius
14–37

Von Raban von Haehling

Einer Portraitierung des Kaisers Tiberius stellen sich nahezu unüberwindliche Hindernisse entgegen, die in der tendenziösen Quellenüberlieferung begründet sind. Erschwerend kommt eine zögerliche und dadurch oft ambivalente Haltung dieses Prinzeps hinzu, die seine politischen Ziele mitunter verschleiert. Aufgrund bestimmter Schlüsselerlebnisse seiner Biographie läßt sich dennoch eine prägnante Grundkonstellation von individueller Persönlichkeitsstruktur und institutionellen Rahmenbedingungen aufzeigen; Tiberius erwies sich den aus der Nachfolge des Augustus resultierenden Anforderungen nicht immer gewachsen. Hätte die historische Situation eine Persönlichkeit erfordert, die die Initiative ergreift und eindeutig Stellung bezieht, so verharrte der intellektuell geschulte Tiberius oft unschlüssig vor dem Scheideweg zwischen republikanischer Tradition und der konsequenten Etablierung des Prinzipats.

Tiberius Claudius Nero wurde am 16. November 42 v. Chr. in Rom als ältester Sohn seines gleichnamigen Vaters und der Livia Drusilla geboren. Die Claudier gehörten zur Elite der römischen Republik; sie wurden mit den höchsten Staatsämtern betraut. Gemäß seiner Herkunft aus diesem angesehenen patrizischen Geschlecht und auch aufgrund seiner Erziehung war Tiberius der Vorstellungswelt der Republik verpflichtet.

Ein einschneidendes Ereignis und die grundlegende Voraussetzung für den weiteren Werdegang des Tiberius sollte die überraschende Hochzeit seiner Mutter Livia mit Octavian am 17. Januar 38 v. Chr. sein. Vorläufig verblieb Tiberius zwar zusammen mit seinem vier Jahre jüngeren Bruder Drusus bei seinem Vater, nach dessen Tod im Jahre 33 v. Chr. siedelte er dann aber in das Haus seines Stiefvaters über. Gemäß seinen großen intellektuellen Begabungen, die auch seine ärgsten Kritiker niemals angezweifelt haben, verfaßte er sogar in griechischer Sprache Gedichte und fühlte sich zur Philosophie hingezogen. Zugleich verschloß sich der ohnehin introvertiert veranlagte Knabe zunehmend seiner Umgebung. Das grüblerische, ja finstere Naturell unterschied ihn vom heiteren, gewinnenden Gemüt seines jüngeren Bruders, dem der Stiefvater folglich seine Sympathien zuwandte. Zudem sollte es sich zeigen, daß Augustus keineswegs seinen älteren Stiefsohn als präsumptiven Nachfolger für seine Stellung vorgesehen hatte; vielmehr hat er Tiberius lange zugunsten anderer übergangen, deren Tod jedoch vorzeitig ihre politische Karriere beendete. Oft sollte es ihm schmerzlich vor Augen geführt werden, daß er nicht die erste Wahl des Augustus für die Nachfolge war.

Im Januar des Jahres 27 v. Chr. erhielt Octavian den Augustusbeinamen, nur wenige Monate später legte Tiberius die Männertoga an, wodurch seine Volljährigkeit besiegelt war. Als er kurz danach Spiele zum Andenken seines Vaters und seines Großvaters Livius Drusus ausrichtete, waren es Augustus und Livia, die die Kosten bestritten und hiermit ihre Affinität zur alten republikanischen Nobilität kundtaten.

Kurz nach dem Anlegen der Männertoga begann die militärische Ausbildung des Tiberius. Als Militärtribun begleitete er Augustus im Frühjahr 26 in den Kantabrerkrieg. Im Jahre 23 v. Chr. bekleidete Tiberius unter der Ägide des Augustus fünf Jahre vor Erreichen des gesetzlichen Mindestalters das politische Amt der Quästur. Weitere militärische, politische und diplomatische Aufgaben schlossen sich an: 20 v. Chr. führte Tiberius unter dem Aufgebot eines Heeres in Armenien den Thronwechsel von König Artaxes zu Tigranes, einer römischen Geisel des Prinzeps seit 31, durch. Bei dieser Mission stellte er seine unbestritten großen diplomatischen Talente eindrucksvoll unter Beweis. Im Jahre 16 amtierte Tiberius als Prätor. Kurz darauf begleitete er Augustus auf dessen Reise nach Gallien. Im Jahre 15 v. Chr. unterwarf Tiberius zusammen mit seinem jüngeren Bruder Drusus mit großem Erfolg Stämme in den raetischen Alpen. Im Jahre 13 v. Chr. wurde Tiberius zum ersten Mal Konsul.

An dieser Stelle soll die chronologische Darstellung ein erstes Mal unterbrochen werden, um die seltsame Antinomie der Zurücksetzung und Zweitrangigkeit des Tiberius bei gleichzeitiger politischer Aufwertung seiner Person darzulegen. Wie schon 23 v. Chr. der Verlust des Marcellus, so hatte im März des Jahres 12 v. Chr. der unerwartete Tod des Agrippa den Prinzeps ein zweites Mal seines designierten Nachfolgers beraubt. Augustus fällte nun nach Durchmusterung potentieller Kandidaten eine ambivalente dynastische Entscheidung, die zum Schlüsselerlebnis für Tiberius werden sollte: Gegen dessen Willen zwang jener seinen Stiefsohn zur Scheidung von Vipsania Agrippina und zur Heirat mit Augustus' einziger Tochter Iulia. Die Auflösung der Ehe mit Agrippina, aus der der gemeinsame Sohn Drusus hervorgegangen war, im Dienste staatlicher Interessen hat Tiberius nicht ohne innere Konflikte vollzogen. Sueton berichtet, daß Tiberius bei einem unerwarteten Zusammentreffen mit seiner geschiedenen Frau dieser mit Tränen in den Augen nachgesehen habe, so daß man weitere Begegnungen zwischen den beiden zu vermeiden suchte. Hiermit soll keiner psychologisierenden Geschichtsbetrachtung das Wort geredet werden, jedoch gewinnt man den Eindruck, daß für Tiberius der schmerzliche Verlust seiner geliebten Frau, der die Bedingung für seine Einbindung in die dynastischen Pläne war, nur teilweise eine aktive und freie Entscheidung mit politischen Prätentionen und Hoffnungen darstellte; darüber hinaus ist sie auch als eine duldsame Reaktion zu verstehen, die ihn als willfährige Figur in dem dynastischen Spiel seiner Familie erscheinen läßt.

Die augusteische Nachfolgeregelung griff auf Tiberius nur als Übergangslösung zurück. Augustus hatte immer wieder versucht, seine Stellung an einen direkten Nachkommen seiner Linie zu übergeben. In Ermangelung eines eigenen Sohnes war ihm dies nun über seine Enkel möglich. Dementsprechend hatte er seinen Stiefsohn nur als Platzhalter für diese ausersehen. Tiberius mußte bewußt sein, daß die Hochzeit mit Iulia seine eigene Nachfolgeregelung auf deren Söhne aus ihrer Ehe mit Agrippa, Gaius und Lucius Caesar, festlegen sollte und somit seinen eigenen Sohn aus erster Ehe, Drusus, ausschloß. Aus einem weiteren Grund mußte die Heiratspolitik des Augustus für Tiberius einen Affront darstellen. Zeichnete sich angesichts der dynastischen Zielsetzung des Augustus ab, daß die Heirat mit Iulia offensichtlich die notwendige, informelle Voraussetzung für eine Nachfolge im Prinzipat wurde, so dürfte es überraschend gewesen sein, daß nicht schon nach dem Tod des Marcellus die Wahl auf seinen patrizischen Stiefsohn, sondern eben auf den nur befreundeten und ritterbürtigen Agrippa fiel. Trotz all dieser negativen Aspekte fand im Jahre 11 v. Chr. die Hochzeit mit Iulia statt; doch schon nach dem Tod des Sohnes, den Iulia ein Jahr später in Aquileia geboren hatte, kam es zur Entfremdung.

Noch vor der Hochzeit war Tiberius nach Dalmatien entsandt worden. Nach seinen militärischen Erfolgen wurde er ebenso wie sein Bruder für dessen Siege in Germanien wiederum nur mit einem kleinen Triumph geehrt. Augustus hatte für Tiberius offensichtlich keine Stellung vorgesehen, die ihn über seinen Bruder erhob. Anfang 10 v. Chr. begleitete Tiberius den Augustus in die Gallia Lugdunensis. Als Daker über die Donau nach Pannonien einfielen und sich die Dalmatier der Steuereintreibung widersetzten, wurde er zur Beilegung der Konflikte auf den Balkan entsandt. Die Erfolge, die er in dieser Mission verzeichnen konnte, wurden hingegen nun auch von Augustus adäquat gewürdigt: Im Jahre 9 v. Chr. ehrte er Tiberius mit dem Imperatortitel und feierte ihn mit einem erneuten Triumph. Ob durch diese Auszeichnung sein neuer politischer Stellenwert zum Ausdruck gebracht werden sollte, bleibt unsicher. Jedenfalls wurde sie ihm erst als Schwiegersohn des Augustus und nicht als dessen Stiefsohn zuteil. Die Ehrung des Tiberius sollte auch diesmal neben derjenigen seines Bruders stehen, doch hierzu sollte es nicht mehr kommen, da im Herbst des Jahres die Nachricht eintraf, Drusus liege in Germanien mit einem Schenkelbruch im Sterben. Sofort eilte Tiberius zum Bruder und legte dabei in einer lange unerreichten Geschwindigkeit die Strecke von fast 200 Meilen in 24 Stunden zurück; er traf noch vor dessen Tod ein.

Tiberius übernahm nun die Aufgaben seines Bruders Drusus in Germanien, während Augustus mit seinem Enkel Gaius Caesar in Gallien Quartier bezog. Erneut konnte Tiberius durch kluges diplomatisches Agieren und durch gezielte militärische Aktionen Erfolge aufweisen, die man ihm im Jahre 7 v. Chr. mit der Verleihung des zweiten Konsulates dankte. Ein Jahr später wurde er durch Verleihung der tribunizischen Amtsgewalt formell Mitregent, und angesichts erneut ausgebrochener Unruhen in Armenien sah man ihn als Bevollmächtigten für die östliche Reichshälfte vor.

Auf dem bisherigen Höhepunkt seiner Karriere kam es im gleichen Jahr 6 v. Chr. zu einer tiefgreifenden Zäsur: Tiberius entsagte allen Ansprüchen seiner Stellung und bat um Urlaub; er wolle nach Rhodos gehen, um seine unterbrochene philosophische Ausbildung fortzusetzen. Dieser Schritt erfolgte auf dem Zenit seines Wirkens. Im Alter von 36 Jahren fungierte er als zweiter Mann hinter Augustus. Ungeachtet diverser Versuche des Augustus und der Livia, Tiberius von seinem Entschluß abzuhalten, hat sich dieser hier erstmals gegen den Druck seiner Familie unnachgiebig gezeigt.

An dieser Stelle der Ausführungen ist es nötig, den chronologischen Duktus nochmals zu unterbrechen, um das folgenreiche Verhalten des Tiberius einer vertieften Betrachtung zu unterziehen. Was hatte Tiberius zu diesem Entschluß veranlaßt? Die Frage erfordert wiederum eine politische und eine psychologische Betrachtung: Beginnen wir mit der Wahl seines Aufenthaltsortes; galt doch Rhodos als weithin berühmte Stätte der Wissenschaften, insbesondere der Philosophie und der Astrologie. Der Aufenthalt in Rhodos konstituiert eine auffällige Parallelität mit dem späteren Verweilen des alten, resignierenden Prinzeps auf Capri. Die Insellage, die Abgeschlossenheit und die psychische Wirkung, die die Weite des umgebenden Meeres auf Tiberius möglicherweise ausübten, können in ihrer prägenden Bedeutung und in ihrem Aussagewert über den introvertierten Charakter des Tiberius nur vorsichtig beurteilt werden. Daß das rhodische Exil jedoch einen Schlüssel zum Verständnis des späteren Tiberius darstellt, ist allgemein anerkannt. Auch darf seine dortige Bekanntschaft mit dem Astrologen Thrasyllos nicht unerwähnt bleiben, verstärkte sie doch seine ohnehin schon ausgeprägten magischen Neigungen.

Die Gründe, die den Tiberius zu seinem Karrierebruch veranlaßt haben, sind hingegen einer sachlicheren Betrachtung zugänglich. Die von ihm selbst genannten Motive sind so skurril, daß man den Eindruck gewinnt, ihre Unglaubwürdigkeit sei geradezu beabsichtigt. Gleichsam wie in einer Trotzreaktion entzieht sich der zweite Mann im Staat seinen Aufgaben, um – wohlgemerkt mit 36 Jahren – seine Ausbildung fortzusetzen, weil er genug Ehrungen erfahren habe und der Ruhe bedürfe. Hinsichtlich seiner Hintanstellung wirkt seine Begründung recht fadenscheinig. Diese Version widerspricht allerdings der bei Sueton überlieferten, von Tiberius selbst erst später gegebenen Erklärung, sein überraschender Schritt sei auf seine Selbstbescheidung zurückzuführen; er habe den heranwachsenden Enkeln des Augustus nicht im Wege stehen wollen. Beide Deutungen könnten – gerade angesichts der inneren Widersprüchlichkeit des Tiberius – eine gewisse Berechtigung haben. Die prononcierte Hervorhebung des Enkelsohnes Gaius Caesar mußte für dessen Stiefvater Tiberius einen Affront und zugleich einen uneinschätzbaren Risikofaktor darstellen. Dem Tiberius muß durch die exzeptionelle Heraushebung seines Stiefsohnes endgültig bewußt geworden sein, daß er selbst nicht als eigentlicher Nachfolger des Augustus, sondern lediglich als Platzhalter für seine Stiefsöhne angesehen wurde. Als das Bemühen des Tiberius um Gewißheit und klare Verhältnisse scheiterte, entschied er sich – zunächst aus einer gewissen Frustration, die in der Fadenscheinigkeit seiner Gründe theatralisch zum Ausdruck gebracht wird – zu einem Rückzug, der wohl weniger altruistisch als resignativ motiviert war.

Im Jahre 2 v. Chr. traten zwei Ereignisse ein, die Tiberius offenbar veranlaßten, sich um eine Rückkehr nach Rom zu bemühen: Zum einen hatte Augustus seiner Tochter Iulia wegen ihres ausschweifenden Lebenswandels und wiederholten Ehebruchs im Namen seines Stiefsohnes Tiberius den Scheidebrief überreicht – ein Vorrecht, das er gemäß eigener Gesetzgebung kraft der väterlichen Gewalt über Tiberius ausübte. Zum anderen lief für Tiberius im gleichen Jahr seine tribunizische Vollmacht ab, die er auch in der rhodischen Zeit innegehabt hatte. Die Befreiung von seiner ungeliebten Frau und der Verlust seiner Vollmacht gaben ihm Anlaß zu einem Gesuch um Rückkehr nach Rom, das von Augustus jedoch vorerst abgelehnt wurde. Es bedurfte der Einwirkung seiner Mutter Livia, um den Prinzeps zumindest zu einer vordergründigen Ehrenrettung angesichts der vollzogenen Entmachtung zu überreden. Durch die Ernennung zum Statthalter wurde der Schein gewahrt und das faktische Exil als offizieller Aufenthalt verschleiert.

Zu einer Wende der weiteren Entwicklung kam es, als innerhalb von zwei Jahren beide Enkel des Augustus verstarben. Nach dem Tod des Gaius Caesar im Jahre 4 mußte sich Augustus erneut nach einem Nachfolger umsehen. Sein letzter Ausweg war der Rückgriff auf Tiberius, den er am 26. Juni des gleichen Jahres an Sohnes Statt annahm. Gleichzeitig adoptierte er den jüngsten Sohn seiner Tochter Iulia, den Agrippa Postumus. Ferner mußte Tiberius, obwohl sein eigener Sohn Drusus bereits erwachsen war, den Sohn seines Bruders Drusus, Germanicus, adoptieren. Diese mit vielen Bedingungen verknüpfte Entscheidung des Augustus, den Tiberius zum Nachfolger zu bestimmen, wurde offensichtlich nur mit großem Bedenken und in Ermangelung einer besseren Lösung getroffen. Insbesondere die erzwungene Adoption des Germanicus durch Tiberius stellte den erneuten Versuch des Prinzeps dar, seine Sukzession langfristig in andere Bahnen zu leiten.

Nach der Adoption durch Augustus stellten sich Tiberius wiederum militärische Aufgaben, die er allesamt mit großem Erfolg bewältigte, wozu auch seine gänzlich unkonventionellen Umgangsformen beigetragen haben mögen. So nahm er Mahlzeiten zusammen mit seinen Soldaten im Freien ein. In leutseliger Art kümmerte er sich um ihre Anliegen, war vor allem um das Wohl kranker Legionäre besorgt. Zur Beliebtheit bei den Truppen trug wohl auch seine Trinkfestigkeit bei, worauf ein bei den Soldaten verbreiteter Spottname Biberius Caldius Mero (Prinz Glühwein) statt Tiberius Claudius Nero anspielte. In den Jahren 4 bis 6 kommandierte er in Germanien, um anschließend bis zum Jahre 9 den Aufstand in Pannonien niederzuwerfen. Die überraschende Niederlage des Varus gegen Arminius machte ein erneutes Eingreifen des Tiberius in Germanien bis zum Jahre 12 notwendig. Durch umfangreiche Reorganisationsarbeiten und Hebung der militärischen Disziplin unter den römischen Soldaten gelang ihm eine Stabilisierung der Rheinfront. Am 16. Januar 13 traf er in Rom ein, um seinen pannonischen Triumph zu feiern. Nach dem mit dem Prinzeps gemeinsam abgehaltenen Zensus brach Tiberius nach Illyrien auf. Doch bald nach seiner Ankunft rief ihn ein Brief seiner Mutter Livia an das Sterbebett des Augustus zurück. Die sich anschließende Herrschaftsübernahme durch Tiberius ist nunmehr als drittes Schlüsselerlebnis genauer zu betrachten.

Am 19. August des Jahres 14 war also Augustus sechsundsiebzigjährig in Nola gestorben. Mit dem Regierungsantritt seines Adoptivsohnes Tiberius mußte sich nun zeigen, ob sich die auf seinen Begründer persönlich zugeschnittene Herrschaft, der Prinzipat, als Institution festigen oder in die von Caesar angestrebte absolute Monarchie nach hellenistischem Vorbild münden sollte. Im Rückblick auf die normsetzenden Vorgänge des Jahres 27 v. Chr. ergab sich als Prämisse, daß die freiwillige Übergabe der Herrschaft durch den Senat erfolgen mußte. Wenn also Tiberius keinen Staatsstreich unternehmen wollte, bedurfte es, um als rechtmäßiger Prinzeps zu gelten, der Bestätigung durch den Senat. Durch die Heirat mit Iulia, durch die Adoption, durch die vermögensrechtlichen Verfügungen seines Testaments, vor allem aber durch die Verleihung der Grundgewalten – der tribunizischen Vollmacht und des prokonsularischen *imperium* – sowie des Augustus-Titels hatte Augustus den Tiberius informell, aber unmißverständlich zu seinem Nachfolger designiert und den Senat autoritativ zu einer formellen Bestätigung verpflichtet. Somit war die Herrschaftsübergabe mit der Peinlichkeit behaftet, daß der Senat als an sich souveräne und zuständige Institution nun unter Zwang diese außerordentliche Rechtsposition vergab, genauer gesagt die Vergabe nur noch bestätigen sollte. Im Wissen um diesen neuralgischen Punkt der Nachfolgeregelung und der damit verbundenen Sensibilitäten der Senatsaristokratie praktizierte Tiberius nach dem Tode des Augustus die *cunctatio*, eine Geste der zögernden Zurückhaltung, die dem Senat den vordergründigen Schein ließ, daß er den neuen Prinzeps in sein Amt berufen habe.

War die *cunctatio* den römischen Magistraten der Republik fremd gewesen, da sie sich jeweils selbst aktiv um ein Amt beworben hatten, so galt doch die Haltung der *modestia*, der Mäßigung, immer dann als angebracht, wenn es sich um einen außerordentlichen Auftrag handelte, der dem Beauftragten eine Macht verlieh, die ihn nahezu zum Alleinherrscher auf Zeit werden ließ. Eine solche *modestia*, die darin bestand, sich zur Übernahme höchster Befehlsgewalt scheinbar widerwillig zwingen zu lassen, ist als charakteristischer Grundzug dem Prinzipat in Abgrenzung zur Monarchie erhalten geblieben: Der erste Bürger, der Prinzeps, darf sich nicht aufdrängen, sondern muß gebeten werden, um des Gemeinwohles willen die schwere Bürde auf sich zu nehmen, der er sich gerne entziehen würde.

So suchte auch Tiberius eine einmütige Willenserklärung des Senates zu erwirken, um darauf verweisen zu können, er sei vom «Senat gerufen und gewählt». In seinem Agieren dürfte für ihn das Vorgehen des Octavian/Augustus während der Senatssitzungen vom Januar des Jahres 27 v. Chr. vorbildhaft gewesen sein. Obschon Augustus eine möglichst reibungslose Übergabe des Prinzipats an seinen Adoptivsohn vorbereitet hatte, ist dieser Akt wohl Anfang September 14 gründlich mißlungen. Tiberius war faktisch bereits im Besitz aller Befugnisse und Ehrungen. Doch das eigentliche Hindernis lag in der testamentarischen Bestimmung des Augustus, sein Cognomen dem Tiberius und der Livia zu vererben. Hierin drückt sich am eindringlichsten der gravierende Unterschied zwischen den Vorgängen des Jahres 27 v. Chr. und denjenigen des Jahres 14 aus: An die Stelle der senatorischen Akklamation war nunmehr die testamentarische Verfügung getreten. Damit war dem Senat auch die letzte Möglichkeit genommen, den Tiberius durch die Verleihung des Augustusnamens, der von seinem ersten Träger zunehmend titular gebraucht worden war, zu ehren und ihn dadurch in seiner neuen Stellung als Prinzeps anzuerkennen. Desgleichen verlor die republikanische Institution eine Kontrollgewalt über den Prinzeps, da die zeitlich befristeten Grundgewalten in lebenslängliche Vollmachten umgewandelt wurden, so daß eine periodische Bestätigung entfiel. Es scheint, daß Tiberius von dem testamentarischen Vorgehen des Augustus überrascht war und erst während der Eröffnung des Testamentes in der Senatssitzung vom 31. August von den einzelnen Bestimmungen Kenntnis erhielt. Daß sie seinen politischen Überzeugungen von einem autonomen Senat nicht gerecht wurden, bezeugt sein eigenes Vorgehen, als er zu seinen Lebzeiten keine Regelung bezüglich der eigenen Nachfolge treffen sollte. Lediglich in seinem Testament setzte er den Germanicus-Sohn Caligula und seinen leiblichen Enkel Tiberius Gemellus als Erben zu gleichen Teilen ein. Doch im Unterschied zu Augustus übertrug Tiberius keinem der beiden Prätendenten besondere Aufgaben. Sein bewußter Verzicht, sich auf einen Nachfolger festzulegen, entsprang also einem grundsätzlichen Verfassungsverständnis, nach welchem die für die Weitergabe des Prinzipats einzig zuständige Institution der Senat war.

Doch kehren wir zurück zum Mißverständnis vom September 14, in dem sich ein überaus ambivalenter Aspekt römischer Kaisergeschichte manifestiert. Obschon gerade Tiberius, wie kaum ein anderer Kaiser nach ihm, anfänglich bestrebt gewesen war, dem Senat eine Teilhabe an den Regierungsgeschäften einzuräumen, wurde seine Absicht besonders zu Lasten der Senatoren vollends pervertiert. Das konstitutionell begründete Zögern des Tiberius wurde vom Senat, ähnlich wie später von Tacitus und Sueton, als inszenierte und ehrenrührige Komödie mißverstanden, als eine überzogene Form der Zurückweisung von Herrschaftsinstrumenten, die der Senat überhaupt nicht mehr zu vergeben hatte. Das zweifellos unbeholfene Auftreten des Prinzeps verfälschte seine Intention, die Stellung des Senats zu erhöhen, in den Augen mancher Senatoren zu der Absicht, eben diese ihre Autorität zu verhöhnen.

Die von Augustus vorbereiteten Nachfolgeregelungen wiesen für Tiberius noch einen weiteren negativen Aspekt auf. Infolge der testamentarischen Verfügung wurde Livia in die iulische Familie adoptiert und ihr zugleich der Augusta-Name verliehen. Vor allem Tiberius' Reaktion auf diese Anordnung beweist, daß diese ebenso wie die lebenslängliche Verleihung der beiden Grundgewalten nicht mit ihm abgesprochen worden waren. Alle antiken Autoren stimmen darin überein, daß die außergewöhnliche Ehrung für die Witwe des Augustus auf grundsätzliche Kritik des Sohnes stieß. Seine Vorbehalte werden aus seiner Biographie verständlich: Zum einen konnte es bei der politischen Überzeugung des Tiberius nicht in seinem Interesse sein, wenn der ursprünglich vom Senat verliehene Ehrenname zu einem dynastischen Titel umgewandelt wurde. Zum anderen aber signalisierte die Verleihung des Augusta-Namens an Livia dem endlich zur Herrschaft gelangten Tiberius, daß ihm wiederum eine zweite Person quasi an die Seite gestellt wurde – eine Situation, die ihm aus der Herrschaftszeit des Augustus nur allzugut bekannt war und künftig das Verhältnis zu seiner Mutter schwerwiegend belasten sollte.

Mit dem fünfundfünfzigjährigen Tiberius war ein bewährter Militär und tatkräftiger Administrator an die Spitze des römischen Gemeinwesens getreten, der jedoch durch die zermürbende Nachfolgepolitik des Augustus gezeichnet war. Wie sein Verhalten bei der Machtübergabe gezeigt hat, wollte er seine Stellung im Sinne eines ‹Ersten unter Gleichen› verstanden wissen. Die Aufwertung der altehrwürdigen Institution des Senats bildete den wesentlichen Programmpunkt seiner Regierungszeit. Tiberius wollte kein Autokrat sein, er wollte wie kaum ein zweiter nach ihm ein Senatskaiser sein. Und dennoch, gerade aus den Senatskreisen erntete er von Anfang an und mit zunehmender Intensität schroffe Ablehnung. Hier kündigt sich schon an, daß das Verhältnis des Tiberius zum Senatorenstand für eine adäquate Beurteilung seiner Regierung, für ein Verständnis seiner Politik und für sein letztendliches Scheitern, das in resignativer Zurückgezogenheit zum Ausdruck kommt, konstitutiv ist.

In seiner Außenpolitik schloß sich Tiberius der von Augustus vorgegebenen Maxime des Expansionsverzichts an. Im Rückblick auf seine dreiundzwanzigjährige Regierungszeit kann man insgesamt von einer durchaus erfolgreichen Außen- und Sicherheitspolitik sprechen. Der Prinzeps wurde nur dann militärisch aktiv, wenn es galt, Aufstände in den Provinzen niederzuschlagen. Neben den Unruhen in Germanien und Pannonien sind separatistische Bewegungen in Afrika unter dem Numider Tacfarinas sowie lokal begrenzte Erhebungen in der Gallia und in der Belgica zu verzeichnen. In strikter Nachfolge des Augustus bemühte sich Tiberius vor allem um diplomatische Beilegung politischer Konflikte im Osten. Bei den armenischen Thronstreitigkeiten gelang es ihm im Jahre 19 und nochmals 34, durch geschickte Interventionen die Erhebung eines Königs von Armenien im Sinne Roms und gegen die Interessen des Partherkönigs zu lancieren. Als weiterer wichtiger Meilenstein römischer Außenpolitik ist die Umwandlung Kappadokiens und Kommagenes in römische Provinzen zu verzeichnen, wodurch die östliche Reichsgrenze arrondiert und abgesichert wurde.

Mangelnder Energie ist es dagegen zuzuschreiben, wenn er – obschon häufig genug in Aussicht gestellt und angekündigt – keine Reisen in die Provinzen des Reiches unternommen hat. Deren Verwaltung hat er bewährten Beamten anvertraut; ein auffälliges Merkmal ist die extrem lange Amtszeit von Statthaltern. Auch hier trifft offensichtlich der Grundsatz zu, Bewährtes nicht zu ändern. Im Verhältnis zu einer recht umfangreichen Tätigkeit im Straßenbau, der logistischen Zwecken diente, fällt die Bautätigkeit zur Ausschmückung Roms und der Provinzen eher bescheiden aus. In Rom sind lediglich zwei Neubaumaßnahmen bezeugt, nämlich die Errichtung des Augustustempels und des Szenengebäudes im Pompeiustheater. Allerdings ließ er überall schon Bestehendes restaurieren, hierbei legte er besonderen Wert auf die Instandsetzung der Wasserleitungen.

Im Bereich der Finanzpolitik ist dem zweiten Prinzeps eine Konsolidierung der Staatsfinanzen gelungen. Seine Sparpolitik kam Unglücksopfern sowohl in Rom als auch in den Provinzen zugute. Dabei wird ein väterliches Fürsorgedenken offenbar, das sozialgeschichtlich in der Stellung des Familienvaters sein Vorbild findet. Somit darf man auch Suetons Einschätzung in Zweifel ziehen, der Prinzeps sei nur aus Geiz öffentlichen Aufführungen und Belustigungen ferngeblieben, da die städtische Bevölkerung bei derartigen Gelegenheiten Geschenke von ihm erwartete. Den eigentlichen Grund hierfür darf man in seiner Menschenscheu, ja in einer ausgeprägten Angst Menschenmassen gegenüber erkennen. Für wie unberechenbar er die anonyme Menge hielt, lehrt ein an sich bangloser Vorgang um den Tod einer Schlange durch Ameisen, den er als Warnung deutete, sich vor der Gewalt der wütenden Menge zu hüten.

Schlüssel und Ausgangspunkt für ein Verständnis der politischen Linie des Tiberius ist sein seit der Senatssitzung des Jahres 14 beeinträchtigtes und sich zunehmend verschlechterndes Verhältnis zum Senat, das hier noch einmal aufzugreifen ist. Gerade infolge seines Selbstverständnisses eines ‹Ersten unter Gleichen› begegnete Tiberius den Magistraten mit den traditionellen Ehrenbezeugungen. So erhob er sich vor den Konsuln, kam ihnen entgegen, wenn sie ihn besuchten, gab ihnen beim Abschied das Geleit. In der Reichspolitik, bei den Magistratswahlen wie auch bei der Verwaltung der Provinzen suchte Tiberius durch mehrere Anordnungen eine Stärkung des Senats zu bewirken. Daß er seine eigene Position nur als die ausführende Gewalt des Senats verstand, kommissarisch betraut mit Aufgaben, die dieser selbst nicht durchführen konnte, äußert sich nicht zuletzt in einer von Sueton überlieferten Bemerkung des Tiberius: Der gute und auf das öffentliche Wohl bedachte Herrscher müsse dem Senat, der Bürgerschaft sowie dem einzelnen Bürger dienen.

Das ständige Bemühen, den Senat mit einzubeziehen, das sicherlich programmatischer Natur war, wurde von den Senatoren teilweise als Regierungsschwäche und Richtungslosigkeit mißverstanden. Tatsächlich aber scheiterte es letztendlich eher daran, daß es einem Senat offeriert wurde, dessen politisches Verantwortungsbewußtsein weithin erloschen war, ja der vielfach gar nicht mehr in der Lage war, auf ein solches Angebot entsprechend einzugehen. Dies äußert sich nicht zuletzt in der Passivität der Senatoren, die angesichts der wiederholten Versuche des Tiberius, dem Senat als zuständiger Institution wichtige Personalentscheidungen zu überlassen, eben solche Entscheidungen an die Kompetenz des Prinzeps zurückverwiesen. Die Diskrepanz zwischen einem entwickelten senatorischen Standesbewußtsein einerseits und der mangelnden Bereitschaft andererseits, sich der politischen Probleme in verantwortlicher Weise anzunehmen, war dem Tiberius unverständlich. Das in der Veranlagung des Kaisers wurzelnde Mißtrauen, welches durch persönliche Erfahrungen mit Augustus noch verstärkt worden war, erschwerte die Kommunikation mit den Senatoren. Solcher Argwohn, gepaart mit einer nicht ganz eindeutigen Ausdrucksweise des Tiberius, führte zu Differenzen und Animositäten, die sich gegen opponierende Senatoren erst Tage später entluden.

Es ist nur zu bekannt, daß anstelle von Kooperationsbereitschaft mit dem Senat wachsender Argwohn trat, der das Verhältnis des Prinzeps zu den Mitgliedern des Senatorenstandes seit dem Jahr 23 schwer belasten sollte. Die von servilen Kreaturen angezettelten Majestätsprozesse verstärken den beklemmenden Eindruck einer zunehmenden Willkürherrschaft; sie vor allem werfen einen Schatten auf die Regierungszeit des Tiberius. Aus den ersten Jahren sind relativ wenig Verfahren bekannt; doch bis zum Tode 37 steigert sich die Anzahl auf über 50 Hochverratsprozesse. Nach Sueton galt es bereits als erwiesenes Delikt der Majestätsbeleidigung, wenn jemand zu privaten Zwecken bei einer Augustusstatue den Kopf durch einen anderen ersetzt habe; folglich sei der Angeklagte der Folter unterzogen und hingerichtet worden. Ein nicht systemkonformer Geschichtsschreiber wurde nur deshalb angeklagt, weil er die Caesarattentäter Cassius und Brutus als die letzten Römer gefeiert hatte. Vornehmlich in diesem Vorfall manifestiert sich die für Tiberius' Herrschaft bezeichnende Atmosphäre der Unfreiheit.

Diese aus dem Verhältnis zum Senat resultierende Repressivität mag durch Rivalitäten mit Angehörigen der eigenen Familie noch verstärkt worden sein. Zwar sollten noch im Jahr 14 seine ehemalige Gemahlin Iulia und deren letzter Sohn Agrippa Postumus den Tod finden, so daß die direkte Linie des Augustus keine männlichen Prätendenten mehr vorweisen konnte. Jedoch mochte die testamentarisch verfügte Aufwertung seiner Mutter Livia, die immerhin ein Drittel des Vermögens ihres Mannes geerbt und durch Adoption in das iulische Geschlecht aufgenommen worden war, einerseits sowie die Beliebtheit und die charismatische Persönlichkeit seines Neffen und Adoptivsohns Germanicus andererseits eine Bedrohung für seine nun endlich übernommene Position darstellen.

In einer Situation, in der der Staat die autoritative Persönlichkeit des Augustus verloren hatte, kam es nach Bekanntgabe von dessen Tod zu Meutereien bei den germanischen und pannonischen Legionen. Die Unzufriedenheit der Soldaten ging aus einer übermäßigen Belastung und mangelnden Besoldung hervor, sollte sich aber dann mit politischen Zielen verbinden, als die Soldaten den in Germanien kommandierenden Germanicus zum Prinzeps akklamieren wollten. Germanicus verhielt sich loyal, indem er eine solche Rangerhöhung zurückwies und die Rebellion durch einstweilige Zugeständnisse hinsichtlich offenkundiger Mißstände beilegen konnte – Zugeständnisse, die schon ein Jahr später nach Beseitigung der akuten Gefahr von Tiberius wieder revidiert wurden.

Um die Truppen an der Rheinfront zu beschäftigen, wurde noch zu Ende des Jahres 14 unter dem Kommando des Germanicus der Offensivkrieg gegen die rechtsrheinischen Germanen wieder aufgenommen. Als die Vorstöße gegen die Stämme der Marser, Chatten und Cherusker zu keinem durchschlagenden Erfolg führten, kehrte Tiberius im Jahr 16 endgültig zum Verzicht auf die rechtsrheinischen Gebiete zurück. Seinen sich mit der Defensivpolitik nur schwer abfindenden Adoptivsohn ehrte er am 26. Mai 17 durch einen glanzvollen Triumph und beauftragte ihn mit Sonderkommissionen im Orient. Nach Erledigung seiner Aufgaben in Armenien besuchte Germanicus zu Beginn des Jahres 19 Ägypten, ohne hierzu die Genehmigung des Tiberius eingeholt zu haben, was dieser in einer Rede vor dem Senat tadelte. Als Germanicus am 10. Oktober 19 in Syrien starb, behielt Tiberius die von Augustus angeordnete dynastische Einbindung auch für dessen Söhne bei. Solche Loyalität sollte ihm jedoch vor allem Agrippina, Germanicus' Witwe, nicht danken. Bezeichnend für das von Argwohn und Herrschsucht bestimmte Verhältnis ist ein von Sueton kolportierter Ausspruch des Tiberius: «Wenn du nicht herrschst, mein Töchterchen, meinst du dann, dir geschehe Unrecht?»

Infolge einer nicht nur altersbedingten Passivität sowie der Spannungen zu seiner Familie und zum Senat gelang es dem Prätorianerpräfekten Lucius Aelius Seianus, zum maßgeblichen Protagonisten der tiberischen Regierung zu werden. Wahrscheinlich schwebte ihm anfangs eine ähnliche Rolle vor, wie sie seinerzeit Agrippa unter Augustus zugekommen war. Aufgrund der Passivität und Isolation des Tiberius strebte dann Seian nach noch Höherem.

Bereits im Jahre 14 berief ihn Tiberius zum Prätorianerpräfekten als Kollegen seines Vaters. Seit 16 amtierte er allein und verstand es immer mehr, sich dem Tiberius unentbehrlich zu machen, so daß er schließlich die Rolle des Vertrauten und allmächtigen Ratgebers ausfüllte. Diese diente ihm letztendlich zur Stärkung der eigenen Position. Wohl am folgenreichsten ist die im Jahre 23 erfolgte Verlegung der bislang in der Umgebung Roms stationierten Prätorianerkohorten in die Stadt. Dieser Vorgang diente nicht nur der Mehrung der persönlichen Macht Seians, sondern die Präsenz der Prätorianertruppen sollte fortan bei der Prinzepserhebung von größter Tragweite sein. Diese Verlegung war nur möglich, weil der Tiberius-Sohn Drusus, der die eigensüchtigen Machenschaften des Prätorianerpräfekten durchschaut hatte, am 14. September 23 gestorben war. Ob dessen Tod auf eine Intrige Seians im Verein mit Livilla, der Gattin des Drusus, zurückzuführen ist, was die Geschichtsschreiber suggerieren, sei dahingestellt. Jedenfalls sah sich der Prätorianerpräfekt seit diesem Zeitpunkt keiner Beschränkung mehr ausgesetzt. Er hoffte, sich über eine Hochzeit mit Livilla Zugang zur Herrschaft zu verschaffen. Diese Zuversicht wurde um so realistischer, als er seine Vertrauensstellung bei Tiberius weiter ausbauen konnte; dies gelang ihm nicht zuletzt dadurch, daß er sich selbstlos schützend auf diesen warf, als sich einmal Steine vom Gewölbe gelöst und viele der im Raume Anwesenden getötet hatten.

Seian verstand es, die latent vorhandenen Gegensätze des Tiberius zur Familie des Germanicus zu schüren und auszunutzen, indem es ihm schließlich gelang, Agrippina, die Witwe des Germanicus, sowie zwei ihrer Söhne auf hinterhältigste Weise zu beseitigen. Gleichfalls nahm unter Seians Ägide die Welle der Hochverratsprozesse bislang unbekannte Ausmaße an. Zwar soll Tiberius angesichts der gewalttätigen Aktivitäten Seians nicht entlastet werden; gleichwohl aber hat jener seine Vertrauensstellung zur Erreichung persönlicher Vorteile auf das Maßloseste ausgenutzt. Des zermürbenden Treibens am Hof und in Rom müde, zog sich Tiberius, nachdem er bereits 21/22 in Campanien Quartier bezogen hatte, im Jahr 26 nach Capri zurück, wodurch der Handlungsspielraum für die Willkür Seians jede Grenze verlor. Endlich wurde er mit erheblicher Macht ausgestattet und besaß durch die in Aussicht gestellte Verlobung mit der Tiberius-Enkelin Iulia eine berechtigte Hoffnung auf Bindungen zum Kaiserhaus – Auszeichnungen also, die an augusteische Mittel der Nachfolgeregelung erinnern. Über seine eigentlichen Absichten, die Herrschaft zu übernehmen, unterrichtete Antonia, die Witwe seines Bruders Drusus, den Tiberius.

Einem Anflug wiedererweckter Energie kam es gleich, als Tiberius in Geheimaktionen Seian verhaften, vom Senat wegen Hochverrats verurteilen und noch am gleichen Tag, nämlich am 18. Oktober 31, hinrichten ließ. Diese Befreiung von einem bösen Geist bewirkte in Tiberius freilich keine Veränderung mehr. Im Gegenteil, er verharrte in Isolation, umgeben von – und zugleich ausgeliefert – einer bereitwilligen Schar von Kreaturen, die zu allen Schandtaten bereit waren. Verhärmt und vereinsamt, muß Tiberius in der Tat mit zunehmendem Alter bösartig, grausam und wollüstig geworden sein, ohne daß man allen von Tacitus und Sueton im Detail und überzogen aufgelisteten Gemeinheiten und Exzessen Glauben schenken muß. Bei solch zunehmender Verdüsterung des Greises von Capri war es kein Wunder, daß das Volk seinen Tod, der ihn am 16. März 37 in Misenum ereilte, als befreiende Wohltat empfand, was sich in dem Wortspiel ‹In den Tiber mit Tiberius› nahezu lautmalerisch manifestiert. Ein wenig zurückhaltender, wie es den Mitgliedern dieses Standes angemessen war, reagierte der Senat: Dem Tiberius wurde ein feierliches Leichenbegängnis gewährt, zwar wurde der Tote nicht wie sein Adoptivvater göttlicher Ehren für würdig erachtet, doch sein Andenken wurde immerhin nicht geächtet.

Dem Anspruch einer Stärkung senatorischen Einflusses wollte Tiberius gerecht werden. Doch sein Agieren mündete in eine Katastrophe, die der wachsenden Einflußnahme der militärischen Kräfte auf die Erhebung eines neuen Prinzeps zusätzlich Vorschub leisten sollte. Tiberius' Verhalten dem Senat gegenüber verdeutlicht exemplarisch die in staatsrechtlicher Hinsicht bestehende Kluft zwischen Anspruch und Wirklichkeit des römischen Kaisertums. Doch darf der Historiker es nicht mit dem Konstatieren eines solchen Dilemmas bewenden lassen; die zugegebenermaßen komplexe, überaus ambivalente mentale Verfassung des zweiten Prinzeps stand der Umsetzung der Maxime des Augustus sicherlich erschwerend im Wege. Gründe für das widersprüchliche Gebaren sind wohl in seiner charakterlichen Veranlagung und der von ihm als peinlich empfundenen Nachfolgepolitik zu suchen. So kam es, daß sich seine programmatischen Absichten von einem konstitutionellen Mitwirken des Senats während seiner dreiundzwanzigjährigen Regierungszeit tatsächlich ins Gegenteil verkehrten. Die von Augustus propagierte Wiederherstellung der Republik wurde durch das Wirken des Tiberius endgültig als bloße Fiktion entlarvt.

CALIGULA
37–41

Von Heinz Bellen

Caligula, «Stiefelchen», nannten die Soldaten den kleinen Sohn ihres Feldherrn Germanicus, weil der Junge im Lager Soldatenkleidung trug, zu der als typischer Bestandteil der Stiefel gehörte. Mit zwei Jahren war Gaius – so lautete sein Geburtsname – zum Heer seines Vaters an den Rhein gekommen und gleich in die Unruhen geraten, die 14 nach dem Tode des Augustus bei den niederrheinischen Legionen ausgebrochen waren. Er hatte sogar einen gewissen Anteil an dem Ende der Meuterei. Denn als die Soldaten sahen, daß Caligula von seiner Mutter Agrippina der Älteren aus dem Legionslager im Gebiet der Ubier bei Köln weggebracht werden sollte, um bei den Treverern im heutigen Trier Schutz zu suchen, kamen sie zur Besinnung und ließen sich von Germanicus zur Disziplin zurückführen.

Sieben Jahre war Caligula alt, als sein Vater, den er auf der Inspektionsreise in den Osten des Reiches begleitet hatte, unter mysteriösen Umständen 19 in Syrien starb. In den folgenden Jahren erlebte er dann in Rom sozusagen hautnah die Auseinandersetzung mit, zu der es zwischen seiner Mutter Agrippina und dem Kaiser Tiberius kam. Dabei ging es um den Ranganspruch, den Germanicus durch seine 4 erfolgte

Adoption in das Kaiserhaus seiner Familie hinterlassen hatte. Agrippina unterlag; sie mußte 27 Rom verlassen und wurde 29 offiziell verbannt. Das gleiche Schicksal traf Nero, den ältesten Bruder Caligulas. Er selbst verlor sein Zuhause; seine Urgroßmutter Livia konnte es ihm ebensowenig ersetzen wie seine Großmutter Antonia.

Das Jahr 30 bedeutete für Caligula den Beginn einer Zerreißprobe. Tiberius ließ den ins 19. Lebensjahr getretenen jungen Mann in seine Residenz nach Capri kommen und setzte ihn hier den Anfechtungen aus, die teils absichtlich an ihn herangetragen wurden, teils durch den Gang der Ereignisse bedingt waren. Harte Schläge trafen ihn schon 31: der Tod seines Bruders Nero und die Inhaftierung seines anderen Bruders Drusus. Große Verwirrung stiftete im gleichen Jahr der Sturz des Prätorianerpräfekten Seian. Zwei Jahre später starben seine Mutter Agrippina und sein Bruder Drusus. Er war nun der letzte männliche Sproß der Familie des Germanicus, ließ aber durch nichts erkennen, daß ihm das Schicksal seiner Mutter und seiner Brüder naheging. Überhaupt erweckte er den Anschein, als ob alles Widrige an ihm abpralle. Gegenüber Tiberius war er von einer geradezu sklavischen Unterwürfigkeit. Nichtsdestoweniger wußte er Vorkehrungen zu treffen, daß nach dem Tod des Tiberius er der Herr des Römischen Reiches werde.

Auf Grund des von Tiberius im Jahre 35 errichteten Testaments sollte Caligula die Hälfte des Vermögens erben. Für die andere Hälfte war Tiberius Gemellus, der leibliche Enkel des Tiberius, vorgesehen. Eine Bevorzugung eines der beiden Erben hinsichtlich der Nachfolge im Kaisertum war dem Testament nicht zu entnehmen. Diese Unsicherheit beseitigte Caligula, indem er den Prätorianerpräfekten Macro für sich gewann und ein schnelles Handeln nach dem Tode des Tiberius vorbereitete. So wurde denn, als dieser Fall am 16. März 37 in Misenum eintrat, Caligula sofort von den anwesenden Prätorianern zum Kaiser ausgerufen. Briefe mit der Aufforderung, den Treueid zu leisten, gingen in alle Welt. Mit dem Senat kam am 18. März ein Arrangement über die Verleihung der kaiserlichen Gewalten zustande. Das Volk von Rom wurde durch die Nachricht vom Hinscheiden des verhaßten Tiberius in Freudenstimmung versetzt.

Die Ankunft Caligulas in Rom am 28. März 37 ließ die Erinnerung an seinen Vater Germanicus wiederaufleben. Er selbst wurde mit Kosenamen bedacht, als ob die Zeit stillgestanden hätte. Dabei war er inzwischen 24 Jahre alt und wußte genau, was er wollte: die unbeschränkte Macht. Diese erhielt er vom Senat zusammen mit dem Augustus-Titel in einem eindrucksvollen en bloc-Beschluß verliehen. Selbst den Titel «Vater des Vaterlandes», die höchste Ehrung, die Augustus zuteil geworden war, nahm er ein halbes Jahr später an, obwohl Tiberius ihn aus Ehrfurcht abgelehnt hatte. Das Testament des Tiberius räumte er durch Senatsbeschluß aus dem Weg und setzte sich allein in den Besitz des Erbes;

seinen siebzehnjährigen Vetter Tiberius Gemellus ‹entschädigte› er durch Adoption. Soweit ging alles glatt. Dann aber befiel ihn im Oktober 37 eine schwere Krankheit. Sie ließ die Befürchtung in ihm übermächtig werden, daß seine Herrschaft von Tiberius Gemellus bedroht sei. Die Folge war eine Überreaktion: Er zwang den Jüngling zum Selbstmord. Aufmerksame Beobachter des Geschehens sahen darin ein Wetterleuchten.

Zwischen den Anfängen der Regierung Caligulas und dem Rest seiner Herrschaft verläuft ein tiefer Graben. Ihn hob Caligula selbst aus, als er zu Beginn des Jahres 39 in einer Rede vor dem Senat eine grundsätzliche Änderung seines bisherigen Verhaltens gegenüber der Körperschaft und seiner Einstellung zum Herrscheramt überhaupt ankündigte. Hatte er 37 zur Freude der Senatoren die Majestätsprozesse abgeschafft, die unter Tiberius höchst unheilvoll in Erscheinung getreten waren, so führte er sie 39 wieder ein und handhabte sie rigoros. Die Freigebigkeit, die ihn zu Beginn seiner Regierung beliebt gemacht hatte, schlug nun, nachdem die Staatsrücklagen in Höhe von 2700 Millionen Sesterzen verbraucht waren, in Geldgier um, die ihn mitunter geradezu teuflische Mittel der Geldbeschaffung ersinnen ließ. Den schlimmsten Wandel aber vollzog Caligula in der Einschätzung seiner Person. War er anfangs dagegen eingeschritten, daß ihm Opfer dargebracht würden, so ließ er sich später einen Tempel bauen. Jüdische Gesandte behandelte er als Dummköpfe, weil sie seine göttliche Natur nicht erkannt hätten.

Caligulas Bruch mit den anfänglich befolgten Herrschaftsprinzipien hatte sich schon im Laufe des Jahres 38 angekündigt. Vor allem seine Reaktion auf den Tod seiner Lieblingsschwester Drusilla im Juni des Jahres ließ erkennen, daß ihm der Maßstab für sein Tun abhanden gekommen war. Er stellte Drusilla durch Vergöttlichung direkt neben Augustus! Der Senat, der unter anderen Ehren für Drusilla auch die Aufstellung ihrer goldenen Statue im Senatsgebäude beschließen mußte, war also gewarnt. Jetzt sah er sich dem in Capri aufgestauten Haß Caligulas direkt ausgesetzt. Das Verhalten der Senatoren war erbärmlich: Sie bedachten den Kaiser mit Hymnen und Prozessionen, die ihm das Gefühl gaben, er könne sich herausnehmen, was er wolle. Tatsächlich führte er schon bald ein ebenso spektakuläres wie unnützes Unternehmen durch: Der Meerbusen zwischen Baiae und Puteoli wurde überbrückt und auf der Schiffsbrücke die Besiegung des Meeres durch ein ausgelassenes Fest gefeiert. Überhaupt setzte Caligula seinen Extravaganzen jetzt keine Grenzen mehr. Zeugen sind etwa die beiden 1930 aus dem Nemisee in den Albanerbergen gehobenen Luxusschiffe; sie waren schwimmende Villen.

Kritik an Caligulas Gebaren und damit an seinem Kaisertum kam aus seiner eigenen Familie. Seine beiden Schwestern Agrippina die Jüngere und Livilla verbanden sich mit Marcus Aemilius Lepidus, der mit ihrer

Schwester Drusilla verheiratet gewesen war, zum Zwecke der Beseitigung ihres Bruders. Militärische Unterstützung sollte vom nächstgelegenen Heer in Obergermanien kommen, dessen Kommandeur, Gnaeus Cornelius Lentulus Gaetulicus, sich der Verschwörung angeschlossen hatte. Caligula entdeckte sie und beseitigte die ihm drohende Gefahr im Zusammenhang mit dem von ihm geplanten Feldzug gegen die Germanen. Lepidus und Gaetulicus wurden 39 in Mainz hingerichtet, Agrippina und Livilla von hier aus auf die Pontischen Inseln verbannt. In Rom entfesselte der Senat eine Anklagewelle gegen die Mitwisser.

Der Feldzug gegen die Germanen geriet zur Farce; er kam über Bewegungen mit Manövercharakter nicht hinaus. Auch die ins Auge gefaßte Invasion Britanniens erschöpfte sich 40 in einer Machtdemonstration an der Kanalküste. Immerhin hatten Caligulas Westpläne die Verstärkung des Heeres am Rhein um zwei neue Legionen zur Folge. Ihm selbst verschafften sie den Anlaß, die Prätorianerkohorten von neun auf zwölf zu erhöhen, und die Möglichkeit, im Bataverland seine germanische Leibwache, die er besonders schätzte, zu ergänzen.

Seiner Rückkehr nach Rom schickte Caligula die Drohung voraus, er komme nur für Ritterstand und Volk, nicht aber für den Senat. Die im Jahre 39 aufgerissene Kluft hatte sich durch die Verschwörung des Lepidus vertieft. Wenn Caligula weiter verlauten ließ, er werde dem Senat nicht mehr als Prinzeps begegnen, so war dies die Ankündigung einer Tyrannenherrschaft. Zu ihr kam es 40 nach dem Einzug in Rom und erst recht, als hier eine weitere Verschwörung entdeckt wurde. Der Schrecken ging um, und zwar nicht nur bei den Senatoren. Auch die Prätorianerpräfekten waren in die Verschwörung verwickelt und mußten um ihr Leben fürchten. Aus den Reihen der Prätorianer kam dann auch der Mann, der den Plan zu Caligulas Ermordung schmiedete: Cassius Chaerea, Tribun einer Prätorianerkohorte. Am 24. Januar 41 vollbrachte er bei den Palatinischen Spielen zusammen mit anderen Prätorianern die Tat. Getötet wurde auch Caligulas Frau Milonia Caesonia und sein noch nicht ein Jahr altes Töchterchen.

Die Erinnerung an Caligula wurde weitgehend ausgelöscht, seine rechtsverletzenden Amtshandlungen für ungültig erklärt. So blieben nur wenige Maßnahmen aus seiner fast vierjährigen Herrschaft, die Bestand hatten: der Bau zweier Wasserleitungen in Rom, die Förderung des Ritterstandes, die Trennung des Militärkommandos von der Statthalterschaft in Africa, der Einzug Mauretaniens als Provinz. Und doch bildete die Regierung Caligulas einen Markstein in der Entwicklung des römischen Kaisertums: Die Herrschaftsübertragung war nun eine feste Größe (*lex de imperio*), an der auch die Prätorianer Anteil hatten (Imperator-Akklamation). Der Kaiser erhob sich über den Senat, das Kaisergericht erhielt den Vorrang vor dem Senatsgericht. Insgesamt wuchs das Kaisertum in die Sphäre absoluter Macht und maßloser Selbstüberschätzung hinein. Caligula gab den Anlaß, vom ‹Caesarenwahnsinn› zu sprechen.

Caligulas antiker Biograph, Sueton, hat ihn als großgewachsenen Menschen beschrieben, dessen dicker Körper auf zu dünnen Beinen ruhte. Das Gesicht habe durch eine breite Stirn und zurückliegende Augen sowie durch eine bleiche Farbe schreckenerregend gewirkt. Der Haarwuchs auf dem Kopf war schütter. Statuen und Münzen zeigten, der Herrscherpropaganda entsprechend, natürlich einen ‹schöneren› Caligula. Vom Gesundheitszustand Caligulas wußte Sueton zu berichten, weder Körper noch Geist seien in Ordnung gewesen. Seine Andeutungen haben zu vielen Spekulationen über das zu Grunde liegende Krankheitsbild geführt – Caligula ging auch als ‹medizinischer Fall› in die Geschichte ein.

CLAUDIUS
41–54

Von Wilhelm Kierdorf

Als Kaiser Caligula am 24. Januar 41 von Verschwörern getötet wurde, rechnete wohl niemand damit, daß sein Onkel Tiberius Claudius Nero, Claudius genannt, sein Nachfolger werden würde. Dieser gehörte zwar zum weiteren Kreis der kaiserlichen Familie, war aber unter Augustus und Tiberius wegen krankheitsbedingter Auffälligkeiten sogar von den alten senatorischen Ämtern ferngehalten worden und daher auf die Leitung des Reiches weder durch militärische noch zivile Tätigkeit vorbereitet.

Claudius wurde am 1. August 10 v. Chr. in Lyon als Sohn des Nero Claudius Drusus und der jüngeren Antonia geboren. Da sein Vater Sohn der Livia und Stiefsohn des Augustus, seine Mutter eine Tochter von Augustus' Schwester Octavia war, stand Claudius durch seine Eltern dem Gründer der Dynastie nahe, hatte Tiberius zum Onkel, und Caligula war der Sohn seines Bruders Germanicus.

Das Unglück wollte es, daß sein Vater schon 9 v. Chr. während eines Feldzuges im Inneren Germaniens starb. Viel nachteiliger für den späteren Werdegang des Claudius war aber eine schwere Krankheit in seiner frühen Kindheit, die unter anderem Gehirnschäden hinterließ; möglicherweise handelte es sich um Folgeschäden einer schweren und verfrühten Geburt. Claudius war dadurch keineswegs schwachsinnig, aber noch in fortgeschrittenen Jahren hinkte er auffällig, konnte weder seinen Kopf noch seine Hände ruhig halten, sprach undeutlich und stotternd und verlor bei Erregung völlig die Kontrolle über sich. Für Augustus waren diese Defekte Grund genug, ihn trotz der verwandtschaftlichen Beziehung nicht mit wesentlichen staatlichen Aufgaben zu betrauen. Er befürchtete nach eigenem Zeugnis, der junge Mann werde das Kaiserhaus in der Öffentlichkeit zum Gespött machen. Claudius erhielt jedoch eine standesgemäße Ausbildung und wurde an weniger auffälligen zeremoniellen Aufgaben beteiligt: So wurde er 9 in das Priester-Kollegium der Auguren aufgenommen und 14 mit anderen Familienmitgliedern in die neubegründete Priesterschaft für den Kult des Staatsgottes (*divus*) Augustus gewählt.

Auch über eine passende Verheiratung machte man sich frühzeitig Gedanken. Zwei Verlobungen zerschlugen sich allerdings, die erste mit einer Tochter der Augustus-Enkelin Iulia, weil die Eltern der Braut bei Augustus in Ungnade fielen, die zweite, weil die Braut kurz vor der Heirat starb. Schließlich heiratete Claudius Plautia Urgulanilla, Tochter einer in spätaugusteischer Zeit prominenten Senatoren-Familie.

Tiberius folgte nach seinem Regierungsantritt wie in anderen Punkten so auch in der Behandlung des Claudius streng den Grundsätzen des Augustus. Eine förmliche Bitte des Claudius, ihn bei der Besetzung der Ämter zu berücksichtigen, schlug er rundweg ab, und die Verleihung konsularischer Abzeichen, sozusagen eine Ernennung zum Konsul ‹ehrenhalber›, war ein unmißverständliches Signal, daß an eine wirkliche Verwendung auch in Zukunft nicht gedacht war. Claudius resignierte daraufhin und widmete sich für lange Zeit ausschließlich privaten Interessen, keineswegs nur Trunk und Würfelspiel, wie sein antiker Biograph mißgünstigen Quellen entnahm. Unter Tiberius muß vielmehr ein großer Teil seiner umfangreichen grammatischen und historischen Werke entstanden sein, vor allem die vielbändige Geschichte der augusteischen Periode, aber auch die Ehrenrettung Ciceros gegen die Kritik des Asinius Gallus und die Schrift, in der er vorschlug, mehrere Buchstaben ins römische Alphabet einzufügen. Im übrigen erfahren wir aus dieser Zeit nur, daß der Ritterstand, dem er als reicher Nicht-Senator angehörte, ihn mehrfach zum Mitglied von Delegationen an den Senat, 37 auch der Gratulationsgesandtschaft an den neuen Kaiser Caligula machte.

Unter Caligula erreichte Claudius doch noch das lang ersehnte ‹wirkliche› Amt: Dieser machte ihn zu seinem Kollegen im Konsulat für die Monate Juli/August 37, wodurch er gleichzeitig Mitglied des Senats wurde. Er durfte auch den Vorsitz bei öffentlichen Spielen führen und den Beifall der Menge genießen, was er auch als Kaiser gerne tat. Andererseits hatte er unter den Launen und dem Größenwahn seines Neffen viel zu leiden. Die Hofgesellschaft trieb mit dem etwas vertrottelten älteren Herrn ihre schlechten Späße; und die Zwangsmitgliedschaft in einem neuen Priester-Kollegium für den Kult des Caligula, die mit einem enormen ‹Eintrittsgeld› verbunden war, ruinierte Claudius' nicht unbeträchtliches Vermögen.

Während der Regierungszeit Caligulas schloß Claudius offenbar eine neue Ehe, die große Bedeutung während seiner späteren Herrschaft haben sollte. Von seiner ersten Frau Urgulanilla hatte er sich seit langem getrennt. Eine zweite Ehe mit Aelia Paetina, der die Tochter Antonia entstammte, muß spätestens 28 geschlossen worden sein, war aber inzwischen ebenfalls geschieden. Wahrscheinlich 38 oder 39 heiratete Claudius nun die entfernt mit ihm verwandte blutjunge Valeria Messalina, die ihm 40 die Tochter Octavia und 41 bald nach seinem Regierungsantritt einen Sohn schenkte, der zunächst Tiberius Claudius Germanicus, seit 44 gewöhnlich Britannicus genannt wurde.

Die Ermordung Caligulas befreite Claudius von einem Plagegeist, brachte ihn aber auch in große, keineswegs nur eingebildete Gefahr. Die Verschwörer hatten es angeblich auch auf sein Leben abgesehen, die germanische Leibwache Caligulas machte Jagd auf Schuldige oder wen sie dafür hielt, und sogar im Senat gab es den Vorschlag, die restlichen Mitglieder des Kaiserhauses zu beseitigen und die Republik wiederherzustellen. Der notorisch ängstliche Claudius versteckte sich im Bereich des kaiserlichen Palastes. Als er von einem Garde-Soldaten entdeckt wurde, kam ihm die Loyalität der Garde gegenüber dem ganzen Kaiserhaus zugute: Man begrüßte ihn überraschend als *imperator* und brachte ihn eilig ins Prätorianerlager. Diesen sicheren Platz verließ er erst am 25. Januar, nachdem ihm die Garde, der ein unerhört großes Geldgeschenk versprochen wurde, den Treueid geleistet und sich auch der Senat dem Fait accompli gebeugt hatte. Es ist wenig wahrscheinlich, daß Claudius an der Verschwörung gegen Caligula beteiligt war. Aber nachdem er in den Schutz der Garde gelangt war, nutzte er mit taktischem Geschick die Gunst der Stunde und sicherte sich die Regierungsgewalt, der er sich anscheinend durchaus gewachsen fühlte und ohne die er künftig seines Lebens nicht mehr sicher sein konnte.

Die Regierungstätigkeit des Claudius war zunächst größtenteils durch die ungewöhnlichen Umstände des Machtwechsels bestimmt. Der neue Kaiser mußte vor allem versuchen, das schwer gestörte Verhältnis zum Senat zu verbessern. Außerdem mußte eine ernste Versorgungskrise in Rom, das auf regelmäßige Einfuhren, besonders von Getreide, angewiesen war, gemeistert werden. Dazu kamen Probleme in den Provinzen, die teilweise von Caligula regelrecht provoziert worden waren. Der Wiederherstellung des inneren Friedens diente eine Amnestie für alle an den Ereignissen des 24. und 25. Januar Beteiligten, ausgenommen einige Offiziere, die eigenhändig Caligula und seine Familie getötet hatten. Die von

Caligula zu Unrecht Verbannten und Inhaftierten wurden zurückgerufen bzw. freigelassen, konfisziertes Vermögen zurückgegeben. Auch alle übrigen Verfügungen des Vorgängers wurden aufgehoben und seine Bildnisse entfernt, ohne daß es allerdings eine förmliche Verurteilung seines Andenkens (*damnatio memoriae*) durch den Senat gegeben hätte. Um das Klima zu verbessern, beteiligte Claudius den Senat demonstrativ an allen Entscheidungen, schaffte die verhaßten Majestätsprozesse ab und behandelte die Senatoren bewußt als Standesgenossen. Zu den Goodwill-Aktivitäten gehörten auch Ehrungen verstorbener Angehöriger, deren Namen bei der Bevölkerung einen guten Klang hatten: Claudius' Eltern Drusus und Antonia, sein älterer Bruder Germanicus und vor allem seine Großmutter Livia, die sogar von Staats wegen unter die Götter erhoben wurde. Für alle wurden kommemorative Münzen geprägt.

Zur Behebung der Versorgungskrise begnügte sich Claudius nicht mit einer Forcierung der Importe, sondern war auf eine langfristige Verbesserung der Lage bedacht. Schon 42 begannen die Arbeiten am neuen Seehafen nördlich der Tibermündung, der eine unmittelbare Belieferung Roms durch große Getreideschiffe ermöglichen sollte. Die Baumaßnahmen des Kaisers kamen aber auch anderen Bedürfnissen der Bevölkerung zugute: Er führte den Bau der von Caligula begonnenen Wasserleitung *Anio novus* weiter und ließ zusätzlich die bestes Quellwasser führende, nach ihm benannte *aqua Claudia* errichten, beides zeitraubende Projekte. Als ebenso langwierig erwies sich das gewagte Vorhaben, für den Fuciner See einen Abflußkanal durch den Monte Salviano zu bauen und damit Überschwemmungen im marsischen Gebiet zu verhindern. Daneben gab es zahlreiche Straßenbauten, in Italien ebenso wie in vielen Provinzen, von denen hier nur die Straße genannt werden soll, die Italien über Trient und den Reschenpaß mit Augsburg und der Donau verband (*via Claudia Augusta*).

In den Provinzen bemühte sich Claudius um die Begrenzung von Risiken und die Wiederherstellung des Friedens. Ein auf Papyrus erhaltener Kaiserbrief vom Herbst 41 diente der Beilegung langjähriger Streitigkeiten zwischen Griechen und Juden im ägyptischen Alexandria. Die Einsetzung oder Bestätigung von Klientelfürsten in Palästina, Kommagene und im Schwarzmeergebiet entlastete die römische Verwaltung. Während in Germanien die noch von Caligula eingesetzten Statthalter – darunter der spätere Kaiser Galba – erfolgreich operierten, mußten die Römer in Nordafrika einen mühseligen Krieg durchstehen, den Caligula durch die Ermordung des romtreuen Königs von Mauretanien und die Zerstörung der gewachsenen Strukturen herbeigeführt hatte. Nach mehrjährigen Kämpfen gegen maurische Stämme, bei denen römische Truppen sogar das Atlas-Gebirge durchquerten, wurden schließlich zwei neue Provinzen, Mauretania Tingitana und Mauretania Caesariensis, gebildet, die Statthaltern aus dem Ritterstand übergeben wurden.

Insgesamt zeigen die Anfangsjahre von Claudius' Regierung, daß der Herrscher, obwohl er erst mit 50 Jahren und praktisch unvorbereitet die Leitung des Staates übernahm, sich seiner Aufgabe mit Energie und Geschick annahm. Es versteht sich, daß er sich in vielen Fragen kompetenter Berater bedient haben muß, unter anderem einflußreicher Freigelassener des Kaiserhauses wie Callistus, Narcissus und Polybius. Nach dem Urteil der Zeitgenossen hat ihr Einfluß allerdings längst nicht immer positiv gewirkt; man schrieb ihnen vielmehr ebenso wie Claudius' Gattin Messalina Intrigen und Manipulationen zu, die zu krasser Willkür und Rechtsbeugung führten. So fiel schon im Jahr 42 der Senator Gaius Appius Silanus einem Komplott der Messalina und des Narcissus zum Opfer und wurde als vermeintlicher Attentäter hingerichtet. Der Fall hat die Beziehungen zum Senat schwer belastet und wahrscheinlich zu der Entstehung der gefährlichen Verschwörung desselben Jahres beigetragen, die Sueton geradezu einen ‹Bürgerkrieg› nennt. Eine Gruppe römischer Senatoren tat sich mit dem Statthalter von Dalmatien, Lucius Arruntius Camillus Scribonianus, zusammen, der mit seinen zwei Legionen von Claudius abfiel. Der gefährliche Putsch brach aber wider Erwarten nach wenigen Tagen zusammen, weil Scribonianus von seinen Truppen verlassen und auf der Flucht getötet wurde; die Komplizen in Rom wurden nach einem Senatsprozeß hingerichtet oder gaben sich den Tod.

Die militärische Operation gegen Britannien, die das folgende Jahr 43 beherrschte, darf man trotzdem nicht als Ablenkungsmanöver des innenpolitisch bedrängten Kaisers auslegen. Die Invasion Britanniens war bereits unter Caligula erwartet worden, und sie bedurfte schon deswegen längerer Vorbereitung, weil dafür zahlreiche Einheiten, wie Legionen und etwa 20000 Mann Hilfstruppen zusammengezogen werden mußten, ohne daß andere Regionen gefährlich geschwächt wurden. Aktueller Anlaß des Unternehmens waren Unruhen im Süden der Insel, wo die Catuvellauni mehrere Nachbarstämme attackierten und den Atrebaten-Fürsten Verica veranlaßten, bei den Römern Schutz zu suchen. Als tiefere Ursache der Invasion darf man aber Claudius' Verlangen ansehen, durch eine außergewöhnliche Militäraktion sein Ansehen beim römischen Heer, das von Anfang an seine stärkste Stütze war, aber auch bei der Bevölkerung insgesamt zu stärken. Für diese Deutung spricht auch der Ablauf des Feldzuges. Die Invasionstruppen unter dem Kommando des Aulus Plautius überquerten im Frühsommer den Ärmelkanal und stießen dann zum Medway vor, der erst nach schwerem Kampf überschritten werden konnte. Erneuter Widerstand an der Themse veranlaßte Plautius, den Vormarsch zu sistieren und Nachricht an den Kaiser zu senden. Claudius reiste über Marseille und Boulogne-sur-Mer nach Britannien, wo er persönlich den Oberbefehl übernahm, einen bedeutenden Sieg über die Gegner errang und die Königsburg Colchester eroberte. Daraufhin unterwarfen sich weitere Stämme. Claudius selbst verließ Britannien schon nach 16 Tagen, während Plautius den Auftrag erhielt, die Eroberung weiterzuführen und das eroberte Gebiet als Provinz zu organisieren.

Der unleugbare Erfolg wurde nach Kräften politisch ausgebeutet. Der Senat beschloß für Claudius und seinen Sohn den Siegerbeinamen *Britannicus*, außerdem die Errichtung von Triumphbögen in Rom und Boulogne-sur-Mer sowie jährliche Festtage, vor allem aber natürlich einen Triumphzug. Diesen feierte Claudius bald nach seiner Rückkehr Anfang 44 mit großer Pracht; gegen alle Gewohnheit durften Provinzstatthalter und sogar Verbannte nach Rom reisen, um das Schauspiel mitzuerleben. Aber damit nicht genug: Ein Jahr später feierte Claudius erneut ein Siegesfest, das mit einer Geldspende an die Bevölkerung Roms verbunden wurde; seit 46 wurden Münzen mit dem Triumphbogen geprägt, und im Jahr 47 feierte der Feldherr Plautius, dem Claudius persönlich das Geleit gab, einen kleinen Triumph wegen seiner Leistungen in Britannien.

Im übrigen widmete sich Claudius in diesen Jahren den alltäglichen Regierungsgeschäften, den Problemen der Verwaltung, der Gesetzgebung und Rechtsprechung. Von den bekannten Einzelmaßnahmen lassen sich nur wenige den Jahren nach der Invasion Britanniens zuordnen, so etwa, daß Rhodos wegen Übergriffen gegen römische Bürger den privilegierten Status als ‹freie Gemeinde› verlor, daß Thrakien aus einem Klientelstaat zur regulären Provinz gemacht oder daß zur Vermeidung der Prozeßverschleppung die Möglichkeit von Versäumnisurteilen eingeführt wurde. Daß die Leitung der Staatskasse 44 zwei Quästoren übertragen wurde, die gegen alle Regeln drei Jahre im Amt blieben, war ein Versuch zur Effizienzsteigerung, bei dem sich nur die Verwendung allzu junger Beamter nicht bewährte. Die oft vermutete konsequente Zentralisierung und hierarchische Organisation der Reichsverwaltung hat Claudius dagegen schwerlich durchgeführt. Der große Einfluß der kaiserlichen Freigelassenen erklärt sich wohl einfach dadurch, daß Claudius sehr leicht zu beeinflussen war und sich auf den Rat seiner langjährigen Mitarbeiter offenbar blindlings verließ.

In der Rechtsprechung, der sich Claudius geradezu mit Leidenschaft widmete, hat er dagegen wirklich eine merkliche Veränderung gegenüber den Vorgängern herbeigeführt. Schon seit augusteischer Zeit hatte der Kaiser prinzipiell die Möglichkeit, eine eigenständige Rechtsprechung in Zivil- und Strafsachen auszuüben, aber Claudius scheint als erster umfassend davon Gebrauch gemacht zu haben. Dadurch griff er nach dem Urteil der Zeitgenossen in übertriebenem Ausmaß in die Kompetenzen der ordentlichen Gerichte ein. In Einzelfällen verhalf das dem Prinzip der Billigkeit zum Recht, förderte manchmal vielleicht auch die Wahrheitsfindung, andererseits barg die Allgegenwart der kaiserlichen Rechtsprechung angesichts der Eigenwilligkeit des Claudius die Gefahr von massiven Fehlentscheidungen, die keiner Revision unterlagen.

Für die Jahre 47 und 48 hatte Claudius besondere Pläne; schon seit 43 kündigte sich der Konsulat des Jahres 47 in der Kaisertitulatur an. Der Grund dafür liegt nahe: Im Jahr 47 wurde Rom 800 Jahre alt, und dieses Jubiläum wollte der traditionsbewußte Claudius durch eine Säkularfeier mit religiösen Riten und prachtvollen Spielen begehen. Nach dem Abschluß dieser Feier übernahm er mit seinem Vertrauten Lucius Vitellius das Amt der Zensur, das seit Jahrzehnten außer Gebrauch gekommen war. Mit dem Amt waren traditionell drei wesentliche Aufgaben verbunden: die Revision der Senatsliste, die Überprüfung des Ritterstandes und die Vermögensfeststellung der gesamten Bürgerschaft; den Abschluß bildete ein großes staatliches Sühneopfer für Stadt und Bürger. Claudius nahm diese Aufgaben mit ähnlichem Engagement, aber auch mit ähnlicher Eigenwilligkeit und Unausgewogenheit wie die Rechtsprechung in Angriff, insbesondere soll er der Status-Usurpation durch Freigelassene und Nichtbürger energisch entgegengetreten sein. Mit den gewohnten Einzelmaßnahmen verband er aber Grundsatzentscheidungen mit langfristigen Auswirkungen. So nutzte er für die Ergänzung des Senats aus Kreisen des Ritterstandes erstmals die später verbreitete ‹Zuwahl›, *adlectio*, die das neue Mitglied als Quereinsteiger gleich in die mittleren Ränge des Senats versetzte. Weiter setzte er sich mit Nachdruck dafür ein, daß über den Kreis einiger bevorzugter Provinzen hinaus die provinzialen Führungsschichten Zugang zu den römischen Ämtern und damit auch zum Senat bekommen sollten; die Senatsrede des Kaisers auf der Bronzetafel von Lyon hat dafür exemplarische Bedeutung.

Umstritten ist das Ausmaß der Bürgerrechtsverleihungen an Nichtrömer. Die zeitgenössische Kritik, Claudius habe wahllos und in gewaltigem Ausmaß Provinzialen das Bürgerrecht verliehen, scheint weit über das Ziel hinauszuschießen. Der Kaiser war offenbar bereit, Angehörigen der provinzialen Oberschichten – auch im Osten des Reiches – das Bürgerrecht zu erteilen, zeigte auch bei der Entscheidung von Zweifelsfällen eine gewisse Großzügigkeit und trug nicht zuletzt durch die Anlage von Koloniestädten und Verleihung römischen Stadtrechts an provinziale Gemeinden zur Ausbreitung des Bürgerrechts bei. Andererseits reagierte er scharf auf die rechtswidrige Anmaßung des Bürgerrechts und auf mangelhafte Kenntnis der lateinischen Sprache bei Neubürgern, so daß man nicht von Beliebigkeit bei der Verleihung des Bürgerrechts sprechen kann.

Unmittelbar nach dem Abschluß der Zensur wurden Ansehen und Stellung des Claudius durch seine Frau Messalina aufs äußerste gefährdet. Diese stand wegen ihrer zügellosen sexuellen Gelüste und ihrer zahllosen Liebschaften, von denen Claudius angeblich nicht das geringste wußte, seit langem in schlechtem Rufe. Berüchtigt waren auch ihre Intrigen, denen viele Leute, darunter Senatoren höchsten Ranges, zum

Opfer fielen. So hatte sie 46 den zweifachen Konsul Marcus Vinicius ermorden lassen, weil er ihren Wünschen nicht gefügig war, sorgte 47 für die Verurteilung des Konsulars Valerius Asiaticus, außerdem für die Beseitigung von Claudius' Schwiegersohn Gnaeus Pompeius Magnus mitsamt seinen Eltern und wohl auch des kaiserlichen Freigelassenen Polybius. Die letzte Tat diente vielleicht anderen Funktionären als Warnsignal und trug zu Messalinas Sturz bei. Als sie im Oktober 48 so tollkühn war, ihren damals bevorzugten Liebhaber, den jungen Senator Gaius Silius, in aller Form zu heiraten, klärte der Leiter des kaiserlichen Sekretariats Narcissus den Kaiser über Messalinas Lebenswandel und die drohende Gefahr auf. Da Claudius völlig fassungslos war, brachte Narcissus ihn auf schnellstem Wege ins Prätorianerlager, sorgte für die Verhaftung und Aburteilung der an Messalinas Orgien Beteiligten und ließ schließlich diese selbst – ohne Prozeß – beseitigen, weil er befürchtete, Claudius werde sich von ihr wieder umgarnen lassen. Der Senat zog mit seinem Beschluß, wie bei einem Hochverräter Namen und Bild der Messalina überall zu entfernen, den Schlußstrich unter die Affäre.

Da sich alle einig waren, daß Claudius nicht ohne Gattin bleiben konnte, sollen die drei einflußreichsten Freigelassenen mit Claudius über die vorgeschlagenen Ehekandidatinnen beraten haben. Die Wahl fiel auf Iulia Agrippina, die Tochter des Germanicus und Urenkelin des Augustus, die überdies einen elfjährigen Sohn mit in die Ehe brachte. Der ‹Schönheitsfehler›, daß Aprippina Claudius' Nichte war, wurde eiligst durch einen Senatsbeschluß behoben, daß generell Verbindungen zwischen Onkel und Nichte nicht mehr als Inzest gelten sollten. Bereits Anfang 49 fand die Hochzeit des Paares statt. Agrippina, eine tatkräftige und machthungrige Frau, setzte in der Folgezeit alles daran, sich und ihrem Sohn Domitius, dem späteren Kaiser Nero, auf Dauer die Macht zu sichern, und prägte dadurch entscheidend die letzte Phase von Claudius' Regierungszeit.

Von Anfang an bereitete sie zielstrebig die Thronfolge ihres Sohnes vor. Als prominenten Lehrer berief man den Philosophen Seneca, der aus diesem Anlaß aus seinem Exil auf Korsika zurückkehren durfte. Der Integration des Sohnes in die kaiserliche Familie diente die Verlobung mit Claudius' Tochter Octavia, deren langjährigen Verlobten Agrippina vorsorglich schon vor ihrer Heirat kaltgestellt und zum Selbstmord getrieben hatte. Die entscheidenden Schritte folgten in den beiden nächsten Jahren. Am 25. Februar 50 wurde Domitius von Claudius adoptiert und hieß seitdem *Nero* Claudius Caesar Drusus Germanicus; gleichzeitig erhielt Agrippina den Ehrentitel Augusta und erwirkte, daß ihre Geburtsstadt Köln als Colonia Claudia Ara Agrippinensium römisches Stadtrecht erhielt. Im Jahr 51 wurde Nero gleichzeitig mit der Anlegung der Männertoga außerordentliches Mitglied der großen Priesterkollegien und erhielt prokonsularische Befehlsgewalt außerhalb Roms, deutliche Zeichen, daß er jetzt als der präsumptive Nachfolger galt. Claudius hatte aus diesem Anlaß noch einmal den Konsulat übernommen und feierte die Vorstellung Neros mit Zirkusspielen und Geldspenden an Garde und Bevölkerung, für die eigens Gold- und Silbermünzen mit dem Bild des Knaben in großen Serien geprägt wurden. Der Abschluß von Neros Aufstieg war die Heirat mit Octavia, mit der man aber wegen des Alters der Braut bis zum Jahre 53 wartete.

Gleichzeitig wurde Claudius' eigener Sohn Britannicus mit allen Mitteln zurückgesetzt. Agrippina hielt den unliebsamen Konkurrenten ihres Sohnes nach Möglichkeit von seinem Vater fern und beraubte ihn planmäßig seiner Freunde und Parteigänger. 51 wurde seinem Erzieher Sosibius der Prozeß gemacht, weil er angeblich Nero nach dem Leben trachtete, und sogar die beiden Prätorianerpräfekten wurden abgelöst, weil sie als treue Anhänger von Messalinas Kindern galten. An ihre Stelle trat Sextus Afranius Burrus, der Agrippinas Vertrauen hatte und Nero noch bis zum Jahre 62 diente.

Im Jahr 51 konnte Claudius noch einen spektakulären außenpolitischen Erfolg feiern. Der Britannierfürst Caratacus, lange Jahre ein hartnäckiger Gegner der Römer und fast eine Legende, wurde 50 in Nordwales entscheidend geschlagen; von einer romfreundlichen Fürstin ausgeliefert, wurde er nach Rom gebracht und in einer großartigen Zeremonie vor dem Prätorianerlager vorgestellt und begnadigt. Die Kriegshandlungen in Britannien gingen indessen unvermindert weiter. An den anderen Grenzen gab es keine aufsehenerregenden Erfolge, teilweise sogar Rückschläge für die Römer. Gegen die Germanen konnte man die errungenen Positionen gut behaupten; am Niederrhein mußte allerdings der erfolgreiche Feldherr Domitius Corbulo weitergehende Eroberungspläne auf kaiserlichen Befehl hin aufgeben.

Die größten Probleme hatte Rom im Osten. Mithridates, König im Bosporanischen Reich, brachte nach seiner Absetzung die ganze Region in Unruhe, bis er 49 entscheidend besiegt wurde. Als völliger Fehlschlag erwies sich der Versuch, den parthischen Prinzen Meherdates, der als Geisel in Rom gelebt hatte, als Herrscher in Parthien einzusetzen. Und auch der Iberer Mithridates, der 46 mit römischer Unterstützung den Thron von Armenien wiedererobert hatte, wurde 51 von einem Verwandten ermordet, ohne daß die römische Grenzgarnison ihm geholfen hätte. In diesem sensiblen Bereich war Roms Politik offensichtlich gescheitert, sei es weil örtliche Amtsträger versagten oder durch mangelnde Aufmerksamkeit oder Entschlußkraft in Rom.

Man hat auch sonst den Eindruck, daß Claudius nach der Zensur und dem Ende der Messalina in eine gewisse Lethargie verfallen ist. Vielleicht war das eine Folge des zunehmenden Alters und nachlassender Kräfte: Ende 52 scheint er ernsthaft krank gewesen zu sein. Vielleicht trug aber auch die dominante Persönlichkeit der Agrippina, die sich auch in die öffentlichen Aufgaben hineindrängte, zur Passivität des Kaisers bei. Die wenigen Einzelmaßnahmen, die aus den späten Regierungsjahren des Claudius bekannt sind, haben überwiegend einen resümierenden oder abschließenden Charakter. So erweiterte er 49 wie vor ihm Augustus die rituelle Stadtgrenze Roms, was nur denen erlaubt war, die das Reichsgebiet vergrößert hatten. Die Straßenbauten scheinen im ganzen Reich mit dem Jahr 51 zu enden. Im Jahr 52 waren die neugebauten Wasserleitungen fertig, und der Abschluß der Arbeiten am Fuciner See wurde etwas voreilig mit einem Gladiatorenkampf in Form einer Seeschlacht gefeiert. Im übrigen gingen natürlich die alltäglichen Regierungsgeschäfte weiter.

Gegen Ende seines Lebens soll Claudius die Benachteiligung des Britannicus bereut haben; man vermutete sogar, daß er sein Testament zugunsten des leiblichen Sohnes ändern wollte. Aber dazu kam es nicht mehr. Als Claudius in der Nacht zum 13. Oktober 54 starb, waren sich die Zeitgenossen einig, daß Agrippina ihn vergiftet hatte. Angesichts völlig abweichender Versionen über Ort und Hergang der Tat sollte man sich dessen nicht allzu sicher sein. Dagegen steht fest, daß Agrippina in den wenigen Stunden, während derer sich der Tod geheimhalten ließ, endgültig die Weichen für die Nachfolge ihres Sohnes stellte, der am Mittag als Kaiser akklamiert wurde. Claudius erhielt nicht nur das übliche Staatsbegräbnis, sondern wurde auch als Gott, *divus*, in den Staatskult aufgenommen, ohne daß sein Tod von der Oberschicht betrauert worden wäre. Er hatte sich seinen Aufgaben zwar mit Engagement gewidmet und manche vernünftigen Entscheidungen getroffen, aber seine Unerfahrenheit und manchmal weltfremde Schrulligkeit, seine Gewohnheit, in alle Details selbst einzugreifen und andererseits sich von Frauen und Freigelassenen auch in wichtigen Fragen lenken zu lassen, schadeten seinem Ansehen so sehr, daß erst die moderne Forschung das allzu negative Urteil der Mitwelt zurechtrücken konnte.

NERO
54–68

Von Helmuth Schneider

Nero gehört zu jenen römischen Herrschern, die in der antiken Literatur sehr kritisch beurteilt wurden. Bereits kurze Zeit nach Neros Tod fällte der ältere Plinius das Verdikt, Nero sei während seiner gesamten Regierungszeit ein Feind des Menschengeschlechtes gewesen. Die Einschätzung Neros in der Zeit der Flavier spiegelt sich auch bei Flavius Josephus wider; der Prinzipat Neros wird hier kurz charakterisiert, indem der Mord an seinem Bruder, seiner Frau und seiner Mutter sowie die Hinrichtung von Angehörigen der Nobilität und die Auftritte Neros als Schauspieler und Sänger erwähnt werden. Der Blick der römischen Historiker richtete sich auf die Opfer Neros; so schrieb Gaius Fannius in der Zeit Traians eine vielbeachtete Schrift über den Tod derer, die von Nero ermordet oder verbannt worden waren. Schon bevor Tacitus und Sueton ihre Werke verfaßten, existierte ein extrem negatives Bild Neros; die Darstellung des Tacitus, der einzelne Verbrechen Neros wie etwa die Ermordung Agrippinas ausführlich schildert, muß ebenso wie die von Sueton verfaßte Biographie Neros vor dem Hintergrund dieser historiographischen Tradition gesehen und interpretiert werden. Auch das im 3. Jahrhundert verfaßte Geschichtswerk des Cassius Dio legt den Akzent auf die Gewalttaten Neros, seine Verschwendungssucht und sein öffentliches Auftreten im Theater. Christliche Autoren wie Laktanz und Augustinus wiederum verurteilten Nero wegen der Christenverfolgung und sahen in ihm den Vorläufer des Antichrist. Allein in Griechenland gab es Stimmen, die sich um ein differenziertes Urteil bemühten; so war für Pausanias Nero ein Beispiel für die Richtigkeit der Behauptung Platos, daß großes Unrecht «nicht von gewöhnlichen Menschen ausgeht, sondern von einer edlen Seele, die durch eine mißratene Erziehung verdorben ist».

Als Nero am 15. Dezember 37 in Antium, einer kleinen Stadt an der Küste Latiums, geboren wurde, deutete nichts darauf hin, daß er später einmal Herrscher des Imperium Romanum werden könnte; er war Sohn des Gnaeus Domitius Ahenobarbus, der im Jahre 32 Konsul gewesen war, und gehörte so einer alten Nobilitätsfamilie an, die seit über zweihundert Jahren Konsuln stellte und die das politische Geschehen in der späten römischen Republik wesentlich mitbestimmt hatte. Entsprechend einem familiären Brauch erhielt das Kind den Namen Lucius Domitius Ahenobarbus. Zu seinen Vorfahren gehörte der unermeßlich reiche Konsul des Jahres 54 v. Chr., Lucius Domitius Ahenobarbus, der zu den entschiedensten Gegnern Caesars gehört hatte und in der Schlacht bei Pharsalos 48 v. Chr. gefallen war. Die Familie arrangierte sich in den nächsten Generationen mit Augustus, dem Erben Caesars, und konnte so ihre politische Stellung behaupten. Dem Großvater des jungen Lucius Ahenobarbus gelang es sogar, durch Heirat eine familiäre Beziehung zu Augustus herzustellen: Er war mit Antonia, der Tochter von Antonius und Octavia, der Schwester des Augustus, verheiratet. Diese familiäre Bindung wurde in der folgenden Generation durch die 28 geschlossene Ehe des Gnaeus Domitius Ahenobarbus mit Iulia Agrippina gefestigt. Die wahrscheinlich im Jahre 15 geborene Agrippina war eine Tochter des früh verstorbenen Germanicus, der ein großes Ansehen in der Bevölkerung besaß und noch von Augustus als Nachfolger des Tiberius ausersehen war, und mütterlicherseits eine Enkelin der Iulia, der einzigen Tochter des Augustus. Einer der Brüder Agrippinas war Gaius Caesar Germanicus, der den Beinamen Caligula trug und wenige Monate vor der Geburt des Lucius Domitius, im März 37, vom Senat zum Prinzeps ernannt worden war.

Diese verwandtschaftlichen Beziehungen brachten Lucius Domitius zunächst aber wenig Glück: Sein Vater starb bereits im Jahre 40; Caligula ließ das Vermögen der Domitii einziehen, und überdies wurde Agrippina verbannt. Die Situation besserte sich für Agrippina und ihren Sohn in dem Augenblick, als Claudius, der Bruder des Germanicus und damit Onkel der Agrippina, nach der Ermordung Caligulas von den Prätorianern zum Prinzeps ausgerufen wurde. Claudius holte Agrippina aus dem Exil zurück, die bald darauf den Senator Gaius Sallustius Crispus Passienus heiratete, nach wenigen Jahren aber wiederum verwitwet war. Als Claudius nach der Ermordung seiner Frau Messalina eine erneute Eheschließung erwog, konnte Agrippina die Heirat mit ihrem Onkel durchsetzen. Mit dieser im Jahre 49 geschlossenen Ehe war der politische Ehrgeiz Agrippinas keineswegs befriedigt, im Gegenteil, sie suchte nun zielstrebig ihrem Sohn Lucius Domitius den Weg zur Macht zu ebnen. Der erste Schritt war dessen Verlobung mit Octavia, der etwa 39/40 geborenen Tochter des Claudius; im Jahre 50 adoptierte der Prinzeps auf Drängen des Pallas den Sohn der Agrippina, der nun den Namen Nero Claudius Caesar Drusus Germanicus erhielt. Rechtlich war der nun zwölfjährige Nero dem Britannicus gleichgestellt, er hatte jedoch seinem Adoptivbruder gegenüber einen entscheidenden Vorteil: Nero war fast vier Jahre älter und konnte somit die Ehren, die dem Sohn eines Prinzeps zustanden, früher als Britannicus erhalten. Auf diese Weise wurde Nero auch die größere Aufmerksamkeit in der Öffentlichkeit zuteil. Im März 51 wurden ihm jene Vollmachten verliehen, welche die wichtigste Machtbasis eines Kaisers darstellten; im Jahre 53 heiratete Nero schließlich Octavia.

In diesen Jahren war es Agrippina gelungen, zwei ihrer Anhänger in wichtige Positionen zu bringen: Der aus Gallien stammende Sextus Afranius Burrus wurde zum Prätorianerpräfekten, zum Kommandeur der in Rom stationierten Gardetruppen, ernannt, während der als Schriftsteller angesehene Senator Lucius Seneca zum Erzieher Neros berufen wurde. Claudius, der im Jahre 54 wahrscheinlich erkannt hatte, daß Britannicus von Agrippina und Nero zunehmend in den Hintergrund gedrängt wurde, soll die Absicht gehabt haben, seinem Sohn die Nachfolge zu sichern; damit wären aber die Pläne Agrippinas gescheitert. Im Oktober 54 starb Claudius jedoch plötzlich, ohne eine verbindliche Nachfolgeregelung getroffen zu haben; es gibt viele Indizien dafür, daß der Prinzeps auf Befehl seiner Frau durch Gift umgebracht worden ist. Agrippina nutzte jedenfalls entschlossen die Situation für ihren Sohn, indem sie die Nachricht vom Tod des Prinzeps hinauszögerte; Burrus sorgte dafür, daß die Prätorianer Nero unter Mißachtung der Rechte des Britannicus am 13. Oktober als *Imperator* akklamierten. Dem Senat blieb unter diesen Umständen keine andere Wahl, als Nero, der zu diesem Zeitpunkt nicht einmal 17 Jahre alt war, den Prinzipat zu übertragen.

Nero war von einer kleinen Personengruppe, in deren Zentrum seine Mutter stand, die Macht übergeben worden, die auszuüben er seiner Jugend und seiner Interessen wegen kaum in der Lage war; künstlerisch begabt, schrieb er mit großer Leichtigkeit Verse, er übte sich im Gesang und in den bildenden Künsten, außerdem besaß er eine Leidenschaft für Pferde und Wagenrennen.

Unter diesen Voraussetzungen war es für Agrippina, Burrus und Seneca zunächst leicht, die römische Politik zu gestalten; dabei fiel Seneca die Rolle zu, für den jungen Prinzeps die Reden zu schreiben und auf diese Weise die Grundsätze einer neuen Politik zu formulieren. In einer programmatischen Rede vor dem Senat distanzierte Nero sich deutlich vom Regierungsstil des Claudius und führte aus, er werde nicht in allen Prozessen als Richter fungieren, zwischen der Familie des Herrschers und dem Gemeinwesen solle deutlich unterschieden werden, der Senat solle seine alten Kompetenzen ausüben und über die Belange sowohl Italiens als auch der öffentlichen Provinzen entscheiden, er selbst werde allein für die ihm anvertrauten Heere sorgen. Diese Erklärung orientierte sich zweifellos an dem Vorbild Augustus; Ziel war eine gute Kooperation zwischen Senat und Prinzeps sowie eine klare Abgrenzung ihrer jeweiligen Kompetenzen. In den folgenden Monaten wie überhaupt in den ersten Jahren seines Prinzipats betonte Nero immer wieder seine Milde; er gewährte verarmten Senatoren finanzielle Unterstützung und setzte sich für grundlegende Verbesserungen im Finanzwesen ein; der

Senat nutzte in dieser Zeit durchaus seine Handlungsspielräume und war in großem Umfang an den politischen Entscheidungen beteiligt. Die Resonanz auf die Reden und Maßnahmen Neros war zunächst außerordentlich positiv.

Die glänzende Fassade verhüllte allerdings eine Realität, die weniger großartig war und bereits in vieler Hinsicht problematische Züge aufwies. Nero scheint sich um politische Fragen wenig gekümmert zu haben, sondern vor allem daran interessiert gewesen zu sein, sich durch Akte demonstrativer Großzügigkeit Ansehen bei Senat und Volk zu verschaffen. Sein Lebensstil glich in vieler Hinsicht dem der Jünglinge aus reichen Nobilitätsfamilien: Er besuchte häufig Wagenrennen, unternahm mit Begleitern nächtliche Streifzüge durch die Straßen Roms, wobei es zu gewaltsamen Übergriffen kam, und unterhielt eine Liebesbeziehung mit der Freigelassenen Acte. Intensiv bemüht war er um die Vervollkommnung seiner musikalischen Ausbildung: Er engagierte Terpnus, den besten Lyraspieler seiner Zeit, als Lehrer und folgte konsequent allen Anweisungen, um seine Stimme zu schulen.

Es war verhängnisvoll, daß es in dieser Situation zu einem Zerwürfnis zwischen Agrippina einerseits und Seneca sowie Burrus andererseits kam; außerdem mißbilligte Agrippina Neros Liebesbeziehung zu Acte, was zu einer Entfremdung zwischen Mutter und Sohn führte. Da Seneca und Burrus den Ambitionen Agrippinas entgegentraten und ihr die angestrebte halboffizielle Stellung der an allen wichtigen Entscheidungen beteiligten Mutter des Prinzeps nicht einräumen wollten, war ein Kampf um die Macht unausweichlich geworden, ein Kampf, in dem allen Beteiligten jedes Mittel recht war, um eigene Ziele durchzusetzen. Als Frau war Agrippina darauf angewiesen, einen Mann zu finden, der aufgrund seiner verwandtschaftlichen Beziehungen mit einer Anerkennung als Herrscher rechnen konnte und für den sie faktisch die Entscheidungen treffen würde. Ihre Wahl fiel auf den jungen Britannicus, und sie drohte damit, direkt an die Prätorianer zu appellieren, sie sollten die Macht Britannicus, dem echten Nachkommen des Claudius, übertragen. Auf diese unverhüllte Kampfansage reagierte Nero, indem er Britannicus, der ein ernsthafter Konkurrent zu werden drohte, bei einem Mahl vergiften ließ. Als Agrippina daraufhin intensive Anstrengungen unternahm, um ihre Position bei den Offizieren und in der Nobilität zu stärken, verlor sie auf Befehl Neros die Ehrenwache, außerdem mußte sie das Haus des Prinzeps verlassen.

Die Beziehung zwischen Mutter und Sohn verschlechterte sich weiter, als Nero eine Liebesbeziehung mit Poppaea Sabina einging, der Frau des Senators Marcus Salvius Otho und Enkelin des Konsulars Gaius Poppaeus Sabinus. Diese Frau, die ein größeres Selbstbewußtsein als die Freigelassene Acte besaß, forderte von Nero die Scheidung von Octavia und die Heirat; da eine Verständigung zwischen Agrippina und Poppaea

Sabina aussichtslos erschien, faßte Nero den Entschluß, seine Mutter umbringen zu lassen. Nachdem ein Anschlag auf hoher See mißlungen war, wurde Agrippina – gerade auch auf Drängen Senecas – in ihrer Villa am Golf von Neapel von Soldaten der in Misenum stationierten Flotte mit dem Schwert getötet. Seneca, der sich während dieser Vorgänge in der Umgebung des Prinzeps aufhielt, formulierte für Nero das Schreiben, in dem der Senat über den Tod Agrippinas informiert wurde. In der Version Senecas hatte Agrippina schuldbewußt Selbstmord begangen, nachdem ihr Plan, Nero durch einen ihrer Freigelassenen ermorden zu lassen, fehlgeschlagen war. Seneca verlor dadurch, daß er Nero vor aller Öffentlichkeit zu decken suchte, seine Glaubwürdigkeit. Für den einundzwanzig Jahre alten Nero bedeutete der Muttermord einen Einschnitt in seinem Leben; seit diesem Verbrechen schreckte er bei innerfamiliären oder politischen Konflikten vor Mord, politischen Prozessen und Hinrichtungen nicht mehr zurück. Immerhin mußte selbst Nero Rücksicht auf die Stimmung in Rom nehmen: Erst im Jahre 62 erfolgte die Scheidung von Octavia, die ein großes Ansehen in der Bevölkerung besaß. Als daraufhin Unruhen in Rom ausbrachen, wurde Octavia des Ehebruchs beschuldigt, verbannt und wenige Tage später auf der Insel Pandateria umgebracht.

Nach der Ermordung seiner Mutter begann Nero sich zunehmend dem Einfluß Senecas zu entziehen. Als im Jahre 62 Burrus starb, wurde Ofonius Tigellinus zum Prätorianerpräfekten ernannt, ein Mann, der Neros Wünsche und Neigungen bedingungslos unterstützte; Seneca hingegen zog sich von der Politik zurück und widmete sich der Philosophie. Nero scheint in dieser Zeit nur ein Ziel besessen zu haben, nämlich öffentlich als Wagenlenker, Schauspieler und Sänger aufzutreten und als Künstler anerkannt zu werden. Für seinen ersten Auftritt als Sänger auf der Bühne wählte Nero Neapel, in der Hoffnung, seine künstlerischen Ambitionen würden in einer Stadt mit einer langen griechischen Tradition eher Verständnis finden als in Rom.

Zwei Ereignisse der Jahre 64 und 65 machten deutlich, daß der Prinzipat Neros auf eine wachsende Ablehnung in der Bevölkerung und vor allem bei den Senatoren stieß und so zu einer Belastung für das Imperium Romanum wurde: der Brand Roms und die Aufdeckung der Pisonischen Verschwörung. Brandkatastrophen hat es im antiken Rom nicht selten gegeben, aber keiner der früheren Brände hatte größere Auswirkungen auf die Politik gehabt. Der Brand des Jahres 64, der weite Teile der Stadt einäscherte, wurde hingegen zum Politikum, weil das Gerücht entstand, Nero habe angesichts der brennenden Stadt auf der Bühne seines Hauses ein Lied über den Untergang Troias gesungen, und weil man allgemein glaubte, Nero habe Rom niederbrennen lassen, um die Fläche für eine Neugründung der Stadt zu gewinnen. Um diesen Vorwürfen zu begegnen, machte Nero die in Rom lebenden Christen für den Brand verantwortlich; dabei wurden Christen, auch wenn ihnen keine Beteiligung an der Brandstiftung nachgewiesen werden konnte, allein wegen ihres Glaubens mit dem Tod bestraft. Die öffentlichen Hinrichtungen geschahen auf eine derart grausame Weise, daß sie nach Meinung des Tacitus eher das Mitgefühl mit den Verurteilten erweckten als Haß auf Außenseiter, die eines schweren Verbrechens schuldig waren. Die Christenverfolgung Neros wurde zum entscheidenden Präzedenzfall für das Vorgehen Roms gegen die Christen und hat auf diese Weise das Verhältnis zwischen Imperium und Christentum über einen Zeitraum von rund 250 Jahren bestimmt. Der Wiederaufbau Roms folgte einer großzügigen Planung; die Straßen wurden begradigt und verbreitert, Säulengänge vor den Häuserfronten errichtet und Vorkehrungen gegen Brände getroffen; außerdem wurde die Höhe der Häuser begrenzt. Selbst Tacitus, der Nero sehr kritisch gegenüberstand, versagt dem Wiederaufbau der Stadt nicht seine Anerkennung.

Nach dem Brand Roms wuchs unter den Senatoren und den Offizieren der Prätorianer die Erbitterung über Neros Verhalten; es bildete sich um den Konsular Gaius Calpurnius Piso ein Kreis von Verschwörern, die teils aus persönlicher Enttäuschung, teils aus politischen Beweggründen Nero ermorden und Piso zum Prinzeps machen wollten. Durch Zufall wurde die Verschwörung kurz vor dem geplanten Attentat aufgedeckt, und Nero reagierte mit panischer Angst auf die ersten unter Folter erpreßten Geständnisse. Auf reguläre Gerichtsverfahren wurde verzichtet, Personen, die man verdächtigte, sich an der Verschwörung beteiligt zu haben, wurden von Soldaten umgebracht oder zum Selbstmord gezwungen. Prominente Opfer Neros waren der wohl zu Unrecht beschuldigte Seneca und der Dichter Lucan. Die Motive der Verschwörer hat prägnant der Prätorianer Subrius Flavius formuliert, der auf die Frage Neros, warum er seinen Fahneneid gebrochen habe, antwortete: «Ich haßte dich. Keiner von den Soldaten war dir treuer, solange du es verdientest, geliebt zu werden. Zu hassen begann ich dich, nachdem du zum Mörder deiner Mutter und deiner Gattin, zum Wagenlenker und Schauspieler und Brandstifter geworden warst.» Um sich die Loyalität der Soldaten zu sichern, ließ Nero den Prätorianern pro Mann 2000 Sesterzen auszahlen, und um das brutale Vorgehen gegen die Verschwörer zu rechtfertigen, wurden ihre Geständnisse in Buchform publiziert.

Der Niederschlagung der Verschwörung folgte eine Welle von Anklagen und Prozessen gegen Senatoren, die früher Kritik an Nero geübt hatten; gerade Anhänger der stoischen Philosophie galten als Gegner des Kaisers und wurden angeklagt, darunter der Konsular Publius Thrasea Paetus, der seine Mißbilligung der von Nero geforderten Senatsbeschlüsse durch Fernbleiben von den Senatssitzungen zum Ausdruck gebracht hatte und nun zum Tode verurteilt wurde. Vor den Sitzungen ließ Nero das Senatsgebäude und das Forum von Soldaten besetzen und so jede freie Diskussion im Senat unterbinden. Die Politik Neros wurde immer stärker von dem Ressentiment gegen den Senat bestimmt. Wahrscheinlich in dieser Zeit erklärte Nero, kein Herrscher vor ihm habe gewußt, was ihm alles erlaubt sei; mit einer solchen Äußerung machte Nero deutlich, daß er nicht mehr gewillt war, sich am Vorbild des Augustus bzw. des augusteischen Prinzipats zu orientieren.

Das Imperium Romanum hatte unter Nero durchaus außenpolitische Erfolge aufzuweisen, was darauf zurückzuführen ist, daß fähige Senatoren mit wichtigen Kommandos betraut wurden. So konnte Gnaeus Domitius Corbulo nach jahrelangen Feldzügen in geschickten Verhandlungen durchsetzen, daß die Parther die römische Oberhoheit über Armenien anerkannten. Nero nutzte diesen Erfolg zu einer spektakulären Demonstration seiner Macht, indem er dem Parther Tiridates, der mit großem Gefolge nach Rom gekommen war, auf dem Forum Romanum das Diadem aufsetzte und ihn so zum König von Armenien machte. Das arrogante Auftreten der Verwalter Neros in den Provinzen hatte auch weitreichende negative Folgen: Es kam zu Aufständen in Britannien und Judaea. Die Nachricht vom jüdischen Aufstand, der sich gegen die Brutalität und Habgier der Statthalter, aber auch gegen die Zusammenarbeit der jüdischen Oberschicht mit den Römern richtete, erreichte den Prinzeps während seines Aufenthalts in Griechenland; den Oberbefehl im Krieg gegen die Juden erhielt Titus Flavius Vespasianus, der damals zur Umgebung Neros gehörte.

Eine wichtige Ursache der Aufstände in Judaea und Britannia war die unnachgiebige Eintreibung von Steuern oder von Schulden in den Provinzen durch die Römer. Nero, der zu Beginn seiner Herrschaft die indirekten Steuern noch hatte abschaffen wollen, hatte durch seine Verschwendungssucht und die hohen Kosten seiner Bauprojekte, vor allem des Wiederaufbaus von Rom nach 64, eine schwere Finanzkrise des Imperium Romanum ausgelöst. Nero besaß in finanziellen Fragen die in Kreisen der Nobilität übliche Nonchalance; er vertrat die Ansicht, Verschwendung sei die einzig sinnvolle Art und Weise, ein Vermögen zu nutzen, und er bewunderte Caligula, weil dieser in kürzester Zeit den ungeheuren Reichtum des Tiberius aufgebraucht hatte. Diese Einstellung machte jegliche umsichtige Finanzpolitik vom Ansatz her unmöglich. Als die Ausgaben nicht mehr von den regelmäßigen Einkünften gedeckt waren, ging Nero dazu über, den Metallgehalt der Münzen zu senken und durch das Eintreiben von Geldsummen, wie Tacitus kritisch anmerkt, Italien auszuplündern und die Provinzen zugrunde zu richten, wobei er nicht einmal vor Tempelschätzen haltmachte.

Neros privates Leben verlief nach der Scheidung von Octavia und der Heirat mit Poppaea Sabina, die eine außerordentlich schöne und kultivierte Frau gewesen sein soll, keineswegs glücklich; Poppaea Sabina gebar ihm im Jahre 63 eine Tochter, die sogleich nach der Geburt den Ehrentitel Augusta erhielt; das Kind starb vier Monate später, und Nero soll sowohl in der Freude über die Geburt wie auch im Schmerz über den Tod seiner Tochter maßlos gewesen sein. Wenige Jahre später starb auch die von Nero geliebte Poppaea Sabina an den Folgen eines Fußtrittes, den er der Schwangeren im Zorn versetzt haben soll, als sie sich darüber beklagte, daß er so spät von den Wagenrennen heimgekommen sei.

Nach dem Jahre 64 ließ Nero zwischen Palatin und Esquilin ein neues Stadthaus für sich bauen, das wegen seiner prachtvollen Ausstattung den Namen *domus aurea*, Goldenes Haus, erhielt. Dieser Bau, ohne Zweifel ein bedeutendes Werk der antiken Architekturgeschichte, brach mit den traditionellen Formen des römischen Stadthauses. Die Architekten Severus und Celer suchten inmitten der Stadt Rom Gebäude und Landschaft miteinander zu verbinden und schufen so einen weitläufigen Villenkomplex mit Seen, Gärten und Gehölzen. Der große oktogonale Saal erhielt eine weite Kuppel aus Bruchsteinmauerwerk und weist damit auf das Pantheon voraus. Nach Sueton rotierte die gewölbte Decke dieses Raumes wie der Sternenhimmel; eine solche Konstruktion zeigt die Aufgeschlossenheit Neros für überraschende, mit Hilfe einer aufwendigen Technik erzielte Effekte. Das übersteigerte Selbstbewußtsein des Kaisers fand imposanten Ausdruck in der vierzig Meter hohen, im Eingangsbereich der *domus aurea* aufgestellten Statue, die Neros Züge trug.

Für Nero standen weiterhin Künstlertum und Wagenrennen im Mittelpunkt seiner Aktivitäten. Um endlich den ersehnten Beifall und künstlerischen Erfolg, die ihm in Rom versagt geblieben waren, zu erhalten, brach er zu einer Griechenlandreise auf; die Termine der wichtigsten Wettbewerbe wurden so verlegt, daß der Prinzeps innerhalb eines Jahres an allen panhellenischen Spielen teilnehmen konnte. Er trat als Sänger und Wagenlenker auf; in Olympia versuchte er, ein Gespann mit zehn Pferden zu lenken, stürzte aber schwer. Als eine demonstrative Geste seines Philhellenismus ist die Freiheitserklärung für Griechenland aufzufassen, das aus dem Status einer Provinz entlassen und von allen Abgaben befreit wurde. Gleichzeitig begann man mit dem Bau eines Kanals durch den Isthmus von Korinth, der die übliche Seeroute zwischen Westgriechenland und Italien einerseits und der Ägäis sowie Kleinasien andererseits erheblich verkürzt und sicherer gemacht hätte. Dieses Vorhaben wurde aber von den Nachfolgern Neros nicht fortgeführt und blieb unvollendet. Der Politik gegenüber blieb Nero sonst weitgehend indifferent; als er nach Rom zurückkehrte, wo während seiner Abwesenheit ein Freigelassener die Macht ausgeübt hatte, verhöhnte Nero alle politischen und militärischen Traditionen des römischen Gemeinwesens, indem er seine Siege bei den griechischen Wettkämpfen in der Form eines Triumphes feierte.

Nachdem die Verschwörung des Jahres 65 in Rom erfolglos geblieben war, formierte sich der Widerstand gegen Nero an den Grenzen des Imperium Romanum. Als Gaius Iulius Vindex, ein aus dem gallischen Adel stammender Senator und Statthalter einer der gallischen Provinzen, zum Sturz Neros aufrief, unterstellte sich Sulpicius Galba, Statthalter von Hispania Tarraconensis, demonstrativ dem Senat und dem Volk von Rom. Vindex wurde zwar schnell von den am Rhein stehenden Legionen geschlagen, aber Verginius Rufus, der Befehlshaber dieser Truppen, folgte dem Beispiel Galbas. Während dieser letzten Krise wurde noch einmal klar, daß Nero unfähig war, eine politische Situation realistisch einzuschätzen und auf eine Herausforderung angemessen zu reagieren; besonders hatte es Nero gekränkt, daß Vindex ihn in seinen Edikten als schlechten Sänger bezeichnet hatte. Für Nero war es denn auch wichtiger, den führenden Senatoren ein neues Musikinstrument vorzuführen, als mit ihnen ausführlich die politische Lage zu erörtern. Wirkungsvolle militärische Maßnahmen gegen die Revolte wurden nicht getroffen. Da in diesen Wirren die Getreidepreise stiegen, richtete sich der Haß der stadtrömischen Bevölkerung immer stärker gegen Nero. Als in dieser Situation selbst der Prätorianerpräfekt Nymphidius Sabinus dem Prinzeps den Gehorsam aufkündigte, hatte Nero seine Machtbasis verloren; der Senat konnte wiederum die Initiative ergreifen und erklärte Nero wahrscheinlich am 8. Juni 68 zum *hostis publicus*, zum Feind des Gemeinwesens. Nero blieb allein die schmähliche Flucht aus Rom; als er erkennen mußte, daß er keine Chance mehr besaß, einer Gefangennahme zu entgehen, beging er Selbstmord.

Es war die Tragödie Neros, daß er den Erwartungen, die an einen Prinzeps gestellt wurden, in keiner Weise zu entsprechen vermochte. Da er sehr jung von seiner Mutter und einer ehrgeizigen Gruppe von Politikern zum Herrscher gemacht worden war, hatte er weder durch die Übernahme ziviler Ämter noch durch einen Militärdienst in den Legionen die für die Übernahme des Kaisertums notwendige Kompetenz erwerben können; es fehlte ihm an Verständnis für die militärische Tradition Roms ebenso wie für das politische Selbstbewußtsein des Senats. Der griechischen Kultur gegenüber aufgeschlossen und musisch begabt, hatte er künstlerische Neigungen entwickelt, die mit seiner Position als Prinzeps kaum zu vereinbaren waren und von der senatorischen Oberschicht nicht akzeptiert wurden.

Die Regierungszeit Neros war aber auch eine Tragödie für das Imperium Romanum; sie bedeutete – wie schon die Herrschaft Caligulas – abermals für die senatorische Oberschicht die traumatische Erfahrung, der Willkür eines einzelnen schutzlos ausgeliefert zu sein, und für die Bevölkerung Italiens und der Provinzen, zur Finanzierung überspannter Bauprojekte sowie eines extrem luxuriösen Lebensstils des Prinzeps und seiner Umgebung schonungslos herangezogen zu werden. Mit dem Ende Neros war auch die Dominanz der iulisch-claudischen Familie und der alten republikanischen Nobilität, der er entstammte, gebrochen; das politische Versagen Neros hatte einen langdauernden Bürgerkrieg zur Folge, der erst durch Vespasian, einen Repräsentanten einer sozialen Schicht, die in den folgenden Jahrzehnten zunehmend an politischem Einfluß gewann, beendet werden konnte.

VESPASIAN
69–79

Von Jürgen Malitz

Titus Flavius Vespasianus datierte nach dem Sieg seinen Herrschaftsantritt auf den 1. Juli 69, doch hatten er und seine Freunde schon längere Zeit über ihre Aussichten bei einem Kampf um die Macht nachgedacht. Vespasian muß sich zum Kampf um den Prinzipat schon zu einer Zeit entschieden haben, als man gerade erst von Vitellius' Erhebung wußte und diesem nicht mehr vorwerfen konnte als eben dies.

Nichts in seinem bisherigen Leben kündigte Vespasian als Begründer der ‹zweiten› Dynastie, der Flavier, an. Geboren im Jahre 9 als Sohn eines Zolleintreibers und Bankiers sowie einer Mutter ebenfalls ritterlichen Standes, wuchs er im Stil der italischen Mittelschicht auf, deren Habitus weit entfernt war vom senatorischen Luxus in Rom. Nachdem bereits sein älterer Bruder Flavius Sabinus den Weg einer senatorischen Laufbahn beschritten hatte, drängte die Mutter auch den zweiten Sohn zu diesem Schritt; Vespasian machte schnell Karriere, vor allem als Offizier in mehreren Provinzen des Reiches. 39 war er Prätor und dazu ein loyaler Untertan Caligulas. Claudius' mächtiger Freigelassener Narcissus hat ihn gefördert. 42 wurde er Legionslegat in Straßburg und nahm in dieser Eigenschaft an Claudius' Britannienfeldzug teil.

Der Lohn für militärische Erfolge in Britannien waren nicht nur die Ehrenzeichen eines Triumphators und zwei Priesterämter, sondern auch der Konsulat 51; als sozialer Aufsteiger erreichte er diese höchste Stufe der Ämterlaufbahn damit zum frühestmöglichen Zeitpunkt, im Alter von 42 Jahren. Claudius starb im Jahre 54; auf die nächste Verwendung mußte Vespasian dann bis 63 warten, da ihm die Förderung durch Narcissus bei Nero und besonders bei Agrippina schadete. Damals wurde er Statthalter der Provinz Africa, so korrekt und streng in allen finanziellen

Fragen wie später als Prinzeps. Finanzielle Schwierigkeiten führten zu einem ‹Karriereknick›, der noch verschlimmert wurde durch sein Verhalten während Neros künstlerischer ‹Tournee› durch Griechenland, an der Vespasian hatte teilnehmen müssen: So gering war seine Begeisterung über die Talente Neros, daß er sogar in aller Öffentlichkeit während der Vorführungen einschlief. Nero verbannte ihn zornentbrannt aus seiner Umgebung, und Vespasian fürchtete damals um sein Leben.

Neros Mißtrauen gegenüber Senatoren vornehmer Herkunft war in den letzten Jahren seiner Herrschaft besonders stark; so war Vespasian, dessen militärische Kompetenz erwiesen war, 67 gerade der richtige Mann für die Bekämpfung des jüdischen Aufstands.

Statthalter in der benachbarten Provinz Syrien war damals Gaius Licinius Mucianus, nach Herkunft und Charakter das genaue Gegenteil Vespasians. Seine Eifersucht auf Vespasians Erfolge in Judaea war bekannt, und so war die Bereitschaft, Vespasian zu fördern, auf den ersten Blick überraschend. Was Mucianus damals fehlte, um höheren Ehrgeiz zu pflegen, war ein Sohn. Die Schwierigkeiten Galbas durch die Probleme bei der Wahl eines zu adoptierenden Thronfolgers mußten jeden bedenklich machen, der 69 die Machtfrage stellte. Einen erwachsenen Sohn, und einen sehr tüchtigen dazu, konnte dagegen Vespasian vorweisen; Titus (geb. 39) hatte sich bereits als Offizier in Judaea bewährt; der jüngere Sohn Domitian (geb. 51) hielt sich damals in Rom auf, wo sich die Ereignisse nach dem Tod Neros überschlugen. Innerhalb kürzester Zeit erlebte die Hauptstadt mit Galba, Otho und Vitellius drei Herrscher.

Servius Sulpicius Galba (geb. 3 v. Chr.) war der erste Kaiser nach dem Sturz Neros und dem damit verbundenen Ende der iulisch-claudischen Dynastie. Er stammte aus einer Familie der republikanischen Aristokratie und wurde als junger Mann sowohl von Augustus als auch von dessen Frau Livia gefördert. Trotz seiner vornehmen Herkunft und einer erfolgreichen Laufbahn hat Nero ihn nicht gefürchtet: Galba war nicht direkt mit dem Herrscherhaus verwandt, und mit seinen siebzig Jahren schien er zu alt, um noch als Rivale gelten zu können.

Im März 68 begann die Krise mit dem Aufstand des gallischen Statthalters Gaius Iulius Vindex gegen Nero. Galba, damals Statthalter in Spanien, trat nach einigem Zaudern auf Vindex' Seite und nannte sich schließlich Anfang April «Legat von Senat und Volk von Rom». Nach dem Tod Neros Anfang Juni bot ihm der Senat, informiert über Galbas Haltung und der Duldung dieser Entscheidung durch die Prätorianer gewiß, den Prinzipat an.

Später meinte man mehr zu wissen über den schon immer durch Vorzeichen erhitzten Ehrgeiz Galbas, doch sind dies nachträgliche Konstruktionen. Andererseits mangelte es Galba auch nicht an adligem Selbstbewußtsein; nach dem Tod des letzten Angehörigen der Dynastie war es zunächst selbstverständlich, daß nur ein Nachkomme aus altem republikanischen Adel als Nachfolger für Nero in Frage kam. Weniger selbstverständlich war allerdings die Form, in der sich diese Nachfolge vollzog: Nicht in Rom selbst wurde die Machtfrage entschieden, sondern durch einen Aufstand in den Provinzen. Das Beispiel sollte Schule machen.

Der neue Kaiser kam erst im Oktober 68 in Rom an und führte sich sogleich ein mit unzeitgemäßer Strenge und mancher Ungeschicklichkeit. In den wenigen Monaten seiner Herrschaft sind nicht viele politische Richtungsentscheidungen erkennbar. Die von Nero hinterlassenen Schulden sollten gebändigt werden durch eine Politik der altmodischen Sparsamkeit.

Galba war zeit seines Lebens ein überzeugter Junggeselle gewesen; als gichtgebeugter Herrscher von 70 Jahren mußte er jetzt über eine Nachfolgeregelung nachdenken. Er adoptierte am 10. Januar 69 einen zwar ernsthaften und unbescholtenen, aber im politischen Leben des Reiches kaum bewährten Mann von dreißig Jahren, Gnaeus Calpurnius Piso Licinianus.

Zur Beschleunigung der Adoption hatten beunruhigende Meldungen aus Germanien beigetragen. Die dort stationierten Legionen verweigerten am 1. Januar 69 den Treueid auf den neuen Prinzeps – nicht aus Anhänglichkeit an Nero, sondern aus Eifersucht auf die spanische Legion, die sich angemaßt hatte, Galba zum Kaiser zu machen. Bereits am nächsten Tag folgten sie dem neuen Beispiel, einen Herrscher vom Heer ausrufen zu lassen, und machten den Statthalter von Niedergermanien, Lucius Vitellius, an seinem Amtssitz in Köln zum Kaiser.

Viel Zeit ist Galba nicht geblieben. Ein letzter Versuch zur Machterhaltung war der Verzicht auf die altrömische Sparsamkeit gegenüber den Prätorianern. Die Bereitschaft, die Loyalität der Leibgarde doch noch mit Hilfe eines Geldgeschenks zu erkaufen, kam aber viel zu spät. Am 15. Januar 69 wurden er und Piso Opfer einer Prätorianerverschwörung.

Wenn Piso sich nicht nach der Bürde des Thronfolgers gedrängt hatte, so gab es mindestens einen, der sich Hoffnungen auf eine Erhöhung zum Kronprinzen gemacht hatte: Marcus Salvius Otho (geb. 32). Seine Familie gehörte nicht zur alten republikanischen Führungsschicht, sondern verdankte ihren Rang erst der Förderung durch Augustus, der seinen Großvater in den Senat aufgenommen hatte. Der junge Otho war ein vertrauter Freund Neros und hatte Anteil an den fürstlichen Ausschweifungen; unerwartet für Otho war freilich die rücksichtslose Verliebtheit des Freundes in seine Frau Poppaea; das Verhältnis zu dritt wurde dadurch gelöst, daß Otho, obwohl erst 27 Jahre, auf einen ehrenvollen Posten wegbefördert wurde, als Statthalter der Provinz Lusitanien; dort amtierte er als ein überraschend solider Provinzstatthalter.

In der beginnenden Krise des Jahres 68 setzte Otho sogleich auf

Galba; vermutlich dachte er von Anfang an an die Adoption als Thronfolger. Enttäuscht von der Entwicklung, die zu Pisos Adoption führte, manipulierte er die Unzufriedenheit der Prätorianer für seine Zwecke. Nach der Ermordung Galbas ließ sich Otho von den Prätorianern zum Prinzeps ausrufen; die Bestätigung durch den eingeschüchterten Senat war angesichts der städtischen Machtverhältnisse eine Formsache.

Die bald eintreffenden Nachrichten vom Anmarsch vitellianischer Truppen zwangen Otho zur Führung eines völlig überraschenden Bürgerkriegs. Mitte März 69 brach Otho von Rom aus nach Norden auf. Die militärischen Führer auf seiner Seite rieten zur Vorsicht und zum Abwarten der Verstärkungen, doch Otho selbst wollte noch vor dem Eintreffen des Vitellius auf dem Kriegsschauplatz eine Entscheidung erzwingen. In der Nähe von Cremona fügten die Vitellianer Othos Truppen eine empfindliche erste Niederlage zu. Noch war der Kampf keineswegs verloren, doch Otho wollte zur Überraschung aller, die den ehemaligen Günstling Neros zu kennen meinten, keine Fortsetzung des Bürgerkriegs. Am 16. April nahm er sich das Leben, um dem Reich und seinen immer noch loyalen Truppen weitere Opfer zu ersparen.

Aulus Vitellius (geb. 15), der sich Anfang Januar 69 von seinen Truppen zum Kaiser hatte ausrufen lassen, war noch von Galba, trotz – oder besser: wegen – mangelnder militärischer Erfahrung, im November 68 zu den Legionen Niedergermaniens geschickt worden, weil er von ihm keine weiteren Schwierigkeiten erwartete.

Noch der Großvater war bloß ritterlichen Standes. Der Vater Lucius Vitellius genoß dann einen sehr schnellen Aufstieg bei Hofe als Freund, Berater und Schmeichler des Claudius. Aulus Vitellius hatte so die besten Startvoraussetzungen für eine senatorische Karriere, die ihn bereits im Jahre 48 zum Konsulat führte. Vitellius galt als Freund der niederen Genüsse hauptstädtischen Lebens, und wenn irgendetwas ihn heraushob aus der Schar seiner Standesgenossen, dann dürfte es vor allem die kaum gezügelte Freude an übermäßigen Mahlzeiten gewesen sein.

Vitellius' mangelnde militärische Kompetenz wurde zunächst gedeckt durch die Führer seines Vorauskommandos, denen es gelang, rechtzeitig die Alpen zu überqueren und dann in Oberitalien die Truppen Othos zu schlagen.

Vitellius selbst ließ sich mehr Zeit; er war noch nicht lange mit beinahe 60000 Mann auf dem Marsch nach Süden, als ihn die Meldung vom Sieg seiner Truppen bei Cremona erreichte. Aus Rom kam die Botschaft, daß der Senat ihn als Prinzeps anerkannt hatte durch die Abstimmung über die üblichen Ehrenrechte. Vitellius war sich eines Vorzugs bewußt, der ihn vor Galba und Otho auszeichnete: Er hatte einen Sohn, der aufgrund gesundheitlicher Gebrechen vielleicht nicht ganz den Vorstellungen von einem Kronprinzen entsprach, der aber doch Hoffnung auf Kontinuität im Sinne einer dynastischen Entwicklung vermitteln konnte.

Vitellius ließ in den wenigen Monaten, die ihm bleiben sollten, durchaus eigene Gedanken bei der Ausgestaltung seiner Herrschaft erkennen, wie sich auch schon bei der Einsetzung des Sohnes zum Kronprinzen angedeutet hatte. Er verkündete nicht nur in seiner Münzprägung die Förderung der Freiheit im Sinne senatorischer Vorstellungen, sondern legte auch Wert auf eine zuvorkommende Behandlung des Senats und nahm demonstrativ an vielen Sitzungen teil.

Der Herrscherwechsel in der Metropole von Nero auf Galba war im fernen Osten des Reiches von Vespasian aufmerksam registriert worden. Etwa im November 68 wurde Titus nach Rom geschickt, wohl nicht nur wegen seiner Bewerbung um die Prätur, sondern auch, um sich Galba vorzustellen. In Korinth im Januar 69 angekommen, hörte Titus von Pisos Adoption und wenig später dann auch von Vitellius' Erhebung. Titus reiste sofort zurück nach Judaea. Im Mai 69 leistete Vespasian formal den Eid auf den neuen Prinzeps in Rom.

Eine wichtige Rolle spielte in diesen Wochen noch Tiberius Iulius Alexander, der Präfekt Ägyptens. Durch die Bedeutung des Landes für die Kornversorgung Roms war die Unterstützung des Präfekten für jeden Versuch, von Osten her die Macht zu gewinnen, unverzichtbar. Die Geheimverhandlungen zwischen Syrien, Judaea und Ägypten führten schließlich dazu, daß Alexander die Truppen Ägyptens am 1. Juli 69 anwies, auf Vespasian als den neuen Kaiser zu schwören. Spätestens nach zwei Wochen folgte der Treueid der Soldaten, sowohl von Syrien als auch von Vespasians eigenen Legionen.

Als Vespasian von seinen Soldaten als *Imperator* begrüßt wurde, waren die Überraschung und das zögerliche Verhalten nur gespielt; in den Wochen zuvor hatte er, gemeinsam mit Mucianus, sorgfältig das Für und Wider eines Kampfes gegen Vitellius erwogen. Vespasian sollte nach Ägypten gehen und von dort aus den Vormarsch der Donautruppen unter Antonius Primus gegen die Soldaten des Vitellius abwarten. Mucianus hatte die Aufgabe, rechtzeitig mit seinen eigenen Truppen zur Unterstützung des Primus auf dem Kriegsschauplatz einzutreffen.

Das politische und militärische Kalkül Vespasians und seiner Berater in den Wochen vor der Entscheidung ist also nachvollziehbar. Schwieriger ist die Frage zu beantworten, ob er sich darüber hinaus von höheren Mächten zur Herrschaft berufen gefühlt hat. Der jüdische Historiker Flavius Josephus, der 67 noch gegen Rom kämpfte und damals in Gefangenschaft geriet, schreibt später, er habe Vespasian bereits in diesem Jahre den Aufstieg zur Herrschaft prophezeit. Loyale Hofhistoriker der flavischen Epoche wußten von manchen anderen Vorausdeutungen auf die Errichtung einer flavischen Dynastie zu berichten. Zur gezielten Selbstdarstellung gehörten Vespasians angebliche Wunderheilungen in Alexandria, die ihm in der Öffentlichkeit Ägyptens und der anderen östlichen Provinzen Popularität und sogar Legitimität brachten.

Die ersten Nachrichten von der Erhebung Vespasians im Osten hatte Vitellius nicht ernst genug genommen; erst als sich im Sommer 69 die Legionen der Donauprovinzen, die sich für Vespasian erklärt hatten, Italien näherten, erhielt sein Feldherr Caecina den Auftrag, die Truppen Vespasians unter der Führung des Antonius Primus am weiteren Vormarsch zu hindern. In Oberitalien kam es im Oktober 69 bei Cremona zum zweiten Mal zur Bürgerkriegsschlacht. Die Truppen des Vitellius kämpften mit erstaunlicher Loyalität. Bis in die Nacht hinein wurde erbittert gefochten; schließlich aber plünderten und zerstörten die siegreichen Donautruppen Cremona.

Vitellius' Versuche, eine neue Front aufzubauen, führten zu nichts; Desertionen häuften sich, und schließlich verhandelte er vergeblich darüber, seine Herrschaft gegen die Garantie eines gutversorgten Alters einzutauschen.

Die flavischen Truppen marschierten plündernd weiter in Richtung Rom. Seit dem 18. Dezember 69 wurde um Rom selbst gekämpft, wo Vespasians Bruder versuchte, durch Verhandlungen die Kämpfe in Grenzen zu halten. Flavius Sabinus hatte sich mit seinen Anhängern auf dem Kapitol verschanzt; kurz vor dem Eintreffen der flavischen Truppen von Norden her ging das Kapitol in Flammen auf. Sabinus wurde verhaftet und hingerichtet; Domitian, Vespasians jüngerer Sohn, hat diese Kämpfe mit knapper Not überlebt. Am 20. Dezember war Vitellius' Herrschaft beendet; er selbst starb unter den Schwertern der fanatisierten Truppen des Antonius Primus.

Vespasian wartete die Entscheidung in Ägypten ab. Der Senat erwies dem fernen Sieger – mittlerweile dem vierten seit Neros Untergang – sogleich die üblichen Ehrenbezeugungen und übertrug ihm mit einem einzigen Beschluß alle die Vollmachten, die Augustus erst nach und nach durch einzelne Beschlüsse erhalten hatte; in dem sogenannten ‹Bestallungsgesetz› Vespasians (*lex de imperio Vespasiani*), einer fragmentarisch erhaltenen Inschrift, hat sich eine Aufzählung dieser Vollmachten erhalten, die sich zu autokratischer Machtfülle addierten. Der Prinzipat wurde zu einer Institution, deren Vollmachten sich genau aufzählen und definieren ließen.

In Abwesenheit Vespasians bestimmten zunächst Mucianus und der durchaus ehrgeizige Domitian die Politik. Erst zehn Monate nach dem Sieg, im Oktober 70, zog Vespasian in Rom ein; Titus war von ihm mit der Beendigung des jüdischen Krieges beauftragt worden – Jerusalem wurde beinahe gleichzeitig mit Vespasians Ankunft in Rom erobert; die Verteidiger von Massada hielten aus bis zum Jahre 74. Der Sieg über die Juden wurde für Vespasian ein wichtiges Element für die Begründung seiner Herrschaft.

Vespasian ließ es an der üblichen, schon von Augustus gepflogenen Ehrerbietung gegenüber dem Senat als Institution nicht fehlen, doch war dies mehr äußerlich. Allein schon die offizielle Datierung des Herrschaftsbeginns auf den 1. Juli 69, als die Truppen Ägyptens den Treueid auf ihn geschworen hatten, machte demonstrativ deutlich, daß er die Armee weiterhin als Basis seiner Macht betrachtete. Die vagen Vorstellungen mancher Senatoren von neuen Möglichkeiten zur Gestaltung der Politik waren bald zerstoben, und ein halsstarriger Führer der Opposition, Helvidius Priscus, wurde erst verhaftet und schließlich hingerichtet.

Vespasian war nicht nur mehrfach Konsul, sondern übernahm auch im Jahre 73 zusammen mit Titus das Amt der Zensur, um die Zusammensetzung des Senats durch die Aufnahme neuer Mitglieder zu beeinflussen. Förderung erhielten jetzt Familien ähnlicher Herkunft wie die Flavier und auch erfolgreiche Provinziale.

Eine wichtige Aufgabe nach den Exzessen während des Bürgerkriegs war die Neuordnung der Armee; Vespasian hatte hier eine schwierige Aufgabe zu lösen, da er gerade solche politischen Möglichkeiten der Truppen, die er selbst ausgenutzt hatte, in Zukunft ausschließen wollte. Sein unbestrittenes militärisches Ansehen erleichterte ihm die Durchführung wirksamer Maßnahmen, ohne die maßlose Strenge eines Galba anzuwenden. Titus sorgte als Kommandeur der auf neun Kohorten reduzierten Prätorianer dafür, daß die Leibgarde fortan ihren Dienst auch ohne exorbitante Geldgeschenke seitens des Herrschers verrichtete.

Trotz der Streichung von vier oder fünf durch den Bürgerkrieg kompromittierten Legionen wurde die Gesamtzahl von 28 Legionen durch die Beibehaltung von Einheiten, die in der Bürgerkriegszeit ausgehoben worden waren, gehalten. Zu den Faktoren, die die Eigeninitiative der Truppen in den Jahren 68 und 69 gestützt hatten, gehörte die Massierung von Verbänden in einzelnen Lagern. Vespasian sorgte jetzt dafür, daß alle Legionen einzelne Lager bezogen, die deutlich voneinander getrennt waren. Die von Vespasian vorgenommene Neuordnung der Truppenstationierung entsprach seiner Ansicht, daß das Reich klare und gesicherte Grenzen brauchte; jede Erweiterung von lokalen Grenzen diente nur der Sicherung des Bestehenden.

Im Bereich des Oberrheins hat Vespasian angeordnet, die Grenze durch einen Vorstoß auf germanisches Gebiet im Stil einer Grenzverbesserung noch wirksamer zu sichern. Domitian hat diese Initiativen später fortgeführt und die Grenze gegenüber den Germanen durch Schneisen und erste Befestigungen markiert – die Vorstufen des späteren Limes.

Die römische Provinz Britannien beschränkte sich am Ende der Herrschaft Neros auf das Gebiet südlich von Wales. Vespasian hielt weitere Eroberungen auf der Insel oder zumindestens eine verbesserte Grenzziehung für notwendig, um die Sicherung der schon gewonnenen

Teile Britanniens zu gewährleisten. In den Jahren bis zu Vespasians Tod wird der britannische Machtbereich Roms zielstrebig, wenn auch immer nur geringfügig erweitert: 77 wurde Agricola eingesetzt, der unter Domitian zum Eroberer Britanniens bis hinauf nach Schottland werden sollte.

Vespasians Einschätzung der militärischen Lage im Osten läßt sich an der Entscheidung ablesen, die dort vorhandenen Kräfte durch die Zusammenfassung von Galatien und Kappadokien zu einer Provinz konsularischen Ranges besser als bisher zu organisieren. Den vier Legionen, die unter Nero in Syrien stationiert waren, stehen in flavischer Zeit sechs Legionen in Syrien, Kappadokien und Judaea gegenüber. Vespasian verfügte über eine glückliche Hand bei der Auswahl von Provinzstatthaltern: In Syrien etwa hat sich der Vater des späteren Kaisers Traian viele Jahre bewährt.

Nicht weniger schwierig als die Neuordnung der Legionen und die Sicherung oder Verbesserung der Reichsgrenzen waren die Aufgaben, die Vespasian im Inneren erwarteten. Nero hatte einen riesigen Schuldenberg hinterlassen. Zum Ausgleich dieses Fehlbetrags wurden in den ersten Jahren bestehende Steuerpflichten genauestens wahrgenommen, Freistellungen aufgehoben und neue Steuern eingeführt; alle Möglichkeiten des Reiches wurden ausgenutzt. Vespasian widmete sich der Suche nach neuen Einkünften mit einem Eifer, der den Spott der leidgeprüften Zeitgenossen hervorrief. Als geflügeltes Wort ging in die Überlieferung eine scherzhafte Bemerkung über das Geld aus einer neuen Abgabe für die Latrinenbenutzung ein: «Es riecht nicht» (*non olet*). Es ist vielleicht verständlich, daß Vespasian aus der Sicht der römischen Steuerzahler gelegentlich als habgierig gescholten worden ist, doch gab es für einen Kaiser nach Beendigung der Bürgerkriege keine andere Wahl.

Seit Augustus gehörte es zu den Pflichten eines verantwortungsbewußten Prinzeps, für den Ausbau der Stadt Rom zu sorgen. Die Zerstörung des Kapitols 69 gab Vespasian die Gelegenheit, gleich nach seiner Rückkehr mit dem Wiederaufbau des Tempels zu beginnen: Der Kaiser ließ es sich nicht nehmen, selbst einen ersten Korb mit Baumaterial heranzutragen. Die erfolgreiche Sanierungspolitik ermöglichte weitere große Bauvorhaben. Noch im Jahre 70 wurde mit dem Bau eines neuen Forum begonnen, das allerdings erst nach dem Tode Domitians 98 fertiggestellt werden konnte. 75 wurde der sehr aufwendig gebaute Tempel für den Frieden eingeweiht, in dem der mit Waffengewalt errungene ‹römische Friede› gerühmt wurde; die kostbarsten Beutestücke waren die Schätze des Tempels von Jerusalem. Eines der von Vespasian begonnenen Bauwerke fällt auch heute noch selbst dem eiligsten Besucher Roms auf, das flavische Amphitheater, besser bekannt als Kolosseum, so genannt wegen einer dort aufgestellten übergroßen Statue des Sonnengottes; es war der Schauplatz der für moderne Betrachter so befremdlichen

Gladiatorenkämpfe und Tierhetzen, ausreichend groß für etwa 50 000 Zuschauer. Der Bau wurde erst unter Titus eingeweiht, muß aber bereits in den ersten Regierungsjahren Vespasians begonnen worden sein.

Es sei sein Ziel, soll Vespasian gesagt haben, den dem Untergang nahen Staat zu festigen und ihm neuen Glanz zu verleihen. Die Wiederherstellung der Stabilität des Reiches nach den Wirren des ‹Vierkaiserjahres› 68/69 war das Ergebnis harter Arbeit. Dem Biographen Sueton verdanken wir die Kenntnis von Vespasians Einteilung der frühen Morgenstunden. Noch vor Tagesanbruch stand er auf, um die neue Korrespondenz und Berichte zu lesen. Schon die Zeit des Ankleidens wurde für Audienzen genutzt; fast den ganzen Tag widmete er den Regierungsgeschäften.

Vespasians persönliche Lebensführung sollte sich unverkennbar von den Auswüchsen der neronischen Zeit abheben. Dadurch, daß der Kaiser persönlich bescheiden lebte, wirkte er stilbildend für weitere Kreise, und er trug damit auch dazu bei, die neue Dynastie zu befestigen.

Wenn Vespasians Verdienste in den Jahren seit 70 auch immer unübersehbarer wurden, so gab es doch bis zum Schluß Widerstand gegen seinen unverhohlenen Plan, eine neue Dynastie zu gründen. Noch 79, im letzten Jahr von Vespasians Herrschaft, wurde eine Verschwörung von zwei engen Vertrauten aufgedeckt. Die Mehrzahl der Senatoren war mit seiner Herrschaft aber versöhnt und akzeptierte Titus als Nachfolger. Der Kaiser selbst hat gewußt, daß er sich seit dem Sieg über Vitellius herrscherliches Ansehen (*auctoritas*) erworben hatte, das sich durch kein Gesetz herbeizwingen ließ – wenn vielleicht auch die berühmten letzten Worte «O weh, ich glaube, ich werde ein Gott», die er während seiner tödlichen Krankheit ausgerufen haben soll, nur eine nachträgliche Erfindung sind. Unmittelbar nach seinem Tod beschloß der Senat jedenfalls die Vergöttlichung des Herrschers. Der Sohn des Steuereinnehmers wurde zum *divus Vespasianus*, zum vergöttlichten Kaiser Vespasian.

TITUS
79–81

Von Ines Stahlmann

Als Titus Flavius Vespasianus am 30. Dezember 39 geboren wurde, wies noch nichts darauf hin, daß er rund vierzig Jahre später Herrscher des Imperium Romanum werden sollte. Seine Vorfahren väterlicherseits kamen aus kleinen mittelitalischen Verhältnissen, und seine Mutter Flavia Domitilla brachte ihn in einem beengten und finsteren Zimmer eines ärmlichen Hauses in Rom auf die Welt. So mag es auf den ersten Blick erstaunen, daß Titus zusammen mit Britannicus, dem im Jahr 41 geborenen Sohn des Kaisers Claudius, erzogen wurde. Doch liegt in dem unspektakulären familiären Hintergrund wohl gerade auch die Erklärung für diesen Umstand: Titus, dessen Vater Vespasian sich in den vierziger Jahren gerade als Legionslegat in Straßburg und bei der Invasion Britanniens verdient machte, wurde sicherlich nicht als potentieller Konkurrent um die Herrschaft betrachtet und konnte deshalb als ungefährlicher Spielgefährte des Kaisersohnes gelten. Titus genoß auf diese Weise eine sehr gute Erziehung, durch die seine vorhandenen Anlagen und Begabungen gefördert wurden; allerdings soll auch Titus von dem Gift getrunken haben und daran erkrankt sein, mit dem der gerade vierzehnjährige Britannicus von Nero 55 ermordet wurde.

Seinen Dienst als Militärtribun leistete Titus wahrscheinlich Ende der fünfziger Jahre in Germanien und Britannien. In dieser Zeit heiratete er Arrecina Tertulla aus ritterlicher Familie; nach deren Tod vermählte er sich, noch bevor er um 65 die Quästur übernahm, mit Marcia Furnilla, einer Frau von bester Herkunft, von der er sich aber nach der Geburt einer Tochter scheiden ließ. Im Jahr 66, als der jüdische Aufstand ausbrach, finden wir ihn als Legionskommandeur in Palästina, nachdem im Winter 66/67 Vespasian von Nero mit der Niederwerfung des dortigen Aufstands betraut worden war. Auch hier wird erneut deutlich, daß Nero die flavische Familie als ungefährliche Emporkömmlinge (*homines novi*) einschätzte.

Die für einen ältesten Sohn durchaus gebräuchliche Namensgleichheit mit dem Vater sollte sich in diesem Fall als Programm erweisen: Titus blieb zeit seines Lebens der gegenüber seinem jüngeren Bruder Domitian bevorzugte Ältere; das gute Verhältnis zwischen Vater und Sohn erwies sich bis zum Tode Vespasians als stabil. Unter dem Oberkommando seines Vaters erhielt Titus Gelegenheit, seine militärischen Fähigkeiten unter Beweis zu stellen: Er war maßgeblich an den Eroberungen in Galilaea, unter anderem der Städte Japha und Jotapatha, beteiligt. Unter den Gefangenen in Jotapatha befand sich auch der jüdische Befehlshaber Josephus, für den sich Titus bei Vespasian besonders einsetzte. Diesem prophezeite der Jude die Herrschaft, indem er auf Vespasian die messianischen Hoffnungen des jüdischen Volkes übertrug. Daraufhin erhielt er die Freiheit und römisches Bürgerrecht. So wurde er zu Flavius Josephus, dem Geschichtsschreiber, dessen Darstellung des Jüdischen Krieges seine besondere Nähe zur flavischen Familie ausweist.

Vespasian und Titus kooperierten somit schon in dieser Phase einvernehmlich. Auch in der Zeit nach Neros Tod spielte Titus eine wichtige Rolle bei der Erhebung Vespasians: Einer der einflußreichsten Drahtzieher bei der Ausrufung Vespasians zum Kaiser war der Legat von Syrien Gaius Licinius Mucianus. Doch erst durch die Vermittlung des Titus entspannte sich das zunächst konfliktreiche Verhältnis zwischen Vespasian und Mucianus, ohne dessen Unterstützung und die seiner vier Legionen im Vorderen Orient nichts zu bewegen gewesen wäre. Obwohl es offenbar Tendenzen gab, Titus selbst zum Herrscher zu machen, stand er immer loyal zu seinem Vater. Dieser dankte es ihm in vielfacher Weise: Zusammen mit seinem Bruder Domitian wurde er noch 69 zum Caesar ernannt. Im Jahre 70 bekleidete er zum ersten Mal zusammen mit seinem Vater den Konsulat. In diesem Jahr übernahm Titus, «vom Vater zur völligen Bezwingung Judaeas auserwählt» (Tacitus, *Historien* 5,1), den Oberbefehl in Judaea; im September eroberte er Jerusalem, dessen Einwohner leidenschaftlichen Widerstand geleistet hatten. In einem grandiosen Triumphzug im Sommer 71 wurde der Sieg über Judaea gefeiert und als militärische Legitimation der flavischen Herrschaft propagiert.

In den folgenden Jahren nahm Titus die faktische Stellung eines Mitregenten ein: Im Juli 71 hat er die wesentlichen Herrscherrechte erhalten, in den Jahren 70, 72, 74 bis 77 und 79 hatte er den Konsulat inne. Ein besonderer Ausweis des Vertrauens war die im Jahr 71 erfolgte Ernennung zum Prätorianerpräfekten – eine Position, die ihn in der Hauptstadt mit großer militärischer Macht ausstattete und von der häufig genug Gefahren für den jeweils herrschenden Kaiser ausgingen. Da sich Vater und Sohn aber gegenseitig stützten, gewann die flavische Herrschaft auf diesem Wege vielmehr ein besonders starkes Fundament.

In der Position des zweiten Mannes im Staate mußte Titus eine Reihe von unpopulären Maßnahmen durchführen bzw. es wurden ihm diese, wohl zur Entlastung Vespasians, zugeschrieben. So ging er etwa mit äußerster Strenge und Grausamkeit gegen politische Gegner vor, so daß Sueton bemerkt: «So gut er hierdurch für seine zukünftige Sicherheit sorgte, soviel Haß zog er sich doch zunächst einmal zu. Daher ist kaum jemand unter so feindseligen Meinungsäußerungen und so sehr gegen den Willen aller zur Herrschaft gelangt» (Sueton, *Titus* 6,2; übersetzt v. O. Wittstock).

Dennoch vollzog sich der Regierungswechsel nach dem Tod Vespasians am 24. Juni 79 reibungslos, da – dies war gut vorbereitet worden – die entscheidenden Instanzen, Senat und Heer, mit Titus einverstanden waren. Dieser, damals 39 Jahre alt, führte die Herrschaft im Geiste Vespasians weiter, was auch hieß, daß er sich weiterhin um ein gutes Verhältnis zum Senat bemühte. Des weiteren sorgte er sich sehr um Popularität beim Volk. Nach seinem Regierungsantritt schickte er sogar aus Rücksicht auf die öffentliche Meinung und offenbar gegen sein Gefühl seine Geliebte, die jüdische Königin Berenike, aus Rom fort, da man ihm diese Verbindung mit einer Frau aus einem verfeindeten Königshaus übelgenommen hatte. Er schaffte es, in seiner nur zweijährigen Regierungszeit die Vorzeichen seines Images ins Positive zu kehren: Er wurde zum «Liebling und zur Freude der Menschheit» (Sueton, *Titus* 1).

Die Herrschaft des Titus war überschattet durch eine ganze Reihe von Katastrophen: Noch im Sommer 79 ereignete sich der große Vesuvausbruch, den uns Plinius der Jüngere so anschaulich in seinen Briefen beschreibt. Titus begab sich sofort in das campanische Krisengebiet, wo er den Notleidenden helfend beistand und den Wiederaufbau organisierte. Er befand sich noch immer in Campanien, als ein dreitägiges Feuer weite Teile Roms zerstörte, darunter das Kapitol und das südliche Marsfeld. Auch hier förderte er mit allen Mitteln die Restaurierungsarbeiten und stellte aus eigenem Besitz kostbare Dekorationen für Tempel und Bauwerke zur Verfügung. Er übertrug die Leitung der Wiederaufbauarbeiten mehreren Angehörigen des Ritterstandes, damit die Maßnahmen zügiger vonstatten gingen.

Schließlich brach wenig später auch noch eine Seuche bis dahin nicht gekannten Ausmaßes aus. Titus nutzte, so schreibt Sueton, «jedes nur denkbare göttliche und menschliche Hilfsmittel, indem er alle Arten von Opfern und Heilmitteln versuchte» (Sueton, *Titus* 8,4). Gerade vor dem Hintergrund dieser Katastrophen konnte sich Titus' Hilfsbereitschaft und Einsatz besonders eindrucksvoll erweisen. Die Milde, *clementia*, wurde zu seinem hervorstechenden, geradezu sprichwörtlichen Charakterzug, wie noch die von den böhmischen Ständen zur Krönung Josephs II. in Auftrag gegebene Mozart-Oper *La clemenza di Tito* zeigt.

Es scheint deutlich, daß sich Titus während seiner kurzen Herrschaft bewußt darum bemühte, den ihm anhängenden Ruf von Grausamkeit und rigidem Durchgreifen zu korrigieren. Zum nachhaltigen Gelingen dieses Vorhabens trug schließlich auch sein ihm in der Herrschaft nachfolgender Bruder Domitian bei, vor dessen von den antiken Geschichtsschreibern herausgestrichener dunkler Tyrannei seine Milde sich um so klarer konturierte. Darüber hinaus hat schon Ausonius gemutmaßt, daß die Kürze seiner Regierung dem Ruhm des Titus zum Vorteil gereichte. Titus starb am 13. September des Jahres 81 in seinem 42. Lebensjahr an einem hohen Fieber, wobei das Gerücht umging, daß Domitian den Tod des Bruders beschleunigt habe, indem er ihn – vorgeblich zur Senkung des Fiebers – in Schnee gebettet habe.

DOMITIAN
81–96

Von Christian Witschel

«Sehe ich wirklich Dich, den Herrscher der Länder und den mächtigen Vater des unterworfenen Erdkreises; Dich, die Hoffnung aller Menschen; Dich, die erste Sorge der Götter, während ich hier beim Mahle (im kaiserlichen Palast) liege?» (Statius, *Silvae* 4,2,14–16) – «Und dann er selbst, ein schrecklicher Anblick für jeden, der ihm begegnet: Hochmut auf der Stirn, Zorn in den Augen, der Körper von weibischer Bleichheit, das Gesicht dagegen in schamloser Weise von einer starken Röte übergossen!» (Plinius, *Panegyricus* 48, 4). Diese Aussagen zweier Zeitgenossen, des Dichters Statius und des Schriftstellers Plinius des Jüngeren, zeigen mit aller Deutlichkeit die schon in der Antike divergierenden Urteile über den römischen Kaiser Domitian. Gleichzeitig können sie als Beispiele dafür dienen, wie schwer es der moderne Betrachter hat, überhaupt noch an die komplexe Persönlichkeit des letzten Flaviers heranzukommen. Zu unversöhnlich stehen die Zeugnisse hymnischer Überhöhung zu Lebzeiten und totaler Verdammung nach seinem Tode nebeneinander.

Titus Flavius Domitianus wurde am 24. Oktober 51 in Rom geboren. Sein Vater, der spätere Kaiser Vespasian, hatte zunächst die senatorische Laufbahn eingeschlagen und gelangte noch im selben Jahr zum Konsulat. Trotz dieses familiären Hintergrundes scheint Domitian keine ganz einfache Jugend gehabt zu haben. Seine Mutter starb schon bald, und Vespasian nahm daraufhin seine Geliebte Caenis, zu der Domitian offenbar ein recht gespanntes Verhältnis hatte, offiziell in den Haushalt auf. Als schwerwiegender erwiesen sich jedoch finanzielle Probleme: Vespasian scheint sich so schwer verschuldet zu haben, daß er um 65 praktisch bankrott war. Darunter litt nicht zuletzt die Erziehung Domitians. Während sein fast zwölf Jahre älterer Bruder Titus am Hof des Kaisers Claudius groß geworden war und nun bereits die ersten Stufen der senatorischen Laufbahn emporsteigen konnte, mußte Domitian sich mit einer bescheideneren Ausbildung begnügen.

Er war noch immer in Rom, als die Ereignisse des Jahres 69 einen plötzlichen Wendepunkt für die Geschicke seiner Familie brachten. Bereits im Sommer wurde Domitian im Osten zusammen mit Titus zum Caesar ausgerufen. Zunächst aber geriet er noch einmal in Gefahr, als es im Dezember 69 in der Hauptstadt zum letzten Kampf zwischen den Anhängern des Vitellius und denen des Vespasian kam. Letztere wurden angeführt von Domitians Onkel Sabinus, der sich unter starkem Druck schließlich auf das Kapitol zurückziehen mußte. Dorthin holte er auch seinen Neffen, obwohl eine Erstürmung des Hügels drohte. Der achtzehnjährige Domitian hatte jedoch Glück: Im allgemeinen Chaos der Kämpfe konnte er fliehen und bei einem Freund Unterschlupf finden, während Sabinus getötet wurde. Schon am nächsten Tag marschierten die Truppen der flavischen Generäle in Rom ein und begrüßten den Kaisersohn als ihren Prinzen.

Eigentlich hätte nun Domitian in der Folgezeit endlich eine wichtigere, seinem brennenden Ehrgeiz entsprechende Rolle im Staate spielen können, da er vorerst die flavische Familie in Rom vertrat. Er mußte jedoch schnell erkennen, daß seinem Einfluß enge Grenzen gesetzt waren, weil sich die Generäle Vespasians, vor allem der machthungrige Mucianus, immer stärker in den Vordergrund drängten und dabei nicht davor zurückschreckten, den unerfahrenen Caesar als bequemen Sündenbock für die teilweise chaotischen Zustände in Rom zu benutzen. Domitian reagierte auf eine für ihn typische Weise, indem er sich zunehmend aus dem öffentlichen Leben zurückzog. Zu allem Überfluß kamen nun auch noch Gerüchte über seinen unsittlichen Lebenswandel auf. Mit dazu beigetragen haben mag, daß Domitian im Laufe des Jahres 70 Domitia Longina heiratete, die er zuvor ihrem ersten Ehemann ausgespannt hatte. Insgesamt sollte man jedoch die Erzählungen über Domitians jugendliche Ausschweifungen nicht überbewerten.

Nachdem Domitians erstes Auftreten in der großen Politik für ihn so enttäuschend verlaufen war, scheiterte im Sommer 70 auch noch ein Versuch, militärischen Ruhm zu gewinnen. Im Nordwesten des Reiches hatte sich ein großer Aufstand verschiedener gallischer und germanischer Volksgruppen unter der Führung des Batavers Iulius Civilis entwickelt. In Rom wurde die Gefahr für so groß erachtet, daß sich Mucianus schließlich im Frühsommer 70 entschloß, selbst an die Front zu reisen. Auch Domitian nahm an dieser Expedition teil und erhoffte sich hierbei wohl, mit seinem Bruder zumindest auf dem militärischen Feld gleichziehen zu können. Es kam jedoch anders, denn schon vor der Überquerung der Alpen erfuhr das Heer, daß inzwischen Civilis in Germanien entscheidend geschlagen worden war. Man zog zwar noch bis Lyon weiter, aber Mucianus versuchte ganz offensichtlich, Domitians Übereifer zu bremsen und ihn aus den noch laufenden Kämpfen mit den Batavern herauszuhalten. Bald darauf kehrte man unverrichteter Dinge nach Rom zurück, von wo Domitian schnell auf seine Landvilla am Albaner See entfloh. Lange konnte er dort nicht verweilen, denn schon im Oktober 70 kam Vespasian endlich aus dem Osten nach Rom, und Domitian hatte ihm bis Benevent entgegenzureisen. Er mußte sich einige harte Worte von seinem Vater anhören, was seine ohnehin schon vorhandene Verbitterung noch erheblich verstärkt haben dürfte. Seine öffentliche Stellung blieb für ihn unbefriedigend, denn obwohl er mehrere Ehrungen und Ämter erhielt, wurde er doch in allen Belangen hinter Titus zurückgesetzt. In dieser Zeit scheinen sich einige der wichtigsten Elemente des zwiespältigen Charakters Domitians ausgeprägt zu haben, vor allem der immer wieder auftretende Wunsch nach Einsamkeit und das Mißtrauen gegenüber vielen seiner Mitmenschen, aber auch das starke Verlangen nach kriegerischer Legitimation sowie generell nach einer uneingeschränkten Anerkennung seiner herrscherlichen Stellung. Vielleicht war es ein Fehler Vespasians, diesen Eigenschaften seines jüngeren Sohnes nicht genügend Rechnung getragen und ihn durch das Fernhalten von wirklich verantwortungsvollen Aufgaben zu immer extremeren Ansichten über die eigene Person gebracht zu haben.

In der kurzen Regierungszeit des Titus besserte sich die Lage für Domitian keineswegs. Titus betonte zwar immer wieder, sein Bruder sei als sein Nachfolger vorgesehen, überließ ihm aber weiterhin keine Mitwirkung an den Regierungsgeschäften. Somit blieb weitgehend alles beim alten, und Domitian hatte sich vielleicht schon damit abgefunden, für immer der unbedeutende Kronprinz zu bleiben, als sich die Lage durch den plötzlichen Tod des Titus am 13. September 81 schlagartig veränderte. Hierbei gab es, wie schon fast zu erwarten, Gerüchte über eine mögliche Vergiftung des Kaisers durch seinen Bruder, die aber völlig unbewiesen blieben. Tatsache ist jedenfalls, daß sich der Regierungswechsel reibungslos vollzog. Schon am selben Tag kehrte Domitian von Aquae Cutiliae im Sabinerland, dem Sterbeort seines Bruders, nach Rom zurück, wo er von der Prätorianergarde als neuer Kaiser begrüßt wurde. Am Tag darauf wurde dies vom Senat bestätigt.

Das folgende Jahr 82 verlief relativ ruhig und wurde auf die Konsolidierung der neuen Herrschaft verwandt. Schon im Herbst begannen aber die Vorbereitungen für einen großangelegten Germanenfeldzug des Kaisers. Als Ziel des Vorstoßes, der Domitian vor allem die langersehnte militärische Legitimation bringen sollte, wurde das Wetterau-Gebiet ausgesucht, wo als Gegner einer der kriegerischsten Germanenstämme, die Chatten, bereitstand.

Trotz Heranziehung einer sehr großen Heeresgruppe war wohl von vornherein nur an eine begrenzte Ausweitung des römischen Gebietes gedacht, die den Rahmen des organisatorisch Möglichen nicht überschritt. Domitian war bei all seinem selbstherrlichen Auftreten als Kriegsherr nämlich ein durchaus vorsichtig agierender Politiker. Im März 83 brach der Kaiser dann selbst an die Rheinfront auf, wo er von Mainz aus die Operationen leitete.

Er selbst soll es auch gewesen sein, der die entscheidende Taktik gegenüber der Guerillakriegsführung der Chatten ausgab: Um an ihre in unwegsamem Gelände gelegenen Siedlungen heranzukommen, wurden breite Schneisen in den Wald geschlagen, auf denen die römische Armee schnell in das feindliche Kerngebiet vorrücken konnte. Auf diese Weise wurde schon im Sommer 83 die förmliche Unterwerfung der Chatten erzwungen. Im Herbst kehrte der Kaiser nach Rom zurück und überließ seinen örtlichen Befehlshabern die Leitung der Konsolidierungskampagne im folgenden Jahr. Dabei galt es vor allem, das neugewonnene Gebiet bis zum Neckar durch einen Limes mit Kastellen, Wachtürmen und Postenlinien abzusichern. Abgeschlossen wurde diese Phase durch die Einrichtung der Provinzen Ober- und Niedergermanien Ende 84 oder Anfang 85.

Nach Rom zurückgekehrt, erwarteten den Herrscher große Ehrungen. Der Senat verlieh ihm den Titel «Germanensieger» und gestand ihm einen Triumph zu, der Ende 83 oder Anfang 84 mit großem Aufwand gefeiert wurde. Bereits hieran läßt sich ermessen, welche zentrale Bedeutung dieser erste kriegerische Erfolg Domitians für seine Selbstdarstellung hatte. Endlich war ihm die langersehnte militärische Legitimation zuteil geworden, und er ließ keinen Zweifel daran, daß er dies gebührend gefeiert wissen wollte. Selbst im fernen Kleinasien, das von den Ereignissen überhaupt nicht direkt betroffen war, wurde die Siegesnachricht begeistert aufgenommen. Das zeigt, daß die starke Überhöhung der Sieghaftigkeit Domitians in weiten Kreisen durchaus auf fruchtbaren Boden fiel.

In den Jahren 84 und Anfang 85 widmete sich Domitian dann vor allem der Innenpolitik, wobei er wie Augustus eine konservative Grundeinstellung zur Schau stellte, die auf eine allgemeine Hebung der öffentlichen Moral abzielte. Um seine diesbezüglichen Vorstellungen besser durchsetzen zu können, ließ sich Domitian im Herbst 85 die Zensur auf Lebenszeit verleihen. Dadurch wurde ihm auch eine ständige Kontrolle der Senatoren ermöglicht, was bei diesen zu einigem Mißtrauen führte.

Insgesamt gesehen wäre die Anfangsphase der Regierungszeit Domitians als äußerst erfolgreich zu bezeichnen, wenn nicht schon bald ernsthafte Rückschläge für den Kaiser gegeben hätte. Diese betrafen zum einen den familiären Bereich, etwa in der ziemlich dubiosen Affäre um seinen Vetter Sabinus: Als bei einer Konsulwahl ein Herold den Sabinus versehentlich zum neuen Kaiser statt zum Konsul ausrief, reagierte Domitian impulsiv und ließ seinen Verwandten sofort hinrichten. Obwohl der Wahrheitsgehalt dieser Anekdote nur schwer zu überprüfen ist, dürfte eines deutlich werden: Domitian verhielt sich hypersensibel, wenn er seine herrscherliche Stellung nur im geringsten angegriffen sah.

Das galt vor allem dann, wenn es um seine Frau ging, wie der große Eklat des Jahres 83 zeigte, als Gerüchte über eine Liebesbeziehung Longinas zu dem berühmten Mimen Paris aufkamen. Auch in dieser Sache handelte Domitian nicht unbedingt überlegt, indem er Paris umbringen ließ und seine Frau verstieß. Kurze Zeit später holte er sie zurück, aber ihr Verhältnis scheint nicht mehr das alte gewesen zu sein, denn Domitian wandte sich nun immer auffälliger einer Geliebten zu, nämlich seiner Nichte Iulia. Diese Liaison besaß viele tragische Züge: Iulia war mit dem von Domitian ermordeten Sabinus verheiratet gewesen, was zusammen mit der bei den Römern als inzestuös empfundenen Beziehung zwischen Onkel und Nichte zu bösem Gerede Anlaß gab.

Dieses erreichte seinen Höhepunkt, als Iulia am Ende der achtziger Jahre starb, nachdem Domitian sie gezwungen hatte, ein von ihm empfangenes Kind abtreiben zulassen. Auch die bald darauf erfolgte Vergöttlichung der Iulia konnte nicht darüber hinwegtäuschen, daß die Affäre kein gutes Licht auf den sich sittenstreng gebenden Kaiser warf.

Weitaus bedohlicher waren jedoch für einen so betont auf militärische Legitimation setzenden Kaiser wie Domitian die außenpolitischen Rückschläge, die im Jahre 85 relativ plötzlich und an einer unerwarteten Stelle einsetzten. Aus nicht ganz geklärten Gründen fielen Mitte des Jahres die Daker in die römische Provinz Moesien an der unteren Donau ein und töteten den dortigen Statthalter. Der Kaiser handelte energisch, indem er bereits kurze Zeit später erneut ins Feld aufbrach. Schon im Frühherbst wurden erste Erfolge errungen, so daß Domitian Ende des Jahres nach Rom zurückkehren konnte. Auch diesmal versuchte er, aus seinem eigenhändigen Eingreifen in den Konflikt Kapital zu schlagen, indem er im Frühjahr 86 einen großen Dakertriumph feierte. Doch diese Veranstaltung wurde durch die nachfolgenden Ereignisse rasch ad absurdum geführt. Während nämlich Domitian im Juni in der Hauptstadt die von ihm gegründeten kapitolinischen Spiele mit großem Pomp eröffnete, kam es an der Donau zu einem erneuten Desaster, als die Römer schwer geschlagen wurden und ihr Feldherr fiel. War die erste Krise noch recht schnell überwunden worden, so war dieses Mal der Prestigeverlust für Domitian unübersehbar und seine herrscherliche Stellung erstmals ernsthaft gefährdet.

Noch im September 87 wurde eine größere Verschwörung gegen ihn aufgedeckt, der allerdings kein Erfolg beschieden war. Dies lag sicherlich nicht zuletzt daran, daß Domitian einen kühlen Kopf behielt und rasch die nun notwendigen, durchaus an einigen Punkten zu einer radikalen Änderung der bisherigen Politik führenden Schritte einleitete. So wurde die seit Jahren betriebene Offensive im Norden Britanniens abgebrochen und die römischen Linien zurückgenommen, um dringend nötige Verstärkungen von dort an die Donaufront führen zu können. Bereits im Spätsommer 86 brach dann Domitian zu seiner zweiten Dakerexpedition auf. Noch vor Ende des Jahres gelangen einige Abwehrerfolge. Der Kaiser kehrte nach Rom zurück, vermied aber diesmal wohlweislich einen voreiligen Triumph. Das Jahr 87 wurde zur Konsolidierung der Lage genutzt, und Domitian verzichtete auch im Folgejahr darauf, selbst im Kriegsgebiet zu erscheinen, sondern überließ die Führung der Großoffensive seinem General Tettius Iulianus. Erneut stand in Rom eine herausragende Feierlichkeit an, nämlich die Säkularspiele des Jahres 88, die wohl die Anwesenheit des Kaisers erforderlich machte; aber anders als im Jahre 86 wurde sie nicht durch eine Katastrophenmeldung gestört. Ganz im Gegenteil: Fast zur selben Zeit errang Iulianus einen entscheidenden Sieg über den Dakerkönig Decebalus. Wohl auf Anweisung Domitians verzichtete er danach auf eine völlige Eroberung des Landes, welche die römischen Kräfte in dieser Situation überfordert hätte.

Für 89 wurde ein weiterer großer Feldzug an der Donau geplant. Dazu kam es jedoch zunächst nicht, denn ein erneuter schwerer Rückschlag zwang Domitian dazu, seine Aufmerksamkeit wieder der Rheingrenze zuzuwenden. Diesmal kam die Bedrohung aber nicht von außen, sondern von innen, und zwar von einem revoltierenden Statthalter mit seiner Provinzarmee – eine Konstellation, die jeder Kaiser fürchtete, denn erfolgreiche Usurpationen begannen meist auf diese Weise. Der Aufständische war der Gouverneur von Obergermanien, Lucius Antonius Saturninus. Sein Aufstandsversuch hatte im wesentlichen persönliche Motive, da er von Domitian beleidigt worden war. Hinzu kam eine momentane Unzufriedenheit der Mainzer Legionen, die die Usurpation maßgeblich vorantrieben, als sie am 1. Januar 89 den üblichen Eid auf den Kaiser verweigerten und statt dessen Saturninus zum Herrscher ausriefen. Um sein Unternehmen nicht von vorneherein aussichtslos werden zu lassen, nahm dieser Kontakte mit den germanischen Erzfeinden der Römer, den Chatten, auf. Domitian handelte jedoch einmal mehr sehr entschieden. Von allen Seiten beorderte er Truppen an den Rhein und versicherte sich der Loyalität seiner Heerführer. Er selbst brach am 12. Januar von Rom auf, mußte aber nicht mehr in das Geschehen eingreifen, denn schon Mitte Januar wurde Saturninus vom niedergermanischen Heer entscheidend geschlagen und getötet. Domitian setzte seinen Zug nach Germanien dennoch fort, um über die Putschisten ein grausames Strafgericht zu halten und sich vor allem des Chatten-Problems anzunehmen. Jene mußten durch eine kaiserliche Machtdemonstration in ein erneuertes Vertragsverhältnis mit Rom gezwungen werden. Gleichzeitig bot diese begrenzte Aktion dem Kaiser die Möglichkeit, den Krieg in Germanien als gegen äußere Feinde gerichtet darzustellen und so etwas von dem für ihn peinlichen Usurpationsversuch eines seiner Untergebenen abzulenken. Bereits im späten Frühjahr brach der Kaiser wieder an die mittlere Donau auf, um dort den seit längerem geplanten Feldzug durchzuführen. Aber diese Expedition wurde zu einem Fehlschlag und mußte recht bald abgebrochen werden. In diesem Moment drohte ein Zusammenbruch des gesamten römischen Herrschaftssystems an der Donau, und Domitian befand sich in der vielleicht schwierigsten Lage seit dem Beginn der Kämpfe an der Nordostfront. Auch diesmal handelte er pragmatisch.

Auf eine endgültige Unterwerfung der Daker wurde verzichtet und statt dessen ein Friede mit König Decebalus geschlossen. Domitian konnte Ende 89 nach Rom zurückkehren und dort einen Doppeltriumph über die Chatten und Daker feiern. Als jedoch einige Zeit später erneut eine römische Legion vernichtet wurde, mußte der Kaiser im Jahre 92 zum vierten Mal an die Donaufront eilen.

Insgesamt gesehen war also der Mittelabschnitt der Regierungszeit Domitians geprägt von ständigen schweren Abwehrkämpfen an Donau und Rhein, die einen Großteil der Aufmerksamkeit des Kaisers erforderten, zumal er sich gemäß seiner Herrschaftsauffassung vom sieghaften Heerführer immer wieder selbst auf den Kriegsschauplätzen zeigen zu müssen glaubte. Nach 92 blieb dann die Lage an der stabilisierten Donaugrenze für einige Jahre im wesentlichen ruhig – nicht zuletzt ein Verdienst des an den Realitäten orientierten Konzeptes Domitians. Allerdings fehlte ihm hier wie auch sonst oft die Fähigkeit, die manchmal abrupten Wandlungen in der Außenpolitik der Öffentlichkeit und vor allem der senatorischen Oberschicht begreiflich zu machen. Domitian verpaßte so letztlich die Chance, daß seine unbestreitbaren Abwehrerfolge an der Donau adäquat gewürdigt wurden.

Die Jahre um 90 waren für Domitian durch erneute familiäre Schicksalsschläge gekennzeichnet. Neben dem Tod der Iulia war es vor allem die Nachfolgefrage, die nun immer stärker in den Vordergrund trat. Domitian hatte nämlich von Longina nur einen Sohn, der 73 geboren, aber schon vor 82 gestorben war. Als Longina 90 ein weiteres Kind erwartete, waren die Hoffnungen auf einen möglichen Thronfolger groß, aber es scheint zu einer Fehlgeburt gekommen zu sein. Die ungelöste Nachfolgeregelung mußte bei einer so auf die Persönlichkeit des Herrschers zugeschnittenen Regierungspraxis unweigerlich destabilisierend wirken, und Domitian hat auf diesem Gebiet bis zu seinem Ende keine wirklich dauerhafte Lösung gefunden.

Kaum waren die langwierigen Donaukriege endlich abgeschlossen, da kam es im Jahre 93 zu einer innenpolitischen Krise mit weitreichenden Folgen, der sogenannten «Philosophenverschwörung». Wie so oft sind die genauen Hintergründe nicht mehr sicher aufzuklären. Beteiligt war aber auf jeden Fall eine kleine und auch im Senat weitgehend isolierte Gruppe notorischer Kritiker des Kaisers, die aus einer stoischen Grundeinstellung die Monarchie generell ablehnte. Angeklagt wurden die «Philosophen» offiziell wegen verschiedener kritischer Schriften und Äußerungen, es ist aber in der Überlieferung noch verschwommen erkennbar, daß auch Rivalitäten innerhalb des Senats hierbei eine nicht unerhebliche Rolle spielten. Die Senatsmehrheit sah jedenfalls schweigend zu, als die Angeklagten hingerichtet oder zur Verbannung verurteilt wurden und eine generelle Philosophenvertreibung aus Rom stattfand. Spätere Versuche wie die des jüngeren Plinius, sich zu engen Vertrauten der «Märtyrer» von 93 und zu deren Verbündeten im Geiste zu stilisieren, wirken somit kaum überzeugend. Im nachhinein war es allemal bequemer, Domitian die alleinige Schuld an den Ereignissen im September 93 zuzuschieben und darin seine endgültige Degeneration zum Tyrannen zu sehen, der vor keinem Mord zurückschreckte.

Daß der zunehmend gereizt reagierende Kaiser nun allerdings selbst in seinem engsten Familienkreis dauernd Verrat witterte, zeigt der letzte große Eklat im Jahre 95. Betroffen waren diesmal vor allem Titus Flavius Clemens, ein weiterer Cousin des Kaisers, und dessen Frau Flavia Domitilla, eine Nichte Domitians. Dieser Skandal war aus zwei Gründen besonders bedeutungsvoll: Zum einen scheiterte hiermit die letzte von Domitian angestrebte Nachfolgeregelung. Er hatte nämlich einige Zeit vorher die beiden kleinen Söhne seiner Verwandten als Thronfolger vorgestellt und ihre Namen in Vespasian und Domitian ändern lassen. Über ihr weiteres Schicksal nach dem Jahre 95 ist nichts bekannt, aber als Kronprinzen dürften sie kaum noch fungiert haben, so daß Domitian wieder ohne designierten Nachfolger dastand. Zum anderen war der Hauptanklagepunkt gegen Clemens und Domitilla von besonderer Bedeutung, denn sie wurden wegen Gottlosigkeit verurteilt; und der spätere Autor Cassius Dio ergänzt hierzu, sie hätten «nach jüdischer Art» gelebt (67,14,2). Was immer das heißen mag, für die Kirchenväter waren die Verwandten Domitians damit frühe christliche Märtyrer. Die nachfolgende christliche Überlieferung ging sogar noch einen Schritt weiter, indem sie Domitian zum zweiten großen Verfolger der frühen Kirche nach Nero abstempelte. Dies ist sicherlich stark übertrieben, denn unter Domitian gab es – wie später auch unter Traian – höchstens einige lokale Christenverfolgungen in Rom und Kleinasien.

Vermutlich hörte der Kaiser bei dieser Affäre auch auf Einflüsterungen seiner Umgebung. Generell scheint er in seiner späteren Regierungszeit das leicht zu Auswüchsen neigende Gerichtssystem, in dem die Ankläger die Verunglimpfung anderer zur Durchsetzung persönlicher Interessen sowie zur Bereicherung nutzen konnten, nicht mehr recht unter Kontrolle bekommen zu haben. Das Resultat der geschilderten Vorgänge war jedenfalls, daß sich Domitian noch stärker in seine selbstgewählte Isolation zurückzog und nicht einmal mehr seiner engsten Umgebung vertraute. Dies hatte zur Folge, daß sich nun auch die Günstlinge des Kaisers zunehmend von dem unberechenbaren Herrscher bedroht fühlten, und aus ihrem Kreis – nicht aus der in der späteren Überlieferung so hochgerühmten «senatorischen Opposition» – entwickelte sich schließlich die Verschwörung, die den Kaiser zu Fall brachte. Einige Höflinge und Palastbeamte fanden sich für diese Tat zusammen und nutzten dabei den Vorteil, daß sie wie nur wenige sonst einen direkten Zugang zum Kaiser hatten. Dieser war zwar durch mehrere schlechte Vorzeichen aufs höchste alarmiert, konnte aber nicht jeden Kontakt mit der Umwelt vermeiden und ließ deswegen zur Mittagszeit des 18. September 96 einen der Mitverschwörer vor, der angab, eine wichtige Meldung machen zu wollen.

Als dieser ihm in einem Privatgemach den Dolch in den Leib stieß, setzte sich Domitian zur Wehr und rang mit dem Angreifer, obwohl dabei seine Finger völlig zerfleischt wurden. Mittlerweile waren jedoch weitere Verschwörer in das Gemach eingedrungen und vollendeten gemeinsam die Ermordung des vierundvierzigjährigen Kaisers.

Die Reaktionen der Bevölkerung auf den Tod des Kaisers waren je nach Interessenlage durchaus unterschiedlich. Im Senat, in dem zwar eine ganze Reihe von Günstlingen Domitians saß und dessen Mitglieder in ihrer Mehrzahl dem Kaiser loyal gedient hatten, zu dem der Herrscher aber gleichwohl nie einen wirklichen Zugang gefunden hatte, herrschte spontane Freude und Erleichterung vor. Das Volk von Rom, das Domitian durch eine Vielzahl von Spielen und Bauwerken verwöhnt hatte, ohne dadurch jedoch richtig populär zu werden, nahm die Todesnachricht gleichgültig auf. Empört reagierten hingegen die Prätorianer und Soldaten, die mehrfach von Domitians Militärpolitik profitiert hatten. Sie forderten seine Vergöttlichung und die Verurteilung der Verschwörer, konnten sich damit jedoch zunächst nicht durchsetzen.

Wenn man Domitians gesamte Regierungszeit überblickt und nach besonders hervorstechenden Charakteristika sucht, so fällt dem Betrachter als erstes sein autokratischer Regierungsstil ins Auge. Doch stand Domitian damit keineswegs allein, denn schon unter seinen Vorgängern hatte sich das auf einem fein austarierten Bündel von Amtsvollmachten beruhende Herrschaftssystem des Augustus zu einer gefestigten Monarchie weiterentwickelt.

Domitian ging jedoch in einigen zentralen Bereichen, vor allem der militärischen Selbstdarstellung und der Überhöhung der eigenen Person gerade im täglichen Umgang mit der Bevölkerung, deutlich über das bisher Gewohnte hinaus und schuf ein Klima, in dem etwa seitens der Dichter eine Glorifizierung des Kaisers und seine Gleichsetzung mit den Göttern durchaus erwünscht war. Sein Beharren auf einem absoluten

Herrschaftsanspruch stieß vor allem beim Heer durchaus auf Resonanz, mußte aber zusammen mit dem oft arrogant wirkenden Auftreten des Herrschers geradezu zwangsläufig zu einem gespannten Verhältnis zu der traditionsbewußten Führungsschicht der Senatoren führen, denn hier war die Vorstellung vom Kaiser als «bürgernahem Herrscher» immer noch stark ausgeprägt. Daß Domitian auf diesem Gebiet zumeist nicht den richtigen Ton fand, gehört mit Sicherheit zu den größten Schwächen seiner Herrschaft.

Allerdings ist an diesem Punkt eine wesentliche Einschränkung zu machen: Die spätere Überlieferung läßt das tatsächliche Ausmaß der von Domitian angestrebten Überhöhung nur noch selten erkennen. Das zeigt sich deutlich an dem zentralen Vorwurf, der durchgängig in bezug auf Domitians Herrschaftspraxis erhoben wurde, nämlich seine Forderung nach der Anrede und Verehrung als «Herr und Gott» (*dominus et deus*). Sueton, eine unserer Hauptquellen hierzu, berichtet zunächst, daß der Kaiser es gerne gehört habe, wenn er mit solchermaßen lautenden Akklamationen im Theater empfangen wurde (*Domitian* 13). Aber schon bei dieser Behauptung ist Vorsicht geboten, denn Statius führt uns in einem seiner Gedichte gerade eine solche Szene vor Augen (*Silvae* 1,6,75–84): Das Publikum ist begeistert über eine besonders prächtige Darbietung und ruft den anwesenden Domitian als «Herrn» an; dieser aber verbittet sich die Anrede und folgt dabei dem Beispiel einer ganzen Reihe früherer Kaiser. Bereits an diesem Punkt steht also in der antiken Überlieferung Aussage gegen Aussage, ohne daß wir noch klar entscheiden könnten, wer recht hat. Sueton geht aber in seinen Anschuldigungen noch weiter, wenn er behauptet, Domitian habe die neue Anrede auch in den offiziellen Schriftverkehr aufnehmen lassen. Wenn wir jedoch die erhaltenen offiziellen Dokumente mustern, so finden wir nirgends die anrüchige Titulatur. Auch hier müssen wir also zur Kenntnis nehmen, daß sich zeitgenössische Dokumente und spätere Aussagen antiker Autoren nicht in Einklang bringen lassen.

Damit sind allerdings die Überlegungen zu dem «Herr und Gott«-Komplex immer noch nicht abgeschlossen, denn ganz aus der Luft gegriffen werden diese Erzählungen auch nicht gewesen sein. Vermutlich haben die Autoren aber einen Vorgang generalisiert, der sich vor allem in der engeren Umgebung des Kaisers abspielte. Am Hofe war nämlich die Anrede des Kaisers als «Herr» schon seit längerem zunehmend gebräuchlich geworden, und es kann durchaus sein, daß Domitian dies systematisiert hat und sich dabei auch die Anrede «Gott» gerne gefallen ließ. Nur: Gerade am Hof änderte sich auch unter den Nachfolgern Domitians trotz ihrer betonten Abkehr von seiner Art der Selbstdarstellung nicht allzu viel.

Selbst Plinius, der in seinem Panegyricus besonders hervorhebt, er wolle nie wieder einen Kaiser «Herr» nennen, hat keine Scheu, in seiner privaten Korrespondenz mit Traian diesen als «mein Herr» anzureden. Insgesamt gesehen wird man also sagen können, daß der grundsätzlich konservative Domitian in seinem Herrschaftsanspruch in vielen Bereichen an bereits ausgebildete Strukturen anknüpfte. Keineswegs forderte er wohl von sich aus ein, als hellenistischer Gottkönig verehrt zu werden. Auf der anderen Seite brach sein übersteigerter Legitimations- und Überhöhungsdrang doch so deutlich mit den Traditionen des augusteischen Herrschaftssystems, daß er heftigen Widerstand hervorrief, was dann die folgenden Kaiser zunächst zur Abkehr von dieser Praxis zwang.

Die Stärken Domitians lagen sicherlich auf dem Gebiet der Verwaltung des Reiches. So versuchte er, die Italien- und Provinzialpolitik möglichst effizient zu gestalten, soweit dies einem römischen Kaiser überhaupt möglich war. Domitian war offenbar besser als manch anderer Herrscher über die Vorgänge in den einzelnen Provinzen informiert und wollte die dortige Administration straff führen. Was die weitergefaßten Politikfelder wie etwa die vom Kaiser geförderten Urbanisierungsprogramme anbelangt, so führte Domitian in den bereits stärker romanisierten Binnenprovinzen wie Spanien und Afrika im wesentlichen die Politik seiner Vorgänger ohne erkennbare Veränderungen fort. Das eigentliche Aktionsfeld der domitianischen Provinzial- und Außenpolitik bildeten die Nordprovinzen des Reiches. Obwohl er auch hier teilweise an die Aktionen seines Vaters anknüpfte, setzte er im Laufe der Zeit in diesen Regionen viel stärker eigene Akzente, die ihm allerdings manchmal wie im Falle der Donaufront auch von außen aufgezwungen wurden.

Im Bereich der Innenpolitik sei kurz auf Domitians Anwendung der Sittengesetze verwiesen. An ihr zeigt sich seine betont konservative Grundeinstellung besonders deutlich. Domitian tat sich dabei weniger durch die Schaffung neuer als durch die Wiedereinschärfung bestehender Gesetze hervor, etwa der Einhaltung der nach sozialen Kriterien gegliederten Sitzordnung im Theater, die schon Augustus besonders am Herzen gelegen hatte, oder der Beachtung der unbedingten Keuschheit der Vestalinnen. Bei Vergehen gegen diese Regel brachte er einen uralten, besonders grausamen Brauch wieder zur Geltung: die Bestattung der Sünderin bei lebendigem Leibe.

Eine besondere Bedeutung besaß für Domitian schließlich die Baupolitik, die er in traditioneller Weise auf Rom konzentrierte. Man sollte allerdings das «Programm» hinter der weitgefaßten Bautätigkeit unter Domitian nicht überschätzen, da vieles hierbei als Reaktion auf praktische Erfordernisse erfolgte. Dies gilt vor allem für die Restaurierung der zahlreichen bei dem großen Brand von Rom im Jahre 80 zerstörten Gebäude. Einige Schwerpunkte lassen sich jedoch klar erkennen. An erster Stelle wären die zahlreichen Monumente zur dynastischen Überhöhung der flavischen Familie zu nennen, die sowohl in der Form von Kultbauten wie auch als Ehrendenkmäler errichtet wurden. Domitian stellte dadurch – wie im übrigen auch durch eine Serie von Erinnerungsmünzen des Jahres 82/83 – eindrucksvoll unter Beweis, wieviel ihm daran gelegen war, das Andenken seiner Verwandten zu ehren. Einen weiteren Schwerpunkt bildeten Tempel zu Ehren der von Domitian besonders geschätzten Gottheiten. Dabei handelte es sich neben Iuppiter, dem Domitian seine Rettung vom Kapitol im Jahre 69 zu verdanken glaubte, vor allem um Minerva, die Domitian zu seiner persönlichen Schutzgottheit erkor. Einen zentralen Tempel für sie errichtete er auf dem von ihm begonnenen und von Nerva fertiggestellten *Forum Transitorium*, das eine harmonische Verbindung zwischen den bereits vorhandenen Kaiserfora herstellen sollte.

Besonders für die stadtrömische Bevölkerung gedacht war eine ganze Serie von neuen Spielstätten, die in Zusammenhang mit den von Domitian initiierten Festspielen standen. Vor allem für die 86 eingerichteten kapitolinischen Wettkämpfe nach griechischem Muster mußte eine ganze Reihe von in Rom bisher fehlenden Anlagen errichtet werden, so ein großes Stadion, die heutige Piazza Navona. Insgesamt war Domitian einer der größten kaiserlichen Bauherren überhaupt. Als besonders zukunftsweisend erscheint die unter ihm errichtete große Palastanlage auf dem Palatin. Zwar bescheidener ausgerichtet als Neros «Goldenes Haus», wurden hier doch erstmals die verschiedenen kaiserlichen Wohnstätten zu einem einheitlichen, dem monarchischen Herrschaftsstil angemessenen Gebäudetyp zusammengefaßt und ein würdevoller Rahmen für die kaiserliche Überhöhung geschaffen.

Am Ende fällt es sehr schwer, den Kaiser und Menschen Domitian fair zu beurteilen. Er war ohne Zweifel ein äußerst fähiger Herrscher, der viel Mühe auf eine möglichst effiziente Verwaltung des Reiches verwandte und in kritischen militärischen Situationen einen kühlen Kopf behielt. Gleichzeitig war er aber eben schon seit seiner Jugend eine charakterlich schwierige Persönlichkeit, welcher die Kommunikation mit den Mitmenschen häufig schwerfiel.

Sein früh ausgebildeter extremer Geltungsdrang verbaute ihm den Weg zu einer feinfühligen Menschenführung, die gerade im Umgang mit der für das Funktionieren des Staates so wichtigen senatorischen Oberschicht für einen Kaiser von überragender Bedeutung war. Das ebenfalls schon früh erkennbare Mißtrauen anderen Menschen gegenüber und sein Hang zur Einsamkeit isolierten ihn zunehmend, so daß er sich schließlich selbst von seiner engsten Umgebung entfremdete. Immer wieder verdarben aus diesen Eigenschaften resultierende impulsive Handlungen Domitians und die übertriebene Rigidität in der Durchsetzung seiner politischen und moralischen Vorstellungen die eigentlich gut gemeinten Ansätze seiner Regierungspraxis. Die für die kaiserliche Herrschaft in Rom so entscheidende breite Akzeptanz in der Öffentlichkeit konnte sich deswegen nur bedingt einstellen.

Daß Domitians Andenken allerdings so systematisch verdunkelt wurde und er in der späteren Überlieferung als der Tyrann schlechthin, ja zuweilen sogar als eine Art Monster erscheint, hat nur teilweise etwas mit seinem tatsächlichen Verhalten zu tun. Vielfach liegen die Gründe hierfür eher in Vorgängen unter seinen Nachfolgern Nerva und Traian, die er nicht mehr beeinflussen konnte. Gerade Traian, obwohl selbst ein loyaler Beamter unter Domitian, hatte nach seinem von erheblichen Turbulenzen begleiteten Regierungsantritt allen Grund dazu, sich von seinem Vorgänger abzusetzen und in allen Bereichen als dessen genaues Gegenteil zu stilisieren. Das in dieser Zeit vor allem von Tacitus und Plinius, die beide unter Domitian nicht erkennbar zu leiden hatten, ausgeformte Bild des letzten Flaviers hat mit seiner Schwarz-Weiß-Malerei die gesamte nachfolgende Überlieferung bestimmt und andere Zeugnisse überdeckt. So bleibt es für den modernen Betrachter eine mühsame Aufgabe, dem schwierigen Kaiser Domitian einigermaßen gerecht zu werden.

Traian
98–117

Von Werner Eck

Im Spätherbst des Jahres 117 bewegte sich ein pompöser Triumphzug von der Via Appia her ins Zentrum der Hauptstadt Rom, angeführt von Senatoren und Abteilungen des Heeres. Doch auf dem Triumphwagen stand nicht der über die Parther siegreiche Kaiser Traian selbst, sondern nur seine Statue – über einer Urne, in der die Asche Traians geborgen war. Letztes Ziel des Triumphzuges war auch nicht wie üblich der Tempel des Iupiter Optimus Maximus auf dem Kapitol, sondern das weitausladende, prächtige Traiansforum, das erst wenige Jahre vorher am Abhang des Quirinalhügels vollendet worden war. An seinem Ende ragte eine fast 30 Meter hohe Marmorsäule auf einem gewaltigen Sockel in den römischen Himmel. Wenige Männer, vielleicht die beiden amtierenden Konsuln, trugen die hohe goldene Urne über die weite Fläche des Forums und durch die Basilica Ulpia. Durch eine schmale Tür betraten sie den Säulensockel und setzten dort das kostbare Gefäß auf einer Marmorbank ab. Nach kurzer Zeit wurde die Türe geschlossen, die Zeremonie hatte ihren Abschluß gefunden.

Alle, die an dieser prunkvollen und doch düsteren Zeremonie teilgenommen hatten, waren sich bewußt, welch außergewöhnliches Ereignis sich hier abgespielt hatte: Ein Begräbnis in Rom selbst, innerhalb der geheiligten Grenzen der Stadt. Der Platz der Toten war durch Rechtssatzung von dem der Lebenden getrennt, er war draußen an der Via Appia oder einer anderen der vielen Ausfallstraßen. Für den toten Kaiser Traian, dessen Asche in der goldenen Urne im Sockel der Säule geborgen war, galt dieses Gesetz nicht. Der Grund für diese Ausnahme war nicht, daß er Kaiser gewesen war. Denn alle seine Vorgänger ebenso wie seine Nachfolger bis in die Spätantike hinein wurden außerhalb des Pomeriums begraben. Das Mausoleum des Augustus, in dem zuletzt der Vorgänger Traians, der vergöttlichte Nerva, bestattet worden war, lag weit im Norden auf dem Marsfeld, das Grabmal Hadrians, die spätere Engelsburg, in dem die meisten Herrscher des 2. und 3. Jahrhunderts ihre letzte Ruhe fanden, ragte jenseits des Tibers empor. Was also war der Anlaß, weshalb für Traian dieses eherne Gesetz durchbrochen wurde? Was war so außergewöhnlich an ihm, daß offensichtlich bereits zu seinen Lebzeiten der Beschluß gefaßt worden war, ihn durch das Begräbnis in der Stadt von allen seinen Vorgängern abzuheben?

Als Marcus Ulpius Traianus, so sein voller Name, am 18. September wohl des Jahres 53 geboren wurde, herrschte noch Kaiser Claudius, der einer der ältesten senatorischen Familien der Republik angehörte, einer sozialen Gruppe, die über Jahrhunderte hinweg ganz selbstverständlich in Rom die Macht in ihren Händen gehalten hatte; alle diese Familien kamen aus Rom selbst oder den benachbarten, mittelitalischen Gebieten. Traians Heimat aber lag auf der iberischen Halbinsel; Italica, das heutige Santiponce nordwestlich von Sevilla in Andalusien, war seine Geburtsstadt. Sein gleichnamiger Vater hatte wohl noch unter Claudius als einer der ersten Kolonialrömer aus der südspanischen Provinz Baetica den Aufstieg in den Reichssenat geschafft. Er gehörte also zu den neuen Männern, den *novi homines*, die seit Beginn der Kaiserzeit zunächst sehr langsam, seit Mitte des 1. Jahrhunderts vermehrt den Sprung in die Reichsführungsschicht schafften.

Doch zum engeren Kreis der wirklich machtvollen Familien, die insbesondere im Umfeld des Kaisers, aber auch im Senat über selbstverständlichen Einfluß verfügten, gehörte der Vater Traians mit seiner Aufnahme in den höchsten Stand des Reiches noch nicht. Dazu fehlte das unter Normalumständen erst in längerer Zeit gewachsene Prestige, das nicht nur ein persönlich erworbenes war, sondern zumeist auch auf der Bedeutung der Familie beruhte. Daß er es in seiner senatorischen Karriere zumindest bis zum Konsulat, dem Spitzenamt nach republikanischen Kriterien, bringen würde, war für ihn zu Beginn seiner politischen Tätigkeit unter Nero noch keineswegs zu erwarten. Denn höchstens ein Drittel all derer, die in dieser Zeit jährlich neu in den Senat eintraten, konnte hoffen, einmal Konsul zu werden und damit dem Jahr oder zumindest einem Teil den Namen zu geben. Doch ein radikaler politischer Umbruch eröffnete ihm ungeahnte Chancen: Am 9. Juni 68 endete Nero durch Selbstmord.

Die nachfolgenden Kämpfe um die Vorherrschaft zwischen mehreren Prätendenten brachten im Dezember 69 Titus Flavius Vespasianus ans Ziel; er wurde der Begründer der zweiten – der flavischen – Kaiserdynastie. Machtbasis für seine Usurpation gegenüber Vitellius war vor allem das Heer, das er seit dem Jahr 67 in Judaea gegen die aufständischen Juden befehligte. Daß diejenigen, die ihn in dieser Zeit vor allem als Kommandeure der Legionen und Hilfstruppen unterstützten, auch nach dem Sieg in Rom zu den Gewinnern zählen würden, war nur natürlich. Diese Militäreinheiten aber wurden von Senatoren und Rittern befehligt. So finden sich unter den Konsuln der ersten Jahre Vespasians manche der ehemaligen Legionskommandeure, die unter ihm im Osten gedient hatten.

Traian der Ältere war seit dem Jahr 67 als Befehlshaber der *legio X Fretensis* am Kampf gegen die jüdischen Rebellen beteiligt gewesen. Mit dem Konsulat für ihn, wohl bereits im Jahre 70, war er in den engeren Führungskreis um Vespasian gelangt, was kurze Zeit später auch darin seinen Ausdruck fand, daß er von 74–77 als Statthalter von Syrien, der wichtigsten Militärprovinz des Ostens, amtierte. Dabei muß es zu einem Konflikt mit den an die Provinz Syrien angrenzenden Parthern gekommen sein, den er als kaiserlicher Legat erfolgreich beendete; denn Vespasian dekorierte ihn mit den sogenannten Triumphalornamenten, einer Art Surrogat nach einem militärischen Erfolg anstelle eines Triumphzuges. Der Triumph selbst stand nur noch dem Kaiser zu.

Schon vor dem Provinzialkommando war zusätzlich der politische und soziale Status des älteren Traian noch weiter erhöht worden: Vespasian nahm ihn unter die Patrizier auf, eine besonders privilegierte Gruppe innerhalb des Senats. Traian senior hatte so, begünstigt durch den politischen Umbruch, der Familie innerhalb einer Generation im engsten Führungszirkel der römischen Welt einen geachteten Platz verschafft. Damit eröffnete sich für den Sohn eine glänzende, aber nicht unbedingt bedeutende Zukunft. Denn als Sohn eines Patriziers hätte er die senatorische Ämterlaufbahn recht schnell hinter sich bringen können. Schon mit 33 Jahren war der Konsulat für ihn erreichbar; vorausgehende Aufgaben in der Provinzialverwaltung waren dazu nicht notwendig. Damit hätte er bereits den Gipfel des sozio-politischen Prestiges innerhalb der stadtrömischen Gesellschaft erklommen. Doch die Karriere des jungen Traian verlief anders; über die Gründe kann man nur spekulieren. Vermutlich gehörte er nicht zu den Favoriten des regierenden Kaisers Domitian, des jüngeren Sohnes Vespasians. Der Kaiser allein aber hatte über den Konsulat zu entscheiden. Jedenfalls steuerte Traian nicht in kürzester Zeit direkt auf den Konsulat zu, vielmehr erhielt er zunächst in den späten achtziger Jahren den Befehl über die *legio VII Gemina* im Norden der Provinz Hispania citerior, was für einen Patriziersohn höchst ungewöhnlich war.

Hier bot sich ihm die entscheidende Chance, seinen eigenen Aufstieg zu fördern. Ende 88 revoltierte der obergermanische Heereskommandeur Lucius Antonius Saturninus gegen Domitian. Vier Legionen und zahlreiche Hilfstruppen, zusammen gegen 35 000 Soldaten, unterstanden ihm; und nur die Alpen trennten ihn von Italien. Domitian handelte sofort. Mit den Prätorianern zog er selbst gegen den Usurpator, und aus anderen Provinzen setzte er Truppen gegen ihn in Marsch. Auch Traian erhielt den Einsatzbefehl für seine Legion, und in Eilmärschen zog er mit ihr von Nordspanien durch Gallien an den Rhein, um seinen Kaiser zu unterstützen. Doch bevor er dort eingetroffen war, hatte der niedergermanische Statthalter Lappius Maximus von Köln aus die Usurpation mit seinen Legionen bereits erstickt.

Traian mag froh gewesen sein, nicht mehr in die Kämpfe eingreifen zu müssen, doch sicher ist diese innere Einstellung nicht. Falls sie so war, ließ er es gewiß nicht erkennen. Nicht einmal sein späterer Lobredner, Plinius der Jüngere, bemühte sich, Traian eine Art Widerstandsrolle gegen den ‹Tyrannen› Domitian in dieser Situation anzudichten. Der nicht mehr ganz so junge Patriziersohn stand nicht auf der Seite der oppositionellen Kräfte gegen den Autokraten Domitian, der die reale Machtverteilung zwischen Kaiser und Senat, dem nominellen Träger der staatlichen Souveränität, in aller Kraßheit deutlich werden ließ. Zwar bezeichnete er sich den Senatoren gegenüber nie als *dominus*, als Herr, wie vielleicht gegenüber seinen Sklaven und Freigelassenen; aber sein Auftreten ließ merken, daß er die Senatoren nicht als seine Standesgenossen ansah. Viele haßten deshalb den ‹Tyrannen›, manche schmiedeten Umsturzpläne, doch die meisten bequemten sich zur Kollaboration, auch um des eigenen Nutzens, der eigenen Karriere willen. Zu ihnen gehörte auch der inzwischen sechsunddreißigjährige Traian.

Kurze Zeit nach dem Umsturzversuch, am 1. Januar 91, erhielt er die Belohnung für seine Loyalität; zusammen mit einem Acilius Glabrio, dem Abkömmling einer Familie, die wohl bereits in der späten Republik im Senat saß, trat er den ordentlichen Konsulat an. Damit hatte er all das erreicht, was ein Patrizier offiziell erwarten konnte. Die Zukunft konnte für ihn wohl nur noch gepflegte Langeweile sein, politische Routine im Senat, vielleicht Teilnahme an Sitzungen des kaiserlichen Rates, zeremonielles Auftreten in stadtrömischen Priesterschaften, möglicherweise auch großer politischer Einfluß, wenn er regelmäßig Zugang zum engsten Beraterkreis des Herrschers erhielt. Aber die Welt der eigentlich politisch-militärischen Aktivität, die Provinzen mit den großen Heeren, waren einem Mann wie ihm, der wegen seiner sozialen Privilegien bestimmte Aufgaben in der senatorischen Laufbahn nicht zu erfüllen brauchte, verschlossen. Doch wie bei seinem Vater lenkte auch bei ihm ein politischer Umbruch sein Leben in eine neue Richtung.

Am 18. September 96 wurde Domitian ermordet. Freilich hatten nicht seine senatorischen Standesgenossen, von denen sich manche nur im nachhinein als standhafte Oppositionelle stilisierten, endlich einen entscheidenden Schlag geführt. Vielmehr fühlte sich seine engste Umgebung – seine Frau, Domitia Longina, einer der Prätorianerpräfekten und einige seiner Kämmerer – unmittelbar existentiell bedroht. Sie hatten, so wurde berichtet, ihre Namen auf einer Liste potentieller Opfer gefunden. So ließen sie den stets mißtrauischen Domitian ohne große Vorbereitungen und ohne weitausgreifende Verschwörung ermorden.

Um kein politisches Vakuum entstehen zu lassen, einigten sich die Verschwörer zusammen mit einigen Senatoren schnell auf einen Nachfolger: Nerva. Dieser war im südumbrischen Narnia, rund 80 km nördlich von Rom, geboren und stammte aus einer spätrepublikanischen senatorischen Familie. Seine Vorfahren waren mehrfach zum Konsulat gelangt, auch Nerva selbst wurde zweimal ordentlicher Konsul, zuletzt zusammen mit Domitian im Jahre 90, also unmittelbar nach dem Aufstandsversuch des Saturninus. Das war durchaus ein Zeichen für seine politische Loyalität, die er auch schon gegenüber Nero beim Putschversuch des Calpurnius Piso 65 bewiesen hatte. Er wurde dem Senat als Kaiser präsentiert und unmittelbar akzeptiert.

Beim Antritt der Herrschaft war Nerva 66 Jahre alt und kinderlos – und deswegen politisch schwach. Freilich auch deswegen, weil die Beseitigung Domitians und die Akklamation Nervas zumindest von einem Teil der Prätorianer nicht mit Beifall aufgenommen wurden. Diese militärische Fronde in der Stadt Rom verband sich, soweit wir sehen können, im Verlauf des Jahres 97 mit dem Bestreben des syrischen Statthalters Marcus Cornelius Nigrinus, die Herrschaft von oder auch gegen Nerva zu übernehmen. Damit war dessen Stellung unmittelbar bedroht. Nach der Darstellung, die später verbreitet wurde, soll Nerva zur allgemeinen Überraschung auch der politisch führenden Kreise in Rom, also insbesondere des Senats, plötzlich im Herbst des Jahres 97 auf dem Kapitol den politischen Befreiungsschlag gewagt haben: Er adoptierte Marcus Ulpius Traianus, verlieh ihm den Namen Caesar und übertrug ihm unmittelbar darauf die Amtsgewalt eines Volkstribunen, also die Herrschaftskompetenz, nach der auch die Regierungsjahre der Kaiser gezählt wurden. Nerva stand damit nicht mehr allein; jeder andere Prätendent hatte auch mit dem Sohn zu rechnen. Der alte Kaiser war damit gerettet.

Wie kam Nerva dazu, den damals vierundvierzigjährigen Traian, der aus Südspanien, also aus der Provinz, stammte und einer noch recht jungen Senatorenfamilie angehörte, als Sohn zu adoptieren und ihn damit zu seinem Nachfolger zu machen? Alle bisherigen Kaiser hatten unmittelbar italischen Familien angehört, stammten also zumindest aus dem Kernland der römischen Bürger, wenn auch nicht mehr direkt aus der Stadt Rom. In der Wahl Traians durch Nerva könnte man einen qualitativen Sprung erkennen. Doch das Geheimnis, das den gesamten Vorgang umgab, wurde so gut gehütet, daß bis heute keine voll befriedigende Erklärung gegeben werden kann. Aber einige unbestreitbare Fakten lassen vielleicht die Richtung erkennen, wo die Gründe gesucht werden dürfen.

Das wichtigste Faktum, das aber in den antiken Berichten keineswegs akzentuiert wird, war, daß Traian 97 als Statthalter von Obergermanien amtierte, also der Provinz, von der aus 88/89 Antonius Saturninus Domitian zu stürzen versucht hatte. Bereits 68 war die Haltung der obergermanischen Truppen entscheidend für das Ende Neros geworden. Vermutlich hat erst Nerva den jungen Konsular Traian in diese Vertrauens- und Machtstellung gebracht. Daß Domitian dies getan hätte, wie man verschiedentlich vermutet hat, ist sehr unwahrscheinlich. Er hatte keinen Grund, den recht unerfahrenen Traian in eine so wichtige Provinz abzuordnen. Der dortige Gouverneur kommandierte jedenfalls das Italien zunächst gelegene große Heer. Es konnte gegen den Kaiser eingesetzt werden – oder auch zu seinem Schutz. Als Adoptivsohn Nervas war Traian in der Lage, seinem Vater vom Rhein aus den nötigen politisch-militärischen Rückhalt zu bieten.

Daneben kann man direkt und indirekt erkennen, welche hochrangigen Senatoren Traian bei Nerva unterstützt hatten. Manche von ihnen erhielten in den Jahren 98 und 100 einen zweiten oder gar dritten Konsulat. Das geschah nur bei engsten politischen Anhängern. Unter diesen Konsuln finden sich Sextus Iulius Frontinus (*consul II* 98; *consul III* 100), Lucius Iulius Ursus (*consul II* 98; *consul III* 100), Lucius Iulius Servianus (*consul II* 102) und Lucius Licinius Sura (*consul II* 102; *consul III* 107). Sie haben nach aller Wahrscheinlichkeit Traian aktiv unterstützt, vor allem in Rom als ‹Berater› Nervas. Es hat den Anschein, daß zwei Gruppen innerhalb des Senats um die Macht kämpften. Beide präsentierten einen Senator aus einer spanischen Provinz als zukünftigen Kaiser; denn auch Cornelius Nigrinus, der von Syrien aus Ansprüche auf die Herrschaft erkennen ließ, stammte von dort, aus Liria Edetanorum, 25 km nordwestlich des heutigen Valencia.

Mit der Adoption Traians hatte sich die eine Gruppe durchgesetzt; wer dabei die treibende Kraft war, ist nicht klar, vielleicht der Senator Licinius Sura, dessen Heimat wie bei Traian und Cornelius Nigrinus die iberische Halbinsel war, freilich nicht die südspanische Baetica, von wo Traian stammte, sondern die Hispania Tarraconensis. Später war er der engste Vertraute und Berater Traians. Sicher ist jedoch, daß die Erhebung Traians nicht etwa auf eine ‹spanische› Gruppe innerhalb der Senatorenschaft zurückzuführen ist. Frontinus, Ursus und Servianus, die zu den Anhängern Traians zählen, stammen mit Wahrscheinlichkeit aus der Provinz Narbonensis im Süden Frankreichs. Die regionale Herkunft von Senatoren war ein wichtiger Faktor, sie bestimmte aber nicht ihre politischen Handlungen.

Manche meinen, Nerva habe keineswegs freiwillig die Adoption vollzogen, er sei vielmehr dazu gezwungen worden. Nerva sei mit seiner Adoption nur einem drohenden Militärputsch von Obergermanien aus, den Traian im Zusammenspiel mit Senatoren in Rom vorbereitet hatte, zuvorgekommen. Das ist möglich, aber die Quellen schweigen darüber. Wer hätte auch, nachdem das Unternehmen geglückt war, darüber schreiben wollen? Widerstand gegen die einmal vollzogene Bestimmung Traians als Nachfolger hat es offensichtlich nicht gegeben, weder in Rom noch sonstwo in den Provinzen. Cornelius Nigrinus wurde in einer Eilaktion abgelöst und ging vermutlich als eine Art Verbannter in seine alte Heimat zurück.

Für kurze Zeit stand Traian noch hinter seinem ‹Vater› zurück. Doch schon wenige Monate später, Ende Januar 98, starb Nerva eines natürlichen Todes. Traian war alleiniger Herrscher des römischen Weltreiches, und er blieb es unbestritten bis zu seinem Tod, mehr als 19 Jahre lang.

Wie kaum ein anderer Kaiser hat Traian dem Idealbild entsprochen, das nach republikanischen Vorstellungen vor allem von römischen Senatoren, aber auch von griechischen Intellektuellen für den Herrscher des römischen Reiches entworfen worden war. Dieses Idealbild entsprach auch wesentlich den Tugenden, die Augustus, den Begründer der monarchischen Staatsform in Rom, nach dem Urteil des Senats vor allem ausgezeichnet hatten: militärische Tüchtigkeit (*virtus*), Milde (*clementia*), Gerechtigkeit (*iustitia*), pflichtgemäßes Verhalten gegenüber Göttern und Menschen (*pietas*). Wie die großen Feldherrn der Republik demonstrierte Traian die militärische Macht Roms und setzte sie bewußt zur Expansion ein. Wenn je ein Kaiser nach dem Gründer der Monarchie als ein ‹Mehrer› des Reiches auftrat – so verstand man im Mittelalter die Bezeichnung *Augustus* –, dann war es Traian. Doch so sehr er auch in der militärischen Aktion, in der Eroberung neuer Territorien in Übereinstimmung mit der römischen Tradition eine wesentliche Aufgabe des Kaisers erblickte und darin wohl auch persönlich eine tiefe Befriedigung fand, wie es die Bilder der Traianssäule so eindrücklich zeigen, so kann er doch nicht als ein einseitig auf das Militärische ausgerichteter Herrscher angesehen werden. Seine gesamte ‹Vorbildung› bis zur Machtübernahme läßt von solcher Prägung tatsächlich auch nichts erkennen. Ihn deshalb vor allem einen Militär zu nennen, wie es häufig geschieht, geht wesentlich an der vollen Realität vorbei. Auch im Innern entfaltete er eine breitgestreute Aktivität mit dem Bemühen, für einzelne Bevölkerungsgruppen, für verschiedene Regionen des Reiches sachadäquate Lösungen zu finden; gerade darin manifestierten sich die Tugenden der Milde und der Gerechtigkeit.

Doch für die allgemeine politische Hochachtung, die ihm zu Lebzeiten entgegengebracht wurde, und damit auch für seinen Nachruhm war nichts so wichtig wie sein Verhältnis zum Senat, dem Gremium, in dem, abgesehen von einigen wichtigen ritterlichen Funktionsträgern, fast alle politisch-militärischen Führungspersonen des Reiches saßen. Keiner seiner Vorgänger und nur wenige seiner Nachfolger haben ein solch problemloses, ja wie es scheint, harmonisches Verhältnis zur großen Majorität des Senats entwickelt wie er. Diesen Eindruck erwecken zumindest die uns erhaltenen Quellen. Viele Faktoren trugen dazu bei. Da Traian nicht der leibliche Sohn Nervas war, konnte seine Adoption als eine Wahl angesehen werden; der Beste (*optimus*) aus allen Guten (*boni*, d.h. den Senatoren) war zur Herrschaft gekommen, obwohl der Senat daran faktisch keinen Anteil gehabt hatte. Doch der Senat betrog sich selbst gern mit schönen, wenn auch inhaltslosen Worten. Vor allem Plinius hat in seinem Panegyricus, den er im Jahre 100 vor dem Senat hielt, diese Idee des Besten, der dann auch die Herrschaft übernehmen sollte, entfaltet, auch wenn er nicht ihr Erfinder war.

Die politische Hohlheit des Konzepts hat auch er nicht verhüllen können. Doch die Mehrheit der Senatoren bejahte die so vorgespielte Illusion. Wichtiger als diese ideologische Konstruktion für das Verhalten Traians gegenüber dem Senat war die Tatsache, daß er unter Domitian persönlich die ständig verstärkte Spannung zwischen Kaiser und Senat erlebt hatte; so wußte er, welches Verhalten und welche Handlungen des Kaisers den Widerstand, noch mehr aber den zumeist ohnmächtigen, manchmal auch tödlichen Haß der Senatoren erregen mußten. Bei Domitian entlud sich dieser Haß erst nach seiner Ermordung. An manchen Verurteilungen, die der Senat über nicht wenige seiner Mitglieder im Beisein Domitians ausgesprochen hatte, war Traian wohl beteiligt gewesen. Widerstand hatte auch er nicht geleistet; aber die Konsequenzen für sein eigenes Verhalten als Kaiser hat er aus den konkreten Erfahrungen der domitianischen Zeit gezogen.

Traian war auch als Herrscher Mitglied des Senats, er war also nicht etwas völlig anderes als die übrigen Senatoren. Plinius der Jüngere, der 100 Konsul wurde, nannte Traian «einen von uns», also der Senatoren. Traian hat diese Ansicht, da sie ihn in seiner Macht nicht einschränkte, durchaus akzeptiert, und er richtete sich danach. Entsprechend mußten die Umgangsformen sein; eine zivile Freundlichkeit gegenüber seinen Standesgenossen war notwendig, wodurch die Gleichrangigkeit demonstriert wurde. Daß der Kaiser bei seiner Rückkehr aus den Donauprovinzen nach Rom im Jahr 99 die Senatoren als seinesgleichen mit einem Kuß begrüßte, wurde voll Dankbarkeit vermerkt. Dem Senat als Gremium wurde das Gefühl vermittelt, an den politischen Entscheidungen beteiligt zu sein, obwohl natürlich alle wußten, daß grundsätzlich auch ohne den Senat Entscheidungen getroffen werden konnten und auch getroffen wurden. Daß nach dem Ende des ersten Dakerkrieges im Herbst 102 die Gesandten des besiegten Decebalus vor dem Senat um den Abschluß eines Friedensvertrages baten, war eine solche Scheinhandlung, obwohl sie vielleicht von Traian gar nicht nur als reine Demonstration gedacht war. Er erzielte damit auf jeden Fall einen tiefgehenden Effekt.

Doch nichts hat dem Prinzeps mehr Sympathien der Senatoren eingebracht als sein Versprechen gleich zu Beginn seiner Herrschaft, er werde keinen Senator töten lassen. Das hatten zuvor auch andere Kaiser gelobt, doch ihre Ankündigung nicht immer gehalten. Unter Traian wurde das Versprechen Realität. Die Majestätsprozesse wurden zwar rein rechtlich auch unter Traian nicht abgeschafft, aber gegen Senatoren wurden sie von ihm nicht zugelassen; denn da jeder Senator, wenn auch in unterschiedlichem Maß, allein durch seine Stellung eine politische Person war, wurde dieses Mittel gegenüber Mitgliedern der Führungsschicht gefährlich und unberechenbar. So konnte das Urteil über diesen ‹Idealkaiser› nur von allgemeiner Zustimmung getragen sein. *Optimus*, ‹der Beste›: Diesen Beinamen verlieh ihm der Senat offiziell schon vor Mai 114. Und noch in der Spätantike konnte man jedem neuen Kaiser gegenüber den Glückwunsch aussprechen: *Felicior Augusto, melior Traiano* – «Mögest du glücklicher sein als Augustus und besser als Traian».

Traian hat seine humane Haltung offensichtlich keine Anstrengung gekostet, sie scheint vielmehr eine Grundkomponente seines Charakters gewesen zu sein. Seine zahlreichen Briefe an Plinius, als dieser Sonderstatthalter in Pontus-Bithynien war, zeigen dies deutlich. Wenn er im Zusammenhang der Behandlung von Provinzialen, die wegen ihres christlichen Bekenntnisses angezeigt waren, formuliert, anonyme Anzeigen dürften nicht angenommen werden, denn dies sei «unserem Zeitalter nicht angemessen» (*nec nostri saeculi est*), so klingt dies schlicht und überzeugend als Grundmaxime seines Handelns. Damit steht nicht im Widerspruch, daß er mit Härte auch an überkommenen Normen und Wertvorstellungen gegenüber Soldaten oder Sklaven und Freigelassenen, wie gerade der Briefwechsel mit Plinius zeigt, festhalten konnte.

Vielen der Vorgänger Traians, vor allem wieder Domitian, war mit mehr oder weniger Berechtigung vorgeworfen worden, aus finanziellen Zwängen und gegen alle Gerechtigkeit sich am Vermögen der Bürger, speziell der Senatoren, bereichert zu haben. Unter Traian hören wir nichts davon, obwohl er vieles in die Wege leitete, was große Summen erforderte. Vor allem seit dem Ende des zweiten Dakerkrieges standen ihm für seine Maßnahmen allerdings auch ungewöhnlich hohe Geldmittel zur Verfügung – aus dem dakischen Königsschatz und aus den Gold- und Silberbergwerken der neuen Provinz Dacia. Auf 165 000 Kilogramm Gold und 331 000 Kilogramm Silber wird die Beute geschätzt. Doch auch schon vor dieser ‹Sanierung› der Staatsfinanzen hatte Traian speziell in Rom und Italien teure Projekte begonnen oder weitergeführt.

Einmal abgesehen von zahlreichen Straßen- und Brückenbauten in ganz Italien, darunter dem Bau der *via Traiana* von Benevent bis Brindisi als partiellem Ersatz für die *via Appia*, sowie der Anlage neuer Häfen in Ostia, Ancona und Civitavecchia ist die Einrichtung der sogenannten *alimenta* das auffallendste und umfassendste Unternehmen.

Schon Nerva hatte mit dieser Stiftung begonnen, Traian hat den Anstoß aufgenommen und in großem Maßstab durchgeführt. Ziel war offensichtlich eine Erhöhung der Geburtenrate in Italien, dem Kernland der römischen Bürger, indem monatlich ‹Kindergeld› gezahlt wurde. Die Vorstellung, die römische Wehrkraft zu stärken, war dabei ohne Zweifel wirksam. Nicht zufälligerweise hat Traian zwei neue Legionen aufgestellt, die *legio II Traiana* und die *legio XXX Ulpia*, deren Rekruten offensichtlich alle aus Italien kamen. Er wollte die ihm notwendig erscheinende Förderung der italischen Bevölkerung auf eine solide und vor allem dauerhafte Basis stellen, unabhängig auch vom aktuellen Stand der staatlich-kaiserlichen Finanzen und dem Willen des einzelnen Herrschers. Zudem sollte das Verfahren möglichst einfach und dezentral eingerichtet sein. Daraus resultierte die besondere Organisationsform.

Der kaiserliche Fiscus stellte den Grundbesitzern auf einem städtischen Territorium Darlehen zur Verfügung, die durch Grundstücke abgesichert werden mußten. Auf dieses Darlehen waren pro Jahr 5% Zinsen zu bezahlen, die in eine spezielle Kasse der jeweiligen Stadt flossen und von dort monatlich an Kinder dieser Gemeinde ausbezahlt wurden. Für die Stadt Veleia am Nordhang des Apennin, etwa 30 km vom heutigen Piacenza entfernt, sind auf einer Bronzetafel die entsprechenden Regelungen überliefert. Insgesamt erhielten dort aus den traianischen *alimenta* 300 Kinder eine Zahlung, 264 Jungen je 16 Sesterzen pro Monat und 36 Mädchen je 12. Diese ungleiche Verteilung von Jungen und Mädchen läßt vermuten, daß nicht etwa alle Kinder in einem bestimmten Alter Geld erhielten, deren Eltern möglicherweise mit ihrem Besitz unterhalb eines bestimmten Vermögenswertes lagen (tatsächlich ist über eine soziale Eingrenzung des Empfängerkreises nichts bekannt); vielmehr wird pro Familie vielleicht nur ein Kind in die kaiserliche Förderung aufgenommen worden sein, zumindest zunächst. Dann aber war es vorteilhafter, einen Jungen anzumelden, da er mehr Geld erhielt und länger gefördert wurde.

Dies zeigt die Grenzen der kaiserlichen Sozialmaßnahme, die ganz selbstverständlich als kaiserliche Wohltat charakterisiert wurde; ein Anspruch konnte daraus nicht entwickelt werden. Dennoch wurde auf diese Weise ein großer Teil Italiens erfaßt; bisher sind etwa 55 Städte bekannt, in denen *alimenta* ausbezahlt wurden; tatsächlich dürfte die Mehrzahl der Gemeinden auf der Apenninenhalbinsel einbezogen worden sein. Damit hat Traian, wenn man von den kostenlosen Getreideverteilungen für die Bevölkerung der Hauptstadt selbst sowie den Ansiedlungen von ausgedienten Soldaten absieht, die weitreichendste Sozialmaßnahme im römischen Reich geschaffen und ein ‹Denkmal› für sich selbst; bis weit ins 3. Jahrhundert hinein hatte die Stiftung Bestand. Münzen propagierten so mit einem gewissen Recht die Wiederherstellung Italiens durch Traian. Manche seiner Nachfolger haben die Stiftung sogar noch erweitert.

Italien und nicht wenige neugegründete Städte in den Provinzen wie etwa Xanten in Niedergermanien, Sarmizegetusa in Dakien, Thamugadi in Africa oder Traianopolis und Marcianopolis in Thrakien mochten im Denken und Handeln Traians wichtig sein. Nicht zufällig hat er in manche Provinzen, in denen besonders auffällige Probleme vor allem im Finanzgebaren in einzelnen Städten oder zwischen verschiedenen Gemeinden entstanden waren, Sonderbeauftragte entsandt wie beispielsweise nach Pontus-Bithynien oder auch nach Achaia, hier vornehmlich zur Regelung von Mißständen in autonomen, von der üblichen Provinzherrschaft freien Städten. Wichtiger aber war Rom, auch für Traian, den Kaiser, der als erster aus einer Provinz stammte.

Roms Bewohner hatten zwar unmittelbar keinerlei politische Macht mehr in Händen, aber aus Erwägungen der Klugheit und aus traditionellen Ansprüchen mußten sie umworben werden. An sie ließ Traian mehrmals Geldspenden verteilen, in außergewöhnlicher Höhe, insgesamt möglicherweise 650 Denare an jeden Empfangsberechtigten, also mehr als zweimal soviel, wie damals der Sold eines Legionärs pro Jahr betrug. Das dakische Gold hatte dies möglich gemacht. Spiele im Circus und im Amphitheater wurden in verschwenderischer Ausstattung, mit riesigen Zahlen von Tieren und Menschen gegeben; allein in den Jahren 108 und 109 kämpften während der Veranstaltungen aus Anlaß des zweiten Dakersieges 4941 Gladiatorenpaare. Traian war selbst ein begeisterter Zuschauer.

Neben diesen blutrünstigen Tagesvergnügungen stehen die eindrucksvollen Bauten, die Traian fast von Beginn seiner Herrschaft an zur Verschönerung Roms, zum Nutzen der Bevölkerung und zu seinem eigenen Ruhm errichten ließ. Thermen von bisher unbekannten, riesigen Ausmaßen entstanden bis zum Jahre 109 nördlich des Colosseum auf dem Oppius; eine fast 60 Kilometer lange Wasserleitung, die *aqua Traiana*, die ebenfalls 109 fertiggestellt wurde, führte aus der Gegend des Lago di Bracciano im Norden Roms Wasser in den Stadtteil rechts des Tiber, das heutige Trastevere. Auch eine Naumachie für nachgestellte Seeschlachten wurde, wie schon einmal unter Augustus, für die schaulustigen Römer errichtet. Traian wußte, womit er das Volk zufriedenstellen und für sich einnehmen konnte.

Den monumentalsten Baukomplex aber bildete das letzte der Kaiserforen, das Traian zwischen 107 und 113 durch den Architekten Apollodor aus Damaskus errichten ließ, das *forum Traiani*; mit seiner Länge von 300 und einer Breite von 185 Metern übertraf es alle anderen Foren in Rom beträchtlich. An kostbarem Stein, an riesigen monolithischen Säulen, an Marmorstatuen jeglicher Art wurde nicht gespart. So kam der wertvolle Stein aus den Steinbrüchen von Simitthus in Nordafrika und von Dokimeion in Kleinasien, wo auch Statuen der besiegten Daker aus Marmor gefertigt wurden. Auf dem Forumsgelände stand die gewaltigste Basilika, die in Rom bis dahin erbaut worden war, ferner zwei Bibliotheken für die lateinische und die griechische Literatur.

Beherrschend aber war auf dem gesamten Forum für jeden Betrachter der erste und wirklich dauerhafte militärische Erfolg Traians, der Krieg gegen die Daker. Traian selbst war zumindest auf einem Triumphwagen und mit einer Reiterstatue präsent, Statuen gefangener Daker empfingen den Besucher bereits am Eingang zum Forum, die Legionen, die an den Kämpfen teilgenommen hatten, waren auf Inschriften verewigt. Doch das eigentliche Siegeszeichen war die Säule, die am Ende des Forums zwischen den beiden Bibliotheken aufragte: Ein fast 200 m langes Reliefband, das sich spiralförmig an der Säule emporwand, berichtete in zwei großen Abschnitten mit zahllosen Details und Einzelscenen über die beiden Dakerkriege, die Traian in den Jahren 101/102 und 105/106 gegen das Königreich des Decebalus geführt hatte. Traian selbst erscheint überall in den Reliefs; der Sieg ist sein Sieg und der Sieg der von ihm geführten römischen Truppen.

Dieses dakische Reich, nördlich der Donau im Karpatenbogen gelegen, war für Rom schon öfter ein gefährlicher Gegner gewesen. Zuletzt hatte Domitian schwere Niederlagen erlitten, dann aber doch einen Sieg errungen, der Decebalus zu einem Klientelkönig Roms machte, andererseits aber hat der Friedensvertrag wohl auch Subsidienzahlungen durch Rom vorgesehen. Doch diese Regelung war nicht als dauerhaft gedacht – von beiden Seiten nicht. Traian hat dies entweder aus den Diskussionen in Rom gewußt oder bei seinem Besuch an der Donaugrenze erkannt. Schon im Jahre 99 hat er offensichtlich mit den Vorbereitungen für eine Vernichtung des bedrohlichen Machtgebildes nördlich der Donau begonnen; die Sicherheit der Donauprovinzen, aber auch das Prestige Roms und Traians schienen dies zu erfordern. Im Frühjahr 101 begann die Offensive der Römer mit dem Überschreiten der Donau; weit über 100000 Soldaten, Legionen und Hilfstruppen aus fast allen Provinzen des Reiches, waren aufgeboten. Es kam zu auch für die Römer verlustreichen Kämpfen, die Daker brachen zur Entlastung der Heimatfront in die südlich der Donau gelegene Provinz Niedermoesien ein. Der von Traian und seinen Heerführern klug eingesetzten Militärmacht aber konnte Decebalus trotz aller Tapferkeit seiner Truppen Mitte 102 nicht mehr standhalten. Er bot selbst den Friedensschluß an, Traian akzeptierte das Angebot, obwohl Decebalus noch nicht vernichtet war. Beide Seiten betrachteten wiederum den Frieden in Wirklichkeit nur als Waffenstillstand.

In Rom zelebrierte Traian, obwohl nur ein Teil des feindlichen Gebietes nördlich der Donau besetzt war, einen glänzenden Triumphzug über die Daker; seiner Titulatur fügte er den Siegerbeinamen *Dacicus* an; den offiziellen Beschluß faßte allerdings der Senat. Bisher war in Rom nur *Germanicus* als Siegesbeiname in der kaiserlichen Titulatur verwendet worden, den auch Traian zusammen mit seinem Adoptivvater nach einem eher unbedeutenden Sieg an der Donau im Herbst 97 angenommen hatte. Seit Traian konnte ein solcher Name nach jedem unterworfenen Volk vergeben werden.

Die letzte Phase der Eroberung Dakiens begann 105. Römer und Daker hatten versucht, ihre Positionen zu stärken. Vor allem war auf Befehl Traians durch den Architekten Apollodor von Damaskus eine steinerne Brücke über die Donau bei Drobeta erbaut worden; damit war der Vormarsch nach Norden wesentlich erleichtert. Bereits Mitte 106 war der Krieg beendet, die auf einem Berggipfel gelegene Königsstadt Sarmizegetusa erobert und zerstört, ein Großteil der waffenfähigen Bevölkerung Dakiens, insbesondere aus den führenden Familien, war gefallen oder hatte, um nicht zur Unterwerfung gezwungen zu werden, Selbstmord begangen, unter ihnen auch Decebalus. Als er auf der Flucht seinen Verfolgern unter der Führung des Auxiliarreiters Claudius Maximus nicht mehr entkommen konnte, tötete er sich mit seinem Schwert. Claudius Maximus schlug ihm den Kopf ab und überbrachte ihn Traian. Der Kaiser ließ das Haupt des Decebalus nach Rom senden und dort auf der Gemonischen Treppe, die vom Forum zum Kapitol führte, zur Schau stellen: grausames Zeichen für den totalen Sieg Roms und die letzte Demütigung des Feindes. Im Frühsommer 107 kehrte Traian nach Rom zurück, feierte einen zweiten Triumph und präsentierte dem Volk den riesigen dakischen Königsschatz. Decebalus hatte diesen in einem Fluß, der zuvor umgeleitet worden war, vergraben lassen, die Kriegsgefangenen, die die Arbeit verrichtet hatten, waren umgebracht worden. Doch das Geheimnis blieb nicht verborgen; denn ein Vertrauter des Königs, Bicilis, verriet das Versteck an Traian.

Der Krieg hatte eine für Rom nicht ungefährliche Macht beseitigt, eine neue Provinz, Dacia, war gewonnen. Mehrere Legionen und zahlreiche Hilfstruppen sollten unter dem Kommando eines konsularen Legaten den Schutz des auf drei Seiten von nichtrömischem Gebiet umgebenen Reichsteils gewährleisten. Eine römische Kolonie wurde als imperiale Demonstration mit dem Namen des alten dakischen Königssitzes gegründet: Colonia Ulpia Traiana Augusta Dacica Sarmizegetusa. Da die dakische Bevölkerung erheblich dezimiert war, kamen Siedler aus vielen Teilen des Reiches, aus den östlichen Provinzen, aus Thrakien, aus Dalmatien. Auch viele Veteranen wurden angesiedelt. Die sie alle verbindende Sprache war Latein. Deshalb wurde Dakien sprachlich so schnell romanisiert wie keine andere Provinz. Das Rumänische als romanische Sprache ist das fortdauernde Ergebnis.

Aus römischer Sicht waren die beiden Dakerkriege Traians ein großer, nicht nur das Selbstbewußtsein des Kaisers stärkender Erfolg. Das galt nicht für den Partherkrieg, der die letzten Lebensjahre des Kaisers ausfüllte. Auch die Parther, an die östliche Grenze des Reiches stoßend, waren ein altes Problem, ja für lange Zeit vielleicht das einzige wirkliche außenpolitische Problem. Denn hier stand ein relativ festes Reich gegen Rom, ein Reich das seinerseits Dominanzansprüche über weite Teile der römischen Provinzen im Osten entwickelte. Vor allem ging es dabei um das Königreich Armenien, das den Osten der heutigen Türkei und den westlichen Teil Persiens umfaßte. Seit neronischer Zeit hatten sich die beiden Mächte vertraglich darauf geeinigt, dort einen König parthischer Wahl, aber mit römischer ‹Belehnung› herrschen zu lassen. Als hier der parthische König ohne Zustimmung Traians einen König etablierte, sah der Kaiser den Kriegsfall gegeben. Vermutlich aber bestand die Absicht zur Lösung der parthischen Frage schon früher, so daß für Traian die ‹Provokation› möglicherweise zum rechten Zeitpunkt kam. Ob freilich die offensichtlich friedlich verlaufene Umwandlung des nabatäischen Königreiches 106 zur Provinz Arabia bereits zu den Vorbereitungen dieses Feldzugs gehörte, kann man nicht sagen.

113 brach Traian mit dem Schiff nach dem Osten auf, wo wiederum wie beim Dakerkrieg Truppen aus allen Reichsteilen versammelt waren. Zunächst schien das Unternehmen schnelle Erfolge zu bringen. Armenien wurde zur Provinz gemacht, Mesopotamien erobert; doch schon während der Kampfhandlungen des Jahres 115 brachten Aufstände vor allem jüdischer Gemeinden im Westen Mesopotamiens, in Ägypten, Kyrene und auf Zypern die gesamte Etappe in Gefahr. Mit brutalsten Maßnahmen, vor allem unter der Führung des Maurenfürsten und römischen Senators Lusius Quietus, wurde die Erhebung niedergekämpft. In Ägypten kam es sogar zu einer offenen Feldschlacht gegen die Rebellen; das dortige Judentum wurde fast ausgerottet. Am 20. oder 21. Februar 116 beschloß der Senat aufgrund der Siegesnachrichten aus Mesopotamien, wo auch die Königsstadt Ktesiphon erobert worden war, für Traian den neuen Siegertitel *Parthicus*, der Parthersieger.

Der parthische Königsthron war in römische Hände gefallen, zwei neue Provinzen, Assyria und Mesopotamia, wurden eingerichtet. Traian gelangte bis zum Persischen Golf. Dort soll er sehnsüchtig das Vorbild Alexander beschworen haben, dem er im Alter von 63 Jahren nicht mehr nacheifern konnte. Doch ernsthaft hat Traian kaum an ein weiteres Vordringen nach dem Osten gedacht; dazu war er zu realistisch. Zudem zwangen ihn Aufstände in den eben erst unterworfenen Gebieten und eine Gegenoffensive der Parther zum Rückzug. Als auch eine Krankheit seine physische Leistungsfähigkeit beeinträchtigte, entschloß er sich im Sommer 117 zur Rückkehr nach Italien. Wohl gleichzeitig ernannte er Publius Aelius Hadrianus, seinen nächsten männlichen Verwandten, zum Statthalter von Syrien. Wer Zeichen zu lesen verstand, konnte sehen, wer der nächste Herrscher sein würde. Bei einem Zwischenaufenthalt im kilikischen Selinus ist Traian am 7. August 117 gestorben. Seinem Nachfolger Hadrian blieb nur noch, den schon feststehenden Verlust der Eroberungen im Osten anzuerkennen und sich auf die alten Grenzen zwischen Parthien und Rom zurückzuziehen. Der Partherkrieg Traians endete als eine verlustreiche Katastrophe.

Um so erstaunlicher ist, daß dies dem Prestige und der Hochschätzung Traians in keiner Weise geschadet hat, weder bei den Zeitgenossen noch bei den späteren Generationen. Hadrian ließ sogar für seinen verstorbenen Vorgänger den Triumphzug durchführen, und der offizielle Name nach der Erhebung zum Staatsgott lautete: *divus Traianus Parthicus*. Kein anderer Kaiser trug nach seinem Tod noch einen Siegertitel. Seine sterblichen Überreste aber ruhten im Zentrum Roms im Sockel der Säule, die seinen dauerhaften militärischen Erfolg in Dakien bis heute verkündet.

HADRIAN
117–138

Von Michael Zahrnt

Publius Aelius Hadrianus wurde am 24. Januar 76 als Sproß einer Familie geboren, deren Vorfahren schon in republikanischer Zeit aus Mittelitalien nach Spanien ausgewandert waren und deren Angehörige seit einigen Generationen dem Senatorenstand angehörten. Als sein Vater, der es bis zur Prätur gebracht hatte, 86 starb, nahmen sich sein Verwandter Traian sowie der Ritter Publius Acilius Attianus, der unter diesem bis zum Prätorianerpräfekten aufsteigen sollte, des Jungen an. Die literarische Ausbildung, die dieser damals erhielt, soll in ihm eine so leidenschaftliche Begeisterung für die griechische Kultur hervorgerufen haben, daß man ihn als *Graeculus* (kleinen Griechen) bezeichnete. Um das Jahr 90 kehrte er vorübergehend in seine Vaterstadt Italica im heutigen Andalusien zurück, wo er sich insbesondere auf der Jagd körperlich ertüchtigte.

Fristgerecht trat er um das Jahr 93 in die senatorische Laufbahn ein, deren erste Stufen ihn als hoffnungsvollen Kandidaten erscheinen lassen. Seinen Militärtribunat begann er in den letzten Jahren Domitians in Moesien, wo er nacheinander in zwei Legionen diente, ehe er 97 nach Obergermanien ging, wo der im Oktober von Nerva adoptierte und zum Caesar erhobene Traian als Statthalter tätig war. Ihm, der in der Zwischenzeit nach Niedergermanien gegangen war, überbrachte er zu Beginn des Jahres 98 die Nachricht vom Tode Nervas, und gemeinsam mit Traian kehrte er 99 nach Rom zurück. Ein Jahr später heiratete er Vibia Sabina, eine Enkelin von Traians Schwester Marciana, wobei sich insbesondere Traians Frau Plotina für diese Eheschließung eingesetzt haben soll. Die Nähe zum jetzt regierenden Kaiser bestimmte auch seine weitere Laufbahn: Schon 101 diente er Traian als Quästor und soll dabei im Senat mit seiner Aussprache des Lateinischen einen Heiterkeitserfolg erzielt haben – für ihn ein Ansporn, sich um dessen vollkommene Beherrschung zu bemühen. Dann nahm er im Stab des Kaisers am ersten Dakerkrieg teil, bekleidete Volkstribunat und Prätur, kommandierte gleichzeitig eine im zweiten Dakerkrieg eingesetzte Legion, erhielt nach der Bewährung auf diesem Posten die Statthalterschaft in der durch Teilung neugeschaffenen Provinz Niederpannonien, wo er Kämpfe gegen die in der Theißebene lebenden Sarmaten zu führen hatte, und erlangte 108 als Abschluß einer verhältnismäßig schnellen Karriere den Konsulat, allerdings nicht als einer der ordentlichen Konsuln, nach denen auch datiert wurde, sondern nur als einer der im Laufe des Jahres nachrückenden Amtsinhaber. Weitere Stufen einer senatorischen Laufbahn sind fürs erste nicht bekannt, wir wissen nur noch, daß er 111/12 in Athen Archon war und zu diesem Zeitpunkt auch schon zwei Priesterämter bekleidete.

Über sein damaliges Verhältnis zum Kaiser, für den er auch als Redenschreiber tätig war, ist schon in der Antike viel spekuliert worden; die Frage, ob und gegebenenfalls ab wann dieser ihn als seinen Nachfolger ausersehen hatte, ist nicht mit Sicherheit zu beantworten. Auf die vielen Gerüchte, von denen unsere Überlieferung weiß, auf die in ihr berichteten Auszeichnungen und Gunstbeweise, die Hadrian zuteil geworden sein sollen, und auf die Prophezeiungen, die er angeblich erhalten hat, ist nicht viel zu geben. Auch wissen wir nicht, ab wann er an Traians Partherkrieg teilnahm. Sicher ist nur, daß dieser ihn als Statthalter von Syrien zurückließ, als er selbst im Hochsommer 117 vom Kriegsschauplatz nach Rom zurückkehrte, und daß Hadrian damit die zu diesem Zeitpunkt mit Abstand größte Armee des Reiches kommandierte. Auf diesem Posten erhielt er am 9. August die Nachricht, der schwerkranke Kaiser habe ihn im kilikischen Selinus, das wenig später in Traianopolis umbenannt wurde, adoptiert, doch wird wohl nie eindeutig geklärt werden können, ob diese Adoption tatsächlich erfolgt oder, wie schon damals geargwöhnt wurde, nur von der Kaiserin Plotina und dem Prätorianerpräfekten Attianus vorgetäuscht worden war, um die Nachfolge Hadrians zu sichern.

Schon am 11. August erfuhr dieser vom Ableben des Kaisers und wurde von den Truppen zu dessen Nachfolger ausgerufen. Den Senat bat er schriftlich um Verständnis dafür, daß er nicht ihm die Entscheidung über die Thronfolge überlassen habe, sondern daß die Soldaten ihn voreilig proklamiert hätten, weil der Staat nicht ohne Kaiser bestehen könne. Gleichzeitig ersuchte er den Senat um die Vergöttlichung seines verstorbenen Vorgängers und erneuerte das Versprechen, keinen Senator ohne rechtskräftige Verurteilung durch seine Standesgenossen töten zu lassen. Der Senat antwortete mit überschwenglichen Ehrungen, indem er für den neuen Herrscher einen Triumph und die Übertragung sämtlicher Titel Traians beschloß. Hadrian wies dies zurück, begnügte sich mit der Benennung als Imperator Caesar Traianus Hadrianus Augustus sowie der Nominierung zu einem der ordentlichen Konsuln des folgenden Jahres und reservierte den Triumph für seinen Vorgänger.

Allerdings erlaubte ihm die Lage des Reiches nicht, zu dessen Feier sofort nach Rom zurückzukehren. Traians Offensive im Osten war weitgehend zusammengebrochen, und die meisten Eroberungen hatten bereits aufgegeben werden müssen. Der in den Provinzen des östlichen und südlichen Mittelmeerraumes ausgebrochene Judenaufstand war noch nicht vollständig unterdrückt; jetzt waren Unruhen in Mauretanien, Schwierigkeiten an der Nordgrenze Britanniens und eine Bedrohung der unteren Donauprovinzen durch Sarmaten und Roxolanen hinzugekommen. Der neue Kaiser handelte umgehend: Im Osten wurde der Euphrat wieder zur Grenze des Reiches und der von Traian bei den Parthern eingesetzte König mit dem Reich von Edessa in Nordmesopotamien abgefunden. Die Niederwerfung der Mauren wurde Quintus Marcius Turbo überlassen, und um die Schwierigkeiten an der unteren Donau kümmerte sich Hadrian in eigener Person. Nachdem er die Neuordnung der Ostprovinzen abgeschlossen hatte, brach er Anfang Oktober mit den von der Donaugrenze stammenden Legionen aus Antiochia auf, marschierte mit den Truppen durch Kleinasien und gelangte zu Beginn des nächsten Jahres nach Moesien. Die Schwierigkeiten mit den Roxolanen konnten durch Verhandlungen aus der Welt geschafft werden, gegen die Sarmaten aber mußte Turbo als Statthalter von Dakien und Niederpannonien eingesetzt werden.

Schwierigkeiten gab es aber nicht nur an den Grenzen und in den Provinzen; die geradezu vollkommene Kehrtwende, die der neue Herrscher in der Außenpolitik vollzogen hatte, war nicht im Sinne derjenigen senatorischen Kräfte, die die traianischen Annexionen begrüßt hatten, und hier war durchaus Opposition zu erwarten. So fällt auch nicht zufällig in die Zeit vor der Rückkehr Hadrians nach Rom die sogenannte

Verschwörung der vier Konsulare, eine Affäre, die vielleicht nie ganz aufzuklären sein wird und die auf jeden Fall das Verhältnis des Kaisers zum Senat nachhaltig trübte. Sicher ist, daß vier Senatoren, die Traian für wichtige militärische Aufgaben eingesetzt hatte, wegen angeblicher Verschwörung gegen den Kaiser in Abwesenheit zum Tode verurteilt und liquidiert wurden; wahrscheinlich ist, daß der Prätorianerpräfekt Attianus für ihre Beseitigung verantwortlich war, ungeklärt bleibt, inwieweit Hadrian selbst die Hände im Spiel hatte. Jedenfalls mußte dieser, nachdem er am 9. Juli 118 in Rom angekommen war, alle Anstrengungen unternehmen, den allgemeinen Unmut zu beschwichtigen und die Affäre vergessen zu machen: Vor dem Senat dementierte er seine Mitwirkung am Geschehen und erneuerte sein Versprechen, keinen Senator töten zu lassen, das Volk erhielt ein doppeltes Geldgeschenk und prächtige Spiele, der Prätorianerpräfekt wurde einige Zeit später abgelöst und durch Turbo ersetzt. Ferner ließ sich Hadrian für das Jahr 119 erneut zum Konsul designieren. Dieser dritte Konsulat war allerdings auch sein letzter und der Verzicht auf eine nochmalige Bekleidung dieses Amtes als Entgegenkommen gegenüber dem Senat gedacht.

Spätestens nach der Rückkehr des Kaisers nach Rom konnte auch der für seinen Vorgänger beschlossene postume Triumph gefeiert werden, mit einer Nachbildung des Verstorbenen auf dem Wagen des Triumphators. Das war ebenso ungewöhnlich wie die Beisetzung seiner in einer goldenen Urne nach Rom überführten Asche innerhalb der Stadtgrenzen Roms, nämlich im Sockel der von ihm zu Lebzeiten errichteten Traianssäule. Ferner hat Hadrian seinen Adoptivvater nicht nur konsekrieren, sondern ihm auch einen Tempel weihen lassen, der die Anlage des Traiansforums nach Nordwesten hin abschloß. Als Plotina Anfang des Jahres 123 starb, wurde sie ebenfalls konsekriert und der Tempel den Eltern gemeinsam geweiht. Seiner Schwiegermutter Matidia, einer Nichte Traians, die Ende des Jahres 119 verstorben und ebenfalls konsekriert worden war, ließ Hadrian einen besonderen Tempel errichten, ferner eine Basilika nach ihr benennen und zu ihren Ehren Erinnerungsmünzen schlagen. Die beiden Frauen waren beim Tod Traians in Selinus anwesend gewesen und hatten zusammen mit dem Prätorianerpräfekten Attianus seine sterblichen Überreste nach Rom überführt.

Zu den ersten Regierungsmaßnahmen nach der Rückkehr gehörte ein großzügiger Schuldenerlaß, durch den Forderungen der Staatskasse in Höhe von 900 Millionen Sesterzen annulliert wurden; dieses Ereignis wurde durch eine entsprechende Münze gefeiert, wie überhaupt die Prägungen dieser ersten Regierungsjahre deutlich das politische Programm des Kaisers, seine teilweise neuen Konzepte und seine Pläne erkennen lassen: ‹Frömmigkeit›, ‹Eintracht›, ‹Gerechtigkeit› und ‹Friede› sind die vorherrschenden Motive und sollen auf den äußeren wie inneren Frieden hinweisen; beschworen wird ferner die Vorstellung der ‹Ewigkeit› und eines ‹goldenen Zeitalters›, und der Phoenix symbolisiert den wiedergewonnenen Wohlstand und den ewigen Bestand des Reiches.

Zu den vollkommen neuartigen Prägungen gehören auch Münzen, auf denen der als ‹Erneuerer des Erdkreises› bezeichnete Kaiser einer vor ihm knieenden Frau, die eine Mauerkrone trägt und eine Kugel in Händen hält, die Hand reicht, um sie aufzurichten; die Frauengestalt symbolisiert die Städte des Reiches, die damit als Empfänger der Wohltaten des Kaisers erscheinen. Etwa gleichzeitige Prägungen feiern diesen als den ‹Bereicherer des Erdkreises› und zeigen ihn bei der Geldverteilung. Der Zeitpunkt ihrer Ausgabe läßt diese Münzen als programmatische Prägungen anläßlich des Antritts der ersten großen Reise durch die Provinzen des Reiches erscheinen. Mit ihnen korrespondieren Prägungen aus den letzten Regierungsjahren und damit aus der Zeit nach Abschluß seiner ausgedehnten Reisen, die in mehreren zusammenhängenden Emissionen Personifikationen von Provinzen, Landschaften und Städten abbilden. Diese sogenannten Provinzmünzen, die etwas vollkommen Neuartiges in der kaiserlichen Prägung darstellen, gliedern sich in drei Gruppen: Die erste zeigt die Personifikation eines Reichsteils und nennt seinen Namen, in der zweiten, die an die Ankunft des Kaisers im jeweiligen Gebiet erinnert, stehen dieser und die jeweilige Personifikation einander gegenüber, die dritte ist dem Kaiser als dem ‹Erneuerer› eines Reichsteils gewidmet und läßt diesen eine vor ihm kniende Frauengestalt aufrichten. Diese Prägungen sollten nicht nur an die langen Reisen des Kaisers erinnern, sondern auch seine Wohltaten feiern und von der Durchführung eines vor Antritt der Reisen verkündeten Programms zeugen. Die zahlreichen Wohltaten, die Hadrian den Städten des Reiches erwiesen hatte, dokumentierte auch eine Inschrift an dem von ihm in Athen gestifteten Pantheon; diese enthielt ein Verzeichnis aller Heiligtümer, die er hatte errichten oder ausschmücken lassen, sowie der Geschenke, die er den Griechenstädten, aber auch den Barbaren, sofern diese darum baten, hatte zukommen lassen. Doch galt die kaiserliche Sorge nicht nur den Städten des Reiches, sondern auch den an seinen Grenzen stationierten Heeren, wie eine vierte, etwa gleichzeitig geprägte Serie deutlich macht, die die Truppen von insgesamt zwölf Provinzen nennt und den Kaiser bei einer Ansprache zeigt.

In der Tat sind die ausgedehnten Reisen durch beinahe alle Teile des Reiches das, was Hadrian von allen seinen Vorgängern, Augustus ausgenommen, am deutlichsten unterscheidet; diesen Aspekt seiner Regierungstätigkeit betonen auch unsere Quellen und verbinden ihn mit den finanziellen Zuwendungen und insbesondere den umfangreichen Baumaßnahmen des Kaisers in den Städten des Reiches. Diese Reisen sind zugleich der am besten bekannte Aspekt seiner Herrschaft. Mag ihn auch bisweilen die Neugierde getrieben haben, so ist er doch in erster Linie jahrelang unterwegs gewesen, um sich ein eigenes Bild vom Zustand der verschiedenen Reichsteile zu machen und um auf der Grundlage dieser Bestandsaufnahme gezielte Maßnahmen treffen zu können. Die Reisen Hadrians sind deutlicher Ausdruck seines Regierungsprogramms, das alle Provinzen als gleichberechtigte Glieder des Reiches ansah und allenthalben Wohlstand und inneren Frieden herbeizuführen suchte, und müssen daher bei einer Schilderung seines Lebens im Vordergrund stehen.

Am 21. April 121 hatte Hadrian in Rom das Stadtgründungsfest gefeiert und den heiligen Bezirk für den Venus- und Romatempel inauguriert, wenig später brach er in Richtung Gallien auf; den Winter 121/22 dürfte er in Lyon verbracht haben. Von dort besuchte er die Provinzen an der oberen Donau und am Rhein, inspizierte die dort stationierten Truppen und kümmerte sich um den Ausbau der Grenzbefestigungen. Im Sommer 122 setzte er mit einer Legion und mit dem Statthalter von Niedergermanien nach Britannien über, wo sein Hauptaugenmerk der Nordgrenze der Provinz galt und wo in den nächsten Jahren der quer über die Insel vom Tyne bis zum Solway führende, achtzig römische Meilen (120 Kilometer) lange Hadrianswall entstand, von dem heute noch eindrucksvolle Reste sichtbar sind.

Von Britannien ging die Reise zurück nach Gallien, wo der Kaiser in Nîmes eine Basilika zu Ehren Plotinas errichten ließ, und dann weiter nach Tarragona, wo er den nächsten Winter verbrachte und für die Wiederherstellung des Augustustempels Sorge trug. Ob sich daran eine Rundreise durch Spanien anschloß und ob Hadrian gar von hier nach Mauretanien übersetzte, wo es damals zu Unruhen gekommen war, ist ungewiß. Viel Zeit wäre ihm dafür auch nicht geblieben, da damals an der Ostgrenze ein Krieg mit den Parthern drohte, der nur dank einer persönlichen Zusammenkunft des Kaisers mit dem Partherkönig vermieden werden konnte. Zu dieser Unterredung dürfte er im Frühjahr 123 von Spanien aus zu Schiff mit Truppen aufgebrochen sein.

Im Zusammenhang mit dieser Reise an die Ostgrenze des Reiches kam es auch zu einem kaiserlichen Besuch in Palmyra; diese Karawanenstadt war Hadrian zu besonderem Dank verpflichtet, weil dieser mit der Rückkehr zur Euphratgrenze und der Pflege gutnachbarschaftlicher Beziehungen zum Partherreich die Voraussetzungen dafür geschaffen hatte, daß sie ihre Stellung als bedeutendster Handelsknotenpunkt im Osten wiedererlangen und ausbauen konnte. An den Aufenthalt in Palmyra und das Treffen mit dem Partherkönig schloß sich eine Inspektionsreise entlang der Euphratgrenze bis nach Trapezus an; hier ordnete Hadrian die Errichtung eines Tempels, eines kaiserlichen Standbildes und mehrerer Altäre sowie den Ausbau des Hafens an. Auf welchem Wege er dann in den Westen Kleinasiens gelangte, ist unbekannt; Ende 123 dürfte er in Bithynien angekommen sein und den Winter wahrscheinlich in Nikomedeia verbracht haben.

Diese Stadt sowie das nahe gelegene Nicaea waren am Anfang der Regierung Hadrians von einem Erdbeben heimgesucht worden und erhielten spätestens jetzt Mittel zum Wiederaufbau; auch für andere Städte der Provinz sind kaiserliche Wohltaten und entsprechende Dankesbezeugungen bekannt. An den Aufenthalt in Bithynien schloß sich ein Besuch der Provinz Asia an, wo die Quellenlage ein recht genaues Bild von den Wohltaten des Kaisers, seinen Städtegründungen, Baumaßnahmen und sonstigen Zuwendungen zu zeichnen erlaubt, wobei natürlich nicht jedes Zeugnis zwingend auf seine Anwesenheit schließen läßt. Zu den Erdbebenopfern hatte auch Kyzikos gehört, zu dessen Wiederaufbau der Kaiser großzügig Mittel bereitstellte; zu seinen Stiftungen gehörte ein ihm geweihter Tempel, der zu den größten der Welt zählte. In Ilion besuchte er das Grab des Aias, das benachbarte Alexandria Troas bedankte sich wenige Jahre später für zahlreiche ihm erwiesene Wohltaten. Besonders reich wurden Smyrna und Ephesos beschenkt, wo ein kaiserlicher Besuch für den 29. August 124 bezeugt ist, aber auch in anderen Städten an der Küste der Provinz bzw. in deren Nähe hat das kaiserliche Wirken Spuren hinterlassen. Hadrian hat auch das Binnenland aufgesucht und beispielsweise in den Wäldern Mysiens seiner Jagdleidenschaft gefrönt. Zudem hat er sich um das Städtewesen in diesem abgelegeneren Teil der Provinz gekümmert und mit Hadrianoi, Hadrianeia und Hadrianotherai drei städtische Zentren gegründet; letztere soll ihren Namen der Tatsache verdankt haben, daß der Kaiser dort einmal gejagt und eine Bärin erlegt hatte. Weitere nach ihm benannte Städte sind in Lydien und Phrygien bezeugt.

Von Ephesos reiste er über Rhodos und die Inseln der Ägäis nach Griechenland, wo er spätestens Ende September angekommen sein muß, da er schon Anfang Oktober zur Zeit der großen Feier in die eleusinischen Mysterien eingeweiht wurde, übrigens als erster Kaiser seit Augustus. Den Winter 124/25 verbrachte er in Athen, einer Stadt, der er besonders zugetan war und in der er noch zweimal den Winter verbringen sollte; Athen erfreute sich in so ungewöhnlichem Ausmaß kaiserlicher Gunst, daß man dort den ersten Aufenthalt des Kaisers mit dem Beginn einer neuen Stadtära gleichsetzte. Unsere Quellen berichten vor allem von finanziellen Zuwendungen, Bauten, gesetzgeberischen Maßnahmen und der Durchführung von Spielen. Der größte Teil der vom Kaiser für die Stadt aufgewandten Gelder wurde für Baumaßnahmen ausgegeben, wovon zahlreiche Zeugnisse künden. Das wohl eindrucksvollste ist das im Osten der Stadt gelegene Olympieion, das jahrhundertelang unvollendet geblieben war und jetzt mit kaiserlicher Hilfe fertiggestellt wurde. Dieses Heiligtum, in das nach seiner Fertigstellung aus allen Teilen der griechischen Welt Statuen des Kaisers geweiht wurden, war das Zentrum eines neuen Stadtteils, den Hadrian der Stadt geschenkt hatte und den man durch den heute noch aufrecht stehenden sogenannten Hadriansbogen betrat. In ihn führte eine bis in jüngste Zeit benutzte Wasserleitung, und in ihm lag mit dem Tempel der Hera und des Zeus Panhellenios ein zweites vom Kaiser gestiftetes Heiligtum. Weitere kaiserliche Bauten entstanden nördlich der Akropolis, darunter die teilweise erhaltene Hadriansbibliothek.

Hadrians gesetzgeberische Tätigkeit in Athen zielte insgesamt auf eine Stärkung der Wirtschaftskraft der Stadt, die er zugleich zum Zentrum der griechischen Welt zu erheben versuchte, indem er das Panhellenion gründete, einen Bund, dem alle griechischen Städte angehören sollten, und indem er Athen zum Tagungsort der Versammlung machte, in die die Mitglieder des Bundes ihre Repräsentanten schickten, sowie zum Austragungsort der alle vier Jahre durchgeführten panhellenischen Spiele. Welche anderen griechischen Städte Hadrian in diesem Winter besucht und beschenkt hat, welche später seine Gunst erfuhren und welchen diese ohne kaiserlichen Besuch zuteil wurde, läßt sich nicht in jedem Einzelfall feststellen. Gesichert sind ein wohl noch ins Jahr 124 fallender Besuch in Sparta und nicht genauer datierte Baumaßnahmen in einigen Städten der Peloponnes sowie ein Aufenthalt des Kaisers in Delphi in der ersten Jahreshälfte 125 und Vergünstigungen für boiotische und phokische Städte. Ferner scheint er an der Westküste mindestens Nikopolis und Dyrrhachium besucht zu haben. Von hier kehrte er im Sommer 125 über Sizilien, wo er den Ätna bestieg, nach Italien zurück. So läßt diese erste große Rundreise die verschiedensten Motive erkennen: Die kaiserliche Sorge galt nicht nur den Provinzialen, sondern auch den Grenzen des Reiches und den hier stationierten Truppen; die Reiseroute konnte gegebenenfalls aktuellen Notwendigkeiten angepaßt werden und nahm daneben auch auf die besonderen Interessen und Vorlieben des Herrschers Rücksicht; der Kaiser hat die Städte nicht nur besucht, sondern ihnen auch vielfältige Wohltaten zukommen lassen.

Die nächsten Jahre verbrachte der Kaiser in Italien, wo er in der ersten Hälfte des Jahres 127 eine Rundreise durch das Land unternahm und in der zweiten mit zehntägigen Spielen sein zehnjähriges Herrschaftsjubiläum feierte. Wenige Monate später nahm er 128 den zu Beginn seiner Regierung zurückgewiesenen Titel ‹Vater des Vaterlandes› an. Um die städtische Bevölkerung mit der Tatsache seiner häufigen Abwesenheit zu versöhnen, entfaltete er in der Hauptstadt des Reiches eine lebhafte Bautätigkeit, die ihr nicht nur vielfache Beschäftigungs- und Verdienstmöglichkeiten verschaffen, sondern auch das Gefühl vermitteln sollte, Rom bleibe weiterhin das Zentrum der Welt. Diesem Zweck diente insbesondere der am erweiterten Forum Romanum entstehende riesige Doppeltempel für Venus und Roma, in dem nun der bisher nur in den Provinzen gepflegte Kult der Dea Roma auch in Rom eine Kultstätte erhielt, deren eindrucksvolle Reste heute noch zu sehen sind. Der für den Tempel vorgesehene heilige Bezirk war noch vor dem Aufbruch zur ersten Reise inauguriert worden, und die Bauarbeiten waren beim Tod des Kaisers noch nicht abgeschlossen.

Ein anderer Aspekt der kaiserlichen Bautätigkeit in der Hauptstadt war das bewußte Anknüpfen an Augustus, dessen Bauten teilweise wiederhergestellt wurden. Das eindrucksvollste Beispiel hierfür ist das bis heute erhaltene Pantheon, das einen einst von Augustus' Mitarbeiter Agrippa errichteten Bau ersetzte; auch wenn der in den Jahren 118–125 geschaffene hohe Kuppelbau etwas völlig Neues darstellte, blieb am Architrav der Vorhalle der Name des ursprünglichen Erbauers stehen. Als drittes, ebenfalls weithin sichtbares Monument ist das Hadriansmausoleum, die heutige Engelsburg, zu nennen, ein auf dem rechten Tiberufer schräg gegenüber dem Augustusmausoleum errichteter, einst mit Marmor verkleideter runder Grabbau; mit dem Marsfeld war er durch eine von Hadrian eigens für diesen Zweck angelegte Brücke verbunden. Das beeindruckendste und zugleich für Hadrians geistige Welt und Kunstempfinden bezeichnendste Bauwerk entstand allerdings außerhalb der Hauptstadt, die beim heutigen Tivoli gelegene kaiserliche Villa, jetzt als Villa Adriana bekannt, eine verwirrende Ansammlung verschiedener Bauten, Gärten und Parkanlagen, die ein Areal von 1,5 Quadratkilometern bedecken und zum Teil die künstlerischen und baulichen Erinnerungen an seine Reisen wiedergeben.

Wegen des drohenden Partherkrieges hatte Hadrian bei seiner ersten Rundreise auf einen Besuch der nordafrikanischen Provinzen verzichten müssen. Diesen holte er im Sommer 128 nach und verband ihn mit einer Inspektion der Truppen. Hiervon haben sich in Lambaesis Fragmente eines in Form und Inhalt einmaligen Denkmals erhalten, nämlich die Reste von fünf Ansprachen des Kaisers, die er während mehrtägiger Manöver vor verschiedenen Truppenkörpern gehalten hatte und die an der Basis einer Gedenksäule inschriftlich festgehalten waren. Desgleichen hat er sich hier wie schon in Germanien und Britannien um den Ausbau des Grenzsicherungssystems gekümmert, doch waren die getroffenen Maßnahmen nicht auf die Zeit seines Besuchs beschränkt; gleiches gilt für zahlreiche nachweisbare Straßenbauten und die gerade von ihm vorangetriebene Munizipalisierung der Provinzen.

Von Afrika kehrte der Kaiser nach Rom zurück, um noch im Spätsommer 128 in den Osten aufzubrechen. Diese zweite seiner großen Reisen dauerte etwa vier Jahre und begann mit einem erneuten längeren Aufenthalt in Athen, wo er im Februar/März 129 an der kleinen eleusinischen Mysterienfeier teilnahm und von wo aus er mindestens der Stadt Sparta einen Besuch abstattete. Von diesem Winter an wurde ihm im griechischen Osten der Beiname *Olympios* beigelegt, nach dem dritten Besuch in Athen kam im Frühjahr 132 die Bezeichnung als *Panhellenios* hinzu. Im Frühjahr setzte er nach Ephesos über, besuchte von hier aus Milet und das benachbarte Apollonheiligtum von Didyma und reiste dann durch das Mäandertal in östlicher Richtung weiter. Gesichert sind Besuche in Laodikeia am Lykos, in Apameia und am Grabhügel des athenischen Politikers und Feldherrn Alkibiades, wo der Kaiser dem Toten eine Marmorstatue errichten ließ und die Feier eines jährlichen Totenopfers anordnete. Weiter ging es über Iconium und durch das südliche Kappadokien nach Antiochia, wo Hadrian im Herbst 129 ankam und den folgenden Winter verbrachte. Hier kümmerte er sich nicht nur um die Wasserversorgung der Stadt, sondern entfaltete auch eine eifrige diplomatische Tätigkeit, unter anderem bei einem Zusammentreffen mit den östlichen Fürsten und Königen. Außerdem unternahm er von hier aus eine Besteigung des Kasion, des höchsten Berges in Nordsyrien. Teile der ihn begleitenden Truppen hatte er in Orten, die im Frühjahr besichtigt werden sollten, ins Winterlager gelegt, so zum Beispiel nach Gerasa, wo er 130 einige Gerichtstage abhielt und wo anläßlich des kaiserlichen Besuchs ein in seinen Resten heute noch beeindruckendes Prunktor errichtet wurde.

Folgenschwer sollte der Aufenthalt in der Provinz Judaea werden, in der Hadrian nicht nur größere Straßenbaumaßnahmen durchführen ließ, sondern insbesondere den Wiederaufbau der seit 70 zerstörten Stadt Jerusalem und ihre Neugründung unter dem Namen *colonia Aelia Capitolina* anordnete. Über die Absichten, die der Kaiser damit verfolgte, und über seine Motive ist viel gerätselt worden, doch dürften angesichts seiner sonstigen Friedenspolitik ein bewußter Affront durch die vorsätzliche Säkularisierung der den Juden heiligen Stadt unwahrscheinlich und eher pragmatische Gründe anzunehmen sein: Seit der Einnahme und Zerstörung der Stadt durch Titus lagen hier römische Truppen und hatten sich neben dem Militärlager römische Veteranen und Zivilisten unterschiedlichster Herkunft angesiedelt; diese wurden nun zu einer römisch organisierten Stadt zusammengefaßt. Von Jerusalem gelangte der Kaiser im Sommer 130 über Gaza nach Pelusion, wo er das Grabmal des einst dort ermordeten Pompeius in prächtiger Gestalt wieder aufbauen ließ, und weiter nach Alexandria, wo er zwei Monate blieb, mit den Gelehrten des Museion diskutierte und einen Ausflug zur Löwenjagd in die libysche Wüste unternahm.

Im Oktober brach er dann mit großem Gefolge stromaufwärts zu einer Reise nach Oberägypten auf. Während dieser Fahrt fand sein Liebling Antinoos auf der Höhe von Hermopolis den Tod in den Fluten des Nil. Über die Art seines Todes – Unglücksfall oder Freitod – und über das Motiv für einen eventuellen Freitod sind schon in der Antike verschiedene Vermutungen geäußert worden; Sicherheit ist wohl niemals zu erlangen. Hadrian war zu Tode betrübt, ließ seinen verstorbenen Liebling zum Gott erklären, allenthalben Kulte für ihn einrichten und auf der Höhe des Unglücksortes am rechten Nilufer eine Griechenstadt namens Antinoopolis gründen, deren Bewohnern er ganz außergewöhnliche Privilegien verlieh und Gunsterweise zuteil werden ließ. In der zweiten Novemberhälfte erreichte die kaiserliche Reisegesellschaft das oberägyptische Theben und besuchte die Kolossalstatue des Memnon. Wenig später erfolgte die Rückkehr nach Alexandria, von wo der Kaiser im Frühjahr 131 zu Schiff aufbrach. Die Seereise führte ihn entlang den Küsten Syriens und Südkleinasiens in die Ägäis und entweder direkt oder auf einem Umweg über Thrakien, Moesien und Makedonien nach Athen, wo er den Winter 131/32 verbrachte; der Besuch der Balkanprovinzen kann allerdings auch im Anschluß an den Aufenthalt in Athen und vor der nicht mit Sicherheit zu datierenden Rückkehr nach Rom erfolgt sein.

Spätestens hier muß Hadrian vom Aufstand in Judaea erfahren haben, der entweder durch die Ansiedlung von Nichtjuden und die Gründung fremder Heiligtümer in der den Juden heiligen Stadt ausgelöst wurde oder eine Reaktion auf ein von Hadrian erlassenes Beschneidungsverbot war. Auf ihren Münzen haben die Aufständischen als eines ihrer Ziele die Befreiung Jerusalems proklamiert, doch ist fraglich, ob ihnen je die Einnahme der Stadt gelang. Aber auch so wurde dieser fanatische Glaubenskampf der schwerste Krieg, den Hadrian während seiner Herrschaft durchzufechten hatte, nicht zuletzt, weil die Aufständischen in Simon Bar Kochba einen überaus tüchtigen Führer hatten und sich zudem noch Rabbi Akiba, der allgemein anerkannte geistige Führer des Judentums, mit ihrer Sache identifizierte. Die Aufständischen errangen in dem gebirgigen Land schnelle Erfolge und führten über mehrere Jahre einen erbitterten Partisanenkrieg, der den Einsatz starker, aus anderen Provinzen herbeigeführter Truppen und schließlich die Entsendung des Iulius Severus, des damaligen Statthalters von Britannien und fähigsten Generals seiner Zeit, nötig machte. Ob der Kaiser schließlich selbst auf dem Kriegsschauplatz erschien, ist bis heute umstritten, aber von seiner Einschätzung des schließlich errungenen Sieges zeugt die Tatsache, daß er Ende 135 die zweite imperatorische Akklamation entgegennahm; auf die Feier eines Triumphs hat er allerdings verzichtet. Nach der Niederwerfung des Aufstands wurde mit dem heidnischen Charakter der wenige Jahre zuvor gegründeten Kolonie vollends Ernst gemacht und den Juden das Betreten der Stadt und ihrer Umgebung bei Todesstrafe verboten; an der Stelle ihres Tempels erhob sich jetzt ein Iupiterheiligtum. Ferner wurde die Provinz in Syria Palaestina umbenannt und damit nach der weitgehenden physischen Vernichtung der Aufständischen sozusagen die Zerstörung der jüdischen Nation dokumentiert.

Auf Kriege zur Erweiterung des Reiches hat Hadrian vollständig verzichtet, vielmehr versucht, dieses in den bestehenden Grenzen zu konsolidieren. Hierzu gehörten auch die Sorge für die Truppen, auf deren Schlagkraft und ständige Gefechtsbereitschaft der Kaiser größten Wert legte, und die geradezu planmäßige Bereisung der Grenzen des Reiches, die durch die Anlage neuer oder den Ausbau schon bestehender Befestigungen großenteils einen endgültigen Charakter erhielten, so durch den Hadrianswall im Norden Britanniens, den Palisadenzaun am obergermanisch-raetischen Limes oder das in Teilen Afrikas feststellbare tiefgestaffelte Grenzsicherungssystem.

Da Hadrian völlig auf Expansion verzichtete, konnte er große Geldmittel für die Sicherung des Erreichten einsetzen, also den genannten Ausbau der Grenzen oder die Verbesserung der Infrastruktur, beispielsweise durch Straßenbauten in vielen Provinzen, die Anlage von Aquädukten, die Instandsetzung von Hafenanlagen oder die Durchführung von Flußregulierungen. Insgesamt verschlang die Förderung schon bestehender Städte in nahezu allen Teilen des Reiches enorme Summen, wofür bei der Schilderung der kaiserlichen Reisen zahlreiche Beispiele genannt werden konnten. Aber die hadrianische Städtepolitik beschränkte sich nicht auf das Verteilen von Wohltaten, sondern fand ihren Ausdruck auch in einer großen Zahl von Neugründungen bzw. Erhebungen schon bestehender Gemeinden zu höheren Stadtrechtsformen in beinahe allen Teilen des Reiches, vom Nordwesten Britanniens, wo in einem bisher militärischer Kontrolle unterstellten Gebiet vier einheimische Gebietskörperschaften entstanden, bis Ägypten, das ihm die einzige Neugründung einer Griechenstadt seit der Zeit des ersten Ptolemäers verdankte, von Andalusien, wo er seine Vaterstadt Italica zur römischen Kolonie erhob, bis Judaea, wo er Veteranen und irreguläre Siedler in der Neugründung Aelia Capitolina zusammenfaßte. Insgesamt verteilen sich die unter ihm entstandenen Städte, die der Schaffung neuer Verwaltungszentren in bisher städtelosen Gebieten dienten, auf eine bedeutend größere Zahl von Provinzen als diejenigen seiner Vorgänger. Man muß schon bis zu Augustus zurückgehen, um auf einen Kaiser zu stoßen, dessen Städtegründungen sich über derart viele Provinzen verteilen und an Zahl diejenigen Hadrians übertreffen.

Während er auf der Grundlage der auf den Reisen gesammelten Erfahrungen allenthalben den Ausbau der städtischen Selbstverwaltung vorantrieb und dabei durchaus eigene Wege ging, wandelte er bei der Weiterentwicklung der zentralen Institutionen in den Spuren seiner Vorgänger. Zu den Neuregelungen im Gerichtswesen gehören die Einsetzung von vier Legaten, die dezentral insbesondere die Rechtsprechung für die Bewohner Italiens erleichtern sollten, sowie als ureigenster Beitrag Hadrians 128 die Verkündung der von ihm in Auftrag gegebenen und von Salvius Iulianus, einem der führenden Juristen der Zeit, durchgeführten Systematisierung des prätorischen Rechts; das bedeutete auch faktisch den Abschluß der alten prätorischen Rechtsetzung.

Hadrians Persönlichkeitsstruktur hat schon manche Zeitgenossen irritiert und in der uns vorliegenden Überlieferung zu teilweise widersprüchlichen Charakterisierungen geführt. Aus seiner Neigung zur griechischen Kultur machte er kein Hehl und trug – nach Art der Philosophen – einen Bart. Uns erscheint er als hochgebildet und empfindsam zugleich, in ewiger Unruhe und stets neue Eindrücke suchend, selbst auf der Jagd in den verschiedensten Teilen des Reiches oder beim Betrachten des Sonnenaufgangs vom Gipfel des Ätna aus. Er war literarisch tätig und hat neben einer heute verlorenen Autobiographie Gelegenheitsgedichte verfaßt, von denen uns einige wenige Verse überliefert sind. Den archaisierenden Tendenzen seiner Zeit entsprach auch sein literarischer Geschmack, aufgrund dessen er Ennius, Coelius Antipater und Cato ihren jeweiligen jüngeren Pendants Vergil, Sallust und Cicero vorzog.

Im Jahre 136 erkrankte der inzwischen sechzigjährige Hadrian, und spätestens jetzt muß dem kinderlosen Herrscher das Problem seiner Nachfolge bewußt geworden sein. In der Mitte des Jahres adoptierte er Lucius Ceionius Commodus, der aus einer angesehenen Familie Etruriens stammte und den Hadrian zu einem der ordentlichen Konsuln dieses Jahres ernannt hatte, als Lucius Aelius Caesar, wobei nicht mehr festzustellen ist, warum die Wahl gerade auf ihn fiel. Indes verstarb dieser schon am 1. Januar 138 unerwartet und wurde, ohne konsekriert zu werden, im Hadriansmausoleum beigesetzt. Hadrians eigener Gesundheitszustand hatte sich inzwischen weiter verschlechtert, und es blieb ihm nicht mehr viel Zeit, seine Nachfolge zu regeln. Diesmal fiel seine Wahl auf den einundfünfzigjährigen Titus Aurelius Fulvus Boionius Arrius Antoninus – Antoninus Pius –, dessen Familie aus Nîmes stammte, von dessen Vorfahren einige mehrfach Konsuln gewesen waren und der es selber bis zum Statthalter Asiens gebracht, aber offensichtlich niemals ein wichtigeres Provinzamt mit dem Kommando auch über Truppen innegehabt hatte. Ihn adoptierte Hadrian am 25. Februar, erhob ihn zum Caesar und ließ ihm die für die Herrschaftsübernahme notwendigen Vollmachten übertragen. Antoninus Pius, der selber keine männlichen Nachkommen hatte, mußte seinerseits den Sohn des verstorbenen Lucius Aelius Caesar und den siebzehnjährigen Marcus Annius Verus – Marc Aurel –, den Hadrian als eigentlichen Nachfolger favorisiert haben soll, an Sohnes Statt annehmen. Damit war die Thronfolge für die nächsten zwei Generationen gesichert. Am 10. Juli 138 verstarb der Kaiser in der Nähe von Baiae und wurde in dem von ihm errichteten Mausoleum beigesetzt.

Antoninus Pius
138–161

Von Hildegard Temporini-Gräfin Vitzthum

Kein römischer Kaiser ist in der Neuzeit so widersprüchlich beurteilt worden wie Antoninus Pius. Den einen das Symbol eines goldenen Zeitalters, ist er den anderen eine Figur von ehrenwertem Mittelmaß, seine Regierung eine Kette von Versäumnissen, die sich unter Marc Aurel rächen sollten. Diese unterschiedliche Bewertung ist um so erstaunlicher, als die antiken Quellen keinen Grund für solche Divergenzen bieten.

Titus Aurelius Fulvus Boionius Arrius Antoninus wurde am 19. September 86 bei Lanuvium am Hang der Albanerberge geboren. Reste eines alten Iunotempels, den Antoninus später als Kaiser restaurieren ließ, und weitere öffentliche Bauten sind dort bis heute erhalten. In dem erhöht gelegenen Gelände unweit Roms und der *via Appia* hatten sich reiche Römer mit Sommervillen niedergelassen, darunter auch die Familie des Antoninus. Seine väterlichen und wohl auch seine mütterlichen Vorfahren stammten ursprünglich aus Nîmes, der Hauptstadt der Provinz Gallia Narbonensis. Männer aus den Westprovinzen Gallien und Hispanien waren vor allem unter dem postum verdammten Domitian in hohe Ämter gelangt. Zu ihnen gehörten auch die Großväter des Antoninus, die je zweimal den Konsulat innehatten. Durch Heiraten, Erbschaften, eigenes Geschick und Beziehungen waren sie als Großgrundbesitzer und Eigentümer von Ziegeleibetrieben vermögend und einflußreich geworden. Der Großvater väterlicherseits, Titus Aurelius Fulvus, war im Jahre 92 unter Domitian Stadtpräfekt von Rom, das höchste Amt, das ein Senator erreichen konnte. Der Großvater mütterlicherseits, Titus Arrius Antoninus, wurde auch wegen seiner Fähigkeit, griechische Verse zu schmieden, gerühmt. Reichtum und Bildung, einschließlich vollkommener Zweisprachigkeit, waren Voraussetzungen für eine Rolle in den senatorischen Führungskreisen.

Nach dem frühen Tod des Vaters und der Wiederverheiratung der Mutter bestimmten die Großväter die Erziehung des Enkels. Dieser wuchs zuerst in Lanuvium, dann in Lorium an der *via Aurelia* nördlich von Rom auf. Später ließ er in Lorium einen Palast bauen und kümmerte sich neben seinen Prokuratoren stets auch persönlich um die eigenen Güter. In Rom durchlief Antoninus zunächst die übliche Karriere eines Angehörigen der obersten staatlichen Führungsschicht. Bei der Ausübung seiner Ämter fiel er, der als einer der Reichsten galt, durch große Freigebigkeit auf.

Es war selbstverständlich, daß Antoninus eine Frau aus der gleichen Gesellschaftsschicht ehelichte. Annia Galeria Faustina stammte aus einer reichen senatorischen Familie spanischen Ursprungs, die ebenfalls über Großgrundbesitz und Ziegeleien verfügte. Faustinas Vater Marcus Annius Verus war einer der Günstlinge des Kaisers Hadrian. Er brachte es dreimal zum Konsulat und außerdem zur Stadtpräfektur. Antoninus, dessen Vater unter Domitian im Jahre 89 den Konsulat bekleidet hatte, erreichte in der für einen Patrizier üblichen Zeit mit 33 Jahren zum ersten Mal den ordentlichen Konsulat. Faustina war inzwischen etwa 20 Jahre alt. Sie gebar, in diesen Kreisen eine Seltenheit, vier Kinder: zwei Töchter und zwei Söhne. Von ihnen überlebte nur eine Tochter, Faustina die Jüngere.

In der engeren Umgebung Hadrians wurde Antoninus einer der vier konsularischen Legaten, die Statthaltern ähnlich zur Verwaltung und Rechtsprechung in dem dafür neu aufgeteilten Italien bestellt wurden. Er festigte hier seinen Ruf als Rechts- und Verwaltungsexperte. Etwa fünfzigjährig wurde er Statthalter von Asia. Dieser ehrenvolle Posten ohne militärische Verantwortung war, auch wegen der wirtschaftlichen und kulturellen Bedeutung der Region, ein erstrebenswertes Ziel für einen Senator. Der Aufenthalt in der senatorischen Provinz, mit Familie in der Hauptstadt Ephesos, dauerte nach republikanischer Tradition nur ein Jahr. Später, beim Regierungsantritt des Antoninus, errichtete der Rat von Ephesos – gewiß nicht uneigennützig – eine Stiftung, aus der jedes Jahr zum Geburtstag des Kaisers fünftägige Festspiele veranstaltet werden sollten, weil «der Kaiser das Ansehen der Stadt vergrößert und dem Menschengeschlecht Segen gebracht» habe.

Als Antoninus von seiner Statthalterschaft in Asia nach Rom zurückkehrte, gehörte er endgültig zu den Hauptstützen, den sogenannten «Freunden», des inzwischen hinfällig gewordenen Kaisers Hadrian. Kinderlos geblieben, versuchte dieser im Jahre 136 zum ersten Mal, seine Nachfolge zu sichern, indem er einen unbedeutenden Senator aus italischer Familie, Lucius Ceionius Commodus, als Lucius Aelius Caesar adoptierte; dessen früher Tod veränderte die Lage. Hadrian adoptierte nun, am 25. Februar 138, den mit vielen einflußreichen Familien, entfernt wohl auch mit denen Traians und Hadrians selbst, verwandten Antoninus. Weil keiner von dessen Söhnen überlebt hatte, mußte er der Kontinuität halber seinen siebzehnjährigen Neffen Marc Aurel, einen Sohn des Bruders seiner Frau, sowie Lucius Verus, den achtjährigen Sohn des verstorbenen Lucius Aelius Caesar, adoptieren. Diese Regelung, die überwiegend auf Mitglieder von Familien aus den Westprovinzen sowie aus Rom und Italien setzte, sicherte die Nachfolge für zwei

Generationen und bildete damit eine entscheidende Grundlage für die Ruhe im Innern.

Nach dem offiziellen Selbstbild des Prinzipats, vor allem seit Traian, sollte der «Beste» regieren. Galt Antoninus als der Beste? Oder war er nur als Platzhalter gedacht für den mutmaßlich Besten, für Marcus? Die Herrschaft des mit immerhin fast 52 Jahren an die Regierung gekommenen neuen Kaisers wurde jedenfalls die längste, die Rom seit Augustus erlebt hatte.

Der neue Beiname, den sich Antoninus verleihen ließ, wurde Programm: Pius, das ist der, der tut, was frommt; der sich gegenüber Menschen und Göttern, d.h. gegenüber Eltern und Familie sowie gegenüber den römischen Traditionen, dem Senat und den alten Göttern, richtig verhält und der damit das Glück auf sich und den Staat zieht, im Frieden, aber auch im Krieg. Demonstrative Beweise solchen Verhaltens, von *pietas* also, kennzeichneten die Regierung des Antoninus von Anfang an. Gegen senatorischen Widerstand erzwang er die Vergöttlichung seines Adoptivvaters Hadrian. Zwei Jahre später konnte er problemlos seine damals mit etwa 40 Jahren verstorbene Frau Faustina vergöttlichen lassen. Öffentliche Bauten veranschaulichten seine familiäre Ehrerbietung: von der Fertigstellung des hadrianischen Mausoleums am Tiber, der späteren Engelsburg, über den Tempel für den Staatsgott Hadrian bis hin zu dem Tempel für die gerade vergöttlichte Faustina am Forum. Zur Propagierung der neuen Staatsgötter wurden Münzen geprägt, für die *Diva Faustina* in einem nie dagewesenen Ausmaß. Neben weiteren Maßnahmen zu ihrem Andenken wurde in ihrem Namen zum ersten Mal eine Stiftung für die Kornverteilung an Mädchen in der Stadt Rom ins Leben gerufen.

Die Ehrungen der verstorbenen Gattin allein mit der Liebe bzw. Trauer des Witwers Antoninus zu erklären, wäre verfehlt. Frauen des Kaiserhauses waren zu Lebzeiten wie nach ihrem Tode Instrumente dynastischer Politik. Sie wurden ihrer Rolle entsprechend geehrt. Neben Hadrian hatte Faustina die Ältere die zentrale Bedeutung für die Dynastie der Antonine. Da ihre Tochter, Faustina die Jüngere, mit dem Caesar Marc Aurel verheiratet wurde, war die Göttin Faustina – eine einzigartige Konstellation – nicht nur (Adoptiv-)Mutter, sondern auch Schwiegermutter ihres leiblichen Neffen Marc Aurel.

In diesem Sinne der Festigung der Dynastie wurde auch neue Aufmerksamkeit auf die Familie im kaiserlichen Palast gelenkt. Dort hatte man früher nur den einsamen, umdüsterten Hadrian, der zudem häufig abwesend war, erlebt. Der seit dem Jahr 140 verwitwete Pius bedrohte die dynastische Ordnung nicht durch eine Wiederverheiratung, sondern nahm eine Konkubine ins Haus. Zwei Jahre nach der mit großen Spenden an das Volk von Rom und die Soldaten gefeierten Hochzeit Marc Aurels und der jüngeren Faustina gebar diese nun etwa siebzehnjährige

«Erbtochter», der zuvor das gesamte Privatvermögen des Antoninus übertragen worden war, am 30. November 147 ihr erstes Kind, eine Tochter. Das Ereignis wurde von demonstrativen politischen Maßnahmen begleitet: Marc Aurel, der Vater dieses ersten Enkelkindes des Kaisers, wurde u.a. Teilhaber am Oberbefehl über die Truppen. Neben materiellem, nicht zuletzt durch die Zugehörigkeit zur Kaiserfamilie garantiertem Reichtum war dies die Basis der Herrschaft in Rom. Seine Frau, Faustina die Jüngere, wurde zur *Augusta* und damit an der Seite ihres Vaters, des regierenden *Augustus*, zur ersten Frau im Reich erhoben.

Fast jede Geburt im Kaiserhaus – in der Vergangenheit bekanntlich kein häufiges Ereignis – wurde fortan mit Münzprägungen gefeiert. Sie zeigen jeweils die junge Faustina mit verändertem Aussehen. Die Geburten beherrschten zwei Jahrzehnte lang die Münzbilder Faustinas und teilweise auch die des Antoninus Pius und Marc Aurel, als Symbol des Glücks und Fortbestandes des antoninischen Hauses. Dieses Glück wurde freilich – wie damals bei vielen Familien – durch die hohe Kindersterblichkeit getrübt. Faustina schenkte mindestens 12 Kindern das Leben, eine Singularität in der Kaisergeschichte; etwa die Hälfte der Kinder starb frühzeitig. Münzen, die eine Frau mit einer jeweils verschiedenen Anzahl von Kindern in den Armen zeigen, gaben den Zeitgenossen und geben uns heute noch ein leicht makabres Bild von dem durch Geburt und Tod wechselnden Bestand der Kaiserfamilie.

Programm waren neben den in die Zukunft weisenden Bildern der Kaiserin als Mutter von Kaiserenkeln auch die Portraits ihres Vaters, des Kaisers Antoninus. Durch ihre frappierende Ähnlichkeit mit dem Vorgänger Hadrian legen diese, wie auch schon die Vergöttlichung Hadrians, ein Bekenntnis zu politischer Kontinuität mit der jüngsten Vergangenheit ab. In ihrer relativen Gleichförmigkeit über die Jahrzehnte vermitteln die Kaiserportraits zudem den Eindruck grundsätzlicher Stabilität. Auch die Bilder des Schwieger- bzw. Adoptivsohnes Marc Aurel blieben bis zum Tod des Antoninus im wesentlichen konstant, ebenso die Portraits des jungen Lucius Verus, der allerdings unter Antoninus stets im Hintergrund blieb. Alle Männerbildnisse des Kaiserhauses weisen als herausragendes Merkmal den sogenannten Philosophenbart auf. Dieser sowie die gelockten – eher der Brennschere als genetischer Anlage zu verdankenden – Haare waren seit Hadrian Mode. Sie drückten zugleich einen Aspekt im Lebensgefühl der Oberschicht aus: das Bekenntnis zu griechischer Bildung.

Trotz seines Äußeren war Antoninus anders als Hadrian kein dilettierender Intellektueller, auch kein schriftstellernder Philosophenjünger wie Marc Aurel. Ihn interessierten nach altrömischer Art neben der Landwirtschaft mehr die Beredsamkeit und das Rechtswesen. Auf beiden Gebieten soll er ein Meister gewesen sein. Seine Wertschätzung höherer Bildung kommt auch darin zum Ausdruck, daß er auf glänzende Weise für die Erziehung seiner Adoptivsöhne sorgte. So engagierte er einige der bedeutendsten Lehrer der Zeit, die zum Teil auch seine eigenen Berater waren: den Juristen Lucius Volusius Maecianus, einen Schüler des großen Iulianus, den, wie er klagte, äußerst kostspieligen stoischen Philosophen Apollonius von Chalkedon sowie die berühmtesten Redekünstler der Epoche, Herodes Atticus aus Athen für das Griechische und Cornelius Fronto aus Cirta in Nordafrika für das Lateinische. Beide Rhetoren brachten es durch die Gunst des Kaisers zum Konsulat, der Emporkömmling Fronto 142 als nachgewählter, Herodes 143 als ordentlicher Konsul. Sie können beide der Bewegung der «Zweiten Sophistik» zugerechnet werden, die eine rückwärtsgewandte, klassizistische Ästhetik vertrat. Dieser Richtung gehörte auch Aelius Aristides an, der im Jahr 143 seine Prunkrede ‹Auf Rom› hielt. Sie entwarf ein idealisierendes Bild der Verhältnisse im Reich unter Antoninus und der Regierungstätigkeit des Kaisers selbst.

Antoninus Pius war damals fünf Jahre an der Regierung. Durch seine Präsenz in Rom hatte er die Stadt wieder stärker zum Mittelpunkt des Reiches gemacht. Durch Abschaffung der hadrianischen Legaten gab er Italien seine alte Sonderstellung zurück. Gleichwohl versäumte er nicht, durch Verwaltungsmaßnahmen, finanzielle Zuwendungen und Bildpropaganda auch die Bedeutung der Provinzen zu würdigen; immerhin stammte damals nur noch etwa die Hälfte der konsularen Senatorenfamilien aus Rom und Italien, die anderen waren Provinziale. Ein weiteres Jahrfünft später feierte Antoninus nicht nur sein zehnjähriges Regierungsjubiläum, sondern auch den offiziellen 900. Geburtstag der Stadt Rom. Die Feste wurden mit Pomp und Freigebigkeit begangen. Sie paßten wie auch die umfassenden Initiativen zur Erneuerung alter Kulte ganz in das Regierungsprogramm des Antoninus. Kein Kaiser seit Augustus hat so stark wie er für die Rückbesinnung auf die kultischen und mythischen Wurzeln Roms gewirkt. Trotz dieser Atmosphäre kam es zu keinen größeren Zusammenstößen mit den Christen. Allenfalls ereigneten sich einzelne lokale Martyrien. Die Stadt Rom war ein Zentrum christlicher Lehrer. Ob freilich zum Beispiel die in Rom verfaßte, an Antoninus Pius gerichtete «Apologie» Iustins von dem Adressaten überhaupt zur Kenntnis genommen wurde, läßt sich nicht sagen.

Mit Augustus hatte Antoninus auch gemeinsam, daß ihm das Kriegshandwerk – traditionell die Voraussetzung für einen römischen Kaiser – nicht lag. Um aber die Idee der von ihm propagierten Weltherrschaft, der Unbesiegbarkeit und Ewigkeit Roms, zu bekräftigen, wurde durch offensive Grenzverlegungen an mehreren Stellen des Reiches eine aktive Außen- und Sicherheitspolitik betrieben. In den zeitgenössischen ebenso wie in den auf ihnen beruhenden spätantiken senatorischen Quellen wird diese Politik positiv gewertet, die moderne Forschung sieht sie dagegen überwiegend kritisch, vor allem vor dem Hintergrund späterer Grenzeinbrüche unter Marc Aurel. Gleich zu Beginn seiner Regierung ließ Antoninus an der Ostgrenze gegenüber den Parthern, im Zweistromland, aufrüsten. Während seiner ganzen Herrschaft vertrat er mit Erfolg eine demonstrativ harte, propagandistisch wirkungsvolle Politik. In Britannien wurde, ebenfalls bereits in den ersten Regierungsjahren, im Zusammenhang mit einem Brigantenaufstand ein zweiter Limes an der Landenge des Firth of Forth errichtet. Auch wenn diese Linie unter Domitian schon einmal erreicht worden war, symbolisierte der neue Limes doch eine Ausdehnung Roms bis dicht an das geographische Ende der damals bekannten Welt, bis an den nördlichen Ozean. Die aufständischen Einwohner wurden nach Obergermanien umgesiedelt. Dort markierte nun ebenfalls ein zweiter Limes, in schnurgerader Linie von Miltenberg nach Lorch im Remstal, die Grenze. Nichts machte in Rom mehr Eindruck als ein Vorrücken in Germanien, der eigentlichen «Angstgrenze». Auch am südlichsten Rand des Imperiums, bei den Mauren in Nordafrika, wurde im Zusammenhang mit Unruhen, die längere Zeit andauerten, der Limes vorverlegt. Seit Anfang der vierziger Jahre gab es zudem umfangreiche, vielseitige Bemühungen, die Donauregion ruhig zu halten: Einsetzung eines Klientelkönigs bei den Quaden, Bauarbeiten am Limes, Verstärkung der Truppen und administrative Maßnahmen. Alle diese Anstrengungen, die fast bis zum Ende der Regierung des Antoninus reichten, konnten freilich die mehrere Jahre nach seinem Tod einsetzenden Invasionen und größeren Kriege nicht verhindern. Nach dem Bild, das die Quellen vermitteln, läßt sich nicht entscheiden, ob dies auf Versäumnisse des Antoninus oder eher auf solche seines Nachfolgers Marc Aurel oder aber auf Entwicklungen zurückgeht, die sich der Kontrolle Roms entzogen.

Antoninus, der «Vater des Vaterlandes und Bezwinger des Erdkreises», weilte mit seinen Söhnen stets in Rom oder auf Landgütern ganz in der Nähe. Obwohl praktisch in jedem Jahr in irgendeiner entlegenen Region gekämpft wurde oder hier oder dort im Reich ein Aufstand niederzuschlagen war, herrschte bei den Zeitgenossen offenbar ein Gefühl der Sicherheit vor; man hatte Vertrauen in die Überlegenheit der Weltmacht Rom und einen Herrscher, der nicht beunruhigt an ferne Grenzen eilen mußte. «Er lenkt mit großer Leichtigkeit von seiner Residenz aus die gesamte Oikumene durch Briefe», rühmte Aelius Aristides. In der Tat sind gerade von diesem Kaiser viele inschriftlich erhaltene Briefe an ganz verschiedene Adressaten, meist in griechischer Sprache, auf uns gekommen. Sie zeigen nicht zuletzt einen ausgesprochen praktischen Sinn, Humor und eine gewisse Bauernschläue.

Unter Antoninus wurden außer bei den Quaden u.a. auch in Armenien und bei den Lazen am Kaukasus einige neue Klientelkönige an den Grenzen Roms eingesetzt. Der König der transkaukasischen Iberer (Georgier) kam mit Sohn, Frau und Gefolge nach Rom, um eine Verbesserung seiner Stellung zu erwirken. «Niemand stand im Ausland in so hohem Ansehen, wiewohl er allzeit von solcher Friedensliebe beseelt war, daß er Scipios Ausspruch, ihm liege mehr am Leben eines einzigen Bürgers als am Tod von tausend Feinden, im Munde führte», schrieb der antike Biograph. Ganz nach altrömischer Tradition demonstrierte Antoninus expansive Stärke als Mittel zur Friedenssicherung.

Innenpolitisch war Antoninus ein perfekter Verwalter. Selbst um Details kümmerte er sich persönlich. Seine Gründlichkeit dürfte primär positive Bewertung verdienen, mag sie auch von Zeitgenossen gelegentlich als Kümmelspalterei kritisiert worden sein. Die Hochklassik des römischen Rechts hat auch unter Antoninus Bedeutendes, Zukunftsweisendes geleistet. Die gefestigten Verwaltungsstrukturen funktionierten mit gleichbleibender Zuverlässigkeit. Trotz großer Freigebigkeit in Rom und den Provinzen hinterließ Antoninus gut gefüllte Staatskassen. Für den Großteil der ärmeren Bevölkerung blieb die wirtschaftliche Situation zwar prekär; gleichwohl wird mit Recht darauf hingewiesen, daß manche Regionen bis heute keine vergleichbare Blüte erreicht haben. Daran ändern auch die antiken Nachrichten vom Aufstand etwa der Fellachen in Ägypten zu Beginn der fünfziger Jahre des 2. Jahrhunderts nichts. Die Kluft zwischen Arm und Reich vergrößerte sich regional unterschiedlich. Weite Kreise im Reich waren indes offensichtlich voller Zuversicht. Die senatorische Oberschicht konnte sich mit Antoninus identifizieren, in dem sie – anders als in Hadrian – einen vorbildlichen Kaiser sah.

Am 1. Januar 161 traten die beiden Adoptivsöhne des Antoninus, der Caesar Marc Aurel und Lucius Verus, den ordentlichen Konsulat an. Zwei Monate später, am 7. März 161, starb Antoninus nach kurzer Krankheit in seinem 75. Lebensjahr im Palast in Lorium. Vorher empfahl er Marc Aurel und seine Tochter seinen engsten Beratern. Er ließ die Statue der Fortuna aus seinem Schlafzimmer in das Marc Aurels bringen und gab die Parole «Gleichmut» für die Wache aus.

Die Herrschaft des Antoninus Pius hatte fast ein Vierteljahrhundert gedauert. Ihm zu Ehren übernahm Marc Aurel den Namen Antoninus. Nach seinen eigenen Worten hatte er sich unter der Regierung seines Adoptivvaters nie mehr als zwei Nächte von diesem entfernt. Weder er noch Lucius Verus, den Marc Aurel zu seinem nachgeordneten Mitkaiser erheben ließ, hatten jemals als Statthalter oder Heerführer die Provinzen und Grenzen des Reiches gesehen. Lag hierin vielleicht ein Versäumnis des alten Kaisers? Für diese Immobilität war wohl am ehesten die Sorge um die Sicherung der kunstvoll geregelten Nachfolge verantwortlich. Die Angst vor einem Verlust der Söhne durch Krankheit oder Verwundung war ja keineswegs unbegründet. Reisen und Aufenthalte fern von Rom waren stets ein Risiko, der Tod ohnehin allgegenwärtig.

So war, als Antoninus Pius starb, keiner seiner leiblichen Enkel am Leben. Commodus kam erst fünf Jahre später zur Welt.

Marc Aurel und Lucius Verus, die beiden neuen Kaiser, ließen sogleich vom Senat die Vergöttlichung ihres Vaters beschließen. Der Tempel der vergöttlichten Faustina am Forum, erst seit zwei Jahren fertiggestellt, wurde auch dem Antoninus geweiht, wie jeder Rombesucher der Widmungsinschrift entnehmen kann. Außerdem wurde eine 25 Meter hohe Ehrensäule errichtet. Man kann in den Vatikanischen Museen auf einer Seite des Sockelreliefs das Kaiserpaar, Antoninus und Faustina die Ältere, als Iuppiter und Iuno in den Götterhimmel fahren sehen. Das schönste Denkmal hat dem Antoninus Pius jedoch sein Nachfolger Marc Aurel gesetzt: durch eine ausführliche, verhalten warmherzige Charakteristik in seinen *Selbstbetrachtungen*.

Antoninus Pius bleibt bis heute einer der wenigen Herrscher, nach denen eine ganze Epoche benannt wurde. Nach dem antoninischen Zeitalter sehnten sich spätere Generationen wie nach einem goldenen Zeitalter zurück. Wie um das Glück des Antoninus Pius in schwierigen Zeiten auf sich zu lenken, versuchte die Dynastie der Severer, sich durch seinen Namen zu legitimieren. In dem Unhold Caracalla entstand dem römischen Reich dann freilich ein fataler neuer Antoninus. Schon eine Betrachtung der Portraits dieser beiden Antonine offenbart den krassen Gegensatz: Dem Bild des ernsthaften, geistig geprägten Antoninus Pius steht die Fratze des Gewaltmenschen Antoninus Caracalla gegenüber. Antoninus Pius' leiblicher Enkel Commodus übernahm zwar den Beinamen Pius, der von da an ein fester Bestandteil der Kaisertitulatur war. Er legte jedoch gegen Ende seiner Herrschaft den Antoninus-Namen ab. Das war wie ein Signal, ein Zeichen für die Veränderungen der Zeit. Mit dem gewandelten herrscherlichen Selbstverständnis brachte die neue Zeit eine Abkehr von den Leitlinien und dem Ethos eines Mannes, der zu den «Guten» in der langen Reihe der römischen Kaiser gehörte. Diesem scheinen nach allem die antiken literarischen Quellen eher gerecht zu werden als manche seiner modernen kritischen Beurteiler.

Marc Aurel und Lucius Verus
161–180   161–169

Von Klaus Rosen

Welche Namen römischer Kaiser kennen Sie?

Würde man die Quizfrage einem beliebigen Publikum stellen, das dieses Buch noch nicht gelesen hat, so bekäme man wahrscheinlich folgendes Ergebnis: Augustus, der das römische Kaisertum begründet hat und den das Weihnachtsevangelium nennt, ist unter allen Kaisern der bekannteste. An zweiter Stelle kommt Nero, der Bösewicht auf dem Kaiserthron, der Rom angezündet und die Christen verfolgt hat. Um den dritten Rang dürften sich Konstantin der Große, der erste christliche Kaiser, und Marc Aurel streiten.

Marc Aurel verdankt seinen Platz im Gedächtnis der Nachwelt weder seinen militärischen Taten noch seiner Reichsverwaltung, obwohl er ihretwegen in der Antike oft als der beste Kaiser angesehen wurde, der je in Rom regiert hat. Es sind vielmehr seine sogenannten *Selbstbetrachtungen*, die dafür gesorgt haben, daß sein Name bis heute lebendig geblieben ist – gegen seinen Willen lebendig geblieben ist. Denn das Werk ist eine Art philosophisches Tagebuch, das der Verfasser für sich auf griechisch schrieb und das er nicht zu veröffentlichen gedachte. Ein Unbekannter hat es nach dem Tod des Kaisers in zwölf Bücher eingeteilt und ediert. Vielleicht war er es auch, der ihm den Titel *An sich selbst* gegeben hat. Andere moderne Titel lauten *Selbstgespräche* oder *Wege zu sich selbst*. Seit das Werk im 16. Jahrhundert zum ersten Mal gedruckt und dann in die wichtigsten europäischen Sprachen übersetzt wurde, hat es unzählige Leser gefunden. Friedrich der Große gehörte zu ihnen, aber auch so mancher Soldat im Ersten und im Zweiten Weltkrieg, der die *Selbstbetrachtungen* als eiserne geistige Ration im Tornister mit sich trug.

Marc Aurel war es nicht an der Wiege gesungen worden, daß er einmal Kaiser werden würde. Seine Familie stammte wie die Traians und Hadrians aus dem spanischen Provinzialadel. Der Urgroßvater Annius Verus war zur Zeit Neros nach Rom gekommen und hatte es unter Vespasian zum Prätor gebracht, dem zweithöchsten Amt in der traditionellen römischen Ämterlaufbahn. Sein gleichnamiger Sohn, Marc Aurels Großvater, stieg während Traians und Hadrians Herrschaft noch weiter auf: Dreimal erhielt er den Konsulat, das höchste Amt, und verwaltete mehrere Jahre als Präfekt die Hauptstadt Rom. Durch ein bewährtes Mittel sorgte er dafür, daß seine Familie auch in Zukunft zur Spitze in der römischen Politik und Gesellschaft gehören würde: Er suchte für seine Kinder aussichtsreiche Ehepartner. Die Tochter Annia Galeria Faustina gab er einem jungen Adligen, Titus Aurelius Antoninus, der als Antoninus Pius Hadrians Nachfolger werden sollte. Der eine der beiden Söhne, der den Namen Annius Verus fortführte, heiratete Domitia Lucilla, eine der reichsten Erbinnen Italiens. In Rom fanden sich Ziegelsteine, die mit ihrem Namen oder dem Namen ihrer Mutter gestempelt sind und die verraten, daß Lehmgruben und Ziegeleien eine der Quellen ihres Reichtums waren. Zweifellos hatten Nero und Traian mit ihrer Bauwut die Quelle kräftig zum Sprudeln gebracht.

Domitia Lucilla besaß noch ein Kapital, das sie zu einer begehrenswerten Braut machte: Sie war mit Hadrian verwandt. Als das Paar um 120 im üblichen Alter, er mit zwanzig und sie mit vierzehn Jahren, heiratete, war der Kaiser bereits über vierzig Jahre alt. Seine Frau aber hatte ihm immer noch keinen Sohn geboren, und es bestand kaum mehr Aussicht, daß er die Thronfolge im Bett regeln werde. Damit befand er sich in bester Gesellschaft, da es bisher nur Vespasian fertiggebracht hatte, die Herrschaft an Söhne zu vererben. Um dem Reich einen Bürgerkrieg wie den von 68/69 zu ersparen, mußte Hadrian den Nachfolger suchen, den er nicht zeugen konnte, und es stand zu erwarten, daß er sich wie seine Vorgänger zunächst einmal unter seinen Verwandten umschauen würde. Das Schicksal seines Onkels Traian lehrte zudem, daß er gut daran tat, die Suche nicht zu lange hinauszuschieben. In der näheren und ferneren Verwandtschaft des Kaisers durfte also spekuliert werden. Keine Quelle überliefert, ob Vater und Sohn Annius solche Spekulationen bei der Hochzeit anstellten. Aber wir können sicher sein, daß sie sich spätestens am 21. April 121 ihre Gedanken über die Zukunft des Thrones machten, als der junge Ehemann seinen neugeborenen Stammhalter in die Arme nahm und ihm den in der Familie üblichen Vornamen Marcus gab.

Es war kein Geheimnis, daß sich Hadrian und der alte Annius Verus gut verstanden, sonst wäre dieser am 1. Januar 121 nicht zum zweiten Mal Konsul geworden. Der Kaiser hatte auch im Jahr zuvor seine Zustimmung gegeben, als Annius' Schwiegersohn Antoninus seinen ersten

Konsulat erhielt. Mitkonsul war Catilius Severus, der Großvater von Domitia Lucilla. Häuften sich in der Weise die Konsulate von Verwandten, so war das ein untrügliches Zeichen, wo sich unterhalb des Thrones die Macht konzentrierte. Eine Freundschaftsgeste gegenüber Annius Verus war es auch, daß Hadrian dessen kleinen Enkel Marcus schon mit sechs Jahren in die Liste der römischen Ritter einschreiben ließ. Zwei Jahre später veranlaßte er dann das uralte Priesterkollegium der Salier, den Knaben in seine Reihen aufzunehmen.

Nicht lange danach fiel ein erster Schatten auf Marcus' Leben: Sein Vater starb, noch nicht dreißig Jahre alt, gerade als er Prätor war. Sollte der alte Annius seinen Sohn schon als Nachfolger Hadrians gesehen haben, so machte ihm das Schicksal zunächst einen Strich durch die Rechnung. Aber er hatte ja noch den Enkel. Sofort adoptierte er ihn und nahm ihn in sein Haus auf. Sooft in der Folgezeit der kinderlose Kaiser zu ihm zu Besuch kam, hatte er seine helle Freude an dem aufgeweckten Knaben, der mit seinem freundlichen Wesen bereits alle Verwandten für sich eingenommen hatte. Schon hörte man munkeln, Hadrian würde am liebsten den kleinen Marcus adoptieren und zum Kronprinzen machen, wenn der nicht zur Nachfolge zu jung wäre. Der Kaiser muß eben nur noch ein wenig warten, dürfte der Großvater Annius gedacht haben. Doch der kränkelnde Hadrian wollte und konnte nicht mehr warten. 136 entschied er sich überraschend, den sechsunddreißigjährigen, aus einer jüngeren Adelsfamilie stammenden Ceionius Commodus zu adoptieren und zum Caesar und Thronfolger zu ernennen. Kaum hatte Annius Verus davon erfahren, trat er wieder als Ehevermittler auf, um die Chancen seines Enkels dennoch zu wahren. Er überredete Ceionius, der nach der Adoption durch Hadrian dessen Familiennamen Aelius trug, seine Tochter mit dem inzwischen fünfzehnjährigen Marcus zu verloben. Hadrian war das gewiß recht.

Keine zwei Jahre später kam es für Annius noch besser: Sein Enkel rückte ganz nahe an den Thron. Aelius erlag nämlich am 1. Januar 138 überraschend einem Blutsturz, und der sterbenskranke Hadrian mußte schleunigst einen Ersatzkandidaten haben. Er wählte Antoninus Pius, den er am 23. Februar 138 adoptierte und zum Caesar machte. Annius hat seinen Schwiegersohn gewiß nachdrücklich empfohlen. Er tat es um so lieber, als Antoninus zwar Vater zweier Söhne und zweier Töchter war. Aber beide Söhne waren bereits gestorben, und auf weiteren männlichen Nachwuchs durfte der Zweiundfünfzigjährige nicht mehr hoffen. Daher war es in seinem und mehr noch in seines Schwiegervaters Sinn, als Hadrian ihn bat, er möge seinen Neffen Marcus adoptieren. Damit die vorherige Regelung nicht ganz außer Kraft gesetzt wurde, mußte Antoninus zusätzlich den Sohn des verstorbenen Aelius adoptieren, Lucius Verus, den Bruder von Marcus' Verlobter. Die Dynastie sollte fortan auf vier Füßen stehen, um gegen alle Schicksalsschläge gewappnet zu sein. Antoninus tat noch ein übriges und verlobte den achtjährigen Verus mit seiner gleichaltrigen Tochter Faustina.

Das Verlöbnis dauerte gerade ein halbes Jahr, so lange wie Hadrian noch lebte. Kaum hatte der Kaiser am 10. Juli 138 die Augen für immer geschlossen, als bei Antoninus der Familiensinn über die Anordnung des Verstorbenen siegte. Er löste die Verlobung zwischen Lucius und Faustina, nur um seine Tochter sofort wieder zu verloben, dieses Mal mit ihrem Vetter Marcus. Der Neffe und Adoptivsohn sollte später auch sein Schwiegersohn und schließlich sein Nachfolger auf dem Kaiserthron werden. Die Reichsöffentlichkeit erfuhr von der Absicht spätestens im Jahr darauf, als Marcus den Titel Caesar erhielt und Mitglied in sämtlichen römischen Priesterkollegien wurde. Noch nie war eine Thronfolge von so langer Hand vorbereitet worden, und es sollte auch keinen römischen Kaiser mehr geben, der eine so lange Lehrzeit hatte wie Marc Aurel.

Nach Hadrians Tod zog Antoninus Pius in den Kaiserpalast auf dem Palatin und bat Marcus, ihm zu folgen. Der rühmte sich später einmal, daß es in den dreiundzwanzig Jahren, die er an Pius' Seite verbrachte, von 138 bis 161, nur zwei Nächte gegeben habe, in denen sie beide nicht unter einem Dach schliefen. Alle dynastischen Vorkehrungen wären hinfällig gewesen, wenn sich der regierende und der künftige Kaiser nicht verstanden hätten. So aber hatte der Adoptivsohn im Onkel und Adoptivvater den besten Lehrmeister. In zwei ausführlichen Kapiteln der *Selbstbetrachtungen* schildert er ihn als den idealen Kaiser (1,16; 6,30). Keinem anderen widmet er so viele Zeilen, und man spürt aus den warmen Worten, daß der Jüngere sein Leben lang im Älteren das große Vorbild sah. Nie kam dem Kronprinzen während des langjährigen Wartestandes der Gedanke, vorzeitig nach der Krone zu greifen.

Anfangs fürchtete Marcus, seine offizielle Stellung werde ihm keine Zeit mehr für seine liebste Beschäftigung lassen, philosophische Werke zu lesen. Mit zwölf Jahren hatte er begonnen, sie regelrecht zu verschlingen. Nur noch Philosoph wollte er werden. Als er hörte, echte Philosophen trügen einen langen Mantel und schliefen auf dem Boden, machte er das sofort nach, bis ihm seine besorgte Mutter befahl, sich wenigstens auf ein Feldbett zu legen. Leider mußte er noch warten, bis er das stolzeste Zeichen des Philosophen bekam, den Bart. Auch auf seine übrige Ausbildung legten der Großvater und die Mutter viel Wert. Wie andere reiche Adelsfamilien besorgten sie gute Privatlehrer für ihn. Ein späterer Biograph Marc Aurels machte sich die Mühe, eine Liste sämtlicher Lehrer aufzustellen, die ihn vom fünften oder sechsten Lebensjahr an unterrichtet hatten. Die Liste übernahm ein nachfolgender Biograph, der in der spätantiken Sammlung der sogenannten *Historia Augusta* eine Lebensbeschreibung des Kaisers veröffentlichte. Von keinem Menschen in der Antike haben wir eine ähnlich vollständige Übersicht über seine

Lehrer. Wir erfahren so nicht nur die Namen derer, die ihm Lesen und Schreiben beigebracht haben, sondern ebenso derjenigen, bei denen er Musik- und Geometrieunterricht genommen hat. Eigene Lehrer erhielt er auch für die nächste Stufe der Ausbildung, auf der griechische und lateinische Grammatik im Mittelpunkt stand.

Ein Stubenhocker war Marcus trotzdem nicht. Begeistert trieb er Sport. Für Boxen, Ringen und Rennen hatte er eigene Trainer. Im Ballspiel machte er es seinem Großvater nach, der bis ins hohe Alter ein vielbewunderter Jongleur war. Während der Ferien, die die Familie auf einem ihrer Landgüter in der Nähe Roms verbrachte, fing der Knabe Vögel und freute sich, wenn er auf die Wildschweinjagd mitgenommen wurde. Dagegen hatte er für Theater und Circus, für Wagenrennen und Gladiatorenkämpfe nichts übrig. Seine Abneigung gegen solche Massenvergnügen legte er auch als Kaiser nicht ab, obwohl die Römer von ihren Herrschern erwarteten, daß sie sich bei den öffentlichen Spielen zeigten. Sooft er daher zu Aufführungen mußte, nahm er Bücher oder Akten mit, um die Zeit nicht zu vergeuden. Wenn er dann in der Kaiserloge saß und arbeitete oder Audienzen gab und so dem Volk demonstrierte, was er von seinen Vergnügen hielt, zahlte es ihm das Publikum mit spöttischen Sprechchören heim. Weniger gutmütige Kaiser hätten ihren Wachen befohlen, die lautesten Schreier herauszuholen und hinzurichten. Nicht so Marcus. Er zeigte der Masse, daß er nicht nur Bücher über stoische Philosophie gelesen hatte, sondern darüber auch zum echten Stoiker geworden war, den solche Beleidigungen nicht in seiner Seelenruhe störten.

Anders, als er erwartet hatte, brauchte Marcus im Kaiserpalast sein Leben kaum zu ändern. Antoninus Pius war selbst daran gelegen, daß er weiterstudierte. Mit siebzehn Jahren war er jetzt in dem Alter, wo man sich der Redekunst widmete. Sie war für jede öffentliche Tätigkeit unerläßlich. Auch ein Kaiser sollte, wenn er im Senat, vor dem Volk oder zu den Soldaten sprach, formvollendete Reden halten, die er selbst, und nicht ein ‹Ghostwriter›, verfaßt hatte. Eine sachkundige Zuhörerschaft wollte seine Worte genießen, und sie spottete hinter seinem Rücken, wenn er sie enttäuschte. Antoninus Pius besorgte daher für den Kronprinzen die besten Redelehrer, die in Rom zu haben waren, Cornelius Fronto für die lateinische und Herodes Atticus für die griechische Rhetorik. Beide gehörten dem Senatsadel an, und für beide empfand der hochbegabte Schüler bald eine tiefe Zuneigung. Wenn er seine Lehrer einige Zeit nicht sah, konnte es vorkommen, daß er ihnen bis zu drei Briefe am Tag schrieb; ein Briefträger sei in die Fußstapfen des anderen getreten, bemerkte Herodes Atticus rückblickend einmal. Der Briefwechsel mit Fronto ist zum Teil noch erhalten und gibt uns Einblick, wie begeistert Marcus von seinem Lehrer war und mit welchem Feuereifer er deshalb auch dem Unterricht folgte. Daraus wurde eine Freundschaft fürs Leben, selbst als nach einigen Jahren beim Prinzen die alte Liebe zur

Philosophie die Oberhand über die Rhetorik gewann. Er hatte sie neben der Rhetorik nie ganz vernachlässigt. Auch dafür zeigte Antoninus Pius großes Verständnis, obwohl er eher wie die alten Römer dachte: ein wenig Philosophie sei nützlich; was darüber hinausgehe, sei ungesund. Der Kaiser tat Marcus den Gefallen und lud Apollonius von Chalkedon nach Rom ein, einen führenden Vertreter der Stoa, die im römischen Adel die bevorzugte philosophische Richtung war. Neben Apollonius besuchte Marcus Vorlesungen mehrerer anderer Philosophen, und auch hier blieb es oft nicht beim Unterricht, sondern es entwickelten sich freundschaftliche Beziehungen. Marcus habe eine natürliche Begabung zur Freundschaft, schrieb Fronto in einem seiner Briefe.

Die Namen der befreundeten Philosophen erfahren wir nicht nur aus der *Historia Augusta*, sondern auch aus dem ersten Buch von Marcus' *Selbstbetrachtungen*. Jahre später zählt er hier in Stichworten alle diejenigen auf, denen er während seiner Kindheit und Jugend begegnet war und denen er für seine charakterliche und geistige Entwicklung etwas zu verdanken hatte. Die siebzehn Abschnitte über siebzehn Personen und ihre Einflüsse sind ein einmaliges autobiographisches Dokument, und erst zwei Jahrhunderte später erhalten wir mit den Bekenntnissen des heiligen Augustinus ein vergleichbares Selbstzeugnis. Es verwundert nicht, daß Marcus als ersten seinen Großvater Annius Verus nennt: Von ihm habe er Güte und Gelassenheit. Es folgen die Eltern: «Vom Ruf und von der Erinnerung an meinen Vater Sittlichkeit und Männlichkeit. Von der Mutter Frömmigkeit und eine offene Hand, dazu nicht nur die Abneigung, Böses zu tun, sondern sich auch nicht bei derlei Gedanken aufzuhalten; ferner Einfachheit im Lebenswandel und Abstand zur Lebensweise der Reichen.» Indem Marcus berichtet, was ihm die einzelnen Angehörigen, Lehrer und Freunde vermittelt haben, gibt er zugleich ein Portrait von ihnen. Bemerkenswert ist das Bild der Mutter, die trotz ihrer Millionen eine bescheidene, hilfsbereite Frau geblieben ist. Der Sohn hing mit ganzer Liebe an ihr, und Fronto schrieb er in einem seiner Briefe, er verzehre sich nach ihr, wenn er sie einige Zeit nicht gesehen habe.

Unter den Philosophielehrern beeindruckte Marcus besonders Sextus von Chaironeia, ein Neffe des großen Schriftstellers und Biographen Plutarch. Mit warmen Worten würdigt er den Griechen: «Von Sextus das freundliche Wesen; und das Beispiel eines väterlich geordneten Hauses; und den Willen, gemäß der Natur zu leben; und die unverstellte Würde; und das Bestreben, sich um seine Freunde zu kümmern; und die Bereitschaft, Ungebildete zu ertragen und solche, die unüberlegte Ansichten haben; und Entgegenkommen gegenüber allen, so daß die Begegnung mit ihm angenehmer als sämtliche Schmeichelei ist, er aber zur selben Zeit bei denen, die ihm begegnen, in höchster Achtung steht; und die Grundsätze festhalten, die für das Leben nötig sind, sie ergreifen, sie unterwegs erproben und richtig anwenden; und niemals den Anschein von Zorn oder einer anderen Leidenschaft erwecken, sondern zugleich völlig leidenschaftslos wie äußerst liebevoll sein; und die Fähigkeit, unaufdringlich zu loben; und Wissensfülle, ohne damit zu prahlen.» Im letzten Abschnitt des ersten Buches dankt Marcus den Göttern und verzeichnet eine Fülle von guten Gaben, die sie ihm gewährt haben, darunter auch: «daß ich nicht allzu lange bei Großvaters Konkubine erzogen wurde, daß ich ferner meine jugendliche Unschuld bewahrte und nicht vorzeitig zum Mann wurde, sondern mir noch Zeit ließ.»

Beim Dank an die Götter fand Marcus zudem liebevolle Worte für seinen Bruder Lucius Verus. Auch Antoninus Pius vernachlässigte seinen zweiten Adoptivsohn nicht. Neun Jahre jünger als Marcus, stand er jedoch immer in dessen Schatten. Als er alt genug für die höhere Bildung war, gaben ihm Fronto und Apollonius ebenfalls Unterricht. Fronto war ein guter Pädagoge und lobte ihn nach Kräften, ohne ihm seinen begabteren Adoptivbruder als Beispiel vor Augen zu halten. Verus interessierte sich für die Vergnügen, die Marcus nicht mochte, für die Bühne, für Gladiatorenkämpfe und Wagenrennen. Auch in anderen Dingen unterschieden sich die beiden. Marcus gab sich mit frugaler Kost zufrieden, während Verus von seinem leiblichen Vater den Hang zu gutem Essen geerbt hatte. Später kam noch der Hang zu schönen Frauen hinzu.

Im Jahre 145 wurde im Kaiserhaus Hochzeit gefeiert; Marcus war vierundzwanzig, Faustina vierzehn oder fünfzehn Jahre alt, beide hatten also das übliche Heiratsalter. Der Senat gab der Braut ein besonderes Hochzeitsgeschenk: Er verlieh ihr den Titel Augusta. Es war ein neuer Hinweis, wer einmal der Nachfolger ihres Vaters werden würde. Zwei Jahre später bekam das Paar eine Tochter. Im Jahr darauf war die Freude noch größer: Faustina gebar zwei Knaben. Die Zwillingsgeburt schien die Dynastie der Antonine auch in der übernächsten Generation zu sichern. Keine Rede war im Augenblick davon, daß zur Sicherung auch einmal Lucius Verus beitragen konnte. Doch in den folgenden Jahren erwies sich immer wieder, wie recht Hadrian hatte, Lucius in die Nachfolgeregelung miteinzubeziehen. Denn über Faustinas Kindersegen stand ein Unstern. Die nächsten zwanzig Jahre, bis etwa 170, hatte sie wenigstens noch neun Geburten; fünf Knaben waren darunter. Doch am Ende überlebte ein Sohn, Commodus, auch er eine Zwillingsgeburt. Keiner seiner Brüder kam über das Kindesalter hinaus. Zäher waren manche seiner Schwestern. Zwar starb die älteste wenige Jahre alt; aber die zweite, Galeria Lucilla, überstand sämtliche Kinderkrankheiten, und Marcus verlobte sie 161 mit Lucius Verus. Die beiden heirateten 163. Als Verus acht Jahre später einem Schlaganfall erlag, hatte das Paar eine Tochter. Commodus blieb somit der einzige männliche Erbe und übernahm den Thron seines Vaters. Gescheitert waren alle Bemühungen, die Hadrian, Antoninus Pius und Marc Aurel unternommen hatten, um die Dynastie auf eine breitere Grundlage zu stellen.

Antoninus Pius starb am 7. März 161, und Marcus rief noch am selben Tag den Senat zusammen. Nachdem er den Senatoren die Todesnachricht verkündet hatte, begrüßten sie ihn als Augustus und erhoben ihn damit offiziell zum Nachfolger des Verstorbenen. Kaum war das geschehen, da sorgte der neue Kaiser für eine Überraschung. Er bat den Senat, auch Lucius Verus zum Kaiser auszurufen. Ein Doppelkaisertum hatte es bisher in Rom nicht gegeben. Trotzdem erfüllten die Senatoren die Bitte. Im stillen wußten sie, daß die Regierung doch eher in den Händen des erfahreneren Marcus liegen werde. Der hatte gute Gründe, mit der Tradition zu brechen. Im Osten rührten sich die Parther, Roms Erbfeinde, unter ihrem König Vologaeses III. Es ging wieder einmal um den alten Zankapfel Armenien. Sollte es zum Krieg kommen, so war es gut, wenn ein Kaiser an der Front stand, während sich der andere zu Hause um die Reichsverwaltung kümmerte. Bei zwei einträchtigen Brüdern an der Spitze war diese Aufgabenteilung möglich, ohne daß es zu Konflikten kam.

Noch im Herbst 161 fielen parthische Truppen in Armenien ein und schlugen den römischen Statthalter, der ihnen mit drei Legionen entgegengetreten war. Marcus rüstete über den Winter zum Gegenschlag, und im Frühjahr 162 zog Verus als Oberkommandierender nach Syrien. Tüchtige Generäle begleiteten ihn, da er genausowenig militärische Erfahrung hatte wie sein Bruder. Nach weiteren Vorbereitungen im syrischen Antiochia begann im Frühjahr 163 der römische Doppelangriff durch Syrien zum Euphrat und durch das kleinasiatische Kappadokien nach Armenien. Beide Vorstöße hatten Erfolg. Die Parther wurden aus Armenien vertrieben, und ein romtreuer Vasallenkönig übernahm die Herrschaft des Landes. Auch in Syrien mußten die Eindringlinge weichen und sich über den Euphrat zurückziehen. Im Jahr darauf trug Avidius Cassius, Verus' bester General, den Angriff nach Mesopotamien hinein, und bis Ende 165 hatten die Römer große Teile des Zweistromlandes erobert. 166 stieß Avidius Cassius sogar über den Tigris nach Medien vor. Vologaeses blieb nichts übrig, als zu kapitulieren. Marcus wollte allerdings Mesopotamien weder zur Provinz machen, wie es Traian 115 getan hatte, noch wie Hadrian auf die Euphratgrenze zurückgehen. Sein Ziel war, Syrien und Armenien auf Dauer zu sichern. Daher richtete er im Norden des Zweistromlandes den Pufferstaat Osrhoëne wieder ein und legte in die Städte Nisibis und Singara römische Besatzungen.

Im Sommer 166 kehrte der siegreiche Verus nach Rom zurück, nachdem er Avidius Cassius als Statthalter von Syrien eingesetzt hatte. Er wäre gern länger im leichtlebigen Antiochia geblieben, aber sein Bruder drängte, denn inzwischen gab es in den Donauprovinzen einen neuen Kriegsschauplatz. Schon seit einiger Zeit waren die Germanenstämme jenseits des Flusses unruhig geworden. Aus dem Norden rückten andere Stämme gegen sie vor, die Vorboten der großen Völkerwanderung. 165 überschritten sechstausend Langobarden und Ubier die Donau und suchten Pannonien heim. Sie konnten vertrieben werden. Aber 167 traf Italien ein Schock, wie ihn das Land seit den Kriegen gegen die Kimbern und Teutonen vor 270 Jahren nicht mehr erlebt hatte: Eine Schar Markomannen und Quaden durchquerte Noricum, überschritt die karnischen Alpen und fiel in Oberitalien ein. Aquileia konnte sich dank seiner Mauern halten, aber das weiter westlich gelegene Städtchen Opitergium wurde dem Erdboden gleichgemacht. Rasch aufgebotene Milizen jagten den Heimkehrenden einen Teil ihrer Beute wieder ab. Der Überfall beseitigte alle Zweifel: Jenseits der Alpen braute sich ein Sturm zusammen, der größer war als der, den Rom gerade im Osten bestanden hatte. Zu allem Unglück hatte der Zug gegen die Parther ein Nachspiel, das dem Reich heftiger und länger zusetzte als der Krieg selbst: Die heimkehrenden Truppen brachten die Pest mit. Man hat vermutet, daß der Seuche in den folgenden fünfundzwanzig Jahren bis zu zehn Prozent der Reichsbevölkerung zum Opfer fielen.

Im Frühjahr 168 brachen Marcus und Verus von Rom auf und marschierten zunächst nach Aquileia, wo das Hauptquartier eingerichtet wurde, dann nach Carnuntum bei Wien. Markomannen und Quaden mußten erkennen, daß Rom zu energischer Kriegführung entschlossen war. Daher setzten sich friedenswillige Kräfte in beiden Stämmen durch und erneuerten frühere Bündnisverträge. Verus' Vermutung, der Krieg sei damit zu Ende, war allerdings voreilig, da sich die Unruhen inzwischen bis zu den sarmatischen und skythischen Stämmen an der unteren Donau und am Schwarzen Meer ausgedehnt hatten. Trotzdem gab Marcus seinem Bruder nach. Sie gingen nach Aquileia zurück, und als selbst dort im Winter die Pest zu wüten begann, beschlossen sie, nach Rom heimzukehren. Doch nach knapp achtzig Kilometern erlitt Verus einen Schlaganfall und starb drei Tage später. Mit achtunddreißig Jahren war er nicht älter geworden als sein leiblicher Vater.

Marcus überführte den Toten nach Rom, wo er vom Senat unter die Götter erhoben und in Hadrians Mausoleum beigesetzt wurde. Nach knapp acht Jahren war das doppelte Kaisertum zu Ende. Ein zweites Mal wollte Marcus das Wagnis zunächst nicht mehr eingehen. Denn konnte er sicher sein, daß sich ein anderer Verwandter oder gar ein Außenstehender, den er zum gleichberechtigten Augustus erhob, bei politischen Entscheidungen so fügen werde, wie das Verus getan hatte? Der jüngere Adoptivbruder hatte sich mit seiner Nebenrolle zufriedengegeben und die Aufgaben erledigt, die der ältere ihm zuwies. Ihre Harmonie war auch deswegen nicht getrübt worden, weil Marcus die leichtlebige

Art des anderen akzeptierte und ihn nicht zu einem Regenten erziehen wollte, der sich wie er in asketischer Pflichterfüllung verzehrte. In den *Selbstbetrachtungen* setzte er ihm ein Denkmal brüderlicher Zuneigung: Verus habe ihn gelehrt, auch an sich zu denken, und habe ihm durch seine Wertschätzung und Liebe Freude bereitet (1,16,6). Vornehmer ließ sich der Gegensatz der Charaktere nicht umschreiben.

Mit Verus' Tod fiel ein ‹Kapital› an Marcus zurück, das sich wieder nutzbringend anlegen ließ, seine Tochter Lucilla, die Frau des Verstorbenen. Noch vor Ablauf des Trauerjahres verheiratete sie der Vater mit Claudius Pompeianus, einem seiner besten Generäle, obwohl weder die junge Witwe noch ihre Mutter den Aufsteiger mochten. Doch konnte man sich den alten römischen Aristokratenstolz noch leisten, wo Pest und Krieg immer größere Lücken in die Reihen adliger Offiziere und Statthalter rissen? Marcus sagte nein und setzte sich gegen Faustina und Lucilla durch. Auch viele andere tüchtige Neulinge machten in dieser Zeit eine rasche Karriere.

Im Herbst 169 brach der Kaiser erneut nach Norden auf. Denn inzwischen waren die Verträge vom Vorjahr nicht einmal mehr das Papier wert, auf dem sie geschrieben standen. In allen Donauprovinzen, von Raetien bis Untermoesien am Schwarzen Meer, tummelten sich die Eindringlinge. Italien war ebenfalls wieder bedroht, und in Griechenland drang eine Schar Kostoboken bis in die Nähe Athens vor. Die lange Front zwang die Römer, die Gegenwehr zu verteilen, und die folgenden beiden Jahre waren zunächst einmal mit kleineren Unternehmungen ausgefüllt. Erst im Spätsommer 171 gelang Marcus ein bedeutender Sieg über die Quaden, die Pannonien räumen und sich zu Friedensverhandlungen bequemen mußten. 172 konnte sich der Kaiser dann auf die Markomannen in Raetien und Noricum konzentrieren. Auch hier blieben die Römer schließlich Sieger, nachdem sie anfangs eine Niederlage erlitten hatten. Marcus stieß sogar über die Donau vor. Im anschließenden Friedensvertrag zwang er die Markomannen, sich dreizehn Kilometer vom Ufer zurückzuziehen. Der Sicherheitsgürtel sollte die Überwachung der Flußübergänge erleichtern.

Es blieb noch der Kampf gegen den dritten Hauptfeind, die sarmatischen Jazygen, die in der Theißebene zwischen den Provinzen Dakien und Oberpannonien wohnten. 173 schlug sie der Kaiser in mehreren Treffen und war schon im Begriff, über die Donau in ihr Stammesgebiet vorzustoßen, als die Quaden vertragsbrüchig wurden und ein weiteres Mal losschlugen. Der Krieg verlagerte sich zunächst wieder westwärts, und 174 sahen die Quaden die Römer in ihrem eigenen Land. Die Überlieferung hat von dieser Strafexpedition ein einzelnes sensationelles Ereignis bewahrt: Überlegenen quadischen Verbänden war es gelungen, eine römische Heeresabteilung im Hochsommer in einer wasserlosen Gegend einzukesseln, und sie warteten nur noch, bis sie den ermatteten

Gegner gefahrlos angreifen konnten. Da entlud sich ein Gewitterregen über den Verdurstenden, die mit Helmen und Schilden das Wasser auffingen. Während sie noch tranken, stürmten die Quaden vor, gerieten aber in Blitz und Hagel. Die Römer nutzten die entstehende Verwirrung und schlugen den Feind in die Flucht. In einem Brief an den Senat schrieb Marcus die wunderbare Rettung einem Gott zu, und der Künstler, der den Vorgang auf der Marcussäule in Rom gestaltete, folgte seiner Auffassung. Unter den hundertsechzehn Szenen der Säule, die die Germanenkriege des Kaisers darstellen, ist das Regenwunder einer der eindrucksvollsten Abschnitte. Die Christen, die im Heer dienten, waren überzeugt, daß ihr Gott, zu dem sie um Hilfe gebetet hatten, sie gerettet habe. Als wenig später der Bischof Apollinaris Marcus eine Schrift schickte, in der er das Christentum verteidigte, führte er das Regenwunder an, um die Loyalität der Christen zum römischen Staat zu beweisen. Andere christliche Schriftsteller folgten ihm.

Im Frühjahr 175 überquerten römische Truppen erneut die Donau, um endlich die Jazygen niederzuwerfen. Marcus zog mit, obwohl er kränkelte. Die Beschwerden in Brust und Magen, die ihn seit seiner Jugend quälten, waren während der jahrelangen Kriegsstrapazen nicht besser geworden. Nur sein eiserner Wille half ihm darüber hinweg. Eine schwere Niederlage machte die Jazygen gefügig, und nach zehn Jahren schien das letzte Kapitel des Germanenkrieges zu Ende zu gehen. Da traf im römischen Lager wieder eine Hiobsbotschaft ein, dieses Mal aus dem Süden: In Syrien war Avidius Cassius von seinen Truppen zum Kaiser ausgerufen worden, und die Nachbarprovinzen Ägypten, Judaea und Arabien hatten ihn sofort anerkannt. Seit über hundert Jahren, seit dem Vierkaiserjahr 68/69, hatte das römische Reich keinen Gegenkaiser mehr gesehen.

Nach und nach kamen die Hintergründe der Usurpation ans Licht: Avidius war zunächst dem Gerücht aufgesessen, Marcus sei an der Donau gefallen. Eine Überlieferung will sogar wissen, daß ihn die um die Dynastie besorgte Faustina früher einmal gebeten habe, für diesen Fall sofort die Herrschaft zu übernehmen, um unliebsamen Konkurrenten zuvorzukommen und die Nachfolge ihres Sohnes zu sichern. Als sich herausstellte, daß das Gerücht falsch war, wollte Avidius nicht mehr zurückgehen und forderte den Senat als verfassungsmäßiges Organ in einem Brief auf, die Proklamation seiner Truppen zu sanktionieren. Das war offene Rebellion, und Marcus mußte handeln. Ein Bürgerkrieg zeichnete sich ab. Doch bevor der Kaiser von der Donau aufbrach, traf die nächste Überraschung ein: Der Rebell war von eigenen Offizieren, die den Bürgerkrieg nicht wollten, ermordet worden. Nach drei Monaten war der Spuk vorbei.

Als Marcus erfuhr, daß Avidius Cassius auch in der Zivilbevölkerung Syriens und Ägyptens großen Zulauf gefunden hatte, entschloß er sich, in beiden Provinzen selbst nach dem Rechten zu sehen. Faustina, die sich mit einer ihrer Töchter im Feldlager aufhielt, und Commodus, den die Eltern aus Rom hatten kommen lassen, begleiteten ihn, als er im Herbst 175 aufbrach. Noch rechtzeitig war es zuvor mit den Jazygen zu einem Friedensschluß gekommen, der die römischen Interessen wahrte. Die Großstädte Alexandria und Antiochia, die Zentren des Aufstandes, zeigten sich nach der Ankunft des Kaisers reumütig, und Marcus war klug genug, auf harte Strafen zu verzichten. Auch mit den nächsten Helfern des Avidius Cassius ging er glimpflich um.

Nach dem Friedensschluß an der Donau und dem Besuch im Osten verlangte die Hauptstadt Rom, ihren Herrscher wieder einmal bei sich zu haben, und die Kaiserfamilie trat den Rückweg über Kleinasien an. Faustina allerdings sollte die Heimat nicht mehr sehen. Sie starb in dem kleinasiatischen Städtchen Halala. Marcus ließ sie einäschern und die Urne später in der Grabstätte der Dynastie, in Hadrians Mausoleum, beisetzen. Auf seine Bitte hin erhob der Senat die Tote zur Göttin. Den Gerüchten, die der Kaiserin und Mutter von dreizehn Kindern einen ausschweifenden Lebenswandel nachsagten, trat ihr Ehemann in Wort und Schrift energisch entgegen. In den *Selbstbetrachtungen* dankte er den Göttern dafür, «daß sie eine solche Frau war, so gehorsam, so liebevoll und so bescheiden».

Die Weiterfahrt führte Marcus über Athen, wo er sich zusammen mit Commodus in den Mysterienkult der Göttin Demeter einweihen ließ, die im benachbarten Eleusis ein berühmtes Heiligtum hatte. Den Sohn stellte der Vater auch in den Vordergrund, als er nach der Rückkehr in Rom am 23. Dezember 176 den Triumph über Germanen und Sarmaten feierte. Um die Mitte des folgenden Jahres gab der Senat Marcus' Wunsch nach und proklamierte den sechzehnjährigen Commodus zum Augustus und Vater des Vaterlandes. Wieder hatte das Reich zwei Kaiser, und die Nachfolge war offiziell geregelt. Für die Regierungsarbeit brachte der Sohn, von dem man sich manchen sadistischen Streich erzählte, vorerst keine Erleichterung. Der Vater trug weiterhin klaglos die ganze Last.

Im Verlauf des Jahres 177 mußte sich Marcus erstmals eingehender mit den Christen befassen. Bisher hatten nur die lokalen Behörden mit den Anhängern der neuen Religion zu tun gehabt. Nun aber war es in Lyon und Vienne zu schweren Ausschreitungen gegen die dortigen Christengemeinden gekommen, und der gallische Statthalter wandte sich deshalb an den Kaiser. Marcus blieb bei der Politik, die Trajan 55 Jahre zuvor festgelegt hatte: Die Behörden sollten nur auf namentliche, nicht auf anonyme Anzeigen gegen Christen vorgehen. Wenn jemand, der des Christseins beschuldigt wurde, durch ein Opfer für die Götter nachwies, daß er kein Christ war oder keiner mehr sein wollte, so war er freizulassen. Wer jedoch das Opfer standhaft verweigerte und damit seinem

Glauben treu blieb, der büßte seine Hartnäckigkeit mit dem Tode. Da wegen der Pest und der langen Kriegszeit viele Gladiatoren eingezogen worden waren, um die Lücken im Heer zu füllen, herrschte Mangel an Fechtern, und deren Preise waren stark gestiegen. Richter kamen deshalb ihren Mitbürgern entgegen, wenn sie Christen zum Kampf in der Arena verurteilten. So mußte die Masse in den Städten nicht auf ihr liebstes Vergnügen verzichten.

177 liefen auch wieder bedrohliche Nachrichten aus der Donauregion in Rom ein. Einmal mehr waren es die Quaden, die keine Ruhe gaben und die markomannischen und jazygischen Nachbarstämme mitzogen. Die Provinzstatthalter waren zunächst gefordert. Aber 178 entschloß sich Marcus, trotz seiner siebenundfünfzig Jahre und zunehmender Erschöpfung, persönlich einen zweiten Germanenkrieg zu führen, um die Ergebnisse des ersten zu verteidigen. Im August brach er auf, und Commodus mußte ihn begleiten. Die Jazygen gaben rasch nach, und 179 konnten sich beide Kaiser mit ganzer Kraft gegen Quaden und Markomannen wenden. Ihr Stammesgebiet wurde mit einem Netz von befestigten Lagern überzogen, die das Umland dauernd beaufsichtigen sollten. Für Marcus war der Aufenthalt im Winterquartier in Sirmium oder in Wien wie früher mit Verhandlungen und Verwaltungsaufgaben gefüllt. Er dachte nicht daran, sich zu schonen, und überhörte warnende Stimmen. Besorgte Beobachter waren daher nicht überrascht, als der Kaiser gegen Ende des Winters ernstlich erkrankte. Rasch verschlimmerte sich sein Zustand. Er empfahl Commodus noch den Generälen und dem Heer, dann starb er am 17. März 180. Vielleicht war die unmittelbare Todesursache die Pest, der der geschwächte Körper keinen Widerstand mehr leisten konnte. Eher aber ist zu vermuten, daß sich Marcus für das Reich aufgezehrt hatte.

Den Verfasser der *Selbstbetrachtungen* schreckte der Tod nicht. Der letzte Satz des Werkes lautete: «Geh nun heiter von dannen; denn auch der, der dich entläßt, tut es heiter.» Marcus beherzigte die Selbstermahnung. Noch auf dem Sterbebett zeigte er gelassene Heiterkeit. Mit der Endlichkeit des Menschenlebens und mit dem Tod hatte er sich schon lange Jahre auseinandergesetzt. Wie ein roter Faden zieht sich das Thema durch die elf Bücher der *Selbstbetrachtungen*, die dem autobiographischen ersten Buch folgen. Aber dazu gibt es eine Begleitmelodie: Solange der Mensch lebt, hat er seine Pflicht gegenüber der Gemeinschaft zu erfüllen. Immer wieder kreist Marcus um diese Forderung und führt Einzelheiten dazu aus. Am eindrucksvollsten äußert er sich zu Beginn des zweiten Buches der *Selbstbetrachtungen*, der vielleicht einmal der Anfang des Gesamtwerkes war:

«Morgens vorweg sich sagen: Zusammentreffen werde ich mit einem Aufdringlichen, einem Undankbaren, einem Hochfahrenden, einem Hinterlistigen, einem Neidischen, einem Eigenbrötler. Alle diese Eigenschaften haben sie, weil sie das Gute und Schlechte nicht kennen. Ich aber habe erkannt, daß das Gute von Natur aus schön, das Schlechte häßlich ist, daß die Natur des fehlerhaften Menschen mit mir verwandt ist, nicht weil er Blut und Samen mit mir teilt, sondern Geist und göttliche Abkunft, schließlich, daß ich von keinem von ihnen Schaden erleiden kann, denn in Häßlichkeit wird mich keiner verstricken. Auch kann ich dem Verwandten weder zürnen noch mich ihm verhaßt machen. Wir sind nämlich zur Zusammenarbeit geboren wie die Füße, die Hände, die Augenlider und wie die oberen und unteren Zahnreihen. Gegeneinander zu handeln ist folglich wider die Natur. Gegenhandlung aber heißt, daß man unwillig ist und sich abwendet.»

Philosophie und Ethik mischen sich in diesem Abschnitt. Alle Menschen, die guten und die schlechten, sind miteinander verwandt, weil sie am Geist Anteil haben. Die geistige Verwandtschaft verpflichtet sie zur Zusammenarbeit. Jeder ist wegen der anderen und für die anderen geboren, nicht nur der Kaiser an der Spitze, sondern auch der einfache Bürger. Der Geist, der die Menschen zu Brüdern macht, verbindet sie zugleich mit den Göttern, die vom selben Geist erfüllt sind. Es ist das stoische Weltbild, das Marc Aurel hier vertritt und das er wie frühere Stoiker mit Anschauungen anderer Philosophenschulen vermischt. Sokrates und Plato folgt er, wenn er erläutert, der Mensch tue nur deshalb Böses, weil er das Gute nicht kenne.

Über Göttern und Menschen, über der irdischen und überirdischen Welt, waltet für Marcus eine göttliche Vorsehung. Sie stellt jeden an seinen richtigen Platz und teilt ihm die Aufgaben zu, die er in der ihm zubemessenen Lebenszeit bewältigen kann. Wer sich daher der Gemeinschaft und ihren Erfordernissen entzieht, versündigt sich nicht nur gegen sie, sondern zugleich gegen die Vorsehung. Ist die Lebenszeit abgelaufen, so verlischt die Seele oder zerfällt in Atome, lebt als Ganzes weiter oder geht in einen anderen Zustand über; Marcus entscheidet sich nicht eindeutig für eine der vier Möglichkeiten. Der Mensch aber, der im Bewußtsein stirbt, seine ganze Kraft für die Gemeinschaft eingesetzt zu haben, hat in der Todesstunde ein gutes Gewissen. Das ist sein Lohn. Marc Aurel hat sich diesen Lohn redlich verdient.

Der Historiker Cassius Dio, dessen politische Karriere unter Commodus begann, schrieb ein halbes Jahrhundert nach Marc Aurels Tod eine Geschichte Roms von den Anfängen bis in seine Gegenwart. Marcus war in seinen Augen ein idealer Herrscher. Schwächen, die er wie jeder Mensch hatte, verblaßten, wenn man ihn mit den Nachfolgern verglich. Daher lautete Dios Urteil: Mit dem Tod des Kaisers ging das Goldene Zeitalter des Römischen Reiches zu Ende, und es begann das Eiserne. Kürzer und besser konnte man Marc Aurel und seine Regierung nicht würdigen.

Commodus
180–192

Von Michael Stahl

Am 17. März des Jahres 180 begann der Niedergang des Römischen Reiches. Das Kaisertum sank «von einem goldenen zu einem eisernen und rostigen» herab. So empfanden es aus der Rückschau nur eines Menschenalters schon die Zeitgenossen (Cassius Dio 72,36,4), und so hat mit ihnen die Nachwelt bis heute immer wieder geurteilt. Der Schauplatz des Geschehens an jenem spätwinterlichen Märztag war Vindobona, das kaiserliche Hauptquartier nahe Wien. Von hier aus wurden die römischen Offensivfeldzüge gegen die Völker und Stämme jenseits der Donau befehligt. Seit dem Spätsommer 178 führte Marc Aurel wieder persönlich jenen Germanenkrieg, der seine Regentschaft schon eineinhalb Jahrzehnte lang überschattet hatte. Mag sein, daß die Härten und Entbehrungen jener Feldzüge durchaus dem stoisch-asketischen Lebensideal des Herrschers entsprachen; jetzt freilich waren die Kräfte des Neunundfünfzigjährigen erschöpft. Auf seinem Totenbett empfahl Marc Aurel seinen Sohn und designierten Nachfolger Commodus der Führung und Beratung seiner bewährten Vertrauten an. Keiner, der ihn in den zurückliegenden Jahren begleitet hatte, konnte etwas anderes erwarten. Was durch rechtswirksame, offizielle Akte und symbolische Gesten zur Genüge begründet worden war, sollte nun umstandslos Realität werden: Der neue Kaiser übernahm als Imperator Caesar Lucius bzw. (seit Oktober 180) Marcus Aurelius Commodus Antoninus Augustus am 17. März 180 die alleinige Herrschaft.

Von den Truppen als Herrscher akzeptiert, brachte Commodus in den folgenden Monaten – der Absichten und Pläne seines Vaters eingedenk – den Germanenkrieg mit militärischen und diplomatischen Mitteln zu dem hart erarbeiteten und unumgänglichen Abschluß. Die Rückreise im Spätsommer wurde zu einem Triumphzug. Als er sich der Hauptstadt näherte, ging dem jungen Kaiser das römische Volk, angeführt vom gesamten Senat, entgegen. Ihr Jubel zeigte das Aufatmen über das Ende der schrecklichen Kriege und die in dem guten Stern des Vaters gründende Hoffnung auf ein glückliches Regiment seines strahlenden Sohnes.

Doch diese hohen Erwartungen, von der kaiserlichen Propaganda in immer schrilleren Tönen als erfüllt proklamiert, vermochte Commodus nicht einzulösen. Am Ende stand er völlig allein. In der Neujahrsnacht von 192 auf 193 wurde der – wie es nun selbst seiner engsten Umgebung schien – der schieren Mordlust verfallene Tyrann das Opfer seines eigenen eskalierenden Wahns: Auf Geheiß seiner Konkubine Marcia, seines Kämmerers Eclectus und des Prätorianerpräfekten Laetus, die um ihr eigenes Leben fürchten zu müssen glaubten, wurde Commodus in seinen Gemächern von einem seiner sportlichen Trainer erdrosselt. Zwölf Jahre und achteinhalb Monate war er Kaiser gewesen, der jüngste, den Rom bis dahin gesehen hatte, und der letzte der antoninischen Familie.

Zeitgenössische Beobachter wie spätere Geschichtsschreiber waren sich in ihrem vernichtenden Urteil über Commodus einig: Nach Caligula und Nero ging er als drittes Monstrum auf dem Kaiserthron in die Geschichte ein, als größenwahnsinniger Gewaltherrscher, der sich für einen Gott hielt und sich zugleich vor aller Augen mit dem Abschaum der Gesellschaft gemein machte, der wie keiner vor ihm sich mit erregter Inbrunst dem Religiösen hingab und zugleich nicht davor zurückschreckte, sich in der Arena als Gladiator zu produzieren. Von den jahrhundertealten gesellschaftlichen und staatlichen Traditionen Roms her konnten in diesem Gebaren nur die Perversionen und Narreteien eines Irrsinnigen gesehen werden. Die willkürliche Gewalt, mit der er in den führenden Schichten wütete, trug ihm außer ihrer Verachtung auch ihren unbändigen Haß ein.

Hiervon sind unsere literarischen Gewährsmänner ausnahmslos geprägt; in den düstersten Farben wird uns die Regierung dieses Herrschers geschildert. Was dabei an Nachrichten geboten wird, ist eher dürftig: Die Auflistung seiner Mordtaten, die Klatschgeschichten über wilde Ausschreitungen und abscheuliche Neigungen dienen einzig dem Ziel, das Bild einer von Kindesbeinen an verbrecherischen und ekelerregenden Kreatur zu zeichnen. Sie sollte in schärfstem Kontrast zum Ideal des Kaisers als des besten Bürgers erscheinen, für das in den gleichen Quellen Commodus' Vater Marc Aurel in einzigartiger Weise steht. Die Figuration der beiden so gegensätzlichen Persönlichkeiten von Vater und Sohn bot den antiken Geschichtsschreibern ein ideales und hochdramatisches Tableau, um die epochale Zäsur historiographisch zu markieren, als die aus der Rückschau die Regierungszeit des Commodus tatsächlich zu gelten hatte. Der Wirkung dieser Rekonstruktion haben sich viele Historiker bis heute nicht entziehen können. Ist jedoch in dem Verweis auf persönliche Nichtsnutzigkeit, moralische Depravation und Caesarenwahn die ganze Wahrheit über Commodus' Kaisertum beschlossen?

Wer so urteilt, muß folgerichtig nach einem Fehler bereits beim Vater suchen: Commodus war – am 31. August 161 in Lanuvium unweit Roms geboren – der erste gleichsam ‹im Purpur› geborene römische Kaiser, denn sein Vater war ein halbes Jahr zuvor inthronisiert worden. Als zehntes von wohl dreizehn Kindern erreichte er als einziger der sieben Söhne das Erwachsenenalter. Bereits die Erhebung des Fünfjährigen zum Caesar im Jahre 166 ließ an der Entscheidung Marc Aurels über seine Nachfolge keinen Zweifel. Er untermauerte sie in der Folgezeit systematisch: Commodus wurde 175 in alle Priesterkollegien aufgenommen, zwei Jahre später wurde er mit der Verleihung des Augustus-Titels und seinem ersten Konsulat zur vollen Mitregentschaft bestimmt. Der Kronprinz war für diesen Zeitpunkt bestens vorbereitet. Marc Aurel selbst äußert sich dankbar darüber, «daß ich geeignete Erzieher für meine Kinder fand». Die besten Köpfe der Zeit befanden sich darunter, und es hat den Anschein, daß ihr Bemühen nicht völlig fruchtlos gewesen sein kann. Commodus bewies einigen von ihnen auch als Kaiser noch seine Anhänglichkeit und Dankbarkeit. Im übrigen betrachtete Marc Aurel offenbar eine Art ‹learning by doing›, wie es sich im Zuge der staatsrechtlichen Kompetenzübertragungen quasi von selbst anbot, für seinen Sohn als vernünftigstes Rezept, in die künftige Rolle hineinzuwachsen. Schon früh wollte er ihn bei seinen Regierungsgeschäften um sich haben und hat ihn auch auf ausgedehnte Reisen mitgenommen.

Der junge Commodus war nicht nur in der Welt des römischen Hofes aufgewachsen, sondern kannte aus eigener Anschauung die nördlichen und östlichen Provinzen des Imperiums. Ihm waren die Lebensbedingungen des Militärlagers ebenso nahegebracht worden wie die geistige Atmosphäre griechischer Universitäten oder die Geheimnisse orientalischer Mysterienkulte. Zusammen mit seinem Vater war er 176 in die Mysterien von Eleusis eingeweiht worden, zusammen mit ihm feierte er im gleichen Jahr seinen ersten Triumph. Nur wenig später verlieh ihm der Senat zum ersten Male Rechte, die Grundlage für eine Herrschaftsübernahme waren. Nirgendwo auf diesem geraden Weg der verfassungsmäßigen formalen Übertragung aller erforderlichen Gewalten gibt es Anzeichen des Zögerns, von Vorbehalten oder gar des Widerstands gegen die von Marc Aurel getroffenen Entscheidungen. Commodus hatte, als sein Vater starb, unbestritten das Recht wie die Zustimmung aller, die Regierung allein weiterzuführen. Niemand konnte dies für eine Fehlentscheidung aus blinder Vaterliebe halten.

«Mein Vater ist in den Himmel erhoben worden und ist nun Gefährte der Götter. Uns aber kommt die Pflicht zu, uns um die irdischen Angelegenheiten zu kümmern und den Erdkreis zu regieren» (Herodian 1,5,6). Mit diesen verständigen Worten soll sich, so sein Biograph, der neue Kaiser unmittelbar nach dem Tod seines Vaters an die versammelten Truppen gewendet haben. Die erste Aufgabe, die er ihnen stellte, war dem Willen des Vaters gemäß die Festigung und Ausweitung der römischen Herrschaft «bis an den Ozean» als Ziel für die Beendigung der Kriege. Der Kaiser als Schützer und Mehrer des Reiches – der topische Charakter dieser Äußerungen läßt sie, unabhängig von ihrer Verwendung durch unsere Quelle, als möglicherweise authentisch erscheinen, gehörten sie doch zum Standardvokabular der rhetorischen Selbstdarstellung jedes Kaisers. Abgesehen davon dürfen wir Commodus – oder wenigstens einigen seiner Berater – durchaus unterstellen, daß sie über das weitere militärische und außenpolitische Vorgehen konkreter umrissene Vorstellungen hatten. Commodus war seit eineinhalb Jahren als – wie er selbst bekundet – «Mitkämpfer» am Oberbefehl seines Vaters beteiligt und gewiß mit dessen Plänen und Optionen engstens vertraut. Die Friedensverträge mit Markomannen, Quaden, Buren und Dakern, die am Ende der sich noch über den Sommer 180 hinziehenden Feldzüge geschlossen werden konnten, lagen denn auch ganz auf der seit vielen Jahren von Marc Aurel verfolgten Linie.

Die antiken Geschichtsschreiber haben Commodus für diese Grenzpolitik scharf kritisiert und ihm vorgeworfen, aus persönlicher Bequemlichkeit die Früchte des Sieges leichtfertig verspielt zu haben. Auch für moderne Negativurteile bot diese angebliche reichspolitische Wende einen tragenden Grund. In Wahrheit freilich kann persönliche Charakterschwäche des Commodus für diese zentrale außenpolitische Entscheidung seiner Regierungszeit keinesfalls verantwortlich gemacht werden. Gewiß hätte der militärische Erfolg auch in den Versuch münden können, in weiten Gebieten nördlich der Donau regelrechte römische Provinzen einzurichten. Das hätte jedoch zumindest die Fortsetzung der Kriege bedeutet, und manch einem der Militärs mag die Aussicht auf weiteren Ruhm allzu verlockend gewesen sein. Commodus hingegen und mit ihm die Mehrheit seiner Berater – denn von Widerstand gegen den eingeschlagenen Kurs hören wir nichts – haben Aufwand und Nutzen derartiger Optionen nüchtern abgewogen und sind dabei zu dem gleichen Ergebnis gekommen wie einst Tiberius, als er auf die Provinzialisierung Germaniens verzichtete, oder wie rund ein halbes Jahrhundert zuvor Hadrian, der einige der Eroberungen seines Vorgängers wieder preisgab.

Sicherung und Ausbau der bestehenden Grenzen blieb die Leitlinie der Politik nach außen auch während der weiteren Regierungszeit des Commodus. Und wiederum ist dies nicht – wie das von einer feindlichen Überlieferung geprägte Bild es will – Zeichen von Trägheit und Desinteresse eines seinen Lüsten hingegebenen Träumers. Vielmehr sind – zumindest in Commodus' Namen und damit auch mit seiner Billigung – bemerkenswerte Anstrengungen unternommen und Erfolge erzielt worden: Die Aufrechterhaltung völkerrechtlicher Beziehungen verlangte, Überwachung und Kontrolle der Grenzen zu intensivieren. Entsprechende Maßnahmen sind unter Commodus an allen Grenzen des Reiches zu beobachten. Zahlreiche archäologische Befunde sowohl entlang der Donau wie am obergermanisch-raetischen Limes belegen den Aus- und Neubau militärischer Anlagen. Während hier die Grenzen spürbar beruhigt werden konnten, hatte Commodus in Britannien den wohl größten Krieg seiner Regierungszeit zu führen. Bewährte Generäle konnten den Einfall nördlicher Stämme zurückschlagen und in der Folge die Grenze auf der zurückgenommenen Linie des Hadrianswalls wieder sichern. Auch die *limites* in Nordafrika waren von dieser Politik nicht ausgenommen. Die Provinzen des Ostens schließlich genossen unter Commodus eine Periode inneren und äußeren Friedens.

Im Bereich der Außen-, Grenz- und Militärpolitik weist die Regierung des Commodus also eine für Rom entschieden positive Bilanz auf: Der Bestand des Reiches konnte gesichert und, wo notwendig, durch loyale Truppen und fähige Generäle verteidigt werden. Ein ähnlich günstiges Zeugnis verdient auch die Reichspolitik nach innen. Trotz schwieriger Quellenlage wegen der über Commodus ausgesprochenen späteren Verurteilung, der *damnatio memoriae*, sowie der Vernichtung großer Archivbestände durch eine Feuersbrunst, die die Hauptstadt im Jahre 191 heimsuchte, sprechen die uns bekannten Zeugnisse von einer auf Kontinuität abstellenden Politik und einer funktionierenden Verwaltung. Nichts spricht dafür, daß diese unter Commodus aus der in der Zeit seiner Vorgänger eingespielten Routine herausgefallen wäre, die sich auch auf scheinbar unbedeutendste Vorgänge erstrecken konnte, wie ein Brief an die sonst unbekannte Stadt Bubon in Lykien über die Bestätigung ihres dreifachen Stimmrechts im Koinon der Lykier zeigt. Auffallend ist, daß Rom selbst offenbar erst gegen Ende von Commodus' Regierung verstärkt das Interesse des Kaisers fand, während vor allem in den afrikanischen und östlichen Provinzen von Beginn an Zeugnisse seines Wirkens begegnen.

Am bekanntesten und für die Wirtschafts- und Sozialgeschichte der Kaiserzeit in mehrfacher Hinsicht von Bedeutung ist eine Inschrift aus der Provinz Africa von 182 (gefunden an der Straße von Carthago nach Bulla). Sie dokumentiert eine Petition der Pächter einer kaiserlichen Domäne an den Kaiser. Die Kleinbauern beschweren sich, daß ihr Großpächter, gedeckt von den Gutsverwaltern und Prokuratoren der kaiserlichen Distrikts- und Zentralverwaltung, aufgrund der Gesetzeslage ungerechtfertigt hohe Arbeitsleistungen und Abgaben von ihnen verlange und dies mit Gewalt – unter Einsatz von Soldaten – durchzusetzen versucht habe. «Komm uns zu Hilfe», rufen sie die «göttliche Vorsorge» des Kaisers an, «und da wir kleinen Bauersleute, die mit ihrer Hände Arbeit ihren Lebensunterhalt fristen, dem durch seine verschwenderischen Geschenke sehr beliebten Großpächter bei Deinen Prokuratoren nicht gewachsen sind, ... hab Mitleid mit uns und geruhe durch Dein heiliges Reskript anzuordnen, daß wir nicht mehr zu leisten brauchen, als wir nach dem Hadrianischen Gesetz und den Schreiben Deiner Prokuratoren verpflichtet sind, ... damit wir ... durch die Gunst Deiner Hoheit nicht weiter von den Pächtern der fiskalischen Ländereien behelligt werden...» (*Corpus Inscriptionum Latinarum* 8,10570). Die Antwort des Herrschers entspricht dem Gesuch – mit Verweis auf seine «Gewohnheit». Der vielgescholtene Tyrann ist hier gegenüber seinen fernen Abhängigen der treusorgende Herr, der – nicht anders als etwa ein Plinius der Jüngere am Anfang des Jahrhunderts – auch dem Geringsten Gehör gibt und nach humanitären Grundsätzen entscheidet.

Der direkte Appell an die Gerechtigkeit und Fürsorge des Patrons hat bei Commodus auch in anderen Fällen gefruchtet: Eine eigene Flotte für den der Versorgung Roms dienenden Getreideexport aus Africa wurde geschaffen; der Kaiser leistete Hilfe bei Naturkatastrophen; mit seiner Unterstützung wurden in zahlreichen Städten Bauten errichtet; er übernahm kostspielige Ehrenämter – etwa in Athen, womit er Signalwirkung auf die ganze griechische Welt ausübte. Die dem 2. Jahrhundert vertraute kaiserliche Zuwendung zu den Untertanen tut sich hierin ebenso kund wie in den Ehreninschriften und Kultvereinen, durch die die Reichsbewohner ihre Dankbarkeit und die Beliebtheit des Herrschers zum Ausdruck brachten. In all dem unterscheidet sich Commodus von seinen Vorgängern nur graduell durch ein verringertes Ausmaß seiner Großzügigkeit. Doch liegt dies wohl weniger an hemmungsloser Verschwendung der kaiserlichen Hofhaltung, auch wenn man diese bescheiden nicht wird nennen können, oder an Geldgeschenken für Soldaten und städtische Bevölkerung, die in Wirklichkeit eher zurückhaltend waren. Vielmehr haben die langen und schweren Kriege sowie die Pestseuche, die seit Marc Aurels Zeiten nicht erloschen war und sich 189 noch einmal zu einem traurigen Höhepunkt steigerte, eine allgemeine wirtschaftliche Verschlechterung zur Folge gehabt. Commodus hat von seinem Vater eine schon fast leere Staatskasse und einen bereits angegriffenen monetären Standard übernommen. Bemerkenswert ist daher eher, daß sich die Verschlechterung der Silbermünzen während seiner Regierung in Grenzen hielt und daß er auch die Steuerlast nicht erhöht hat.

Wieviel von dieser Regierungsleistung, die den Vergleich mit anderen durchaus nicht zu scheuen braucht, letztlich auf persönlichem Handeln und Einwirken von Commodus selbst beruht, können wir selbstverständlich nicht wissen. Immerhin wird keiner der verantwortlichen Beamten ohne den Segen des Kaisers bestallt worden sein. Und dies waren keineswegs jene nichtswürdigen Kreaturen, von denen sich Commodus sehr bald angeblich völlig abhängig gemacht hat. Vielmehr wurden die alles in allem friedlichen und teilweise sogar – wie in Africa – prosperierenden Zustände in den Provinzen des Reiches durch eine ganze Reihe fähiger Statthalter gefördert, von denen manche ihre Karrieren bereits unter Marc Aurel begonnen hatten oder auch unter Septimius Severus weiter fortsetzten.

Auch in der Zentrale der Regierung in Rom verfügte Commodus über tüchtiges Personal. Dennoch hat er hier mit der Praxis seiner Vorgänger radikal gebrochen. Bemühten sich diese, bei allen ihren Entscheidungen die altehrwürdige Institution des Senats wenigstens mit einzubinden, so hat Commodus den Senat von den Regierungsgeschäften praktisch ausgeschaltet und sich stattdessen ganz auf einzelne Persönlichkeiten gestützt. Diese kamen nicht aus der Senatsaristokratie, sondern waren Ritter und Freigelassene. Sie fungierten als eine Art Hausmeier oder Großwesire, und Commodus vertraute ihnen die Leitung des Staates vollkommen an. Langweiliges Aktenstudium, endlose Audienzen oder zahllose Besprechungen mit den Ressortvorstehern der Verwaltung waren seine Sache nicht. Er wollte nur Herrscher sein und überließ das tägliche Regieren einem anderen. Dieser war Befehlshaber der kaiserlichen Leibgarde (Prätorianerpräfekt) und besaß dadurch die nötige Nähe zum Kaiser selbst und zur Armee, um eine nie dagewesene Machtfülle im kaiserlichen Regierungsapparat zu erlangen.

Die Prätorianerpräfekten – allen voran der Ritter Tigidius Perennis, der zwischen 182 und 185, sowie der Freigelassene Marcus Aurelius Cleander, der von 185 bis 189 die Fäden in der Hand hielt – errichteten in Rom ein absolutes Regime. Nichts und niemand kam an ihnen vorbei. Mit hoher wirtschaftlicher und administrativer Begabung konnten sie ihrem Herrn in den Provinzen des Reiches einen guten Namen schaffen. In Rom jedoch haben sie ihre Macht in skrupellosester Weise ausgebaut und behauptet: durch gnadenlose Ermordung aller Gegner, durch hemmungslose persönliche Bereicherung, durch korrupte und intrigante Steuerung einer Hofkamarilla. So mächtig sie auch waren, so schnell konnten sie allerdings auch stürzen, sobald der Kaiser ihnen die Gunst entzog, weil ihm ihre selbstherrlichen Ambitionen plötzlich bedrohlich erschienen – wie im Falle des Perennis – oder weil ihr rücksichtsloses Gebaren – etwa das kalkulierte Horten von Getreide durch Cleander – dazu führte, daß der Volkszorn entfacht, die Hauptstadt von Unruhen erschüttert wurde. Commodus ließ sie umbringen und sich als Retter des Vaterlandes feiern.

Obgleich Commodus auf diese Weise das Reich für eine gewisse Zeit durchaus effektiv regieren und seine eigene Position vor der stadtrömischen Bevölkerung immer wieder festigen konnte, hat er mit dieser neuen Art eines absolutistischen Hofregiments die bisher allseits anerkannten und bewährten Geschäftsgrundlagen der Kaiserherrschaft verlassen. Die seit Augustus etablierte politische Ordnung konnte nur dann reibungslos funktionieren, wenn der Herrscher zuallererst den Ausgleich und das Einvernehmen mit der Senatsaristokratie suchte und bekundete. Ohne deren loyale Beteiligung an der Regierung des Weltreiches konnte keiner der Kaiser bestehen – auch Commodus nicht, obwohl sich am Ende des 2. Jahrhunderts die Gewichte bereits deutlich zugunsten des dem Kaiser persönlich viel enger verbundenen Ritterstandes verschoben hatten. Dennoch hatte zuletzt Marc Aurel so peinlich genau wie wenige seiner Vorgänger wieder auf die Einhaltung der Spielregeln im Verkehr zwischen Kaiser und Senat geachtet, und die heilsame Wirkung dieses bisherigen Komments für den inneren Frieden wurde noch einmal tief empfunden. Hierfür vermochte der Kronprinz offenbar kein Sensorium zu entwickeln – sei es, daß er, immer mit dem Blickwinkel von innen, die wahren Machtverhältnisse allzufrüh zu durchschauen lernte, sei es, daß er, durch den Willen des Vaters selbst der eigenen künftigen Stellung schon lange sicher, in jugendlichem Überschwang sich mit der mühevollen Aufrechterhaltung der traditionellen Formen nicht länger aufhalten wollte. So lebte er seine absolute Macht von Anfang an ohne Zurückhaltung aus und scheute auch nicht die offene Konfrontation mit dem Senat. Die Folgen waren unausweichlich: wiederholte Verschwörungen und Attentate – die einzigen Mittel, die der brüskierten und bedrohten Aristokratie in einer solchen Situation blieben. Im Gegenzug wuchsen Commodus' Mißtrauen und seine Angst vor tödlicher Bedrohung. Diese Furcht aber war ihm bis zur Übernahme der Alleinherrschaft ganz unbekannt gewesen, und er wußte ihr nicht anders zu entgehen, als sich in seinem Palast abzuschotten und den direkten Umgang mit dem Senat einzustellen. Das steigerte die Entfremdung von diesem und verstärkte die Neigung zu absolutistischen Regierungspraktiken. So war die Beziehung zwischen Senat und Kaiser sehr bald unheilbar zerrüttet.

«Dem Senat war er dermaßen verhaßt,» bemerkt der Biograph, «daß er seinerseits durch sein Wüten diese erlauchte Körperschaft zu vernichten trachtete und, weil er sich verachtet sah, grausam wurde» (*Historia Augusta, Commodus* 3,9). Auf den geräumten Bänken in der Kurie nahmen in großer Zahl neue Leute, *homines novi*, aus dem Ritterstand, ja sogar Freigelassene Platz. Ihrer Loyalität konnte Commodus sicher sein, mit ihnen besetzte er die hohen militärischen Kommandostellen. Und sie sorgten dafür, daß der Senat den Kaiser aus der Ferne willfährig akklamierte. Am Ende stand die Selbsterniedrigung zum *senatus Commodianus*. Doch blieb dies nicht nur ein durch Terror und Speichelleckerei erzwungenes, vorübergehendes Possenreißen. Die ehrwürdigste Institution des römischen Staates hat sich von den Genickschlägen, die ihr Commodus versetzt hat, nämlich auch später nicht wieder in der ihr seit Augustus zugeschriebenen Rolle regeneriert. Nicht erst seit Commodus und weit über ihn hinaus hat sich zusammen mit der Stellung des Kaisers selbst auch der Senat in seinem inneren Gefüge und seinem Selbstverständnis tiefgreifend verändert. Commodus konnte die alten Strukturen so leicht nur angreifen und zerstören, weil sie schon brüchig geworden waren. Was aber sollte an ihre Stelle treten?

Weit davon entfernt, sich des Problems als solchem bewußt zu sein oder die historische Wendemarke, an der er stand, bewußt wahrzunehmen, hat Commodus instinktiv und geradezu wie im Fieber um eine neue Gründung seines Herrschertums gerungen. Er suchte nach einer anderen Sinngebung für das Kaisertum, nach einer überzeugenden Formulierung seines Wesens. Dies trieb ihn zu verzückter, ins Wahnhafte gesteigerter Hingabe an religiöse Mächte und zu den bizarren Aufzügen im persönlichen Habitus während seiner letzten Jahre. Neben der brutalen Vernichtung seiner senatorischen Feinde riefen vor allem diese Formen seines Auftretens und seiner Selbststilisierung jenen Abscheu hervor, der sich in unserer literarischen Überlieferung Luft macht.

Als erstes nahmen die Götter der östlichen Provinzen von der Hauptstadt Besitz: Die kleinasiatische Kybele, der ägyptische Sarapis, der syrische Sonnengott, der ostanatolische Dolichenus, der persische Mithras und Mâ aus Kappadokien. Gewiß waren sie schon längst toleriert und genossen vielfache Verehrung im ganzen Imperium. Allein der Fanatismus, mit dem sich ihnen der junge Kaiser selbst hingab, wenn er beispielsweise kahlgeschoren, angetan mit dem Gewand des ägyptischen Priesters, in der Prozession zu Ehren der Isis das Bild des schakalköpfigen Gottes Anubis trug und mit ihm die Teilnehmer der Feier blutig schlug, oder wenn er die Riten für Mâ oder das Mysterium des Mithras in einen Blutrausch steigerte, bei dem auch Menschenblut fließen mußte. Diese Exzessivität und das völlige Aufgehen und die Preisgabe der heiligen Person des Kaisers im religiösen Ritus verliehen den Kulten der orientalischen Götter eine neue Bedeutung: Sie erhielten nicht nur völlig gleichberechtigten Sitz am römischen Götterhimmel, sondern der Kaiser war der allgewaltige Herrscher über den Erdkreis, indem er ihr erster Diener wurde, der Frömmste unter den Sterblichen und damit zugleich der alle überragende Mittler zwischen Himmel und Erde. Er kündete von der Herrschaft der göttlichen Allmacht, die jenseits des Sichtbaren und Aussprechbaren in den ewigen Kreisläufen des Kosmos ihr Regiment ausübt.

Die bunte und vielgestaltige neue Götterwelt hatte mit dem traditionellen Polytheismus nicht mehr viel gemein. Sie bezeugte vielmehr das Bedürfnis nach monotheistischen Glaubensformen, deren Bilder vom entrückten Königtum des Einen und Allerhöchsten sprachen und deren Riten völlige Hingabe bis zur Auslöschung der leiblichen Existenz forderten, damit Geist und Seele wiedergeboren und für die ewige Schau Gottes bereitet werden konnten. Commodus hat sich ganz offen, mitten in Rom und als römischer Imperator mit fanatischer Wut dieser religiösen Gefühlswelt des Orients verschrieben. Er wurde dafür von den einen als Verräter an den überkommenen Dogmen und Anschauungen gebrandmarkt. Die weithin im Volk umlaufenden Hoffnungen und Verheißungen jedoch fanden plötzlich mächtige Resonanz im Monarchen selbst, der mit glühendem Eifer in die Geheimnisse des Erlösungsglaubens eintauchte und dessen offizielle Propaganda Illusionen vom Anbruch eines goldenen Märchenreiches vorgaukelte. Solange die Beschwernisse des Alltags dem nicht allzu spürbar widersprachen, dürfte diese Zurschaustellung religiöser Traumwelten Commodus die erwünschte Popularität eingetragen haben, auch wenn der vor ihm entrollte religiöse Bilderbogen für den einfachen Mann am Ende noch allzu verwirrend geblieben sein mag.

Leichter faßlich für das zuschauende Volk in Rom wie in den griechischen Städten war eine andere bildhafte Manifestation der Religiosität des Herrschers: In seinen letzten Jahren schlüpfte Commodus zunehmend in die Gestalt des Halbgottes Herakles, den er in theatralischer Kostümierung leibhaftig zu verkörpern vorgab. Herakles, einer der beliebtesten Schutzgötter, war von Beginn an ständiger Begleiter des Kaisers, am Ende ließ sich dieser in exorbitanter Selbstapotheose als römischer Hercules ansprechen und feiern. Die Kolossalstatue Neros, inzwischen in eine Apollon-Helios-Darstellung umgewandelt, wurde erneut umgearbeitet in eine Heraklesfigur mit den Zügen des Commodus. Das Bild des göttlichen Kaisers Commodus/Herakles wurde auf Münzen und durch Statuen überall im Reich verbreitet.

In diesen Zusammenhang gehören schließlich auch Commodus' Auftritte als Gladiator oder Tierjäger im Amphitheater. Was den anwesenden Senatoren als lächerliche und entwürdigende Maskerade erschien, die nur einem durch und durch verderbten Charakter in den Sinn kommen konnte, war für Commodus und wohl auch manche seiner Zuschauer die handgreifliche Vergegenwärtigung und geradezu rituelle Beglaubigung der alles überragenden Tugend (*virtus*) des wiedererschienenen Gottes Herakles.

Daß Commodus' Träume von seinem neuen Kaisertum zumindest gegen Ende, als er nach dem Brand Roms dieses als nach ihm benannte Stadt, *colonia Commodiana*, neu gründen und die Monatsnamen entsprechend seinen eigenen Titeln und Namen umbenennen wollte, in ihrer maßlosen Übersteigerung die Ausgeburten eines Wahns waren, dem freilich auch hier eine innere Folgerichtigkeit nicht abzusprechen ist, soll nicht bestritten werden. Gleichwohl braucht man nicht das Klischee von Caesarenwahnsinn und geistiger Umnachtung zu bemühen, um das Wirken dieses Kaisers zu erklären. Er war der erste, der die inneren Widersprüche, in die die alte Ordnung zunehmend geraten war, erspürt hat und nicht bereit war, sie länger zu ertragen. Wenn er die alte Welt nicht mit einem Mal zerstören und durch eine neue ersetzen konnte, so wird man ihm dies schwerlich zum Vorwurf machen können. Zu diffus war das Neue, das da anbrach, zu wenig zwingend eine der sich anbietenden Formen für eine Lösung. Bis diese sich herauskristallisiert hatte, sollte es noch ein ganzes unruhiges Jahrhundert dauern. Und es bedurfte dazu Gestalten vom Range eines Diocletian und Konstantin I. Commodus immerhin war ein erster wagemutiger wie rücksichtsloser Experimentator, der in seinem krausen und nicht selten grausigen Laboratorium einige der Elemente, aus denen diese Zukunft einmal bestehen sollte, zum ersten Mal ernsthaft ausprobiert hat.

Pertinax
192–193

Von Alfons Rösger

In der Nacht zum 1. Januar 193 wurde Kaiser Commodus auf Veranlassung seines Prätorianerpräfekten Laetus ermordet. Eingeweiht in das Komplott waren Marcia, die Geliebte des Commodus, sowie der kaiserliche Kammerdiener Eclectus. Die Verschwörer, denen eher zufällig eine Hinrichtungsliste von des Kaisers Hand zur Kenntnis kam, die auch ihre Namen enthielt, hatten aus dem Augenblick heraus gehandelt. Sie mußten nun schnell einen geeigneten Nachfolger finden. Ihre Wahl fiel auf Pertinax. Publius Helvius Pertinax war amtierender Stadtpräfekt und ordentlicher Konsul des Jahres 192. Er war im Augenblick wahrscheinlich der ranghöchste in Rom anwesende Kandidat, der für eine Herrschaftsübernahme in Betracht kam.

Pertinax wurde am 1. August 126 als Sohn des Helvius Successus, eines Freigelassenen, in Ligurien geboren. Sein Vater betrieb eine Wollfilzmanufaktur. Er ließ seinem Sohn eine gründliche Schulausbildung zuteil werden, die bei diesem offenbar auf fruchtbaren Boden fiel. Jedenfalls versuchte Pertinax zunächst, seinen Lebensunterhalt als Grammatiklehrer zu verdienen. Als ihm dies zu wenig einbrachte, bemühte er sich mit Hilfe einflußreicher Gönner – beispielsweise des Senators Claudius Pompeianus, des späteren Schwiegersohnes Marc Aurels – um eine Stelle in der römischen Armee. Er hatte Erfolg. Es sieht so aus, als habe er dabei zugleich die Aufnahme in den Ritterstand und den Sprung in eine ritterliche Offizierslaufbahn geschafft.

Die früheste sicher bezeugte Charge des Pertinax ist ein Kohortenkommando in Syrien. Er trat es um 160, also noch zur Zeit des Antoninus Pius, an. Pertinax war bereits 34 Jahre alt, begann folglich vergleichsweise spät mit dem Militärdienst. Gleichwohl war es der Beginn einer langen und erfolgreichen Karriere. In den folgenden 32 Jahren bekleidete er unter Antoninus Pius, Marc Aurel und Commodus alles in allem 20 ritterliche und senatorische Dienststellungen und Ämter. Einen

Großteil seines Dienstes leistete er in den Donauprovinzen ab, doch begegnet er uns auch in Britannien, Niedergermanien, Africa und Syrien in verschiedenen Funktionen. Hinzu kommen stadtrömische Ämter sowie Verwaltungsaufgaben in Italien. Seine größte Wirksamkeit entfaltete Pertinax jedoch während der Markomannenkriege Marc Aurels. So hatte er als Unterfeldherr des Claudius Pompeianus im Jahre 171 maßgeblichen Anteil an der Vertreibung der Markomannen aus Oberitalien. Marc Aurel belohnte ihn durch Aufnahme in den Senat und beförderte ihn zum Legionskommandeur, als der er in den folgenden Jahren bedeutende Erfolge erringen konnte. In seiner senatorischen Karriere stieg er daraufhin zum Konsul für das Jahr 175 auf. Zwischen 176 und 180 war er noch Statthalter der konsularischen Provinzen Niedermoesien, Obermoesien, Dakien und Syrien.

Am 17. März 180 starb Marc Aurel. Um diese Zeit kehrte Pertinax nach Rom zurück. Unter der Regierung des Commodus erfuhr seine Karriere zunächst eine Unterbrechung. Er mußte sich auf Betreiben des Prätorianerpräfekten Perennis für einige Jahre nach Ligurien zurückziehen. Nach dessen gewaltsamem Ende im Jahre 185 wurde Pertinax jedoch von Commodus rehabilitiert und wieder mit wichtigen Verwaltungsaufgaben betraut, so etwa mit den Statthalterschaften von Britannien und Africa und mit der Stadtpräfektur. Den Höhepunkt von Pertinax' Laufbahn bildete der ordentliche Konsulat für 192, den er zusammen mit dem Kaiser antreten durfte.

Noch in der Mordnacht selbst begaben sich die Commodusverschwörer Laetus und Eclectus mit einigen Eingeweihten zum Stadthaus des Pertinax und trugen ihm die Kaiserherrschaft an. Pertinax war überrascht. Er dachte laut Herodian sogar im ersten Augenblick, Commodus habe ihm ein Mordkommando ins Haus geschickt. Daher fügte er sich dem Drängen der Verschwörer erst, nachdem er sich vom Ableben des Commodus überzeugt hatte. Man machte sich umgehend ins Prätorianerlager auf. Über die Vorgänge dort weichen unsere Quellen in wichtigen Einzelheiten voneinander ab, stimmen jedoch in dem entscheidenden Punkt überein, daß die Prätorianer sich nur mit Mühe dafür gewinnen ließen, Pertinax zum Kaiser auszurufen.

Dies geschah noch vor Mitternacht. Vom Lager zog man zur Kurie weiter. Hier hatten sich, ungeachtet der nächtlichen Stunde, zahlreiche Senatoren versammelt. Cassius Dio, der ebenfalls anwesend war, spricht von einem «Gedränge». Pertinax teilte zunächst mit, er sei von den Soldaten zum Herrscher ausgerufen worden, sprach dann aber davon, wegen seines Alters, seiner geschwächten Gesundheit und der schwierigen Lage des Staates auf das Kaisertum verzichten zu wollen. Allein, die Senatoren sprachen ihm ihre Billigung aus und wählten ihn zum Kaiser. Den Commodus erklärten sie zum Staatsfeind. Dabei wurden im Senat und beim Volk in Sprechchören zahlreiche Verwünschungen gegen den toten Kaiser laut. Von der Kurie geleitete man Pertinax im Morgengrauen des Neujahrstages 193 in den Kaiserpalast.

Pertinax war damit in Besitz der Herrschaft gelangt. Die Frage war nun, ob er sie auch auf Dauer würde behaupten können. Das eigentliche Problem stellten die Prätorianer dar. Sie hatten Pertinax nur sehr zögernd akzeptiert. Sie fürchteten – offenbar zu Recht –, Pertinax werde die unter Commodus eingerissene Disziplinlosigkeit nicht dulden. Und in der Tat hatte er sich laut Cassius Dio bereits in seiner ersten Ansprache an die Soldaten, als er sich als Kandidat für die Nachfolge des Commodus vorstellte, genau in diesem Sinne geäußert. Folgerichtig erteilte er am ersten Tag seiner Regierung dem wachhabenden Offizier die Parole: «Seien wir Soldaten!» Der darin anklingende Vorwurf brachte die Truppe gegen ihn auf, und so «sannen sie», wie wir aus seiner Vita in der *Historia Augusta* erfahren, «von Stund an auf einen Wechsel im Regiment». Einen ersten Umsturzversuch unternahmen sie bereits am 3. Januar. Der als Gegenkaiser ausersehene Kandidat entfloh jedoch den Prätorianern, so daß dieser Versuch scheiterte. Offenbar stand aber auch der Senat am Anfang keineswegs so geschlossen hinter dem neuen Herrscher, wie uns der Bericht des Cassius Dio glauben machen will. Laut der *Historia Augusta* übte noch vor der Kaiserwahl der für 193 designierte Konsul Falco offen Kritik an Pertinax.

Pertinax versuchte, den Prätorianern entgegenzukommen und bestätigte alles, was Commodus ihnen gewährt hatte. Dafür benötigte er Geld, während die Staatskasse praktisch leer war. So veranstaltete er zum Beispiel eine Versteigerung der privaten Habe des Commodus, zu der außer Luxusgegenständen aller Art auch Hofschranzen, Lustknaben und Konkubinen des Kaisers gehörten, soweit es sich bei diesem Personenkreis um Unfreie handelte. Der Erlös aus dieser Auktion war beträchtlich. Ferner senkte Pertinax die Ausgaben für die eigene Hofhaltung auf die Hälfte. Es gelang ihm durch diese und andere Maßnahmen, die nötigen Mittel in die Hand zu bekommen, mit denen er die dem Militär und dem Volk gemachten Versprechungen erfüllen konnte. Zugleich brachte er auch die Staatskasse wieder in Ordnung.

Seine Herrschaft vermochte er jedoch auf diese Weise nicht zu festigen. Die Prätorianer blieben ihm weiter feindlich gesonnen, und auch ihr Präfekt Laetus, der Pertinax zur Herrschaft verholfen hatte, verhielt sich ihm gegenüber zunehmend illoyal.

Man versuchte zunächst, Falco zum Gegenkaiser zu machen. Dieses Komplott konnte Pertinax durch schnelles Handeln noch vereiteln. Als der Senat Falco wegen Hochverrats zum Tode verurteilen wollte, widersetzte sich Pertinax und erwirkte für ihn sogar Straffreiheit. Laetus seinerseits ließ im Verfolg dieser Sache – angeblich auf Geheiß des Pertinax – eine Anzahl Prätorianer hinrichten. Daraufhin fürchteten viele der übrigen ein ähnliches Schicksal und meuterten. Eine Schar von 200 Mann stürmte zum Kaiserpalast und drang mit gezückten Schwertern ein. Pertinax, der sich nach Dio durchaus hätte verteidigen oder verbergen können, ging den Angreifern entgegen. Sein Erscheinen machte Eindruck. Die Soldaten steckten ihre Schwerter ein und senkten den Blick. Einer jedoch sprang gegen Pertinax vor mit den Worten: «Dieses Schwert da haben dir die Soldaten geschickt!» und versetzte ihm einen Streich. Da hielten sich auch die anderen nicht mehr zurück und schlugen Pertinax und Eclectus, der seinem Herrn bis zuletzt die Treue gehalten hatte, nieder. «Sie schlugen der Leiche des Pertinax den Kopf ab, steckten ihn auf eine Lanze und rühmten sich ihrer Tat», endet Cassius Dio seine Mordschilderung. Pertinax starb am 28. März 193 im 67. Lebensjahr nach einer Herrschaft von nur 87 Tagen.

Seine Mörder begaben sich ins Lager zurück und schlossen sich ein. Von der Lagermauer herab boten sie mit lauter Stimme die Kaiserwürde dem Meistbietenden an. Zwei Interessenten, Titus Flavius Sulpicianus, Stadtpräfekt und Schwiegersohn des Pertinax, sowie Didius Iulianus, boten bei dieser Versteigerung um die Wette. Das Rennen bei diesem «üblen Handel, der der Würde Roms in keiner Weise entsprach», um Cassius Dio zu zitieren, machte am Ende Didius Iulianus. Er versprach den Prätorianern ein Donativ von 25 000 Sesterzen pro Mann. Gegen ihn riefen die Provinzarmeen sehr bald zwei Gegenkaiser aus, Septimius Severus in Oberpannonien und Pescennius Niger in Syrien. Septimius Severus zog mit Heeresmacht gegen Rom, wobei er sich den Anschein gab, er komme als Rächer des Pertinax. Der Senat erkannte ihn als Kaiser an und erklärte Didius Iulianus für abgesetzt. Gleichzeitig beschloß er für Pertinax göttliche Ehren. Didius Iulianus wurde am 2. Juni 193 nach einer Regierung von nur 66 Tagen getötet. Am 9. Juni zog Severus in Rom ein. Zu seinen ersten Regierungshandlungen zählte die Auflösung der Prätorianergarde, die er für den Mord an Pertinax verantwortlich machte. Dann richtete er für ihn ein Staatsbegräbnis aus, bei dem ein wächsernes Abbild den schon seit gut zwei Monaten toten Kaiser repräsentierte, und ließ ihn in die Zahl der vergöttlichten Herrscher aufnehmen. Auch fügte er den Namen Pertinax in seinen eigenen Herrschernamen ein und gab so zu verstehen, daß er sich der Politik seines Vorgängers verpflichtet fühlte.

Septimius Severus
193–211

Von Anthony R. Birley

Lucius Septimius Severus wurde am 11. April 145 im nordafrikanischen Lepcis Magna als Sohn des Publius Septimius Geta und der Fulvia Pia geboren. Seine ursprünglich phönikische Heimatstadt, die seit dem Anfang des 2. Jahrhunderts den Status einer römischen Kolonie hatte, war eine der größten Städte Afrikas geworden. Die Mutter des Severus war Mitglied einer der wenigen italischen Einwandererfamilien von Lepcis, die Septimii entstammten der einheimischen Elite. Der gleichnamige Großvater des Kaisers trug als ‹Bürgermeister› von Lepcis erst einen phönikischen und dann, nach der Verleihung des Kolonieranges, einen römischen Titel. Vorher hatte er einige Jahre in Rom bzw. auf seinem Landgut bei Veii verbracht, wurde römischer Ritter und verkehrte mit der stadtrömischen Führungsschicht, unter anderem mit dem Dichter Statius, der ihm eine Ode widmete. Der Vater des Kaisers, Geta, hat offenbar keine öffentlichen Ämter angestrebt; aber zwei seiner engeren Verwandten, wahrscheinlich seine Vettern, Publius Septimius Aper und Gaius Septimius Severus, wurden Mitglieder des römischen Senats und Konsuln. Letzterem, seinem Onkel, verdankten Severus und wohl auch sein Bruder Geta den Aufstieg in den Senat am Ende der sechziger Jahre, während der Regierungszeit von Marc Aurel und Lucius Verus. Trotz der ‹Romanisierung› der Familie war Severus von der afrikanischen Heimat sein Leben lang geprägt: Er sprach Latein mit ‹afrikanischem› Akzent und beherrschte die einheimische punische Sprache fließend.

Anders als sein Bruder leistete Severus keinen vorsenatorischen Militärdienst. Die erste bekannte Stufe in seiner Laufbahn ist die Quästur im Jahre 170. Ausnahmsweise hat man ihn danach, vermutlich wegen des durch die Pest verursachten Personalmangels, mit einer zweiten Quästur beauftragt. Er sollte dieses Amt in der Baetica ausüben, wurde aber im letzten Moment nach Sardinien geschickt – wegen einer Invasion der Mauren in Südspanien, derzufolge die Baetica Teil eines militärischen Sonderkommandos wurde. Nach dem Dienst in Sardinien wurde Severus von seinem Onkel, inzwischen Statthalter in Afrika, als dessen Legat gewählt. Severus besuchte als hoher Amtsträger seine Heimatstadt und hat sich laut der *Historia Augusta* ziemlich arrogant benommen. Die beiden Severi werden auf einem Ehrenbogen genannt, der 174 in Lepcis errichtet wurde. Ansonsten hat er «um jene Zeit in irgendeiner afrikanischen Stadt einen Sterndeuter befragt, der ihm alles voraussagte, was später eingetroffen ist». Sowohl Cassius Dio als auch der Kaiser selbst in seiner Autobiographie haben mehrere solcher Prophezeiungen und Vorzeichen später bekannt gemacht.

Darauf setzte Severus seine Ämterlaufbahn fort und wurde 175 Volkstribun: Er hat seine Aufgaben mit «nachdrücklicher Strenge» ausgeübt. In diesem Jahr hat Severus auch geheiratet: Seine Braut war Paccia Marciana, die wie er aus Lepcis stammte. 177 wurde Severus Prätor. Noch vor dem Ende seines Amtsjahres bekam er einen neuen Posten in Spanien als Rechtsberater des Statthalters der Tarraconensis. Über seine Amtsführung weiß die *Historia Augusta* nichts zu berichten, stattdessen erzählt sie zwei Träume: «Zunächst, daß man ihm den Auftrag erteilt hat, in Tarraco den baufälligen Augustustempel wiederherzustellen; dann, daß er vom Gipfel eines hochragenden Berges den Erdkreis mit Rom zu seinen Füßen erblickte, indes die einzelnen Provinzen mit Leier, Singstimme oder Flöte eine harmonische Weise ertönen ließen.»

Am 17. März 180 starb Marc Aurel in seinem Hauptquartier im Donauraum, sein achtzehnjähriger Sohn Commodus, seit 177 Mitkaiser, wurde Alleinherrscher. Einer der beiden hat Severus um 180 zum Befehlshaber einer Legion in Syrien ernannt. Sein Aufenthalt dort sollte für ihn sehr bedeutend sein. Sein Vorgesetzter, der Statthalter Syriens, Publius Helvius Pertinax, war einer der bemerkenswertesten Männer dieses Zeitalters, dessen Aufstieg zum Senator, Konsul und Befehlshaber über mehrere militärische Provinzen Severus enorm beeindruckt haben muß.

Eine zweite Begegnung sollte für ihn aber noch wichtiger werden. Cassius Dio erwähnt, daß Severus in Apameia am Orontes das Orakel des dortigen Ba'al, *Zeus Belos*, befragte – die Antwort war ein Zitat aus Homer, eine Beschreibung des Königs Agamemnon. Man darf vermuten, daß Severus auch zur Stadt Emesa, etwas weiter südlich im Orontestal, kam. Einst Sitz eines arabischen Fürstentums, pflegte das reiche Emesa rege Handelsbeziehungen mit der östlichen Nachbarstadt Palmyra und war besonders für den großen Tempel des Gottes Elagabal berühmt. Der damalige Priester Elagabals, Iulius Bassianus, hatte zwei Töchter, Iulia Domna und Iulia Maesa. Diese Begegnung war für den abergläubischen Severus deshalb wichtig, weil er das Horoskop der Domna kennenlernte, das er später auf sich beziehen sollte. Darüber hinaus wird über seine Tätigkeit in Syrien berichtet, daß die Bewohner Antiochias sich über ihn lustig gemacht hätten. Severus sollte diese Verachtung nicht vergessen.

182 erfolgte eine Wende in den Laufbahnen von Pertinax und Severus zugleich. Nach einem Putschversuch gegen Commodus in Rom, der von

der Schwester des Kaisers, Lucilla, angestiftet wurde, fand eine Säuberungsaktion statt. Als ehemaliger Schützling des Claudius Pompeianus, der Lucilla nach dem Tode ihres ersten Mannes geheiratet hatte und selbst aus Antiochia stammte, wurde Pertinax seines Amtes enthoben. Daß auch Severus entlassen wurde, ist nicht belegt. Aber nach dem Legionskommando bekam er keinen weiteren Posten: «Er reiste nach Athen, wohin ihn sein Sinn für Wissenschaft und Kultangelegenheiten sowie für Bauten und Altertümer zog.» Auch dort, wie in Antiochia, hat man den jungen Senator nicht gerade herzlich empfangen. «Er mußte von den Athenern etliche Beleidigungen einstecken.»

Erst 185 bekam Severus einen neuen Posten, als der mächtige Prätorianerpräfekt Perennis, den Commodus mit den Regierungsgeschäften beauftragt hatte, stürzte. Neue ‹graue Eminenz› wurde der kaiserliche Kämmerer, der Freigelassene Cleander. Auch Pertinax kehrte aus dem erzwungenen Ruhestand zurück und konnte als Statthalter Britanniens eine ernsthafte Meuterei der dortigen Legionen beenden. Severus wurde zum Statthalter der Gallia Lugdunensis befördert. Dort hatte er außer der 500 Mann starken städtischen Kohorte in Lyon keine Truppen unter seinem Befehl und war hauptsächlich mit zivilen Angelegenheiten beschäftigt. Allerdings gab es damals in den westlichen Provinzen und sogar in Italien Probleme mit fahnenflüchtigen Soldaten. Daher ist es möglich, daß Severus in Zusammenarbeit mit anderen gallischen Statthaltern gegen die Deserteure vorging.

Bald nach seiner Ankunft in Gallien starb seine Frau Paccia, über die fast nichts bekannt ist: Severus hat sie in seiner Autobiographie nicht einmal erwähnt; die Ehe war kinderlos. «Als er nach dem Verlust seiner Gattin eine andere zu freien gedachte, forschte er, der auch selbst ein gewiefter Sterndeuter war, nach der Nativität heiratsfähiger Frauen, und als er hörte, es lebe in Syrien eine, deren Geburtshoroskop auf den Ehebund mit einem Herrscher deute, bewarb er sich um sie, nämlich um Iulia (Domna), und erhielt ihre Hand durch Vermittlung seiner Freunde.» Spätestens Anfang 187 ging sein Heiratsangebot nach Emesa. Nachdem er eine positive Antwort bekommen hatte, träumte er, daß die mehr als zehn Jahre früher verstorbene Gattin des Marc Aurel, Faustina, eigenhändig das Brautgemach für ihn und Iulia vorbereitet habe. In Lyon erzählte er laut Cassius Dio auch andere Träume; so einen, in dem das personifizierte Imperium selbst sich ihm annäherte und ihn begrüßte.

Iulia hat bereits am 4. April 188 einen Sohn geboren, der den Zunamen ihres Vaters Bassianus bekam; der Nachwelt wurde dieser Sohn als *Caracalla* bekannt. 188 endete Severus' Mandat in Gallien. Wieder in Rom, bewarb er sich um eine Statthalterschaft und erhielt Sizilien zugewiesen. Vor seiner Abreise wurde ihm in Rom am 7. März 189 ein zweiter Sohn geboren, dem man den Namen des anderen Großvaters gab, Publius Septimius Geta.

Als Statthalter Siziliens und schon 45 Jahre alt, hätte Severus unter normalen Umständen wenig Chancen auf weitere Beförderung gehabt. 190 wurde er jedoch Konsul – als einer der 25 Amtsinhaber in diesem Jahre, die, wie Cassius Dio berichtet, «von Cleander ernannt wurden». Der Kämmerer, inzwischen auch Prätorianerpräfekt, ließ sich in großem Stile bestechen und verkaufte Konsulate wie auch andere Ämter. Sicherlich hat auch Severus für den einmonatigen Besitz des Amtes bezahlt. Im Frühling 190 wurde Cleander gestürzt, seine Kandidaten durften aber weiterhin amtieren. Severus, nach Rom zurückgekehrt, wurde «angeklagt und beschuldigt, in Sizilien Seher oder Chaldäer über die Kaiserwürde befragt zu haben», was streng verboten war, um den jeweiligen Kaiser auch schon vor illegalen Herrschaftsgelüsten etwaiger Konkurrenten zu schützen. «Aber von den Prätorianerpräfekten, die ihn zu vernehmen hatten, wurde er freigesprochen und der Verleumder ans Kreuz geschlagen, da Commodus sich bereits allenthalben Feinde zu schaffen begann.»

Nach dem Konsulat «gönnte er sich fast ein Jahr lang Ruhe», dann wurde er «auf Laetus' Vorschlag» zum Statthalter der Provinz Oberpannonien ernannt. Quintus Aemilius Laetus, der aus dem nordafrikanischen Thaenae stammte, war seit Ende 190 bzw. Anfang 191 Prätorianerpräfekt. Er hat offenbar bald den Versuch unternommen, so viele wichtige Posten wie möglich mit Vertrauensmännern zu besetzen, besonders mit seinen Landsleuten: So wurde Severus' Bruder Geta zum Statthalter Niedermoesiens und Decimus Clodius Albinus, der aus Hadrumetum stammte, zum Statthalter Britanniens ernannt. Die drei Afrikaner kontrollierten somit zusammen acht Legionen an den Nordgrenzen des Reiches. Gleichzeitig wurde der greise Pertinax zum Stadtpräfekten von Rom und dann zum Kollegen des Commodus für den Konsulat ernannt. Es sieht so aus, als ob Laetus die Grundlage für einen Staatsstreich gelegt hatte, für den er nur den richtigen Zeitpunkt abwarten mußte. Und in der Tat mochte die führende Elite den Tyrannen Commodus nicht mehr ertragen. Laetus, der Kämmerer Eclectus und die kaiserliche Konkubine Marcia waren beunruhigt wegen des Verhaltens ihres Herrn; ihre Versuche, ihn in Schranken zu halten, waren vergeblich: Sie fühlten sich selbst bedroht. Am Silvesterabend schenkte Marcia dem Commodus einen Giftbecher ein; er übergab sich zwar nur, wurde aber anschließend von seinem Ringkampftrainer Narcissus erwürgt. Sofort benachrichtigten Laetus und Eclectus den Pertinax. Dieser ging zum Prätorianerlager und verkündete dort, daß Commodus eines natürlichen Todes gestorben und er von Laetus und Eclectus gezwungen worden sei, die Kaiserwürde anzunehmen. Die Soldaten waren keinesfalls glücklich, aber nach anfänglichem Zögern riefen sie den Pertinax zum Kaiser aus. Im Senat hingegen war die Begeisterung offenkundig. Mit Sprechchören verdammte man die Erinnerung an den verhaßten Commodus und bejubelte Pertinax als Retter.

Die Position des sechsundsechzigjährigen Pertinax war von Anfang an unsicher. Die Prätorianer blieben unzufrieden, und bereits am 3. Januar versuchten einige während der Zeremonie, in der das Gefolgschaftsgelöbnis erneuert werden sollte, ihn zu stürzen; ein zweiter Putschversuch erfolgte Anfang März. Schließlich, am 28. März, wurde Pertinax von meuternden Soldaten im Palast getötet. Im Anschluß daran kam es zu einer der berüchtigtsten Episoden in der Geschichte Roms: Im Prätorianerlager feilschten zwei Konkurrenten um die Kaiserwürde; Gewinner war Didius Iulianus, der den Soldaten je 25000 Sesterzen versprach.

In einer Sondersitzung des Senats versuchte Iulianus, sein Vorgehen zu rechtfertigen: Der Thron sei vakant und er der bestqualifizierte Kandidat gewesen. Dieser Anspruch war keinesfalls abwegig; mit Ausnahme des alten Claudius Pompeianus war Iulianus rangältester Senator. Er hatte eine Laufbahn im kaiserlichen Dienst hinter sich, eine Legion befehligt und anschließend vier kaiserliche Provinzen regiert. Konsul war er bereits 175 – als Kollege von Pertinax –, aber anders als dieser, der sehr niedriger Herkunft war, hatte Iulianus angesehene verwandschaftliche Verbindungen, unter anderem mit dem berühmten Juristen der Antoninenzeit, Salvius Iulianus.

Der neue Herrscher wurde allerdings nicht überall anerkannt. Severus, im über 1000 km entfernten Carnuntum an der Donau, hat offensichtlich den Gehorsam verweigert. Am 9. April 193, nur zwölf Tage nach der Ermordung des Pertinax, ließ er sich von seinen Truppen zum Kaiser ausrufen. Er nahm den zusätzlichen Namen des Pertinax an und gab sich als dessen Rächer aus. Die Befehlshaber der übrigen Armeen an Rhein und Donau schlossen sich ihm sofort an. Dem Clodius Albinus, der über drei Legionen und eine ansehnliche Zahl Hilfstruppen verfügte, hatte Severus den Vorschlag gemacht, er dürfe den Titel bzw. Namen *Caesar* tragen und erhielte damit faktisch die Stelle des designierten Nachfolgers, falls er Severus als Kaiser anerkenne. Albinus nahm das Angebot an und blieb in Britannien.

Somit konnte Severus nicht nur mit der Unterstützung der sechzehn Rhein- und Donaulegionen rechnen, sondern auch mit drei britannischen sowie einer spanischen. Insgesamt zwanzig Legionen, also zwei Drittel der Gesamtstreitkräfte des Reiches, hatte er auf seine Seite gebracht. Mit erstaunlicher Schnelligkeit rüstete er ein Expeditionsheer aus. Den Kern bildeten seine eigenen Truppen aus Oberpannonien, hinzu kamen Abteilungen aus den benachbarten Armeen. Für seine Soldaten sollte Severus bald Münzen prägen, die die Namen ihrer Legionen trugen. Herodian zufolge erschien dieses Heer schon an den Grenzen Italiens, bevor man überhaupt den Anfang des Feldzugs bemerkt hatte.

Inzwischen gab es Konkurrenz. Der Statthalter Syriens, Gaius Pescennius Niger, hatte sich ebenfalls zum Kaiser ausrufen lassen. Ihm schlossen sich sofort der Präfekt Ägyptens und die anderen Befehlshaber in den östlichen Provinzen an. Niger war italischer Herkunft, ein ehemaliger Ritter, als Militär erfahrener als Severus. In den achtziger Jahren hatte er als Statthalter in Dakien erfolgreich gegen die Barbaren gekämpft. Die stadtrömische Bevölkerung hat seinen Namen unmittelbar nach der Ermordung des Pertinax im Circus Maximus ausgerufen: Er sollte ihr zu Hilfe kommen. Severus reagierte auf Niger, indem er ein Armeekorps von der unteren Donau nach Thrakien schickte. Diese Truppen konnten alle Stützpunkte übernehmen – bis auf Byzanz, das ein ranghoher Anhänger Nigers im Namen des neuen Herrschers im Osten befestigt hatte.

Die Lage des Didius Iulianus in Rom war prekär. Zwar ließ er Münzen prägen, die ihn als «Lenker des Erdkreises» bezeichneten und die Einheit der Soldaten feierten. Praktisch verfügte er aber nur über die Prätorianer und die Soldaten der beiden italischen Kriegsflotten. Außerdem war ihm die römische Bevölkerung sehr unfreundlich gesonnen. Iulianus erklärte Severus zum Staatsfeind, ernannte einen Nachfolger als Statthalter Oberpannoniens und versprach den Armeen im Norden eine Amnestie, falls sie aufhörten, Severus zu unterstützen. Ein ehemaliger Geheimdienstoffizier, der «sich auf die Ermordung von Senatoren spezialisiert hatte», wurde beauftragt, Severus umzubringen. Iulianus war jedoch nicht einmal in der Lage, die Pässe der iulischen Alpen zu sperren. Bald eroberte Severus den Flottenhafen Ravenna, wo ein Prätorianerpräfekt des Iulianus keinen Widerstand leistete. Die Mitglieder einer senatorischen Delegation wechselten die Seite. Als sich Severus Rom näherte, geriet Iulianus in Panik. Er forderte die Senatoren und die Vestalinnen auf, gemeinsam als Bittsteller zum severischen Heer zu gehen. Sein Vorschlag wurde vom Senat abgelehnt, woraufhin Iulianus den Severus zum Mitkaiser ernennen ließ. Es nutzte nichts. Am 1. Juni berief ein Konsul eine Senatssitzung ein, auf der Iulianus zum Tode verurteilt, Severus aber als Kaiser anerkannt wurde. Man brachte Iulianus im Palast um, nach einer Regierungszeit von 66 Tagen.

Severus befand sich in Interamna, 80 Kilometer nördlich von Rom. Hier empfing er eine senatorische Gesandschaft und am nächsten Tag das gesamte Hofpersonal der kaiserlichen Sklaven und Freigelassenen. Den Offizieren der Prätorianergarde befahl er, die Soldaten außerhalb der Stadt ohne Waffen zu versammeln, um ihn zu begrüßen. Severus ließ sie von seinem Heer umringen und verkündete ihnen sein Urteil, die sofortige Entlassung. Die Mitglieder der Elitetruppe wurden gezwungen, sich mindestens 100 Meilen von Rom zu entfernen. Bald darauf begann Severus, eine neue Garde zu formieren, in doppelter Größe und vorwiegend aus Legionären der Donauarmeen rekrutiert.

Severus selbst hatte sich zwar, ehe er die Stadt betrat, umgezogen und trug die Toga, aber sein Begleitheer, sowohl Reiter wie auch Infanteristen, zog vollbewaffnet durch die Straßen Roms. Bei dem Zug auf das

Capitol wurden die umgekehrten Fahnen der alten Garde Severus vorangetragen. Am nächsten Morgen begab er sich in den Senat, wo er den Eid ablegte, nie einen Senator hinrichten zu lassen. Inzwischen brach ein Aufruhr seiner Soldaten vor dem Sitzungssaal aus. Sie forderten ihn auf, ihnen das Zehnfache ihres Jahressoldes als Siegeslohn auszuzahlen, mußten sich aber mit einer wesentlich geringeren Summe zufriedengeben.

Nun wurde Pertinax unter die Götter des Staates erhoben und sein Leichenbegängnis von Severus prunkvoll gefeiert. Jetzt durfte er sich nicht nur *Pertinax*, sondern auch *Pius* nennen. Er hatte seine Pflicht dem alten Vorgesetzten gegenüber erfüllt. Er ließ sich mit seinem Caesar Albinus als Kollegen zum Konsul für 194 ernennen. Die Münzprägung für ihn, Albinus und Iulia begann; die ersten Stücke betonten seine Großzügigkeit, die Loyalität der Legionen und die Fruchtbarkeit des Zeitalters. Die Prägungen Iulias, die den Titel *Augusta* erhielt, verherrlichten Venus, die Ahnherrin des iulischen Geschlechts.

Nur dreißig Tage verweilte Severus in Rom. Er hatte schon die Proklamation des Niger unterdrücken lassen und sich der Frau und Kinder seines Rivalen durch seinen Landsmann und Verwandten Gaius Fulvius Plautianus bemächtigt. Er ließ Africa durch ausgesandte Truppen besetzen, um die Versorgung Roms, dessen Getreidezufuhr aus Ägypten gesperrt war, sicherzustellen. Dann kehrte er mit seinem Heer Richtung Norden über die *via Flaminia* zurück: Er marschierte wohl durch das Savetal nach Belgrad und dann über Naissus nach Thrakien. Auf dem Weg «begegnete ihm sein Bruder Geta, dem er befahl, die ihm anvertraute Provinz zu regieren». Geta hatte sich «etwas anderes erhofft», vielleicht ein Kommando im kommenden Krieg. Stattdessen befehligten die severischen Armeekorps zwei jüngere Senatoren, Tiberius Claudius Candidus und Lucius Fabius Cilo, sowie ein sehr erfahrener älterer Feldherr, Publius Cornelius Anullinus.

Cilo konnte die thrakische Hauptstadt Perinth gegen Nigers Truppen verteidigen. Inzwischen hatte ein Legionslegat aus der Armee Niedermoesiens, Lucius Marius Maximus, mit Abteilungen aus dieser Provinz begonnen, Byzanz zu belagern. Im Herbst 193 fand die erste große Schlacht statt. Candidus leitete die pannonischen Abteilungen über das Marmarameer und schlug Nigers Truppen, die unter dem Kommando von Nigers wichtigstem Anhänger, Asellius Aemilianus, standen. Aemilianus wurde gefangengenommen und von Candidus hingerichtet. Niger, aus Byzanz mit Verstärkungen kommend, übernahm selbst das Kommando über seine Streitkräfte, wurde aber von Candidus bei Nicaea in Bithynien geschlagen. Niger wich über Kleinasien zurück und ließ die Pässe des Taurusgebirges sperren.

Die Nachricht des severischen Sieges traf in Rom am 31. Januar 194 ein. Gleichzeitig, sicher noch vor dem 13. Februar, brachte der Präfekt

Ägyptens diese reiche Provinz auf die Seite des Severus, der bereits Asien und Bithynien kontrollierte. Dort wurde Cilo neuer Statthalter, in Asien erhielt Candidus den Auftrag, «die öffentlichen Feinde des römischen Volkes – die Anhänger des Niger – zu Land und zur See» zu verfolgen. Severus hatte Anfang 194 den altehrwürdigen Titel ‹Vater des Vaterlandes› angenommen. Die Münze Roms feierte seine Siege: Auf den Reichsprägungen erschienen jetzt zum ersten Mal die väterlichen Götter, *di auspices*, seiner Heimatstadt Lepcis, nämlich Hercules und Liber Pater.

Die Entscheidungsschlacht erfolgte in der Nähe von Issos, wo Alexander der Große einst Dareios geschlagen hatte. Unter dem Kommando des Anullinus haben die severischen Truppen Niger endgültig besiegt. Er floh, mit der Absicht, eine Zuflucht in Parthien zu suchen, wurde aber bei Antiochia gefaßt und umgebracht. Sein Kopf wurde dem Severus überbracht, der ihn weiter nach Byzanz schickte, um die Verteidiger der belagerten Stadt einzuschüchtern – sie harrten allerdings weiter aus.

Niger bleibt eine Schattenfigur. Seine Biographie in der *Historia Augusta* ist weitgehend Fiktion. Nach Cassius Dio hatte man ihm Syrien anvertraut, weil «er für nichts Merkwürdiges, weder Gutes noch Schlechtes, bekannt war» – also jemand, dem man anscheinend ohne Risiko ein wichtiges Kommando übertragen konnte. Als Kaiser hat er den programmatischen Namen *Iustus* – der Gerechte – angenommen; von Schmeichlern wurde er «der neue Alexander» genannt. Daß er dies als gerechtfertigt akzeptierte, sah Cassius Dio als Beweis für seine Überheblichkeit an.

Wohl am 21. Mai, ein Datum, das mehr als dreißig Jahre später noch als Jahrestag des severischen Sieges gefeiert wurde, war der Widerstand der Nigrianer – bis auf Byzanz – am Ende. Severus hat daraufhin mehrere Maßnahmen ergriffen: Die wichtigste war sicherlich die Teilung Syriens. Zwei der drei syrischen Legionen waren der Syria Coele, die weiterhin unter einem konsularischen Statthalter blieb, die dritte der Phoenice zugeteilt, deren Statthalter gleichzeitig Legat der Legion wurde. Verschiedene Gemeinden, die Niger besonders eifrig unterstützt hatten, wurden jetzt bestraft, allen voran Antiochia, das vorübergehend sein Stadtrecht verlor. So konnte sich Severus für das Verhalten der Antiochener während seiner früheren Tätigkeit im Osten revanchieren.

Mehrere nordmesopotamische Vasallen des Partherkönigs hatten ebenfalls Niger unterstützt und Nisibis – 80 Kilometer östlich der Euphratgrenze und doch irgendwie an Rom gebunden – angegriffen. Dieser Kriegsgrund kam Severus sehr gelegen. Nach einem bitteren Bürgerkrieg konnte er nun einen patriotischen Feldzug gegen die Barbaren führen. Cassius Dio äußert sich sarkastisch über seine Motive: Severus, der angeblich die Grenzen Syriens stärken wollte, habe «aus bloßer Ruhmsucht» agiert. Im Frühling 195 begann die Strafexpedition. Severus hatte offenbar angesichts des kommenden Krieges bereits neue Legionen ausgehoben, von denen eine als Verstärkung für die Garnison der Hauptstadt unweit Roms am Albanerberg stationiert wurde.

Zum Verlauf des Krieges sind nur wenige Details überliefert. Das Ergebnis war offensichtlich ein Erfolg. Das Fürstentum Osrhoëne wurde als römische Provinz annektiert, der Herrscher Abgar VIII. durfte lediglich Edessa mit einem kleinen Territorium weiter regieren. Severus nahm die Beinamen ‹Sieger über die arabischen Parther› und ‹Sieger über die adiabenischen Parther› an; mit diesem Doppeltitel wollte er zeigen, daß er zwei parthische Vasallen, aber (noch) nicht den Großkönig geschlagen hatte. Noch bemerkenswerter sind weitere Änderungen in der Titulatur des Kaiserhauses. Zunächst, bereits am 14. April 195, bekam Iulia, die offensichtlich ihren Mann begleitete, den Ehrentitel ‹Mutter der Lager›. Einst hatte die Gattin Marc Aurels, Faustina, denselben Titel geführt. Daß Severus den Philosophenkaiser als sein Vorbild sah, wurde kurz darauf noch deutlicher. Nach dem ersten Sieg nannte er sich ‹Sohn des vergöttlichten Marcus›, bald wurde sein älterer Sohn, der siebenjährige Bassianus – Caracalla –, in *Marcus Aurelius Antoninus* umbenannt und bekam den Titel *Caesar*. Durch diese Schritte war die Anknüpfung der neuen afrikanischen Dynastie an die der Antoninen vollzogen.

Solche Ansprüche, insbesondere die Ernennung seines Sohnes zum Caesar, hatten selbstverständlich Folgen für den Caesar Albinus, der sich noch im entfernten Britannien aufhielt. Albinus, der «aus einer adligen Familie stammte», wurde offenbar von manchen Senatoren dem Severus vorgezogen und hatte sich inzwischen «zunehmend wie ein Kaiser verhalten». Nach Herodian hat Severus versucht, sich des nunmehr unerwünschten Kollegen durch Meuchelmörder zu entledigen. Seine Beauftragten wurden allerdings rechtzeitig von Albinus erwischt. Zu einer endgültigen Spaltung war es noch nicht gekommen, aber am 15. Dezember 195 hatte die römische Bevölkerung beim Wagenrennen ihren Verdruß über den zu erwartenden neuen Bürgerkrieg lautstark zum Ausdruck gebracht. Trotzdem blieb Severus in Mesopotamien, bis er Ende 195 die Nachricht über die Kapitulation von Byzanz erhalten hatte. Ähnlich wie Antiochia wurde die Stadt schwer bestraft, ihre Mauern wurden geschleift und sie verlor das Stadtrecht. Nun begab sich Severus in gewohnter Eile zurück auf den Weg nach Rom. Dem Albinus wurde der Rang des Caesars aberkannt. Albinus reagierte mit einem Gegenschlag; er ließ sich von seinen Legionen auf der Insel zum Augustus ausrufen und setzte auf das Festland über. Sein Versuch, das Rheinland zu besetzen, scheiterte, obwohl er den Statthalter Niedergermaniens schlug. Die Belagerung Triers, das von der Mainzer Legion verteidigt wurde, schlug ebenfalls fehl. Aber bald konnte sich Albinus in Lyon festsetzen und den Statthalter der Tarraconensis für seine Sache gewinnen.

Wann genau Severus nach Rom gelangte, ist nicht überliefert, aber am 18. September 196 weihte er einen Altar «dem vergöttlichten Nerva, seinem Vorfahren» – es war das hundertjährige Jubiläum des Regierungsantritts dieses Kaisers, den Severus jetzt, nach seiner ‹Adoption›, als den Gründer seiner Dynastie zählte. Mitten im Winter reiste er wieder über Pannonien, Noricum und Raetien nach Obergermanien. Er hatte mehrere Armeekorps unter seinen erprobten Feldherren Laetus, Candidus, Marius Maximus und anderen vorausgeschickt. Zu einem ersten Treffen kam es 100 Kilometer nördlich von Lyon bei Tinurtium. Die Albinianer wurden nach Lyon zurückgetrieben, wo die Endschlacht am 19. Februar 197 stattfand; 150 000 Soldaten waren insgesamt beteiligt. Die britannischen Legionen hatten zunächst Erfolg und fingen bereits an, die Siegeshymne zu singen. Severus war schon auf der Flucht, als Laetus mit der Kavallerie entscheidend eingriff. Severus hatte also noch einmal gewonnen. Albinus nahm sich das Leben; sein Kopf wurde nach Rom geschickt.

In den westlichen Provinzen wurde anschließend eine Säuberungsaktion unter der Leitung des Candidus durchgeführt; auch in Africa wurden manche Albinianer bestraft und ihre Güter verstaatlicht. In Britannien, wo die Grenzanlagen im Norden während der Abwesenheit der Garnison durch die Mäaten aus Nord-Schottland heimgesucht worden waren, mußte der neue severische Statthalter zunächst den Frieden erkaufen.

In Rom erwartete der Senat die Rückkehr des Severus mit verständlicher Nervosität. Seine erste Rede verbreitete Bestürzung und Angst. Er verlangte die Vergöttlichung des verhaßten Commodus, dessen Bruder er sich nannte, und als Zeichen dessen, was er vorhatte, lobte er die Härte eines Sulla. Caesar hingegen kritisierte er wegen seiner Milde. Bereits während seiner Rede ließ er 64 Mitglieder des 600 Mann starken Senats verhaften. 35 wurden später entlassen, die übrigen 29 wegen Hochverrats hingerichtet. Seine eigentliche Machtbasis, das Heer, begünstigte er durch zwei Maßnahmen: Die Soldaten erhielten eine Gehaltserhöhung, die erste seit dem Jahre 83, und das seit Augustus bestehende Eheverbot wurde aufgehoben. So stellte Severus die Loyalität der Streitkräfte sicher. Des weiteren ernannte er seinen Verwandten Plautianus zum Prätorianerpräfekten. Dieser Mann, der ihm während der letzten vier Jahre fast ununterbrochen zur Seite gestanden hatte, wurde allmählich fast zu einem Kollegen des Kaisers.

Es gab noch unvollendete Geschäfte zu erledigen. Während des erneuten Bürgerkrieges hatten die Parther die römischen Stützpunkte in Nordmesopotamien angegriffen. Laetus, der vorausgeschickt worden war, gelang es, Nisibis zu retten, und die Feinde zogen sich zurück. Aber Severus wollte einen echten Eroberungskrieg führen und reiste noch im Laufe des Jahres in den Osten. Der ‹zweite Partherkrieg› war von kurzer Dauer. Im Januar 198 nahm Severus die parthische Hauptstadt am Tigris, Ktesiphon, ein. Am 28. Januar, genau 100 Jahre nach dem Regierungsantritt Traians, der ebenfalls Ktesiphon erobert hatte, nahm Severus den Beinamen ‹größter Parthersieger› an. Gleichzeitig wurde sein neunjähriger Sohn Caracalla in den Rang eines Mitkaisers, Augustus, erhoben, der jüngere, Geta, zum Caesar. Nordmesopotamien wurde annektiert. Die neue Provinz, Osrhoëne, blieb bestehen, eine zweite, Mesopotamia, wurde nach dem Muster Ägyptens einem ritterlichen Statthalter anvertraut, der zwei Legionen als Garnison bekam.

Während des Feldzuges, offenbar auf Initiative des Plautianus hin, wurde der Feldherr Laetus wegen angeblichen Hochverrats hingerichtet, und bald wurden weitere Vertraute des Kaisers beseitigt. Severus blieb weiterhin im Osten. 199–200 besuchte er Ägypten, wo er sämtliche Sehenswürdigkeiten bis zur äthiopischen Grenze besichtigte. Ein wichtiges Ergebnis war, daß er der großen Metropole Alexandria endlich einen Stadtrat bewilligte. Das Jahr 201 verbrachte er wohl in Syrien. Anfang 202 wurde er in dem nun wieder zu Gnade gelangten Antiochia Konsul – und zwar mit seinem älteren Sohn als Kollegen. 202 konnte Severus den Anfang seines zehnten Jahres als Kaiser, die *decennalia*, feiern. Ferner wurde Caracalla mit Fulvia Plautilla, Tochter des Plautianus, verheiratet.

Bald danach war Severus wieder mit dem gesamten Hof verreist, diesmal in die Heimatprovinz Africa. Dort verbrachte er mehrere Monate. Er besuchte seine Geburtsstadt Lepcis, wo schon ein großangelegtes Bauprogramm im Gang war. Außerdem ließ er mehrere neue Kastelle im südlichen Tripolitanien errichten. Hier und weiter westlich wurden die Grenzen des römischen Nordafrika ausgedehnt.

Anfang 203 waren Severus' Bruder Geta und Plautianus Konsuln. Der Präfekt war jetzt auf dem Höhepunkt seiner Macht. Als Severus im Sommer die Säkularfeier veranstaltete, genoß Plautianus eine fast so prominente Rolle wie die beiden Kaiser. Kein Prätorianerpräfekt, nicht einmal Seian, der dieses Amt unter Tiberius bekleidete, hatte je so viel Macht besessen. Aber sein Schwiegersohn Caracalla haßte den Präfekten, nicht zuletzt, weil dieser die Kaiserin Iulia sehr erniedrigt hatte. Iulia hatte deswegen zunehmend das öffentliche Leben gemieden und die Gesellschaft von Sophisten und Philosophen vorgezogen. Anfang 205 konnte Caracalla seinen Vater überzeugen, daß Plautianus ein Komplott gegen ihn angezettelt habe. Am 22. Januar zum Palast bestellt, wurde Plautianus auf Befehl des Caracalla getötet, seine Tochter, Plautilla Augusta, in die Verbannung geschickt. Zwei neue Präfekten wurden eingestellt, einer davon ein Verwandter der Iulia, der angesehene Jurist Aemilius Papinianus.

Während der Jahre 204–207 – den einzigen, die Severus ununterbrochen in Rom bzw. Italien verbrachte – widmete er sich besonders der Rechtsprechung. Vor allem die Juristen Papinian und Ulpian haben unter Severus bzw. Caracalla das römische Recht weitgehend revidiert. Severus hoffte jetzt, seine Söhne auf ihre künftige Rolle vorbereiten zu können. 205 und 208 waren Caracalla und Geta gemeinsam Konsuln, aber die Beziehung zwischen den beiden war sehr schlecht, und sie interessierten sich mehr – in gegenseitiger Konkurrenz – für Frauen und Wagenrennen als für die Staatsgeschäfte. Als ein Krieg in Britannien ausbrach, den der Statthalter der Provinz erfolgreich führte, wurde Severus ungeduldig. Er wollte noch einmal triumphieren und hätte es gern gesehen, wenn ein erneuter Feldzug seine Söhne weg von Rom geführt hätte.

Im Frühling 208, von Iulia, seinen Söhnen und dem Prätorianerpräfekten Papinian begleitet, setzte er mit einem großen Heer nach Britannien über. Er beabsichtigte, endlich die ganze Insel zu erobern. Der Dreiundsechzigjährige, an Gicht leidend, mußte in einer Sänfte getragen werden, war aber nach Herodian «geistig energischer als ein Jüngling». 209 leiteten Severus und Caracalla gemeinsam den Angriff gegen die Caledonier. Ein großes Lager wurde am Fluß Tay errichtet. Bereits Anfang 210 wurde der Sieg gefeiert; Severus und seine Söhne nannten sich ‹größte Britanniensieger›. Aber die Nordbriten waren noch nicht geschlagen. Offenbar blieb Severus in seinem Hauptquartier York zurück, während Caracalla einen erneuten Angriff befehligte. Inzwischen war der jüngere Sohn, Geta, der zivile Geschäfte innerhalb der Provinz ausübte, Ende 209 endlich in den Rang eines Mitkaisers erhoben worden. Warum Geta, obwohl nur elf Monate jünger als Caracalla, erst mehr als elf Jahre später Augustus werden durfte, wissen wir nicht. Auf jeden Fall muß Severus jetzt eingesehen haben, daß er selbst bald sterben und Caracalla keinesfalls seinen Bruder zum Mitherrscher ernennen würde. Severus wollte beide als seine Nachfolger bestimmen, daher mußte Geta schon im voraus die nötigen Machtbefugnisse bekommen.

Während des Winters 210/11 wurde Severus zunehmend kränker und starb am 4. Februar 211 in York. Laut Cassius Dio war sein letzter Rat an seine Söhne: «Bleibt einträchtig, bereichert die Soldaten und verachtet alle anderen.» Aurelius Victor und die *Historia Augusta* zitieren dagegen: «Alles bin ich gewesen, und nichts habe ich davon.» Seine Leiche wurde in York verbrannt und seine letzten Überreste im Mausoleum Hadrians beigesetzt; er wurde zum Staatsgott erklärt.

Die Nachwelt urteilte nicht gerade positiv über Severus. Er wurde in der senatorischen Tradition wegen seiner Grausamkeit kritisiert, auch weil er sich zu sehr auf die Macht der Soldaten gestützt hatte. Bezeichnend ist, daß er drei neue Legionen aushob und die Garnison Roms verstärkte. Die dort existierenden militärischen Einheiten hat er sämtlich vergrößert, hinzu kam die am Albanerberg stationierte Legion. Daß die Prätorianer nicht mehr vorwiegend aus Italien, sondern aus den Donaulegionen rekrutiert wurden, wird ebenfalls negativ beurteilt. Seine Außenpolitik war aggressiv; im Osten und in Afrika konnte er die Grenzen des Reiches ausdehnen und hat dies auch in Britannien geplant. Um die Solderhöhung und die Bürgerkriege zu finanzieren, reduzierte Severus den Silbergehalt der Denare beträchtlich. Diese Maßnahme verursachte allerdings keine allgemeine Preissteigerung, sondern eher einen erhöhten Güteraustausch und eine Steigerung der Produktivität – besonders in den Grenzprovinzen. Severus wurde von den Zeitgenossen als starker Herrscher betrachtet, was letztendlich Vertrauen auch im wirtschaftlichen Bereich mit sich brachte und dem Reich förderlich war.

CARACALLA
211–217

Von Anthony R. Birley

Caracalla war – nach seinem keltischen Kapuzenmantel – der Spitzname des Kaisers. Als er am 4. April 188 in Lyon als Sohn von Septimius Severus und Iulia Domna geboren wurde, nannte man ihn Septimius Bassianus. Später erhielt er aus dynastischen Gründen einen völlig neuen Namen. Sein Vater, der künftige Kaiser, amtierte damals als Statthalter der Provinz Gallia Lugdunensis. Wegen der Herkunft seiner Eltern sowie wegen seines Geburtsortes gehörte Caracalla nach Cassius Dios Meinung drei Völkern an. Von keinem hatte er die guten, von allen dreien jedoch die schlechten Eigenschaften übernommen: von den Galliern den Leichtsinn, die Feigheit und Tollkühnheit, von den Afrikanern väterlicherseits die Härte und Grausamkeit, von den Einwohnern Syriens mütterlicherseits die Verschlagenheit. Fast ein Jahr später wurde sein Bruder, Publius Septimius Geta, am 7. März 189 in Rom geboren. Die Beziehung zwischen den beiden sollte immer schlecht sein.

Kurz nach Caracallas fünftem Geburtstag wurde Septimius Severus am 9. April 193 an der Donau zum Kaiser ausgerufen. Caracalla und sein Bruder hielten sich damals in Rom auf und mußten durch geheime Boten des Vaters gerettet werden, damit sie nicht in die Hände seines Gegners Didius Iulianus fielen. Von diesem Zeitpunkt an begleiteten die beiden Septimius Severus mit ihrer Mutter auf allen Feldzügen. Zwei Jahre später, während des ersten Partherkrieges, wurde Caracalla von seinem Vater umbenannt: Nach Kaiser Marc Aurel hieß er fortan Marcus Aurelius Antoninus und bekam den Titel *Caesar*. Somit war er als designierter Nachfolger vorgesehen. Während des zweiten Bürgerkrieges gegen Clodius Albinus blieb er unter dem Schutz des Statthalters Fabius Cilo in Oberpannonien. Dort wurde er nach dem severischen Sieg von einer senatorischen Gesandtschaft begrüßt.

Nach der Einnahme Ktesiphons im zweiten Partherkrieg wurde Caracalla, damals neun Jahre alt, in den Rang eines Mitkaisers, *Augustus*, erhoben und erhielt die entsprechenden Machtbefugnisse sowie den Siegerbeinamen ‹größter Parthersieger›, den Septimius Severus damals angenommen hatte. Häufig wurde ihm auch der Ehrenbeiname *Pius*, der Fromme, zuteil. Sein Bruder Geta wurde nur zum *Caesar* erhoben. Angeblich hat der Knabe Caracalla im Laufe dieses längeren Aufenthalts im Osten über die aufständischen Juden gesiegt – wohl eine Erfindung der *Historia Augusta*. Nach dem kaiserlichen Besuch in Ägypten 199–200 legte Caracalla die Männertoga an und wurde zu Beginn des Jahres 202 zusammen mit seinem Vater Konsul. Das Amt traten sie in Antiochia an, wo Caracalla die Wiederherstellung der alten Rechte, die die Stadt nach dem Bürgerkrieg gegen Pescennius Niger verloren hatte, ermöglichte. Es soll ebenfalls Caracallas Verdienst gewesen sein, von seinem Vater auch für Nicaea in Bithynien und für Byzanz das Stadtrecht zurückgewonnen zu haben.

Nach der Rückkehr nach Rom 202 mußte Caracalla heiraten: Seine Braut, Fulvia Plautilla, war die Tochter von Severus' Verwandtem und Landsmann Plautianus, der damals als Prätorianerpräfekt auf dem Höhepunkt seiner Macht war. Plautilla erhielt den Titel *Augusta*. Die offenbar kinderlose Ehe war allerdings sehr unglücklich, zumal Caracalla seinen Schwiegervater Plautianus haßte; er verabscheute seine Frau und teilte mit ihr weder Tisch noch Bett. Im Januar 205 konnte er Severus überzeugen, daß Plautianus ein Attentat gegen den Kaiser plane. Zum Palast bestellt, wurde der Präfekt auf Befehl Caracallas getötet, bevor er Gelegenheit hatte, sich gegen die Anklage zu verteidigen. Die Ehe mit Plautilla wurde sofort aufgelöst und die junge Frau in die Verbannung nach Lipara geschickt.

Anfang 205 wurde Caracalla zum zweiten Mal Konsul, sein Kollege war sein Bruder, der das Amt zum ersten Mal innehatte. Die Brüder haben 208 wiederum zusammen als Konsuln amtiert. Aber die Beziehungen zwischen den beiden waren äußerst schlecht; der gegenseitige Haß drückte sich in maßloser Konkurrenz, etwa bei Wagenrennen, aus. Sie schändeten Frauen und Knaben und gaben sich eifrig den städtischen Vergnügungen hin. Das Verhalten seiner Söhne hat Severus manche Sorgen bereitet und war laut Cassius Dio ein entscheidender Grund, daß der alte Kaiser 208 seinen letzten Feldzug, nach Britannien, unternahm; er hoffte, dieser Feldzug würde einen guten Einfluß auf die charakterliche Entwicklung seiner Söhne haben. Beide Söhne begleiteten ihn mit ihrer Mutter Iulia Domna. 209 teilten Severus und Caracalla das Oberkommando gegen die Caledonier und Mäaten. Angeblich versuchte Caracalla während des Feldzuges im Norden, als er gemeinsam mit Severus zu einem Treffen mit Gesandten der britischen Gegner vor dem versammelten Heer ritt, seinen Vater umzubringen.

Wie dem auch sei, Ende 209 erhob Severus seinen jüngeren Sohn Geta, der anscheinend mit zivilen Angelegenheiten innerhalb der Provinz befaßt war, in den Rang des Mitkaisers. Zum ersten Mal hatte das Reich gleichzeitig drei Herrscher. Severus hatte offensichtlich eingesehen, daß nach seinem eigenen Tod Geta nur als Mitkaiser eine Überlebenschance haben würde. Alle drei Kaiser nahmen bereits den Siegernamen ‹größter Britanniensieger› an, obwohl der Krieg noch nicht beendet war: Die Mäaten hatten einen Aufstand begonnen, dem die Caledonier sich bald anschlossen. Caracalla übernahm 210 allein die Heeresführung, Severus, dessen Gesundheitszustand sich verschlechterte, blieb in York zurück, wo er am 4. Februar 211 starb.

Der letzte Rat des alten Kaisers an seine Söhne war: «Bleibt einträchtig, bereichert die Soldaten und verachtet alle anderen.» Caracalla entließ sofort den Prätorianerpräfekten Papinian. Dann ließ er mehrere Mitglieder des Hofpersonals hinrichten: Die kaiserlichen Ärzte, da «sie sich geweigert hatten, den Tod des alten Kaisers zu beschleunigen», außerdem die Freigelassenen Euodus – den ehemaligen Erzieher der beiden Prinzen – und Castor, der «ihn stets aufgefordert hatte, mit Geta in Eintracht zu leben». Caracalla versuchte auch, die Offiziere zu bestechen: Sie sollten die Soldaten überreden, ihn als Alleinherrscher anzuerkennen. Aber die Loyalität des Heeres auch Geta gegenüber blieb bestehen, zumal dieser seinem Vater sehr ähnlich sah. Caracalla und Geta bereiteten nun ihren Rückzug aus Britannien vor. Die neu eroberten Gebiete in Schottland wurden aufgegeben, der Hadrianswall somit wieder zur nördlichsten Grenze des Reiches.

In Rom, wo die Brüder nach eiliger Reise wohl noch im Frühling 211 angekommen waren, stellten sie die Urne mit der Asche des Severus im Mausoleum Hadrians auf, trennten sich aber sofort im Palast. Jeder trachtete danach, die Herrschaft für sich allein zu gewinnen. Rom wurde in zwei Lager gespalten. Laut Herodian sollen sie den Plan erwogen haben, das Reich zu teilen; aber ihre Mutter Iulia sprach sich dagegen aus – sie selbst könne nicht zwischen ihnen geteilt werden. Während des Saturnalienfestes im Dezember versuchte Caracalla vergeblich, Geta umzubringen. Kurz danach, am 26. Dezember, überredete er Iulia, ihn und Geta zum Zweck einer Versöhnung in ihre Wohnung kommen zu lassen. Hier wurde Geta in den Armen seiner Mutter von Caracallas Hauptleuten getötet.

Caracalla eilte durch die Stadt zum Prätorianerlager: Er rief beständig, er sei mit Mühe einer großen Gefahr entronnen, beschuldigte seinen

Bruder des Mordanschlags und versuchte, die Soldaten durch Versprechungen für sich zu gewinnen. Die Legionäre der am Albanerberg stationierten Legion konnte er zunächst nicht überzeugen: Sie verschlossen dem Kaiser die Tore und ließen sich erst am nächsten Tag besänftigen. Vor dem Senat beschuldigte Caracalla seinen Bruder aufs schwerste. Um Popularität zu gewinnen, gestattete er allen Verbannten die Rückkehr in die Heimat – von diesen hatte er Plautilla bereits nach dem Tod seines Vaters umbringen lassen. Ebenso wurden alle Anhänger und Freunde Getas, unter anderem ein Vetter des Severus, ein Enkel Marc Aurels, der Sohn des Pertinax, eine Schwester des Commodus und der Jurist Papinian, im ganzen etwa 20000 Personen, getötet. Lediglich der ehemalige Stadtpräfekt Fabius Cilo wurde gerettet: Seine Verhaftung und Mißhandlung durch die Prätorianer löste Entrüstung bei der Bevölkerung und den einst von ihm befehligten städtischen Kohorten aus. Caracalla wurde gezwungen, den alten Mann, den er früher als seinen «Vater» bezeichnet hatte, zu schonen. Getas Bildnisse und Münzen wurden vernichtet, sein Name auf den öffentlichen Denkmälern im gesamten Reich sorgfältig getilgt.

Von Ende 211 an war Caracalla, im Alter von nur 22 Jahren, Alleinherrscher. Kurioserweise gibt es Indizien, daß er sein Geburtsjahr bereits auf 186 vorverlegt hatte, vielleicht in der Absicht, den geringen Altersunterschied zwischen sich und Geta zu vergrößern. Seit Anfang 212 nannte sich Caracalla gewöhnlich *Marcus Aurelius Severus Antoninus Pius Felix Augustus*.

Bald erhöhte er, getreu seinem Motto «Kein Mensch außer mir darf Geld haben, auf daß ich es den Soldaten schenke», das Gehalt der Soldaten. Diese Maßnahme konnte nur durch eine Steigerung der Staatseinkünfte finanziert werden. Zu diesem Zweck verkündete er eine berühmte Verordnung, wodurch allen freien Einwohnern des Reiches das römische Bürgerrecht verliehen wurde; gleichzeitig aber wurde die Erbschaftssteuer, die römische Bürger zahlen mußten, von 5% auf 10% verdoppelt. Außerdem sollte er bald ein neues Nominal der Silberwährung des Reiches prägen lassen: Diese Einheit – der sogenannte *Antoninianus* – wurde in der üblichen Silberlegierung im Gewicht von 5,18 Gramm hergestellt, sollte also trotz geringeren Gewichts zwei bisherigen Denaren entsprechen. Diese Münzreform, die 214/15 vollzogen wurde, hat offenbar die Reichsbevölkerung verunsichert: Mehrere Schatzfunde aus dieser Zeit zeigen, daß man das alte Geld gehortet hat. Und tatsächlich sollte bald die große Preissteigerung beginnen, die nach der Mitte des 3. Jahrhunderts einen Höhepunkt erreichte.

Ein weiterer Grund, warum Caracalla neue Einnahmen benötigte, war sein Bauprogramm in Rom. Seine großartigen, schon von Severus begonnenen Thermen vor dem Südtor der Hauptstadt, zu denen eine prächtige neue Straße geführt wurde, haben sicherlich sehr viel Geld verschlungen. Die Caracallathermen, «deren Warmbaderaum nach dem Urteil der Architekten durch keine Nachahmung in dieser Vollendung erreicht werden kann» – wie die *Historia Augusta* schildert –, waren die erste jener riesigen öffentlichen Bäderanlagen, wie sie für Rom im 3. Jahrhundert üblich werden sollten. Dadurch hoffte Caracalla, die Gunst der römischen Bevölkerung zu gewinnen.

Anfang 213 übernahm Caracalla zum vierten und letzten Mal den Konsulat. Im Frühjahr brach er von Rom nach Norden auf. Zunächst wandte er sich nach Gallien, wo er den Statthalter der Narbonensis töten ließ. Dann marschierte er nach Raetien, um gegen die Alamannen – die jetzt zum ersten Mal namentlich erwähnt werden – einen Feldzug zu leiten. Er besiegte die Feinde in einer Schlacht am Main und nahm den Siegerbeinamen ‹größter Germanensieger› an. Während dieses Aufenthalts an der Nordgrenze hat er wohl den Wall in Raetien durch Steine bewehrt. Der Hadrianswall in Britannien, den er vor kurzem gesehen hatte, diente möglicherweise als Vorbild. Im übrigen hat Caracalla offenbar versucht, die Wiederherstellung des Hadrianswalls als den eigentlichen Zweck des Britannienfeldzugs darzustellen, um seine taktische Räumung Nordbritanniens zu kaschieren. Schon in diesem Jahr, 213, scheint Caracalla ernstlich erkrankt zu sein, wobei er den einheimischen Heilgott Apollo Grannus als Helfer anflehte.

Nach Rom zurückgekehrt, trug er nun den gallischen Mantel, der ihm seinen Spitznamen eintrug. Cassius Dio nennt ihn auch mit einem anderen Beinamen – *Tarautas* – nach einem kleinen und häßlichen, aber tollkühnen und blutdürstigen Gladiator. Caracalla selbst wollte vor allem als neuer Alexander der Große gesehen werden. Seine Nachahmung des großen Makedonen wurde zur Obsession. 214 brach er zu einem Zug nach Osten auf und verbrachte unterwegs einige Zeit in Dakien. In Thrakien angelangt, «war er», laut Herodian, «sofort Alexander». Er erneuerte Alexanders Andenken auf jede Weise, trug selbst die makedonische Tracht, suchte mit schiefgehaltenem Kopf und gefurchter Stirn Alexander möglichst ähnlich zu werden und bildete eine eigene Phalanx aus 16 000 Makedonen. Auch in Sparta hob er eine neue ‹pitanische Loche› aus, wobei ‹Loche› – bewußt archaisierend – als uralter Name der Kampfeinheit gewählt wurde.

214 wurde Britannien, nach dem Muster Syriens im Jahre 194, geteilt: Zwei Legionen blieben unter dem Befehl eines konsularischen Statthalters der Britannia superior, der sein Hauptquartier in London hatte, die dritte, nördlichste Legion in York wurde dem prätorischen Statthalter der Britannia inferior zugeteilt, der für das gesamte Grenzgebiet im Norden zuständig war. Gleichzeitig wurden die Grenzen der pannonischen Provinzen geändert: Eine der drei oberpannonischen Legionen, diejenige in Brigetio, mit dem umliegenden Territorium wurde nun der niederpannonischen Provinz zugeordnet.

Somit verschwanden die letzten Dreilegionenheere. Der Grund war wohl, die Macht der Befehlshaber der Provinzen zu reduzieren; von diesem Zeitpunkt an hatte kein Statthalter mehr als zwei Legionen unter einem Kommando. Inzwischen wurde ein Vertrauter des Kaisers, der Senator Gaius Suetrius Sabinus, beauftragt, «den Status Italiens zu regeln», wobei jetzt unverkennbar das Kernland des Reiches kaum anders als eine Provinz behandelt wurde.

Nach seiner Ankunft in Asien im Sommer 214 feierte Caracalla in Ilion das Andenken des Achill und ließ seinen Freigelassenen Festus wie Patroklos begraben; er besuchte in Pergamon das Asklepieion, wo er hoffte, durch Träume Heilung erfahren zu können. Sein Winterquartier schlug er im bithynischen Nikomedeia auf, wo er sich besonders an Wagenrennen und Tierkämpfen vergnügte und selbst als Kämpfer auftrat. Hier war zum ersten Mal von einem bevorstehenden Partherkrieg die Rede, den er wohl seit längerer Zeit geplant hatte. Caracalla übte seine neue Phalanx dafür ein und ließ große Kriegsmaschinen anfertigen, die zu Schiff nach Syrien gebracht wurden.

Im Frühjahr 215 reiste er über Kleinasien nach Antiochia, wo er mit großer Begeisterung empfangen wurde. Der Vorwand für den geplanten Partherkrieg wurde ihm hier genommen, da der Großkönig die verlangte Auslieferung zweier Überläufer bewilligte. Immerhin fand ein Feldzug in Armenien unter dem Kommando seines Freigelassenen und ehemaligen Tanzmeisters Theocritus statt; Theocritus wurde aber geschlagen. Nun begab sich Caracalla nach Alexandria, wo er sich ab Dezember 215 für etwa drei Monate aufhielt. Hier wurde er zunächst anscheinend freundlich empfangen und besuchte feierlich das Grabmal des Stadtgründers. Aus verschiedenen Gründen aber verspottete ihn die Bevölkerung: Wegen des Brudermordes, wegen seiner angeblich blutschänderischen Beziehung mit seiner Mutter und wegen seiner Alexandernachahmung, die die Bewohner der Stadt Alexanders als lächerlich empfanden. Seine Rache war schrecklich: Er ließ die jungen Alexandriner versammeln, die er angeblich als Rekruten in eine weitere, nach Alexander benannte Phalanx einreihen wollte, und ließ sie dann von seinen Soldaten niedermachen.

Daß Caracallas Beziehung zu seiner Mutter trotz des Brudermordes eng war, ist sicherlich richtig, obwohl die angebliche Blutschande, die in verschiedenen Quellen erscheint, wohl eine Verleumdung war. Iulia war die einzige Person, in die er volles Vertrauen setzte. Sie hat ihn in den Osten begleitet und war sogar beauftragt, in Antiochia während seiner Abwesenheit die kaiserliche Korrespondenz zu sortieren. Auch die syrischen Verwandten, der Ehemann und die Schwiegersöhne seiner Tante, Iulia Maesa, wurden von Caracalla bevorzugt. Varius Avitus Bassianus – der spätere Elagabal –, der junge Sohn seiner Cousine Soaemias und des inzwischen verstorbenen Sextus Varius Marcellus, hat Caracalla während seines Aufenthaltes in der Provinz Asien begleitet.

216 fand Caracalla einen neuen Vorwand, einen Krieg gegen Parthien anzuzetteln. Er hatte sich um die Hand der Tochter des Partherkönigs Artabanos beworben, dazu offenbar vom Beispiel Alexanders veranlaßt, der eine persische Prinzessin als Braut genommen hatte. Herodian zufolge dachte Caracalla, er könnte durch diese Ehe die beiden Großreiche vereinigen. Das Heiratsangebot wurde aber zurückgewiesen, und es kam zum Krieg. Im Sommer 216 rückte Caracalla von Antiochia über Edessa und Daras nach Medien vor, wo er die Königsgräber der Parther in Arbela schändete. Es kam zu keiner richtigen Schlacht, weil die Parther vor ihm flüchteten. Trotzdem wurde ein entsprechender ‹Sieg› auf den Reichsmünzen verewigt.

Er bezog sein Winterquartier in Edessa und bereitete sich auf einen weiteren Feldzug vor. Als er am 8. April von dort nach Carrhae zog, um im Tempel des Mondgottes zu opfern, wurde er, «als er zur Verrichtung der Notdurft beiseite getreten war», ermordet. Dies geschah durch den Verrat des Prätorianerpräfekten Macrinus, der offenbar aus Furcht um sein Leben gehandelt hatte: Caracalla soll aufgrund einer Wahrsagung Mißtrauen gegen Macrinus gefaßt und die Freunde des Präfekten aus dessen Nähe entfernt haben. Macrinus hatte wohl Angst, daß er bald beseitigt werden würde, und veranlaßte einige Offiziere dazu, den Kaiser umzubringen. Es gelang Macrinus, die Soldaten über seinen Anteil an der Ermordung zu täuschen, und er wurde selbst vier Tage später zum Kaiser ausgerufen. Caracalla wurde zum Staatsgott erklärt. Macrinus nahm den zusätzlichen Namen Severus an, seinen Sohn Diadumenianus nannte er Antoninus.

Caracalla war wohl keinesfalls so allgemein verhaßt, wie es in den schriftlichen Quellen dargestellt wird. Dies wird allein durch die Tatsache erhellt, daß Elagabal und Severus Alexander sich beide als seine Söhne bezeichneten, um ihre Position zu stärken. Die Soldaten, die er, dem letzten Rat seines Vaters Severus folgend, so sehr begünstigt hatte, behielten ihn in guter Erinnerung. Außerdem war seine berühmte Verordnung, die *constitutio Antoniniana* – auch wenn seine eigentlichen Motive rein finanzieller Natur waren –, eine Maßnahme, die von der Nachwelt als die Vollendung der großzügigen römischen Tradition beurteilt wurde – wurde doch dadurch der römisch beherrschte Erdkreis zu einem gemeinsamen Vaterland.

Elagabal
218–222

Von Matthäus Heil

Elagabal gilt als der verkommenste von allen römischen Herrschern. Das moralische Verdikt und die dazu passenden Anekdoten über sein Sexualleben werden geschichtsschreibende Senatoren aufgebracht haben, die nach seinem Tod ihrem Zorn freien Lauf lassen durften. Eine der bizarrsten Erscheinungen unter den römischen Kaisern ist er gleichwohl gewesen. Bereits sein Weg zur Herrschaft war ungewöhnlich, und noch eigenartiger war, wozu er sie gebrauchte.

Kaiser Caracalla wurde – mitten im Partherkrieg – am 8. April 217 in Nordmesopotamien von einem Soldaten ermordet. Er hinterließ keinen Erben und hatte keine Regelung für seine Nachfolge getroffen. Die hohen Offiziere des Expeditionsheeres, fast durchweg ritterlichen Standes, machten umgehend unter sich aus, wer der neue Kaiser werden sollte. Sie einigten sich auf den Prätorianerpräfekten Marcus Opellius Macrinus, der von Haus aus Jurist war und damals etwas über 52 Jahre zählte. Seine Offizierskollegen standen auch in der Folge fest zu ihm, und er belohnte sie mit hohen Ämtern. Die Mannschaften erhielten die üblichen Geldgeschenke. Ihnen war es sehr wichtig, daß die Patronatsbeziehung zwischen ihnen und dem Kaiser auch jeweils von dessen Nachfolger fortgeführt wurde. Macrinus suchte daher an die Severer-Dynastie anzuknüpfen und gleichzeitig eine eigene zu begründen. Er ließ Caracalla zum Staatsgott erheben und ernannte seinen eigenen, neunjährigen Sohn Diadumenianus zum Caesar, also zum Nachfolger. Außerdem nahm er selbst den Namen Severus an und gab seinem Sohn den Namen Antoninus. Die Senatoren in Rom mußten sich der Wahl des Heeres beugen, aber sie verachteten den Ritter Macrinus als Emporkömmling. Mit seiner Erhebung hatte ihr Stand wieder ein Stück seiner alten Bedeutung eingebüßt: Bis dahin war nur Kaiser geworden, wer dem Senat angehört hatte.

Caracallas Mutter Iulia Domna beging bald darauf Selbstmord. So waren von seinen Verwandten nur noch Domnas Schwester Iulia Maesa am Leben sowie deren zwei verwitwete Töchter mit ihren minderjährigen Kindern: Iulia Soaemias mit ihrem Sohn Varius Avitus – dies ist Elagabal – und Iulia Mamaea mit ihrem Sohn Bassianus Alexianus. Es erging ihnen nicht schlecht, nur den Zugang zur Macht hatten sie verloren. Gerade damit wollte sich Maesa aber nicht abfinden. Sie alle lebten damals in ihrer Heimat Emesa in Syrien. Dort hatte Varius Avitus das Priestertum des alten Sonnengottes Elagabal inne, das in der Familie vererbt wurde: daher sein Name. Das Kultbild war ein Meteorit von konischer Form mit rundem Boden, und der Junge interessierte sich für nichts so sehr wie für seinen Gott.

Macrinus suchte den angefangenen Partherkrieg schnell zu gewinnen. Dies mißlang; er mußte einen Kompromißfrieden schließen. Zugleich brachte er die Soldaten gegen sich auf, indem er ihre kostspieligen Privilegien zu beschneiden begann. Iulia Maesa, zu jedem Wagnis entschlossen, nutzte die Lage skrupellos aus. Als Frau konnte sie nicht selbst nach der Herrschaft greifen. So wurde ihr damals vierzehnjähriger Enkel Elagabal vorgeschoben. Sie wußte den Umsturz auch als gerechte Sache hinzustellen: Sie ließ an die Soldaten großzügig Geld verteilen und das Gerücht ausstreuen, der Junge sei in Wahrheit ein Sohn Caracallas, von Soaemias ehebrecherischerweise mit ihrem Cousin gezeugt. Dies war fraglos erlogen, verschaffte aber den Anschein dynastischer Legitimität. Elagabal konnte nun als Rächer seines ‹Vaters› am Thronräuber Macrinus auftreten.

In der Nacht vom 15. auf den 16. Mai 218 schlichen sich Maesa, ihre Töchter und deren Söhne mit wenigen Begleitern in das Legionslager bei Emesa. Die Soldaten begrüßten Elagabal als Caracalla-Sohn und neuen Kaiser. Er nannte sich fortan offiziell – wie Caracalla – Marcus Aurelius Antoninus. Macrinus gelang es nicht, den Putsch zu unterdrücken. Immer mehr Einheiten liefen über. Macrinus rief seinen Sohn zum Mitherrscher aus und verteilte seinerseits Geld. Doch es war zu spät. Die Aufrührer besiegten ihn in einer Schlacht, er mußte fliehen, wurde gefaßt und beseitigt. Auch sein Sohn wurde umgebracht. Ihre Namen wurden aus den öffentlichen Dokumenten getilgt.

Es war so leicht gefallen, die Soldaten aufzuwiegeln, daß das Beispiel Schule machte. Als sich Elagabal auf den Weg nach Rom begab, warf sich der Befehlshaber einer syrischen Legion namens Verus zum Kaiser auf. Die Revolte wurde bald niedergeschlagen, ihr Urheber bezahlte mit dem Leben. Ein weiterer syrischer Legionskommandeur, Gellius Maximus, geriet in den Verdacht, er plane dasselbe. Er wurde ebenfalls getötet. In einer späten Quelle werden ferner die Usurpatoren Seleucus und Uranius genannt, eine Nachricht, die sicher auf historischen Irrtümern beruht. Doch gab es wirklich noch weitere Versuche, es Elagabal und Maesa gleichzutun. Alle scheiterten rasch. Die einfachen Soldaten und Subalternoffiziere hielten fest zu dem spendablen, wenn auch nur vorgeblichen Caracalla-Sohn und zu seiner Familie.

Elagabal und sein Troß trafen Mitte 219 in Rom ein. Der Senat hatte ihn längst formell bestätigt. Der kaiserliche Jüngling heiratete eine

Dame aus höchstem senatorischem Adel, Iulia Cornelia Paula, doch in seinem ganzen Auftreten gab er sich offen als syrischer Priester – und zog damit alle Vorurteile über die ‹weibischen Orientalen› auf sich. Ihm war anscheinend gleichgültig, was die Öffentlichkeit von einem Kaiser erwartete. Nachdem ihm die Macht quasi zugefallen war und er sich frei entfalten konnte, begann er – unterstützt von seiner Mutter –, seine Vision zu verwirklichen: Blind vor Eifer für seinen Gott, versuchte er allen Ernstes, die römische Religion nach emesenischem Vorbild umzugestalten. Er hatte das Götterbild mit nach Rom gebracht, er baute ihm einen Tempel auf dem Palatin, und gegen Ende 220 erhob er den Elagabal von Emesa zum obersten Gott des Reiches. Andere, auch römische Götter ordnete er ihm als Hofstaat bei und suchte ihm eine Frau, die Dea Caelestis (Tinnit) aus Carthago. Natürlich fungierte Elagabal in eigener Person als oberster Priester seines Reichsgottes. Er schied sich überdies von seiner Gattin und heiratete eine der vestalischen Jungfrauen namens Iulia Aquilia Severa.

Elagabals eigenwillige Kultreform geriet rasch zur Probe, wieviel ein Kaiser seinen Untertanen zumuten durfte. Kein Heide hätte etwas gegen einen zusätzlichen, neuen Gott einzuwenden gehabt – solange auch das Alte sein Recht behielt. Aber was Elagabal tat, rührte an die religiöse und kulturelle Identität, wenigstens an die der gebildeten, konservativen Oberschicht, zumal sie an fast allen Zeremonien teilnehmen mußte. Vorerst konnte man sich nur rächen, indem man kolportierte, Elagabal lasse sich wahllos von gut gebauten Männern beschlafen.

Ins Wanken gebracht wurde Elagabals Regime durch eine Spaltung innerhalb des herrschenden Clans. Iulia Mamaea begann ab 221 ihren eigenen, zwölfjährigen Sohn Bassianus Alexianus in den Vordergrund zu schieben, und sie brachte Iulia Maesa auf ihre Seite. Mamaea ließ ihren Sohn betont römisch, betont militärisch und betont männlich erziehen. Bald behauptete sie, er sei ebenso wie Elagabal ein illegitimer Sohn Caracallas.

Wahrscheinlich auf Druck von Maesa und Mamaea adoptierte Elagabal am 26. Juni 221 seinen Vetter; zugleich wurde dieser zum Caesar erhoben und erhielt den Namen Marcus Aurelius Severus Alexander. Auch schied sich Elagabal von der Vestalin und heiratete die hochadelige Annia Faustina. Offenbar erst nachträglich begriff er, daß er seine eigene Entmachtung eingeleitet hatte. Er bereute die Adoption, jagte Faustina aus dem Haus und holte die Vestalin zurück. Zwischen Elagabal und Severus Alexander – oder mehr noch zwischen ihren Müttern – entbrannte ein Machtkampf auf Leben und Tod.

Entscheidend war, wem die Truppen in und bei Rom folgen würden. Vor allem Maesa und Mamaea wandten alle Mittel auf, um sie für sich und Alexander einzunehmen. Doch die Soldaten wollten die Dynastie am liebsten einig sehen. Im Herbst 221 lösten Maesa, Mamaea und

Alexander eine Militärrevolte aus, die jedoch eingedämmt wurde. Die beiden Cousins mußten eine Versöhnung heucheln. Im Vorfrühling 222 verlor Elagabal einen Großteil seiner Macht: Er mußte Alexander zum ‹Teilhaber am Kaisertum und Priesteramt› ernennen, also zum Mitregenten. Am 11. oder 12. März 222 kam das Ende: Maesa, Mamaea und Alexander flehten die Prätorianer um Schutz vor Elagabal an, der ihnen angeblich – oder tatsächlich – nach dem Leben trachtete. Die Truppen traten auf ihre Seite über. Elagabal versuchte vergeblich, sich vor den Meuterern zu verstecken; er wurde entdeckt und getötet. Das gleiche widerfuhr seiner Mutter und seinen engsten Vertrauten. Unter dem Gejohle des Volkes wurde Elagabals Leiche wie die eines Schwerverbrechers übers Forum geschleift und schließlich, mit einem Stein beschwert, im Tiber versenkt. Elagabal ist nur achtzehn Jahre alt geworden. Sein Andenken verfiel der Verdammnis.

SEVERUS ALEXANDER
222–235

Von Karlheinz Dietz

Severus Alexander war bei seiner Thronbesteigung dreizehn Jahre alt, und ebenso lange regierte er. Er müßte nach Umfang und Inhalt seiner Lebensbeschreibung in der *Historia Augusta* bei weitem der bedeutendste Kaiser des 2. und 3. Jahrhunderts gewesen sein. Freilich hat diese Mischung aus Schönrede und Unverstand, heute zumeist als Machwerk der Zeit um 400 betrachtet, mit der historischen Wirklichkeit fast nichts zu tun. Nur schattenhafte Konturen gewinnt diese Herrschaft aus den einseitigen, dürftigen und nicht selten widersprüchlichen Nachrichten von Autoren, die, wie Cassius Dio, unmittelbar in die Ereignisse verstrickt waren, oder ihnen, wie Herodian, wenigstens nahestanden. Spätrömische Überlieferungssplitter und Primärquellen, Inschriften und Münzen, vermögen die Lücken nur dürftig zu schließen.

Verwandte regierten das Weltreich, als Gessius Bassianus Alexianus – wie Severus Alexander ursprünglich hieß – am 1. Oktober 208 (?) geboren wurde. Seine Mutter Iulia Avita Mamaea gehörte wie ihre Tante, die Kaiserin Iulia Domna, zum Priestergeschlecht im syrischen Emesa. Der Vater Gessius Marcianus war ein Ritter aus der Nachbarstadt Arca

Caesarea am Libanon. Hier kam auch der gemeinsame Sohn zur Welt. Offenbar liebten sich die Eltern, da Mamaea, deren erster Gatte Konsular gewesen war, mit der zweiten Ehe einen sozialen Abstieg in Kauf nahm: Marcianus hatte zwar mehrmals dem Kaiser als Prokurator gedient, schaffte den Sprung in den Senat aber erst unter Caracalla, dem Cousin seiner Gemahlin. Das später verbreitete Gerücht, Alexander sei ein Bastard Caracallas, diente nur der dynastischen Legitimation.

Caracallas Ermordung und Domnas Selbstmord gefährdeten die emesenische Familie, zumal rasch auch Mamaeas Vater, der einflußreiche Gaius Iulius Avitus Alexianus, starb. Spätestens im zehnten Lebensjahr befand sich Bassianus Alexianus in Emesa, wo er mit seinem wenig älteren Vetter Varius Avitus unter der Ägide der gemeinsamen Großmutter Iulia Maesa dem örtlichen Sonnengott Elagabal geweiht war. Nach der Kaisererhebung seines Cousins im Mai 218 wurde im Kampf mit den Anhängern des Macrinus zunächst eine Schwester des Alexianus samt ihrem Gatten ermordet, bald darauf kam wohl auch der Vater Marcianus um. Da sich das Geschick rasch wandelte, konnte Alexianus 219 mit dem siegreichen Elagabal nach Rom ziehen. Dort verschlechterte sich Elagabals Ansehen beim Volk und vor allem beim Militär so sehr, daß ihn Maesa in einem politischen Machtkampf rivalisierender Gruppen dazu bewog, seinen beliebteren, wiewohl kaum jüngeren Vetter im Juni 221 zu adoptieren und zum «alleradeligsten Caesar des Imperiums» zu erheben. Aus dem bald darauf zum Konsul designierten Bassianus Alexianus wurde Marcus Aurelius Alexander. Den Thronnamen «Alexander» führte Elagabal auf eine Offenbarung seines Sonnengottes zurück; andere Zeitgenossen glaubten an die göttliche Erwählung des «römischen Alexander» und erkannten eine Vielzahl von diesbezüglichen Vorzeichen. Caracallas Manie, Alexander den Großen zu imitieren, hatte rascher, als wohl viele glaubten, einen römischen Alexander zur Folge. Zusehends verschlechterten sich die Beziehungen zwischen dem Kaiser und seinem ‹Sohn›. Die überlebenswillige Maesa ergriff Partei für ihren jüngeren Enkel und erkannte dem älteren die Gnade ab, Caracallas Bastard zu sein. Ihrer Töchter notorische Feindschaft eskalierte, und nach mehreren gescheiterten Komplotten Elagabals wurde er schließlich selbst mit seiner Mutter von den Prätorianern ermordet. Zwei Tage danach, am 13. März 222, begann offiziell die Alleinherrschaft des Severus Alexander.

Dieser war höchstens dreizehn Jahre alt, und es ist durchaus glaubhaft, daß er eine sehr gute griechisch-römische Erziehung genoß – regierungsfähig war er dennoch nicht. Die wirkliche Macht und die politische Geschäftsführung lagen nach unserer Überlieferung bei Großmutter und Mutter. Das setzt ein Einvernehmen zwischen den beiden voraus, das indessen, wie es scheint, so gut nicht gewesen ist. Maesa starb wohl schon im August 224, ihr Sachwalter, der Jurist Ulpian, sogar noch vor ihr; von dem häufig als Ulpians Nachfolger betrachteten Juristen Iulius Paulus ist nicht einmal sicher, ob er 222 noch lebte; und schließlich war Ulpian nicht einmal die Wahl der ersten Stunde! Vielmehr kamen im Frühjahr 222 mit dem Stadtpräfekten Valerius Comazon und den Prätorianerpräfekten Iulius Flavianus und Geminius Chrestus Höflinge an die Macht, die bereits 218/19 wichtige Rollen gespielt hatten. Maesa beschwor damit den Zustand vor Elagabals Eskapaden, doch erwies sich ihre restaurative Politik als instabil. Ulpian – vielleicht des Caesars Alexander Sekretär für Rechtsfragen – avancierte noch im März 222 zum Präfekten der Lebensmittelversorgung Roms und «Freund» des Kaisers; binnen kurzer Zeit, spätestens am 1. Dezember 222, war er alleiniger Prätorianerpräfekt und «Vormund» des Kaisers. Zunächst hatte ihn Mamaea «als Schiedsmann und gewissermaßen Teilhaber am Amt» – weniger eine Art Superpräfektur als eine Notlösung, um die Zügel in der Hand zu halten – dem Flavianus und dem Chrestus vor die Nase gesetzt. Noch vor dem Dezember fielen Maesas Günstlinge: Mamaea behauptete, einer Prätorianerrevolte gegen Ulpian zuvorzukommen und exekutierte die Verschwörer.

Auch als ‹heimtückischer Intrigant› ein Meister, kommandierte Ulpian jetzt die Prätorianer ohne einen Kollegen. Das war weder neu noch sonderlich skandalös, es beruhigte aber auch die Lage nicht. Bald tobten aus nichtigem Anlaß drei Tage lang Straßenkämpfe zwischen dem römischen Volk und den Prätorianern; erst als die unterlegenen Soldaten Häuser niederbrannten, stimmte die Bevölkerung notgedrungen einer Versöhnung zu. Damals oder nicht viel später wurde der auf Disziplin beharrende Ulpian nachts von den Prätorianern überfallen und vor den Augen des hilflosen Kaisers, in dessen Palast er sich geflüchtet hatte, niedergemacht.

Im Verlaufe des Krisenjahres 223 dienten, wie es scheint, noch zwei weitere Präfektenpaare, wurden sehr schnell abgelöst und, mit den Ehrenzeichen eines Konsuls ausgestattet, entlassen. Dies weist auf eine weiterhin höchst konfliktgeladene Stimmung hin, die auch der neue Stadtpräfekt und Konsul Appius Claudius Iulianus nicht recht in den Griff bekam. Marcus Aurelius Epagathus, der angebliche Hauptschuldige an Ulpians Ermordung, wurde, um Rom nicht mit dem Prozeß zu belasten, zum Präfekten von Ägypten befördert, nur um anschließend in Kreta abgeurteilt und hingerichtet zu werden. Dennoch ließ die Spannung in Rom – wo während einer Hungersnot angeblich sogar Menschenfleisch verzehrt wurde – nicht nach: Als der Historiker Lucius Cassius Dio 229 mit dem Kaiser seinen Konsulat antreten wollte, fürchtete Alexander um das Leben seines Kollegen und riet ihm, sein Konsulatsjahr irgendwo in Italien außerhalb Roms zuzubringen. Wie einst über Ulpian hatten sich die vorwiegend aus Illyrien rekrutierten Prätorianer auch über Dios hartes Regiment beschwert, das dieser über die Soldaten in Pannonien geführt hatte. Politische Instabilität, Disziplinlosigkeit und Anarchie – Symptome der inneren Krise – kennzeichneten diese Jahre, in Rom wie im Reich, das nach Dio von vielen Aufständen gebeutelt wurde. Gewiß stand Mamaea das Schicksal ihrer Schwester und ihres Neffen stets drohend vor Augen, reichte die Gefahr doch, wie nicht nur die Ermordung Ulpians verdeutlicht hatte, bis in den eigenen Palast.

Aufgrund entsprechender Münzen und Inschriften läßt sich sichern, daß Severus Alexander um 225 oder wenig später die adelige Gnaea Seia Herennia Sallustia Orba Barbia Orbiana ehelichte. Dieses junge Glück endete 227/28 zweifellos katastrophal, als Orbianas zum Caesar ernannter Vater Lucius Seius wegen Verschwörung hingerichtet und seine Tochter nach Afrika verbannt wurde. Schuld war angeblich die um Alexanders Liebe eifernde Mamaea: Vor ihren Nachstellungen floh Seius ins Prätorianerlager, wo er schwere Vorwürfe gegen die Regentin erhob – und das brachte ihm den Tod. Gerechterweise wird man zugeben, daß die im Laufe der Zeit zur «Mutter des Kaisers, der Feldlager, des Senats und des Vaterlandes» avancierte Mamaea einen ausgeprägten Selbstbehauptungswillen entwickelte; andererseits wurden kaiserliche Schwiegerväter sehr leicht übermächtig, und die besondere Gefahr dieser Regentschaft lag in der Jugend des Monarchen. Es war verlokkend, gegen eine vermeintlich schwache Regierungsspitze aufzubegehren. Wie dem auch sei, Vorfälle wie die Scheidung von Orbiana haben zweifellos zu dem Negativimage des Kaisers beigetragen – am Rockzipfel der Mutter zu hängen –, das seinen Untergang schließlich erklären sollte.

Dabei hatte die Regierung sicher die besten Absichten, wie schon das am 24. Juni 222 ergangene Edikt zum Erlaß des anläßlich des jüngsten Thronwechsels fälligen Krongeldes zeigt: Alexander drückt darin den ernsthaften Willen zur Erneuerung der kaiserlichen Gewalt aus und verspricht, sich an Traian und Marc Aurel zu orientieren; durch Menschenfreundlichkeit und Wohltätigkeit wolle er seinen sehr sorgfältig ausgewählten Statthaltern und Prokuratoren ein Vorbild in der Mäßigung sein und sein Kaisertum in Schicklichkeit, Sittsamkeit und maßvoller Strenge erfüllen. In der Tat erkennen wir Momente der Stabilität und Kontinuität in dieser Herrschaft; einzelne Senatoren und Ritter wirkten unermüdlich in allen Teilen des Reiches, ein kluger Mann begnügte sich jahrelang als «Vizekönig am Nil».

Die Regierung bemühte sich, das getrübte Verhältnis zum Senat positiv zu gestalten. Schon 222 hatten die Kaiserinnen sechzehn der altehrwürdigsten und angesehensten Senatoren als Beisitzer und Ratgeber des Kaisers bestimmt, ohne deren Mitbeschluß nichts verlautbart oder unternommen wurde. Natürlich war das eine Geste und keine Preisgabe der Macht. Aber Cassius Dio, den Alexander hochschätzte – weshalb er ihm sogar die mit dem zweiten Konsulat verbundenen Auslagen abnahm –, flüstert in der Rede des Maecenas seinem «Augustus» ein, daß im Verhältnis des Kaisers zum Senat der Anschein wesentlicher sei als die Wirklichkeit. Wichtig war eine scheinbar stärkere Mitbeteiligung des Senats nach außen ebenso wie die Tugend, die angesehensten Senatoren, Ritter, Prätorier und Konsulare «abwechselnd zu Rate zu ziehen». So erkannte der Monarch ihren Charakter und ihre Fähigkeiten und machte sie mit den eigenen Vorstellungen vertraut. Den in der jüngsten Vergangenheit nicht gerade verwöhnten Senatoren mußte derlei gefallen: Auf einer unlängst gefundenen Inschrift rühmt sich der spätere Kaiser Decius bei seinem Wechsel vom niedermoesischen zum niedergermanischen Statthalter – als solcher hat er die Ermordung Alexanders miterlebt –, «Kandidat des Kaisers» zu sein; derlei hatte es bislang bei Konsularen nicht gegeben. Auch andere Gesten sollten den Senat versöhnen: So wurde zumindest die wichtige zweite Parthische Legion jetzt, wie alle anderen Legionen, von einem senatorischen Legaten und nicht wie bisher von einem ritterlichen Präfekten kommandiert. Die Prägung der Kupfermünzen wurde verbessert, und beim Silbergeld wurde wieder der Denar, nicht mehr der Antoninian geschlagen. Angesichts der unruhigen Zeit bedurfte Severus Alexander der Hilfe von vielen Seiten. Angebliche Siege kaiserlicher Legaten in Mauretania Tingitana, Illyrien und Armenien sind freilich erfunden, und der kürzlich vermutete Krieg gegen einen aufrührerischen Stamm in Mauretania Caesariensis durch Titus Licinius Hierocles war wohl eher eine Räuberjagd. Aber Alexander hatte an den traditionellen Fronten Roms Kriege zu führen und zudem das Pech, daß bei beiden Gegnern folgenreiche Veränderungen eingetreten waren: Im Osten hatte sich mit den Sassaniden ein neuer Aggressor gezeigt, im Westen plünderte der alamannische Völkerbund erstmals im großen Umfang.

Die wirkungsvollste Umwälzung spielte sich außerhalb des Reiches im Orient ab. Ardaschir I. begründete im persischen Stammland eine neue Dynastie. Mit der Unterwerfung des gesamten Partherreichs (226/27) fand die beinahe fünfhundertjährige Regentschaft des hellenistisch beeinflußten parthischen Herrscherhauses ihr Ende. Die nach dem Großvater benannte neupersische Dynastie der Sassaniden verstand sich als Nachfolger der altpersischen Achämeniden, deren Reich Alexander der Große vernichtet hatte, und beanspruchte dementsprechend als rechtmäßiger Erbe jene römischen Territorien für sich, die vormals Teile des Achämenidenreiches gewesen waren. Unmittelbar bedrohte Ardaschir mit seiner Streitmacht nicht nur den von jeher strittigen römischen Einfluß auf Armenien, sondern auch die Provinzen Mesopotamien – wo ihm die Araberfestung Hatra widerstand –, Osrhoëne und Syrien; darüber hinaus soll er sich gebrüstet haben, Kleinasien bis zur Ägäis zurückerobern zu wollen. Der verschärfte Konflikt bestimmte die Geschicke an der römischen Ostgrenze für die folgenden Jahrhunderte. Es ist nicht ohne Ironie, daß ausgerechnet unter dem römischen Alexander die vom griechischen Alexander gebrochene iranische Macht nach Westen zurückkehrte.

Rom vermerkte ängstlich die Veränderungen, schätzte den neuen Gegner militärisch gleichwohl nicht sonderlich hoch ein. Cassius Dio sah die größere Gefahr in der desolaten Disziplin der Römer, die Fahnenflucht und Meuterei in großem Umfang befürchten ließ. Die mesopotamischen Truppen hatten ihren eigenen Kommandeur Flavius Heracleo bereits gelyncht, und während Severus Alexander zum Zug gegen die Parther rüstete, kam es zu vielen, teilweise sehr heftigen Aufständen gegen seine Regierung, doch konnten sie alle unterdrückt werden; die notwendige Strenge des Kaisers verstanden einige als Erfüllung seines programmatischen Beinamens «Severus», der Strenge. Neben den – notorisch der Laxheit geziehenen – syrischen Truppen waren an diesen Meutereien vor allem Soldaten aus Ägypten beteiligt. Späte Überlieferungen vermelden sogar Usurpatorennamen: Uranius, Antoninus, Taurinus. Verlaß ist auf solche Quellen nicht, und möglicherweise verbirgt sich hinter ihnen eine einzige Person – Uranius usurpierte in Edessa, in der Nähe des Euphrat, Taurinus ertränkte sich aus Angst in diesem Fluß, Antoninus machte sich durch Flucht unsichtbar! So mag Uranius sehr wohl Verballhornung von Taurinus sein, und Uranius weckte bei Späteren den Gedanken an Antoninus; ein Uranius Antoninus usurpierte tatsächlich, freilich erst im Hochsommer 253! So wissen wir über Taurinus fast nichts.

Als Ardaschir 230 schließlich Mesopotamien besetzte, Nisibis belagerte und seine Reiter bis nach Syrien und Kappadokien vorschickte, wurde es Zeit zum Handeln. Im Folgejahr zog Severus Alexander in Begleitung seiner Mutter in großer Eile über den Balkan und durch Kleinasien in den Osten, wo er von vielen Seiten her Truppenabordnungen sammelte. Den Winter 231/32 brachte er in Antiochia mit Feldzugsvorbereitungen zu. Seine Friedensangebote an Ardaschir lösten nur die dreiste Wiederholung der persischen Erbansprüche aus. Drei Heeressäulen trugen im folgenden Frühjahr die römische Gegenoffensive vor; schnellstmöglich sollten sie erobernd das feindliche Gebiet durchziehen und an einem vereinbarten Ort wieder zusammentreffen. Der Nordkeil marschierte nach Armenien und Medien und gefährdete mit Achtungserfolgen den Gegner, der sein Hauptkontingent gegen Roms südliche Heeresgruppe stellen mußte. Diese zielte auf das Mündungsgebiet von Euphrat und Tigris, wurde aber von Ardaschir in einer Umfassungsschlacht völlig aufgerieben. Im Zentrum kam der größte römische Verband mit Alexander über Palmyra in Richtung Mesopotamien nicht recht voran. Ein Teil der Überlieferung spricht von einem Sieg Alexanders, sicher ist freilich nur, daß der Kaiser und zahlreiche an das wechselhafte Klima nicht gewöhnte Soldaten erkrankten und nur die Umkehr nach Antiochia blieb. Fatalerweise mußte auf kaiserliche Weisung trotz der hereinbrechenden Winterstürme auch die erfolgreiche Nordarmee den Rückzug über das schroffe und schluchtenreiche armenische Hochland antreten: Nicht wenige der Soldaten kamen mit starken Erfrierungen zurück; ein Großteil überlebte den Rückmarsch gar nicht.

Der Winter 232/33 galt der Regeneration, und die Perser, die offenbar gleichfalls nicht geringe Probleme hatten, nahmen den Kampf nicht wieder auf. Ihre Aggression war jedenfalls im Moment aufgehalten, auch wenn es zu einem förmlichen Frieden nicht kam. Von Nachrichten über Germaneneinfälle in die von Truppen teilweise entblößten Westprovinzen alarmiert, verzichtete Alexander auf eine geplante Ägyptenreise. Mit Mamaea, die den großen christlichen Kirchenlehrer Origenes nach Antiochia eingeladen hatte, um von ihm zu lernen, kehrte er nach Rom zurück und feierte am 25. September 233 einen Triumph über die Perser. Im Folgejahr begaben sich die beiden nach Obergermanien, von wo aus sie einen Feldzug gegen die Germanen planten und zu diesem Zweck bei Mainz Kriegsvorbereitungen trafen. Über die Gegner besitzen wir nur vage Angaben. Nach dem späteren Kriegsverlauf und archäologischen Indizien hatten die Alamannen offenbar Obergermanien und Raetien bedroht, daneben dürften aber auch die übrigen Donauprovinzen durch Sarmaten und Daker gefährdet gewesen sein.

Als Severus Alexander erneut versuchte, den Frieden auf dem Verhandlungsweg, gegebenenfalls durch Geldzahlungen, zu erreichen, wurde ihm dies in Teilen der Armee als abermaliges Versagen ausgelegt. Über seine angebliche Strenge und seine zu große Abhängigkeit von der geizigen Mutter unzufrieden, machte sich der soldatische Unmut in einer Rebellion Luft, diesmal mit Erfolg. An ihrer Spitze stand – freiwillig oder nicht – Gaius Iulius Maximinus, genannt Maximinus Thrax, ein vom einfachen Soldaten bis zum römischen Ritter aufgestiegener Mann, der sich im Perserfeldzug bewährt und den Alexander unlängst erst mit der wichtigen Führung aller Rekruten betraut hatte.

Alexander wurde Anfang März 235 vermutlich im heutigen Mainzer Vorort Bretzenheim ermordet. Im Empfangsraum des kaiserlichen Feldlagers meuchelten ein Tribun und mehrere Centurionen den jungen Monarchen gemeinsam mit seiner Mutter und seinen wirklichen Freunden. Am 25. März war der neue Regent in Rom anerkannt und in die großen Priesterschaften aufgenommen worden. Alexander und seine Mutter wurden vom Senat geächtet, ihre Namen im ganzen Reich aus den Inschriften getilgt. Nur drei Jahre später wurde er – aber nicht seine Mutter – rehabilitiert und unter die Götter erhoben. Maximinus, der Rom als Herrscher nie betrat, aber erfolgreich gegen die Barbaren des Nordens kämpfte, bat die friedlich lebenden Bewohner im Reichssüden kräftig zur Kasse und wurde nach nur dreijähriger Herrschaft gestürzt. Im Zuge dieses turbulenten Bürgerkriegs 238 wurde der Senat noch einmal ungewöhnlich aktiv. Der jetzt vergöttlichte Alexander wurde zu einem Symbol der von Maximinus zerstörten Freiheit. Ungeachtet der vielen Anachronismen in der *Historia Augusta* wird bereits damals, nicht erst viele Jahrzehnte später, die Legendenbildung um seine Person massiv eingesetzt haben, und Alexander begann sich zu wandeln: vom ‹jammervollsten aller Cäsaren› (A. von Domaszewski), den sogar sein späterer Nachfolger Iulian in einem fiktiven olympischen Gastmahl als großgewordenes und von allen in Ruhe gelassenes Kind nur auf den hinteren Bänken Platz nehmen und laut sein Unglück beklagen läßt, zum ‹wahren Sankt Ludwig des Altertums› (J. Burckhardt).

Gordian III.
238–244

Von Hans-Joachim Gehrke

Das Jahr 238 ist gleichsam ein Focus der Geschichte und Struktur des römischen Prinzipats. Die Spannungen zwischen der senatorischen und der militärischen Orientierung, die latent angelegt waren und in der Zeit der Soldatenkaiser (235–284) immer wieder sichtbar wurden, waren hier im Verlauf eines halben Jahres gebündelt, in dem es sieben Kaiser – darunter fünf zur gleichen Zeit – gab. Wie krisenhaft sich die Situation in der Zeit nach dem Tode des Severus Alexander zugespitzt hatte, wurde schon zu Beginn des Jahres deutlich, als ein an sich ephemeres Ereignis bisher nicht gekannte Konflikte auslöste.

In der zweiten Januarhälfte, wohl zwischen dem 15. und dem 20., ermordeten junge Männer, die aus den lokalen Honoratiorenschichten stammten, unterstützt durch größtenteils von ihnen abhängige Bauern und Landarbeiter, in Thysdrus in der Provinz Africa einen kaiserlichen Verwalter. Anschließend riefen sie den etwa achtzigjährigen Statthalter der Provinz, Marcus Antonius Gordianus Sempronianus Romanus zum Kaiser aus. Dieser ernannte seinen gleichnamigen, etwa 192 geborenen Sohn zum Mitregenten (Gordian I. und Gordian II.), machte Carthago zu seiner provisorischen Residenz und erreichte sogleich die Anerkennung seitens des römischen Senats und die Zustimmung des römischen Volkes, wobei ihm sein hohes Ansehen und zugleich seine guten persönlichen Beziehungen von Nutzen waren.

Der Senat wählte aus den eigenen Reihen eine Kommission besonders angesehener Vertreter, die ‹Zwanzigmänner› zur Verwaltung des Staates. Den regierenden Kaiser, Maximinus Thrax, und seinen Sohn Maximus erklärte er zu Staatsfeinden. Zur Respektierung dieser Maßnahmen, die seine Vorstellung von legitimer Prinzipatsordnung zu erkennen geben, bewog er durch Gesandte die Kommandeure und Stäbe in den meisten Provinzen des Reiches, vor allem im Osten und im Zentrum. Es war, als hätte man nur auf eine Alternative zum regierenden Kaiser gewartet, um von ihm abzufallen. Erst die mehr als eindeutige und einmütige Reaktion des Senats gab dem peripheren und für den Kaiser im Grunde unerheblichen Ereignis in der Provinz seine Wucht, ja seine historische Bedeutung. Sie verstand sich aber keineswegs von selbst. Allerdings scheint der Gegenkaiser mit ihr gerechnet zu haben.

Hier liegt der Schlüssel zur Deutung der zunächst überraschenden Vorgänge. Sie sind nämlich nur dadurch zu erklären, daß das Regime des Kaisers Gaius Iulius Verus Maximinus, genannt Maximinus Thrax, in kürzester Zeit extrem unbeliebt geworden war. Was für die Errichtung und Erhaltung eines legitimen Kaisertums unerläßlich war, nämlich Akzeptanz bei den für die Herrschaft wichtigen Gruppen und Schichten zu finden, war unter ihm auf exemplarische Weise mißlungen.

Maximinus Thrax hatte eine glänzende militärische Karriere hinter sich, in deren Verlauf er sich vom einfachen Soldaten aus einer Garnison an der unteren Donau in den römischen Ritterstand emporgedient hatte und einer der dominierenden Offiziere unter Kaiser Severus Alexander geworden war. Von frisch rekrutierten und unter ihm ausgebildeten Truppen aus den pannonischen Provinzen war er – damals rund 60 Jahre alt – während eines Feldzuges zur Konsolidierung des Limes im Taunusgebiet gegen alamannische Gruppen zum Kaiser ausgerufen worden und hatte den regierenden Herrscher, Severus Alexander, samt dessen Mutter und engsten Freunden im Heerlager bei Mainz töten lassen. Nach der Episode des Macrinus war damit erst zum zweiten Mal ein Kaiser auf den Thron gelangt, der nur dem Ritterstand angehörte. Schon deshalb hatte sich der Senat, der das Regime des Severus Alexander getragen hatte, dem Umsturz nur notgedrungen gebeugt und den neuen Kaiser formell anerkannt.

Maximinus Thrax, der seinen Sohn Gaius Iulius Verus Maximus (geb. etwa 215) im Jahr 236 zum Caesar erheben ließ, war in einem spezifischen Sinne der erste «Soldatenkaiser». Er dachte und handelte ausschließlich nach den Gesichtspunkten militärischer Effizienz und Kraftentfaltung. Ein Sensus für politische Überlegungen war ihm ebenso fremd wie Respekt vor den üblichen Regeln des Umgangs mit Senat und Volk. Seine soldatische Leistungsfähigkeit konnte er sofort unter Beweis stellen, zunächst in erfolgreichen Kämpfen gegen die Alamannen (235), dann an der mittleren und vor allem unteren Donau gegen Sarmaten und freie Daker (236/37); auch zwei Usurpationsversuche am Rhein durch Magnus und Quartinus konnten ihm nichts anhaben. In vielen Gebieten des Reiches schuf er durch Infrastrukturmaßnahmen, insbesondere durch Straßenbau, die Voraussetzungen für eine wirksame Kriegführung. In Sirmium, der zentralen römischen Bastion im nördlichen Balkangebiet, zog er im Winter 237/38 ein riesiges Aufgebot zusammen, um den Krieg in das Gebiet der Feinde zu tragen.

Alle diese militärischen Anstrengungen hatten ihren Preis. Maximinus hatte den Steuerdruck beträchtlich erhöht und darüber hinaus auch Gelder, die für andere Zwecke reserviert waren, etwa zur zivilen Getreideversorgung und für kultische Aufgaben, umgewidmet. Damit hatte er nahezu alle Bevölkerungsschichten gegen sich aufgebracht, die Landbevölkerung in Italien und in den Provinzen, die unter Aushebungen, Requirierungen und dem anmaßenden Auftreten von Soldaten zu leiden hatten, die Honoratiorenschichten in den Städten des Reiches, die letztlich für die Abgaben geradestanden, das stadtrömische Volk, das sich in seinen Erwartungen auf «Brot und Spiele» mißachtet sah. Der Senat, der sich dem Pronunciamiento von 235 nur zähneknirschend gebeugt hatte, wurde zusätzlich durch wiederauflebende Majestätsprozesse in Unruhe versetzt. Negativ wirkte es sich auch aus, daß der Kaiser nicht nach Rom gekommen war. Mochten auch noch so viele gute – militärische – Gründe für die Präsenz des Kaisers an den Grenzen sprechen, bei Senat und Volk mußte diese Verweigerung der vom Herrscher erwarteten traditionellen Kommunikation und ihrer Rituale als kränkende Mißachtung empfunden werden. Entsprechend negativ war die Einstellung beim Volk, und entsprechend groß war die Solidarität unter den Senatoren, die sich in der Opposition gegen den Kaiser zusammenfanden.

Daß der Aufstand gegen ihn einen für die Erhebung von Steuern zuständigen Amtsträger traf, war also nicht verwunderlich, auch nicht, daß er in Africa ausbrach. Gerade diese reiche Provinz war für die Versorgung mit Lebensmitteln und für die Entrichtung von Abgaben sehr wichtig und von dem intensivierten Druck besonders betroffen. Somit finden sowohl die Erhebung selbst als auch ihre prompte und nachdrückliche Wirkung eine einleuchtende Erklärung. Dennoch schien die Situation sehr rasch im Sinne des Maximinus bereinigt zu sein. Dieser setzte sich nur vier Tage nach Erhalt der Nachricht von der Usurpation und der Zustimmung in Rom von Sirmium aus mit dem Reichsaufgebot in Marsch, um in Rom für klare Verhältnisse zu sorgen. Währenddessen klärte sich die Lage in Africa ganz in seinem Sinne. Die einzige größere Militäreinheit im Maghreb, die in der Provinz Numidia stationierte Legion (*III Augusta*), seit dem 3. Mai 235 mit einer zusätzlichen Benennung nach dem Kaiser (*Maximiniana*) geehrt, erwies sich als loyal. Ihr Kommandeur, der Statthalter Capelianus, der mit dem älteren Gordian persönlich verfeindet war, setzte sie gegen die Usurpation in Bewegung und besiegte vor Carthago das gemischte Aufgebot aus den lokalen Honoratiorenschichten und den wenigen dort befindlichen römischen Truppen unter dem Befehl des jüngeren Gordian, der im Gefecht fiel. Daraufhin nahm sich sein Vater nach nur dreiwöchiger Regierungszeit etwa Mitte Februar 238 das Leben.

Doch jetzt zeigte die Opposition in Rom und Italien ihre ganze Kraft und Entschlossenheit. Der Senat gab nämlich nach dem Eintreffen der Nachricht von der afrikanischen Katastrophe den Widerstand keineswegs auf. Er wählte aus den eigenen Reihen zwei Kaiser, die nach seinen Kriterien als führende Repräsentanten des neuen und alten Adels besonderen Rang beanspruchen und gleichsam als ‹Erste unter Gleichen› gelten konnten: Marcus Clodius Pupienus Maximus, etwa 70 Jahre alt, der weniger dank seiner Abstammung als wegen einer tadellosen Karriere zu höchstem Ansehen gelangt war, und den noch etwas älteren hochadligen Decius Caelius Calvinus Balbinus, aus einer mit dem Kaiser Traian verwandten spanischen Patrizierfamilie stammend. Zwischen beiden sollte die Herrschaft kollegial geteilt werden. Gerade hierin wird die spezifisch senatorische Orientierung der Auseinandersetzung deutlich, die als Kampf für die legitime römische Ordnung gegen die Tyrannis eines «schlechten Kaisers» geführt wurde. Die Münzen spiegeln dies in ihren Legenden wie *pax publica*, öffentlicher Frieden, und ‹Väter des Senats›, bezogen auf die Kaiser Pupienus und Balbinus, wider.

Aber schon im Moment ihrer Durchsetzung zeigte diese Senatskonzeption ihren ‹Webfehler›. So wenig wie das Heer konnte der Senat allein schalten. Auch die städtische Bevölkerung war in höchster Weise mobilisiert und engagiert, wahrscheinlich unter Beteiligung von engeren Freunden der Gordiane unter den Senatoren und Rittern. Auch im Volk herrschten bestimmte Vorstellungen vom Kaisertum, die jetzt aktualisiert wurden. Sie orientierten sich aber weniger am Rangdenken als an der familiären Abstammung, also am dynastischen Prinzip (wie im übrigen auch die der Soldaten). So kam der einzige lebende männliche Verwandte der beiden Gordiane ins Spiel, der am 20. Januar 225 (oder 226) geborene Marcus Antonius Gordianus. Unter massivem Druck des Volkes mußte sich der Senat auf einen Kompromiß einlassen. Gordian (III.) wurde als Juniorpartner mit dem Titel Caesar den beiden Senatskaisern an die Seite gestellt (wohl am 1. März 238). Auch weiterhin herrschten Spannungen in Rom, wo Balbinus die Regierungsgewalt ausübte. Die wenigen dort verbliebenen Einheiten der Prätorianergarde wurden vom Volk auf Betreiben einiger Senatoren attackiert. Nach erbitterten Straßenkämpfen verschanzten sie sich in ihrer Kaserne, in deutlicher Abneigung gegen das neue Regime.

Nun kam alles auf die militärische Auseinandersetzung mit Maximinus an, die wenig aussichtsreich war, aber energisch in die Wege geleitet wurde. Pupienus rekrutierte neue Truppen in Italien und zog Detachements aus den germanischen Provinzen heran, wo er als Statthalter viele Verbindungen geknüpft hatte und besondere Loyalität genoß. Die Stadt Aquileia wurde rasch zu einer Festung ausgebaut, ihre Verteidigung unter das Kommando zweier Abgesandter des Senats gestellt. Die umliegende Landbevölkerung wurde dort konzentriert, Lebensmittelvorräte wurden angekauft, die Verbindungswege unterbrochen. So sollte Italien gegenüber Maximinus abgeriegelt werden. Die Widerstandsbereitschaft war groß.

Deshalb sah sich Maximinus, der mit dem Reichsaufgebot in Eilmärschen herangezogen war, zu einer langwierigen Belagerung genötigt. Deren Erfolglosigkeit frustrierte seine siegggewohnten Truppen, die zudem immer mehr mit Versorgungsschwierigkeiten zu kämpfen hatten. Stärkster Unwille herrschte schließlich bei den Einheiten, die nicht – wie die pannonischen – besonders auf den Kaiser eingeschworen waren, vor allem bei den Abteilungen der vor Rom stationierten zweiten Parthischen Legion, die um das Wohlergehen ihrer dort lebenden Angehörigen fürchteten. Diese ermordeten schließlich mit Unterstützung der Prätorianer den Kaiser und seinen Sohn. Deren Leichen wurden geschändet, ihre Köpfe nach Rom geschickt und dort auf Pfählen herumgezeigt. Das senatorische Regime hatte auf der ganzen Linie gesiegt. Pupienus schickte die Truppen des Feldheeres in ihre Quartiere zurück und zog mit den Prätorianern, den anderen bei Rom stationierten Einheiten sowie den Abteilungen der Rheinarmee in die Hauptstadt zurück.

Dort brachen sofort, gerade im Moment des höchsten Triumphes über den Bösewicht, der alle im Widerstand solidarisch geeint hatte, die latenten Diskrepanzen auf. Eine zwischen den Kaisern herrschende Rivalität wurde plötzlich sichtbar, und vor allem zeigte sich die mangelnde Akzeptanz seitens der Prätorianer, die bei der Kaisererhebung übergangen worden waren und ebenso notgedrungen die Senatskaiser hingenommen hatten wie die Senatoren den Soldatenkaiser. Hinzu kam eine – womöglich nicht unbegründete – Angst vor einer Ablösung durch die erwähnten Detachements aus Germanien.

Noch zur Zeit der Siegesfeiern zerrten deshalb Prätorianer die beiden Senatskaiser aus ihrem Palast und trieben sie unter Mißhandlungen nackt durch die Straßen Roms. Nach einer Regierungszeit von nur 99 Tagen wurden sie getötet. Der Caesar Gordian wurde in das Prätorianerlager gebracht und zum Kaiser ausgerufen. Obwohl die Prätorianer an sich gegen die neue Regierung insgesamt aufgestanden waren, war dies eine naheliegende Entscheidung, da Gordian weniger ein Exponent des Senatsregiments war und auch bei den Soldaten der dynastische Gedanke vorherrschte. So wurde Gordian III. wohl am 7. Juni 238 Augustus und Alleinherrscher. Später führte er den offiziellen Namen Imperator Caesar Marcus Antonius Gordianus Pius Felix Augustus. Er war bis dato eher eine Marionette gewesen und ist dies im Grunde auch geblieben.

Das mußte allerdings, wie die Regierung des Severus Alexander gezeigt hatte, für das Imperium keine unüberwindliche Belastung sein, wenn sich der Kaiser – und das heißt hier und im folgenden immer: seine engsten Berater – an den erwarteten Regeln der Herrschaftsausübung orientierte und mit den tonangebenden Gruppen, nicht zuletzt mit dem Senat, ins Benehmen setzte. Wegen des hohen Ansehens seines Großvaters brachte Gordian III. dafür gute Voraussetzungen mit. Obwohl er von den Prätorianern nach einem Akt äußerster Insubordination ausgerufen worden war, verfolgte er die Linie der bisherigen senatorischen Politik. Die Exponenten der antimaximinischen Erhebung und die Repräsentanten des severischen Regiments blieben weitestgehend in der dominierenden Position bzw. erhielten diese zurück. Diese Ausrichtung wurde auch in der Ideologie untermauert. Neben der Abstammung aus der gordianischen Familie betonte der Kaiser seine Rolle als Vorkämpfer der legitimen Ordnung. Das wird besonders deutlich in seinem Vorgehen gegen Capelianus und die 3. Augusteische Legion in Afrika, das ganz unter diesem Zeichen stand und mit dem vollständigen Sieg, der Auflösung der Legion und – wahrscheinlich – der Hinrichtung des Capelianus endete.

Getragen von einem starken Konsens im Senat und der führenden Persönlichkeiten innerhalb des Ritterstandes sowie von qualifizierten Beratern, die wir allerdings nicht konkret namhaft machen können, gelenkt, entfaltete Gordian eine beachtliche Tätigkeit in der Rechtsprechung und Rechtssetzung, durch die besonders die Denunziation eingeschränkt, der Abgabendruck verringert und die Bedeutung der militärischen Jurisdiktion im zivilen Bereich reduziert wurde. Den Interessen und Erwartungen des stadtrömischen Volkes wurde durch Geldverteilungen und Einrichtung neuer Spiele Rechnung getragen. Auch der städtischen Selbstverwaltung im gesamten Reich und den Belangen der dortigen Honoratiorenschichten galt die Aufmerksamkeit der Zentrale, und die Soldaten konnten der Fürsorge des Herrschers sicher sein. So hat sich die Situation bald stabilisiert, was nach den schrecklichen Ereignissen in den ersten Monaten des Jahres 238 alles andere als selbstverständlich war. Zwei Hauptschwierigkeiten bildeten jedoch weiterhin eine schwere Hypothek für die Regierung des Kaisers.

Zum einen führten die Bemühungen, die finanzielle Belastung der Bevölkerung zu mildern, zugleich aber die großen Kosten der Bürgerkriege und die von Heer und Plebs erwarteten Geldzahlungen zu erheblichen Finanzierungsproblemen. Deshalb setzte sich die Politik der Münzverschlechterung fort, mit allmählich spürbar werdenden Folgen im Gefüge von Preisen und Löhnen. Ein Symptom für innere Schwierigkeiten war generell war, wohl Ende 240, die Usurpation des Sabinianus, ausgerechnet in der Provinz Africa, die freilich schnell niedergeschlagen werden konnte.

Zum anderen war die außenpolitische Lage noch bedenklicher. Schon während oder zumindest im Gefolge der Unruhen der ersten Hälfte des Jahres 238 hatte sich der Druck auf die Grenzen erhöht. Nach Maximinus' Abzug von Sirmium wurden die Stämme jenseits der Donau wieder aktiv. Die Auflösung der numidischen Legion förderte offensichtlich die Bereitschaft zu Einfällen bei den Wüstennomaden der Sahara und den Bergstämmen im Atlas. Diese Schwierigkeiten ließen sich allerdings mit den traditionellen Mitteln regionaler Grenzsicherung und durch örtliche Reorganisationen zunächst meistern.

Das entscheidende Problem lag an der Ostgrenze, was sich schon unter Severus Alexander angekündigt hatte und in den folgenden Jahrhunderten bestätigen sollte. Hier machte sich das neu formierte persische Reich der Sassaniden bemerkbar, die das Erbe der parthischen Arsakiden angetreten hatten. Es ging nicht um kleinere Stämme und Stammesgruppen mit relativ gering entwickelten Herrschafts- und Kommandostrukturen, sondern um ein reorganisiertes Reich, das bewußt an die altpersisch-achämenidischen Traditionen anknüpfte und eine eigene Reichsidee entfaltete, deren integraler Bestandteil – wenigstens dem Anspruch nach – das Konzept der universalen Herrschaft war. Es handelte sich also – erstmals seit Jahrhunderten wieder – um einen prinzipiellen Konkurrenten der Römer, mit einem hohen Organisationspotential und beachtlichen ökonomischen und militärischen Ressourcen. Der Begründer des Sassanidenreiches, Ardaschir I., hatte schon im Jahre 238 wichtige Posten östlich des Euphrat, in der römischen Provinz Mesopotamia, eingenommen. Im Herbst 240 oder im Winter 240/41 fiel Hatra, ein für die Verbindung zwischen dem südlichen und dem nördlichen Zweistromland bedeutsamer Platz. Danach ging nahezu die ganze Provinz Mesopotamia verloren, die Perser überschritten den Euphrat und bedrohten die Metropole Antiochia.

Wahrscheinlich war mit dieser Verdüsterung des außenpolitischen Horizontes eine Neuorientierung des gordianischen Regimes verbunden. Die militärische Komponente wurde deutlich gestärkt. Es kam die Stunde des größten Spezialisten in militärischer Organisation und Logistik, der sich entsprechend schon unter Severus Alexander hervorgetan hatte, des Ritters Gaius Furius Sabinus Aquila Timesitheus. Dieser wurde Anfang oder Frühjahr 241 zum Prätorianerpräfekten ernannt und damit Kopf der Regierung. Er hat das Ruder keineswegs völlig herumgeworfen. Aber es kam zu personellen Veränderungen zu Lasten der führenden Kreise aus der Zeit des Senatsregiments und zugunsten von Angehörigen der Funktionselite, die dem Kreis um Timesitheus zuzurechnen waren. Dieser suchte seine dominierende Position auch dauerhaft zu verankern, indem er den jugendlichen Kaiser mit seiner damals wohl rund dreißigjährigen Tochter Furia Sabinia Tranquillina verheiratete.

Gordian III.

Seine Hauptaufgabe war der Feldzug gegen die Perser. Dieser wurde mit weitumgreifenden Maßnahmen organisatorisch perfekt vorbereitet, darüber hinaus aber auch auf ideeller Ebene ins Prinzipielle gehoben, zum großen und grundsätzlichen Konflikt zwischen der graeco-römischen und der barbarischen Welt stilisiert: Im Jahre 242 wurde ein Kult für die Minerva in Rom eingerichtet, der direkt an die Rolle der Athena Promachos als Schutzgöttin der Athener in der Schlacht von Marathon (490 v. Chr.) und damit an die Perserkriege des 5. Jahrhunderts v. Chr. überhaupt erinnern sollte. Der Beginn des Feldzuges wurde rituell begangen mit der Öffnung des Ianus-Tempels in Rom, der Krieg war ein legitimer Kampf für das Reich, seine Zivilisation und seine Sicherheit.

Im Frühjahr 242 durchzog das Reichsheer den Balkan und stabilisierte dort die Situation gegenüber den Stämmen jenseits der Grenze. Nach dem Marsch durch Kleinasien erreichte es, wohl im Herbst 242, Antiochia und stellte zunächst die Sicherheit der Provinz Syria wieder her. Gegen Ende des Jahres starb Timesitheus. An seine Stelle trat Marcus Iulius Philippus, ein Araberscheich aus dem Hauran, dessen Familie schon lange romanisiert war und der eine beachtliche Laufbahn als römischer Ritter absolviert hatte. Er konnte als Spezialist gerade für den Krieg in Steppen- und Wüstenrandgebieten gelten, wie er jetzt bevorstand.

Wohl im Frühjahr 243 begann die römische Gegenoffensive gegen Sapor I., der mittlerweile die Nachfolge seines Vaters Ardaschir angetreten hatte. In höchst erfolgreichen Kämpfen, die vor allem in den östlichen Provinzen des Reiches begeistert gefeiert wurden, verdrängte das römische Heer unter persönlicher Führung Gordians III. die Perser aus der Provinz Mesopotamia und konnte, wohl im Herbst, zum Vorstoß den Euphrat abwärts in Richtung auf die westliche Metropole des Perserreiches, die alte parthische Hauptstadt Ktesiphon, ansetzen. Am Anfang des folgenden Jahres kam es bei Mesik, rund 40 Kilometer westlich des heutigen Bagdad, zur Entscheidungsschlacht. In deren Verlauf wurde Gordian so schwer verwundet, daß er wenig später seinen Verletzungen erlag. Den Truppen blieb nichts anderes übrig, als den Prätorianerpräfekten Philippus zum Kaiser auszurufen. Gordian wurde postum hoch geehrt: Ein Grabdenkmal (Kenotaph) wurde ihm bei Zaitha, zwischen Dura Europos und Circensium errichtet, seine Gebeine wurden in Rom beigesetzt, er selber zum Staatsgott (*divus*) erklärt.

Als Persönlichkeit bleibt er für uns schemenhaft. Man darf aber sagen, daß unter seiner Herrschaft nach einer extremen Krise noch einmal eine beachtliche Stabilität erreicht wurde.

Philippus Arabs
244–249

Von Hans Kloft

Den Soldatenkaisern des 3. Jahrhunderts spezifische Konturen zu geben, fällt schwer. Unbeschadet ihrer unterschiedlichen Herkunft, ihres Temperaments und ihrer Fähigkeiten, sind sie in gewissem Maße austauschbar, weniger, weil sie mediokre Persönlichkeiten waren, sondern weil ihnen die gewaltigen Probleme des Imperiums ihr Handeln im hohen Maße bestimmten und diktierten: die Bewältigung der kriegerischen Konflikte mit den Persern und Germanen an den Rändern des Reiches; die Gewährung von Sicherheit und Wohlergehen im Inneren; die Wahrung eines stabilen Herrschaftssystems, welches nicht allein auf dem Militär als Machtbasis ruhte. Dies waren die zwingenden äußeren Umstände, die dem römischen Kaisertum nicht viel mehr als ein Reagieren übrig ließen, wobei freilich die Akzente, die der jeweilige Inhaber zu setzen wußte, durchaus eine eigenständige Handschrift erkennen lassen.

Für diesen Sachverhalt bietet Philippus Arabs ein lehrreiches Beispiel. Er war kurz nach 200 als Sohn eines gewissen Iulius Marinus – ein Araberscheich – in Sahba, im Hauran, jener steinigen und wenig fruchtbaren Ebene östlich der Golanhöhen, geboren, die einen Teil der Provinz Arabia bildete, eines Landstriches, der nur rudimentär hellenisiert und romanisiert war. Philippus Arabs kam also vom Rande der damaligen Zivilisation, und der Vorwurf der Quellen, er sei von ganz geringer Herkunft gewesen, hat in dieser Marginalität höchstwahrscheinlich seine Ursache. Das hinderte ihn keineswegs, in der römischen Armee Karriere zu machen, eine Laufbahn, in welcher er es im Jahre 243 bis zum Prätorianerpräfekten, dem einflußreichsten Amt nach dem Kaiser, brachte. In dieser Eigenschaft begleitete er Gordian III. auf seinem Kriegszug gegen die Sassaniden und ihren König Sapor I. (241–272), eine langjährige Auseinandersetzung, in welcher es für beide Seiten um die Vorherrschaft in Armenien und Mesopotamien ging.

Der Tod Gordians III. und die Erhebung zum Imperator durch die Soldaten im Frühjahr 244 sei von Philippus selbst ins Werk gesetzt worden: So wollen es die literarischen Quellen wissen, die in dem blutigen Machtwechsel auf dem Kriegsschauplatz und der anschließenden Beruhigungskampagne der römischen Öffentlichkeit die gelungene Inszenierung eines ehrgeizigen Emporkömmlings sahen. Die Ereignisse des Frühjahrs erhalten eine andere Deutung, wenn man den 1939 veröffentlichten großen Tatenbericht Sapors I. ernst nimmt, der den Tod des römischen Kaisers auf dem Schlachtfeld behauptet. Sapor schildert in dieser Felseninschrift bei Naqš-i Rustam nördlich von Persepolis den Zusammenstoß mit den Römern aus seiner Sicht: «Und als ich anfangs im Reich zur Herrschaft gekommen war, zog der Kaiser Gordian aus dem ganzen Reich der Römer, Goten und Germanen ein Heer zusammen und kam nach Mesopotamien gegen das Reich Eran und uns. Und an den Grenzen Babyloniens bei Mesik kam es gegeneinander zur großen Schlacht. Und der Kaiser Gordian fand den Tod, und wir vernichteten das römische Heer. Da wählten die Römer Philippus zum Kaiser. Und der Kaiser Philippus kam zu uns um Fürbitte, und er zahlte uns für ihr Leben 500000 Denare Lösegeld, und er trat in Tributpflicht zu uns» (nach J. Wiesehöfer, Antikes Persien 215–216).

Diese propersische Siegesmeldung schließt nun nicht aus, daß Philippus dem Ableben Gordians durch eine ihm ergebene Soldateska nachgeholfen hat. Jedenfalls erweist er nach außen hin seinem verstorbenen Vorgänger alle erdenkbare Ehre. An Ort und Stelle läßt er einen Kenotaph errichten, die sterblichen Überreste nach Rom überführen und Gordian vom Senat konsekrieren, den er zugleich über seine Erhebung zum Imperator in Kenntnis setzt. Der Senat verleiht ihm die üblichen kaiserlichen Befugnisse einschließlich des Augustustitels; gleichzeitig überträgt er dem minderjährigen Marcus Iulius Philippus, dem Sohn des Philippus und seiner Gattin Otacilia Severa, Titel, welche die Stellung eines Juniorpartners und eines Nachfolgers nach Lage der Dinge rechtlich absichern, eine neue Dynastie etablieren; es erscheint nur konsequent, daß dieses Einvernehmen mit dem Senat durch eine bedeutende Geldspende an die Bevölkerung Roms flankiert wird, eine *liberalitas Augustorum*, eine Großzügigkeit der Kaiser, wie es auf Münzen heißt, welche die löblichen und segensreichen Absichten der neuen Dynastie der Stadt- und Reichsbevölkerung sinnfällig vor Augen führen.

Damit ist bereits in den ersten Monaten des neuen Prinzipats der Grundakkord angeschlagen, der die Herrschaft des Philippus bestimmt. Konstante Probleme bleiben die auswärtige Bedrohung und ihre Bewältigung, die Beziehungen zu den traditionellen Eliten und dem Zentrum Rom, schließlich die Etablierung einer neuen Dynastie und ihre Absicherung gegen alle Widerstände von innen und außen. Es mußte Philippus aus machtpolitischem Kalkül daran gelegen sein, mit den Persern so schnell wie möglich ins reine zu kommen. Einen entsprechenden Friedensvertrag hat er deshalb unmittelbar nach seiner Erhebung und nach Beendigung der Kämpfe noch vor Ort mit Sapor I. abgeschlossen.

Offensichtlich haben die getroffenen Vereinbarungen den Status quo und die aktuelle faktische Machtstellung der Kontrahenten festgeschrieben. Der größere Teil Armeniens fiel demnach Sapor zu, während das sogenannte ‹kleine Armenien› am oberen Euphrat ebenso bei Rom verblieb wie Mesopotamien, auf das als Grenzgebiet weiterhin zumindest nominell von römischer Seite Anspruch erhoben wurde. Die Zustimmung zu den Vereinbarungen und die Auslösung der Gefangenen scheint sich der Kaiser durch eine Sonderzahlung von wahrscheinlich 500 000 *aurei* erkauft zu haben, eine nur schwer zu erwirtschaftende Summe angesichts der offen zutage liegenden Finanzkrise. Es war dies eine schwere Hypothek für die Zukunft, die sich im Verbund mit anderen über die Grenze abfließenden Geldströmen zu einer erheblichen ökonomischen Belastung des Imperiums auswuchs. Aber für Philippus war ein schneller Erfolg lebensnotwendig, und er zögerte nicht, ihn öffentlich wirksam in Rom, Italien und beim Heer auszuspielen. Die römischen Münzen verkünden die militärische Tüchtigkeit des Kaisers, die Sieg und Frieden gebracht hat, einen ‹immerwährenden Frieden›, wie es die kaiserliche Propaganda glauben machen will.

Aber Frieden und Ruhe an der Ostfront waren nicht nur das willkommene Entree des Imperators für Rom, sondern auch notwendige Voraussetzung für weitere Aktivitäten. Seinen Bruder Iulius Priscus hatte er als Oberbefehlshaber im Osten zurückgelassen. Dynastisch bestimmt war auch die Entscheidung, Severianus, den Bruder (oder Vater) seiner Gattin Otacilia Severa, mit dem Oberkommando über die Provinzialtruppen in Moesien und Makedonien an der mittleren und unteren Donau zu betrauen (nach 244), jenem weiteren Brennpunkt des Reiches, an dem die Invasion der Goten und der mit ihnen verbündeten Stämme drohte. Sie waren in den Jahren nach 238 durch Tributzahlungen oder zunächst durch Aussicht auf diese vom Überschreiten der Donau ab- bzw. hingehalten worden.

Es waren die dakischen Karpen, die sich von den römischen Versprechungen getäuscht sahen und Ende 244 bzw. Anfang 245 in römisches Reichsgebiet einbrachen. Da die regionale Verteidigung keinen rechten Erfolg brachte, begab sich Philippus Ende 245 selbst an die Donau. Er ermüdete die barbarischen Gegner durch einzelne Gefechte, ehe ihm 247 der entscheidende Sieg gelang und er Frieden mit den Karpen schließen konnte, die sich auf die linke Donauseite zurückzogen. Wiederum feiert man auf Münzen die Siege, wiederum werden Philippus iunior und Otacilia Severa in den militärischen Erfolg mit einbezogen. Dahinter steckt wohl nicht nur die übliche Schmeichelei, sondern möglicherweise auch der verzweifelte Wunsch, daß angesichts anhaltender Bedrohungen einem ephemeren Kriegsglück Dauer beschieden sein möge.

Es ist schwerlich zu bestreiten, daß Philippus, «diese unsympathische Persönlichkeit des orientalischen Parvenue», wie ihn die ältere Forschung (E. Stein) sah, sich – unbeschadet seines Hangs zum Spektakulären – redlich darum bemühte, den Erfordernissen der Zeit gerecht zu werden. Seine innenpolitischen Maßnahmen bewegen sich auf bewährten Bahnen, wie sie die ‹guten› Kaiser beschritten haben. Er kümmert sich um den Ausbau und die Sicherung der Straßen, gründet und fördert Stadtsiedlungen, nicht nur in seinem Heimatgebiet Arabia.

All dies geschah aus der klaren Erkenntnis, daß ohne ein verläßliches Verkehrswesen und ohne Förderung urbaner Zentren das Imperium langfristig nicht bestehen könne. Sein gutes Verhältnis zum Senat findet auch darin seinen Ausdruck, daß er bei seinen Entscheidungen zuweilen das *consilium principis*, jenes aus Senatoren und hohen Funktionären bestehende Beratergremium, bemühte, das der Omnipotenz des Kaisers einen moderaten Anstrich gab und als Beweis einer zivilen Herrschaft galt. Dem römischen Volk ließ er drei Geldspenden zukommen (244, 245 und 248), die sich insgesamt auf eine Summe von 70 Millionen Denaren beliefen; auch auf eine geregelte Getreideversorgung der Hauptstadt legte er Wert. Für alle Verbannten und Deportierten erließ er eine allgemeine Amnestie, regelte Beschwerdemöglichkeiten bei Finanzangelegenheiten und kümmerte sich um die Lage der arbeitenden Bevölkerung, wie eine Petition kaiserlicher Kolonen aus der Gemeinde Aragua in Phrygien beweist. Sie hatten sich angesichts dauernder Übergriffe der vorüberziehenden Soldateska mit folgenden Worten an den Kaiser in Rom gewandt: «Während in den glückseligen Zeiten Eurer Herrschaft, Ihr tugendhaftester und beglückendster aller Kaiser, die jemals gewesen sind, alle anderen sich eines friedlichen und ruhigen Lebens erfreuen, da alle Schlechtigkeit und alle Erpressungen aufgehört haben, erleiden wir allein Ungemach, das zu den glücklichen Zeiten gar nicht paßt; daher richten wir an Euch die folgende Bitte» (Rostovtzeff, Gesellschaft und Wirtschaft im römischen Kaiserreich 2,185).

Das Bittgesuch wurde von Philippus an den zuständigen Statthalter von Asien verwiesen mit der Aufforderung, gegebenenfalls für Abhilfe zu sorgen. Die Petition ist ein wichtiges Zeugnis nicht allein für das gläubige Zutrauen der kleinen Leute in den Kaiser als letzte und höchste Instanz ihrer Interessen, sondern ebenso für die Normalität der militärischen Bedrückung, der Alimentierung der Truppen durch die regionale Wirtschaft und die nachhaltige Störung der agrarischen Produktion durch den Krieg. Und es war schon viel, wenn der Kaiser eine gerechte Untersuchung durch seine Beamten versprach. Denn beseitigen ließen sich die tiefen Differenzen in den jeweiligen Regionen zwischen Militär und Bevölkerung nicht.

Welchen Erfolg sein energisches Vorgehen gegen das Räuberunwesen auf Italiens Straßen hatte, das er durch ein Detachement aus Soldaten der Prätorianergarde und der ravennatischen Flotte bekämpfen ließ, wissen wir nicht. Jedenfalls scheint ihm die Sicherung Italiens besonders am Herzen gelegen zu haben, ein politisches wie militärisches Kalkül, an dem ihm als ‹Newcomer› aus dem Militär besonders gelegen sein mußte.

Es ist nicht ausgeschlossen, daß er in diesem Zusammenhang auch die Stadt Aquileia in seine militärischen Überlegungen mit einbezog. Sie bestanden darin, eine zentrale Militärbasis im gut erreichbaren, sicheren Hinterland zu haben, von wo aus die Truppen, besonders die beweglichen Spezialeinheiten – Reiter und Bogenschützen –, leicht an die jeweiligen Brennpunkte herangeführt werden konnten. Dieses Prinzip der tiefen Staffelung, das erst unter Gallienus voll ausgebildet wurde, fand möglicherweise seine erste Anwendung durch Philippus, wobei die regionale Sicherung des oberitalischen und des östlichen Alpengebietes ganz sicher mit beabsichtigt war. Gewiß versuchte er seine bedeutenden strategischen Fähigkeiten in größere Zusammenhänge einzubinden, ohne daß man dabei direkt von einem durchdachten politischen Konzept sprechen sollte. Es war dies nach Lage der Dinge auch schwer zu entwickeln und konnte sich bestenfalls durch Rekurs auf Hergebrachtes ausweisen.

Deshalb bot ihm die Tausendjahrfeier für die Stadt Rom, deren legendäre Gründung im Jahre 753 v. Chr. schon in der Republik kanonisiert worden war, die willkommene Gelegenheit, seine Erfolge und seine Leistungen für Rom glanzvoll unter Beweis zu stellen. Daß er für diese Feiern das Jahr 248 und nicht 247 wählte, lag daran, daß er zum fraglichen Zeitpunkt an der Donaufront alle Hände voll zu tun hatte und ‹unabkömmlich› war. Die Saekularfeiern wie die verwandten Geburtstagsfeiern der Stadt wurden in der Kaiserzeit von den jeweiligen Herrschern zu grandiosen Selbstdarstellungen genutzt, in denen Blühen und Gedeihen der Stadt, des Imperiums und des Herrscherhauses sinnfällig miteinander verknüpft wurden.

Philippus folgt der Tradition. Er vollzieht die üblichen Opferfeierlichkeiten, veranstaltet Lustbarkeiten und Tierhetzen im Circus Maximus, angeblich mit dem Fundus an wilden Tieren, die 237/38 Gordian III. für seinen Triumph über die Perser nach Rom hatte schaffen lassen. Eine Geldspende von 100 Denaren an die Angehörigen der stadtrömischen Bevölkerung untermauert das Image des wohltätigen Kaisers, der über die Münzlegenden die Leitmotive vorgibt, unter denen die Tausendjahrfeier, das *miliarium saeculum*, steht. Beschworen werden das Glück der Zeiten, die ruhigen Zeitläufte, welche die Herrscher garantieren, die ewige Dauer Roms und der Kaiser, der ewige Friede und natürlich die Saekularspiele. Die Tausendjahrfeier der Stadt und ihre propagandistische Verbreitung zeigen in aller Deutlichkeit, wie Philippus mit Hilfe traditioneller Werte und Appelle an Roms Vergangenheit sich eine umfassendere Legitimationsbasis zu verschaffen suchte, als sie das Heer zu bieten hatte, ein ehrenwerter und letztlich vergeblicher Versuch, der die Brüchigkeit der Herrschaft und die Krise des Imperiums lediglich zu übertünchen in der Lage war.

Die Hiobsbotschaften kamen von den gefährdeten Grenzkorridoren des Reiches. Wahrscheinlich noch Ende 247, kurz nach der Abreise Philippus', hatten die pannonischen und moesischen Legionen den Befehlshaber Tiberius Claudius Marinus Pacatianus zum Imperator erhoben, möglicherweise eine lokale, pannonische Reaktion auf die ‹orientalische Dynastie›, die in Severianus ihren Vertreter vor Ort besaß. Die Rebellion bewies, in welch erschreckendem Ausmaß sich die regionalen Truppenverbände verselbständigt hatten. Pacatianus stammte wohl aus senatorischer Familie, er verfügte über lokale Kenntnisse und militärische Erfahrungen, die ihn als Prätendenten zu empfehlen schienen. Die Geldversorgung über die Münzstätte Viminacium – jenes bedeutende Legionslager in Moesien, unweit jenes Ortes, wo die Mlava in die Donau mündet –, welche seit Gordian III. die Donaulegionen ausbezahlt hatte, nahm er sofort in eigene Regie. Sie bildete den materiellen Rückhalt bei den Truppen und erlaubte ihm, seinen Namen und seine Herrschaft in Wort und Bild zu verbreiten.

Es war sein und des Reiches Verhängnis, daß aufgrund dieser lokalen Insurrektion an der Donau die jährlichen Tributzahlungen an die Goten nicht geleistet werden konnten und diese nun, verstärkt durch Karpen, Taifalen, Penciner und Vandalen, die Donau überschritten, Moesien verwüsteten und die Hauptstadt von Moesia inferior, Marcianopolis, belagerten.

Dieser doppelten Bedrohung wußte Philippus nur dadurch zu begegnen, daß er im Verlauf des Jahres 248 mit Decius einen mit den lokalen Verhältnissen bestens vertrauten Kommandeur in das Krisengebiet schickte, der als kaiserlicher Legat in Moesien, Germanien und Spanien Führungsaufgaben übernommen und sich bewährt hatte. Die lokale Herrschaft des Pacatianus brach noch im gleichen Jahr zusammen, er wurde von den eigenen Soldaten ermordet; und es gelang Decius auch, die Goten und ihre Verbündeten über die Donau zurückzuschlagen und die Provinz zumindest im Augenblick von der barbarischen Invasion zu befreien.

Im Osten erhob sich wahrscheinlich noch im gleichen Jahr 248 ein gewisser Iotapianus. Er wußte offensichtlich die Mißstimmung gegen Iulius Priscus, den Bruder des Kaisers und Oberbefehlshaber der Legionen in Kleinasien und Syrien, auszunutzen und ließ sich zum Imperator ausrufen. Nur durch die Münzprägung weiß man von weiteren Gegenkaisern, Silbannacus und Sponsianus, die sich an der Rhein- und Donaufront erhoben.

Inzwischen entpuppte sich auch die so erfolgreich angelaufene Entsendung des Decius in die Donauprovinzen als für Philippus gefährlich und letztlich tödlich. Er fiel nach dem Gesetz, unter dem er angetreten war. Möglicherweise hatten die Soldaten den Decius, der sie durch äußere Erfolge für sich gewinnen konnte, bereits Ende 248 zum Imperator ausgerufen, eine Entscheidung, gegen die er sich, wie die Quellen berichten, gewehrt haben mag und die er zumindest am Anfang wieder rückgängig zu machen versuchte. Aber die Dinge nahmen ihren Lauf, und so trafen die Heeresteile des Decius und des Philippus, welche dieser in Oberitalien zusammengebracht hatte, im September 249 bei Verona aufeinander. Philippus verlor trotz zahlenmäßiger Überlegenheit Schlacht und Leben. Den Mitregenten Philippus iunior, der in Rom zurückgeblieben war, töteten die Prätorianer, möglicherweise auch Philippus' Gattin Otacilia Severa. Alle drei Namen finden sich auf Inschriften getilgt, was eine nachfolgende Ächtung (*damnatio memoriae*) durch den Senat nahelegt, der sich als willfähriges Instrument des neuen Machthabers in Rom erwies.

DECIUS
249–251

Von Walter Eder

Die antiken Berichte über die Laufbahn und die kurze Herrschaft des Decius sind ausnehmend spärlich. Dennoch bieten sie zusammen mit Inschriften und Münzen genügend Hinweise, um ein Bild seines Aufstiegs und seiner Ziele als Kaiser zu entwerfen.

Auf dem Weg zum Thron

Gaius Messius Quintus *Decius* Valerianus wurde um 190 in Budalia, einem Dorf in der Nähe von Sirmium in Niederpannonien, geboren. Die in der Antike geäußerte Meinung, Decius hätte sich über eine militärische Laufbahn absichtsvoll in eine kaiserliche Position vorgearbeitet, findet in den Quellen keine Unterstützung. Das Geschlecht der Messier war schon längere Zeit in Illyrien ansässig und gehörte wohl zu der lokalen, romanisierten Aristokratie, die sich dort seit Traian ausgebildet hatte. Wie der Name Decius zeigt, besaß die Familie offenbar enge Beziehungen zu Italien und im besonderen zu Etrurien, worauf der Name seiner Frau, Herennia Cupressina Etruscilla, deutet.

Die frühe Laufbahn des Decius liegt im Dunkeln. Schon in jungen Jahren kam er wohl als Mitglied oder Offizier der illyrischen Leibgarde der severischen Kaiser nach Rom und durchlief, gefördert durch seine

Verbindung mit dem Geschlecht der Herennier, die übliche Laufbahn. Nach dem Amt des Quästors, das ihm auch einen Sitz im Senat verschaffte, wurde er Prätor und erreichte schließlich unter Severus Alexander um 232 das angesehene und seltene Amt eines Suffektkonsuls. Im selben Jahr oder kurz danach vertraute man ihm als kaiserlichem Legaten im Rang eines Prätors die unruhige Provinz Niedermoesien an, vielleicht war der tüchtige General anschließend in derselben Position auch in Niedergermanien tätig. Unter dem Kaiser Maximinus Thrax diente er dann bis etwa 238 im gleichen Rang im diesseitigen Spanien. Die Wirren des Sechskaiserjahres 238 überstand er offenbar unbeschadet, auch wenn wir über seine Laufbahn unter Gordian I., Gordian II., Pupienus, Balbinus und schließlich Gordian III. nichts erfahren können. Erst unter Philippus Arabs erscheint Decius wieder, und zwar in einer hohen Vertrauensstellung: Noch vor 249 erreichte er als Stadtpräfekt von Rom und damit als Stellvertreter des Kaisers in der Hauptstadt den Höhepunkt seiner Karriere. Aber gerade dieses Vertrauen in seine Erfahrung und Loyalität sollte Decius vom ergebenen Amtsträger, der unter neun Kaisern gedient hatte, zum Usurpator werden lassen, der einen regierenden Kaiser vom Thron stieß.

Der Kaiser wider Willen

Das dritte Jahrhundert war keine Zeit, in der man sich zum Kaisertum drängen konnte. Von den dreizehn Kaisern und noch mehr Usurpatoren, die Decius bisher erlebt hatte, war nur einer, Septimius Severus, eines natürlichen Todes gestorben. Das Reich war in eine Krise geraten, die sich ständig vertiefte, weil der äußere Druck auch die Stabilität im Innern zerbrach. Schon unter Marc Aurel war deutlich geworden, daß die Welt jenseits der Grenzen des römischen ‹Weltreichs› in Bewegung geraten war. Am Euphrat entstanden den Römern in den Sassaniden mächtige Feinde, an Rhein und Donau drängten sich die Stämme infolge der einsetzenden Völkerwanderung. Im 3. Jahrhundert wurde der Druck stärker. Das unter Sapor I. gefestigte und straff organisierte neupersische Reich machte vom Osten her den Römern den Rang der Weltmacht streitig, an der Donau brach im Jahr 238 der Gotensturm los: Im Bunde mit den nördlich der Provinz Dakien siedelnden Karpen fielen sie in das Reich ein, zogen sich beutebeladen zurück und erschienen erneut. Selbst Jahrgelder – modernen ‹Schutzgeldern› vergleichbar – und Beteiligung als Hilfstruppen im Osten boten keinen dauerhaften Schutz vor Raubzügen. Zudem führte der Druck von außen zu Bürgerkriegen im Reichsinnern, da die Soldaten zunehmend ihre Heerführer zu Gegenkaisern machten, weil sie in ihrer Bedrängnis einen Kaiser in ihrer Nähe haben wollten.

247 sandte Philippus Arabs den Decius als kaiserlichen Legaten an

die Donau mit dem außerordentlichen Kommando über zwei Provinzen, Moesien und Pannonien. Er sollte die zuchtlose Soldateska zur Raison bringen und zugleich die Abwehr gegen die Goten organisieren; denn es war zu erwarten, daß sie den Ausfall der Jahrgelder nicht hinnehmen würden.

Decius sträubte sich und übernahm die Aufgabe nur ungern. Zwar fühlte sich der tüchtige General der Aufgabe wohl gewachsen, doch seine gute Kenntnis der Situation in der Heimat ließ ihn eben das befürchten, was tatsächlich eintrat: Kurz nach seiner Ankunft an der Donau und trotz strenger Maßnahmen zur Wiederherstellung der militärischen Disziplin wurde er im Juni von seinen Legionen zum Kaiser ausgerufen. Philippus Arabs schenkte seinen Beteuerungen, er würde nach der Rückkehr nach Rom wieder ins Privatleben zurückkehren, keinen Glauben. Er rüstete und zwang damit Decius, die Entscheidung im Kampf zu suchen. Im Herbst 249 trafen die beiden Heere bei Verona aufeinander. Philippus fiel in der Schlacht, seinen Sohn und Mitherrscher Iulius Philippus II. ermordeten die Prätorianer. Nun war der Weg zum Thron frei. Decius wurde sofort vom Senat und in den Provinzen als Kaiser anerkannt, mit seiner Ankunft in Rom im Oktober 249 begann eine Phase der inneren Ruhe und des eifrigen Bemühens um die Stabilisierung des Reiches.

Der neue Kaiser mit den alten Idealen

Decius, der sich nun Imperator Caesar Gaius Messius Quintus Traianus Decius nannte, bezog sich bei der Wahl seines Namens nicht zufällig auf seinen großen Vorgänger Traian. Die erfolgreiche Rückkehr von der Donau mag äußerer Anlaß für den Vergleich gewesen sein, der tiefere Grund lag in den programmatischen Inhalten, die sich mit Traian als dem Muster eines guten Kaisers und als Beispiel für altrömisches Verhalten verbanden. Mehr noch als die Bewohner längst romanisierter Provinzen waren die als letzte in den römischen Reichsverband eingetretenen Völkerschaften an der unteren Donau zutiefst vom Wert römischer Tugenden und römischer Lebensweise überzeugt. Decius, der erste der sogenannten illyrischen Kaiser, glaubte, das Reich noch einmal in einen glücklichen Zustand versetzen zu können, der auf den Münzen beschworen wird. Begriffe wie Sicherheit, Friede, Eintracht, Gerechtigkeit und gottgefälliges Verhalten blieben nicht leere Worte, sie prägten auch die Realität seiner Regierung: An den Grenzen blieb es vorerst ruhig, von neuerlichen Usurpationen ist nichts überliefert, Ende 249 konnte er es sogar wagen, Soldaten ins Zivilleben zu entlassen. Überall im Reich wurden die Verkehrswege instand gesetzt. In Rom wurde die Getreideversorgung gesichert, riesige Thermen entstanden auf dem Aventin. Neben den Rittern erschienen nun wieder Senatoren in hohen Positionen der Reichsverwaltung und zeugten von dem guten Verhältnis zwischen Senat und Kaiser, das man auch Traian zuschrieb. Selbst die anachronistisch anmutende Nachricht, Decius habe einen würdigen Senator, angeblich den späteren Kaiser Valerian, zur Sicherung der Reichsverwaltung mit einer Art zensorischer Funktion betraut, muß deshalb nicht aus der Luft gegriffen sein. Vor allem aber erscheint auf diesem altrömisch-konservativen Hintergrund die Religionspolitik des Decius als Teil eines umfassenden Programms der politischen Stabilisierung, das die Verehrung der alten Götter verlangte, weil sie das Reich groß gemacht hatten und groß erhalten konnten. Die Christen sahen dies freilich anders.

Der fromme Kaiser als apokalyptisches Tier

Noch vor Ende 249 erschien ein kaiserliches Edikt mit der Aufforderung, den Staatsgöttern zu opfern, an einem Opfermahl teilzunehmen und sich dies auch bescheinigen zu lassen. Das Edikt sollte zu der bisher schwersten Bedrohung des Christentums werden. Zwar waren einzelne Christen und ganze Gemeinden immer wieder durch Strafmaßnahmen und Opferzwang bedroht worden – die christliche Zählung der Verfolgung durch Decius als siebte Christenverfolgung zeigt diese lange Tradition der Spannung zwischen Christentum und römischem Staat –, aber noch niemals waren die Christen von Maßnahmen betroffen worden, die zentral vom Kaiser angeordnet, reichsweit durchgeführt und systematisch überwacht wurden. Der Zwang zum Opfer mußte sie um so härter treffen, als sie ein halbes Jahrhundert lang fast unbehelligt geblieben waren. So ist es verständlich, daß sich das Edikt in den Augen christlicher Autoren ausschließlich gegen die Christen gerichtet haben soll, und zwar mit der Absicht, die Kirche zu vernichten und den christlichen Glauben auszurotten. Die Berichte christlicher Autoren erwecken den Eindruck, als wären nur Christen zum Opfer vorgeladen und unter schwerster Strafandrohung zur Aufgabe ihres Glaubens gezwungen worden.

Die im trockenen Wüstensand erhaltenen Papyrusfetzen mit dem Wortlaut von Opferbescheinigungen, sogenannte *libelli*, zeigen jedoch ein anderes Bild: Der Opferbefehl des Decius richtete sich nicht speziell an die Christen, sondern an alle Bewohner des Reiches, an Männer und Frauen jeden Alters, selbst an Kinder. Auch eine des Christentums sicherlich unverdächtige Priesterin des Krokodilgottes Petesuchos hatte nach dem Zeugnis der *libelli* zu opfern. Decius hatte also ein allgemeines Bittopfer nach römischem Brauch angeordnet, das den Göttern des Staates von der ganzen Reichsbevölkerung vor allem in Zeiten schwerer Bedrängnis darzubringen war. Das Edikt richtete sich nicht gegen eine bestimmte Religion oder religiöse Gruppierung, es verlangte auch nicht ein Abschwören vom eigenen Glauben, sondern zielte auf eine reichsweite Bekundung der Loyalität gegenüber den Göttern, von deren Gunst das Schicksal des römischen Staates abhing. Wer sich diesem Loyalitätserweis entziehen wollte, bewies damit sein Desinteresse am Wohl von Kaiser und Reich und mußte im Interesse des Staates notfalls mit Gewalt zum Gehorsam gegenüber dem kaiserlichen Opferbefehl gezwungen werden. Das Edikt liegt also ganz auf der Linie der konservativen Politik des Decius, das Reich im Geiste altrömischer Traditionen wiederherzustellen. Insofern entspricht das Bild, das die Christen von den glaubensfeindlichen Zielen des Herrschers zeichnen, nicht den primär politischen Motiven des um das Reich besorgten Decius.

Aber völlig unberechtigt waren die Vorwürfe der Christen nicht. Selbst wenn das Edikt kein gezielter Vorstoß gegen das Christentum sein wollte, mußte dem Kaiser doch bekannt sein, daß es sich vor allem gegen die Christen richten würde, weil sie neben ihrem Gott keine weiteren Götter duldeten. In der Praxis zielte das Edikt als Antwort des Staates auf die bekannte Weigerung der Christen, den Staatsgöttern die erforderliche Verehrung zukommen zu lassen, doch auf die neue Religion. Die Vermutung liegt zudem nahe, daß Decius einer weit verbreiteten Ablehnung des Christentums entgegenkam, um seine Anerkennung als Kaiser zu stärken.

Die religiöse Atmosphäre war zweifellos noch erhitzt durch die Jahrtausendfeier Roms im Jahre 248. Sie hatte den engen Zusammenhang zwischen altrömischer Religion und großer Vergangenheit verstärkt ins Bewußtsein gerückt. Auch der Wunsch, sich den heidnischen Senat geneigt zu machen, mag das Vorgehen gegen die Christen gefördert haben. Bei der Masse der Reichsbevölkerung, vor allem in den großen Städten wie Rom, Alexandria und Carthago, konnte man ohnehin eine breite Zustimmung für eine Verfolgung der Christen erwarten. Die Durchführung des Opferedikts ließ im übrigen Konsequenz und Härte vermissen. Die Opfertätigkeit lief nur schleppend an; es bedurfte weiterer Verordnungen, um den zügigen und reichsweiten Ablauf zu sichern. Dennoch blieben zahlreiche Schlupflöcher, die es den Christen erlaubten, sich dem Opferzwang durch Flucht oder Bestechung zu entziehen. Zu Hinrichtungen kam es in den seltensten Fällen, zuweilen wurden halsstarrige Christen nach kurzer Kerkerhaft sogar wieder entlassen oder nutzten die unterschiedliche Intensität der Durchführung, um sich etwa aus Carthago nach Rom in Sicherheit zu begeben. Die Behörden erlaubten Besuche von Bischöfen bei Gefangenen und duldeten Messen im Kerker. Offensichtlich gaben sich viele Beamten damit zufrieden, daß zahlreiche Christen bereitwillig von ihrem Glauben abfielen und dem Opfergebot folgten. Eine zentrale Steuerung und laufende Überwachung durch den Kaiser ist schon wenige Monate nach dem Edikt nicht mehr erkennbar. Er hatte sich einer ganz konkreten Bedrohung des Reiches zuzuwenden, nämlich der Gotengefahr.

Die Gotenkriege und der Tod des Decius

Im Frühjahr 250 bewegen sich drei Heere unter der Führung des Gotenkönigs Cniva auf die römische Reichsgrenze an der unteren Donau zu. Der kluge Stratege schickt zwei Unterführer nahe der Mündung über die Donau. Sie marschieren nach Philippopolis und belagern es. Decius sendet seinen Sohn Herennius Etruscus mit der frisch verliehenen Würde eines Mitherrschers in die Provinz voraus und beauftragt den Legaten Trebonianus Gallus mit der Wacht an der Donau. Noch jenseits der Donau biegen die Karpen am Fluß Aluta nach Norden ab und wenden sich der Provinz Dakien zu; Cniva überschreitet die Donau bei Oescus und zieht nach Osten in Richtung Philippopolis. Eine Niederlage gegen Trebonianus Gallus bei Novae kann ihn nicht aufhalten. Inzwischen hat Decius im Spätsommer 250 die Karpen aus Dakien vertrieben, eilt dem Heer des Cniva über Nikopolis und den Schipka-Paß nach und hofft, das belagerte Philippopolis bald zu entsetzen. Überraschend kehrt Cniva um, überfällt das römische Heer bei Beroea und zwingt es zum Rückzug in die Stellung des Trebonianus Gallus bei Novae und Oescus. Erst im Frühjahr 251 ist das geschlagene Heer wieder einsatzbereit.

Inzwischen haben die in Philippopolis eingeschlossenen Truppen, nun ohne Hoffnung auf Entsatz, ihren General Priscus zum Kaiser ausgerufen, um Verhandlungen mit den Goten zu ermöglichen. Vereinbart wird die Übergabe der Stadt und die Anerkennung des Priscus als Kaiser, aber die Goten scheren sich nicht darum. Sie plündern, morden und schleppen Beute und Gefangene aus der Stadt. Von Priscus ist keine Rede mehr. Etwa gleichzeitig wird im Herzen des Reiches, in Rom, Iulius Valens Licinianus zum Kaiser ausgerufen, obwohl sich Hostilianus, der jüngere Sohn des Decius und ebenfalls Mitherrscher, in Rom aufhält. Getragen von der Gunst der stadtrömischen Bevölkerung, die über das geringe Antrittsgeschenk des Decius verärgert sein mag, ergreift Licinianus die Kaisermacht, verliert sie aber unter der Beteiligung eben dieser Menge wieder, weil auch er die finanziellen Erwartungen nicht erfüllt.

Frei von der Bedrohung durch Usurpatoren wendet sich Decius den Goten zu, um sie auf ihrem Rückzug nach Norden noch südlich der Donau mit ihrer Beute abzufangen. Bei Abrittus kommt es im Hochsommer 251 zur Entscheidungsschlacht. Decius läßt sich nach anfänglichen Erfolgen in ein Sumpfgebiet locken, wird von versteckt aufgestellten Goten umzingelt und geht zusammen mit dem Großteil seines Heeres im Pfeilhagel der Angreifer zugrunde. Bereits zu Beginn der Kämpfe ist sein Sohn Herennius Etruscus von einem Pfeil getötet worden. Die Leichen der ersten Kaiser, die im Kampf gegen die Barbaren fallen, versinken im Sumpf. Trebonianus Gallus sammelt die Reste der Armee, die ihn sofort zum Kaiser ausruft. Angesichts der Niederlage bleibt ihm keine andere Wahl, als die Goten mit ihrer Beute ziehen zu lassen.

Die zusätzliche Gewährung von Jahrgeldern brachte ihm den Vorwurf ein, er hätte mit den Goten konspiriert und die Armee des Decius absichtlich in den Sumpf gelockt. Diese Version des Verrats ist kaum glaubhaft. Näher liegt die Vermutung, daß Trebonianus Gallus, der von der Donau her die Goten in die Zange nehmen sollte, absichtlich nicht eingriff und die Armee des Decius ihrem Schicksal überließ. Die prunkvolle Konsekration von Decius und Herennius Etruscus, die sofortige Adoption des Hostilianus durch Trebonianus Gallus und seine Erhebung zum Augustus könnten als Versuche gesehen werden, einen Verrat zu vertuschen, zumal Trebonianus Gallus auch seinen Sohn Volusianus zum Augustus erhob und Hostilianus kurz darauf unter ungeklärten Umständen starb. Mit ihm erlosch die von Decius systematisch geplante Dynastie.

Die kurze Regierungszeit des Decius erlaubt es kaum, seine Leistung umfassend zu bewerten. Die weitgespannten und energischen Versuche, den Bestand des Reiches auf der Grundlage altrömischer Tugend und Religion zu festigen, verdienen zweifellos Anerkennung, konnten aber in einer Zeit inneren Zerfalls und äußerer Bedrängnis kaum zum Erfolg führen; zudem verkannte Decius, der aus einer romanisierten, aber nur schwach christianisierten Provinz stammte, die Kraft des Christentums. Dem tüchtigen Militär und eifrigen Organisator gelang es, für kurze Zeit die Hoffnung auf Ruhe und Sicherheit im römischen Reich zu wecken. Sie wurde nach seinem Tod im Taumel ständiger Herrscherwechsel und Usurpationen und mit der Aufspaltung des Reiches in drei Teile gründlich enttäuscht.

Valerian
253–260

Von Wolfgang Kuhoff

Der Schlachtentod des Kaisers Decius und seines älteren Sohnes Herennius Etruscus gegen die Goten im Jahre 251 markierte einen ersten Höhepunkt der Krisensituation, in die das Imperium Romanum durch die vielen Einfälle auswärtiger Völker seit den dreißiger Jahren des 3. Jahrhunderts geraten war. Vor allem die Grenzprovinzen an der mittleren und unteren Donau hatten unter den Goten zu leiden. Der Tod des Decius veranlaßte die wenigen einigermaßen intakt gebliebenen römischen Truppen im Balkangebiet, den Statthalter von Moesia superior, Gaius Vibius Trebonianus Gallus, zum neuen Kaiser zu proklamieren, weil sie sich von ihm eine Bewältigung der Krise erhofften. Mit dem neuen Kaiser, der aus dem umbrischen Perugia stammte, kam wieder ein Italiker auf den Thron.

Die Abwehr der Goten vermochte Gallus aufgrund der desolaten Situation der Donauarmee nicht in Angriff zu nehmen. Er begab sich statt dessen im Herbst 251 nach Rom, um seine Herrschaft persönlich zur Geltung zu bringen. Von der Tätigkeit des Gallus dort ist aber kaum etwas bekannt. Im Sommer 253 traten im Osten die Perser unter ihrem Großkönig Sapor I. aus der Sassanidendynastie auf den Plan. Es gelang ihnen, die syrische Provinzhauptstadt Antiochia zu erobern. In dieser Situation proklamierte sich der Priesterfürst von Emesa, bekanntgeworden unter dem Namen Uranius Antoninus, zu einer Art Regionalherrscher: Er vermochte an der Spitze einer lokalen Miliz einen begrenzten Erfolg gegen die Perser vor Emesas Toren zu erringen.

Die Aufgabe, die Grenze im unteren Donauraum zu stabilisieren, übergab Trebonianus Gallus dem aus Afrika gebürtigen Marcus Aemilius Aemilianus. Entsprechend dem Vorbild des Decius von 249 riefen die dortigen Truppen ihren Heerführer zum Gegenkaiser aus und beschworen damit einen neuen Bürgerkrieg herauf. Zu seiner Unterstützung beorderte Gallus in Germanien stationierte Truppen nach Italien, um den Heeresabteilungen des Aemilianus in den Rücken zu fallen. Mit diesem Auftrag wurde der alte, erfahrene Senator Publius Licinius Valerianus entsandt. Da das Gros der Truppen nördlich der Alpen am Rhein stand, brauchte die Bereitstellung Zeit, aber diese war für Gallus und seinen Sohn und Mitkaiser Volusianus zu lang, denn der rasche Vormarsch des Aemilianus traf beide noch unvorbereitet. Ihre Soldaten schätzten die Lage schon im Vorfeld als verloren ein und brachten ihre Kaiser um. So wurde der Sieger im August 253 neuer, vom Senat anerkannter *Augustus*.

Lange konnte Aemilianus sein Herrschertum jedoch nicht genießen, denn nunmehr trat Valerian in eigenem Namen auf: Er ließ sich selbst in Raetien zum Kaiser proklamieren, entweder im Standort der Legion (*III Italica*), Regensburg, oder in der Provinzhauptstadt Augsburg. Ähnlich rasch wie sein Gegner wenige Wochen zuvor gelangten seine Truppen unbehelligt in die Nähe Roms, weil Aemilianus anscheinend einen Teil seiner Einheiten auf den Balkan zurückgeschickt hatte. Anfang Herbst 253 endete der zweite Machtkampf im selben Jahr wie der erste: Der stadtrömische Kaiser verlor bei Spoletium durch seine eigenen Soldaten, die sich angesichts der gegnerischen Übermacht gar nicht auf eine Schlacht einließen, das Leben. Valerian wurde vom Senat sofort als neuer Kaiser anerkannt, und sein älterer Sohn Publius Licinius Egnatius Gallienus erhielt den *Caesar*-Titel. Die schon zuvor verstorbene Gattin Valerians, Egnatia Mariniana, wurde als vergöttlichte Kaiserin proklamiert; sie stammte anscheinend aus Falerii Novi im südlichen Etrurien und war die Tochter eines konsularischen Senators gewesen. Auf diese Weise wurde gleich nach dem Regierungsantritt die neue Dynastie der Reichsbevölkerung vorgestellt. Die erfolgreiche Machtübernahme kann aber auch unter einem anderen Blickwinkel gesehen werden: Möglicherweise hatte Valerian nämlich aus politischem Kalkül gehandelt und, anstatt Trebonianus Gallus rasch zu Hilfe zu eilen, lieber dessen Auseinandersetzung mit Aemilianus aus der Ferne beobachtet, um zu versuchen, am Ende die Früchte als lachender Dritter für sich selbst zu ernten.

Über den politischen Werdegang Valerians liegen nur dubiose Quellenangaben vor. Einzig die einhellige Überlieferung von seinem vorgerückten Alter, nach der man ihn als etwa sechzig Jahre alten Mann einschätzen kann, ist als richtig anzusehen. Entsprechende plastische Portraits sind in kleiner Zahl vorhanden, und die Münzen geben den gleichen Hinweis. Vor dem Jahre 238 scheint er Konsul gewesen zu sein und später unter Decius eine führende Stellung im Senat eingenommen zu haben. Jedenfalls erschien er Gallus vertrauenswürdig und militärisch ausgewiesen genug, um ihn zur Bildung des Entsatzheeres nach Norden zu entsenden. Die anders verlaufene Entwicklung darf als Nachweis der klugen, die Verhältnisse richtig einschätzenden Haltung Valerians interpretiert werden.

Sobald der neue Kaiser in Rom eingetroffen war, legte er seine Dispositionen offen. Er ließ den rund fünfunddreißigjährigen Gallienus zum Mitregenten ernennen: Diese Maßnahme beinhaltete jedoch nicht bloß die nominellen Rechte eines Augustus; vielmehr wurde eine regelrechte

Aufgabenteilung in geographischem Sinne vorgenommen, denn der ältere Kaiser übernahm es, den Osten des Reiches zu festigen und die Perser zurückzudrängen, während der Westen dem jüngeren übertragen wurde: Eine solch konsequente Abgrenzung der Herrschaftssphären zwischen zwei erwachsenen Kaisern hatte es früher, selbst bei Marc Aurel und Lucius Verus, niemals gegeben. Damit setzten Valerian und Gallienus Maßstäbe, die später gegen Ende des 3. Jahrhunderts systematisiert wurden. Auffallend ist freilich, daß der wohl jüngere Sohn Valerians, der ebenfalls Publius Licinius Valerianus hieß, unberücksichtigt blieb; er trat erst während der Alleinherrschaft des Gallienus recht bescheiden ins Licht der Öffentlichkeit. Die aus dem griechischen Osten stammende Frau des Gallienus, Cornelia Salonina Chrysogone, wurde im Jahre 254 mit dem Titel *Augusta* versehen.

Nach dem traditionsgemäß auf die Regierungsübernahme folgenden Konsulatsantritt beider Herrscher am 1. Januar 254 begab sich Valerian über den Balkan und Kleinasien in den Osten. Zuvor war noch im Herbst 253 der Schutz der seit 238 ohne Legionsbesatzung auskommenden Provinzen Nordafrikas verbessert worden. Die von Gordian III. aufgelöste Legion (*III Augusta*), von der sich ein Teil an Valerians Machtübernahme beteiligt hatte, wurde restituiert und in ihr früheres Garnisonslager Lambaesis zurückgeschickt – die vorausschauende Richtigkeit dieser Sicherungsmaßnahme erwies sich einige Jahre später. Auf seinen Zug nach Syrien nahm Valerian sicherlich einige Detachements der im Westen stationierten Legionstruppen und dazu Auxiliareinheiten mit, denn die Kampfmoral der Soldaten im Osten war aufgrund der Mißerfolge merklich gesunken.

Vor dem Jahresende 254 traf Valerian in Syriens Metropole Antiochia ein, die zwischenzeitlich wieder in römische Hand gelangt war. Eine freiwillige Räumung durch die Perser, die durch das Auftreten des Uranius Antoninus veranlaßt wurde, ist wahrscheinlich. Dieser dürfte sich bei Valerians Ankunft in seine Heimatstadt Emesa zurückgezogen und seine ohnehin beschränkten Ansprüche aufgegeben haben. Daß nach den vorangegangenen Katastrophen eine Rückkehr zur Normalität postuliert wurde, zeigt ein inschriftlich erhaltener Brief, den Valerian am 18. Januar 255 von Antiochia aus schrieb. Er war an die Stadt Philadelphia in der an der kleinasiatischen Südküste gelegenen Provinz Lykien und Pamphylien gerichtet und erkannte ihr, entsprechend einer Petition, den Ehrenrang einer Metropole mit den zugehörigen finanziellen Vergünstigungen zu. Vor allem aber diente der Aufenthalt des Kaisers in Antiochia am Jahresanfang der herrscherlichen Selbstdarstellung: Valerian trat hier seinen dritten Konsulat an; für ein derartiges Ereignis wurde in der Regel eine besonders wichtige Provinzstadt ausgewählt, sofern der Kaiser außerhalb Roms weilte.

Trotz Valerians Anwesenheit rissen die militärischen Konflikte im

Osten nicht ab, denn nicht nur die dem Perserreich benachbarten Gebiete wurden in Mitleidenschaft gezogen: In den Jahren 253-256 griffen die Goten und die mit ihnen verbündeten Boraner die Nordküste Kleinasiens an und stießen weit in die Provinz Bithynien und Pontus hinein vor, da hier keine regulären Truppen zur Abwehr vorhanden waren. Die Angreifer benutzten zunehmend den Wasserweg, weil das Bosporanische Königreich auf der Halbinsel Krim, das als römischer Klientelstaat bisher einen Puffer nach Norden hin gebildet hatte, ihnen keinen Widerstand entgegensetzen konnte. Die Entsendung von Truppeneinheiten in die gefährdeten Regionen war Valerian kaum möglich, weil die Persergefahr zu groß war: Kurzfristige Abschreckungsmanöver wie ein Zug des Kaisers mit einem Teil des Heeres nach Kappadokien 256 konnten die Angreifer zwar zum Rückzug veranlassen, doch hatten sie zuvor genügend verwüstet und geplündert. Hier zeigte sich ein grundlegendes Problem des römischen Reiches, der Zwang zum Mehrfrontenkrieg. Die Aufteilung der Herrschaftsaufgaben zwischen Valerian und Gallienus sollte die Präsenz je eines Kaisers im europäischen und asiatischen Teil gewährleisten, aber Valerian sah sich selbst einem Zweifrontenkampf gegenüber, den er gegen die Goten in Kleinasien und die Perser an Euphrat und Tigris auszufechten hatte.

Während der Kaiser mit seinem Heer in Kappadokien war, nutzte der Sassanidenherrscher die Situation zum eigenen Vorteil aus. Er schickte den Hauptteil seiner Truppen aber nicht nach Nordwesten gegen das römische Hauptquartier, die Stadt Samosata am mittleren Euphrat, sondern wählte einen besonders empfindlichen Punkt der römischen Grenzverteidigung im Süden, die weit vorgeschobene Festung Dura Europos. Sie war der Sitz des Befehlshabers der am Fluß stationierten Auxiliareinheiten, aber auch eine blühende Handelsstadt mit einer zahlreichen jüdischen Einwohnerschaft. Langjährige amerikanische Ausgrabungen haben durch die aufgefundenen Münzhorte den Nachweis erbringen können, daß die Stadt im Jahre 256 durch eine konzentrierte persische Belagerung, die in der Untergrabung der Mauern gipfelte, erobert und zerstört wurde. Seitdem wurde sie nur noch als Ruinenstätte von vorbeiziehenden Augenzeugen wie Kaiser Iulian auf seinem Perserfeldzug von 363 registriert. Mit der Einnahme dieses Eckpfeilers des römischen Euphratlimes eröffneten sich die Perser die Möglichkeit, leichter nach Westen vorzudringen. Ein zweiter, kleinerer Vorstoß richtete sich nach Nordsyrien, er wurde allerdings durch die aus Kleinasien zurückkehrenden römischen Truppen unter Valerians Leitung zurückgeworfen, woraufhin die kaiserliche Münzstätte einen ‹Parthischen Sieg› verkündete.

Im selben Jahre 256 wurde eine Erweiterung des Herrscherkollegiums vorgenommen, denn der älteste Sohn des Kaisers Gallienus, Publius Licinius Cornelius Valerianus, erhielt als Thronfolger den *Caesar*-Titel: Neben der Weiterführung der Dynastie waren ihm trotz seines jugendlichen Alters konkrete Aufgaben zugedacht: die Überwachung der Wiederaufbaumaßnahmen auf dem Balkan. Das in der Innenpolitik bedeutsamste Ereignis war jedoch die von Valerian im Jahre 257 eingeleitete neue Christenverfolgung nach derjenigen des Decius. Man hatte mit ihr als Druckmittel alle Reichsangehörigen zum Opfer für den Kaiser und die Staatsgötter verpflichten wollen und die Verweigerer auf seiten der aufstrebenden Glaubenslehre, denen ein eklatanter Verstoß gegen die Majestät des römischen Volkes vorgeworfen wurde, auszugrenzen versucht. Dagegen richtete sich Valerians Vorgehen systematisch gegen die Amtsträger, gegen Bischöfe, Priester und Diakone, um auf diese Weise die Organisationsstruktur zu vernichten. Beweggrund für das Vorgehen war in erster Linie das Bestreben, die Reichseinheit durch die Unterdrückung der dem staatstragenden traditionellen Kult entgegenstehenden Tendenzen zu gewährleisten. Darüber hinaus diente die Konfiszierung des Vermögens der Staatsfeinde als willkommene Auffüllung der Kassen. Prominentes Opfer der Verfolgungsmaßnahmen war in Rom Bischof Sixtus II., der am 6. August 258 hingerichtet wurde. Der heute noch prominente heilige Laurentius, als Diakon für die Verwaltung des Vermögens der römischen Christengemeinde zuständig, erlitt ebenfalls den Tod, auch wenn die überlieferte Märtyrerlegende großenteils als unhistorisch einzustufen ist. Bekanntestes Opfer wurde jedoch am 14. September des gleichen Jahres der Bischof von Carthago, Cyprian, dessen umfangreiches Schriftencorpus seine weit über Nordafrika hinausweisende Rolle in der christlichen Hierarchie bezeugt. Weitere Hinrichtungen von Bischöfen fanden bis ins Jahr 259 hinein statt. Daß Valerians Maßnahmen durchdacht waren, erweist die lange Sedisvakanz im römischen Bischofsamt, denn mit Dionysius wurde erst im Juni 260 ein Nachfolger gewählt. Dennoch konnte die Verfolgung ihr Ziel nicht erreichen, da innen- wie außenpolitische Geschehnisse andere Prioritäten setzten.

Im Frühjahr 258 verstarb überraschend der Caesar Valerian II. Um die Zukunftshoffnungen wahren zu können, wurde sein jüngerer Bruder Publius Licinius Cornelius *Saloninus* Valerianus als neuer Caesar proklamiert, aber nicht auf den Balkan entsandt. Ihn behielt Gallienus bei sich in Gallien, weil hier die drängendsten Aufgaben zu erfüllen waren. Dadurch wurde jedoch ein Machtvakuum an der unteren Donau geschaffen. Ein Usurpator, Ingenuus, versuchte sich hier der Herrschaft zu bemächtigen, doch der herausgeforderte Herrscher konnte durch die Schnelligkeit seiner neugeschaffenen Eingreifarmee den Aufstand ersticken, wobei der Gegenkaiser ums Leben kam. Gallienus zog selbst nach Pannonien, nachdem er Saloninus in Köln als Stellvertreter unter der Obhut eines Beraters zurückgelassen hatte. Von der Warte der niedergermanischen Metropole mit ihrer Stadtmauer schien die Lage in Gallien kontrolliert werden zu können, zumal sich Köln einige Jahre zuvor als loyal zur neuen Dynastie präsentiert hatte; damals meißelte man an einem der Tore, dessen Rundbogen noch erhalten ist, als Zusatz zum alten Namen die Worte *Valeriana Gallieniana* ein.

Zur selben Zeit kulminierte die Bedrohung der Reichsgrenzen im Osten in einem neuerlichen Vorstoß des persischen Großkönigs Sapor, der sich entlang des Tigris gegen Nordmesopotamien richtete. Valerian, der sich Mitte 258 nachweislich in Antiochia aufgehalten hatte, über dessen weitere militärische Aktivität aber keine ausreichenden römischen Quellen vorliegen, entschloß sich im Frühjahr 260, den Feinden mit dem Hauptteil seines Heeres entgegenzuziehen und eine Entscheidungsschlacht zu wagen. Den Geschehensablauf schildert statt dessen ein bemerkenswertes inschriftliches Dokument der persischen Seite, der sich im südwestiranischen Naqš-i Rustam befindende ‹Tatenbericht des Königs Sapor›. Er wird bildlich durch vier Felsreliefs an diesem und zwei anderen Orten umgesetzt, die, in einer einzigen Triumphszene konzentriert, alle Erfolge Sapors über römische Kaiser symbolisieren. Der 244 nach einer Schlacht verstorbene Gordian III. ist unter dem Pferd des Sassaniden liegend, der direkt danach einen für Rom kostspieligen Frieden akzeptierende Philippus Arabs als knieender oder eilfertig hereneilender Bittflehender und der stehende Valerian als von Sapors rechter Hand ergriffener Gefangener abgebildet.

Der Tatenbericht liefert die Erläuterung zum Triumph des Großkönigs. Er teilt mit, dieser habe in einer großen Schlacht bei Edessa im nördlichen Mesopotamien das römische Heer besiegt, Valerian mitsamt seinem Prätorianerpräfekten Successianus und Senatoren wie Offizieren gefangengenommen und sie alle in die Persis, die Heimat der Sassaniden, verbracht. Die bruchstückhafte römische Überlieferung stimmt dieser Darstellung zu, schreibt aber die Gefangennahme des Kaisers einer verräterischen List der Perser im Verlaufe von Verhandlungen nach der Schlacht zu. An der römischen Niederlage und dem Schicksal des Kaisers ist jedenfalls nicht zu zweifeln. Das singuläre Geschehen zwang Gallienus zur Entscheidung, wie er seinen Vater rechtlich behandeln solle: Er entschied sich für eine pragmatische Lösung im Sinne der Staatsräson und ließ durch die offiziellen Medien, vor allem die Münzen, seine Alleinregierung verkünden. Diesem Vorgehen folgten die nichtstaatlichen Zeugnisse, die Inschriften und die ägyptischen Papyri, doch verstrickten sich die letztgenannten häufig in chronologische Mißverständnisse, die zu gehörigen Irritationen in der Forschung führten.

Daß Gallienus im geheimen Verhandlungen mit Sapor um die Freilassung seines Vaters führte, ist unwahrscheinlich, denn die Kampfhandlungen gingen weiter. Allmählich aber neigte sich die Waage des Kriegsglücks trotz aller Niederlagen wieder zur römischen Seite hin. Valerian allerdings verlebte seine wohl sechs restlichen Jahre unter angeblich demütigenden Umständen im persischen Reich: Er ging so in die Geschichte als einziger römischer Kaiser ein, der in feindliche Gefangenschaft geriet und in ihr sein Leben beschloß.

Gallienus
253–268

Von Helmut Halfmann

Über Leben und Wirken dieses Mannes vor seiner Erhebung zum Kaiser ist nichts bekannt, womit er das Schicksal der meisten ‹Soldatenkaiser› des 3. Jahrhunderts teilt. Zwei Quellen überliefern, daß er zum Zeitpunkt der Thronbesteigung 35 Jahre alt gewesen sei, d.h., er müßte im Jahre 218 geboren worden sein – als Sohn des späteren Kaisers Valerian und seiner Gattin Egnatia Mariniana. Sein voller Name lautete Publius Licinius Egnatius Gallienus. Seine Gattin, die wahrscheinlich schon im Jahre 254 den kaiserlichen Beinamen *Augusta* erhielt, hieß Cornelia Salonina Chrysogone und stammte aus dem Griechisch sprechenden östlichen Teil des Reiches.

Nachdem sein Vater Valerian der kurzen Regentschaft des in Moesien zum Kaiser erhobenen Marcus Aemilius Aemilianus schon auf italischem Boden bei Spoletium im Herbst 253 ein Ende hatte bereiten können, bestätigte der Senat die schon durch die Truppe vollzogene Proklamation zum Augustus; Valerian hatte in dem Bemühen um eine Stabilisierung der Herrschaft Gallienus sofort zum Caesar erhoben, ihn aber offensichtlich schon nach kurzer Zeit bei seinem Einzug in Rom vom Senat zum Augustus, also zum völlig gleichberechtigten Mitkaiser erheben lassen.

Die kritische Situation an den neuralgischen Grenzzonen des Reiches am mittleren Euphrat, an Donau und Rhein bestimmte zunächst die nach außen hin sichtbare Aktivität beider Kaiser. Sie verbrachten den Winter 253/54 in Rom, im Frühjahr 254 brachen Valerian nach Syrien und Gallienus nach den Balkanprovinzen auf. Auf dem Balkan waren dieses Mal nicht mehr nur die Grenzprovinzen selbst von den nördlich der Donau wohnenden Völkern (vor allem Goten und Markomannen) heimgesucht worden, sondern auch die tief im Inneren des Reiches liegenden Gebiete, die seit Menschengedenken keinen äußeren Feind mehr gesehen hatten: Die nordgriechische Stadt Saloniki konnte zwar den

Goten erfolgreich Widerstand leisten, aber der Schock saß so tief, daß die Landenge zwischen Attika und der Peloponnes befestigt wurde und die Athener ihre Stadtmauern instandsetzten. Gallienus hatte in den Jahren 254 bis 257 von seinem Hauptquartier in Sirmium die Lage soweit stabilisiert, daß er sich 257 der gleichfalls gefährdeten Rheingrenze zuwenden konnte, wo am Niederrhein die Franken, am Oberrhein die Alamannen Roms Hauptgegner bildeten. Zuvor hatte er die regierende Dynastie und damit seine eigene Herrschaft nach alter Tradition gestärkt, indem er seine Söhne zu Caesaren ernannt hatte und damit zumindest nominell an der Herrschaft beteiligte: Der sicher noch im Kindesalter stehende ältere Sohn des Gallienus, Publius Licinius Cornelius Valerianus, führte seit dem Herbst 256 den Caesartitel bis zu seinem unerwarteten Tod im Jahre 258 und sollte zweifellos die kaiserliche Autorität möglichst nahe den Donautruppen repräsentieren, solange Gallienus am Rhein operieren mußte.

Dort, in Köln, erhob Gallienus nach dessen Tod sofort seinen jüngeren Sohn Publius Licinius Cornelius *Saloninus* Valerianus zum Caesar. Das dynastische Vakuum, das der Tod des Caesars Valerianus des Jüngeren 258 in den Donauprovinzen geschaffen hatte, versuchte denn auch sofort der Statthalter von Pannonien namens Ingenuus mit seiner Kaiserproklamation (wohl 258 oder 259) auszufüllen. Gallienus beließ seinen jüngeren Sohn in Köln, zog nach Pannonien, wo bereits sein Reitergeneral Aureolus aus Oberitalien kommend den Gegenkaiser im Tal zwischen Save und Drau besiegt hatte. Die Reihenfolge und die Datierung der vom Kaiser unternommenen Feldzüge, die Erhebung von Gegenkaisern und die damit zusammenhängenden verheerenden Einfälle germanischer Völker tief in das Reichsinnere konnten dank eines glücklichen, in Augsburg getätigten Inschriftenfundes aus dem Jahre 1992 etwas präzisiert werden. Offensichtlich hatten die Juthungen, ein Teilstamm der Alamannen, die Abwesenheit des Gallienus in den Donauprovinzen wohl im Herbst 259 dazu genutzt, über die Provinz Raetien und die Alpen bis nach Oberitalien vorzustoßen. Den nach Norden zurückflutenden Juthungen, die mehrere tausend Italiker als Gefangene mit sich führten, konnte der Statthalter der Provinz Raetien – so lehrt das Augsburger Monument – am 24. und 25. April 260 eine vernichtende Niederlage beibringen und die gefangenen Italiker befreien.

Dieser Sieg, dem die fast zeitgleiche Zurückdrängung der über den Rhein vorgedrungenen Franken an die Seite zu stellen ist, wurde allerdings überschattet von der Gefangennahme des Kaisers Valerian durch die Perser im gleichen Frühjahr 260 östlich des Euphrat bei Edessa. Diese offenkundige Schwächung des Kaisertums und namentlich der römischen Autorität an der Ostgrenze des Reiches führte an den krisengeschüttelten Punkten der Reichsgrenze dazu, daß die Provinzarmeen Gegenkaiser auf den Schild hoben. Die kürzeste Herrschaftsdauer war dem in der Provinz Oberpannonien ausgerufenen Statthalter Regalianus beschieden, aus dessen bescheidener Münzprägung wir den Namen seiner Gattin Sulpicia Dryantilla erfahren, deren Familie nach inschriftlichen Zeugnissen aus dem südlichen Kleinasien stammte, und deren Schwester mit einem aus der Provinz Africa gebürtigen Senator verheiratet war. Punktuell erhalten wir hier Einblick in die möglicherweise weitreichenden Familienbeziehungen und das mobilisierbare Machtpotential eines zum Kaiser erhobenen Senators, der – wie die anderen Gegenkaiser auch – in der literarischen Überlieferung völlig konturenlos bleibt. So läßt sich auch nicht entscheiden, ob der Herrschaft des Regalianus im Zuge eines Barbareneinfalles oder durch Gallienus' Erscheinen vor Ort ein gewaltsames Ende bereitet worden ist.

Für das Reich folgenschwerer war die Abwesenheit des Gallienus von der gefährdeten Rheingrenze; hier trugen sich nach der Gefangennahme Valerians turbulente Ereignisse zu, die auch der jugendliche Caesar Saloninus als Vertreter der kaiserlichen Autorität in Köln nicht mehr steuern konnte. Zwischen dem Statthalter der Provinz Niedergermanien, Postumus, und dem Caesar bzw. seinem Berater Silvanus soll es zum Streit um die Verteilung der einer Schar Franken abgejagten Beute gekommen sein. Postumus ließ sich im Juli oder August 260 zum Kaiser ausrufen, und belagerte die Provinzhauptstadt Köln, wo sich der Caesar Saloninus gleichsam in einem Verzweiflungsakt noch zum Augustus proklamieren ließ; dessen Soldaten lieferten ihn jedoch an Postumus aus, der den Sohn des Gallienus sofort hinrichten ließ. Postumus fand danach die Anerkennung der westlichen Provinzen des Reiches von Britannien bis zur Iberischen Halbinsel, Raetien gehörte – wie die Augsburger Inschrift ausweist – schon am 11. September 260 zu seinem Machtbereich, der sich entlang des Westalpenkammes von Gallienus' Reichsteil abgegrenzt zu haben scheint. Gallienus, damals in den Donauprovinzen oder in Italien beschäftigt, fand weder Zeit noch Kraft, dem Gegenkaiser am Rhein entgegenzutreten.

Die für Gallienus dringlichere Aufgabe war, nach der Gefangennahme des Vaters die östlichen Provinzen für die römische Herrschaft zu retten. Die Perser waren im Sommer 260 plündernd bis tief nach Kleinasien vorgestoßen. Einem gewissen Fulvius Macrianus, unter Valerian Vorsteher der Kriegskasse und des Nachschubwesens, und dem Feldherrn Callistus gelang es in Gallienus' Auftrag und Namen, die Perser aus römischem Territorium hinauszudrängen; der Erfolg ließ die Offiziere – fast erwartungsgemäß – Macrianus den Kaisertitel antragen, der jedoch zugunsten seiner beiden Söhne verzichtete: Titus Fulvius Macrianus (der Jüngere) und Titus Fulvius Quietus sind seit Anfang September 260 in der ganzen östlichen Reichshälfte als Augusti anerkannt. Sie warteten auch nicht erst eine Gegenaktion des Gallienus ab, sondern ergriffen selbst die Offensive: Macrianus marschierte mit seinem Vater auf den Balkan, in Pannonien verloren allerdings beide im Sommer 261 gegen die Armee des Gallienus unter wesentlichem Anteil des Reiterführers Aureolus Schlacht und Leben. Die Herrschaft des Quietus brach bis zum Herbst in sich zusammen. Im Schatten dieser Auseinandersetzung standen die Kaiserproklamation und die ephemeren Herrschaftsbereiche eines sonst unbekannten Valens in Griechenland und des Präfekten von Ägypten, Lucius Mussius Aemilianus; ersterer wurde noch 261 von Macrianus selbst, letzterer 262 durch einen von Gallienus geschickten Feldherrn beseitigt.

Wesentlichen Anteil am Untergang des Gegenkaisers Quietus hatte das Mitglied einer angesehenen Familie in der Wüstenstadt Palmyra, die seit mehreren Generationen eine fürstenähnliche Stellung bekleidete, römisches Bürgerrecht, ja senatorischen Rang besaß: Septimius Odaenathus hatte Gallienus die Treue gehalten und aus überwiegend eigenen Mitteln im Auftrage desselben den Gegenkaiser im nördlichen Syrien niedergekämpft. Dieser palmyrenische ‹Fürst› wuchs dank dieser Erfolge zum höchsten Repräsentanten römischer Macht hinter dem Kaiser in den östlichen Grenzprovinzen heran; quasi als Generalstatthalter befehligte er für Gallienus in den Jahren 262 bis 264 den Angriffskrieg gegen das Perserreich, der ihn zweimal bis vor die sassanidische Residenz Ktesiphon führte. Alle diese Erfolge belohnte Gallienus mit der Verleihung außergewöhnlicher Titel; dies war der Preis für den 264 mit den Persern geschlossenen Frieden, der dem Reich für eine Generation Ruhe an dieser Front bescheren sollte.

Die Jahre um 260 markieren angesichts der zahlreichen Gegenkaiser, der Unfähigkeit, die selbständigen Herrschaftsformen an der gefährdeten Peripherie des Reiches wieder zu integrieren, einen Höhepunkt der militärischen und politischen Krise des Reiches. Gallienus reagierte darauf nicht – wie vielleicht erwartet wurde – mit einer hektischen Betriebsamkeit. Zwar führte er einerseits notwendige militärische Reformen durch: In den Jahren ab 259 scheint er in Oberitalien eine neue mobile, aus Legionsdetachements gebildete Reiter- und Marscharmee konzentriert zu haben, und vermutlich war es ein Resultat dieser Maßnahme, daß die senatorischen Legionstribunen und Legionslegaten, bald auch die Statthalter in ihren Stellen durch Ritter ersetzt wurden. Andererseits aber wollte Gallienus durch ein ‹Ausharren› in Rom das Gefühl von Ruhe und Sicherheit des Reiches vermitteln; im Gegensatz zu allen übrigen Herrschern des 3. Jahrhunderts hat er rund sieben Jahre lang durchweg in Rom residiert, dort im Jahre 262 – der Besonderheit des Ereignisses angemessen – sein zehnjähriges Regierungsjubiläum gefeiert.

Offensichtlich markiert die Gefangennahme des Vaters im Jahre 260 einen Wendepunkt in Gallienus' Politik, ja er ging bewußt auf Distanz: Er nahm sich seine im 2. Jahrhundert lebenden Vorgänger zum Vorbild und förderte griechische Kulte und griechische Philosophie; sein Portrait offenbart nicht mehr den expressiven, angespannten, Mannestugend und Leistung verkörpernden Bildnistyp der Vorgänger, sondern Gallienus griff auf einen ‹klassizistischen› Portraitstil zurück: Alexander der Große, Augustus, und die Herrscher des 2. Jahrhunderts stellten die idealtypischen Vorbilder und Bezugspunkte einer Charisma vermittelnden Formentradition.

Möglicherweise ist vornehmlich dank des Humanitätsideals, dessen sich Gallienus befleißigte, die von Valerian eingeleitete Christenverfolgung von ihm 260 sofort abgebrochen worden, auf jeden Fall profilierte sich Gallienus offen als Philhellene und milderte dadurch das rauhe, militärische Image des zeitgenössischen Kaisertypus ab. Eine enge Freundschaft verband ihn mit dem Neuplatoniker Plotin; in Athen ließ sich Gallienus um das Jahr 265 nach Augustus, Hadrian, Lucius Verus und Marc Aurel als letzter römischer Kaiser in die eleusinischen Mysterien einweihen. Der in der Forschung kontrovers diskutierte philosophische Gehalt und vor allem der Einfluß des Neuplatonismus auf die Zeitgenossen der römischen Oberschicht, die theologische Verbindung dieser Philosophie zur Mysterienreligion in Eleusis, die ganz ungewöhnliche Gold- und Bronzeprägung mit der weiblichen Form *Gallienae Augustae* – ohne Zweifel versuchte damit der Kaiser, in Anlehnung an Augustus und Hadrian neue Zeichen einer religiösen und geistigen Haltung in einer Welt des politischen Chaos zu setzen.

Diese für die Antike wie auch den modernen Forscher im Kontext des 3. Jahrhunderts eher befremdlich wirkende Herrschaftsauffassung hat zu einem sehr zwiespältigen Urteil über diesen Kaiser geführt, welches durch die sicher verzerrte Überlieferung noch begünstigt wird. Es etablierte sich das Bild des nach weibischer Art verweichlichten, degenerierten Kaisers, der sich von den Staatsgeschäften verabschiedet hatte, um seinen Lastern zu frönen. Diesem Verdikt hat das für die Zeitgenossen nur spärlich manifeste Engagement des Kaisers während seiner Alleinherrschaft Vorschub geleistet: Einen 265 unternommenen Versuch, den Gegenkaiser Postumus in Gallien niederzuwerfen, mußte Gallienus, selbst dabei verwundet, abbrechen und konnte allenfalls Teilerfolge wie die Rückgewinnung der Provinz Raetien verbuchen. Fast gleichzeitig reiste er nach Griechenland, anstatt die für Rom weiterhin demütigende Situation an Ost- und Rheingrenze zu bereinigen.

Eutrop, gut 100 Jahre später Verfasser eines kurzen Abrisses der römischen Geschichte, teilte Gallienus' Regierungszeit in drei Phasen: eine glückliche, eine angenehme und eine verderbenbringende – worin deutlich zum Ausdruck kommt, daß die Jahre, in denen sich der Kaiser überwiegend in Italien aufhielt, als die der Untätigkeit und des Luxuslebens angesehen wurden und damit der Eindruck, den Gallienus nach den Herrschervorbildern des 2. Jahrhunderts vermitteln wollte, in sein Gegenteil verkehrt wurde. Die überwiegend aus Illyrien stammende Generalität hat diese Manifestation eines hellenischen Herrschertyps als ungewöhnlich und provokant empfunden; auch in Rom hat der Kaiser möglicherweise die Erwartungen der Senatsaristokratie, was Präsenz und tradierte Formen des Miteinander anging, enttäuscht und sich unter dem Einfluß von Plotins Philosophie als *homo politicus* zurückgezogen und einem kontemplativen Leben hingegeben. Nur damit – und nicht mit der Zurückdrängung der Senatoren aus den militärischen Chargen oder mit der Außenpolitik des Kaisers – wäre auch die dem Andenken des Gallienus und seiner Anhänger mißgünstige Stimmung in Rom nach seiner Ermordung zu erklären, die die gallienusfeindlichen Quellen sicher maßlos übertrieben haben, die aber tendenziell zutreffen mag.

Das Charisma des Kaisers hatte sich jedenfalls während der Jahre der Alleinherrschaft so verbraucht, daß die Loyalität der Armee einer neuen Herausforderung nicht gewachsen war. Diese erwuchs 267, als die Heruler, ein gotischer Teilstamm, vom Nordufer des Asowschen Meeres zu Schiff in Richtung Ägäisches Meer aufgebrochen und sengend und brennend bis vor die Tore Athens gelangt waren. Den aus Griechenland nach Norden Richtung Makedonien zurückflutenden Scharen trat Gallienus zu Beginn des Frühjahrs 268 persönlich entgegen und brachte ihnen am Flusse Nestos in Makedonien eine empfindliche Niederlage bei. Doch mußte er die vollständige Vertreibung der Heruler von römischem Boden, vor allem aus Thrakien, seinem General Marcianus übertragen, da sich in seinem Rücken sein bislang treuer Befehlshaber der in Mailand stationierten Reiterei, Aureolus, dem Gegenkaiser Postumus angeschlossen hatte und Gallienus damit zwang, dieser Gefahr im Kernland des Reiches zu begegnen. Es gelang ihm zwar, Aureolus in Mailand einzuschließen, jedoch bildete sich während der sich im Sommer 268 hinziehenden Belagerung eine Verschwörung der ranghöchsten Militärs in der Umgebung des Kaisers, in deren Folge er im August oder Anfang September ermordet wurde. Des Gallienus jüngster Sohn Marinianus, der noch am 1. Januar 268 den Konsulat angetreten hatte, wurde mit vielen anderen Anhängern des Kaisers, namentlich Sympathisanten des Plotin, in Rom umgebracht.

Die Offiziere kürten einen der Verschwörer, den etwa fünfzigjährigen Illyrer M. Aurelius Claudius, der unter Gallienus zu den höchsten militärischen Rängen emporgestiegen war, zum neuen Augustus. Aureolus, der sich während der Belagerung schließlich selbst zum Augustus erhoben hatte, ergab sich dem neuen Kaiser, fand dabei aber unter nicht mehr zu klärenden Umständen den Tod. Die im Innern und von außen her bedrängte Lage des Reiches nutzten die Alamannen acht Jahre nach dem verheerenden Einfall der Juthungen wieder zu einem tiefen Vorstoß über den raetischen Limes in das Gebiet der heutigen Schweiz und nach Oberitalien. Am Gardasee konnte Claudius II. ihr Vordringen im Herbst 268 zwar stoppen, war aber wohl auch wegen des bevorstehenden Winters nicht in der Lage, die gesamte Invasionsmacht aufzureiben, da die Feinde knapp zwei Jahre später wiederum in Oberitalien standen. Nach einem Winteraufenthalt (268/69) in Rom mußte Claudius auf dem Balkan erneut – wie ein Jahr zuvor Gallienus – den Herulern und anderen gotischen Scharen entgegentreten; diese hatten zuvor die gesamte Ägäis bis hin nach Kreta und der südtürkischen Küste heimgesucht und auf ihrem Rückzug nunmehr Saloniki belagert. Claudius konnte die Stadt entsetzen und die Heruler/Goten bei Naissus in der Provinz Obermoesien schlagen, ein Sieg, der ihm den Beinamen *Gothicus* eintrug. Der Kaiser scheint sein Augenmerk für den Rest des Jahres 269 und 270 bis zu seinem Tod den Balkanprovinzen des Reiches zugewendet zu haben, da Vandalen und Sarmaten die Reichsgrenzen an der mittleren Donau bedrohten. Im August 270 erlag er in Sirmium der Pest.

Der Gotensieg und die Tatsache, daß Claudius als einer der wenigen Herrscher des 3. Jahrhunderts eines natürlichen Todes gestorben ist, hinterließen auf dem Hintergrund der extrem schwarzmalenden Darstellung von Gallienus' Herrschaft ein ebenso überbetont und dem heutigen Betrachter verdächtig positives Herrscherbild; sofort nach seinem Tode ist Claudius vergöttlicht worden, und Konstantin I. hat ihn ab 310 in seine Genealogie eingefügt.

In Oberitalien hatte Claudius seinen Bruder Marcus Aurelius Claudius *Quintillus* als Befehlshaber der zum Schutz gegen das gallische Sonderreich und die Germanenstämme zusammengezogenen Truppen zurückgelassen. Dieser wurde nach dem Tode des Bruders von der Armee in Aquileia zum Augustus proklamiert und vom Senat anerkannt, aber wahrscheinlich schon innerhalb weniger Wochen (September 270) von dem ihm unterstellten Kommandeur der Reitertruppe, Aurelian, beseitigt.

POSTUMUS
260–269

Von Ingemar König

In die Jahre von Kaiser Valerian und Gallienus bis hin zu Aurelian datiert die spätantike Schrift *Historia Augusta* insgesamt 30 Usurpatoren; von diesen beherrschten Postumus, Laelianus, Marius, Victorinus und Tetricus den Westen des römischen Reiches. Auslöser dafür, daß zumeist an den Grenzen Männer nach der kaiserlichen Macht griffen, war, daß Mitte des Jahres 260 Valerian in persische Gefangenschaft geraten war und sein Sohn Gallienus die eigene kaiserliche Autorität gegen zahlreiche Prätendenten im Gesamtreich verteidigen mußte.

Über die Familie des Postumus sind wir nicht informiert. Eutrop spricht lediglich von einer höchst unbedeutenden, im Dunkel liegenden Herkunft. Im Dunkel liegt auch die militärische Laufbahn, so daß wir das militärische Amt, das er vor der Usurpation bekleidet hat, nicht benennen können: Aurelius Victor nennt ihn Befehlshaber barbarischer Truppen in Gallien (33,8), andere sagen, er sei für die Sicherung der Rheingrenze zuständig gewesen. Mangels besserer Informationen hatte sich daher bereits die *Historia Augusta* darauf beschränkt, lediglich das Bild eines charakterlich einwandfreien Generals zu zeichnen: Dieser war im Kriege höchst tapfer, im Frieden äußerst beständig, sein ganzes Leben war von Ernst gekennzeichnet (*Dreißig Tyrannen* 3,1). Mit einiger Wahrscheinlichkeit ist anzunehmen, daß er zuständiger General im Ritterrang für die Rheingrenze Germaniens war, vielleicht sogar Funktionen eines Statthalters wahrnahm, da Kaiser Gallienus in gefährdeten Provinzen die ehemals senatorischen Statthalter durch solche ritterlichen Standes zu ersetzen begann: diese verfügten über längere und somit bessere militärische Erfahrung. Daß zu den Kontingenten, die ein solcher Mann befehligte, auch barbarische (germanische) Hilfstruppen gehörten, ist normal.

Kaiser Gallienus hatte sich zeitweise selbst am Rhein aufgehalten und Köln zu einer Art Nebenresidenz ausgebaut, die Stadt befestigt und eine Münzstätte eingerichtet; möglicherweise wurden dort auch Prätorianer stationiert. Allerdings erkannte er die Unmöglichkeit, den germanischen Limes auf die Dauer zu halten; so begann er, die natürlichen Grenzen an Rhein und Donau zu sichern, was ihm in den Quellen den Vorwurf des Verrates am Reich eintrug. Als er den Rhein wegen anderer militärischer Aufgaben verließ, blieb in Köln sein minderjähriger Sohn Saloninus als Repräsentant kaiserlicher Autorität zurück; doch dieser war nicht in der Lage, seine Aufgabe zu bewältigen. Die Germaneneinfälle mehrten sich, der Truppensold wurde nur unzulänglich ausbezahlt. Im Streit mit dem Prinzenberater Silvanus kam es schließlich zu militärischen Auseinandersetzungen, die zur Usurpation des Postumus, zur Einnahme Kölns, dem Tod des Silvanus sowie des Saloninus führten.

Der Erfolg der Usurpation, die wohl im Herbst 260 stattfand, war so überzeugend, daß sich dem neuen Machthaber außer den Provinzen Niedergermanien, Belgica, Lugdunensis und Aquitania auch die spanische Tarraconensis sowie die beiden britannischen Provinzen anschlossen. Nicht genau informiert sind wir über die Haltung Obergermaniens: Südlich von Hagenbach sind bislang keine inschriftlichen Loyalitätsbezeugungen gefunden worden. Allerdings besitzen wir seit 1993 einen Siegesaltar in Augsburg (Provinz Raetien), so daß sich die Frage stellt, ob sich nicht auch diese Provinz bereits frühzeitig zu Postumus bekannt hat. Das von Postumus beherrschte Gebiet läßt sich am besten als von Germanen bedrohtes Territorium definieren. Damit kam dem Usurpator automatisch die Rolle eines Beschützers der von ihm beherrschten Zivilbevölkerung zu. Dies zeigt sich darin, daß er umgehend den Titel eines Germanenbesiegers annahm.

Mit der Usurpation nahm Postumus automatisch die Titulatur eines römischen Kaisers an: Imperator Caesar Marcus Cassianius Latinius Postumus, Pius Felix Invictus Augustus, *pontifex maximus, tribunicia potestate, proconsul*, d.h. der fromme, vom Glück begünstigte unbesiegbare Augustus, oberster Herr des Staatskultes, ausgerüstet mit der Gewalt eines Volkstribunen, Konsul, oberster General und Herr der Provinzen. Daß manche Titel und Rechte in ihrer Funktion auf die Stadt Rom beschränkt scheinen, bedarf in einer Zeit, da sich die Kaiser nur selten in Rom aufhielten, keiner Diskussion: Sie bezeichnen lediglich die Gesamtgewalt eines Herrschers. Hier aber zeigt sich das Ungewöhnliche bei Postumus: Jeder Usurpator leugnete, daß der augenblicklich regierende Herrscher noch die Interessen der Reichsbewohner und den Auftrag der Götter vertrete, da er nicht den Schutz des Reiches nach innen und außen gewährleiste. Die Konsequenz war, daß der Usurpator den Machthaber beseitigen und gleichzeitig seine Anerkennung durch den römischen Senat erreichen mußte. Vom Rom-Kaiser hingegen wurde erwartet, daß er in militärischer Auseinandersetzung sein Recht zu regieren beweise. Der Sieger schließlich war der von den Göttern gewünschte Herrscher. Unsere Quellen nun lassen erkennen, daß weder Postumus noch Gallienus diesen Kampf um die Macht suchten. Der Verzicht des Usurpators auf die Auseinandersetzung wurde daher von der älteren Forschung als gallischer Separatismus bezeichnet, wobei man sich sogar bemühte, eine Art gallische Renaissance in der Kunst und Kultur nachzuweisen. Stärkstes Argument schien die Tatsache, daß Postumus die römischen Konsuln nicht anerkannte, sondern eigene ernannte. Die Folgerung aber, daß Postumus so einen gallischen Senat begründet habe, ist nicht zwangsläufig, da wir über andere von ihm ernannte Personen in senatorischen Ämtern nichts erfahren. Wir wissen, daß Postumus die Militär- und Verwaltungsorganisation des Gallienus beibehielt und vermutlich alle Funktionäre und Offiziere, die sich zu ihm bekannten, auf ihren Posten beließ.

Postumus benutzte die unter Gallienus eingerichtete Münzanstalt Kölns, seine Münzbilder orientierten sich häufig an der Severerprägung. Allerdings mußte er bei seinen Prägungen die Beigabe von Edelmetall erheblich reduzieren. Dies, wie erfolgreiche Feldzüge gegen die Rheinfranken und die Seeraub betreibenden Sachsen, führte dazu, daß die materiellen Schäden früherer Germaneneinfälle langsam beseitigt werden konnten. So behauptet die *Historia Augusta*, daß Postumus von der Bevölkerung mit Dankbarkeit aufgenommen worden sei (*Dreißig Tyrannen* 3,4), er die Liebe der Untertanen erworben habe, weil er nach der Abwehr aller germanischen Völkerschaften das römische Reich in den alten Zustand der Sicherheit zurückgeführt habe (3,4–6). Während seiner neun Jahre dauernden Regierungszeit sank die Zahl der aus Angst oder aufgrund direkter Bedrohung vergrabenen Münzschätze gegenüber der Regierungszeit des Valerian und Gallienus, bis sie unter Tetricus bzw. Aurelian erheblich in die Höhe schnellte. Daß er bei seinen Feldzügen auch den Rhein überschritt, ist wahrscheinlich.

Postumus selbst scheint sich der Religion seiner Soldaten, die besonders Hercules – Hercules Deusoniensis und Hercules Magusanus, zwei am Niederrhein vertretene Lokalformen – verehrten, angeschlossen zu haben. Hercules zählte zu den von den Adoptivkaisern und den Severern geschätzten Göttern, und unter Antoninus Pius waren erstmals in Alexandria Münzen mit allen zwölf Taten des Hercules geprägt worden; nun wiederholte Postumus diese Ausprägung in vollem Umfang, um so die Wiederkehr der guten Zeiten zu propagieren.

Es ist möglich, daß er daran dachte, seine Residenz und Teile des Münzateliers aus dem gefährdeteren Köln nach Trier zu verlegen; allerdings wurde dieses Unternehmen von ihm nicht mehr realisiert.

Trotz der Ermordung seines Sohnes Saloninus schob Gallienus den Kampf um die Macht gegen Postumus hinaus. Es ist bezeichnend für diesen überlegt handelnden Kaiser, daß er persönliche Beweggründe der Fürsorge für das Reich, d.h. dessen Sicherheit hintanstellte. Damit gab er aber auch Postumus die Möglichkeit, die Aufgabe der Grenzsicherung zu erfüllen. Erst 265 erschien Gallienus in Gallien, wo er nach einem ersten verlorenen Treffen vermutlich nahe der Grenze zwischen der Narbonensis und der Lugdunensis Postumus schlagen und in einer mittelgallischen Stadt belagern konnte. In diesem Zusammenhang hören wir erstmals von Aureolus, der vermutlich die zu diesem Zeitpunkt von Gallienus geschaffene Schlachtenkavallerie befehligte und nun eine wirksame Verfolgung des Usurpators verhindert haben soll. Während der Belagerung wurde Gallienus durch einen Pfeilschuß verwundet und gab nach Verhandlungen, über die wir nicht unterrichtet werden, den Krieg auf. Postumus selbst feierte diesen Sieg auf Münzen und einer Sonderprägung, durch die er Mercur als Vermittler zwischen beiden Herrschern hervorhob. Aureolus wurde der militärische Schutz der Narbonensis und Italiens übertragen und er wählte Mailand als Standlager der Kavallerie. Anfang 268 bekannte er sich mit einer eigenen Prägung zu Postumus und wurde daraufhin von Gallienus belagert, aber erst nach der Ermordung des Gallienus durch die eigenen Generäle wurde Mailand genommen und Aureolus getötet.

Postumus hatte keinen Versuch unternommen, Aureolus zu unterstützen: die ständige Grenzbedrohung ließ Truppenabzüge nicht zu. Andererseits lassen sich Münzen, die die Treue des Heeres betonen, dahingehend deuten, daß die Herrschaft des Usurpators selbst nicht unumstritten war. Anfang 269 kam es zu einer Truppenrevolte, bei der der sonst unbekannte Ulpius Cornelius Laelianus in Mainz zum Gegenkaiser proklamiert wurde. Postumus griff die Stadt noch Mitte des Jahres an und eroberte sie, wobei Laelianus umkam. Allerdings verwehrte Postumus seinen siegreichen Truppen die Plünderung, so daß er von den enttäuschten Soldaten erschlagen wurde.

Nach dem Tode des Postumus griff ein ehemaliger Lagerschmied, Marcus Aurelius Marius, nach der Macht, und Aurelius Victor erklärt den seltsamen Vorgang damit, daß die Soldaten in dem Namen Marius ein gutes militärisches Omen sahen. Ebenso ominös ist der baldige Tod des Marius, wobei lediglich die *Historia Augusta* wissen will, daß er aus Privatrache erschlagen worden sei. Jedenfalls war sein Tod unerwartet, so daß die Truppen erst nach zweitägigem Zögern im Spätherbst (?) 269 Marcus Piavonius Victorinus, den ehemaligen Mitkonsul des Postumus, zum neuen Kaiser wählten.

Der Verlauf des Jahres 269 hatte allerdings die Schwäche der gallischen Usurpatoren derart aufgezeigt, daß Zerfallserscheinungen des Gegenreiches feststellbar sind: Nicht nur Spanien bekannte sich zur Herrschaft des Romkaisers Claudius II. Gothicus, auch die Stadt Autun in Gallien wagte den Aufstand in der Hoffnung auf Unterstützung durch die Provinz Narbonensis. Die Quellen, allen voran Ausonius, weisen darauf hin, daß angesehene Bewohner Autuns (familiäre) Beziehungen zur Narbonensis hatten. Die Stadt konnte erst nach siebenmonatiger Belagerung eingenommen werden und Victorinus feierte den Sieg und die Loyalität der Truppen durch eine besondere Goldprägung, die in der neuen Residenz Trier, wo nun eine zweite Reichsmünze bestand, geprägt wurde. Die Wahl der neuen Residenz erfolgte wohl aus Sicherheitsgründen, da Trier eine weniger exponierte Lage besaß. Victorinus selbst pries sich auf Münzen als Wiederhersteller Galliens. Allerdings fiel er, dem die Quellen alle Eigenschaften eines echten Tyrannen zuschreiben – Völlerei, Trunksucht, ausschweifenden Lebenswandel –, nach zweijähriger Regierung einer Beamtenverschwörung zum Opfer.

Nach dem Mord an Victorinus soll dessen Mutter Victoria durch große Bestechungssummen die Wahl des in Bordeaux amtierenden Provinzgouverneurs Caius Pius Esuvius Tetricus zum Nachfolger erreicht haben. Über eine mögliche Verwandtschaft beider Familien ist viel geschrieben worden, doch läßt sie sich nicht nachweisen. Daß Victoria die Wahl des fernen Tetricus betrieb, ist wohl damit zu erklären, daß sie den gallischen senatorischen wie städtischen Adel zur Mitarbeit heranziehen wollte, um den Zerfall des Teilreiches aufzuhalten. Zwar bekannte sich nunmehr auch das Gebiet der Narbonensis rechts der Rhône zu ihm, doch blieb die Autorität des Kaisers bei seinen Truppen gering; es erwies sich als problematisch, daß ein Verwaltungsmann und kein Offizier zur Macht gelangt war. Die gleiche Situation, die vormals Postumus die Usurpation ermöglichte, schien sich anzubahnen. Tetricus, der im Frühjahr 271 von Bordeaux nach Trier übersiedelte, konnte sich bis Spätsommer 274 halten. Zur Sicherung seiner Herrschaft und Dynastie ließ er zudem seinen gleichnamigen Sohn Tetricus II. 272 zum Mitregenten proklamieren. Den Autoritätsverlust des Tetricus bringt die *Historia Augusta* mit dem Tod der Victoria, die uns als Bindeglied zum Militär vorgestellt wird, in Zusammenhang. Obwohl Tetricus immer wieder auf Münzen die Treue des Heeres beschwor, ist der Widerstand gegen ihn erkennbar: Eutrop spricht von Militärrevolten, und Aurelius Victor nennt ausdrücklich den Provinzgouverneur Faustinus, vermutlich Statthalter der Belgica. So entschloß sich Tetricus, mit dem neuen Romkaiser Aurelian in Kontakt zu treten und ihn durch geheime Briefe zum Angriff auf Gallien zu ermutigen. Tetricus, so sagt Aurelius Victor (35,4), lieferte dem Herannahenden eine Art Schlacht [nahe Châlons-sur-Marne], während der er sich (ihm) ergab. Damit waren im Frühjar 274 (?) nach fünfzehnjähriger Usurpatorenherrschaft die Provinzen Galliens, Britanniens und Germaniens wieder unter die Herrschaft des Rom-Kaisers zurückgekehrt. Aurelian seinerseits scheint zuvor der Familie des Tetricus seine Gnade zugesichert zu haben, obwohl er sie in einem Triumphzug über das besiegte Gallien vorführte; auch andere Funktionäre des Usurpators scheinen begnadigt worden zu sein.

Die Zeit der gallischen Usurpatoren von Postumus bis Tetricus kann aus reichspolitischer Sicht nur als Einheit gewertet werden, was bereits die antiken Quellen tun. Auch Eutrops Formulierung von einem Reich gallischer Provinzen (9,9,3) ist nicht als Separatismus zu deuten, sondern, gemessen an der territorialen Ausdehnung des Usurpationsgebietes, eher im Vergleich mit der spätantiken gallischen Präfektur zu sehen, die die Provinzen Galliens, Germaniens, Britanniens und Spaniens zusammenfaßte. So wird zum Beispiel in den Quellen die Haltung der Zenobia von Palmyra als Ausscheiden aus dem Reichsverband gewertet, während die gallischen Usurpatoren als Verteidiger des Imperiums positiv akzeptiert werden. Dieses Urteil beruht vor allem auf dem Negativbild des Gallienus, dem politische Sorglosigkeit, d.h. Unfähigkeit bei der Abwehr der Feinde, vorgeworfen wurde. So formuliert Eutrop (9,11,1): «Während so der Staat von Gallienus im Stich gelassen wurde, wurde das römische Reich im Westen durch Postumus, im Osten durch Odaenathus bewahrt», und die *Historia Augusta* dehnt die Anerkennung auf alle gallischen Usurpatoren aus: «In Gallien gab es zuerst Postumus, darauf Lollianus (Laelianus), danach Victorinus und schließlich Tetricus (denn von Marius wollen wir schweigen) als Verteidiger des römischen Namens» (*Dreißig Tyrannen* 5,5).

ZENOBIA
267–272

Von Kai Brodersen

«Nun ist das Maß der Schande voll; ist es doch in dem erschöpften Staat so weit gekommen, daß während des schändlichen Treibens des Gallienus sogar Frauen trefflich regierten, und noch dazu fremde! Es hat nämlich eine namens Zenobia ... länger regiert, als es sich mit ihrem weiblichen Geschlecht vertrug ... Nach persischem Königsbrauch gestaltete sie ihre Tafel, nach dem Brauch der römischen Kaiser aber erschien sie zu den Heeresversammlungen in Helm und in Purpur ... Ihre Stimme war hell und männlich. Wo es die Notwendigkeit forderte, war sie streng wie ein Tyrann, doch mild wie gute Fürsten, wo es die Menschlichkeit verlangte. Sie wußte klug zu schenken, hielt aber ihre Schätze besser zusammen, als man von einer Frau erwarten konnte.»

Für den legendären Nachruhm der Zenobia darf diese Passage aus dem spätantiken Geschichtswerk *Historia Augusta* mit ihrer Mischung aus respektvoller Bewunderung und abschätziger Frauenfeindlichkeit als bezeichnend gelten; für die historischen Tatsachen jedoch läßt sich Texten wie diesem nicht viel entnehmen. So stützt sich die folgende Darstellung zum einen auf viele – freilich teils widersprüchliche – Einzelnachrichten in der antiken Literatur, zum anderen auf die zeitgenössischen Inschriften, Papyri und Münzen aus dem 3. Jahrhundert.

In jenem unruhigen Jahrhundert, das häufig als ‹Krisenzeit› bezeichnet wird, war es gerade an den Rändern des Römischen Reiches zu vielerlei Turbulenzen gekommen. Im Westen hatte sich Postumus, ein Feldherr der Römer, zum Kaiser ausrufen lassen und das sogenannte Gallische Reich begründet, das bis 273 Bestand hatte. Im Osten war die Römerherrschaft ebenfalls bedroht: In den zwanziger Jahren hatte der Perser Ardaschir das parthische Herrscherhaus gestürzt und trotz eines Feldzugs des römischen Kaisers Severus Alexander die Dynastie der Sassaniden begründet. Auch Ardaschirs Sohn und Nachfolger Sapor I. (241–272) hatte mehrere erfolgreiche Kriege in Nordmesopotamien und Syrien geführt. Zwar war den Römern unter Gordian III. die Rückeroberung gelungen, doch der Kaiser selbst dabei gefallen. Und auch wenn sein Nachfolger Philippus Arabs einen Frieden mit den Sassaniden schloß, stellten sie weiterhin eine Bedrohung für Roms Herrschaft im Osten dar.

Die sassanidische Expansion gefährdete auch die alten Karawanenwege aus dem Fernen Osten und Indien durch Mesopotamien zum Mittelmeer, an denen Palmyra in Syrien eine wichtige Station bildete. In dieser Stadt, die durch den Fernhandel mit Luxusgütern reich geworden war, herrschte in der Mitte des 3. Jahrhunderts Septimius Odaenathus zusammen mit seinem ältesten Sohn Herodianus. In der Gegnerschaft zu den Sassaniden deckten sich nun römische und palmyrenische Interessen, und so kämpfte Odaenathus bei erneuten Auseinandersetzungen mit Sapor auf der Seite des römischen Kaisers Valerian. Da wurde 260 das römische Heer vernichtend geschlagen – und der Kaiser geriet in die schmachvolle Gefangenschaft der Sassaniden.

Odaenathus stellte sich nunmehr allein gegen Sapor, besiegte einen Teil seiner Streitkräfte und erklärte sich daraufhin mit der alten persischen Königstitulatur selbst zum «König der Könige», womit er seinen Machtanspruch gegenüber Sassaniden wie Römern sinnfällig machte. Zunächst suchte ihn Valerians Sohn und Nachfolger Gallienus weiter als Freund Roms zu halten: Er ernannte ihn zum «Feldherrn der Römer» und verlieh ihm den Ehrentitel «Aufrichter des ganzen Ostens». Doch weitere Feldzüge, bei denen die Palmyrener von Sapor Städte in Nordmesopotamien zurückeroberten und sogar die Hauptstadt Ktesiphon bedrohten, verdeutlichten das palmyrenische Expansionsstreben und ließen es zunehmend als Gefahr auch für die Römerherrschaft erscheinen: War Gallienus beteiligt, als Odaenathus und Herodianus 267 einem Attentat zum Opfer fielen?

Die Herrschaft in Palmyra ging nun auf Lucius Iulius Aurelius Septimius Vaballathus Athenodorus über; dieser entstammte Odaenathus'

Ehe mit Zenobia, einer Tochter des Iulius Aurelius Zenobius, der einst unter Severus Alexander am Zug gegen Ardaschir beteiligt gewesen war. Vaballathus war allerdings noch zu jung für die Herrschaft, so daß seine Mutter Zenobia für ihn die Regentschaft ausübte, beraten von Männern wie dem bedeutenden heidnischen Philosophen Cassius Longinus, einem Vertreter des Neuplatonismus, und dem christlichen Theologen Paulus von Samosata, der zuvor Bischof von Antiochia gewesen war.

Zenobia, die sich nun auf Inschriften «Königin» nennen ließ, setzte bald das Expansionsstreben ihres Gatten nicht minder erfolgreich fort. Im Jahr 269 veranlaßte sie einen Feldzug gegen Ägypten. Für den palmyrenischen Handel kam diesem Land besondere Bedeutung zu, seit der Karawanenhandel durch die sassanidische Besetzung Mesopotamiens behindert war, doch war es als «Kornkammer des römischen Reiches» auch für Rom wichtig – und zudem römische Provinz; Zenobias Vorgehen bedeutete also einen ersten Bruch mit Rom. Bald besiegten die Palmyrener das römische Heer in Ägypten; die von ihnen hinterlassene Garnison wurde zwar wenig später vernichtet, doch waren sie im Jahr 270 erneut erfolgreich und konnten ihre Herrschaft in Ägypten festigen. Ebenfalls 270 eroberten die Palmyrener Antiochia, die von den Sassaniden eingenommene Hauptstadt der römischen Provinz Syrien, und gewannen große Teile Kleinasiens.

Auf diese doppelte Herausforderung der Herrschaft Roms vermochte der im selben Jahr proklamierte neue römische Kaiser Aurelian nicht sofort zu reagieren, da er in die Kämpfe gegen die Alamannen verwickelt war. Zenobia scheint dies als Billigung ihres Vorgehens und Anerkennung ihrer Herrschaft gedeutet zu haben: Münzen, die 270 und 271 in Alexandria im eroberten Ägypten geprägt wurden, zeigen – wie auch solche aus dem eroberten Antiochia – auf der einen Seite Aurelian, auf der anderen Vaballathus, und auf einigen ägyptischen Papyri wird das Datum anhand der Regierungsjahre beider Herrscher angegeben: Dachte Zenobia an eine Aufteilung der Macht zwischen dem Römerkaiser im Westen und den Herrschern Palmyras im Osten?

271 aber konterte Aurelian Zenobias Vorgehen; er zog gegen Kleinasien, nahm es kampflos ein und drängte die Palmyrener bis nach Antiochia zurück. Nun brach Zenobia endgültig mit Rom: Auf Münzen aus Antiochia erscheint jetzt nur noch Vaballathus und wird mit dem römischen Kaisertitel als «Augustus» bezeichnet, womit der Anspruch auf die Herrschaft im ganzen römischen Reich erhoben wird; und auf Münzen aus Alexandria ist nicht mehr Aurelian als Augustus dargestellt, sondern Septimia Zenobia selbst als Augusta! Diesem für eine Regentin höchst ungewöhnlichen, wenn auch nie verwirklichten Anspruch auf die ganze römische Kaiserherrschaft verdankt Zenobia ihren großen Nachruhm – und nicht zuletzt ihre Aufnahme in den vorliegenden Band.

Noch im selben Jahr 271 gelang Kaiser Aurelian auch die Rückeroberung Antiochias und weiterer Gebiete, bis er die Palmyrener bei Emesa zu einer Schlacht stellte, in der er – wenn auch nur knapp – siegte. Die Palmyrener zogen sich daraufhin in ihre Stadt zurück, und als sich die Römer 272 auch dieser näherten, floh Zenobia, wurde aber von römischen Reitern gefangengenommen und zu Aurelian gebracht, der ihre Feldherren und Berater (darunter Cassius Longinus) hinrichten, sie und ihren Sohn aber nach Rom bringen ließ und zwei Jahre später in seinem Triumphzug mitführte. Ihren Lebensabend verbrachte Zenobia dann vornehm, aber machtlos in einer Villa nahe der ewigen Stadt.

Palmyra hatte sich 272 ergeben und war nicht zerstört, doch mit einer römischen Garnison belegt worden. Eine erneute Erhebung, die zur Beseitigung der Garnison und zur Ausrufung des Antiochus, eines Verwandten der Zenobia, als König von Palmyra und zugleich als römischer Kaiser führte, beendete Aurelian 273 durch persönliches Eingreifen; die Stadt wurde nunmehr geplündert und sollte sich von dieser Katastrophe nie wieder ganz erholen. Auch einen Aufstand Ägyptens, den dort ein Vertrauter Zenobias angezettelt hatte, unterdrückte der Kaiser erfolgreich. Die Träume von einer Vereinigung persischer und römischer Macht in palmyrenischer Hand waren für immer ausgeträumt.

Zenobias Auseinandersetzung mit Rom wirft ein Schlaglicht auf die Spannungen zwischen Rom, den Provinzen und den Nachbarvölkern im 3. Jahrhundert. Das Streben der Regentin nach der römischen Kaiserherrschaft erweist sich vor allem als Fortsetzung der Unternehmungen des Odaenathus. In der unruhigen Zeit des 3. Jahrhunderts suchte eben so manche(r) sein Glück in ungehemmter Expansion, und tatsächlich konnte, wer loyale Streitkräfte hinter sich wußte und Erfolg hatte, im Glücksfall die Kaiserherrschaft erlangen. Dieses Glück hatte Zenobia nicht, doch legt ihre Biographie dar, daß im 3. Jahrhundert eine Zeitlang «sogar Frauen trefflich regierten, und noch dazu fremde».

AURELIAN
270–275

Von Leonhard Schumacher

Als Aurelian um das Jahr 214 an der unteren Donau, vielleicht bei Sirmium, geboren wurde, befand sich das Römische Reich noch in einem Zustand trügerischer Ruhe. Der literarischen Überlieferung zufolge stammte der spätere Kaiser – mit vollständigem Namen hieß er Lucius Domitius Aurelianus – aus einfachen Verhältnissen, ohne daß sich der Status seiner Eltern genauer bestimmen ließe. Sein Geburtstag wurde am 9. September gefeiert, vermutlich hatte er eine Schwester; verheiratet war er später mit Ulpia Severina.

Zweifellos verfügte Aurelian über eine außerordentliche militärische Begabung, doch lassen sich hinsichtlich seiner Ausbildung allenfalls Vermutungen äußern. Möglicherweise stieg er vom Mannschaftsdienstgrad zum Offizier einer Auxiliareinheit auf, vielleicht aber gehörte sein Vater bereits dem Ritterstand an, so daß seine Karriere mit einem Kommando als Kohortenpräfekt begann.

Erst im Zusammenhang mit der Erhebung des Kaisers Claudius II. Gothicus im Frühherbst 268 gewinnt die Rolle Aurelians etwas deutlichere Konturen. Zwar sind die Schriften des zeitgenössischen Historikers Dexippus von Athen nicht überliefert, doch haben spätere Autoren wie Aurelius Victor, Eutrop, der anonyme Verfasser der *Historia Augusta*, Zosimus und Zonaras dessen Ergebnisse verarbeitet. Initialzündung für die Ermordung des Kaisers Gallienus war der Abfall seines Reitergenerals Aureolus, der von Mailand aus die Alpenpässe gegen Postumus sichern sollte. Indessen nahm er Verhandlungen mit dem Herrscher des ‹Gallischen Sonderreiches› auf und usurpierte schließlich selbst die Kaiserwürde. Bei der Belagerung von Mailand fiel Gallienus dem Anschlag seiner Generale und Obristen zum Opfer.

Nach Zosimus waren hauptsächlich drei Personen an diesem Komplott beteiligt: der Prätorianerpräfekt Aurelius Heraclianus, Claudius, der spätere Kaiser, als General der Kavallerie und ein ungenannter Befehlshaber der dalmatischen Reiterei. Nach Aurelius Victor und Zonaras spielte auch Aurelian eine wesentliche Rolle bei diesem Anschlag. Die Vermutung liegt nahe, daß er damals das dalmatische Kavalleriekorps befehligte und in dieser Funktion den Putsch unterstützte. In konstantinischer Zeit wurde die Beteiligung der späteren Kaiser Claudius und Aurelian dann aus ideologischen Gründen vertuscht. Die *Historia Augusta* hat Claudius II. ausdrücklich von jeder Schuld freigesprochen und den Kommandeur der dalmatischen Reiter als Cecropius bezeichnet – ein vermutlich fiktiver Name, um Aurelian zu entlasten.

Ob und wie lange er nach dem erfolgreichen Putsch der illyrischen Generale noch in seinem Kommando verblieb, läßt sich nicht mit Bestimmtheit ermitteln. Jedenfalls wurde er noch von Claudius zum Befehlshaber der gesamten Reiterei ernannt, eine Stellung, die vorher Aureolus, dann der Kaiser selbst zum Zeitpunkt seiner Erhebung innegehabt hatten. An der Abwehr der Alamannen in Norditalien, der Goten in Moesien und Thrakien dürfte er mit seiner einsatzbereiten und schlagkräftigen Kavallerie wesentlichen Anteil gehabt haben. Die Verfolgung und Vernichtung gotischer Kontingente südlich der Donau war noch in vollem Gange, als Claudius II. Ende August 270 in Sirmium der Pest erlag.

Als Kandidaten für die Nachfolge präsentierten die Truppen den jüngeren Bruder des Kaisers, Claudius Quintillus, dem damals der Schutz Italiens gegen marodierende germanische Kriegsscharen oblag. Der Senat in Rom hat diese Akklamation begeistert aufgenommen und Quintillus als Kaiser anerkannt. Dieser Entscheidung schlossen sich alle Heeresgruppen und Provinzen an; die Münzstätten Rom, Mailand, Siscia, Kyzikos und sogar Alexandria prägten Geld im Namen des neuen Herrschers, der indessen nur knapp drei Wochen regierte. Ob er in Aquileia einem Mordanschlag zum Opfer fiel, durch Selbstmord endete oder eines natürlichen Todes starb, bleibt im dunkeln. Jedenfalls wurde Aurelian bereits im September 270 von der pannonischen Heeresgruppe an der Donau, vermutlich in Sirmium, zum Kaiser proklamiert.

Propagandistisch wurde die Erhebung damit begründet, daß Claudius II. Gothicus noch auf dem Totenbett seinen fähigen Reitergeneral zum Nachfolger designiert habe. Zu einem späteren Zeitpunkt, etwa im Sommer 272, hat Aurelian, wie Papyri aus Oxyrhynchus und die alexandrinischen Prägungen dokumentieren, den Tag seines Herrschaftsantritts tatsächlich auf den Todestag des Claudius vorverlegt und damit die Interimsherrschaft des Quintillus übergangen. An strategischer und taktischer Erfahrung war er diesem weitaus überlegen, so daß angesichts der akuten militärischen Bedrohung der Nordgrenze diese Qualifikation für die Truppen ausschlaggebend war. Nach seiner Anerkennung durch den Senat bezeichnete er sich mit vollem Kaisernamen als *Imperator Caesar Lucius Domitius Aurelianus Pius Felix Invictus Augustus.*

Als vordringliche Aufgabe stellte sich dem Herrscher nun der Schutz der nördlichen Reichsgrenze, die nach dem Bericht des Dexippus damals von Juthungen und Vandalen bedroht wurde. Einen ersten Raubzug der Juthungen, die von ihren Stammlanden am Oberlauf der Donau über den Brenner-Paß nach Norditalien eingefallen waren, konnte er nicht verhindern. Immerhin gelang es ihm, die heimkehrenden Scharen im November 270 zur Schlacht zu stellen und ihnen die Beute abzujagen. Sein Heer überwinterte offenbar in den Grenzprovinzen Raetien bzw. Noricum, der Kaiser selbst begab sich nach Rom, wo er am 1. Januar seinen ersten Konsulat antrat.

Bereits im Frühjahr mußte Aurelian indessen einem Einfall der Vandalen begegnen, die von Nordosten her Pannonien überrannt hatten. Über Aquileia zog der Kaiser ihnen entgegen, sammelte seine Truppen und konnte die Feinde vermutlich an der Drau zum Kampf stellen. Die Schlacht brachte keine Entscheidung, führte aber zu einem dauerhaften Friedensvertrag. Gegen Stellung von 2000 Reitern, die als Hilfstruppen dem römischen Heer eingegliedert wurden, erhielten die Vandalen Verpflegung und kehrten über die Donau in ihre Heimat zurück.

Währenddessen waren die Juthungen erneut in Italien eingefallen, verheerten die Poebene und stießen bis nach Umbrien vor. Rom selbst schien bedroht, so daß nach republikanischem Brauch die Sibyllinischen Bücher befragt wurden, wie man der Gefahr begegnen könne. Aurelian hatte sein Heer in Eilmärschen nach Norditalien geführt, mußte aber bei Piacenza eine empfindliche Niederlage hinnehmen, bevor er die Juthungen zunächst am Metaurus bei Fanum Fortunae, dann endgültig bei Pavia am Ticinus vernichtend schlagen konnte. Der inschriftlich bezeugte Siegerbeiname *Germanicus maximus*, ‹größter Sieger über die Germanen›, bezieht sich auf diese Erfolge.

Noch während dieser militärischen Operationen formierte sich in Rom das Personal der Münzstätte zu einem Aufstand unter Führung des Chefs der Finanzverwaltung Felicissimus. Die Überlieferung (Aurelius Victor, *Historia Augusta*) wertet diese Erhebung geradezu als einen Krieg der Münzarbeiter. Als Motiv wird die Furcht vor Bestrafung angegeben, wobei die erwarteten Sanktionen offenbar das Verbrechen der Falschmünzerei großen Stils betrafen.

Indem das Münzpersonal die vermeintlich günstige Situation des zweiten Juthungeneinfalls zur Erhebung nutzte, versuchte es, der Bestrafung durch Aurelian zuvorzukommen, der für eiserne Disziplin und Unerbittlichkeit bekannt war. Dem Aufstand schlossen sich offenbar auch Mitglieder des Senats und des Ritterstandes an, denen der illyrische Soldatenkaiser zu rigoros und martialisch erschien. Aurelian hat diese Erhebung mit seinen Truppen am Mons Caelius in Rom, wo sich die Münzstätte befand, im Sommer 271 blutig niedergeschlagen und die Rädelsführer hinrichten lassen, darunter auch etliche Senatoren. Diese Maßnahme hat ihm der römische Senat trotz aller militärischen und organisatorischen Erfolge nie verziehen.

Zeitweilig wurde die römische Münze geschlossen; die bereits damals initiierten Reformen des Geldwesens zogen sich noch Jahre hin und gelangten erst Ende 274 zu einem vorläufigen Abschluß. Nicht nur in Rom, auch in den Provinzen sah sich Aurelian mit Aufständen konfrontiert. Im Anschluß an den Juthungen-Krieg erwähnt Zosimus namentlich drei Personen, die einen Putsch versuchten, aber bald beseitigt wurden: Septimius in Dalmatien, ein sonst unbekannter Urbanus und Domitianus möglicherweise in Südfrankreich.

Die Erfahrungen der Germaneneinfälle nach Italien veranlaßten den Kaiser, die Hauptstadt Rom und andere Städte (Pisaurum, Fanum Fortunae) befestigen zu lassen. Die nach ihm benannte Aurelianische Mauer hatte eine Länge von knapp 19 Kilometern. Mit rund 8 Metern Höhe wurde sie von 381 Wehrtürmen noch überragt. 18 Stadttore dienten dem Waren- und Personenverkehr in die Stadt und nach außerhalb. Obwohl zahlreiche Bauten in diese Verteidigungsanlage einbezogen wurden, erforderte der Bau mit seinen Wehrgängen große Anstrengungen der stadtrömischen Bevölkerung. Neben dem Einsatz (versklavter) Kriegsgefangener wurden nach Johannes Malalas vor allem die Genossenschaften der Handwerker zur Arbeit und zu finanziellen Leistungen herangezogen. Das auch heute noch monumentale Bauwerk wurde 271 in Angriff genommen, konnte aber erst unter Probus vollendet werden.

Die Lage in Rom und Italien war im Sommer 271 weitgehend stabilisiert, so daß Aurelian nun weitergehende Pläne in Angriff nehmen konnte. Seit der Herrschaft des Gallienus hatte sich im Westen das ‹Gallische Sonderreich› etabliert, das nach dem Ende des Postumus unter dessen Nachfolgern keine expansiven Ambitionen mehr entwickelte. Im Osten hatte Septimius Odaenathus in der Karawanenstadt Palmyra eine von Rom faktisch unabhängige Machtstellung begründet, sicherte das Reichsgebiet aber zuverlässig gegen die angrenzenden Sassaniden unter Sapor I. An dieser Politik der Koexistenz von Palmyrenischem und Römischem Reich hat auch Zenobia zunächst festgehalten, die als Witwe des Odaenathus seit September 267 für ihren Sohn Vaballathus die Regierungsgeschäfte führte. Zu Spannungen kam es, als die Königin zwei Jahre später über Syrien nach Kleinasien vorstieß, Arabien ihrem Herrschaftsbereich einverleibte und Anfang 270 auch Ägypten annektierte. Nominell wurde hier vorläufig an der römischen Oberhoheit festgehalten.

Mit der ihm eigenen Energie hat sich Aurelian der Aufgabe gestellt, die Reichseinheit wiederherzustellen. Bevor die militärische Operation im Osten eröffnet werden konnte, mußte zunächst noch die Nordflanke des Reiches gesichert werden. Im Spätsommer 271 marschierte der Kaiser nach Norden und verfolgte die in Thrakien eingefallenen Goten über die Donau, wo er sie vernichtend geschlagen hat. Der Siegerbeiname *Goticus maximus*, ‹größter Sieger über die Goten›, kennzeichnete diesen Erfolg.

Für die politische Umsicht Aurelians spricht die damals erfolgte Aufgabe von Dakien. Diese Eroberung Traians ließ sich auf Dauer nicht mehr halten und gehörte seit Gallienus nur noch nominell zum Römischen Reich. Als Äquivalent wurde südlich der Donau auf dem Gebiet von Moesien und Thrakien eine neue Provinz Dacia geschaffen mit der Hauptstadt Serdica (Sofia), die als Münzstätte ihre Tätigkeit 272 aufnahm.

Noch im Winter 271/72 erreichte Aurelian mit seinem Heer, das um Kontingente der Donaulegionen aufgestockt worden war, den Hellespont und setzte nach Kleinasien über. Das Herrscherhaus von Palmyra hatte zwischenzeitlich den Bruch mit Rom vollzogen, indem sich Vaballathus die vollständige Kaisertitulatur, Zenobia den Augusta-Titel zugelegt hatten. Kleinasien konnten die Römer praktisch kampflos zurückgewinnen, lediglich die Stadt Tyana in Kappadokien leistete vergeblichen Widerstand. Durch die ‹Kilikische Pforte› und die ‹Syrischen Tore› stieß Aurelian nach Antiochia vor, wo die palmyrenischen Truppen unter dem Kommando der Zenobia und ihres Generals Zabdas Stellung bezogen hatten.

Nach Zosimus bzw. seinem Gewährsmann Eunapius von Sardes, dessen Geschichtswerk die Chronik des Dexippus ab 270 fortsetzte, kam es bei Immae, östlich der syrischen Metropole, zum Gefecht. Durch ein Scheinmanöver Aurelians geriet die palmyrenische Reiterei in einen Hinterhalt und mußte sich geschlagen nach Antiochia zurückziehen. Von dort setzten sich Zenobia und Zabdas nach Emesa ab, wo der Kaiser in der entscheidenden Schlacht trotz schwerer Verluste den Sieg errang. Wiederum entkam die Königin und organisierte in Palmyra eine letzte Verteidigungsbastion, auch in der Hoffnung, daß klimatische und logistische Probleme das römische Heer zum Abzug zwingen würden. Indessen ließ sich Aurelian weder durch die Wüstenhitze noch durch Wassermangel von der Verfolgung abhalten. Unter erheblichen Verlusten führte er seine Truppen im Hochsommer 272 gegen die Königsstadt, fing ein sassanidisches Hilfskorps ab und brachte seine Kriegsmaschinerie in Stellung. Noch einmal versuchte Zenobia zu entkommen, wurde aber auf ihrem Dromedar von römischen Reitern am Euphrat gestellt und gefangengenommen.

In Palmyra machte Aurelian reiche Beute, die engsten politischen Berater Zenobias, darunter den Neuplatoniker Cassius Longinus, ließ er später in Emesa hinrichten. Die Königin und vermutlich auch Vaballathus wurden nach Rom überführt, um im Triumphzug zur Schau gestellt zu werden. Die Reichsprägung feierte den Kaiser als ‹Wiedereroberer des Orients› (*restitutor Orientis*).

Im Herbst des Jahres kehrte Aurelian über Byzanz nach Europa zurück, um einem Einfall der Karpen in Moesien zu begegnen. Seit Anfang 273 führte er auf Inschriften auch den Siegerbeinamen *Carpicus maximus*, ‹größter Sieger über die Karpen›. Bereits im Sommer rief ihn ein erneuter Aufstand nach Palmyra zurück: Unter Führung eines gewissen Apsaeus hatte die Bürgerschaft zunächst den römischen Statthalter von Mesopotamien für den Putsch gewinnen wollen, dann Septimius Antiochus zum Kaiser ausgerufen. Die Erhebung wurde von Aurelian rasch niedergeschlagen, die Stadt den Truppen zur Plünderung überlassen. Anschließend marschierte der Kaiser nach Ägypten, um Unruhen in Alexandria zu begegnen.

Zur Rückkehr Aurelians nach Europa liegen keine antiken Zeugnisse vor, doch ist zu vermuten, daß er sein Heer auf dem Landweg über Syrien, Kleinasien und Thrakien führte, über Sofia die Donau bei Sirmium erreichte, schließlich durch Pannonien, Noricum und Raetien zum Oberlauf des Rheins vorstieß. Diese ungeheure Distanz bewältigte der Kaiser mit seiner Armee in rund einem halben Jahr, eine erstaunliche Leistung selbst für die berittenen Einheiten.

In Gallien erwies sich die Situation für die Wiedereingliederung des ‹Sonderreichs› als besonders günstig. Tetricus sah sich mit Erhebungen seiner Truppen konfrontiert, so daß Aurelian die überreife Frucht nur noch zu pflücken brauchte. Zur Entscheidung kam es im Frühjahr 274 bei Châlons-sur-Marne. Tetricus lief zum Kaiser über, seine Truppen wurden vernichtend geschlagen. Gallien und Britannien wurden dem Reich wieder eingegliedert, die Reichsprägung apostrophierte den Sieger als ‹Erneuerer (römischer Herrschaft) über den Erdkreis› (*restitutor orbis*).

Im Herbst dieses Jahres feierte Aurelian, der seit dem 1. Januar seinen zweiten Konsulat bekleidete, einen grandiosen Triumph über Palmyra und das ‹Gallische Sonderreich›. Neben Kriegsgefangenen aller besiegten Völkerschaften wurden nach der ausführlichen Darstellung der *Historia Augusta* auch Zenobia und Tetricus dem staunenden Volk von Rom präsentiert.

Religionsgeschichtlich außerordentlich bedeutsam war die Erhebung des Sonnengottes, dem sich Aurelian spätestens seit dem Feldzug gegen Palmyra persönlich verbunden fühlte, zum Schutzherrn des Römischen Reiches: ‹Sol, Herr des Römischen Reiches› lautete die Legende auf Sesterzen der stadtrömischen Münze (275). Daß der Kaiser den ‹unbesiegbaren Sonnengott› (*Sol Invictus*) in den Formen des römischen Kultes verehren ließ, zielte auf Vereinheitlichung und Ausgleich der religiösen Vielfalt im Imperium Romanum. Konstituiert wurde eine neue Priesterschaft, die sich in der Bezeichnung als ‹Priester des Sonnengottes› vom bisherigen Pontifikalkollegium unterschied, dessen Mitglieder nun ‹Priester der Vesta› genannt wurden. Der Tempel des ‹Unbesiegbaren Sonnengottes› auf dem östlichen Marsfeld lag zwischen der heutigen Via del Corso und der Piazza San Silvestro. Geweiht wurde er am 25. Dezember 274; auf diesen Stiftungstag legten die Christen später das Fest der Geburt Jesu.

Im folgenden Jahr trat Aurelian in Rom seinen dritten Konsulat an, brach aber im Frühjahr bereits nach Gallien auf, um Unruhen niederzuschlagen. Anschließend sicherte er die Nordgrenze zwischen Main und Donau, um dann erneut nach Osten gegen das Perserreich vorzustoßen. Auf dem Marsch zum Hellespont wurde er bei Coenophrurium, zwischen Perinth und Byzanz an der *Via Egnatia*, ermordet. Ausgeführt wurde der Anschlag von subalternen Offizieren aufgrund einer Intrige des kaiserlichen Privatsekretärs Eros. Christliche Autoren (Eusebius, Laktanz, Orosius) werteten das Ereignis als Strafe für eine angeblich geplante Christenverfolgung.

Der Tod des Herrschers im Spätsommer 275 führte zu einer mehrwöchigen Vakanz des Kaisertums. Ihrem siegreichen Feldherrn bereiteten die Soldaten ein glanzvolles Begräbnis, konnten sich aber nicht zur Nominierung eines Nachfolgers entschließen. Wenn endlich der greise Senator Marcus Claudius Tacitus, der sich nach Zonaras damals in Campanien aufhielt, vom Senat zum Kaiser erhoben wurde, so entsprach diese Wahl den Vorstellungen der Heeresgruppen nur sehr bedingt. Seine Herrschaft dauerte denn auch nur ein halbes Jahr; im Sommer 276 fiel er in Kleinasien (bei Tyana, nördlich der ‹Kilikischen Pforte›) einer Soldatenverschwörung zum Opfer. Dasselbe Schicksal ereilte seinen direkten Nachfolger Marcus Annius Florianus, vielleicht einen Halbbruder des Tacitus, schon nach einer Regierung von knapp drei Monaten.

Die literarische Überlieferung charakterisierte Aurelian als hervorragenden Feldherrn, diszipliniert, leistungsfähig, persönlich integer, aber von gnadenloser Strenge. Von seinen Truppen geachtet und geehrt, blieb das Verhältnis des Kaisers zum Senat belastet. Daher verwundert es nicht, daß dieses Gremium ihm, dem die Münzstätte Serdica bereits zu Lebzeiten (274) als ‹Gott und geborenem Herrn› – *deo et domino nato Aureliano Augusto* – huldigte, die ‹Vergöttlichung› als Ausdruck senatorischer Anerkennung eines ‹guten› Herrschers versagte. Begünstigt wurde diese Haltung zweifellos durch die verzögerte Regelung der Nachfolge und mangelndes Interesse des ‹Senatskaisers› Tacitus.

Militärische Leistung, politischer Erfolg und organisatorische Kompetenz Aurelians rechtfertigen insgesamt das positive Urteil Eutrops, der Kaiser habe auch die ‹Vergöttlichung› verdient, selbst wenn ihm diese Anerkennung nicht zuteil wurde. Für die weitere Entwicklung des Imperium Romanum hat Aurelian jedenfalls in vielen Bereichen prägende Akzente gesetzt: Militärische Reorganisation und pragmatische Sicherung der Reichsgrenzen, Neuordnung des Münzwesens und baupolitische Maßnahmen, religionspolitische Weichenstellungen und ein neues Herrschaftsverständnis kennzeichnen seine kurze, aber eindrucksvolle Regierung.

PROBUS
276–282

Von Hartwin Brandt

Wirft man einen Blick auf eines der wenigen mit großer Wahrscheinlichkeit dem Kaiser Probus zuzuschreibenden Portraits – zum Beispiel auf den Marmorkopf im Kapitolinischen Museum in Rom –, so stellt sich unmittelbar die Gewißheit ein, es mit einem der illyrischen Soldatenkaiser des 3. Jahrhunderts zu tun zu haben: Wie etwa im Bildnis des Claudius (II.) Gothicus, so dominieren auch hier grobe, mit vertikalen und senkrechten Linien operierende Konturen und die soldatisch anmutende Kurzhaarfrisur, das magere Gesicht mit dem verkniffenen Mund erweckt wenig Sympathien, alles ist «verknappt und verhärtet».

Um so erstaunlicher mutet es an, daß die literarische Überlieferung ausgerechnet diesem eher martialisch daherkommenden Herrscher die Idee eines goldenen Friedenszeitalters zuschreibt, in welchem keine Soldaten und keine Waffen mehr benötigt würden. Der Verfasser der wohl erst gegen Ende des 4. Jahrhunderts entstandenen *Historia Augusta*, einer Sammlung von Kaiserbiographien der Jahre 117–284, überliefert nämlich in seiner Lebensbeschreibung des Probus ein Diktum des Kaisers, «in Kürze werde man keine Soldaten mehr brauchen», und er entwickelt aus diesem angeblichen Ausspruch des Probus im Rückblick eine Vision: «Welch eine Glanzzeit des Glückes wäre angebrochen, wenn es unter diesem Herrscher keine Soldaten mehr gegeben hätte? Kein Provinziale hätte Proviant zu liefern, aus dem Staatsschatz wären keine Soldzahlungen zu leisten, der römische Staat verfügte über Mittel auf ewige Zeiten; der Kaiser brauchte nichts auszugeben, der Grundbesitzer nichts zurückzuzahlen; so verhieß er (Probus) in der Tat das goldene Zeitalter. Es sollte künftig kein Heerlager mehr geben, nirgends eine Trompete schmettern, es sollten keine Waffen mehr geschmiedet werden, und jenes Kriegsvolk, das heutzutage in Bürgerkriegen das Staatswesen heimsucht, würde hinter dem Pflug gehen, sich den Wissenschaften widmen, sich in den Künsten ausbilden und zur See fahren. Dazu kommt noch, daß niemand im Krieg fiele» (23, 2–3, übersetzt von E. Hohl).

Obwohl manche moderne Gelehrte zumindest an einen historischen Kern dieser Überlieferung glauben, wird man in Probus alles andere als einen Pazifisten sehen müssen, der allen Ernstes daran gedacht hätte,

‹Schwerter zu Pflugscharen› zu machen. Vielmehr artikuliert sich in dieser spätantiken Tradition das Krisenbewußtsein des späteren 4. Jahrhunderts, als römische Niederlagen gegen germanische Völkerschaften längst zum bedrückenden Alltag gehörten, Goten auf Reichsterritorium siedelten und die Lage der römischen Herrschaft insgesamt äußerst prekär geworden war. An anderer Stelle verrät unser Probus-Biograph denn auch, wie man sich die vermeintliche Friedensutopie des Probus konkret vorzustellen hat: «‹In Kürze›, sagte er [Probus], ‹werden wir keine Soldaten mehr brauchen.› Was heißt das anderes als: Es wird keinen römischen Soldaten mehr geben? Künftig wird der gesicherte römische Staat überall gebieten, über alles verfügen; ... überall wird Friede herrschen, überall werden die römischen Gesetze gelten, überall werden unsere Beamten walten» (*Historia Augusta, Probus*, 20, 5–6, übersetzt von E. Hohl).

Dieses Szenario dürfte den Wünschen des Kaisers Probus tatsächlich eher entsprochen haben: Erst wenn Rom überall herrscht, braucht man keine Truppen mehr. Der Friedensgedanke entpuppt sich hier als ein Element der traditionellen römischen Herrschafts- und Siegesideologie, und in der Tat hatte Probus in der kurzen Phase seiner nur sechsjährigen Herrschaft kaum anderes zu tun, als unermüdlich Kriege gegen Usurpatoren und gegen äußere Feinde zu führen, um seine Herrschaft zu sichern. Wahrscheinlich wird diese ausgesprochen unfriedliche Herrschaftspraxis jedoch durchaus sowohl seinem Naturell als auch seinen Fähigkeiten entsprochen haben, denn nach allem, was uns die dürftigen Quellen über Probus mitteilen, hatte dieser nie etwas anderes als das Kriegshandwerk gelernt.

Wie bei den übrigen Soldatenkaisern, so ist auch im Falle des Probus eigentlich nur die Zeitspanne seiner Kaiserherrschaft einigermaßen zuverlässig und in relativer Ausführlichkeit überliefert, ansonsten ist man primär auf zufällig auf uns gekommene, vorwiegend inschriftliche Zeugnisse angewiesen, zumal die Angaben unserer auskunftsfreudigsten Quelle, der *Historia Augusta*, in hohem Maße unglaubwürdig sind. Immerhin kennen wir aufgrund eines Kalendereintrags das exakte Geburtsdatum von Marcus Aurelius Probus (mit dem Beinamen Equitius): Am 19. August 232 wurde er in Sirmium, der am Nordufer der Save gelegenen Provinzhauptstadt von Pannonia inferior, geboren, wahrscheinlich als Sohn eines den unteren Rängen zugehörigen Militärs. Auch Probus schlug zweifellos die militärische Laufbahn ein, die ihn über uns nicht bekannte Einzelstationen bis zu einem übergeordneten Ostkommando unter dem Kaiser Tacitus führte. Als ‹General für den östlichen Reichsteil› gehörte er nun zu den exponierten Heerführern, die im 3. Jahrhundert allein aufgrund ihrer militärischen Leistungen und Funktionen stets zu den präsumtiven Thronkandidaten zählten. Der offenbar militärisch hochangesehene Probus wurde denn auch im Juli/August

276 von seinen Truppen im Osten als Nachfolger des kurz zuvor ermordeten Tacitus zum Kaiser ausgerufen.

Von neuem standen nun die im 3. Jahrhundert fast schon zur Normalität gewordenen Entwicklungen bevor: Der nur von einem Teil des römischen Militärs erkorene neue Herrscher hatte sich gegen etwaige Konkurrenten durchzusetzen, ferner die labil gewordenen Reichsgrenzen zu stabilisieren und im Reichsinneren um Akzeptanz und Loyalität zu werben sowie aufkeimender Opposition zu begegnen.

Als gefährlichster Rivale des Probus mußte zunächst Marcus Annius Florianus gelten, der als Prätorianerpräfekt unter Tacitus (mit dem er entgegen den Aussagen mancher antiker Historiker wohl nicht verwandt war) an dessen Kriegszug gegen die Goten in Kleinasien teilgenommen hatte und dort von den Truppen – ebenfalls, wie Probus, im Sommer 276 – zum Kaiser proklamiert worden war.

Probus zog daher – wahrscheinlich von Syrien aus – sofort nach seinem Herrschaftsantritt mit einem großen Aufgebot gen Westen und traf beim kilikischen Tarsos auf Florianus, der sich in der Stadt verschanzt hatte. Angesichts der drohenden militärischen Auseinandersetzung erschlugen die eigenen Leute ihren gerade erst auf den Schild gehobenen Kaiser Florianus (im September 276?), so daß Probus nicht nur ohne größeres Blutvergießen die Alleinherrschaft, sondern zugleich mit dem zu ihm übergegangenen Heer des Florianus eine ansehnliche Streitmacht kampflos übernehmen konnte. Trotz des angestrengten Bemühens der *Historia Augusta*, Probus als den von Senat und stadtrömischem Volk sehnlichst herbeigewünschten Herrscher zu glorifizieren, hatte sich de facto nichts anderes als ein neuer, rein militärisch bestimmter Herrscherwechsel vollzogen, wie er für das gesamte 3. Jahrhundert charakteristisch ist.

Von Tarsos aus setzte Probus seinen Marsch nach Westen fort; er besiegte wahrscheinlich noch in Kleinasien die von Tacitus bislang nicht entscheidend bezwungenen Goten – worauf der bereits 277 in einer Inschrift belegte Siegertitel ‹Gotensieger› hinweist – und überwinterte 276/77 möglicherweise in seiner Heimatstadt Sirmium, um im folgenden Jahr das momentan drängendste Problem in Angriff zu nehmen, und zwar die Vertreibung der in großem Maßstab in das Gebiet des Imperium Romanum eingedrungenen germanischen Völkerschaften aus Gallien. Tatsächlich gelang es dem neuen Kaiser in den Jahren 277 und 278, Franken und Alamannen zurückzudrängen und die Rheingrenze zu stabilisieren, wofür militärische Operationen auch im Neckarraum und im Gebiet der Schwäbischen Alb nötig waren. In Raetien glückte eine vergleichbare Befriedung: Goten, Vandalen und Burgunder mußten sich zurückziehen, und noch im Jahr 278 feierten Prägungen aus der norditalischen Münzstätte Ticinum mit der ‹Germanischen Siegesgöttin› diese ‹Heldentaten›.

Probus begnügte sich freilich nicht mit den militärischen, häufig nur kurzlebigen Erfolgen, sondern strebte eine dauerhafte Stabilisierung der Grenzregionen an. Archäologische Forschungen dokumentieren entsprechende Anstrengungen, beispielsweise dürfte das besonders gut erkundete Steinkastell bei Isny im Allgäu zu den unter Probus neu angelegten Festungsanlagen gehören. Wenn eine dem Jahr 281 entstammende Ehreninschrift für Probus aus Augsburg, der Provinzhauptstadt Raetiens, den Kaiser als *restitutor provinciarum et operum publicorum*, also als ‹Erneuerer der Provinzen und öffentlicher Bauten› belobigt, so mag diese Ehrung folglich durchaus eine gewisse Berechtigung besessen haben.

Trotz dieser Erfolge blieb die Lage im gesamten Imperium jedoch instabil, denn auch in anderen Reichsregionen kam es immer wieder zu Aufständen und Einfällen, und überdies hatte sich Probus gegen neuerlich auftretende Usurpatoren zu behaupten. In Kleinasien (gegen die Isaurer) und Ägypten (gegen die Blemmyer) vermochten sich wahrscheinlich die von Probus eingesetzten Statthalter und Truppenbefehlshaber in den Jahren 278 und 279 zu behaupten; gegen den in Syrien als Provinzgouverneur amtierenden Saturninus, der sich wahrscheinlich im Jahr 279 oder 280 zum Kaiser hatte ausrufen lassen, dürfte Probus jedoch persönlich einen Feldzug unternommen haben, und Saturninus erging es nicht besser als seinerzeit Florianus, denn er wurde von seinen eigenen Truppen in Apameia ermordet.

Mit Usurpationen im 3. Jahrhundert verhielt es sich ähnlich wie mit der laut antikem Mythos von Herakles bekämpften, neunköpfigen Hydra, der für jeden abgeschlagenen Kopf zwei neue nachwuchsen, denn kaum war ein Rebell besiegt, erhoben sich an anderer Stelle zwei andere, in diesem Falle in Köln. Die germanischen Provinzen, permanent von Einfällen außerrömischer Völkerschaften bedroht und daher meist mit größeren Truppenkontingenten versehen, hatten sich stets als überaus usurpationsträchtig erwiesen, erinnert sei nur an Postumus und seine Nachfolger an der Spitze des gallischen Sonderreiches. Vermutlich noch im Jahre 280 hatten wieder einmal in Köln zwei Militärs, Bonosus und Proculus, den Kaisertitel angenommen. Über beide Aufrührer lassen sich leider keine gesicherten Angaben machen, denn alle Details, welche uns die *Historia Augusta* über sie in ihrem «Viergespann von Gegenkaisern» mitteilt, werden nicht durch weitere Zeugnisse bestätigt und müssen daher als fragwürdig gelten. Auch die wenigen erhaltenen Münzen mit dem Namen des Bonosus können nach neueren Forschungen nicht als echt gelten und fallen somit als Informationsquellen aus. Unabweisbar ist einzig und allein das etwa auch in den spätantiken Breviarien des Eutrop und Aurelius Victor vermerkte Faktum der Erhebung, und somit mußte Probus schleunigst von Syrien aus nach Westen zurückeilen, um erneut seine Herrschaft zu verteidigen; beide Aufrührer wurden besiegt (zu Beginn des Jahres 281?) und fanden den Tod.

Wahrscheinlich gegen Ende des Jahres 281 zog Probus in Rom ein. Aus der stadtrömischen Münzstätte stammende Münzen mit der Aufschrift «Ankunft des Augustus» priesen dieses anscheinend denkwürdige Ereignis, betrat der Kaiser doch erst fünf Jahre nach seinem Regierungsantritt die Hauptstadt des Imperium Romanum. Auch dieser für die Zeit keineswegs seltene Umstand – manche Herrscher, wie zum Beispiel Maximinus Thrax, hatten Rom nie als Kaiser gesehen – illustriert die unverkennbare strukturelle Krise, in die das Reich geraten war, denn wegen nahezu permanenter äußerer und innerer Gefährdungen blieb den Kaisern nichts anderes übrig, als unaufhaltsam kreuz und quer durch das Imperium von einem Brennpunkt zum anderen zu eilen. So muß schon die Tatsache als bemerkenswert gelten, daß es Probus immerhin möglich war, einen Triumph in Rom zu zelebrieren, über dessen Details wir freilich keine Aussagen machen können, da der allein zur Verfügung stehende Bericht in der *Historia Augusta* zweifellos eine pure Fiktion darstellt.

Inwieweit Probus angesichts fast pausenloser Reisen und Märsche darüber hinaus überhaupt Möglichkeiten zu einer längerfristig konzipierten, zivilen Regierungs- und Reformtätigkeit gefunden hat, entzieht sich angesichts des eklatanten Quellenmangels ebenfalls weitgehend unserem Beurteilungsvermögen. Unsere spärlichen Informationen deuten darauf hin, daß der Kaiser primär auf wirtschafts- und rechtspolitischem Gebiet tätig wurde. So förderte er offenbar gezielt den Weinanbau in manchen Reichsregionen – vor allem im Donauraum –, und Papyri dokumentieren seine Bemühungen um die Verbesserung der Bewässerungsanlagen und des Straßenbaus in Ägypten, wodurch natürlich vor allem der für Italien und Rom, insbesondere aber für die Heeresversorgung lebenswichtige Getreideexport aus Ägypten gesichert und erleichtert werden sollte.

Dem Münzwesen galt ebenfalls erkennbar ein bevorzugtes Augenmerk des Kaisers. Alle Münzstätten produzierten Prägungen in großer Zahl und von bemerkenswerter Qualität und Typenvielfalt. Angesichts seiner Herkunft und seines Werdeganges kann es kaum verwundern, daß sich Probus häufig in militärischer Tracht (mit Lanze, Schild, Brustpanzer und nicht selten auch mit Helm) im Portrait abbilden und in der Legende als «unbesiegbar» qualifizieren ließ. Auch auf den Rückseiten vor allem der früheren Münzserien seiner Kaiserherrschaft dominieren militärische Legenden und Motive, in denen zum Beispiel die Loyalität der Truppen gegenüber dem Herrscher beschworen wurde oder in denen sich Probus an den siegbringenden Kriegsgott Mars anlehnte. Andererseits beabsichtigte Probus natürlich auch, sich durch Münzen als den Garanten von Frieden und Gemeinwohl zu präsentieren, wobei er auf das inzwischen längst standardisierte Motivinventar der kaiserzeitlichen Münzprägung zurückgriff. Aufschlußreich sind die Münzlegenden ferner für das Selbstverständnis des Kaisers Probus, denn er nannte sich auf manchen Emissionen «Gott und Herr». Mit dieser Selbstüberhöhung knüpfte er an den Kaiser Aurelian an und erweist sich im Rückblick als früher Vertreter der besonders unter Diocletian und seinen Nachfolgern neue Dimensionen erreichenden Herrscherideologie.

Schließlich zeigte sich Probus auch dem Senat gegenüber aufgeschlossener als die meisten der anderen Soldatenkaiser dieses Jahrhunderts. Inschriftlich belegt ist die auf Probus zurückzuführende Einrichtung eines ‹großen Gerichtshofes›, der offenbar mit bedeutenden Sachverhalten wie Hochverratsprozessen befaßt war und aus Mitgliedern des Senatorenstandes rekrutiert wurde.

Wenn Probus trotz dieser zuletzt geschilderten Aktivitäten hier dennoch in erster Linie als ein typischer Soldatenkaiser gezeichnet worden ist, so findet dies nicht zuletzt seine Bestätigung in den Umständen seines gewaltsamen Endes. Im Jahre 282 begann er mit den Vorbereitungen für eine militärische Expedition gegen die in Persien herrschenden Sassaniden, die ‹Erzfeinde› der Römer. Der Weg dorthin führte ihn von Rom durch seine alte Heimat, und ausgerechnet in der Nähe von Sirmium fiel er – wahrscheinlich im September/Oktober 282 – einem Komplott von Militärs zum Opfer und erlitt somit den geradezu klassischen Tod der Soldatenkaiser des 3. Jahrhunderts.

Die *Historia Augusta* motiviert diese Mordtat zum einen mit der Unzufriedenheit der Truppen über deren Heranziehung zu zivilen Tätigkeiten wie etwa dem Straßen- und Brückenbau, zum anderen mit der schon zitierten Vision des Probus von einer soldatenlosen Zukunft, einer in den Augen der Militärs natürlich existenzgefährdenden und verhängnisvollen Perspektive. Der erstgenannte Beweggrund dürfte der Wahrheit erheblich näherkommen als der zweite, auch wenn nur diese angebliche Friedensutopie im historischen Gedächtnis Spuren hinterlassen hat. Im Jahr 1638 erschien nämlich ein Gedicht Friedrich von Logaus, auf das erst Karl Christ vor einiger Zeit unsere Aufmerksamkeit gelenkt hat:

«Kayser Probus wollte schaffen
Daß man durffte keiner Waffen,
O wo ist bey unseren Tagen
Kayser Probus zu erfragen?»

Kaum zufällig publizierte Logau dieses poetische Dokument seiner Friedenssehnsucht in der Zeit des Dreißigjährigen Krieges, und so sagt es, wie bereits seine antike Ursprungsversion in den spätrömischen Quellen, sehr viel mehr über seine eigene Entstehungszeit aus als über den Kaiser Probus selbst. Wer sich von diesem illyrischen Soldatenkaiser einen adäquaten Eindruck verschaffen möchte, sollte daher die zitierten Texte über das angebliche Friedensideal getrost beiseitelegen und statt dessen eines der eingangs beschriebenen Probus-Portraits betrachten.

DIOCLETIAN
284–305

Von Pedro Barceló

Diocletian stammte aus Illyrien und wurde um 240 geboren. Als Geburtsdatum scheint der 22. Dezember festzustehen. Eutrop, ein Chronist des späten 4. Jahrhunderts, berichtet, daß er Freigelassener eines Senators war, womit seine niedrige Herkunft zum Ausdruck gebracht wird. Diocletian war mit Prisca verheiratet und Vater einer Tochter namens Valeria, nach der später eine Provinz des römischen Reiches in Pannonien benannt wurde.

Für die Zeit Diocletians ist die Quellenlage dürftig und äußerst heterogen. Die gallischen Panegyriker – Lehrer der Redekunst, die Festansprachen zum Lobe des regierenden Kaisers verfaßten – sind neben der Schrift des Laktanz *Über die Todesarten der Verfolger* die wichtigsten zeitgenössischen literarischen Quellen für die Epoche. Zu berücksichtigen ist jedoch, daß der Blickwinkel der Lobredner offiziös und der des Laktanz einseitig christlich gefärbt ist. Ähnliches gilt für die Kirchengeschichte des Bischofs Eusebius von Caesarea. Spätere Historiker wie Aurelius Victor sowie die *Epitome de Caesaribus* oder Eutrop bieten zwar knappe, aber wichtige Berichte, die von fragmentarischen Notizen wie denen des Eunapius von Sardes oder des Praxagoras von Athen ergänzt werden. Verschollen sind die vier Lebensbeschreibungen, welche die *Historia Augusta* – eine oft unzuverlässige Quelle – einem Geheimsekretär des Diocletian zuschreibt. Erhalten sind dagegen zahlreiche Inschriften und Münzen, die uns Aufschluß über manche regierungsamtliche Verlautbarung gewähren. Von besonderer Bedeutung sind die archäologischen Überreste. Aus der Zusammenschau der Skulpturen, Palastbauten, Basiliken, Thermenanlagen usw. läßt sich ein unmittelbarer Eindruck von den vorherrschenden Stilrichtungen und Repräsentationsbedürfnissen der Epoche gewinnen.

Über die ersten Stufen von Diocletians militärischer Laufbahn ist wenig bekannt. Möglicherweise begann er als einfacher Soldat. Auf Grund seines Ehrgeizes und seiner Fähigkeiten diente er sich schnell hoch und brachte es zum Befehlshaber in Moesien. Unter den Kaisern Carus (282–283) und Numerianus (283–284) war er Kommandeur der kaiserlichen Leibwache. Nach der kurzen Regierung des Carus übernahm dessen jüngerer Sohn Numerianus die Nachfolge. Als dieser die Armee aus dem Perserfeldzug seines Vaters zurückführte, fiel er in Nikomedeia einem Mordanschlag zum Opfer, dessen Urheber der Prätorianerpräfekt Aper gewesen sein soll.

Daraufhin traten die Offiziere zusammen, um einen neuen Herrscher zu proklamieren. Man entschied schließlich, nicht den in Gallien weilenden ältesten Sohn des Carus, Carinus, und auch nicht Aper zu berücksichtigen, sondern die Wahl fiel auf Diocletian, der daraufhin am 20. November 284 in Nikomedeia vor den Truppen zum Kaiser ausgerufen wurde und den Namen Gaius Aurelius Valerius Diocletianus annahm. Eine grausige Episode überschattete seine Thronbesteigung. Der neuernannte Kaiser stieß den verdächtigen Aper mit dem Schwert nieder, womit er als Rächer des Numerianus auftrat. Weniger glaubhaft ist, daß er nur die Weissagung einer gallischen Druidin erfüllen wollte. Diese hatte ihm einst verkündet, wenn er einen Eber (*aper*) erlegen würde, bekäme er das Kaisertum. Wahrscheinlicher ist, daß er sich eines lästigen Mitbewerbers um die Macht entledigen wollte.

Am 1. Januar 285 trat Diocletian seinen ersten Konsulat als Kaiser an. Um seine Stellung zu sichern, mußte zunächst Carinus ausgeschaltet werden, denn nach dem Tod seines Bruders Numerianus hatte dieser auf die Alleinherrschaft gehofft. Doch die in Nikomedeia erfolgte Kaiserproklamation durchkreuzte die Pläne des Carinus.

Diocletian marschierte im Frühjahr 285 nach Westen. Carinus wich zunächst aus und zog mit seinem Heer nach Italien, um den rebellierenden Statthalter von Venetien, Marcus Aurelius Iulianus, niederzuringen, was ihm auch gelang. Da Carinus die Truppen des besiegten Iulianus in sein Heer aufnahm und er mit dem Prätorianerpräfekten Aristobulus über einen militärisch fähigen Kopf verfügte, war er für die drohende Auseinandersetzung mit Diocletian bestens gerüstet. An der Mündung des Margus in Westmoesien kam es im Juli 285 zur Schlacht. Als der Sieg des Carinus zum Greifen nahe schien, wurde er von seinen Offizieren unter ungeklärten Umständen ermordet. So erlangte im Sommer 285 Diocletian die Alleinherrschaft.

Doch die bedrohliche Lage des Reiches ließ ihm keine Atempause. Im Innern und an den Grenzen entstanden neue Konfliktherde, die ein entschlossenes Vorgehen verlangten. Gleichzeitig waren an mehreren Orten Aufstände ausgebrochen, speziell in den Rhein- und Donauprovinzen, die eine persönliche Anwesenheit des Kaisers erforderten. Besonders explosiv war die Lage in Gallien, das von marodierenden Soldaten und

Landarbeitern heimgesucht wurde. Diese als Bagauden bezeichneten Haufen hatten sich unter ihren Führern Aelianus und Amandus erhoben. Letzterer prägte sogar Münzen, auf denen er sich als Kaiser feiern ließ. Angesichts dieser Herausforderungen entschloß sich Diocletian am 13. Dezember 285, seinen Landsmann, den erfahrenen Soldaten Maximian, zum Teilhaber seiner Herrschaft mit dem Titel eines Caesar – regierender Kaiser in untergeordneter Stellung gegenüber dem Augustus Diocletian – zu erheben. Mit dieser Ernennung hatte Diocletian sowohl die schwierige Aufgabenlast verteilt als auch einem potentiellen Konkurrenten mögliche Usurpationsabsichten vereitelt, indem er ihn an der Machtausübung beteiligte.

Im Herbst 285 kehrte Diocletian in den Osten zurück und erreichte im Januar 286 Nikomedeia. Der schnelle Erfolg Maximians in Gallien, der in kurzer Zeit die aufständischen Bagauden niederringen konnte, veranlaßte Diocletian, seinen abwesenden Waffengefährten am 1. April 286 als Augustus, d. h. als gleichberechtigten Mitkaiser, anzuerkennen und in die Kaiserfamilie aufzunehmen. Obwohl beide Kaiser die gleichen Befugnisse besaßen, übertraf der ‹ältere Augustus› Diocletian Maximian an Autorität. Die Annahme der Beinamen *Iovius* für Diocletian – in einem besonders nahen Verhältnis zu Iupiter stehend – und *Herculius* für Maximian – in einem besonders nahen Verhältnis zu Hercules stehend – brachte das religiöse Programm der neuen Herrscher zum Ausdruck. Auf eine Kurzformel gebracht lautete ihr religiöses Bekenntnis: Rückbesinnung auf die altüberlieferte Religion des römischen Staates und Rechtfertigung der eingeführten Herrschaftsordnung durch Berufung auf Iupiter und Hercules, als deren Schutzbefohlene die Kaiser gesehen werden wollten.

Diocletian und Maximian kamen überein, sich regelmäßig zu treffen, um das weitere politische Vorgehen abzustimmen. Während Diocletian Nikomedeia als seine bevorzugte Residenz wählte und großzügig ausbauen ließ, hielt sich Maximian vorwiegend in Mailand auf. Offenbar scheute sich Diocletian, Rom zu besuchen. Die Abneigung gegenüber dieser Stadt bestimmte auch seinen Entschluß, sie nicht als Regierungssitz in Erwägung zu ziehen. Andererseits verlangten auch die politischen und militärischen Sachzwänge, die Entscheidungszentralen an die Grenzen zu verlagern, womit Rom seine Stellung als politischer Mittelpunkt des Reiches einbüßte.

Die Aufteilung und Dezentralisation der Herrschaft war keine Erfindung Diocletians, neu war lediglich, einen Nichtverwandten zum Mitkaiser zu ernennen. Sicher dachte Diocletian bei der Wahl Maximians in erster Linie an die schwierige Lage des Reiches und nicht an die Festlegung eines dynastischen Systems. Da Diocletian bei seinem Regierungsantritt keinen Sohn hatte, blieb die Frage einer möglichen dynastischen Nachfolge offen.

Diocletian

Die ersten Monate der Regierung beider Kaiser waren ausgefüllt mit der Bewältigung militärischer und organisatorischer Aufgaben. Die Kämpfe um die Sicherung der Grenzen in Gallien und Germanien erforderten Maximians ganze Aufmerksamkeit. Diocletian dagegen bereiste die Ostprovinzen – nachweisbar sind im Sommer 286 drei Aufenthalte in Palästina und im Oktober 286 in Thrakien – und sorgte unter anderem für den Ausbau und die Verbesserung der Grenzverteidigung sowie des Straßennetzes.

Als Diocletian 287 zum dritten Mal den Konsulat bekleidete, empfing er eine Gesandtschaft des persischen Königs Bahram II., der sich im Krieg mit seinem Bruder Hormisdas befand. Diese Konstellation dürfte der Grund dafür gewesen sein, daß die Perser die durch den Tod des Carus entstandenen Machtkämpfe im römischen Reich nicht zu ihren Gunsten auszunutzen vermochten. Ein Jahr später kam ein Abkommen zwischen Diocletian und Bahram II. zustande, das den Euphrat als Grenze festlegte. Dadurch schienen die Ostprovinzen des Reiches zunächst gesichert, aber die Ruhe sollte nicht von Dauer sein.

Im Frühjahr 288 begab sich Diocletian nach Gallien, um Maximian zu unterstützen, der gegen die Alamannen und den Usurpator Carausius Krieg führen mußte. Dieser war ursprünglich ein Gehilfe Maximians gewesen, der Britannien von der germanischen Piraterie befreit hatte. Als aber Anschuldigungen gegen ihn erhoben wurden, revoltierte er gegen Maximian und ließ sich zum Kaiser ausrufen. Trotz aller Bemühungen konnte Carausius nicht bezwungen werden, so daß Maximian ihn wenigstens vorläufig dulden mußte. Carausius kontrollierte die römische Kanalflotte und konnte Britannien einschließlich der gallischen Enklave Bononia von 286 bis 293 als eigenes Herrschaftsgebiet behaupten. Diocletian war nicht gegen Carausius gezogen, sondern bekämpfte lediglich die Alamannen, was dem Reich einige Grenzverbesserungen an der oberen Donau einbrachte. Wahrscheinlich traf er in Augsburg mit Maximian zusammen, um die Strategie gegen Carausius abzusprechen. Kurz darauf zog er entlang der Donau nach Pannonien, wo er zunächst gegen die Sarmaten und vermutlich auch gegen die Goten vorging, wie die inschriftlich bezeugten Titel «mächtigster Sieger über die Sarmaten» und «mächtigster Sieger über die Goten» nahelegen. Danach überwinterte er in Sirmium. Wenige Monate später mußte er sich in Eilmärschen in den Orient begeben, um einen vom Perserkönig unterstützten Sarazeneneinfall abzuwehren, was ihm den ehrenvollen Beinamen «mächtigster Sieger über die Perser» einbrachte. Diocletian legte den Sarazeneneinfall den Persern zur Last und deutete ihn als Bruch der Vereinbarung von 288. In der Folge kehrte er zur traditionellen römischen Ostpolitik zurück, indem er dem romfreundlichen Prinzen Tiridates III. auf den armenischen Thron verhalf und so Armenien als Keil gegen Persien benutzte. Doch wegen der wachsenden Bedrohung der Donauprovinzen konnte Diocletian sich nicht lange dem Grenzschutz im Osten widmen, sondern mußte eilig nach Sirmium zurückkehren, wo er bis zum Ende des Winters 290/91 blieb.

Anfang März 291 traf sich Diocletian in Mailand mit dem aus Trier angereisten Maximian. Ein Panegyriker berichtet von diesem Ereignis, außerdem von einer Gesandtschaft des römischen Senats und von den Schwierigkeiten einiger Würdenträger, mit dem Zeremoniell der *adoratio* – dem vorgeschriebenen Fußfall – umzugehen, da erstmalig nicht ein, sondern zwei Kaiser feierlich im Palast zu begrüßen waren. Bereits Anfang Mai 291 war Diocletian wieder in Sirmium. Wegen der andauernden Auseinandersetzungen mit reichsfremden Stämmen verstärkte er die Verteidigungsanlagen an der Donau. Im Jahre 292 bekriegte er erneut die Sarmaten. Wahrscheinlich noch im Herbst 292, jedenfalls vor dem 1. März 293, brach in Oberägypten ein Aufstand los, an dessen Niederringung der Kaiser selbst teilnahm.

Die Ausweitung der kriegerischen Verwicklungen, die Grenzkämpfe und die Niederschlagung von Aufständen schienen die Stabilität des Reiches in Frage zu stellen. Trotz entschlossener Maßnahmen von seiten des Kaisers kam es nicht zur Ruhe. Diocletian erkannte, daß nur weitreichende Reformen eine Besserung der Lage bewirken könnten. Daher reifte in ihm der Gedanke, jedem Herrscher (Augustus) einen Helfer (Caesar) zur Seite zu stellen. Deshalb beförderte Diocletian, der sich damals in Nikomedeia aufhielt, am 21. Mai 293 den tüchtigen Offizier Galerius zum Caesar; Maximian wiederum erhob in Trier seinen Prätorianerpräfekten Constantius ebenfalls zum Caesar. Zugleich wurden beide Caesares vom jeweiligen Augustus adoptiert, und danach vermählten sie sich mit den Töchtern ihrer jeweiligen Augusti. Sie waren offenbar dafür vorgesehen, wie sich später zeigen sollte, nach einer entsprechenden Dienstzeit die Augusti abzulösen und ebenfalls wieder einen Caesar als späteren Nachfolger einzusetzen.

Für die Zweierherrschaft Diocletians und Maximians mochte das Beispiel des Marc Aurel und Lucius Verus Pate gestanden haben, für die nun eingerichtete Vierkaiserherrschaft (Tetrarchie) jedoch gab es keinerlei Vorbilder. Die durch verwandtschaftliche Bande verbundenen Tetrarchen bildeten unter der Schirmherrschaft des Iuppiter und Hercules ein göttlich legitimiertes Kaiserhaus, das insofern einzigartig war, als es die natürlichen Verwandtschaftsverhältnisse außer acht ließ. Im Gegensatz zum Hofe der Antoninen oder Severer gehörten ihm die Frauen und Kinder der Tetrarchen nicht mehr an.

Der Gedanke an eine Tetrarchie hatte Diocletian wahrscheinlich schon lange beschäftigt. Sicher brachte ihre Realisierung dem Reich verwaltungstechnische Vorteile, und die scheinen für Diocletian den Ausschlag gegeben zu haben. Außerdem hatte der Kaiser die ständigen Thronwechsel und Unruhen der Vergangenheit vor Augen, denen man nun durch eine geregelte Abfolge des Kaiserwechsels begegnen konnte. Das System der Tetrarchie war durch den Willen Diocletians entstanden und trug seine Handschrift. Die Frage war, ob seine Autorität eine Garantie für dessen Funktionsfähigkeit sein würde.

Jeder der vier Herrscher galt gleichzeitig als Gesamtherrscher des Reiches, obwohl die unmittelbare Verantwortung den zur Verwaltung zugewiesenen Reichsteil betraf. Die Befugnisse der Tetrarchen umfaßten die Kriegführung, die Finanzhoheit, die Rechtsprechung sowie das Recht zur Ernennung der höchsten Amtsträger des Reiches. Jeder von ihnen verfügte über einen eigenen Hofstaat, an dessen Spitze ein Prätorianerpräfekt stand.

Laktanz hat, als er über die Tetrarchie schrieb, dem Galerius folgende Worte in den Mund gelegt: «Es sollen zwei Häupter im Reich die Leitung der Staatsgeschäfte haben, die dabei von zwei Gehilfen wirksam unterstützt werden sollen» (*Über die Todesarten der Verfolger* 18,5). Diese Herrschaftsvorstellung wird bestätigt durch die Anordnung der kaiserlichen Bilder in der Darstellung der Prozession auf der Decennalienbasis (zur Erinnerung an den zehnten Jahrestag des Herrschaftsantritts) vom Jahre 305, die auf dem Forum Romanum stand.

Ob das tetrarchische System nach einem möglichen Rücktritt Diocletians Bestand haben würde, war aus der Perspektive des Jahres 293 unvorhersehbar. Ein in den weiteren Geschichtsverlauf gerichteter Blick läßt die Vermutung aufkommen, daß ein fester Plan für eine Herrscherrotation existierte. Einschlägige Quellen, die Absprachen der Kaiser oder Gedanken über Zeitpunkt und Umstände des Rücktritts der Augusti und der Machtübernahme der Caesares enthalten, gibt es jedoch nicht.

Praktisch sah die Viererherrschaft so aus, daß jeder Kaiser ein bestimmtes Gebiet zugesprochen bekam: Diocletian regierte meist von Nikomedeia aus den Orient, sein Caesar Galerius erhielt die Donauprovinzen, Illyrien mit Griechenland und weilte häufig in Sirmium und Saloniki, wo er einen Palast, einen Triumphbogen und sein Mausoleum bauen ließ. Maximian behielt sich Italien bis zur oberen Donau sowie Raetien und Africa vor. Er residierte in Mailand und Aquileia. Constantius I. verwaltete Gallien, Spanien und Britannien, das er aber dem Carausius erst entreißen mußte. Seine bevorzugten Residenzen waren Trier und später York.

Am 1. Januar 294 traten die Caesares ihren ersten Konsulat an. An der Ostgrenze brodelte es, Diocletian begab sich zwar dorthin, sah aber von militärischen Maßnahmen zunächst ab, da in Ägypten ein Aufstand ausgebrochen war. In Persien hatte mittlerweile Narses den Thron bestiegen, der seine Regierung mit der Besetzung Armeniens und Mesopotamiens einleitete. Diocletian beauftragte Galerius mit der Kriegführung am Euphrat. Doch führten dessen Maßnahmen zu keinem greifbaren Erfolg. Vom Hauptquartier in Antiochia aus operierte Galerius zu unvorsichtig. Nach zwei unentschiedenen Schlachten erlitt er 297 bei Carrhae eine Niederlage.

Diocletian war in dieser Zeit in Ägypten vollauf beschäftigt, da sich Domitius Domitianus und Achilleus als Gegenkaiser erhoben hatten. Nach einer achtmonatigen Belagerung gelang es ihm, in Alexandria einzumarschieren. Ägypten konnte zurückgewonnen und die Usurpatoren bezwungen werden. Diocletian ordnete daraufhin die Provinzverwaltung neu, besonders das Steuerwesen. Dann wandte er sich nach Mesopotamien. Als er in Syrien auf Galerius stieß, bekam dieser seinen Unwillen über die militärische Fehlleistung deutlich zu spüren, indem er ihn eine Zeitlang neben seinem Wagen laufen ließ und nicht zum Aufsteigen aufforderte. Den Winter 297/98 brachten beide Kriegsparteien, Perser und Römer, mit weiteren Rüstungsbemühungen zu. Galerius bat darum, den Rückschlag des Vorjahres wiedergutmachen zu können, und erhielt erneut den Befehl über die römischen Truppen. Er begab sich nach Armenien, und dieses Mal blieb der Erfolg nicht aus. Der Perserkönig bat um Frieden. Der Vertrag, den Rom 298 mit Persien schloß, zeugt vom Augenmaß Diocletians, der die Perser nicht unnötig provozieren wollte, um keine neuen Rachegelüste aufkommen zu lassen. Er begnügte sich mit Abtretungen am oberen Tigris und mit der Rückgabe der Stadt Nisibis. Für das Reich war es wichtig, mit seinem mächtigsten Rivalen in freundschaftlicher Nachbarschaft zu leben. Nach dem Vertrag von Nisibis herrschte über vierzig Jahre lang Frieden in dieser Gegend. Selbst bis zum Kaukasus erstreckte sich der römische Einfluß. Von größter Bedeutung war jedoch, daß der König von Armenien Verbündeter des römischen Reiches wurde.

Einige Zeit zuvor (296 oder 297) war es Constantius I. im Westen gelungen, Allectus, den Nachfolger des Carausius, auszuschalten, was zur Folge hatte, daß Britannien wieder den Tetrarchen unterstand.

Außenpolitisch hatte Diocletian um die Jahrhundertwende seine wichtigsten Ziele erreicht. Britannien war wiedergewonnen, die Rhein-Donaulinie im Westen gesichert. Im Osten war der Perserkönig bezwungen und ein Friedensvertrag geschlossen, der für lange Zeit friedliche Verhältnisse an der Ostgrenze garantieren sollte. Im Innern des Reiches war Ruhe eingekehrt. Die Aufstände wurden, wenn auch mit großer Mühe, niedergekämpft, Usurpatoren wurden bezwungen – wie zuletzt 303, als sich mit Eugenius ein Offizier im syrischen Seleukia zum Kaiser ausrufen ließ – und verlorene Gebiete wieder dem Reich angegliedert.

Diocletian konnte nun seine lange geplanten innenpolitischen Reformen in Angriff nehmen. Die Stabilität des Reiches war auf lange Sicht nur aufrechtzuerhalten, wenn an den Grenzen Ruhe herrschte, die Armee in der Lage war, aufkommende Aufstände im Keim zu ersticken und Grenzkonflikte schnell zu lösen. Noch immer war das Heer das

Rückgrat des Reiches. Durch die Schaffung der Tetrarchie hoffte Diocletian, die Soldaten als Kaisermacher auszuschalten, doch blieb er stets auf ihre Mitarbeit angewiesen. Er mußte immer seine militärische Befähigung unter Beweis stellen, um sich in kritischen Situationen auf die Loyalität der Armee stützen zu können.

Lange ist über die Reihenfolge der inneren Reformen des Diocletian gestritten worden. Sicher sind sie das Werk mehrerer Jahre und viele von ihnen kamen erst unter seinen Nachfolgern zum Abschluß. Die Armee bildete aus den obengenannten Gründen einen ersten Ansatzpunkt wichtiger Reformen. Die Anzahl der Truppenverbände wurde erhöht; die von Laktanz berichtete Vervierfachung des Heeres dürfte aber übertrieben sein. Stattgefunden hat vielmehr eine Vermehrung der Mannschaftsbestände und vor allem eine Umstrukturierung des gesamten Heeres. Die Mannschaftsstärke einer Legion wurde verringert, von etwa 5000 auf 2000 Mann, die Anzahl der Verbände dagegen erhöht. Wichtig war vor allem der steigende Anteil von reichsfremden Hilfstruppen, die bald eine Schlüsselrolle spielen sollten. Zugleich erfolgte die Trennung zwischen Zivil- und Militärkommando sowie die Umstrukturierung des Heeres in stationäre Grenztruppen und mobile Feld- oder Eingreifarmeen, die an zentralen Punkten konzentriert blieben und bei Aufständen oder Grenzkämpfen zur Unterstützung gerufen wurden.

Einschneidende Veränderungen erfuhr vor allem die innere Gestalt des Reiches. Bis in die Zeit Diocletians war es eingeteilt in fast 50 kaiserliche und senatorische Provinzen. Eine Verkleinerung der alten Verwaltungseinheiten war bereits im Gange. Im Jahre 297 wies eine amtliche Zusammenstellung der Verwaltungseinheiten, das sogenannte Verzeichnis von Verona, rund 100 Provinzen aus. Unter Diocletian erfolgte schließlich eine weitgehende Dezentralisierung der Verwaltung.

Zunächst wurde zwischen kaiserlichen und senatorischen Provinzen nicht mehr unterschieden. Ferner wurde die Sonderstellung beseitigt, die bisher Italien und Ägypten eingenommen hatten. Schließlich wurde das Reichsgebiet in 12 Diözesen von unterschiedlicher Größe aufgeteilt, an deren Spitze ein Vikar als Stellvertreter des höchsten zivilen Beamten, des Prätorianerpräfekten, stand. Eine Ausnahme bildete hierbei Italien, das in eine südliche und eine nördliche Diözese zerfiel, wobei die südliche die Stadt Rom versorgen mußte. Ziel der Provinzreform war es, die Effizienz der Verwaltung zu erhöhen; besonders die Rechtsprechung und die Finanzverwaltung waren davon betroffen.

Ein weiterer Punkt der Reformen betraf das Steuer- und Finanzsystem. Diocletian betrachtete die Münzverschlechterung mit Sorge. Bei seinen Reisen durch die Provinzen wurde er ständig gebeten, Maßnahmen gegen die Preisinstabilität und vor allem die Teuerung der Lebensmittel zu ergreifen, denn die Inflation nahm immer mehr zu. Im Jahre 294 führte Diocletian eine Finanzreform durch, verbunden mit einer völligen Neuordnung des Währungssystems. Er schuf ein über das gesamte Reich verteiltes Netz von Münzstätten, die eine in Gewicht und Bild einheitliche Währung prägten.

Die spektakulärste wirtschaftspolitische Maßnahme der diocletianischen Regierung ist das Ende des Jahres 301 erlassene Höchstpreisedikt. Wie Laktanz berichtet, promulgierte Diocletian ein Gesetz, das Höchstpreise für unzählige Waren festlegte und jede Zuwiderhandlung drastisch mit der Todesstrafe bedrohte. Aus zahlreichen Inschriften und 140 Fragmenten aus verschiedenen Städten im Osten des römischen Reiches gelang es, den Text dieses Edikts weitgehend zu rekonstruieren. Der Eingriff des Kaisers in den Wirtschaftskreislauf zielte darauf ab, die Preise einzufrieren und die allgemeine Kaufkraft zu verbessern. Dieser «Maximaltarif» sollte verhindern, daß etwa der Besitzer von Edelmetall plötzlich über eine erhöhte Kaufkraft verfügte, das umlaufende Edelmetall den Markt überschwemmte und damit Preissteigerungen verursachte. Daß Diocletian mit seiner Währungspolitik völlig gescheitert sei, wie Laktanz nahelegt, ist sicher übertrieben, obwohl sein weitgestecktes Ziel der Preisstabilität nicht gelingen konnte, da eine Preiskontrolle gleichzeitig eine Steuerung der Produktion und des Warenvertriebs vorausgesetzt hätte.

Einen starken Eindruck auf die Zeitgenossen machte die Umgestaltung des Hofzeremoniells, das von den nachfolgenden Herrschern beibehalten wurde. Während des 3. Jahrhunderts hatten die Kaiser Probleme gehabt, ihre Machtstellung zu behaupten. In der Anfangszeit des Prinzipats hatten die meisten Herrscher ihre Gleichrangigkeit mit den Senatoren betont. Der Kaiser war *princeps* gewesen, Erster unter Gleichen. Im 3. Jahrhundert hatte sich das Verhältnis zwischen Kaiser und Senat verschlechtert und der Senat an Einfluß verloren; er besaß kaum noch politische Macht. Um die fehlende senatorische Legitimation zu kompensieren, versuchten manche Kaiser ihre Stellung kultisch zu überhöhen. Die Sakralisierung des Kaisers kam beim Hofzeremoniell besonders deutlich zum Ausdruck. Diocletian ließ sich als «Herr und Gott» anreden. Dem Kaiser mußte beim Entgegenkommen mit einigem Abstand und dem Fußfall (*adoratio*) begegnet werden. Als Vorbild dienten ihm wohl die Gepflogenheiten des persischen Hofes: Diocletian kleidete sich in ein gold- und edelsteingeschmücktes Seidengewand mit edelsteinbestückten Schuhen, ein Stab von Hofbeamten riegelte ihn von der Öffentlichkeit ab. Die Umgestaltung des Prinzipats augusteischer Prägung zum spätrömischen Dominat findet unter Diocletian in der Institutionalisierung des Hofzeremoniells ihren sichtbaren Ausdruck.

Ein zentraler Aspekt der diocletianischen Religionspolitik betraf das Verhältnis zu den Christen. Das Christentum hatte sich im 3. Jahrhundert in relativer Unangefochtenheit weiter ausbreiten können. Seit Gallienus 260 die Verfolgungsmaßnahmen seines Vaters Valerian gegen die

Christen aufgehoben hatte, wurde die christliche Kirche in ihrer Mission und ihrer Entfaltung nicht mehr beeinträchtigt. Diocletian blieb zunächst bei der von Gallienus vorgezeichneten Linie. So holte er den Christen Laktanz als Rhetoriklehrer nach Nikomedeia und ließ ihn in seiner Bibliothek arbeiten. Laktanz selbst bekräftigt, daß die Regierung des Diocletian 20 Jahre hindurch tolerant gewesen sei. Dies bestätigt auch die Tatsache, daß neben dem Kaiserpalast von Nikomedeia ein großes christliches Gotteshaus stand.

Der Anstoß für die Änderung von Diocletians Verhalten gegenüber den Christen ist schwer zu ermitteln. Die christlichen Autoren Laktanz und Eusebius sind die wichtigsten Quellen für die nun folgenden Konflikte zwischen der römischen Staatsmacht und der christlichen Religion. Die geistige Auseinandersetzung ist jedoch schlecht belegbar, da die Schriften der Heiden bis auf wenige Ausnahmen vernichtet wurden.

Am 23. Februar 303 erschien das erste von vier Edikten, mit denen die Christen zu der althergebrachten Reichsreligion zurückgeführt werden sollten. Über dessen Inhalt berichten Laktanz und Eusebius übereinstimmend, daß die christlichen Kirchen abzureißen und die christlichen Schriften zu verbrennen seien. Weiter wurde die Entfernung der Christen aus dem staatlichen Dienst – Heer, Verwaltung, kaiserlicher Hof – verfügt.

Diocletians Reaktion auf die teilweise vorhandene Bereitschaft der Christen zum Martyrium bestand darin, die Verfolgungsmaßnahmen noch zu verschärfen. Vor allem ein zweimaliger Brand des Palastes von Nikomedeia führte zu einem noch strengeren Vorgehen, dem sich ein allgemeines Opfergebot gegenüber den Göttern der römischen Staatsreligion anschloß. Diese Maßnahmen stellten die größte Belastungsprobe dar, die Christen im römischen Reich zu bestehen hatten. Eusebius erzählt, daß sich die Verfolgung zu einem regelrechten Krieg gegen die Christen ausweitete, in dessen Verlauf die Zahl der abgefallenen Christen ebenso wie die der Märtyrer in die Tausende ging. Diese Einschätzung, vor allem hinsichtlich der Zahl der Märtyrer, dürfte entschieden zu hoch sein. Hinzu kommt, daß Form und Intensität der christenfeindlichen Maßnahmen je nach Zeitpunkt und Landschaft höchst unterschiedlich ausfielen.

Im Westen, vor allem unter Maximian in Italien und Africa, wurden zwar Christenprozesse durchgeführt. Jedoch begnügte sich Constantius I. in Gallien lediglich damit, die Kirchen zu schließen. Im Osten gab es die meisten Opfer, hier hat auch der Rücktritt Diocletians im Jahre 305 die Verfolgungen nicht beendet. Sie sind erst durch das Toleranzedikt, das Galerius am 30. April des Jahres 311 erließ, zum Abschluß gekommen.

Die Gründe für diese große Christenverfolgung sind in der kultisch-religiösen Einstellung Diocletians und seiner Mitherrscher zu suchen.

Während des über vierzigjährigen Religionsfriedens, der seit 260 andauerte, hatte sich der christliche Glaube ungehindert ausbreiten können, auch im Heer und in der kaiserlichen Verwaltung gab es zahlreiche Christen. Den Abfall vom überlieferten Kult sahen die Tetrarchen als einen Akt der Illoyalität an. Das von Diocletian geschaffene politisch-religiöse Herrschaftssystem, das von seinem inneren Wesen her das Christentum als Sammelbewegung staatsgefährdender Sektierer verdammte, war der Auslöser für die Verfolgungspolitik gegenüber den Christen und weniger die persönliche Haltung der Tetrarchen.

Nach einer langen Regierungszeit beging Diocletian am 20. November 303 sein zwanzigjähriges Regierungsjubiläum gemeinsam mit Maximian in Rom. Zum ersten Mal seit rund hundert Jahren konnte ein Herrscher auf eine mehr als zehnjährige Regierungszeit zurückblicken.

Diocletian hat zahlreiche Bauvorhaben im Reich vorangetrieben, auch Rom kam nicht zu kurz. Dort ließ er unter anderem die durch ein Feuer im Jahre 283 schwer zerstörte Curia restaurieren. Noch heute künden die erhaltenen Teile des Neubaus von ihrem ehemaligen Glanz. Im Innern bestand sie aus einer einfachen, rechteckigen Halle mit einer hölzernen Kassettendecke. Parallel zu den Wänden verliefen niedrige Stufen, auf denen sich die Sitze der Senatoren befanden. Der strenge obere Teil der Wände, in die große Fenster eingelassen waren, bildete einen sehr reizvollen Kontrast zu den von Säulen flankierten Nischen der unteren Wandpartien und dem kostbaren Bodenbelag aus buntem Marmor. Diocletians Vorliebe für die Architektur ist auch in anderen Zentren des Reiches zu bewundern: Städte wie Mailand oder Carthago haben durch ihn bauliche Verbesserungen und Verschönerungen erfahren. Besonders in Nikomedeia, wo er sein erstes Hauptquartier und auch seine erste Residenz hatte, begann er ein gewaltiges Bauvorhaben. Nach der Errichtung der Tetrarchie verlagerte er seine Residenz auch nach Antiochia, das er mit Tempeln, Getreidespeichern und Thermen, einem Stadion und einer Waffenmanufaktur ausstattete. Bereits in seiner Regierungszeit ließ er sich in Spalato bei Salonae einen gewaltigen Palast als Ruhesitz errichten. Noch heute künden monumentale Überreste und die prachtvolle Architektur der Gesamtanlage von diesem Glanzstück spätantiker Baukunst.

Diocletians Romaufenthalt im Jahre 303 war zugleich sein letzter in der Stadt. Das Ansehen des Kaisers war groß; trotz seiner Skepsis gegenüber Rom hatte die Bevölkerung sein Wirken all die Jahre auf dem Thron nicht vergessen. Sein Besuch war als ein prachtvoller Triumph geplant, in dem alle Siege des Kaisers zusammengefaßt und in einem Aufzug in der alten Hauptstadt gefeiert werden sollten. Zugleich war es seit langer Zeit aber auch der erste Triumph in den Mauern Roms, der gefeiert worden ist. Doch diese Begegnung zwischen Diocletian und der stadtrömischen Bevölkerung erfüllte die gegenseitigen Erwartungen nicht. Das Volk, das gehofft hatte, reich beschenkt zu werden, wurde enttäuscht. Verglichen mit den Gewohnheiten der Zeit, fielen die Spenden spärlich aus. Die gegenseitigen Verstimmungen führten schließlich dazu, daß der Kaiser am 20. Dezember 303 die Stadt für immer verließ. Obwohl er zum Konsul für das kommende Jahr designiert worden war, veranstaltete er zu diesem Anlaß keine der üblichen Feierlichkeiten. Er zog nach Norden und verbrachte einige Zeit in Ravenna. Von da an häuften sich seine persönlichen Enttäuschungen. Zu diesen gehörte auch eine mehrmonatige schwere Krankheit. Sie ist wahrscheinlich der Hauptgrund für eventuelle Rücktrittspläne, die ihn beschäftigten. Neun Monate lang trat er nicht in der Öffentlichkeit auf, man glaubte sogar, er sei tot. Er hatte sich in seinen Palast in Nikomedeia zurückgezogen, wo er für niemanden zu sprechen war.

Wie durch ein Wunder erholte er sich jedoch wieder. Als er die Leidenszeit überstanden hatte und sich wieder öffentlich zeigte, waren die Spuren unübersehbar: Die Krankheit hatte ihn altern lassen. Sein Verhältnis zu Galerius verschlechterte sich zusehends. Dieser drängte auf seinen Rücktritt; doch Diocletian weigerte sich. Er meinte, daß seine mehrmonatige Abwesenheit die Stabilität des Reiches erschüttert hätte und diese erst wiederhergestellt werden müßte, bevor er mit seinem Mitkaiser abdanken und sich ins Privatleben zurückziehen könnte. Ein Jahr später war es so weit: Am 1. Mai 305 erfolgte der Rücktritt beider Kaiser. Anläßlich eines Staatsaktes in Nikomedeia legte Diocletian sein Amt nieder, während Maximian von ihm genötigt wurde, in Mailand ebenfalls dem Purpur zu entsagen.

Die Abdankung ist aus persönlichen Gründen und der gerade überstandenen Krankheit Diocletians allein nicht zu erklären, sie war wohl auch von Anfang an ein Teil der Planung seines tetrarchischen Systems. Beide scheidenden Kaiser erhoben wie vorgesehen ihre beiden Caesares, Galerius und Constantius I., zu Augusti und gaben ihnen zugleich neue Caesares. Galerius erhielt den Schwestersohn Maximinus, mit dem Beinamen Daia, Constantius den bisher unbekannten Severus als Caesar. Constantius wurde rangältester Augustus. Er verwaltete weiterhin seinen gallischen Reichsteil, Severus erhielt Italien und Afrika sowie Pannonien, Galerius bekam Illyrien, Thrakien und Kleinasien, während Maximinus Daia den Orient übernahm.

Während Maximian auf seine Güter nach Lucanien ging, nahm Diocletian seinen alten Namen Diocles wieder an und zog sich in seinen Palast nach Spalato zurück. Aber die Situation im Reich gestaltete sich anders als erwartet. Bald sollte ein langer Bürgerkrieg ausbrechen. Die Tetrarchie wurde in Frage gestellt, als Constantius bereits am 25. Juli 306 in York überraschend starb. Noch am gleichen Tag riefen die Truppen seinen ältesten Sohn Konstantin I. zum Augustus aus. Es war keine Konsultation mit den regierenden Kaisern vorausgegangen, wie dies Diocletian vorgesehen hatte.

Sofort begab sich Konstantin nach Gallien, um den Reichsteil seines Vaters zu übernehmen. Streitigkeiten zwischen den vier Herrschern über die Legitimität der von den Soldaten betriebenen Kaiserproklamation waren unvermeidlich. Sie führten dazu, daß die Tetrarchie als Regierungsform in Gefahr geriet. Maximian kehrte aus dem Privatleben zurück, um mit seinem Sohn Maxentius, der sich nach dem Vorbild des Konstantin 306 in Rom zum Kaiser hatte ausrufen lassen, nochmals selbst zu regieren. In den folgenden Auseinandersetzungen um die rechtmäßige Nachfolge in der Tetrarchie, die durch die Erhebung des Konstantin und Maxentius verursacht worden waren, kam es zu erbitterten Kämpfen zwischen den einzelnen Herrschern, in deren Verlauf Kaiser Severus, der vergeblich versucht hatte, Maxentius zu entthronen, umkam (September 307).

Die Usurpationswirren des 3. Jahrhunderts schienen sich zu wiederholen. Schon 307 war Diocletian gebeten worden, die Tetrarchie neu zu ordnen. Er selbst weigerte sich, auf den Thron zurückzukehren, übernahm aber für das Jahr 308 noch einmal einen Konsulat – seinen zehnten. Er berief nach Carnuntum eine Kaiserkonferenz ein, um die verfahrene Lage des Reiches zu bereinigen. Zuerst zwang er Maximian zur erneuten Abdankung, Maxentius wurde jede Anerkennung versagt und Konstantin mußte sich mit dem Caesarentitel begnügen. Neuer Augustus des Westens wurde Licinius. Galerius übernahm die Führerschaft in der neuen Tetrarchie. Im Kaiserkollegium wurde dadurch für eine kurze Zeit ein prekäres Gleichgewicht hergestellt und, was noch wichtiger war, der Bürgerkrieg verhindert. Aber es zeigte sich in den folgenden Machtkämpfen, daß auch diese Lösung keinen Bestand hatte. Diocletian hatte ein letztes Mal kraft seiner überragenden Autorität das tetrarchische System gerettet. Doch schon bald kam es erneut zu schweren Kämpfen um die Herrschaft, an deren Ende es 324 Konstantin durch einen Sieg über Licinius gelingen sollte, die Alleinherrschaft zu erringen und damit die konstantinische Dynastie zu begründen. Das Modell der Tetrarchie war endgültig gescheitert.

Diocletian starb bereits Anfang Dezember 316 in seinem Palast bei Spalato und wurde als nicht amtierender Kaiser unter die Staatsgötter erhoben, eine Ehrung, wie sie einem ‹Privatmann› noch nie zuvor zuteil geworden war.

Eine rückblickende Betrachtung der diocletianischen Regierung muß die Reichskrise des 3. Jahrhunderts berücksichtigen. Einige tatkräftige Kaiser dieser Zeit, wie Claudius II. Gothicus, Aurelian oder Probus, hatten das Werk der Restauration des römischen Reiches begonnen, doch aufgrund der Instabilität der Verhältnisse, die durch Usurpationen, Grenzunruhen und Wirtschaftskrisen gekennzeichnet waren, konnten nur begrenzte Fortschritte erzielt werden. Erst Diocletians Auftreten, das mit der Schaffung der Tetrarchie untrennbar verbunden ist, vermochte eine Reihe von Mißständen zu beseitigen und dem römischen Reich neben territorialer Unversehrtheit ein gewisses Maß an Stabilität zu verschaffen. Erstaunlich an der Herrschaftsauffassung Diocletians ist zunächst, daß die aufeinander abgestimmte Regierungsausübung von zunächst zwei, dann vier Kaisern keine Abspaltungstendenzen hervorrief. Das Gegenteil trat ein: Die Macht des Staates erfuhr eine beträchtliche Stärkung. Unter Diocletians Leitung, der als spiritus rector der Tetrarchie höchstes Ansehen genoß, unterstanden die Ressorts der einzelnen Reichsteile den Mitgliedern des Kaiserkollegiums, die ihre Herrschaftsfunktionen in der größtmöglichen Autonomie wahrnahmen. Alle vier Herrscher, die in ihren jeweiligen Amtsbereichen die legitime kaiserliche Gewalt verkörperten, erfüllten die in sie gesetzten Erwartungen: Reichsfremde Völker, die in das Reich eingedrungen waren, wurden abgewehrt, innere Unruhen im Keim erstickt und Usurpatoren entmachtet. Dies gelang nicht zuletzt, weil alle vier Kaiser sich an Absprachen hielten, gemeinsam beschlossene Gesetze ausführten und eine Reihe von Maßnahmen umsetzten, die den politischen, wirtschaftlichen und militärischen Gesundungsprozeß des römischen Reiches zum Ziele hatten. Die Reform der Verwaltung wurde durch eine Vermehrung und zugleich räumliche Verkleinerung der Provinzen ermöglicht. Das Verteidigungssystem, das auf einem Zusammenspiel zwischen Grenztruppen und mobilen Einsatzverbänden beruhte, wurde durch die Aufstockung der Truppenbestände schlagkräftiger. Die gleichzeitig durchgeführte Reform der Bodenertragssteuer sicherte der Staatskasse die notwendigen Mittel für den Unterhalt des gestiegenen Bedarfes des Militär- und Verwaltungsapparates.

Zugleich erlebte das römische Reich, wie Diocletian zur Stärkung der kaiserlichen Macht eine politische Theologie ins Leben rief, die auf traditionellen Grundlagen eine göttlich legitimierte Kaiserfamilie schuf, die keine Anfechtungen seitens fremder Gottheiten duldete, was die Christenverfolgungen hervorrief. Da dieser Konzeption zufolge den Tetrarchen die Macht von den Göttern verliehen worden war, durfte sie nicht durch die Unzuverlässigkeit menschlichen Handelns in Frage gestellt werden. Dies bedeutete unter anderem, daß nicht mehr das Heer den Kaiser erhob, sondern daß dieses Recht der Proklamation eines Herrschers ausschließlich den legal eingesetzten Tetrarchen oblag und ferner rein dynastisch-familiäres Denken bei der Kaisernachfolge keine Rolle mehr spielen durfte.

Bereits ein Jahr nach der Abdankung Diocletians sollten anläßlich des plötzlich eingetretenen Todes Constantius' I. die Bruchstellen des tetrarchischen Systems der Nachfolgeregelung offenbar werden. Das von den römischen Truppen seit Jahrhunderten ausgeübte Vorrecht der Kaiserproklamation ließ sich durch kein noch so ausgeklügeltes Konzept einschränken.

Ohne Zweifel muß man der komplexen Persönlichkeit Diocletians, dieses Traditionalisten und Neuerers zugleich, trotz einiger Rückschläge und politischer Fehleinschätzungen, eine eminente politische Begabung attestieren und ihn als einen der großen Staatsmänner auf dem römischen Kaiserthron anerkennen.

MAXIMIAN
286–305, 306–308, 310

Von Jörn Kobes

Marcus Aurelius Valerius Maximianus wurde am 21. Juli um das Jahr 250 in der Nähe von Sirmium in Pannonien geboren. Herkunft, Familie und Ausbildung bleiben unbekannt. Den Quellen zufolge soll er aus niedrigen bäuerlichen Verhältnissen stammen und keine Bildung im klassischen Sinne besessen haben. Selbst über seine Militärlaufbahn sind die Angaben bis zu seiner Ernennung zum Caesar zu unsicher, um ein deutliches Bild zu zeichnen.

Er entwickelte sich vom gemeinen Soldaten zum fähigen Offizier und nahm unter Aurelian an dessen Feldzügen an der Donau, am Euphrat und am Rhein, unter Probus und Carus an den Kriegen im Osten teil; er muß während dieser Zeit Diocletian kennengelernt und freundschaftliche Kontakte zu ihm geknüpft haben. Vielleicht war Maximian bei der Kaisererhebung Diocletians am 20. November 284 in Nikomedeia ebenfalls anwesend. Auch seine tatkräftige Hilfe während der weiteren Ereignisse, die Diocletian endgültig den Thron sicherten, dürfen wir vermuten.

Diocletian wurde durch die bedrohliche politisch-militärische Situation im Westen und Osten, die seine Herrschaft hätte gefährden können, zu einem für fast 30 Jahre richtungweisenden Schritt gezwungen. Am 13. Dezember 285 erhob er Maximian zum Caesar und betraute ihn mit der Niederwerfung der aus wirtschaftlichen und sozialen Gründen desertierten Soldaten und aufständischen Landbewohner in Gallien, der Bagauden. Diese Aufgabe löste Maximian schnell und zur Zufriedenheit Diocletians, so daß dieser Maximian am 1. April 286 zum Kaiser ernannte und ihm den Westen des Imperium Romanum als Herrschaftsgebiet zuteilte, während er, Diocletian, den Osten übernahm.

Diese Einteilung der Arbeits- und Interessengebiete war kein Vorgriff auf eine Reichsteilung, die sich erst ungefähr 100 Jahre später nach dem Tod Theodosius' I. durchgesetzt hat. Das Reich bestand weiterhin in seiner Unteilbarkeit, was Mamertinus in seiner Lobrede vom 21. April 289 andeutete: «Denn Ihr beherrscht den Staat in einem Sinne» (*Panegyrici Latini* 2 [10] 11,1). Dieses Einvernehmen drückt am besten die gesetzgeberische Gestaltung der Kaiser aus, die in Einleitungszeilen der betreffenden Gesetze als Handelnde und Gesetzgeber erscheinen; Diocletian trat jedoch nachweislich häufiger als Gesetzgeber auf.

Die militärischen Kräfte wurden nicht zwischen beiden Aufgabengebieten geteilt, sondern mal umständlich, mal klug an die verschiedenen Einsatzorte delegiert. Auch die Einführung einer Kaiserherrschaft, die von mehreren versehen wurde, um beweglicher auf Probleme reagieren zu können, war keine Erfindung Diocletians. Schon das Beispiel Vespasians als Augustus und Titus' als Caesar zeigte Ansätze einer Samtherrschaft, die sich dann unter den gleichberechtigten Adoptivsöhnen des Antoninus Pius – Marc Aurel und Lucius Verus – zumindest anfangs bewährte.

Neu war hingegen, daß Maximian bis zu seinem Aufstieg nicht mit Diocletian verwandt war. Die Ernennung zum Mitherrscher beinhaltete mehrere Komponenten, die im ganzen erst die Qualität der Stellung des Maximian verdeutlichen. Zuerst nahm Maximian den Namen Diocletians an (Aurelius Valerius Maximianus) und deutete damit eine nach römischem Recht gültige Adoption an. Zu dieser Quasi-Adoption gesellten sich die Aufnahme in die Familie des Diocletian und die Anrede «Bruder» hinzu.

Doch Diocletian hatte sich nicht nur in der Anzahl seiner Konsulate einen kleinen, aber gewichtigen «Vorsprung» gesichert. Während er als Kaiser den Beinamen *Iovius* – nach Iupiter als seinem persönlichen Schutzgott – trug, gestand er Maximian nur den ungleich geringeren *Herculius* nach Hercules zu, was Mamertinus 289 in der Gegenüberstellung «Iuppiter als Lenker des Himmels und Hercules als Befrieder der Erde» und «Iuppiter der Bewahrer und Hercules der Sieger» umriß (*Panegyrici Latini* 2 [10] 11,6 bzw. 13,4). Wenn schon eine Zweierherrschaft, dann sollte wenigstens deutlich werden, wer wem zu Dank verpflichtet war und daß zumindest zwischen beiden Augusti eine gewisse Rangfolge eingehalten wurde.

Mit der Unterwerfung der Bagauden waren die Probleme im Westen des Reiches nicht gelöst. Im Frühjahr 286 überquerte eine Koalition von Burgunder-Alamannen und Chaiboner-Herulern den Rhein und plünderte die wirtschaftlich ausgebrannten gallischen Provinzen. Durch geschickte Manöver und kleinere Gefechte wurden die Burgunder und Alamannen am Rückmarsch über den Rhein gehindert und zusätzlich durch Hunger und Seuchen dezimiert. Schließlich schlug zwar Maximian Chaibonen und Heruler in einer offenen Feldschlacht vernichtend, vermochte dadurch aber gleichwohl nicht, die Bedrohung Galliens aus dem Osten dauerhaft zu unterbinden; so sah er sich noch einige Male gezwungen, über den Rhein zu setzen und die feindlichen Stämme in ihren Wohngebieten zu attackieren. Dabei konnte er sich der Unterstützung des Anführers der Menapier, Carausius, versichern, der im Norden die Grenze sicherte und unterstützend über das Rheinmündungsgebiet Streifzüge gegen sächsische und fränkische Stämme unternahm. Nachdem Maximian ihm die Unterschlagung von Beute vorgeworfen hatte, erhob sich Carausius 286. Der Vergeltungsangriff gegen ihn schlug fehl, ebenso wie die Versuche, ihn abzusetzen bzw. ihn zu ermorden. Die Flotte, die Maximian zu diesem Zweck in Auftrag gegeben und entsandt hatte, scheiterte bei stürmischem Wetter und an der fehlenden seemännischen Erfahrung. Carausius konnte sich nach Britannien zurückziehen und die Insel als Machtposition behaupten. Mit gelegentlichen Streifzügen nach Gallien und piratenähnlichen Überfällen an der gallischen Küste sorgten er und sein Nachfolger Allectus für einen andauernden Kriegszustand, der erst 297 durch einen Sieg der Römer über Allectus beendet wurde.

Ein weiterer Unruheherd entwickelte sich in Hispanien und Nordafrika, die von maurischen Stämmen heimgesucht wurden. Hier konnte sich Maximian auf die Fähigkeiten seines Statthalters verlassen, der mehrere Stämme besiegen und die Provinz befrieden konnte. Wahrscheinlich stammt aus dieser Zeit der Kaiserpalast, der vor kurzem in Cordoba entdeckt wurde und Maximian zugewiesen wird.

Nachdem sich Diocletian und Maximian zwischen 290 und 293 mehrere Male getroffen und über die politische und militärische Lage beraten hatten, wurde am 1. März 293 die Zweierherrschaft, die mit den Aufständen – wohl auch seit Herbst 292 in Ägypten – zeitweilig überfordert schien, zu einer Viererherrschaft, der Tetrarchie, ausgebaut. Dazu ernannte Diocletian für sein Aufgabengebiet den Galerius, Maximian für den Westen seinen Prätorianerpräfekten Constantius zu gleichberechtigten Caesaren. Beide «Juniorpartner» wurden von ihrem jeweiligen Augustus adoptiert und durch Verheiratung in ihre Familien aufgenommen. Ziel dieses Plans war, die Herrschaft zu festigen, sie auf mehrere Schultern zu verteilen und von vornherein die Nachfolge durch fähige und gut vorbereitete Männer zu sichern. Constantius war schon 289 mit Maximians Stieftochter Theodora verheiratet worden. Der Sohn des Constantius, Konstantin, wurde mit Fausta, der Tochter Maximians, verlobt. Maximian hatte schon früh die Fähigkeiten des Constantius erkannt und ihn an sich gebunden. Es war nur verständlich, daß er ihn zu seinem Caesar machte, und zeigt, daß es Maximian möglich war, eigenständige Politik gegenüber Diocletian zu betreiben.

Zwischen 296 und 300 befand sich Maximian in Afrika, um dort ausgebrochene Unruhen und Revolten gewaltsam zu beenden. Die nächsten Jahre dienten der Konsolidierung der Herrschaft in den ihm unterstehenden Reichsteilen. Dabei besuchte er, ebenso selten wie Diocletian, auch Rom und entfaltete dort ein umfängliches Bau- und Restaurierungsprogramm; Schwerpunkte seiner Bemühungen bildeten Tempelanlagen und die Diocletiansthermen.

Die Feier des zwanzigjährigen Regierungsjubiläums Maximians am 1. Mai 305 führte dann zur offiziellen Abdankung des Augustus für den Westen des Reiches. Die antiken Quellen lassen den Schluß zu, daß dieser Verzicht, den sich Diocletian von Maximian schon 303 im Tempel des Iupiter Capitolinus in Rom eidlich hatte versprechen lassen, von Maximian nicht freiwillig geleistet wurde. Trotzdem akzeptierte er und zog sich als Privatmann nach Lucanien zurück.

Dort verlebte er die nächsten Jahre in Ruhe und Abgeschiedenheit, bis die Ereignisse um den Kaiserthron ihn noch einmal in das Zentrum der Macht zurückführten. Der Tod des Constantius, die Erhebung seines Schwiegersohns Konstantin zum Kaiser durch die britannischen Truppen 306, der Griff seines Sohnes Maxentius nach dem Purpur und die Hilferufe des Senats brachten ihn dazu, wieder den Kaisertitel anzunehmen. Diocletians Absicht, durch die Samtherrschaft und eine eindeutige Nachfolgeregelung die Wirren des Bürgerkrieges auszuschalten, schien gescheitert. Auf der Konferenz in Carnuntum 308 brachte der Privatier Diocletian Maximian noch einmal dazu abzudanken.

Doch auch dieser zweite Rückzug von der Macht war nicht dauerhaft. Kurze Zeit später versuchte Maximian erneut, diesmal als Widersacher Konstantins, die Herrschaft zu ergreifen. Konstantin begegnete diesem Versuch mit Waffengewalt und nahm seinen Schwiegervater im von ihm eroberten Marseille fest. Maximian wurde verschont; trotzdem trachtete er – so überliefert Laktanz – Konstantin nach dem Leben. Nachdem Maximian seine Tochter Fausta zum Verrat an ihrem Mann hatte aufstacheln wollen, diese jedoch Konstantin den Plan hinterbrachte, wurde Maximian bei einem Mordanschlag im Schlafzimmer des Kaisers entlarvt; er hatte einen Diener erstochen, den Konstantin seinen eigenen Platz im Bett hatte einnehmen lassen. Konstantin überließ Maximian «die freie Wahl des Todes», worauf jener wohl weniger freiwillig den Strick wählte: «Hoch am Balken knüpft er die Schlinge des garstigen Todes», zitiert Laktanz in diesem Zusammenhang Vergil (Laktanz, *Über die Todesarten der Verfolger* 30,5 nach Vergil 12, 603). Maximians Leichnam wurde um 310 in seiner alten Hauptstadt, in Mailand, beigesetzt.

GALERIUS
305–311

Von Richard Klein

Nach den Wirren des krisenreichen 3. Jahrhunderts gelang es dem fähigen Kaiser Diocletian noch einmal, dem Reich ein gewisses Maß an Stabilität zu verleihen, so daß ein Fortbestehen für weitere zweihundert Jahre gewährleistet war. Zwei Maßnahmen haben dazu beigetragen, speziell dem Kaisertum eine neue Sicherheit zu geben: zum einen die Entlastung der Regenten durch die Verteilung der Regierungsverantwortung auf zwei ältere Augusti und zwei jüngere, aufgrund persönlicher Tüchtigkeit ausgewählte Caesares, welche diesen später in der Herrschaft nachfolgen sollten; zum andern war es die Entrückung in eine von der übrigen Menschheit abgesonderte Machtsphäre, wodurch sie vor jeder Zudringlichkeit abgeschirmt waren. Hierzu gehörte das enge Vertrauensverhältnis zu den Göttern Iuppiter und Hercules, aber auch die Ausgestaltung von Hofzeremoniell und Kaiserornat mit anschaulichen Insignien wie Szepter, Globus und Nimbus um das Haupt des Begnadeten. An jenen Neuerungen hatten in gleicher Weise der Augustus Maximian im Westen, der im Jahre 285 von Diocletian als gleichberechtigter Partner beigezogen worden war, wie auch die beiden Caesares Constantius I. Chlorus im Westen und Galerius im Osten Anteil, von welchen der eine im Jahre 293 zum «Helfer» seines Augustus ernannt wurde, während für den anderen der 21. Mai desselben Jahres als Datum seines Herrschaftsantritts bezeugt ist.

Gaius Galerius Valerius Maximianus, geb. 250, entstammte einer provinzialrömischen Familie aus der Nähe der illyrischen Stadt Sofia. Seine bäuerliche Herkunft läßt die Nachricht glaubwürdig erscheinen, daß er in der Jugend Viehhirte gewesen war. Da er eine kräftige Gestalt und verwegenen Mut besaß, wandte er sich früh dem Kriegsdienst zu und verdiente seine ersten militärischen Sporen unter den Kaisern Aurelian und Probus. Obwohl ihm vor allem Roheit und rücksichtsloser Egoismus in Kriegen attestiert werden, zeigte er auch ansprechende Züge wie Treue und Kameradschaft gegenüber den Soldaten und Sinn für familiäre Zusammengehörigkeit. So behielt er seine Mutter Romula noch als Kaiser bei sich und benannte, wenn eine vereinzelte Quellennotiz zutrifft, seinen Geburtsort ihr zu Ehren in Romulianum um. Obwohl Galerius jeder höheren Bildung entbehrte, lernte Diocletian bereits früh den jungen Offizier schätzen; dieser zeichnete sich in den Feldzügen an der Donaufront so sehr aus, daß man ihm allein den Grenzschutz anvertraute. Seine Erfolge im Krieg waren es schließlich, welche Diocletian veranlaßten, Galerius auf dem Iuppiterhügel in Nikomedeia zum Caesar des Ostens zu erheben. Hierbei erfuhr dieser die gleichen Ehrungen wie sein westlicher Kollege Constantius I., dem die Verwaltung der gallischen und britannischen Länder zugewiesen wurde. Beide wurden an den Regierungsmaßnahmen im Innern beteiligt, beide führten den Titel ‹allervornehmster Caesar› und wurden durch Adoption in die kaiserliche Familie aufgenommen. Die Annahme des Beinamens Iovius durch Galerius und Herculius durch Constantius I. verrät, daß sie ebenfalls glaubten, in einem besonderen Nahverhältnis zu den Schutzgöttern ihrer Augusti zu stehen. Die engste familiäre Bindung entstand schließlich dadurch, daß sie zu Schwiegersöhnen ihrer kaiserlichen Herren erhoben wurden. So mußte Galerius sich von seiner legitimen Gattin scheiden lassen, welche ihm bereits eine Tochter namens Maximilla geboren hatte. Diese wurde später mit Maxentius, dem Sohn des westlichen Augustus Maximian, verheiratet. Galerius selbst aber wurde durch die Ehe mit Valeria, der einzigen Tochter Diocletians, gewürdigt, die ihm freilich keine Kinder schenkte.

Wie bereits bei Constantius I. im Westen deutlich geworden war, hatte auch im Osten der Jüngere die besonders gefährdeten Länder zu übernehmen. Vor allem erwartete man von ihm, daß er mit der gewohnten Umsicht und Tatkraft weiterhin die Grenze an der Donau schützen werde. So übergab man ihm die Provinzen von Noricum bis zur Mündung des Flusses, wo auch die von ihm bevorzugte Residenz Sirmium lag. In den folgenden Jahren finden wir ihn erfolgreich gegen Sarmaten und Goten, Karpen und Bastarnen kämpfend. Seine Leistungen beschränkten sich jedoch nicht allein auf militärische Siege und Strafexpeditionen ins transdanubische Gebiet, sondern bestanden auch darin, daß er – wie einst schon Marc Aurel – Teile der unterworfenen Stämme auf dem Boden des Reiches ansässig machte. Damit war nicht nur für eine geregelte Bodenbestellung, sondern auch für neue Rekrutierungsmöglichkeiten gesorgt. Ferner wird als besonderes Verdienst herausgehoben, daß er sich in dem Teil Pannoniens, dem er zu Ehren seiner Gattin den Namen Valeria geben durfte, durch Rodung und Entwässerung (in der Gegend des heutigen Plattensees) um eine Neubelebung der daniederliegenden Wirtschaft bemühte. Wie sehr jedoch der Caesar von seinem Oberkaiser noch immer abhängig war, offenbarte sich in der Folgezeit, als er die Abwehr der Sassanideneinfälle an der Euphratgrenze zu übernehmen hatte, obwohl diese Gebiete nicht zu seinem Verwaltungssprengel gehörten.

Während Diocletian durch einen Aufstand in Ägypten festgehalten wurde, hatte der Perserkönig Narses das exponierte Armenien überfallen und Roms königlichen Günstling Tiridates aus dem Land vertrieben. Als schließlich Narses im Jahre 297 den Tigris überschritt, ignorierte der dorthin beorderte Galerius das Gebot seines Oberkaisers, bis zu dessen Eintreffen dem Gegner lediglich hinhaltenden Widerstand zu leisten. Er suchte vielmehr mit einer kleinen Streitmacht im ungeschützten Gelände von Carrhae die Entscheidung in einer offenen Schlacht, die mit einer empfindlichen Niederlage für die Römer endete. Die Verärgerung des inzwischen herbeigeeilten Diocletian über den Verlust wertvoller Truppen wird dadurch offenkundig, daß er seinen Caesar im Angesicht des versammelten Heeres eine gewisse Wegstrecke zu Fuß zurücklegen ließ, während er selbst in einem bequemen Reisewagen saß. Es ist zu vermuten, daß Diocletian sich wohl auch deswegen zu einer derartigen Demütigung herbeiließ, weil er dadurch den tapferen Kämpfer zu einem schnellen Rachezug anspornen wollte. In der Tat täuschte er sich in der Wirkung der Geste auf seinen Caesar nicht; denn dieser fiel bereits im folgenden Jahr 298 mit einem verstärkten Heer in das armenische Königreich ein und wußte sich, als er den Feind vor sich hatte, durch ein militärisches Aufklärungsunternehmen, das er persönlich leitete, eine günstige Ausgangsposition zu verschaffen. So konnte er durch ein kluges Überraschungsmanöver einen derart umfassenden Sieg über seinen Widersacher erringen, daß selbst dessen Harem und das weitere Gefolge in römische Hände fielen. Diocletian wünschte jedoch keine weitere Fortführung eines Krieges, dessen Ausgang in einem solch unwirtlichen Gelände ihm mit zu viel Risiken verbunden schien. So mußte sich Galerius gegen seinen Willen mit der Beendigung des Feldzuges abfinden, der von Diocletian mit dem dauerhaften Frieden von Nisibis zum Abschluß gebracht wurde.

Wenn wir vernehmen, daß hierbei die besiegten Perser auf das römische Mesopotamien einschließlich der Länder am oberen Tigris verzichteten und den erneuten Frontwechsel des von den Römern als Klientelstaat angesehenen Armenien zugestanden, so sollte man nicht vergessen, daß hierfür Galerius durch sein wagemutiges Vordringen in das schwer zugängliche Bergland südlich des Kaukasus das Hauptverdienst zukam. Auch wenn Galerius in der Folgezeit kein Triumph in Rom gestattet wurde, so erhielt er doch als besondere Auszeichnung für seine Ruhmestaten die Erlaubnis, sich in Saloniki einen Triumphbogen errichten zu lassen, dessen Reliefdarstellungen sowohl als historische Zeugnisse über den Ablauf der beiden Feldzüge wie auch als allegorische Dokumente kaiserlichen Prestigedenkens zu interpretieren sind. Letzteres trifft für den ikonographischen Rückgriff sowohl auf den Stadtgründer Romulus als auch auf Alexander den Großen zu; denn dadurch sollte jedermann vor Augen geführt werden, daß Galerius als neuer Begründer des Staates und als Bezwinger des Erdkreises anzusehen sei.

Der eindrucksvolle Sieg über die Perser hat das Ansehen des Galerius bei Diocletian merklich erhöht, wie die anstehenden Regierungsentscheidungen belegen. So regte sich kein Widerspruch, als der erste Augustus am 1. Juni 305 auf einer Heeresversammlung seinen Rücktritt erklärte, Galerius als dessen Nachfolger aufrückte und damit die bisherige Stellung seines Schwiegervaters übernahm. Außerdem erscheint es sicher, daß mit der Wahl des bis dahin völlig unbekannten Severus als Caesar des Westens (neben dem neuen Augustus Constantius I.) und mehr noch mit der Bestellung des Maximinus Daia, des Sohnes der Galeriusschwester, zum Caesar des Ostens die Wünsche des Galerius in Erfüllung gingen. Wie sehr dieser seinen Vorrang zu Beginn dieser zweiten Tetrarchie zur Geltung bringen konnte, beweist die Tatsache, daß er Severus lediglich Pannonien zugestand, während er die Herrschaft über das gesamte übrige Balkangebiet sowie ganz Kleinasien an sich zog, so daß Maximinus Daia sich mit dem restlichen Teil der Diözese Oriens zu bescheiden hatte. Galerius' gesteigertes Selbstbewußtsein zeigt sich auch im Bau des neben seinem Triumphbogen gelegenen Palastes in seiner neuen Residenzstadt Saloniki; unmittelbar an dieses Gebäude angrenzend ließ er nun bereits ein Mausoleum errichten.

Freilich konnte sich Galerius nicht lange der ihm zugefallenen Rolle erfreuen; denn mit dem Auftreten Konstantins, des Sohnes des 306 verstorbenen Constantius I., und des Maxentius, des Sohnes des abgedankten Maximian, geriet das so lange stabile Gefüge der Viererherrschaft erstmals ins Wanken. Als nämlich Severus bei seinem Zug gegen Maxentius mit seiner zu kleinen Streitmacht schmählich scheiterte, sah sich Galerius gezwungen, selbst gegen den weiterhin in Rom residierenden ungeliebten Schwiegersohn zu Felde zu ziehen. Rasch zeigte sich, daß auch er trotz eines zahlenmäßig stärkeren Heeres nicht imstande war, die alte Hauptstadt längere Zeit zu belagern oder gar zu erstürmen. So muß er es als besonders bitter empfunden haben, daß er lediglich durch inständige Bitten an seine Soldaten, ihm den Gehorsam nicht zu versagen, und durch einen raschen Abzug einen völligen Mißerfolg verhindern konnte.

Unrühmlich war es für ihn zudem, daß ihm die Befreiung des in Gefangenschaft schmachtenden Severus nicht gelang. Da er sich aber weiterhin zu keiner Anerkennung des Maxentius und noch weniger des Wiedereintritts des bereits ausgeschiedenen Maximian in das Kaiserkollegium bereitfand, suchte er am Ende Zuflucht bei seinem früheren Beschützer und Lehrmeister Diocletian. Er überredete ihn, noch einmal seinen Alterssitz im dalmatinischen Salonae zu verlassen und an einer Kaiserkonferenz in Carnuntum teilzunehmen. Hier trat nun an die Stelle des inzwischen ermordeten Severus der bisher ebenfalls noch nicht hervorgetretene Galeriusfreund Licinius, der jetzt in Pannonien regierte und dem als neuem Augustus die Aufgabe zugewiesen wurde, Maxentius zu stürzen und dessen Länder zu übernehmen. Mit dem Ansinnen, Diocletian möge selbst noch einmal die Herrschaft antreten, drang Galerius freilich nicht mehr durch. Eine weitere Minderung seines Ansehens mußte er dadurch in Kauf nehmen, daß es hinfort keine Caesares mehr gab und die beiden bisherigen Träger dieses Namens, Konstantin und Maximinus Daia, sich zunächst als «Söhne der Augusti» und bald als Augusti bezeichneten.

Im Jahre 310 erkrankte Galerius schwer und starb im Mai des Jahres 311. Bestattet wurde er nicht in dem ursprünglich dafür vorgesehenen Mausoleum in Saloniki, sondern in seinem Herkunftsort Romulianum, wo er sich einen Altersruhesitz hatte erbauen lassen. Galerius fühlte sich bis zu seinem Lebensende als Bewahrer des von Diocletian kunstvoll eingerichteten tetrarchischen Systems, das auf der freien Auswahl tüchtiger Regenten beruhte. Als jedoch kurz nach dem Ausscheiden des ersten Augustus erneut zwei leibliche Kaisersöhne Anspruch auf die Mitregentschaft erhoben, war das Zerbrechen der bisherigen Ordnung vorgezeichnet. Der Strategie des stürmisch vorwärts drängenden Konstantin zeigte er sich am Ende nicht mehr gewachsen. Diese Feststellung vermag jedoch seine hohen Fähigkeiten und Erfolge als Feldherr nicht zu schmälern.

Doch war es Galerius nicht nur mißlungen, das Herrschaftssystem zu erhalten, auch seine Religionspolitik war gescheitert. Da es keine zuverlässigen heidnischen Quellen gibt, ist man auf zwei zeitgenössische christliche Quellen angewiesen, die – freilich mit einer erheblichen Abstufung – Galerius als haßerfüllten, gefährlichen Christenverfolger darstellen. Folgt man den Ausführungen des Laktanz, des einstigen Rhetoriklehrers und späteren Erziehers des Konstantinsohnes Crispus, so habe Galerius sogar den Anstoß zu jenen Aktionen gegen die Christen gegeben, welche unter dem Begriff ‹diocletianische Verfolgung› zusammengefaßt werden.

Die christliche Propaganda verdunkelt jedoch, daß sich die Verfolgung allein auf dem Hintergrund der restaurativen diocletianischen Staatsideologie verstehen läßt. Wie die Gesetze zum Schutz der Ehe und zur Abwehr des Manichäerglaubens belegen, war man von kaiserlicher Seite überzeugt, daß die Wohlfahrt des Reiches noch immer von der Pflege der überkommenen Götterreligion abhängig war. Daraus ergibt sich, daß neue Religionsgemeinschaften, welche sich der Verehrung der Staatsgötter entzogen und damit das Wohl des Reiches gefährdeten, entweder zu bekehren oder zu bekämpfen waren. In diesem altrömischen Glaubensbewußtsein, von dem Diocletian und Galerius gleichermaßen beseelt waren, ist auch der entscheidende Anstoß zur letzten großen Leidenszeit der Christen zu suchen, nicht in persönlichen Haß- und Rachegefühlen des Galerius.

Daß in der Tat für beide Kaiser die gleichen Gedanken ausschlaggebend waren, wird in dem berühmten Toleranzedikt klar erkennbar, das von ihm auf dem Sterbebett in Sofia erlassen und am 30. April des Jahres 311 in Nikomedeia öffentlich verkündet wurde. Es erging im Namen aller vier Regenten, wurde aber von Galerius als dem ranghöchsten Augustus ausgefertigt und gibt somit ganz und gar dessen Gedanken wieder.

Zu Beginn jenes im lateinischen Wortlaut von Laktanz und in leicht veränderter Weise von Eusebius in griechischer Sprache überlieferten Gesetzes wird noch einmal auf das allgemeine Motiv der diocletianischen Verfolgung zurückgegriffen. Man habe beabsichtigt, die frühere Ordnung getreu den alten Gesetzen und der staatlichen Tradition wiederherzustellen. Freilich habe sich als Konsequenz ergeben, daß die Christen weder den alten Göttern die schuldige Verehrung erwiesen noch ihren eigenen Gott anbeten konnten. Damit wird vom Kaiser zwar noch einmal der moralische Anspruch bekräftigt und der Grund für das harte Vorgehen gerechtfertigt, zugleich aber auch der Mißerfolg aufgrund der Hartnäckigkeit der Christen eingestanden. Angesichts der dadurch eingetretenen gefährlichen Anarchie auf religiösem Gebiet, welche zudem der insgesamt toleranten Haltung des römischen Staates gegenüber fremden Religionen zuwiderlief, verfügt der Kaiser unter Hinweis auf seine gewohnte Milde, daß die Christen ihre Gotteshäuser wieder aufbauen könnten. Freilich verliert er selbst jetzt das Wohl des Staates nicht aus dem Auge; denn noch immer von tiefem Mißtrauen erfüllt schränkt er sein Zugeständnis durch den Zusatz ein, daß sie trotz der ihnen zugestandenen Freiheit nicht gegen die öffentliche Ordnung verstoßen dürften. Die überraschende Wendung am Schluß, die Christen sollten nicht nur für ihr Heil, sondern auch für das des Staates und sein eigenes beten, dürfte nicht zuletzt mit dem Zustand des todkranken Verfassers dieser Zeilen zu erklären sein, denn es war ihm sicherlich bekannt, daß seine früheren Opfer die Regenten des Staates in ihre Gebete eingeschlossen hatten.

Mit diesem Gesetz war jedoch mehr erreicht, als die Christen je zu hoffen gewagt hatten. Es war nicht nur jener Zustand wiederhergestellt, wie er vor der Verfolgungszeit, also seit dem Edikt des Gallienus vom Jahre 262, geherrscht hatte. Denn damals bestand zwar eine faktische Hinnahme des Christentums, jedoch konnte nach dem noch immer gültigen Rechtsgrundsatz des Kaisers Traian ein Reichsangehöriger, der als Christ angezeigt wurde und durch die Verweigerung von Götter- und Kaiseropfer seinen Glauben bekundete, ohne Prozeß mit dem Tode bestraft werden. Nun aber war der neue Glaube zu einem erlaubten Kult geworden und erhielt eine gleichberechtigte Stellung neben den übrigen im Reich. Somit bedeutete diese letztwillige Verfügung des Galerius in der Tat nichts weniger als den Abschluß einer mehr als zweihundert

Jahre währenden Epoche, die geprägt war von Rechtsunsicherheit und Verfolgungen durch den römischen Staat. Zugleich hat der letzte und wohl hartnäckigste Verfolger mit jenem denkwürdigen Dokument den Grund für den Siegeszug der neuen Religion gelegt.

Konstantin I.
306–337

Von Manfred Clauss

Wir schreiben das Jahr 326. Konstantin ist nach seinem Sieg über den ehemaligen Mitregenten Licinius seit zwei Jahren Alleinherrscher, und in Rom ist Silvester Bischof. In diesem Rom wütet in jenen Tagen eine grausame Christenverfolgung. Silvester und sein Klerus sind gezwungen, die Stadt zu verlassen und in Höhlen des Soracte-Berges Zuflucht zu suchen. Kurze Zeit später erkrankt der Kaiser an Aussatz. Während ganze Heerscharen von Zauberern und Ärzten ihm nicht helfen können, wissen die Priester in Rom Rat. Konstantin soll das Kapitol aufsuchen und dort in dem Blut von Kindern baden. Jammernd und weinend bringen Mütter ihre Söhne und Töchter dorthin, damit diese geschlachtet werden. Doch bevor es zum Äußersten kommt, erinnert sich Konstantin an seine *pietas* und erschrocken über die Grausamkeit der Priester hält er den Wagen an, der ihn zum Kapitol bringen soll, um das vorbereitete Ritual zu vollziehen. In einer Rede an das römische Volk bekennt er seinen Fehler; ein solches Vorgehen sei eines wahrhaften Soldaten unwürdig. Sogleich ordnet er die Rückgabe der Kinder an ihre Mütter an. In dieser Nacht hat Konstantin eine Vision: Die Götter – als solche sieht er sie an – Petrus und Paulus erscheinen und verkünden ihm, daß Christus, der seine edle Tat anerkenne, Silvester zu ihm schicken werde, damit Konstantin durch die Taufe von der Krankheit geheilt werde. Sofort wird Silvester zum Palast gebracht, dieser erwartet daraufhin seine Hinrichtung. Als ihm aber Konstantin erzählt, was sich zugetragen hat, erklärt ihm der Bischof, Petrus und Paulus seien keine Götter, sondern Apostel; zur Veranschaulichung zeigt er dem Kaiser ein Bild der beiden. Dann erläutert Silvester Konstantin die notwendigen Vorbereitungen für eine Taufe: Buße und Fasten. Am festgelegten Tag tauft Silvester den Kaiser im Lateranpalast, im selben Augenblick ist der Aussatz wie weggewa-

Konstantin I. 283

schen. Ringsum erstrahlt helles Licht. Später wird Konstantin berichten, er habe in einer Vision Christus gesehen. In den folgenden Tagen erläßt er mehrere Gesetze zum Vorteil der Christen, und 7000 Römer, Frauen und Kinder nicht gezählt, bekehren sich aufgrund seiner Predigten zum Christentum. Mit seinen eigenen Händen hilft Konstantin die Fundamente der neuen Petersbasilika graben; gleichzeitig gründet er eine Basilika im Lateran. Schließlich predigt er zu dem Senat, der sich der neuen Religion noch widersetzt.

Wenn die Menge der Zeugnisse – mehr als 350 Textzeugen – den Ausschlag für die Glaubwürdigkeit abgäbe, dann müßte der soeben in dem einfachen Stil der Quelle nacherzählte Hergang, wie ihn die *Actus Silvestri* (280) schildern, zutreffen; 800 Jahre lang hat Europa dies geglaubt.

Bildhafte Erinnerung fand diese Taufe Konstantins, als Papst Sixtus V. einen ägyptischen Obelisken errichten ließ, der ursprünglich von Constantius II. nach Rom gebracht worden war; umgestürzt war er lange Zeit vergessen geblieben. 1588 stellte Sixtus diesen größten der Obelisken Roms mit der Inschrift auf: «Hier wurde Konstantin getauft.»

Als Nikolaus von Kues, Lorenzo Valla und Reginald Pecock gegen Mitte des 15. Jahrhunderts die sogenannte ‹Konstantinische Schenkung› als Fälschung erwiesen, gerieten die *Actus Silvestri* in diese Sogwirkung. Die Kontroverse über die Taufe Konstantins ist am Ende des 19. Jahrhunderts zugunsten einer anderen Version entschieden worden, bei der es sich allerdings auch nicht um den Bericht des Zosimus (2,29,1–4) handelte. Dieser heidnische Autor bewahrt die Tradition, Konstantin sei zum Christentum bekehrt worden, weil er sich wegen der Hinrichtung der Fausta und des Crispus schuldig fühlte. Als die altrömischen Priester sich weigerten, ihn für diese Tat freizusprechen, hätten die Christen ihm versprochen, Jesus würde alle Sünden, auch Morde, vergeben.

Es ist ein dritter Bericht, der heutzutage allgemein als der am ehesten zutreffende angesehen wird: «Die Bischöfe vollzogen den göttlichen Gesetzen gemäß, was vorgeschrieben war, und spendeten ihm (Konstantin) die geheimnisvolle Gnade», so schildert schließlich der Kirchenhistoriker Eusebius von Caesarea den Vorgang der Taufe Konstantins im Mai 337 (*Leben Konstantins* 4,62,4). Dies geschah in Nikomedeia, wobei der dortige arianische Bischof Eusebius, der die Taufe vollzog, nicht mit dem Verfasser der soeben zitierten Zeilen verwechselt werden darf.

Was können die unterschiedlichen Versionen der Taufe Konstantins verdeutlichen? Alle drei Berichte verfolgen bei dem, was sie schildern, ein bestimmtes Interesse. Im einen Fall soll die segensreiche Wirkung des wahren christlichen Glaubens dokumentiert werden, Zosimus will die Christen als Gemeinschaft von Verbrechern diskriminieren, und Eusebius schließlich dokumentieren, daß auch Konstantin, wenngleich erst gegen Ende seines Lebens, durch die Taufe Mitglied der Kirche wurde. Solch unterschiedliche Einschätzungen durch die Zeitgenossen und die Nachwelt galten einem Kaiser, dessen Wirken – gleichgültig wie man es einschätzt – den Lauf der Geschichte veränderte: Konstantin I., den manche ‹den Großen› nennen.

Kampf um die Macht

Dieser Konstantin war an einem 27. Februar irgendwann zwischen 270 und 288 in Naissus in Moesien geboren worden. Die damalige Stellung seines Vaters, Constantius' I., ist unbekannt, seine Mutter war Helena, eine Stallmagd, die aus Bithynien an der südlichen Schwarzmeerküste stammte. Konstantin, so schreibt der byzantinische Mönch Zonaras im 12. Jahrhundert trotz seiner Verehrung für den «unter den Rechtgläubigen berühmtesten» Herrscher, war das «Nebenprodukt erotischer Gelüste» (13,1,4). Aus solchen und ähnlichen Hinweisen geht mit ziemlicher Sicherheit hervor, daß Konstantins Eltern nie verheiratet waren. Es war nicht unbedingt die niedrige oder anrüchige Herkunft Helenas, bei deren ‹Beruf› man eigentlich erwartete, daß sie zu allem bereit war, durch die Konstantin diskreditiert wurde, sondern die Illegitimität: Konstantin war ein Bastard, und dies wurde später vor allem von Kaiser Iulian herausgestellt.

Wie wenig Konstantin selbst in seiner Jugend Kontakt zu seiner Mutter hatte, erweist sich vielleicht aus der Tatsache, daß er das Griechische, seine ‹Muttersprache›, selbst nicht beherrschte und sich später im griechischen Osten eines Übersetzers bedienen mußte.

Über Konstantins Kindheit und Jugend wissen wir nichts. Als die beiden Kaiser Diocletian und Maximian 305 abdankten und Constantius I. sowie Galerius nachrückten, ging Konstantin zu seinem Vater nach Britannien. Dort unternahmen Vater und Sohn noch gemeinsam einen Feldzug, nach dessen Abschluß Constantius I. erkrankte und am 25. Juli 306 in York verstarb.

Wer heute die Kathedrale in York besucht, dem zeigt man mit großem Stolz in einem Ausstellungsraum unter dem Boden der Kirche jenen Ort, an dem im Jahre 306 ‹Weltgeschichte› geschrieben wurde. Dort befindet man sich an der Stelle des römischen Statthalterpalastes, und hier dürfte es in der Tat gewesen sein, daß die Truppen Britanniens den Sohn des verstorbenen Herrschers Constantius, also Konstantin, noch am Todestag seines Vaters zum Kaiser ausriefen. Konstantin ließ seinen Vater, einer jahrhundertealten Tradition gemäß, unter die Götter aufnehmen. Während der Leichnam auf dem Scheiterhaufen verbrannte, erhob sich – aus einem Käfig freigelassen – ein Adler in die Lüfte, der den Aufstieg des Toten in den Himmel symbolisieren sollte. Constantius war damit Gott, Konstantin Sohn eines Gottes.

Bei den auf diese Usurpation Konstantins folgenden Auseinandersetzungen um die Macht gab es zwar zeit- und zweckgebundene Koalitionen, man wird aber nicht fehlgehen in der Annahme, daß alle Verbündeten letztlich das gleiche Ziel vor Augen hatten: die Alleinherrschaft. Unterschiedlich waren wohl die jeweilige Energie und Risikobereitschaft beziehungsweise der Wille zur Aggression. Hierin übertraf Konstantin, der Britannien, Gallien und Spanien kontrollierte, seine Konkurrenten Galerius, Maxentius, Licinius und Maximian bei weitem.

In den folgenden Jahren festigte Konstantin seine Herrschaft, indem er beispielsweise die immer wieder über den Rhein drängenden Germanen zurückwarf. Bei einem solchen Feldzug erreichte ihn 310 am Rhein die Nachricht, daß sein Schwiegervater Maximian sich der Kriegskasse, die in Marseille deponiert war, bemächtigt und sich, mit solchen Mitteln ausgestattet, in Arles erneut zum Kaiser hatte ausrufen lassen. Nun ging Konstantin dieses Problem auf seine Art an: In Eilmärschen zog er nach Südfrankreich und zwang Maximian zum erneuten Rücktritt; wenig später fand man ihn erhängt auf.

Als Nachfolger seines Vaters hatte Konstantin innerhalb des Herrschaftssystems, wie es einmal von Diocletian konzipiert gewesen war, den Sonnengott als Schutzgott übernommen. Dieser Sol, von Konstantin als *Sol invictus*, als unbesiegter Sonnengott, auf Münzen gefeiert, war längst in zahlreichen Göttern präsent. Eine Lobrede auf Konstantin aus dem Jahre 310 bringt uns diesen Sonnengott und die antike Vorstellung des Umgangs mit ihm nahe.

Am Ende seines Vortrags schildert der Redner, wie Konstantin eine Begegnung mit dem Gott Apoll, der auch als Sonnengott verehrt wurde, erlebt habe, als er nach dem Tod des Maximian auf seinem Rückmarsch an den Rhein vielleicht beim heutigen Grand in den Vogesen im dortigen Heiligtum einkehrte. An Konstantin richtet der Redner folgende Worte (*Panegyrici Latini* 6, [7] 21,5-6): «Du hast ihn wirklich gesehen und dich in seinen Zügen wiedererkannt, den Gott, dem nach alten Sehersprüchen die Herrschaft über die ganze Welt gebührt. Und diese Weissagungen sind, wie ich meine, jetzt erst (in dir) erfüllt worden; denn du, Kaiser, bist, wie jener Gott, jugendlich, fröhlich, heilspendend und über alle Maßen schön!» Apoll sei dem Kaiser, den der Redner ebenfalls als Gott bezeichnet, in Begleitung der Siegesgöttin Victoria erschienen und habe ihm eine lange Regierung prophezeit. Der Text zeigt, wie der damalige Mensch Verbindung mit einem Gott aufnahm: Konstantin hat den Gott gesehen. Die antike Welt ging wie selbstverständlich davon aus, daß sich Gott mit dem Menschen und der Mensch sich seinerseits mit Gott in Verbindung setzen konnte. Dies sollte vor allem dann geschehen, wenn es galt, wichtige militärische Auseinandersetzungen zu führen – und deren gab es in der Folgezeit für Konstantin genug.

Nach dem Tod des Galerius 311 teilten sich Maximinus Daia und Licinius dessen Herrschaftsgebiet im Osten, wie es Konstantin und Maxentius im Westen taten. Innerhalb dieses Quartetts von Herrschern ergriff Konstantin 312 die Initiative, als er sich entschloß, von Gallien aus gegen Maxentius eine Entscheidung auf dem Schlachtfeld zu suchen. Die Schwierigkeiten zeigten sich bereits bei den ersten großen Hindernissen auf dem Zug nach Rom, denn Maxentius hatte Norditalien zur Festung ausgebaut. Konstantins strategische Lage in Italien war keineswegs günstig, und sie verschlechterte sich auf feindlichem Territorium mit jedem Tag.

In dieser prekären Situation benötigte Konstantin ein zusätzliches Stimulans für sich und seine Truppen. Die Opferbeschauer hatten keine günstigen Zeichen gefunden, da mußte Konstantin selbst mit einem Gott in Verbindung treten und von ihm das erlösende positive Zeichen empfangen. Dies konnte dem Stil der Zeit entsprechend kaum anders geschehen als in einer Vision, dem für jeden antiken Menschen plausiblen Medium des Kontaktes zwischen Gott und Mensch.

Die Berichte der Kirchenväter über die Vision des Jahres 312 sind selbstverständlich durch die spätere Interpretation geprägt. Was Konstantin gesehen und ob er es detailliert erzählt hat, bleibt letzten Endes unbekannt und unwichtig. Entscheidend waren der militärische Erfolg und der Glaube des Herrschers, diesen mit Hilfe des Gottes erreicht zu haben, den die Christen als den ihren verstanden.

Als Konstantin die ‹Zusage› Gottes erhalten hatte, rückte er gegen Rom vor. In dieser Situation geschah etwas Überraschendes: Maxentius verließ die befestigte Stadt und suchte die Auseinandersetzung außerhalb der Stadtmauern; vielleicht fühlte er sich sicher und überlegen. Er eröffnete damit allerdings Konstantin die einzige Chance, sein Unternehmen doch noch erfolgreich zu beenden. Die Entscheidung fiel in einem mit äußerster Erbitterung und Härte geführten Kampf um die Milvische Brücke. Nach der Niederlage seiner Elitetruppen, vor allem der Leibgarde, gab Maxentius sich verloren; er wurde von seinem Pferd in den Tiber geschleudert und ertrank.

Konstantin und sein Gott hatten gesiegt. Dabei ist weniger wichtig, wie Konstantin diesen Gott verstand, was er ‹glaubte›, sondern entscheidend wurde, daß er in diesem Schlachtenhelfer jenen Gott der Christen sah, dessen Kult Galerius ein Jahr zuvor als legal anerkannt hatte. Galerius hatte die Christen aufgefordert, sich in ihrem Kult für den Staat und dessen Wohlergehen zu engagieren. Der Gott der Christen hatte seine Bereitschaft dokumentiert, den Staat in der Person Konstantins zu unterstützen; gleichsam mit einem Paukenschlag war er in die Öffentlichkeit getreten: als Kriegsgott.

Konstantin beeilte sich, seinem Gott Dankbarkeit zu erweisen; dies war normal, und man erwartete es von ihm. Er tat dies in der konventionellen Denkweise und Bildersprache der Zeit. Die zahlreichen Kirchen, die Konstantin oder seine Familienmitglieder stifteten oder finanziell unterstützten, bezeugten den ‹Glauben› des Herrschers und waren ein Gebot der Staatsraison. Sie bezeugten in gleicher Weise seine Freigebigkeit und Prunksucht; Konstantin wollte auch in dieser Hinsicht ein würdiger Nachfolger des Augustus sein, der von sich in seinem Tatenbericht bemerkt hatte, er habe 82 Heiligtümer in Rom wiederherstellen lassen.

Nach den Siegen über Maxentius und Maximinus Daia teilten sich Konstantin und Licinius das Reich. Doch Konstantin wollte mehr. Er vertrat immer deutlicher seinen Anspruch auf Vorherrschaft gegenüber Licinius, was beispielsweise in dem Titel des *maximus Augustus*, des größten Kaisers, zum Ausdruck kam. Eine erste Auseinandersetzung fand 316 statt, nach der Licinius territoriale Verluste hinnehmen mußte und unter anderem seine wichtige Residenz Sirmium in Pannonien einbüßte.

Was in den folgenden propagandistischen Auseinandersetzungen alles herangezogen werden konnte, bewies Konstantin 318, als er eine Serie von Münzen prägen ließ, durch die er seine kaiserlichen Vorfahren feierte: den Gott Constantius, seinen leiblichen Vater, den Gott Maximian, seinen Schwiegervater, und den Gott Claudius; der Kaiser Claudius II. Gothicus war 310 als ‹Vorfahre› entdeckt worden. Überraschend ist hierbei, daß inzwischen aller Groll gegen Maximian verdrängt war.

Die militärische Entscheidung gegen Licinius fiel 324. Manches spricht dafür, daß Konstantin in diesem Kampf zwar keinen neuen Gott, aber ein neues Feldzeichen eingesetzt hat, um seinen Truppen einen besonderen Impuls zu geben: das Labarum. Ein hoher vergoldeter Lanzenschaft trug eine Querstange, an der ein quadratisches, purpurnes, edelsteinbesetztes und golddurchwirktes Fahnentuch hing. Auf der Spitze befand sich das Christogramm im Lorbeerkranz; damit hatte Christus den Adler der alten Feldzeichen ersetzt. Das Labarum hatte keinerlei taktische Bedeutung, sondern war ein Siegeszeichen. Das Heer stand unter dem Schutz dieses Zeichens, es stand damit unter dem Schutz des Gottes, dessen Symbol es war.

Mit Gottes Hilfe und der größten Armee, die er je aufgeboten hat, brach Konstantin zum Kampf gegen Licinius auf: 200 Dreiruderer und 2000 Transportschiffe mit 10000 Matrosen lagen im Piraeus bereit, um 120000 Soldaten und 10000 Reiter aufzunehmen. Konstantin wollte Licinius endgültig beseitigen. Licinius unterlag trotz einer zahlenmäßigen Überlegenheit am 3. Juli bei Adrianopel. Als wenig später die Flotte Konstantins unter Crispus die gegnerische vor den Dardanellen vernichtete, war Byzanz von Licinius nicht mehr zu halten und wurde von Konstantin nach zweimonatiger Belagerung besetzt; wenig später nahm er Licinius gefangen und ließ ihn töten.

Konstantins Wille zur Macht, um die er 18 Jahre gerungen hatte,

hatte gesiegt; ein langer, blutiger Weg war zurückgelegt. Damit hatte sich die Prophezeiung Gottes, die dieser Konstantin in der Person des Apoll gegeben und in der Person Christi bei der Schlacht an der Milvischen Brücke bestätigt hatte, erfüllt: Seit langer Zeit beherrschte wieder ein einziger das gesamte Reich.

Alleinherrschaft

Die Zeit der Alleinherrschaft seit 324 wurde von Konstantin genutzt, um die neuen inneren Strukturen des Reiches, die teilweise von Diocletian geschaffen und während der gemeinsamen Regierung mit Licinius vorangetrieben worden waren, zu festigen. Zur Stabilisierung der Herrschaft gehörte die Einsetzung des siebenjährigen Constantius II. in den Rang eines Caesar sowie die Einbeziehung seiner leiblichen Mutter Helena und seiner Gattin Fausta in die Repräsentation des Kaiserhauses.

Doch bereits kurze Zeit später spielte sich in der Familie des Herrschers ein Drama ab, dessen Hintergründe wir nicht kennen. Konstantin ließ 326 völlig überraschend seinen ältesten Sohn Crispus verhaften. Konstantins Ehefrau Fausta hatte diesen angeklagt, der Kaiser ließ ihn nach Pola in Istrien bringen und vergiften. Die Vorwürfe, die Fausta vorbrachte, sind unbekannt, den Tod des Stiefsohns überlebte sie selbst nur wenige Tage; Konstantin ließ sie in einem heißen Bad ersticken. Gleichzeitig erfaßte eine Säuberungswelle weitere Familienmitglieder und zahlreiche Freunde. Der anschließend propagierte Vorwurf gegen Crispus war unerlaubte Liebe zu seiner Stiefmutter, doch erklärt dies nicht, weshalb auch Fausta und ein großer Kreis von hochgestellten Freunden beseitigt wurden; letzteres deutet auf eine Verschwörung gegen Konstantin hin oder auf etwas, was dieser dafür hielt. Wenige Wochen später mußte sich Konstantin anläßlich eines Rombesuchs kritische Sprechchöre zu seiner Regierung anhören. Als er einen bereits geplanten Gang zum Kapitol abbrach, dokumentierte er erstmals in einem öffentlichen Akt Distanz zu den alten Göttern.

Unmittelbar nach dem Erfolg über Licinius ging Konstantin an die weitere Ausgestaltung seines Reiches, die sich mit dem Bau einer neuen Hauptstadt an der Stelle des alten Byzanz gleichsam in einem einzigen Akt symbolisierte. In der an Visionen nicht armen Zeit waren es auch in diesem Fall überirdische Mächte, die ihm die Gründung befahlen. Die Stadt kann als Denkmal des Sieges und damit der persönlichen Leistungen Konstantins begriffen werden, denn einer der Erfolge gegen Licinius war ihre Eroberung durch den damaligen Herrscher des Westens; damit griff Konstantin die Tradition auf, am Ort des Sieges eine Stadt des Siegers zu gründen. 324 wurde der Grundstein für die Neugründung gelegt, 330 erfolgte die Einweihung.

Gemäß dem Vorbild hellenistischer Herrscher benannte Konstantin die Stadt nach sich selbst: Konstantinstadt, Konstantinopolis. Ihren alten Namen Byzanz verlor sie allerdings nie ganz. Schon früh war der Begriff vom ‹Neuen Rom› verbreitet, ein deutlicher Hinweis darauf, daß die Stadt in der Tat als ‹Zweites Rom›, als Gegenpol zum alten Rom, konzipiert war.

Die Neugründung der Stadt wurde nach jahrhundertealten Riten vorbereitet; in solchen Dingen vertraute Konstantin dem Hergebrachten. Den Stand der Gestirne hatten Astrologen als günstig beurteilt, Auguren hatten den Flug der Vögel beobachtet und gleichfalls das Wohlwollen Gottes notiert. Als oberster Priester umschritt der Kaiser das projektierte Gebiet der Stadt und warf mit dem liturgischen Wurfstab eine Akkerfurche auf, die gleichsam die Grenze der Stadt symbolisierte. Eine Schar heidnischer Priester assistierte bei der Zeremonie. Für den Tag der Einweihung, den 11. Mai 330, hatte Konstantin ein Horoskop erstellen lassen. Indem er Altes und Neues verband, führte er manches Alte in die neue Zeit hinüber.

Konstantin wandte erhebliche Mittel auf, um seine neue Hauptstadt attraktiv zu machen. Für Hofbeamte und Senatoren ließ er repräsentative Wohnungen errichten oder gab direkt Geld, damit die betreffenden Personen Häuser bauen konnten. Um den Stadtausbau noch schneller voranzutreiben und hochgestellte Personen zur Ansiedlung zu zwingen, verpflichtete der Kaiser Pächter von Staatsdomänen, in Konstantinopel ein Haus zu bauen.

Bei der Gründung der Stadt errichtete man in der Mitte des kreisförmig angelegten Konstantinsforums eine gigantische Porphyrsäule, deren Spitze mit einer Statue des Herrschers geschmückt war; diese Säule wurde zum Wahrzeichen der Stadt: «Und auf seine Säule setzte er sein eigenes Standbild, das an seinem Haupt sieben Strahlen besitzt» (Malalas 312,12). Konstantin ließ sich hier, im Zentrum seiner Stadt sowie seines Reiches, als Sonne(ngott) darstellen. Philostorgius berichtet (*Kirchengeschichte* 2,18), daß noch im 5. Jahrhundert Christen dem Standbild Konstantins auf der Porphyrsäule opferten und Gelübde wie einem Gott ablegten, wenn sie um Hilfe in persönlicher Not baten. Wir fassen hier Volksfrömmigkeit, die sich noch lange dem Zugriff der Amtskirche entziehen sollte.

Christliches und Heidnisches erhielten in der neuen Hauptstadt einen gleichberechtigten Platz. Neben die Tempel traten zahlreiche christliche Gotteshäuser.

Seit seinem Sieg über Licinius hat Konstantin persönlich keine größeren Kriege mehr geführt. Die meisten militärischen Auseinandersetzungen an den Grenzen des Reiches übernahmen seine Söhne. In innenpolitischer Hinsicht ist in jener Zeit lediglich der Aufstand des Calocaerus, des Leiters der kaiserlichen Kamelzucht, zu erwähnen, der sich auf Zypern zum Gegenkaiser hatte ausrufen lassen. Was ihn zu diesem Schritt veranlaßte, bleibt völlig im Dunkeln, doch wurde Konstantin dieses Problems rasch Herr. Am 25. Dezember 333 ergänzte Konstantin das Caesarenkollegium wieder auf drei Personen, indem er seinen jüngsten Sohn Constans mit dieser Würde betraute.

Die Herrschaft Konstantins war gefestigt; es war seine Dynastie, auf die er hoffte, in der Zukunft bauen zu können. Constantin II., der älteste Caesar, war beinahe 20 Jahre im Amt, Constantius II. feierte 334 bereits sein zehnjähriges Jubiläum. Gestützt auf seine Familie konnte Konstantin 335 mit großem festlichem Aufwand in Konstantinopel seine Tricennalien, die Feier des dreißigsten Regierungsjubiläums, begehen. Seit Augustus hatte kein Kaiser so lange geherrscht, und es schien, als könne Konstantin dessen Regierungszeit erreichen.

Dieses von ihm selbst gewiß als Höhepunkt seines bisherigen Lebens betrachtete Jubiläum soll uns Anlaß sein, einen Blick auf die weiteren politischen Maßnahmen Konstantins zu werfen.

Innenpolitik

In der Regierungszeit Diocletians und Konstantins wurden die Grundlagen für die Stabilität des oströmischen Reiches gelegt, die nicht unwesentlich dazu beitrugen, seinen Bestand für mehr als ein Jahrtausend zu garantieren. Denn das Reich der Römer (Rhomäer), das Reich von Byzanz, sollte als politische, organisatorische und wirtschaftliche Kraft alle westlichen Reiche übertreffen.

Diocletian hatte die Trennung zwischen den noch aus der Republik stammenden Magistraturen und den kaiserlichen Dienststellen überwunden und eine neue, militarisierte Reichsverwaltung geschaffen, die hierarchisch straff durchgegliedert, dabei völlig auf den Herrscher konzentriert und ihm allein verantwortlich war. Der Kaiser war gleichsam der oberste Beamte des Reiches. In seinen Händen waren alle Vollmachten für den zivilen und militärischen Bereich vereinigt. Er war oberster Militärbefehlshaber, oberster Richter und hatte die Macht, Gesetze und steuerrechtliche Verfügungen zu erlassen.

Zu seinem zentralen Herrschaftsgebilde hatte der Kaiser längst den Hof gemacht. Er fungierte als politische Schaltzentrale, in der zum einen die wesentlichen politischen Entscheidungen beraten und gefällt wurden. Zum anderen war dies auch der Ort, an dem der Senatsadel als führender Stand präsent und somit in den dortigen Prozeß der Entscheidungsfindung einbezogen war.

Dieser ‹heilige Rat› (*sacrum consistorium*), diejenigen, die den Kaiser umstanden, bildete die politische Schaltzentrale des spätantiken Staates. In diesem Thronrat fanden Beratungen und Verhandlungen statt, fielen schließlich jene Entscheidungen, die dann als solche des Herrschers ausgegeben wurden. Entsprechend ist davon die Rede, daß in diesem Rat

Männer sitzen, die «unsere Entscheidungen hören» (*Codex Theodosianus* 6,22,8) oder «die Sorgen teilen, die die kaiserliche Brust belasten» (*Codex Theodosianus* 7,8,3). Konstantins größter Beitrag zu den von Diocletian eingeleiteten Reformen bestand in der Umstrukturierung der Prätorianerpräfektur. Nach der Übernahme der Herrschaft im Westen 312 hatte Konstantin begonnen, die Prätorianerpräfektur ihrer militärischen Kompetenzen zu entkleiden und sie auf Aufgaben in der Zivilverwaltung, insbesondere auf den Bereich der regelmäßigen Steuererhebung und der Rechtsprechung, zu beschränken. Die ehemaligen militärischen Befugnisse der Prätorianerpräfektur, wie Befehlsgewalt und Gerichtsbarkeit über das Heer, übertrug der Kaiser den Heermeistern, deren Amt neu eingerichtet worden war.

Dieser neue Prätorianerpräfekt stand einem räumlich begrenzten Verwaltungsbereich vor mit einer eigenen Organisation, getrennt von der Zentralverwaltung. Seine Kompetenzen lagen im Steuerwesen, in der Appellationsgerichtsbarkeit und in der Aufsicht über die zivile Territorialverwaltung; im Rahmen dieser Kompetenzen bestanden administrative Bindungen an den Hof, dem er allerdings nicht mehr angehörte.

Mit der Prätorianerpräfektur reformierte Konstantin auch das Steuerwesen, indem er zwar an unterschiedliche bislang praktizierte Steuersysteme anknüpfte, diese aber vereinheitlichte. Die spätantike Zensuseinteilung geht auf Diocletian zurück, der, wie andere Herrscher vor ihm, eine reichsweite Volkszählung und Landvermessung hatte durchführen lassen. Die auf diese Weise zustandegekommenen Register und die Steuerrollen wurden zunächst alle fünf Jahre, seit 312 alle 15 Jahre überprüft und aktualisiert.

Das neue System zeichnete sich durch seine Einfachheit aus und ermöglichte dem Staat zum ersten Mal so etwas wie einen Haushalt im modernen Sinn, eine jährliche Aufstellung der Steuereinnahmen; dabei bildete der Bedarf von Armee und Verwaltung die Berechnungsgrundlage der Steueranforderungen. Konstantin führte nicht nur neue Steuern ein, sondern ließ auch die Steuerveranlagung vor Ort prüfen und stellte die Währung mit der Einführung des *solidus*, einer Goldmünze von 4,55 Gramm, um.

Konstantin trat als Kaiser an die Regionalpräfektur Kompetenzen ab, um auf diese Weise die Vorstellung von einer Verwaltung, die vor Ort ansetzen konnte, mit der einer zentralen, monarchischen Herrschaft zu verbinden. Denn letzten Endes gab Konstantin die eigene Zuständigkeit für alles, im Wortsinn alles, nie auf. Er war von der Regulierbarkeit der ganzen Welt überzeugt, und diese Weltsicht umfaßte notwendigerweise auch die Regulierbarkeit der Religion.

Religionspolitik

Kaiserliche Religionspolitik hatte schon immer dem Ziel gedient, einen einheitlichen Kult zu schaffen, denn dieser einheitliche Kult bewirkte die Geschlossenheit des Staates. Diese Politik setzte Konstantin konsequent fort; die offiziellen Schreiben, die wir von ihm besitzen, bieten dafür reiche Belege. Konstantin stellte von Anfang an klar, daß er dafür sorgen müsse, daß innerhalb der christlichen Kulte kein Streit entstehe. Denn, so hämmerte er es immer verzweifelter seinen Briefpartnern ein, der rechte, in Eintracht gepflegte Kult bewirke die Wohlfahrt des Staates; anderenfalls drohe der Zorn Gottes.

Eine weitere Grundlage der Religionspolitik Konstantins war die Forderung nach Befolgung des göttlichen ‹Gesetzes› um der einheitlichen Gottesverehrung willen, die das Wohl des Staates garantierte. Der Kaiser präsentierte immer wieder dasselbe Thema in unterschiedlichen Variationen. In einem Brief über die Privilegierung der Kleriker heißt es zur Begründung, daß die Priester wegen der Wohlfahrt des Staates ohne irgendeine Behinderung ihrem ‹Gesetz› dienen sollen. Wenig später drohte der Kaiser an, selbst nach Africa zu kommen, um nach dem Rechten zu sehen und die Halsstarrigen und Wahnsinnigen zu bestrafen, weil sie Gegner des ‹Gesetzes› seien und damit die für den Staat notwendige Eintracht der wahren Religion zerstörten. Dieses Trommelfeuer an Argumentation steigerte Konstantin nach der Erringung der Alleinherrschaft, und es ist immer wieder die gleiche Gedankenfolge, die wir vorfinden: Beachtung des ‹Gesetzes› fördert die Wohlfahrt und den Frieden, Mißachtung zieht Zerrüttung und Krieg nach sich.

Nirgends definierte der Kaiser allerdings, was genau dieses ‹Gesetz› sei. Man gewinnt den Eindruck, daß es Konstantin nur um das ging, was mit der Einhaltung und Beobachtung des Gesetzes erreicht werden sollte: Einheitlichkeit und Ordnung. Ein oft zu beobachtender Zug römischer Religiosität tritt auch hierbei zutage: Religion und Kultvollzug wurden als etwas Schematisches, Formalisiertes verstanden; es ging dabei nicht um ‹Glaube› in unserem Sinn. Die formale Einheitlichkeit stand im Vordergrund, dann mochte jeder dieses ‹Gesetz› mit einem Inhalt füllen, der ihm zusagte. Die Mahnung, das göttliche Gesetz zu befolgen, war ein ständiger Ordnungsruf; göttliches und weltliches Gesetz hatten die gleiche Funktion, wobei Konstantin vor allem auf die Autorität rekurrierte, die hinter dem ‹Gesetz› stand: die höchste Gottheit. Man kann bei Konstantin beinahe eine Verliebtheit in das Gesetz beobachten, die sich bis in eine Gesetzgebungspraxis auswirkte, deren Ausmaß die antiken Historiker erstaunte. Bereits die Zeitgenossen registrierten den enormen Umfang der Gesetzgebung Konstantins: «Er erließ viele Gesetze, von denen manche gut und billig, die meisten überflüssig, einige hart waren» (Eutrop 10,8).

Heidentum

Konstantins Präferenz in kultischer Hinsicht ist klar, er bekennt sich zu dem Glauben der Christen, andere Kulte sieht er als Irrtum an; ebenso klar ist allerdings seine Aufforderung zum friedlichen Miteinander (Eusebius, *Leben Konstantins* 2,56): «Gleichen Frieden und gleiche Ruhe wie die Gläubigen sollen die Irrenden erhalten und freudig genießen ... Die sich aber dem (christlichen Kult) entziehen wollen, sollen die Tempel ihres Truges nach ihrem Willen haben.» Konstantin will den Christen schmeicheln, er lobt sie ohne jede Frage, aber er mahnt sie auch zur Toleranz und dies wohl nicht ohne Grund. Das Schreiben enthält mehrere solcher Passagen, und dazu gehört die Warnung am Schluß (ebd. 2,60,1): «Keiner darf mit dem, was er selbst aus Überzeugung angenommen hat, einem anderen schaden.» Konstantin ließ die Tempel und damit auch den Kult und die Opfer bestehen. Wie unproblematisch er den Umgang mit den alten Kulten ansah, verdeutlichen Regelungen, in denen heidnischen Priestern mit völliger Selbstverständlichkeit längst zugestandene Privilegien bestätigt werden.

Konstantin blieb *pontifex maximus* und damit Vorsteher des römischen Priesterkollegiums. In Konstantinopel errichtete man eine nach ihm benannte Säule, auf der seine Statue stand; sie wurde mit dem Sonnengott gleichgesetzt. Viele derartige Elemente sprechen dafür, daß Konstantin bei seiner Bekehrung zum Gott der Christen lediglich die Person des Gottes ausgetauscht hatte, ohne von seiner bisherigen Gottesvorstellung völlig abzurücken und ohne sich allzusehr um die christlichen Dogmen zu kümmern.

Christentum

Konstantins Entscheidung für eine neue Erscheinungsweise der höchsten Gottheit verwickelte den Kaiser und damit den Staat in Konflikte, die bis dahin unbekannt gewesen waren; denn von nun an zogen religiöse Streitigkeiten innerhalb der christlichen Kulte politische Auseinandersetzungen nach sich, da der Staat, und damit der Kaiser, nach tradiertem Verständnis für die Pflege des Kultes, eines einheitlichen Kultes, zuständig war. Da diese Konflikte für Konstantin neu waren, hoffte er zunächst, sie gütlich beilegen zu können. Er mußte jedoch rasch lernen, daß weder seine kaiserliche Autorität noch Gerichtsurteile, weder Bestechung noch Waffengewalt die von ihm so dringend geforderte Einheit herstellen konnten.

Während der Zeit der Verfolgungen hatten sich christliche Kultanhänger immer wieder dadurch gerettet, daß sie den staatlichen Anforderungen entsprachen; und dieses verständliche Verhalten war auch unter Bischöfen vorgekommen. In Nordafrika war der Bischof Felix von

Aptungi in den Verdacht geraten, heilige Schriften an die Behörden ausgeliefert zu haben. Eine Gruppe von Christen, die dieser Versuchung widerstanden hatte, sah darin einen Verrat am Glauben und bezeichnete die Schuldiggewordenen als *traditores*, als Verräter, die im Wortsinn etwas übergeben hatten. Da diese kirchlichen Kreise zugleich die Meinung vertraten, die Gültigkeit eines Sakramentes hinge von dem Gnadenstand seines Spenders ab, sahen sie die von einem Verräter gespendeten Sakramente nicht als gültig an. Es gab allerdings eine wohl etwas stärkere Gruppierung innerhalb der nordafrikanischen Kirche, welche die Gültigkeit eines Sakramentes nicht an die ‹Sündenlosigkeit› des Spenders binden wollte und dementsprechend derartige Weihen anerkannte. Dieser theologische Disput vermischte sich rasch, wie dies allenthalben zu beobachten ist, mit persönlichen Animositäten und karrierebedingten Ambitionen zu einem teilweise skurrilen Ensemble.

Für die Verbindung von Machtstreben und dem ernsten Bemühen um den wahren Glauben stehen in Nordafrika die Namen der Bischöfe Caecilianus und Donatus. Die Gegner des Caecilianus warfen diesem vor, bei seiner Weihe sei ein ‹Verräter› beteiligt gewesen und diese damit ungültig. Diesem Vorwurf schloß sich eine nordafrikanische Bischofssynode an, die Caecilianus für abgesetzt erklärte. Daraufhin sahen sich seine Gegner berechtigt, eine Neuwahl durchzuführen, bei der man sich für Maiorinus entschied. Nun hatte die Kirche von Carthago zwei Bischöfe, weil Caecilianus weiterhin von der Gültigkeit seiner Weihe ausging und seine Absetzung ignorierte. Mit dem Nachfolger des bald verstorbenen Maiorinus, Donatus, erhielt die Gegenseite dann einen Repräsentanten, der bereit war, seine Sichtweise mit allen Mitteln durchzusetzen.

Konstantin griff in diesen Konflikt ein, als er etwa im April 313 an den Verwalter der Diözese Africa die Anweisung richtete, die Priester des rechtgläubigen Kultes, und dies waren für ihn die nicht-donatistischen, finanziell zu unterstützen. Was Konstantin veranlaßte, sich auf die Seite des Caecilianus zu schlagen, ist nicht auszumachen; möglicherweise erhielt er zunächst einen Bericht dieser Gruppierung oder setzte auf die größere Kultgemeinschaft. Bei seinem Versuch, eine Spaltung des christlichen Kultes zu verhindern, argumentierte Konstantin ganz auf der traditionellen Linie bisherigen Denkens: Mißachtung der Religion beschwört Gefahren für den Staat herauf, Pflege der Religion bringt Segen.

Nur langsam registrierte Konstantin die Tatsache, daß das Christentum nie ein homogener Kult gewesen war. Immer wieder hatten sich Gruppierungen abgetrennt und waren von der Mehrheit als Schismatiker oder Häretiker verurteilt worden. Es gab nicht nur einen christlichen Kult, es gab deren viele. Als Konstantin sich auf dieses Konglomerat von Kulten einließ, wurde er sogleich in diese Problematik hineingezogen und gezwungen, Partei zu ergreifen, was er auch tat. Damit wich er aber notwendigerweise von dem eben genannten Grundsatz ab, daß die Pflege aller Kulte dem Heil des Staates diene. Das Christentum kannte eben richtige und falsche Kulte oder Glaubensrichtungen, häufig definierte sich eine Mehrheit als die ‹wahre› Kirche. Konstantin schloß sich bereits 313 diesem Konzept an.

Auch bei dem ersten sogenannten ökumenischen Konzil, das 325 in Nicaea stattfand, ging es um mehrere Themen, die sich unter der Rubrik ‹Herstellung eines einheitlichen Kultus› subsumieren lassen. Dazu gehörte vornehmlich die Auseinandersetzung um die theologischen Vorstellungen des alexandrinischen Presbyters Arius, um den Arianismus, der in mehr oder weniger abgewandelter Form Kirche und Staat auf Jahrhunderte beschäftigen sollte. Weitere Verhandlungspunkte waren die Festlegung eines einheitlichen Ostertermins und verschiedene Regelungen, unter anderem zur Rangordnung der Bischöfe.

Bei den Auseinandersetzungen um Arius ging es um ein ebenso zentrales wie schwieriges theologisches Problem: Die Kirche der Frühzeit hatte sich zu Gott, dem Vater, dem Schöpfer der Welt, zum Sohn Gottes, der zugleich als Mensch Jesus die Erlösung vollzogen hatte, und zum Geist, dem Mahner und Führer der Gemeinde, bekannt; sie gab diesen Glauben ohne viel Bedenken und Nachdenken weiter. Je mehr Gebildete aber vor allem im Osten den neuen Glauben übernahmen, desto häufiger drang griechisches Gedankengut ein, insbesondere die hellenistische Philosophie mit ihrer langen historischen Tradition und ihrem reichen Spektrum an Kategorien und Schemata.

Vor allem die Gedanken Platos (427–347 v. Chr.), die im Laufe des 2. Jahrhunderts wiederauflebten, beeinflußten die christlichen Theologen, da für sie keine andere wissenschaftliche Denkweise vorstellbar war als die der griechischen Philosophie. Diese Verehrung Platos wuchs im 3. Jahrhundert noch. Plotin (205–270), der Neugestalter des Platonismus, ist hier zu nennen und Origenes (182–254), der erste, der in die Glaubensinhalte der Kirche philosophische, vor allem platonische Gedanken einarbeitete, sie mit Grundzügen der Ideenlehre verwob und damit dem Zeitgeist anpaßte. Daher hat Origenes auf die östlichen Teile der Kirche einen großen theologischen Einfluß ausgeübt, und seine Gedanken und Begriffe wurden Ausgangs- und Angelpunkt zahlreicher Lehrmeinungen und Lehrkämpfe der Alten Kirche.

Es handelte sich bei den seit dem 2. Jahrhundert ausgetragenen heftigen Kontroversen um nichts weniger als darum, das Wesen Gottes, das Verhältnis des Gottsohnes zum Gottvater und damit die Möglichkeit der Erlösung zu fassen – in der Tat entscheidende Fragen, sobald der Mensch an den christlichen Glauben denkend herantrat. Diese Fragen betrafen die Erlösung jedes einzelnen wie die der gesamten Menschheit, und eben dies machte die theologische Auseinandersetzung für jeden Gläubigen so wichtig und läßt die Leidenschaft verstehen, mit der jeder einzelne für den einzig wahren Weg zur Erlösung eintrat und kämpfte.

Dieser Kampf, der heute so leicht als ein Streit um Worte und Begriffe abgetan wird, betraf seinerzeit den Mittelpunkt des Christentums.

Für Origenes war Gott das unbedingte, ewige, zeitlose, körperfreie und daher unerkennbare Wesen, die letzte Ursache allen Seins und Werdens. Aus ihm ist der Sohn hervorgegangen, nicht geschaffen, sondern geboren, göttlichen Wesens, aber dem Vater untergeordnet, eine Art zweiter Gott, der Mittler zwischen Gott und Welt. Der Geist wiederum entstammt dem Sohn, die dritte Stufe in der Entfaltung der Gottheit. Alle drei bilden die eine, körperlose Gottheit. Zu zwei in diesem Zusammenhang entscheidenden Fragen gab Origenes den Anstoß und bestimmte zugleich die Richtung des theologischen Denkens: Wie verhält sich im Sohn Gottes das Göttliche zum Menschen, wie sind sie miteinander verbunden – ist der Sohn, nach menschlichem Gleichnis, eine eigene Person? Und: Wie wirkt dieser Gottmensch, wie wird aus seinem Wesen die Erlösung möglich?

Nüchtern und einfach unterschied Arius im Anschluß an Origenes zu Beginn des 4. Jahrhunderts den Sohn vom Vater (*Berliner Klassikertexte* 6 P 10677): «Einen Anfang hat der Sohn, Gott aber ist ohne Anfang. Der Logos (Sohn) ist in jeder Beziehung dem Wesen des Vaters fremd und unähnlich. Es gab eine Zeit, in der er nicht vorhanden war, und er war nicht vorhanden, bevor er wurde.»

Als Konstantin 324 zum erstenmal von den Auseinandersetzungen um die Thesen des Arius erfuhr, sah er die ganze Angelegenheit spontan als Geplänkel überspannter Intellektueller an. Den führenden Klerikern in Alexandria schärfte er in einem Brief ein, es handele sich bei ihrem Dissens um Haarspaltereien, die kein Mensch begreife, womit er für seine Person sicher recht hatte. Erste Erfahrungen ‹vor Ort›, nachdem er Herrscher auch über den griechischen Osten geworden war, sollten rasch zeigen, daß es mit Forderungen wie ‹Gebt Euch die Hände!› nicht getan war. Dort im Osten, so sollte der Kirchenhistoriker Socrates im 5. Jahrhundert die dogmatischen Streitigkeiten karikieren, könne man nicht auf die Straße gehen, ohne in ein Gespräch über das Verhältnis zwischen Gottvater und -sohn verwickelt zu werden (*Kirchengeschichte* 1,37).

Die bereits zu Beginn des 4. Jahrhunderts durch mehrere organisatorische und vor allem theologische Dissense zerstrittene östliche Kirche wurde auf Befehl Konstantins 325 in Nicaea in der Palastaula der dortigen Residenz versammelt. Etwa 300 Bischöfe waren der Einladung des Kaisers gefolgt. Konstantin setzte eine Kommission ein, welche die Formel mit dem umstrittenen *homooúsios* – ὁμοούσιος τῷ πατρί – erarbeitete und dem Kaiser präsentierte: Der Sohn sei dem Vater wesensgleich. Konstantin selbst verkündete dann das Ergebnis zusammen mit dem Vorschlag, die allgemeine Zustimmung und die Unterschriften aller Bischöfe einzuholen. Da Konstantin bei Verweigerung die Exilierung androhte, erreichte er einen nahezu einmütigen Konsens. Das Konzil von Nicaea, das den arianischen Streit behandelte, trug kaum zu dessen Klärung bei. Die gefundene Formulierung ‹wesensgleich dem Vater› besagte damals wenig, weil man diese Wesensgleichheit nicht näher bestimmt hatte.

Der Ablauf der Verhandlungen in Nicaea entsprach ähnlichen Entscheidungsfindungen im römischen Senat. Demzufolge war es selbstverständlich, daß der Kaiser die Sitzungen leitete, die er mit einem Vortrag eröffnete. Er begann ferner die Beratungen, indem er den Bischöfen, wohl ihrer Rangfolge entsprechend, das Wort erteilte. So dürfte es bei allen Verhandlungen gewesen sein, bei denen uns Konstantins Teilnahme bezeugt ist.

Die in Nicaea zu beobachtende Rolle des Kaisers bei Synoden war neu. Bislang hatte kaum jemand an derartigen Versammlungen teilgenommen, der nicht Mitglied der Kultgemeinschaft war; und das war Konstantin nicht. Eusebius verfiel auf die Lösung, Konstantin mit Ehrentiteln zu belegen, die zwar in kultischer Hinsicht bedeutungslos waren, aber aus christlicher Warte Anspruch und Realität einigermaßen miteinander versöhnten; so wurde der Herrscher mit Titeln wie ‹allgemeiner Bischof› oder ‹Bischof der Bischöfe› ausgezeichnet und das Ungeheuerliche des Vorgangs in milderes Licht getaucht.

Aus Konstantins Sicht sah dies alles ganz anders aus. Er war und blieb *pontifex maximus*, oberster der angesehensten Priestergruppe; als solchem oblagen ihm sämtliche Kulte und deren Kultpersonal. Wenn es auf diesen Gebieten Mißstände zu beseitigen gab, dann war es die Pflicht des ‹obersten Priesters›, dafür zu sorgen, daß dies geschah. Anderenfalls drohte der Zorn Gottes, gleichgültig, wer dieser Gott war, ein Zorn, der den Herrscher und das Reich ins Verderben zu stürzen vermochte. Außerdem konnte Konstantin dadurch, daß er für einen einheitlichen Kult sorgte, seinen Dank für die Wohltaten abstatten, die dieser Gott ihm hatte zukommen lassen: die militärischen Siege über Maxentius und Licinius, um nur die wichtigsten zu nennen.

Es ging bei den hier geschilderten Auseinandersetzungen um Fragen des Glaubens, welche die Erlösung des einzelnen wie der Menschheit betrafen. Es ging aber ebenso um Bischofsstühle, Pfründe, Anhängerschaften, Politik im weitesten Sinne, zumal die Ausbreitung des Christentums immer mehr eine staatliche Angelegenheit zu werden begann. Auf diese Weise entwickelte sich eine christliche Staatskirche mit der dem Christentum inhärenten Intoleranz und Aggressivität gegenüber anderen Göttern, Kulten und ihren Anhängern.

Der Glaube Konstantins

Im Jahr der Feiern des dreißigjährigen Regierungsjubiläums 335 begannen umfangreiche Vorbereitungen für einen großen Feldzug gegen das Perserreich. Dem Kriegsplan entsprechend war das Heer in zwei große Abteilungen aufgeteilt. Von Konstantinopel brach eine Armee auf dem Landweg in den Osten auf. Konstantin selbst segelte mit der gesamten Flotte, die an der kleinasiatischen Küste entlang nach Syrien fahren sollte, als er erkrankte. Als sich sein Gesundheitszustand weiter verschlechterte, zog er nach Helenopolis und von dort schließlich in das unmittelbar benachbarte Nikomedeia, wo er zu Pfingsten 337 starb.

Was ihm zu Beginn seiner Herrschaft von seinem Gott in der Gestalt des Apoll verkündet worden war, hatte dieser Gott in der Gestalt Christi, seinem Schlachtenhelfer in vielen entscheidenden militärischen Auseinandersetzungen, erfüllt: Er hatte die längste Regierungszeit eines römischen Kaisers seit den unvordenklichen Tagen des Augustus absolviert, und er verließ diese Welt als Sieger. Der Sohn eines Gottes, Nachkomme mehrerer Götter, der sich bereits zu Lebzeiten als gottgleich verstanden hatte, wurde nach seinem Tode ebenfalls durch einen öffentlichen Akt zum Staatsgott erklärt.

Wie Konstantin seinen Vater nach dessen Tod unter die Götter erhoben hatte, so verfuhren seine Söhne nach seinem Ableben. Konstantin wurde konsekriert und erhielt die Bezeichnung *divus*, Gott. Das Ereignis wurde in Konsekrationsmünzen gefeiert, die nochmals die religiöse Ambivalenz seines Zeitalters vor Augen führen. Von diesen Münzen, wie sie nach dem Tod des Kaisers geprägt worden sind, haben wir die Originalstücke und die Beschreibung des Eusebius. Auf einem der Münztypen ist Konstantin dargestellt, wie er in einen Mantel gehüllt mit ausgestreckter Hand auf einer Quadriga in den Himmel fährt; von dort streckt sich ihm die helfende Hand Gottes entgegen. Dieses Bild gemahnt so eindeutig an die Fahrt des Sonnengottes in seinem Wagen, daß selbst Eusebius bei seiner Beschreibung auf jegliche christliche Deutung verzichtete. Mit der Konsekration Konstantins hatte sich der Kreis endgültig geschlossen. Konstantin war nun Gott, er war die Sonne, in der er wohl immer seine höchste Gottheit repräsentiert sah. Wer aber diese Gottheit war, ließ sich an der Hand selbst nicht erkennen.

Konstantin war Christ gewesen, aber es war ein Christentum eigener Art. Der Kirchenhistoriker Eusebius vermittelt uns auf der so schwarz wie möglich gemalten Folie der nichtchristlichen Vorgänger das Bild eines christlichen Kaisers in hellsten Farben. Dabei retuschierte er in zweifacher Hinsicht: Sicherlich überzeichnete er die christliche Seite des Herrschers; dies ist immer wieder betont worden. Nicht übersehen darf man allerdings, daß er offensichtlich auch in Konstantins Verständnis vom Christentum dort eingriff, wo dieses gängigen christlichen Anschauungen zu kraß entgegenstand.

Konstantin wollte in seiner neuen Hauptstadt Konstantinopel in einer Basilika bestattet werden. In ihr stand sein Sarkophag in der Mitte von zwei Halbkreisen mit jeweils sechs Apostelkenotaphen, Grabmalen, die eine reine Zeichenfunktion hatten, da noch keine Apostelreliquien in der Kirche waren. Sein Sarkophag war größer als die übrigen und bildete das Zentrum des Baus. Wer war diese dreizehnte Person inmitten der zwölf Apostel? Wer anderes als Christus, als der wesensgleiche Sohn Gottes selbst? «Du bist wie jener Gott», hatte ihm ein Lobredner zugerufen und Apoll gemeint. Konstantin wird an diesem Verständnis festgehalten haben, ob der Gott nun Apoll oder Christus hieß. Anläßlich der Einweihung der Grabeskirche in Jerusalem pries ein Geistlicher Konstantin selig, weil «er schon in diesem Leben der Alleinherrschaft über das ganze Reich gewürdigt sei und im künftigen mit dem Sohn Gottes herrschen werde» (*Leben Konstantins* 4,48).

Dem Historiker ist angesichts seiner Quellenlage nur ein äußerst eingeschränkter Zugang zu den persönlichen Auffassungen eines Menschen der Antike möglich; wir haben daher auch keinen Schlüssel zu der Persönlichkeit Konstantins, sehen wir doch nur die öffentlich vorgetragenen Äußerungen des Herrschers. Festzustehen scheint mir, daß sich politische und religiöse Ziele für die Handlungen Konstantins nicht ausschließen; es handelt sich dabei um zwei Aspekte, die angesichts der antiken Religiosität nicht losgelöst voneinander betrachtet werden dürfen.

Der Begriff der ‹Bekehrung›, wie er für Konstantin verwendet wird, ist problematisch. Vor einem christlichen Hintergrund ruft er sofort Analogien zu Paulus wach; dies trifft aber auf Konstantin wohl nicht zu. Bereits in der Antike machte man sich Gedanken über die Beweggründe der Hinwendung Konstantins zum Christentum. Für die Beurteilung dieser Entscheidung sind zwei Dinge auseinanderzuhalten. Dies sind auf der einen Seite Maßnahmen, mit denen er die Christen unterstützte, deutliche Zeichen von Sympathie, die seit 313 unübersehbar sind; etwas anderes sind Bestrebungen, von den bisherigen Göttern abzurücken. Ersteres begann vielleicht schon 306, sicher nach dem Sieg an der Milvischen Brücke 312, letzteres erst seit dem Sieg über Licinius 324.

Antike Götter und Kulte waren stets als Angebot an den Menschen verstanden worden, der sich einen oder mehrere Götter auswählte, um seine eigenen, ganz persönlichen religiösen Bedürfnisse zu befriedigen. Wählte Konstantin also nach 312 einen neuen Gott, oder interpretierte er seinen bisherigen ‹Glauben› neu, dann war dies eben kein auffallender Einschnitt für die antiken Vorstellungen von Religiosität. Dies stand jedem frei, wobei selbstverständlich einer derartigen Entscheidung des Herrschers besonderes Gewicht zukam.

Konstantin war Christ, obgleich er nie an einem Gottesdienst teilgenommen hat; er war im damaligen Verständnis nicht einmal Katechumene. Für seine Aufnahme in den Katechumenat wäre die Teilnahme am Gebetsgottesdienst der Gemeinde notwendig gewesen; dazu hätte es vorausgehender Bußübungen und des Sündenbekenntnisses bedurft. Um als Christ bezeichnet zu werden, genügte der Anschluß an die Lehre oder das einfache Bekenntnis. So wie sich Konstantin als Christ fühlte, hat er sicherlich auch selbst entschieden, wen er in seiner Umgebung als Christ ansah und wen nicht.

Es gilt weiter zu bedenken, daß es kein monolithisches Christentum gab und wir nicht wissen, welche Richtung Konstantin kennenlernte, als er den neuen Kult als seinen eigenen erkannte. Die Arianer etwa konnten dem Kaiser das für die Definition seiner Stellung und für die Unterstützung seiner Macht bessere religiöse und ideologische Konzept bieten. Da Christus nach ihrer Meinung Gott eben nur wesensähnlich war, weil der Sohn Gottes nicht vor aller Zeit existiert habe, sondern in der Zeit gezeugt und geschaffen worden sei, war der Unterschied zwischen dem Kaiser und Christus in bezug auf Gott nur noch minimal.

Konstantin präsentierte seinen Gott der Öffentlichkeit unter Bezeichnungen wie ‹höchste Gottheit› oder ‹höchster Gott›. Die Vorstellungen von den Göttern hatten in der Antike immer etwas Fließendes; sie zeigten sich den Menschen in unterschiedlichen Erscheinungsweisen, wurden unter verschiedenen Namen verehrt und waren doch nur einer. Ein Lobredner formulierte dies so (*Panegyrici Latini* 12 [9] 26,1): «Schöpfer aller Dinge, der Du so viele Namen trägst, wie es nach Deinem Willen Sprachen der Völker gibt.» Jeder einzelne glaubte dabei, daß die für viele zwar unterschiedlichen Erscheinungsweisen in Wirklichkeit doch nur eine einzige höchste Gottheit meinten. Insofern hätte der Glaube an den höchsten Gott durchaus zum Bindeglied zwischen den verschiedenen Religionen werden können.

Nachleben

Die eingangs geschilderten antiken Erzählungen über die Taufe Konstantins haben die differierende Sichtweise antiker Historiker über den Kaiser verdeutlicht. Diese unterschiedlichen Bewertungen fanden in dem nachantiken Umgang mit diesem Herrscher ihre Fortsetzung. Es gibt daher nicht das Konstantin-Bild, sondern viele verschiedene, wechselnde Sichtweisen je nach Interessenlage. Konstantin bot späteren Generationen mancherlei Möglichkeiten zur Nachahmung oder Abschreckung. Allem voran stand die Tatsache, daß Konstantin der erste christliche Kaiser gewesen war; vor allem dem *Leben Konstantins* des Eusebius war es zu verdanken, daß Konstantins Wirken als Christ der

Nachwelt als Vorbild dienen konnte. Die Bedeutung dieses ersten ‹christlichen› Kaisers dokumentiert sich auch darin, daß die Kirche ihrerseits ihren späteren weltlich-politischen Machtanspruch durch die sogenannte ‹Konstantinische Schenkung› zu begründen versuchte.

Seit der Mitte des 4. Jahrhunderts kursierte die eingangs geschilderte Geschichte von der Taufe des Christenverfolgers Konstantin durch den römischen Bischof Silvester. Aus Dankbarkeit, so schloß sich eine weitere Erzählung an, habe der Kaiser noch am selben Tag nicht nur eine christenfreundliche Politik aufgenommen, sondern auch den Bischof von Rom zum Haupt aller Kirchen erklärt. An dieser Legende wurde weitergesponnen: Im 8. Jahrhundert entstand eine Urkunde, die lange Zeit als echt galt. In ihr werden der Vorrang der Stadt Rom über alle Kirchen, die Verleihung kaiserlicher Abzeichen an den Bischof von Rom, den späteren Papst, die Schenkung des Lateranpalastes sowie die Abtretung Roms, Italiens und der abendländischen Provinzen an die Kirche bestätigt; anschließend habe sich der Kaiser selbst nach Byzanz zurückgezogen und mit der Herrschaft über den Osten begnügt. Die ‹Konstantinische Schenkung› war geschaffen und tat ihre Wirkung, bis man sie im 15. Jahrhundert als Fälschung entlarvte. Bis dahin war Konstantin allerdings dort allgegenwärtig, wo es um die weltliche Herrschaft der Kirche ging. Über seine angeblichen Schenkungen geriet Konstantin in die mittelalterlichen Auseinandersetzungen zwischen Kaiser und Papst, die im Investiturstreit gipfelten. Der kaiserlichen Seite war er der Urheber eines folgenschweren Irrtums.

Gegen den ‹guten› Konstantin steht somit der ‹schlechte›; dies allerdings nicht allein aufgrund seiner unüberlegten ‹Schenkung›, sondern auch wegen des ‹Verrats› an Rom. Ein weiterer Ansatzpunkt, an den spätere Generationen anknüpften, war die Gründung Konstantinopels. Man konnte Konstantin als den Verräter am römischen Reich sehen. Hier ist er der griechische Ränkeschmied, der bis zum letzten Augenblick seine unrechtmäßige Reichsgründung in Konstantinopel verteidigen wollte. Der Arianer, Bastard und Usurpator – all dies war Konstantin ja auch gewesen – hatte das römische Reich im Stich gelassen und das griechische vorgezogen.

In Byzanz aber und in der oströmisch-byzantinischen Kirche blieb Konstantins Nachruhm ungetrübt. Hier bildeten seit seiner Regierungszeit Staat und Kirche eine Symphonie, waren voneinander untrennbar, gleichsam zwei Erscheinungsformen eines einzigen Phänomens: der Christenheit. Am Ende dieser Entwicklung zählte der ‹apostelgleiche› Herrscher zusammen mit seiner Mutter Helena zu den Heiligen.

Maxentius
306–312

Von Hartmut Leppin

Maxentius war der letzte Kaiser Roms – der letzte Kaiser jedenfalls, für den Rom eine herausragende Bedeutung hatte: In der alten Hauptstadt rief man ihn 306 zum Herrscher aus, nie verließ er sie für längere Zeit, vor ihren Toren sollte er 312 umkommen, hier hat er dauerhafte Spuren hinterlassen.

Seine Regierung fällt in die Zeit der Tetrarchie, der Viererherrschaft: Das Reich blieb zwar als Ganzes bestehen, doch vier Männer, zwei Augusti und zwei ihnen unterstellte Caesares, teilten sich die Macht; sie erhielten jeweils die Zuständigkeit für einen bestimmten Reichsteil. Diese neue, von Diocletian geschaffene Ordnung hatte das Imperium stabilisiert, doch in einem wichtigen Punkt verletzte sie die Gefühle zahlreicher Zeitgenossen, zumal der Soldaten: Sie setzte das Recht der dynastischen Erbfolge außer Kraft. Als die ersten beiden Augusti, Diocletian und Maximian, 305 von ihrem Amt zurücktraten, wurden ihre bisherigen Caesares neue Augusti; statt der leiblichen Verwandten rückten bewährte Militärs zum Caesarat auf. Damit hatte die neue Tetrarchie von vornherein zwei Gegner: Konstantin, den Sohn des zum Augustus erhobenen Constantius I., und Maxentius, den Sohn Maximians und Schwiegersohn des neuen Augustus Galerius.

Beide fühlten sich übergangen, beide hielten nur kurz still: Konstantin ließ sich nach dem Tod seines Vaters 306 vom Heer zum Augustus ausrufen, trat in Verhandlungen mit den Tetrarchen ein und erlangte wenigstens die Würde eines Caesar. Maxentius dürfte diese Entwicklung aufmerksam verfolgt haben. Als einige Maßnahmen des Augustus Severus, dem Rom zugefallen war, in der Hauptstadt für Unruhe sorgten, stand er jedenfalls bereit. Am 28. Oktober 306 rief ihn die Garde zum Kaiser aus, Africa schloß sich an. Maxentius wählte weder Augustus noch Caesar als Titel, sondern nannte sich *princeps*, Erster. Vielleicht wollte er den Tetrarchen damit signalisieren, daß er zu Verhandlungen darüber bereit sei, welchen Rang er innerhalb des Herrscherkollegiums einnehmen sollte. Vielleicht wollte er aber auch von vornherein der Tetrarchie eine Absage erteilen und die Herrschaft für sich reklamieren.

Dies würde von einer bemerkenswerten Kühnheit, um nicht zu sagen

Selbstüberschätzung zeugen. Immerhin blieb Maxentius nicht ohne Unterstützung; sein Vater Maximian kam nach Rom. Obwohl das Verhältnis zwischen Vater und Sohn durchaus nicht spannungsfrei war, erwies sich der erfahrene Mann bald als nützlich. Inzwischen hatte sich die Lage zugespitzt: Severus marschierte auf Rom, wo nur wenige Truppen zur Verteidigung der Stadt lagen. Maximian vermochte Einheiten der Feinde auf seine Seite zu locken. Severus floh; Maximian, der nach anfänglichem Zögern die Augustus-Würde wieder angenommen hatte, setzte ihm nach. Schließlich gelang es dem alten Kaiser, Severus zur Aufgabe seiner Würde zu bewegen. Dieser begab sich in Gefangenschaft, wo man ihn später erdrosselte.

Maximian und Maxentius hatten einen bemerkenswerten Erfolg errungen, jetzt mußten sie versuchen, ihre Isolation zu durchbrechen. Maximian reiste zu Konstantin nach Gallien. Man verhandelte erfolgreich, am Ende stand eine Hochzeit: Konstantin heiratete Fausta, die Tochter Maximians und Schwester des Maxentius. Dieser war in Rom geblieben, wo er 307 den Titel eines Augustus annahm.

Das Prestige dieses Ranges hatte er bitter nötig, denn er sah sich einer neuen Bedrohung gegenüber: Sein Schwiegervater Galerius marschierte in Italien ein. Wie Severus gelangte er bis vor die Tore Roms, doch auch seine Soldaten liefen zum Gegner über. Galerius mußte aufgeben und zog ab. Maxentius hatte bewiesen, daß man mit ihm zu rechnen hatte.

Leicht war seine Lage indessen nicht: Maximian geriet, nach Rom zurückgekehrt, mit seinem Sohn in Streit und begab sich 308 grollend zu seinem Schwiegersohn Konstantin. Ende 308 fand in Carnuntum, im heutigen Österreich, eine Konferenz derer statt, die sich der Tetrarchie verbunden fühlten; sogar Diocletian hatte sich eingefunden, nicht aber Konstantin und Maxentius. Das Ergebnis der Konferenz war eindeutig: Galerius blieb Augustus, zweiter Augustus wurde der erfahrene Feldherr Licinius; Konstantin und der im Osten wirkende Maximinus Daia hatten sich weiterhin mit dem Caesar-Titel zu begnügen; Maximian mußte den Purpur ablegen; Maxentius wurde gar zum Staatsfeind erklärt: Er war jetzt vollkommen isoliert.

Doch es kam noch schlimmer: Africa, die Kornkammer Roms, fiel um diese Zeit von Maxentius ab. Wollte er die städtische Bevölkerung auf seiner Seite halten, durfte er auf das fruchtbare Land nicht verzichten. Hinzu kam familiäres Leid, das auch politische Bedeutung besaß: Sein ältester Sohn, der schon den Konsulat bekleidet hatte, starb.

Maxentius ließ sich nicht entmutigen: Es gelang ihm nach kurzer Frist, Africa zurückzugewinnen; die Getreideversorgung Roms war gesichert, und Maxentius feierte einen Triumph. Im übrigen blieb Gallien, wo Konstantin und Maximian sich aufhielten, keineswegs ruhig: Maximian hatte erneut versucht, die Macht an sich zu reißen, war aber besiegt worden; wenig später fand man ihn erhängt auf. Maxentius gab

Konstantin die Schuld daran und tat jetzt alles, um das Andenken seines Vaters zu ehren. Dies führte zu Spannungen, die dadurch verschärft wurden, daß beide auf Spanien Anspruch erhoben. Doch seinen Hauptgegner sah Maxentius im Augustus Licinius, der in Pannonien stand: Die Grenzen Italiens nach Nordwesten wurden befestigt.

311 starb Galerius, wohl der letzte überzeugte Anhänger der Tetrarchie. Maxentius demonstrierte Trauer und ehrte auch das Gedächtnis seines ungeliebten Schwiegervaters, doch wurde er von den anderen nicht als legitimer Herrscher anerkannt. In dieser Situation brach Krieg aus, zudem aus einer unerwarteten Richtung: Konstantin marschierte wohl im Frühjahr 312 nach Italien ein, Maxentius folgte seiner bewährten Taktik und verschanzte sich in Rom. Hoffte er, wieder einmal seinem Gegner viele Soldaten abspenstig machen zu können? Diese Hoffnung mußte ja nur zu berechtigt erscheinen. Schwer erklärlich ist daher, warum er nicht bei seinem Plan blieb, sondern Konstantin entgegenzog. Am 28. Oktober 312, genau sechs Jahre nach seiner Ausrufung zum Kaiser, erlitt er bei der Milvischen Brücke eine Niederlage; mit seinen Anhängern suchte er das Heil in der Flucht, er stürzte in den Tiber und ertrank. Als tags darauf sein Leichnam geborgen wurde, erwies Konstantin sich als Sieger ohne Großmut: Das Haupt des Maxentius wurde abgeschlagen und durch die Stadt getragen, sein Name geächtet, seine Regierungsakte für ungültig erklärt.

Maxentius war zeit seiner Regierung militärisch bedrängt. Mit äußerster Anspannung aller Kräfte konnte er sein Herrschaftsgebiet, im wesentlichen Italien und Africa, halten. Stets war er gezwungen, auf Bedrohungen zu reagieren, nie vermochte er die Initiative an sich zu reißen. Auch im Innern bestimmten Zwänge seine Politik: Seine wichtigsten Anhänger, das Volk und die Garde Roms, waren ebenso begeisterungsfähig wie kostspielig. Das Volk wollte Brot und Spiele; die Prätorianer erwarteten Ehrengaben und hohen Sold. Maxentius kam diesen Wünschen großzügig entgegen. Überdies errichtete er eine Vielzahl prächtiger Bauten in Rom: Die imposanten Gebäudekonstruktionen der Maxentius-Basilika am Forum Romanum haften jedem Rombesucher im Gedächtnis. Ebenso zeigen Münzen, wie viel Maxentius an Rom lag. Doch die Münzen offenbaren auch die Schattenseiten dieser Politik: Ihr Metallgehalt sank, ein Anzeichen für Geldnot; darauf lassen auch die Klagen der Senatoren über die Höhe der Steuern schließen.

Bemerkenswert ist die Haltung des Maxentius gegenüber den Christen. Diocletian war mit aller Härte gegen sie vorgegangen. Maxentius verzichtete auf Verfolgungen, ja, die Christen erhielten Kirchenbesitz zurück – eine Politik, die auffällig an die Konstantins erinnert. Trotzdem lebt Maxentius bei dessen Anhängern als Gegner des ersten christlichen Kaisers weiter; seine Christenfreundlichkeit wird als Heuchelei abgetan, und natürlich haben auch die heidnischen, von senatorischen

Wertvorstellungen geprägten Autoren keinen Grund, Maxentius zu loben: Über kaum einen römischen Kaiser wird so einhellig Negatives berichtet wie über ihn. Schwer ist es deswegen für moderne Forscher, ihm gerecht zu werden – zumal sein ganzer Erfolg darin bestand, sich einige Jahre gegen zahlreiche Feinde gehalten zu haben. Zu Spekulationen reizt seine Verbundenheit mit Rom: Hätte die Stadt ihre Bedeutung bewahrt, wenn Maxentius Sieger geblieben wäre? Wohl kaum! Der spätantike Kaiser mußte den Grenzen des von allen Seiten her bedrohten Reiches nahe sein; auch Maxentius hätte sich dieser Pflicht nicht entziehen können. Und es wäre auch so jenes Vakuum entstanden, das dem Bischof von Rom, dem Papst, eine Ausdehnung seines Einflusses erlaubte. In der Kirche lag die Zukunft der Ewigen Stadt.

LICINIUS
308–324

Von Heinrich Chantraine

Eine Biographie des Kaisers Licinius allein in Umrissen geben zu wollen, ist nur eingeschränkt möglich. Einmal haben wir für das ausgehende 3. und das beginnende 4. Jahrhundert eine weithin bruchstückhafte Überlieferung. Das gilt für Konstantin I., erst recht aber für seine Widersacher. Als Unterlegene haben sie geringere Aufmerksamkeit gefunden, und die Zeugnisse ihres Wirkens und Wollens sind unterdrückt worden, als mehr oder weniger profilierte Gegner des Christentums wurde ihr Leben und Tun verzerrt dargestellt, als Menschen ohne Bildung und ohne Rücksichtnahme auf die die Überlieferung prägenden Gebildeten fanden sie wenig Sympathie. So gibt es nicht auszufüllende Lücken, und manches bleibt Mutmaßung.

Licinius wurde um 265 geboren, wenn wir der einzigen genaueren Angabe folgen dürfen, wonach er bei seinem Tode 325 beinahe 60 Jahre alt war, ein Alter freilich, das für mehrere damalige Herrscher überliefert ist. Er stammte wie die meisten Kaiser dieser Zeit aus dem Donauraum, nämlich aus Ostserbien/Westbulgarien, und war gleich diesen bäuerlicher Herkunft. Den Weg nach oben schaffte er, ebenso typisch, über den Militärdienst und in engem Anschluß an einen Herrscher: Er war Waffengefährte des etwa gleichaltrigen Galerius. In dessen Perserkrieg (298) tat er sich rühmlich hervor. Im Jahre 307 verhandelte er mit Maxentius, um in der verfahrenen Situation des Italienfeldzuges seines Herrn eine halbwegs akzeptable Beilegung des Konflikts zu erzielen – allerdings ohne Erfolg.

Licinius muß sich damals in einer herausragenden Position befunden haben, vielleicht war er Prätorianerpräfekt; im Folgejahr wurde er zum Mitherrscher erhoben. Um den Vorgang und seine Bedeutung für Licinius und das weitere Geschehen verständlich zu machen, muß etwas ausgeholt werden. Das Imperium wurde seit 293 von vier Herrschern, zwei «Oberkaisern», Augusti, und zwei je einem derselben attachierten «Unterkaisern», Caesares, gelenkt. Das System der Tetrarchie stammte von Diocletian und war pseudodynastisch konstruiert: Jeder der beiden Augusti adoptierte seinen Caesar und dieser war jeweils Schwiegersohn seines Oberkaisers. Die beiden Dynastien standen in besonderer Beziehung zu Iuppiter, *Iovius* (Diocletian), und Herculies, *Herculus* (sein Mitregent Maximianus Herculius). Es gab einen ranghöheren Augustus, dem u.a. das Gesetzgebungsrecht und die Konsulernennung zustanden. Nach einer Anzahl von Jahren sollten die Oberkaiser abdanken und als *seniores Augusti* eine ehrenvolle, aber einflußlose Stellung haben, die Unterkaiser sollten Augusti werden und ihrerseits von ihnen adoptierte Männer zu Caesares ernennen. So war es 305 geschehen: Diocletian und Maximian – letzterer freilich unwillig – dankten ab, die bisherigen Caesares Constantius I. Chlorus und Galerius wurden Augusti und adoptierten als Unterkaiser Severus und Maximinus Daia.

Das System konnte nur funktionieren, wenn der neue ranghöchste Augustus durchsetzungsfähig war, wenn kein Herrscher vorzeitig, vor dem nächsten Stabwechsel, starb und wenn die neuen Mitglieder des Herrscherkollegiums von den traditionellen Kaisermachern, den die leibliche Nachfolge favorisierenden Soldaten, anerkannt wurden. Es kam anders. Bereits Mitte 306 starb der ranghöhere Augustus Constantius I., und das britannische Heer rief seinen Sohn Konstantin I. zum Augustus aus. Galerius, nunmehr ranghöchster Herrscher, mußte das hinnehmen, doch suchte er das System zu retten, indem er Konstantin nur als Caesar akzeptierte. Ende Oktober erfolgte das nächste Pronunciamiento: Maxentius, der Sohn des zurückgetretenen Maximian, wurde in Rom zum Kaiser erhoben, sein Vater nahm erneut die Augustuswürde an. Severus, nunmehr der legitime Augustus des Westens, rückte im Frühjahr 307 auf Geheiß des Galerius in Italien ein, doch liefen seine, einst von Maximian befehligten, Truppen zu Maxentius über. Er mußte sich ergeben und wurde bald umgebracht. Ein Feldzug des Galerius im selben Jahre scheiterte gleichfalls, ebenso die schon genannten von Licinius geführten Verhandlungen.

Um die Tetrarchie zu retten, bewog Galerius den Diocletian dazu, in bisher praktizierten Formen einen neuen Augustus zu erheben. So wurde am 11. November 308 in Carnuntum in Anwesenheit des Galerius vor einer repräsentativen Heeresversammlung Licinius zum zweiten Augustus proklamiert. Demgemäß hieß er fortan *Imperator Caesar Valerius Licinianus Licinius Pius Felix Invictus Augustus.*

Der Restitutionsversuch sah als Augusti Galerius und Licinius vor, als Caesares Maximinus Daia und Konstantin, ausgeschlossen waren Maxentius und Maximian. Diese nahmen das ebensowenig hin, wie sich Maximinus Daia und Konstantin mit dem Caesarrang zufrieden gaben. In der Tat wich die Regelung in zwei Punkten von den früheren Tetrarchien ab: Beide Augusti waren *Iovii* und Licinius war vorher nicht Caesar gewesen. Da hatten Maximinus Daia und Konstantin bessere Rechte. Der Versuch des Galerius, den beiden durch die offizielle Bezeichnung *filii Augustorum,* Söhne der Augusti, entgegenzukommen, half nichts.

Die politischen Probleme blieben also durch die Erhebung des Licinius ungelöst, zumal er selbst vorerst nicht in der Lage war, von sich aus etwas zu bewegen. Seiner nächsten Aufgabe, Maxentius zu beseitigen und den ihm zugedachten Reichsteil in Besitz zu nehmen, konnte und wollte er nicht nachkommen. Sein Gebiet war auf Raetien und Noricum und wohl den Westteil der Diözese Pannonien beschränkt, also als Basis für ein bereits zweimal gescheitertes Unternehmen zu klein. So hat Licinius selbst die Usurpation des afrikanischen Statthalters Lucius Domitius Alexander gegen Maxentius (308–310/11) nicht nutzen können. Zudem erkrankte 310 Galerius auf den Tod, und damit wurde es für Licinius vorrangig, gerüstet und in guter Position zu sein, wenn sein Gönner die Augen schloß. Als Ende April/Anfang Mai 311 Galerius starb, suchten Licinius und Maximinus Daia in raschem Zugriff einen möglichst großen Bereich von dessen Herrschaftsgebiet zu annektieren. Licinius konnte den europäischen Teil bis zu den Meerengen okkupieren, das reiche Kleinasien hatte Maximinus Daia besetzt. Beider Heere standen sich am Bosporus gegenüber, doch keiner wagte den Übergang. So kam es schließlich zum Frieden, der, da man einander mißtraute und nicht durch Verhandeln auf dem Territorium des Gegners als unterlegen erscheinen wollte, auf einem Schiff in der Meerenge geschlossen wurde.

Daß der Friedensschluß nur ein Moratorium bedeutete, war offensichtlich. Daher suchte Licinius Rückhalt bei Konstantin, während Maximinus Daia Verbindungen mit Maxentius anknüpfte. Das Bündnis wurde noch fester gefügt durch die wohl im Herbst 311 erfolgte Verlobung des Licinius mit Konstantins Halbschwester Constantia, die Anfang zwanzig war, während er das Alter von fünfundvierzig Jahren überschritten hatte.

Ob Licinius im Jahre 312 von Maxentius bedroht war – dafür könnten Truppenbewegungen in Norditalien sprechen –, muß offen bleiben, jedenfalls hat er, als damals Konstantin gegen Maxentius zog, nicht eingegriffen. Darin muß aber kein Akt der Illoyalität oder gar von Hinterhältigkeit gesehen werden, indem Licinius darauf gewartet hätte, über die ermatteten Gegner herzufallen. Wir wissen zudem nicht, ob sein Eingreifen überhaupt erwünscht war. Vor allem jedoch durfte er sich angesichts des faulen Friedens mit Maximinus Daia andernorts nicht engagieren, ganz abgesehen davon, daß die Nordgrenze seines Reiches, die Donau, zu den am meisten gefährdeten Abschnitten des Imperiums gehörte. So fielen die von Maxentius beherrschten Gebiete sämtlich an Konstantin, und dieser konnte sich vom Senat zum ranghöchsten Augustus bestellen lassen.

Um die Jahreswende 312/13 kam Licinius auf Einladung Konstantins nach Mailand, um die Hochzeit mit Constantia zu begehen und die Grundlagen gemeinsamen Vorgehens festzulegen. Genaueres wissen wir nur über die religionspolitische Seite. Das von Galerius in seinen letzten Lebenstagen erlassene Toleranzedikt bildete die Grundlage. Es wurde ergänzt und weiterentwickelt zum einen in Richtung auf eine allgemeine Religionsfreiheit, zum anderen sollten alle christenfeindlichen Regelungen entfallen, der enteignete Besitz der Kirchen restituiert und diese als juristische Personen anerkannt werden. Bei allem Interesse, das Licinius im Hinblick auf die anstehende Auseinandersetzung mit Maximinus Daia an der Gewinnung der im Osten besonders zahlreichen Christen haben mußte, ist er wohl nicht die treibende Kraft gewesen: Die vorgesehene Toleranz wie die Detailregelungen waren bereits von Konstantin praktiziert worden. Das war weder rein politisches Kalkül noch tiefgreifende Hinwendung zum Christentum. Konstantin hatte den Christengott als Helfer im Kampf gegen Maxentius erfahren und Licinius das elende Sterben des Verfolgers Galerius und die Konstantin zuteilgewordene Hilfe gesehen. Dieser Macht suchte auch er sich zu versichern.

Noch während der Mailänder Tage erfuhr Licinius von einem erneuten Angriff des Maximinus Daia. Er konnte ihm erst bei Adrianopel entgegentreten. Vor der Schlacht ließ Licinius seine Soldaten ein Gebet um Beistand an den höchsten Gott nachsprechen, das ihm im Traum ein Engel geoffenbart habe. Der Vorgang war christlicher Deutung fähig, von einer Konversion kann jedoch auch hier nicht die Rede sein. Licinius gelang es, den stark überlegenen Gegner niederzuwerfen. Maximinus Daia floh und versuchte erst im südlichen Kleinasien eine Widerstandslinie aufzubauen. Licinius stieß rasch nach, nahm Nikomedeia, einst die Residenz Diocletians, ein und ließ dort wie andernorts die Mailänder Vereinbarungen publizieren mit dem Befehl an die Beamten, für die Durchführung zu sorgen.

Ehe es zu erneutem Kampf kam, starb Maximinus Daia. Licinius war damit Herr der östlichen Reichshälfte. Eine seiner ersten Maßnahmen war der Befehl zur Hinrichtung aller Angehörigen des Maximinus Daia, des Severus und des Galerius, der sterbend ihm seine Familie ans Herz gelegt hatte. Dazu zählten auch Valeria, die Tochter Diocletians und Gattin des Galerius, sowie ihre Mutter Prisca. In diesen Personen sah Licinius nicht ganz zu Unrecht eine Gefahr für seine Herrschaft, und Dankbarkeit war nicht seine Stärke.

Ein Versuch Konstantins, die alte Herrschaftsordnung durch die Ernennung eines gewissen Bassianus zum Caesar teilweise zu restituieren, wurde von Licinius aus nicht genannten Gründen hintertrieben. Durch Senecio nämlich, seinen Vertrauten und Bruder des Bassianus, stachelte er diesen zu einem Putschversuch an. Die Sache kam auf, Bassianus wurde hingerichtet. Licinius weigerte sich, seinen Mittelsmann auszuliefern. So war 316 der Krieg heraufbeschworen. Licinius operierte defensiv, vermochte aber trotz Truppenübermacht seine schwer angreifbare Stellung bei Cibalae nicht zu behaupten. Unter schweren Verlusten zog er sich nach Thracia zurück, wo er die Reste seines Heeres sammeln und Verstärkung heranziehen konnte. Gleichzeitig ernannte er den Befehlshaber seiner Grenztruppen in Dacia, Aurelius Valerius Valens, zum Augustus und setzte damit Konstantin förmlich ab. Östlich von Philippopolis stießen die Heere erneut aufeinander. Die Schlacht endete unentschieden. Licinius zog aber in der Nacht seine Truppen nach Norden ab, während Konstantin glaubte, er habe die südöstliche Richtung eingeschlagen. So stand Licinius im Rücken seines Gegners, doch verstand er es nicht, die Situation zu nutzen. Er schickte vielmehr einen Unterhändler und bat um Frieden, der ihm unter harten Bedingungen gewährt wurde. Licinius mußte seine europäischen Besitzungen mit Ausnahme von Thracia aufgeben und seinen Mitaugustus Valens absetzen – er ließ ihn töten.

Eine dauerhafte Herrschafts- und Sukzessionsordnung schien gegeben, als Konstantin am 1. März 317 in Serdica zwei seiner Söhne und den Sohn des Licinius zu Caesares erhob. Es waren – in dieser Reihenfolge – der etwa zwölfjährige Crispus, der noch nicht zweijährige jüngere Licinius und der kaum einjährige Constantin (II.). Licinius war nicht anwesend, eine Absprache ist aber vorauszusetzen. Ob der jüngere Licinius Sohn der Constantia war oder Sproß einer Sklavin, jedoch von Constantia adoptiert, ist nicht zu klären. Die erneuerte Eintracht wurde dadurch verdeutlicht, daß im Jahre 318 der ältere Licinius mit Crispus den Konsulat bekleidete und 319 Konstantin zusammen mit Licinius iunior Konsul war. Aus dem Takt geriet das System 320, als Konstantin und sein gleichnamiger Sohn Konsuln waren, es endete 321; Konstantin nahm keine Rücksieht mehr auf seinen Mitherrscher und vice versa. Der nahende neue Konflikt spiegelt sich auch in der Münzpolitik: Ab 321 prägten Licinius und Konstantin nicht mehr im Namen des Partners. Dazu nannte – wofür es kein früheres Zeugnis gibt – Licinius sich und seinen Sohn auf Münzen des Jahres 320/21 *Iovius*, knüpfte also betont an Diocletian und seine Adoption an.

Die Gründe der Entfremdung werden nicht genannt. Die damals einsetzende Bedrückung der Christen durch Licinius ist Folge, nicht Ursache, es ging vielmehr um die Alleinherrschaft. Licinius zog in großem Umfang Truppen zusammen, schwächte dadurch u.a. die Grenzverteidigung in Thracia und lieferte so indirekt den Anlaß zum Krieg. Denn die Goten fielen 324 in seinen europäischen Reichsteil ein und drangen von dort in das Gebiet Konstantins vor. Dieser schlug sie zurück und verfolgte sie bis ins Territorium des Licinius. Eine Bereinigung des Vorfalls wurde nicht erreicht. Licinius verfügte über ein großes Heer und eine starke Flotte. Trotz überlegener Truppenstärke unterlag er bei Adrianopel, nur mit geringen Resten seiner Armee konnte er sich nach Byzanz retten. Die nun erfolgte Ernennung des Chefs der Hofverwaltung Martinianus zum Augustus blieb folgenlos. Licinius vermochte nicht die See zu behaupten, er mußte sich nach Kleinasien zurückziehen und wurde ein zweites Mal bei Chrysopolis geschlagen. Von dort floh er nach Nikomedeia, wo er sich Konstantin ergab. Constantia erwirkte die Schonung ihres Gatten, doch mußte er sein Herrschergewand abgeben. Er wurde nach Saloniki, einer der kaiserlichen Residenzen, verbannt, aber im Folgejahr, angeblich wegen Kontaktaufnahme mit den Goten, getötet. Der in Kappadokien arretierte Martinianus wurde gleichfalls umgebracht. Unklar ist das Schicksal des jüngeren Licinius. Mußte auch er damals sterben oder ist er identisch mit dem *Liciniani filius*, dem Sohn des Licinianus, der 336 aufgrund von zwei Gesetzen aller Rechte beraubt, gefesselt und zur Arbeit in die kaiserliche Weberei zu Carthago gesteckt wurde. Überlebt hat Constantia. Sie wurde von Konstantin in einer Münzserie als seine Schwester und damit als zur Dynastie gehörig geehrt und hat bei seiner Hinwendung zu arianischen Auffassungen eine Rolle gespielt.

Die antiken Urteile über Licinius sind weithin negativ und bieten das Standardrepertoire für gestürzte und zu «Tyrannen» erklärte Herrscher. Doch ist es nicht unerheblich, daß der Kaiser Iulian, der großes Interesse daran haben mußte, den Gegner seines ihm verhaßten Stiefonkels Konstantin aufzuwerten, Licinius wegen seiner «vielen Vergehen und Freveltaten» verurteilt. So viel läßt sich sagen: Licinius war ein guter Militär, wenn auch eher ein vorsichtiger Taktiker als ein kühner Feldherr. Mit seinen Soldaten wußte er umzugehen, die ihm nachgesagte «bäuerliche Sparsamkeit» und finanzielle Bedrückung traf sie und ihre ländliche Rekrutierungsbasis nicht. Seine «Habgier», die sich in zahlreichen Konfiskationen äußerte, zielte auf andere Bevölkerungsteile und war vor allem durch die großen Truppenzahlen in den inneren Kämpfen bedingt.

Von Kriegen gegen äußere Gegner wissen wir nichts, jedoch könnte der Siegerbeiname *Sarmaticus* auf Erfolge gegen Sarmaten im pannonischen Grenzgebiet weisen. Bäuerliche Herkunft und rein militärische Karriere ließen ihn – ungleich anderen – rüde mit den Gebildeten umgehen. Sie waren u.a. Opfer seiner Konfiskationen und wurden zu niederen Dienstleistungen gezwungen. Philosophen soll er gefoltert haben, die öffentliche, sich in der Redekunst manifestierende Rechtspflege war ihm verhaßt. Von Förderung der Kunst, bedeutenden Bauwerken usw. erfahren wir nichts, seine Münzen sind nach Legenden und Typenschatz vergleichsweise ärmlich. Seine Gesetzgebung wurde mit seiner Absetzung annulliert. Was wir noch haben, ist – nicht zufällig – ein Steuerprivileg für die Soldaten und Veteranen sowie, irrtümlich in die Gesetzessammlungen gelangt, Regelungen betreffend die nach Militär- und Verwaltungsdienst zu erlangenden Rangprädikate und die damit verbundenen Privilegien. Anderes betrifft die Behandlung der Christen. Licinius war, wie schon gesagt, kein Christ, hat aber den in Mailand vereinbarten Kurs zunächst eingehalten. Wir wissen von Kirchenbauten in seinem Reichsteil, wir erfahren von mehreren Synoden. In der Endphase seiner Regierung jedoch, bei der Zunahme der Spannungen mit Konstantin, setzte erneute Bedrückung ein: Entlassung christlicher Beamten und Soldaten, Opferzwang, Verbot von Synoden, Verbannung des christlichen Kults aus den Städten, Verbot und harte Bestrafung von Besuch und Speisung der Gefangenen, schließlich vereinzelte, von übereifrigen Beamten verhängte Bluturteile. In Glaubensfragen, speziell den damals entstehenden arianischen Streit, hat Licinius sich nicht eingemischt.

Die Herrschaft des Licinius ist Episode geblieben, ein Ausklang der Epoche der Soldatenkaiser bäuerlicher Herkunft und heidnischer Prägung. Wegweisendes hat er nicht bewirkt. Doch war es sein Schicksal, einen weitaus Größeren zum Gegner zu haben und aus seinem Schatten sich nicht lösen zu können.

Maximinus Daia
310–313

Von Thomas Grünewald

«Den Daia hatte man erst vor kurzem von den Viehherden und aus den Wäldern geholt. Sogleich wurde er Schildträger, dann Gardeoffizier, bald anschließend Tribun, tags darauf Caesar. Als solcher erhielt er den Orient, um ihn unter seinen Füßen zu zertreten und zu zermalmen. Ein Mann, der weder von der Kriegführung noch vom Staat eine Ahnung hatte, einer, der nun nicht mehr Hirte des Viehs, sondern der Soldaten war.»

So stellt der Christ Laktanz den Kaiser Maximinus Daia vor, einen entschiedenen Gegner des Christentums. In ihrer Abneigung gegenüber Maximinus stimmen christliche und nichtchristliche Autoren dieser Zeit in seltener Einigkeit überein. Gebildeten galt er als Soldatenkaiser, als «Halbbarbar». Das wäre schon Erklärung genug für seine schlechte Beurteilung. Hinzu kommt, daß dieser Kaiser im Rivalenkampf mit seinen Herrscherkollegen am Ende den Kürzeren gezogen hatte. Was wir über den Verlierer Maximinus wissen, steht in den Akten der Sieger, Konstantin und Licinius.

Am 1. Mai 305, als die Augusti Diocletian und Maximian zurücktraten, wurde Maximinus als Caesar in die Zweite Tetrarchie berufen. Er war ein Neffe des Kaisers Galerius, der die Ernennung des jungen Offiziers bei seinen Herrscherkollegen durchsetzte. Ein williges Werkzeug der Politik seines Mentors muß Maximinus deshalb noch nicht gewesen sein. Anläßlich der Berufung adoptierte Galerius, jetzt selbst Augustus, seinen Caesar. Seitdem hieß dieser Galerius Valerius Maximinus. Seinen Beinamen Daia hat er offiziell nie geführt.

Als Herrschaftsgebiet erhielt Maximinus die Diözese Oriens, welche die Provinzen des südlichen Kleinasien, Syriens und Ägyptens umfaßte. Außenpolitisch hatte der Caesar Roms östliche Grenze gegen das Großreich der persischen Sassaniden zu verteidigen. Dank des Erfolges, den Diocletian und Galerius im Perserkrieg des Jahres 298 erreicht hatten, herrschte an dieser Front vorerst Ruhe. Im Zentrum der Innenpolitik standen seit dem Jahr 303 die Christenverfolgungen. Sie waren Teil eines konservativen Erneuerungsprogramms, das die Kaiser der Ersten Tetrarchie entwickelt hatten. Eingebettet in umfassende innere Reformen und energische Maßnahmen zur Grenzverteidigung, bestand sein ideologischer Kern in einer Rückbesinnung auf die römischen Götter sowie auf altrömische Traditionen und Werte, die *mores maiorum*. Im Christentum hatten konservative Kreise eine Sekte erkannt, deren zahlreiche Anhänger dem Reich ihre Loyalität versagten. Folge ihrer Verweigerung sei die Krise des Reiches, ein Mittel zu deren Bekämpfung die Verfolgung der Christen.

Maximinus war gerade im Hinblick auf seine Übereinstimmung mit diesem Programm zum Caesar berufen worden. Zunächst trug er die Politik seiner Kollegen loyal mit. Als im November 308 auf einer Kaiserkonferenz in Carnuntum der Versuch gemacht wurde, das durch Usurpationen erschütterte Herrscherkollegium zu festigen, fühlte sich Maximinus ungebührlich benachteiligt. Sein Unmut entzündete sich an der Entscheidung, Licinius, einen Vertrauten des Galerius, zum Augustus des Westens zu berufen. Maximinus verwies auf seine älteren Rechte und forderte den Rang eines Augustus. Galerius versuchte, ihn und Konstantin, der dasselbe beanspruchte, zu beschwichtigen. Er titulierte beide als *filii Augustorum*, Söhne der Kaiser – nicht mehr als eine Geste. Der selbstbewußte Konstantin kümmerte sich nicht weiter darum. Maximinus hingegen nahm seine Zurücksetzung vorläufig hin. Seit dem Sommer 310 führte auch er den Titel eines Augustus, den ihm seine Truppen verliehen hatten. Vielleicht war ein erfolgreicher Feldzug gegen die Perser der Anlaß zu der eigenmächtigen Beförderung gewesen. Galerius akzeptierte sie.

Maximinus entwickelte seitdem ein eigenständiges Profil, das ihn zunehmend von seinen Mitherrschern abhob. Der Tod des Galerius im Mai 311 bezeichnet in dieser Hinsicht einen Einschnitt. Maximinus wartete nicht ab, was Licinius und Konstantin jetzt tun würden. Rasch besetzte er die Diözesen Kleinasiens, über die zuvor Galerius geherrscht hatte. Den Städten seines Machtbereiches empfahl er sich demonstrativ durch die Befreiung von Steuern, die ihnen zuvor Galerius auferlegt hatte. Licinius wurde von dieser Dynamik überrascht, zog jedoch nach. Er nahm die westlichen Diözesen des Galerius in Besitz und machte ebenfalls Steuergeschenke. Mit Maximinus traf er im Frühsommer 311 am Bosporus zusammen. Die Beziehungen blieben gespannt.

Galerius hatte kurz vor seinem Tod, am 30. April 311, das Ende der Christenverfolgung verfügt. Die neue Toleranzpolitik, der sich zunächst auch Maximinus anschloß, löste in den verschiedenen Reichsteilen unterschiedliche Reaktionen aus. Mehr als irgendwo sonst verfügten die paganen Kulte in den Städten des Ostens über starken Rückhalt. Schon aus weltanschaulichen Gründen wurden dort Proteste laut. Zudem war die Pflege paganer Kulte im Osten nicht nur eine Bekenntnisfrage, sondern auch ein bedeutender Wirtschaftsfaktor. Größere Bevölkerungsgruppen lebten von einem regen Wallfahrtsbetrieb. Durch die Duldungspolitik sahen sie ihren Lebensunterhalt gefährdet. Einige Städte, darunter Nikomedeia und Antiochia, die Residenzen des Maximinus, baten den Kaiser daher um die Erlaubnis, die Christen aus ihren Mauern ausweisen zu dürfen. Maximinus hatte seine religiöse Überzeugung nicht geändert. Den Bittschreiben entsprach er deshalb gerne. Die Überlieferung hat dem Kaiser unterstellt, die Petitionen selbst angeregt zu haben. Das ist weder zwingend noch angesichts der übereinstimmenden Haltung der Städte und des Kaisers entscheidend. Von größeren Christenvertreibungen ist jedenfalls nichts bekanntgeworden, so daß es sich um vereinzelte Erscheinungen gehandelt haben wird.

Seit Ende 311 sind im Machtbereich des Maximinus wieder Christenverfolgungen vorgekommen. Später hat sich der Kaiser gegen entsprechende Vorwürfe mit dem Hinweis verwahrt, das seien eigenmächtige Übergriffe lokaler Behörden gewesen. Angesichts der christenfeindlichen Stimmung im Osten dürfen wir Maximinus die Beteuerung seiner Passivität durchaus abnehmen.

In ihrer Ambivalenz von propagierter Toleranz und praktizierter Christenverfolgung ist die Religionspolitik des Maximinus nur auf dem Hintergrund der Beziehungen zu Licinius und zu Konstantin zu verstehen. Letzterer rüstete im Jahr 311 zum Feldzug gegen Maxentius und hatte sich dazu der Neutralität des Licinius versichert. Maximinus betrachtete die Allianz als gegen sich gerichtet. Er trat daher mit Maxentius in Verbindung und sprach diesem seine Anerkennung als legitimer Herrscher aus. Als dienstältester Kaiser sah er sich dazu berechtigt. Damit war eine klare Frontstellung geschaffen. Den Konflikt trugen jedoch Konstantin und Maxentius unter sich aus. Der Italienfeldzug endete im Oktober 312 mit dem Untergang des Maxentius.

Als Sieger nahm Konstantin in Anspruch, der ranghöchste Augustus zu sein. Das Dienstalter war einmal ausschlaggebend für die Rangordnung des Herrscherkollegiums gewesen. Maximinus fühlte sich erneut übergangen. Aber gegen Konstantin und Licinius konnte er nichts ausrichten. Seine Unterlegenheit wurde sehr deutlich, als Konstantin ihn brieflich dazu aufforderte, die Christenverfolgung einzustellen. Widerspruchslos erließ Maximinus eine neue Toleranzverfügung. Konstantin hatte Maximinus indessen auch zu seinem Kollegen im Konsulat des Jahres 313 erwählt, äußerlich ein versöhnliches Zeichen, tatsächlich nur ein Propagandatrick.

In der Mailänder Zusammenkunft von Konstantin und Licinius (Februar 313) erkannte Maximinus einen neuerlichen Affront. Wohl mit Grund befürchtete er, daß dort seine Entmachtung vereinbart worden war. Nach Lage der Dinge mußte diese Aufgabe dem Licinius zufallen. Maximinus wollte ihm zuvorkommen und begann eilig einen schlecht vorbereiteten Feldzug. Am 30. April 313 unterlag er gegen Licinius in einer Entscheidungsschlacht unweit von Adrianopel. Christliche Autoren haben die Schlacht zu einem Gottesgericht über den Christenverfolger stilisiert. Zweifellos liegt hier eine Dublette des Gottesurteils über Maxentius vor. Eine gewisse Ironie liegt darin, daß als dritter Licinius im Zeichen des Kreuzes besiegt werden sollte – von Konstantin. Vollkommen war der Sieg des Licinius nicht. Maximinus gelang die Flucht über Kappadokien ins kilikische Tarsos. Auf sein ursprüngliches Herrschaftsgebiet zurückgeworfen, verfügte er ein letztes, sehr weitreichendes Toleranzgebot. Diplomatisch sollte die Maßnahme wohl auf Konstantin zielen, in dem Maximinus einen Fürsprecher bei Licinius zu finden hoffte, vergebens: Konstantin rührte keinen Finger.

Im Spätsommer 313 starb Maximinus in Tarsos. Ob er sich das Leben genommen hatte oder ob er einer Krankheit erlag, muß angesichts widersprüchlicher Zeugnisse offen bleiben. Jedenfalls blieb ihm die Entmachtung durch Licinius erspart. Seinen Tod sah Laktanz als Erfüllung der Rache Gottes an den Verfolgerkaisern.

Constans
337–350

Von Gunther Gottlieb

Bis zur Konferenz in Viminacium 338

Constantin II. (Flavius Claudius Constantinus, geb. 317) war der zweitälteste, Constans (Flavius Iulius Constans, geb. 323) der jüngste Sohn Kaiser Konstantins des Großen. Zwischen ihnen stand Constantius II., geb. 317 oder 318. Ob alle drei aus Konstantins Ehe mit Fausta hervorgegangen sind oder ob Constantin II. einer außerehelichen Beziehung entstammte, ist umstritten und nicht mehr zu klären. Konstantin erhob seine Söhne zu Mitkaisern im untergeordneten Rang von Caesares: 317 den erst kürzlich geborenen Constantin, 324 Constantius und 333 Constans. Nach dem gewaltsamen, von Kaiser Konstantin selbst veranlaßten Tod des ältesten Sohnes, Crispus, waren ab 326 Constantin II., Constantius II. und Constans die zu Herrschaft und Nachfolge legitimierten Erben. Ihre Erhebung zu Caesares sowie die Beteiligung an Regierung und Kriegführung entsprachen vertrauten Gepflogenheiten und bezeugen die konsequente dynastische Politik Konstantins.

Spätestens seit dessen Regierungsjubiläum im Juli 335 war jedoch ein vierter Caesar und Anwärter auf die Nachfolge hinzugekommen, Konstantins Neffe Dalmatius. Anscheinend dachte Konstantin daran, die Aufteilung des Reiches für die Zeit nach seinem Tod nach dem Vorbild der diocletianischen Tetrarchie verbindlich festzulegen: für die westlichen Diözesen Britannien, Gallien und Hispanien sah er Constantin II. vor, der seit 328 fast ständig in Trier residierte, für Ägypten, Oriens, Asien und Pontus den Constantius, der in diesen Reichsteilen ebenfalls bereits militärische und administrative Funktionen wahrgenommen hatte. Constans sollte Illyrien, Italien und Africa verwalten, der Neffe Dalmatius Dakien, Thrakien und Makedonien/Griechenland. Eine weitere Belastung zeichnete sich ab, als Konstantin zusätzlich den Bruder des Dalmatius, Hannibalianus, mit seiner Tochter Constantina verheiratete und ihm den Titel *rex regum et Ponticarum gentium*, König der Könige und der Pontischen Völker, für Armenien und die umliegenden Länder verlieh.

Nach dem Tode Konstantins am 22. Mai 337 erwies sich das Heer, das ohnehin die wichtigste Stütze der konstantinischen Dynastie war, als Machtfaktor ersten Ranges, indem die Oberbefehlshaber in Übereinstimmung mit den Armeen feststellten, daß man außer den Konstantinsöhnen keinen anderen Nachfolger anerkennen werde. Das Heer habe, so der ganz im Sinne der Dynastie schreibende Eusebius, wie auf höhere Eingebung und so, als ob der große Herrscher noch lebe, gehandelt. Die nachfolgenden Wirren dauerten mehrere Monate. Erst im September 337 folgte der Senat von Rom der Forderung des Heeres und proklamierte Constantin II., Constantius II. und Constans zu Augusti. Neun Thronanwärter, Verwandte Konstantins (unter ihnen Dalmatius und Hannibalianus) und hochgestellte Persönlichkeiten aus der östlichen Reichsadministration, fielen der vom Heer eingeleiteten Säuberungsaktion, welche die alleinige Herrschaft der Söhne sicherstellen sollte, zum Opfer. Die Übergangszeit endete mit der Zusammenkunft der drei Augusti im Juni 338 in Viminacium. Sie einigten sich über die Aufteilung des Reiches, wobei es eigentlich nur um die ursprünglich Dalmatius übertragenen Reichsgebiete ging, die bis auf Thrakien, das Constantius erhielt, ungeteilt dem Constans zufielen. Constantin ging leer aus, obwohl er der älteste der drei Brüder war; er hatte zwar den Vorrang, eine Ehre, die lediglich formaler Natur gewesen ist und ebenso wirkungslos blieb wie die ihm zugedachte Vormundschaft über den erst 15 Jahre alten Constans.

Die Zeit der Dreierherrschaft (338–340)

Alle drei Kaiser vereinbarten noch in Viminacium Gesetze, welche dem Schutz von Besitz und Persönlichkeit dienten und Rechtssicherheit gewährleisten sollten. Zwei Texte sind unter dem Datum des 12. und 18. Juni 338 erhalten (*Codex Theodosianus* 10, 10,4 und 9, 34,5): Der erste verbietet, den Besitz von Leuten anzutasten, die auf Grund anonymer Denunziationen belangt worden sind, der zweite beruft sich auf die Gesetzgebung des Vaters und erneuert dessen Verordnung vom Oktober 328, wonach alle ehrenrührigen Anklageschriften tunlichst vernichtet werden sollen. Außerdem sollen solche Schreiben weder zu der Kaiser noch der Öffentlichkeit Kenntnis gelangen, und keine Karriere soll durch solche Schriftstücke Schaden nehmen. Die Rechtsmaterie selbst ist nicht neu und hat nicht erst seit Konstantin dem Großen den Gesetzgeber beschäftigt; vielmehr handelt es sich um oft bezeugte Mißstände, derer man erneut Herr zu werden versuchte, was sich anläßlich der gemeinsamen Konferenz auch der Reichsbevölkerung gegenüber darstellen ließ. Weitere Beispiele gemeinsamer Gesetzgebung gibt es nicht.

Die Auffassung der drei Brüder über die ungeteilte Gesamtverantwortung hatte nicht den programmatischen Charakter der Tetrarchie Diocletians. Zwar treten in einer Bauinschrift vom Donaulimes in der Provinz Scythia, im Verwaltungsgebiet des Constans, die drei Kaiser als Bauherren auf; aber die Titulatur ist im Unterschied zu früheren und auch späteren Regeln nicht in allen Teilen identisch. Zum Beispiel trugen sie nur individuelle Siegerbeinamen: Constantin *Alamannicus*, womit seine Erfolge gegen die Germanen herausgestellt wurden, Constantius und Constans *Sarmaticus* aufgrund der gemeinsamen Feldzüge des Jahres 338 an der unteren Donau, Constantius allein *Persicus* für die Feldzüge gegen das Sassanidenreich (*Dessau* 724, ohne genaues Datum zwischen 337 und 340). Münzen bzw. Medaillons bestätigen den Eindruck aus der Bauinschrift vom Donaulimes, daß nämlich die drei Herrscher auf Symbole einer gleichberechtigten Gesamtherrschaft verzichteten: Eine in Trier geprägte Münze Constantins II. zeigt auf der Vorderseite die Büste des Kaisers und rühmt auf der Rückseite mit der Darstellung des Mars als Allegorie der Tapferkeit, eines Tropaion und zweier Gefangener sowie der Umschrift die Schlagkraft des gallischen Heeres. Die Münze nimmt also in Wort und Bild allein Bezug auf den Reichsteil des Prägeherrn.

Ein Goldmedaillon der im Herrschaftsbereich des Constans gelegenen Münzstätte Siscia könnte dagegen so verstanden werden, als ob der jüngste der Brüder sowohl den Vorrang des ältesten als auch dessen Vormundschaft über ihn anerkannt habe, zumindest den Untertanen diesen Eindruck habe vermitteln wollen. Das Medaillon trägt auf der Vorderseite Büste und Namen des Constans. Bemerkenswert ist die Rückseite mit den drei Kaisern. Der Thron Constantins II. steht erhöht auf einem Podest, die beiden jüngeren Brüder, Constantius und Constans, sitzen zur Rechten und zur Linken des älteren Bruders und wenden ihm den Kopf zu. Alle drei sind mit dem Staatsgewand der Konsuln bekleidet und tragen als Kopfschmuck das Diadem. Constantin II. wird durch den erhöht stehenden Thron herausgehoben sowie dadurch, daß er als einziger im Segensgestus und mit Nimbus, Lichtscheibe hinter dem Haupt, dargestellt ist.

In Wirklichkeit war jedoch das Verhältnis zwischen Constans und Constantin II. gespannt. Constantin II., der keinerlei Anteil an Italien und Rom hatte, war nicht bereit, die Zurücksetzung von 338 hinzunehmen, als die beiden jüngeren Brüder eine Erweiterung seines direkten Einflusses über die westlichen Reichsteile hinaus verhindert hatten. Constans achtete auch dessen Anspruch auf Vorrang und Vormundschaft gering. So kam es 340 zur bewaffneten Auseinandersetzung. Constantin zog mit einem Heer nach Italien, geriet jedoch bei Aquileia in einen Hinterhalt der von Constans vorausgeschickten Truppen und fiel. Die Soldaten warfen seine Leiche in den Fluß Alsa. Ein am 29. April 340 erlassenes Gesetz nennt Constantin II. *publicus et noster inimicus*, Feind des Staates und persönlicher Feind, und widerruft die von ihm gewährten Steuerbefreiungen (*Codex Theodosianus* 11,12,1). Constantius II. und Constans regierten während der nächsten 10 Jahre allein. Constans herrschte im ungeteilten Westreich.

Constans als Herrscher der westlichen Reichshälfte

Im Mittelpunkt der Außenpolitik stand die militärische Sicherung der Grenzen an Donau und Rhein sowie die Befriedung Britanniens. Besondere Bedeutung kam dabei den Residenzen Mailand und Trier zu. 340 reiste Constans zunächst von Mailand aus zur Inspektion der Grenztruppen in die Donauprovinzen. Während der folgenden Jahre verlegte er Hof und Hoftruppen nach Trier, um die über die seit Jahren vernachlässigte Rheingrenze nach Gallien eingefallenen Alamannen und Franken zurückzudrängen. Der dritte Schauplatz war 343 Britannien, wo Constans den Küstenschutz reorganisierte und einem neu eingesetzten Küstenkommandanten unterstellte, den Hadrianswall reparieren ließ sowie die unter Valentinian I. später wieder aufgelöste Spezialeinheit der *arcani* einrichtete, Geheimagenten, welche die Feinde ausspionieren und den zuständigen Truppenführern über Bedrohungen der Grenze berichten sollten. Constans war der letzte rechtmäßige Kaiser, welcher sich in Britannien aufhielt.

Die Innenpolitik wurde beherrscht von der Religionspolitik, verlief aber sonst ohne spektakuläre Ereignisse. Die Themen der Gesetzgebung unterscheiden sich nicht von der Gesetzgebung früherer und späterer

Kaiser. Das übliche Verfahren war die von beiden Kaisern gemeinsam getragene Veröffentlichung der Erlasse, Bescheide und Gesetze, unabhängig davon, welcher Kaiser den Text ausfertigen ließ. Verhältnismäßig zahlreich sind die sämtlich mit dem Namen beider Brüder überlieferten Verordnungen, mit welchen die Kaiser die Funktionsfähigkeit der für die Städte und deren Finanzbasis so wichtigen Ratsstände sichern wollten, wobei es mehrmals um die Rückführung von Personen ging, die sich unerlaubterweise in den Hof-, Verwaltungs- oder Militärdienst geflüchtet hatten, um den hohen Belastungen zu entgehen.

Constans war nach übereinstimmendem Urteil der Überlieferung unbesonnen, streng, geizig, von falschen Beratern abhängig, parteiisch, ja sogar bestechlich bei der Auswahl der Provinzadministratoren, unbeliebt beim Heer. Insbesondere die harte Steuerpolitik und die Unbeliebtheit beim Heer veranlaßten einen Kreis von Verschwörern, den halbbarbarischen Offizier Magnentius im Januar 350 in Autun zum neuen Kaiser auszurufen. Constans fand auf der Flucht den Tod.

Die Religionspolitik

Constans war getauft und zeigte deutlich seine christliche Gesinnung. Im Mittelpunkt der Religionspolitik standen Donatistenstreit und arianischer Streit. Ersterer blieb auf das römische Africa, vor allem die Provinzen Africa proconsularis und Numidia beschränkt und war damit eine rein weströmische Angelegenheit, beschäftigte aber wegen der durch fundamentalistische und gewalttätige Gruppen verursachten Radikalisierung zunehmend Provinzialbehörden und Reichsgewalt. Es ging den Donatisten um die Reinheit der Kirche und des Klerus, wozu auch die Forderung nach Wiedertaufe im Falle einer Verfehlung oder beim Wechsel zur echten Kirche, wie sich die Donatisten verstanden, gehörte. Die Spaltung hatte in vielen Städten zur Doppelbesetzung der Bischofsstühle geführt.

Der arianische Streit betraf die Christologie und damit die dogmatischen Grundlagen der Kirche. Seit der Aufstellung des nicaenischen Bekenntnisses 325, welches gegen die Arianer die Wesenseinheit von Gott Vater und Sohn zum Inhalt hatte, bestand eine Frontstellung zwischen Nicaenern auf der einen und Arianern auf der anderen Seite. Durch die im Gegensatz zu Constantius II. und weiten Teilen des östlichen Klerus strikt pronicaenische Haltung der Kirche von Alexandria in Ägypten und ihres Bischofs Athanasius, der schon von Constantin II. gegen den Bruder im Ostteil unterstützt worden war, entwickelte sich der arianische Streit zu einem Konflikt, der beide Reichshälften und beide Kaiser betraf. Erschwerend kam hinzu, daß die westliche Kirche unter dem Einfluß der Wortführer der nicaenischen Theologie, wie z.B. der Bischöfe Hilarius von Poitiers und Ossius von Cordoba, die Arianer als

Häretiker verurteilte, womit auch klargestellt war, daß diese im Sinne der Rechtgläubigkeit nicht als Kirche anerkannt werden konnten. Diese dogmatische Festlegung übertrugen die westlichen Bischöfe auf den arianisch orientierten Constantius II. und dessen Herrschaft, deren Rechtmäßigkeit in Frage gestellt war. Damit geriet Constans als Kaiser des nahezu einhellig nicaenischen Westreiches in eine Gegnerschaft zu seinem Bruder.

Bischof Athanasius war weiterhin der Dreh- und Angelpunkt im arianischen Streit. Die Tatsache, daß er noch unter Konstantin nach Trier in die Verbannung geschickt worden war, aber nach der von Constantin II. 337 erwirkten Rückkehr unter dem Druck einer vom Ostkaiser gestützten Gegenpartei 339 erneut Alexandria verlassen mußte und in Rom Aufnahme fand, führte zu einer erheblichen Belastung. Bereits 340 gelangte ein Brief des Bischofs von Rom, der die Rückführung des Athanasius forderte, durch eine von Constans autorisierte, unter Leitung eines kaiserlichen Beamten stehende Gesandtschaft an den östlichen Hof nach Antiochia. Damit war die Angelegenheit auch aus der Sicht des Westkaisers zur Staatssache erhoben worden. Athanasius zielte auf ein Schisma zwischen den beiden Reichsteilen. Die beiden Kaiser wollten den Bruch vermeiden und hofften, mit Hilfe gemeinsamer ost-westlicher Konzile weiterzukommen. Die Synode von Serdica hat 343 die Erwartungen ebensowenig erfüllt wie diejenige von Mailand 345; vielmehr vertieften sich die Glaubensgegensätze, wozu die Forderung nach Wiedereinsetzung des Athanasius in Alexandria, wo seit 339 der von Constantius II. gestützte Gregorius als Bischof residierte, vielleicht noch mehr beitrug als die Neigung der östlichen Bischöfe, immer wieder abgewandelte Glaubensformeln vorzulegen. 345/346 nutzte Constans die durch dauernde Konflikte an der Grenze zum Perserreich schwierige Lage seines Bruders und drohte damit, persönlich im Osten einzugreifen, falls Athanasius nicht zurückkehren könne. Constantius gab nach, lud Athanasius ein und ließ ihn nach Alexandria reisen. Der Rest der gemeinsamen Regierung verlief ungetrübt von religionspolitischen Querelen.

Wieder eröffnet die Münzprägung als Zeugnis der Selbstdarstellung Einblicke in tiefere Zusammenhänge, so in das offiziell zur Schau gestellte Bemühen gegenüber der Reichsbevölkerung, Harmonie zu dokumentieren, obwohl diese durch die gegensätzliche Parteinahme im arianischen Streit in Wirklichkeit gestört war. Dies taten zwischen 342 und 346 beide Kaiser, zuerst Constans, dann, nachdem er sich dem kirchenpolitischen Kurs des aktiveren jüngeren Bruders gebeugt hatte, auch Constantius II. durch Sonderprägungen mit der Darstellung beider Herrscher, entweder in Büsten oder stehend im Konsulgewand mit Nimbus und Globus oder im Wagen mit schwebenden Victorien. Die Einmütigkeit wurde zusätzlich durch die gemeinsame Bekleidung des Konsulates in den Jahren 342 und 346 symbolhaft unterbaut.

Im Donatistenstreit sorgten die seit etwa 340 auftretenden Circumcellionen für erhebliche Unruhe. Es handelte sich um eine radikale Gruppierung, welche die donatistische Kirche unterstützte und sich zumeist aus Angehörigen der ländlichen Unterschichten zusammensetzte. Ihre Anführer nannten sich ‹Führer der Heiligen›. Ihr Programm zielte auf eine soziale Nivellierung und Auflösung des privaten Grundbesitzes. In Scharen durchzogen sie das Land und terrorisierten die großen Güter. Die Gewalttaten der Circumcellionen, aber auch die immer noch andauernde Doppelbesetzung des wichtigsten afrikanischen Bischofssitzes, Carthago, veranlaßten Constans zum Eingreifen. Dabei ging es sowohl um die öffentliche Ordnung, deren Wahrung die Kaiser stets als Hauptaufgabe ernst nahmen, als auch um die Einheit der Kirche, an welcher dem Kaiser aus Gründen der ideellen Fundierung der jetzt christlich verstandenen Herrschaft gelegen war. Constans entsandte 347 eine Kommission, die den Streit beenden sollte. Es kam mehrmals zu heftigen Unruhen, an denen vor allem die Circumcellionen beteiligt waren, so daß Constans sich genötigt sah, die Kircheneinheit unter dem orthodoxen Bischof von Carthago gesetzlich zu verordnen. Dieser Schritt führte zu einer kurzen und nur äußerlichen Beruhigung. Die Donatistenfrage blieb bis ins 5. Jahrhundert ungelöst.

Der streng christlichen Ausrichtung seiner Herrschaft entsprachen das Verbot aller Opferhandlungen sowie die Schließung der Tempel. Obschon dieses 346 unter dem Namen beider Kaiser erlassene Gesetz strenge Strafen wie zum Beispiel Einzug des Vermögens vorsah und auch den Provinzadministratoren, welche die Verfolgung solcher Delikte versäumten, die Aburteilung androhte, bestanden, wie wir wissen, viele altgläubige Kulte noch lange weiter. Constans wollte Reich und Herrschaft christlich gestalten. Aus dieser Zielsetzung leitete er das Recht ab, seine Religionspolitik auf die christliche Kirche und deren Einheit auszurichten. Darin läßt er sich vom Grundsatz her durchaus mit seinem Bruder Constantius II. vergleichen.

Constantius II.
337–361

Von Kirsten Groß-Albenhausen

Am 8. November 324 wurde von Nikomedeia, einer Stadt in Kleinasien, aus aller Welt kund und zu wissen getan, daß Flavius Iulius Constantius zum Caesar für die Diözesen Ägypten, Oriens, Asia und Pontus erhoben sei. Dieser Constantius, der zweite Sohn Konstantins I. und seiner Gattin Fausta, war am 7. August 317 in Illyricum, vielleicht in Sirmium, geboren worden. Es existieren kaum Zeugnisse aus dieser Zeit, und die wenigen stammen zumeist aus christlicher Feder, so daß wir Berichte über Wunderzeichen aus Anlaß seiner Geburt haben, wie sie sonst üblich sind. Überhaupt wissen wir so gut wie nichts über seine Kindheit und Jugend. Die Erziehung und schulische Ausbildung dürfte die damals übliche gewesen sein, erweitert um einige Lektionen in herrschaftlichem Benimm. Eine Besonderheit bestand darin, daß Konstantin I. seine Kinder christlich erziehen ließ, eine Neuheit für ein Kaiserhaus. Doch was mag der damals Achtjährige empfunden haben, als im März 326 sein älterer Halbbruder Crispus und im Sommer des gleichen Jahres seine eigene Mutter auf Befehl seines Vaters wegen angeblichen Inzestes hingerichtet wurden?

Anfang der dreißiger Jahre hielt Constantius sich in Gallien, anschließend dann im Orient auf, bevor er im Jahr 335 zum ersten Mal heiratete, und zwar die Tochter seines Onkels Iulius Constantius. Lange Flitterwochen werden dem Paar nicht beschieden gewesen sein, denn Constantius wurde zuerst auf den Balkan geschickt, wo er das Donauheer befehligte, dann in den Orient, um die Perser in Schach zu halten, gegen die sein Vater einen Feldzug vorbereitete. Doch am 22. Mai 337 starb Konstantin I. in Nikomedeia; Constantius brachte die Leiche nach Konstantinopel und sorgte für die Bestattung.

Nun erst tritt er ins Licht der Geschichte. Am 9. September 337 wurden er und seine Brüder Constantin II. und Constans zu Augusti ausgerufen. Dieser Kaisererhebung war ein Hauen und Stechen vorausgegangen, in dessen Verlauf die Soldaten fast alle Verwandten aus den männlichen Seitenlinien des konstantinischen Hauses umbrachten. Nur zwei von ihnen überlebten – Gallus und Iulian; von ihnen werden wir später noch hören. Allerdings gehen die Meinungen darüber auseinander, auf wessen Befehl hin die Morde geschahen. Was hatte Constantius, der neue Augustus für den Orient und Ägypten, damit zu tun? Hatte er die Ausschaltung seiner Verwandtschaft angeordnet oder ‹nur› gebilligt, hatte er weggeschaut oder tatsächlich nichts gewußt? (Die gleiche Frage gilt im Grunde für seine Brüder.) Immerhin wird ihm die Ermordung nicht ganz ungelegen gekommen sein, zumal er das Vermögen seiner Verwandten konfiszieren und die Anhänger der Ermordeten wegen Hochverrats vor Gericht stellen ließ. Unter den Opfern hatte sich auch ein weiterer Caesar – Dalmatius – befunden, dessen Reichsteil nun zunächst dem Gebiet Constans II. zugeschlagen wurde, später erhielt Constantius das Gebiet Thrakiens mit Konstantinopel.

Mit dem Ostteil des Reiches hatte Constantius einen problematischen Bereich übernommen. Dies lag zum einen an den innerkirchlichen Streitigkeiten, zum anderen an den Auseinandersetzungen mit den Persern, die sich über seine gesamte Regierungszeit erstreckten und seine Kräfte beanspruchten. Schon kurz nach seiner Erhebung mußte er in Armenien intervenieren, in das der persische König Sapor eingefallen war. In den folgenden Jahren bis 350 errangen die Römer einige Erfolge, mußten allerdings auch Niederlagen einstecken, wie beispielsweise 348 bei der Stadt Singara, so daß der Krieg letztlich unentschieden blieb. Erst als es im Norden des Perserreiches zu Unruhen kam und der Perserkönig gezwungen war, dort für Ordnung zu sorgen, konnte Constantius kurzzeitig aufatmen.

Das Nachlassen der persischen Angriffe war keine Minute zu früh erfolgt, denn nun kam es auch innerhalb des Römischen Reiches zu Unruhen. Am 18. Januar 350 ließ sich in Autun der Truppenkommandeur Magnus Magnentius zum Kaiser ausrufen. Dies betraf zwar eigentlich den Reichsteil des Constans, doch kam dieser bald darauf ums Leben. Fast der gesamte Westteil des Reiches schloß sich dem Usurpator an, und auch das Balkangebiet drohte zu diesem überzugehen. Constantius war in einer fast aussichtslosen Lage, denn noch befand er sich an der persischen Grenze und konnte nicht so schnell nach Westen ziehen, wie es nötig gewesen wäre. Um zu verhindern, daß Magnentius sich des ganzen Reiches bemächtigte, veranlaßte daher Constantina, die Schwester des Constantius, den Befehlshaber der illyrischen Armee Vetranio, sich am 1. März ebenfalls zum Kaiser auszurufen. Hierdurch konnte sie verhindern, daß die Donauprovinzen zu Magnentius übergingen. Der kurz darauf erfolgende Usurpationsversuch des Nepotianus, eines Neffen des Constantius, blieb Episode, da er sich nicht einmal einen Monat an der Macht halten konnte.

Vetranio wurde von Constantius sofort anerkannt; ein Bündnis, das Magnentius mit ihm gegen Constantius schloß, war von Vetranio wohl nicht ernst gemeint. Als Constantius endlich im Westen ankam, empfing ihn Vetranio in Sofia ehrerbietig, die beiden vereinigten ihre Truppen, und Vetranio legte den Purpur nieder. In diese Zeit des Erfolgs fällt wohl die Erscheinung eines mehrere Stunden lang sichtbaren, kreuzförmigen Himmelszeichens über Jerusalem, das von Cyrill, dem Patriarchen von Jerusalem, als gutes Vorzeichen für den Kaiser aufgefaßt wurde (Cyrillus, *Epistula ad Constantium* [Brief an Constantius] 4 [Patrologia Graeca 23, 1170]). Magnentius, der ebenfalls versucht hatte, mit Constantius ein Abkommen zu erzielen, ernannte nun seinen Verwandten Decentius zum Caesar und übertrug ihm Ende 350/Anfang 351 die Verteidigung der Rheingrenze. Constantius steckte in einer Zwickmühle: Auf der einen Seite mußte er den Usurpator bekämpfen, auf der anderen Seite war die Lage an der Grenze zu Persien trotz des Abzugs Sapors alles andere als ruhig. Er verlieh daher seinem Cousin Gallus den Caesartitel, übertrug ihm das Kommando über die Truppen im Osten und gab ihm dazu seine Schwester Constantina zur Frau. In Italien kam es zu einigen Schlachten zwischen den Heeren des Constantius und Magnentius, die beiden Seiten Niederlagen und Siege brachten. Erst bei Mursa fiel am 28. September 351 die Entscheidung. Constantius selbst kämpfte nicht mit, sondern hielt sich währenddessen am Grab eines Martyrers auf, nachdem er seinen Soldaten vor der Schlacht noch empfohlen hatte, sich taufen zu lassen. Angeblich brachte die Erscheinung eines Engels auf dem Schlachtfeld den Soldaten des Constantius den Sieg; so jedenfalls erzählte es der Bischof Valens von Mursa dem Kaiser. In der ungeheuer blutigen Schlacht kamen insgesamt 54000 Soldaten ums Leben. Beim Anblick der Leichen auf dem Schlachtfeld soll Constantius geweint haben; sodann verkündete er eine Amnestie für die gegnerischen Soldaten mit Ausnahme derer, die an der Ermordung seines Bruders Constans beteiligt gewesen waren.

Constantius konnte nun nach und nach Italien in Besitz nehmen, im Herbst 352 vertrieb er Magnentius von der Halbinsel. Kurz darauf heiratete Constantius seine zweite Frau Eusebia, die Tochter des ehemaligen Konsuls Flavius Eusebius. Noch bis zum nächsten Sommer konnte sich Magnentius in Gallien behaupten. Nachdem aber Constantius dort einen weiteren Sieg erfochten hatte, nahmen sich Magnentius und Decentius im August bzw. Oktober 353 das Leben.

Kaum war diese Gefahr überstanden, da kamen alarmierende Gerüchte aus dem Orient: Der Caesar Gallus übe eine Gewaltherrschaft aus und trachte nach dem Thron. Constantius entzog dem Caesar daraufhin das Truppenkommando. Als dieser auch noch den neuen Prätorianerpräfekten für den Orient umbringen ließ, befahl Constantius ihn zu sich in den Westen. In Poetovio wurde er verhaftet, bei Pola von einem Sondergericht verurteilt und hingerichtet.

Zu allem Überfluß machten sich nun auch die Alamannen wieder einmal selbständig, so daß Constantius 355 gegen sie ziehen mußte, und ferner trat ein neuer Usurpator auf den Plan, nämlich der fränkische

Heermeister Silvanus. Er wurde jedoch schon vier Wochen später von seinen eigenen Soldaten ermordet. Aufgrund der kritischen Lage in Gallien, wo 45 Städte von den Barbaren erstürmt worden waren, verlieh Constantius am 6. November 355 in Mailand seinem Cousin Iulian, den er noch ein Jahr vorher der Zusammenarbeit mit Gallus und der Zauberei verdächtigt hatte, die Caesarwürde.

Vom 28. April bis zum 29. Mai 357 besuchte Constantius zum ersten Mal in seinem Leben die Stadt Rom. Daß er noch nie vorher dort gewesen war, verdeutlicht die schwierige Stellung Roms, das zwar nominell noch die Hauptstadt des Reiches war, praktisch jedoch sehr an Bedeutung eingebüßt hatte; nur wenig später würde Constantius Konstantinopel, das zweite Rom, dem ersten staatsrechtlich gleichsetzen. Ammianus Marcellinus beschreibt seinen Einzug in die Stadt (16,10,6–11): «Er selbst saß allein auf einem goldenen Wagen, der im Glanz verschiedenartiger Edelsteine erstrahlte, mit dessen Schimmer sich ein bestimmtes wechselndes Licht zu vermischen schien. Und hinter verschiedenartigen anderen, die voranschritten, umgaben ihn Drachen, die aus purpurfarbenem Garn verfertigt und an den goldenen und mit Edelsteinen verzierten Spitzen der Lanzen angebracht waren... Und von hier an schritt ein doppelter Zug Bewaffneter einher, mit Schild und Helmbusch, ein schimmerndes Licht aussendend, mit glänzenden Brustpanzern bekleidet,... so daß man sie für Standbilder, von der Hand des Praxiteles gebildet, hätte halten können, nicht aber für Männer... Und so erschauerte der Augustus, von glückverheißenden Zurufen begrüßt, nicht durch das von den Bergen und Stränden her erdröhnende Getöse, sondern zeigte sich so unbeweglich, wie man ihn auch in seinen Provinzen sah. Denn er bückte seinen sehr kleinen Körper, wenn er durch hohe Tore fuhr, und, wie wenn sein Hals gemauert wäre, den Blick der Augen geradeaus richtend, wandte er das Gesicht weder nach rechts noch nach links, und wie eine menschliche Statue weder schwankend, wenn ein Rad schüttelte, noch spuckend oder Mund oder Nase abwischend oder reibend oder eine Hand bewegend ist er jemals gesehen worden.» Während seines Besuches besichtigte Constantius die ‹Wunder Roms›, womit in erster Linie wohl die alten Bauten gemeint sind, aber er wird die christlichen Kirchen nicht ausgespart haben. Der Eindruck, den die Stadt auf ihn machte, bewog ihn sogar, die alten Privilegien heidnischer Kulte zu erneuern. Sein Besuch dauerte nur einen Monat, dann rief ihn das Kriegsgeschehen wieder auf den Balkan und anschließend in den Osten des Reiches, wo 359/60 der Krieg mit den Persern von neuem entbrannt war.

Noch während er auf dem Weg nach Osten war, erfuhr er von der Usurpation Iulians, der von aufsässigen Soldaten zum Augustus ausgerufen worden war. Weil Constantius den Kriegsschauplatz nicht verlassen konnte, hatte Iulian zunächst freie Hand und drang bis Naissus vor.

Erst als ungünstige Orakelsprüche die Perser zum Rückzug bewogen, konnte Constantius daran denken, gegen seinen Neffen vorzugehen. Doch auf der Reise nach dem Westen erkrankte Constantius schwer und starb am 3. November 361 in Mopsukrenai, nachdem er kurz zuvor getauft worden war. Eigene Söhne hatte er nicht, seine einzige Tochter, die er von seiner dritten Frau Faustina bekam, wurde erst nach seinem Tod geboren. So setzte er vor seinem Tod Iulian zu seinem Erben und Nachfolger ein und ersparte dadurch dem Reich einen weiteren Bürgerkrieg, von denen er selbst so viele hatte führen müssen.

Während der vierundzwanzig Jahre seiner Regierung hatte Constantius außer den knapp skizzierten innen- und außenpolitischen Problemen auch ständig mit innerkirchlichen Streitigkeiten zu tun, und zwar vor allem mit den Auseinandersetzungen im Arianischen Streit, während er sich, anders als sein Vater Konstantin, um die Donatisten nicht weiter kümmerte. Denn völlig unabhängig von der Frage, welche Stellung der Kaiser in oder über der Kirche einnehmen sollte und wollte, erwartete diese doch, daß er für die Durchsetzung ihrer Beschlüsse sorgte.

Constantius vertrat dabei aber durchaus eigene Interessen: «Was ich will, das soll als kirchliches Gesetz betrachtet werden; wenn ich so spreche, dulden es die sogenannten syrischen Bischöfe. Entweder gehorcht ihr also, oder aber ihr geht in die Verbannung!» (Athanasius, *Historia Arianorum* [*Geschichte der Arianer*] 33,7). Diese Worte können so sicherlich nicht wörtlich von Constantius stammen, allein die Formulierung «sogenannte syrische Bischöfe» spricht dagegen. Die Polemik aus dem Mund des Athanasius geht an der Wahrheit aber wohl nicht ganz vorbei, denn wie wir noch sehen werden, scheute Constantius nicht vor Repressalien zurück, um seine Ansichten durchzudrücken. Bischöfe wie Lucifer von Calaris hielten mit ihrer Meinung nicht zurück: «Wir sehen nun, daß du, du Untier, nur Glieder und Körper eines Menschen hast, aber den Geist eines wilden Tieres!» (*De sancto Athanasio* [*Über den heiligen Athanasius*] 2,12) «... der du deswegen als übermütig und hochfahrend angesehen wirst, ... weil du gemeint hast, die Bischöfe, unter deren ängstlicher Fürsorge du hattest handeln sollen, unter deine Herrschaft bringen zu müssen» (Ebd. 1,28). «Wir, die wir wissen, daß du außerhalb der Kirche stehst, die wir sehen, daß du der Feind des alleinigen Sohnes Gottes bist, ... wir wissen nämlich, daß ein Toter nicht über Lebende herrschen kann» (Ebd. 2,17). Außerhalb der Kirche heißt hier selbstverständlich nicht, daß der Kaiser über ihr steht, sondern daß er keine Gemeinschaft mit ihr hat.

Konstantin I. hatte eine ganze Reihe von Bischöfen verbannt, und Constantius wollte diese nach dem Tod seines Vaters nicht sofort zurückrufen, weil er ahnte, welche Folgen es im Osten zeitigen mußte, wenn athanasianische Bischöfe auf ihre inzwischen von Arianern besetzten Stühle zurückkehrten. Er konnte sich jedoch nicht gegen seine

Brüder durchsetzen, und so geschah im Prinzip, was kommen mußte: Athanasius, eine der Hauptfiguren des Streites, stiftete schon auf dem Rückweg nach Alexandria (338) und auch dort selbst soviel Unruhe, daß er bereits ein Jahr später wieder vertrieben wurde und nach Rom fliehen mußte. Ähnlich erging es Paulus von Konstantinopel und anderen. Nun kam es zu einer ganzen Reihe von Synoden und Gegensynoden, auf denen über das Schicksal der Verbannten verhandelt und um ein einheitliches Glaubensbekenntnis gerungen wurde.

Vor allem im Hinblick auf dieses Glaubensbekenntnis übte Constantius erheblichen Einfluß und Druck aus. So kam das Bekenntnis der ‹Kirchweihsynode› von Antiochia (341) unter seinem Einfluß und erst nach der Intervention von Truppen zustande. Der Kaiser neigte dem Arianismus zu, während seine Brüder es eher mit den Athanasianern hielten, was zum Teil sicherlich auch einfach daran lag, daß Constantin II. und Constans im Westteil des Reiches residierten, wo die Anhänger des Athanasius stark waren und damals die meisten Bischofsstühle besetzten, während Constantius der mehrheitlich arianische Osten unterstand.

Vor allem in Konstantinopel herrschte in den nächsten Jahren ein völliges Durcheinander im Hinblick auf die Besetzung des Bischofsstuhles, den sich Paulus von Konstantinopel und Eusebius von Nikomedeia, der allerdings bald starb, beziehungsweise Macedonius gegenseitig streitig machten. Es kam zu blutigen Unruhen. Erst als Constans seinem Bruder 345 offen mit einem Bürgerkrieg drohte, wenn er nicht endlich die verbannten Bischöfe wieder zurückriefe, gab Constantius nach, der sich eine solche Auseinandersetzung unter anderem wegen des Perserkrieges nicht leisten konnte.

Bis zur Ermordung seines Bruders 350 und noch darüber hinaus bis zum endgültigen Sieg über Magnentius 353, der um die Unterstützung der Athanasianer warb, unternahm Constantius nichts mehr gegen diese. Nach dem Tod des Usurpators aber änderte sich sein Verhalten. Nun versuchte er mehr und mehr Einfluß zu nehmen auf die Besetzung der Bischofsstühle und die Abfassung eines für beide Seiten akzeptablen Glaubensbekenntnisses. Dem Kaiser konnte nicht daran gelegen sein, daß sich Ost und West in den Streitigkeiten um das Verhältnis von Gottvater und Gottsohn verzehrten, denn anders als heute hatte dies auch Einfluß auf die Gesamtlage des Reiches und die militärische Verteidigungsfähigkeit (Soldaten mußten zum Teil gegen die Bevölkerung eingesetzt werden, und auch im Heer selbst gab es Schwierigkeiten wegen der unterschiedlichen Bekenntnisse). Es dauerte jedoch bis zum Ende des Jahrzehnts, bis Constantius die Bischöfe, die sich teilweise noch nicht einmal auf einen gemeinsamen Tagungsort einigen konnten und auch vor der Verleumdung des jeweiligen Gegners nicht zurückschreckten, endlich so weit bearbeitet hatte, daß sie sich wenigstens kurzzeitig auf eine gemeinsame Formel einigten, die dann verständlicherweise sehr unscharf ausfiel. Bischöfe, die sich auf den Konzilien seinen Wünschen widersetzten, wurden kurzerhand verbannt, selbst Liberius, der Bischof von Rom, teilte einige Jahre dieses Schicksal, weil er sich weigerte, den der Zusammenarbeit mit dem Usurpator Magnentius beschuldigten Athanasius zu verurteilen, bis er sich zu einem Einlenken bereitfand. 356 wurde Athanasius erneut aus Alexandria vertrieben.

Als er die ‹Personalfragen› für weitgehend gelöst hielt, machte sich Constantius an die Lösung des Problems einer einheitlichen Kirchenlehre. Hierbei bereitete nicht allein der Dissens zwischen Athanasianern und Arianern Schwierigkeiten, auch die Arianer untereinander waren zerstritten. Während die Athanasianer schlicht und einfach davon ausgingen, daß Gottvater und Gottsohn wesensgleich, *homooúsios*, seien, spalteten sich ihre Gegner in mindestens drei Richtungen: Die radikalsten unter ihnen, die Anhomöer, lehrten, daß Gottvater und -sohn ‹ungleich› seien; eine gemäßigte Gruppe propagierte die Formulierung *homoioúsios*, das heißt die Wesensähnlichkeit; schließlich gab es noch die Homöer, deren Schlüsselwort *hómoios*, ‹ähnlich›, das unschärfste von allen war, aber auch dasjenige, das am wenigsten Konfliktstoff barg.

Schon auf einer Synode in Sirmium 351 war ein weiteres Glaubensbekenntnis aufgesetzt worden, das aber wiederum nicht alle Seiten befriedigte. So wurde 357 wiederum in Sirmium ein neuer Versuch der Abstimmung unternommen. Das neue Bekenntnis ordnete Christus Gottvater unter, übernahm also im wesentlichen die Position der Anhomöer, was so weder den Vorstellungen der Athanasianer noch denen eines Teils der Arianer entsprach, so daß es zu einer Art Gegensynode in Ankara kam, die die Formel *homoioúsios*, ‹wesensähnlich›, befürwortete und die Unterstützung des Kaisers erhielt, obwohl dieser noch kurz zuvor die Position der Anhomöer vertreten hatte. Dieses neue Bekenntnis ließ Interpretationen Spielraum und fand auch im Westen des Reiches so viel Anklang, daß man hoffen konnte, endlich zu einer einheitlichen Lehre zurückzufinden. Da man sich jedoch nach der Zerstörung Nikomedeias durch ein Erdbeben nicht auf einen gemeinsamen Tagungsort einigen konnte, fand die entscheidende Synode 359 an zwei Orten, nämlich in Seleukia und in Rimini, statt.

Jetzt aber verkomplizierte Constantius selbst die Verhandlungen, indem er vorher ein neues Bekenntnis verkündete, das zwar den radikalen Arianern entgegenkam, damit aber den Widerstand der Athanasianer hervorrief. Erst nach erneuten Änderungen, mehreren Gesandtschaften zu Constantius und längeren Diskussionen gaben die westlichen Bischöfe nach; allerdings hatte Constantius sie unter Druck setzen müssen, und selbst dann stimmte ein Teil nur unter Bedenken zu. Ähnlich sah es in Seleukia aus, wo schließlich die Homöer siegten, weil sie die Unterstützung des Kaisers hatten. Ganz durchsetzen konnte sich das neue Bekenntnis freilich nicht, denn Athanasius und Bischöfe wie Hilarius von Poitiers und Lucifer von Calaris weigerten sich schlicht, es in ihren Gebieten einzuführen und beschimpften Constantius laut als Antichristen: «Als wir als Abgesandte der seligen Kirche bei dir darauf drangen, daß die Sekte des Arius verurteilt werden müsse, und du im Gegenteil sagtest, jene sei die katholische, verkündeten wir, daß du der Vorläufer des Antichrist seiest... der Sohn der Pestilenz...» (Lucifer von Calaris, *De sancto Athanasio* [Über den heiligen Athanasius] 2,11 und 19).

Nun gab es im römischen Reich aber auch noch eine ganze Reihe von Menschen, die nicht dem Christentum anhingen. Wie sah die Politik des Constantius gegenüber diesen sogenannten Heiden aus? In den ersten dreizehn Jahren seiner Regierung ließ er sie im wesentlichen unbehelligt, Gesetze gegen sie gingen im allgemeinen von seinem Bruder Constans aus. Erst als Constantius Alleinherrscher geworden war, begann er, gegen die Nichtchristen vorzugehen, indem er Opferverbote aussprach und schwere Strafen gegen Zauberei verhängte. 356 schließlich untersagte er den heidnischen Kult ganz und verfügte die Schließung aller Tempel, was zu einem ‹Tempelsturm› der Christen führte, die, wo und wann immer sie konnten, die alten Heiligtümer zerstörten; an ihrer Stelle errichtete man häufig christliche Bauten. Andererseits konnte Constantius nicht zu weit gehen, denn er benötigte gute Beziehungen zum heidnischen Senatsadel, weshalb er zum Beispiel den Heiden Themistios zur Aufnahme in den Senat von Konstantinopel vorschlug.

Der geschilderte Rombesuch des Jahres 357 bildet den Wendepunkt in der Politik des Kaisers gegenüber den Heiden. Anscheinend hat der Anblick der Stadt mit ihren Bauten Constantius so beeindruckt, daß er keine weiteren Gesetze gegen pagane Kulte erließ und auch nicht auf der Durchführung der früheren Erlasse bestand. Das Weihrauchopfer am Altar der Victoria in der Kurie, dem Versammlungsort des Senates, ließ er allerdings nicht zu; die Durchführung dieses Opfers sollte noch fast dreißig Jahre später für Zündstoff sorgen. Er beließ den Priesterschaften ihre Privilegien, ja füllte Vakanzen in diesen Gremien auf. Immerhin war der Kaiser immer noch der *pontifex maximus*, der oberste römische Priester.

Gegen Zauberer und Magier aber ging Constantius weiterhin unnachgiebig vor. Diese Entwicklung hatte ihren Anfang bereits unter Diocletian genommen, der versucht hatte, Wahrsagerei und Orakelwesen einzudämmen. Wie jeder Kaiser vermutete auch Constantius allenthalben Verschwörungen gegen sich, die sich dann selbstverständlich auch des Mittels der Magie bedienen würden – man denke nur an die Beschuldigungen gegenüber Iulian im Zusammenhang mit der Absetzung des Gallus. 357 hob er sogar das Folterverbot auf, das für Angehörige der Führungsschichten gegolten hatte, wenn sie der Zauberei oder des Wahrsagens verdächtigt worden waren; bei diesen Vorwürfen spielte es auch keine Rolle, ob man die Betreffenden selbst magischer Praktiken bezichtigte oder ihnen vorhielt, bei jemandem Rat gesucht zu haben, der solcher Dinge kundig war. Wie kann eine so facettenreiche Persönlichkeit angemessen gewürdigt werden, zumal er schon von seinen Zeitgenossen sehr unterschiedlich beurteilt wurde? Der Schriftsteller Aurelius Victor, der zu Lebzeiten des Constantius eine kurze Geschichte der römischen Kaiser von Augustus bis eben zu Constantius verfaßte, schreibt über ihn (*De Caesaribus* [*Über die Kaiser*] 42,23): «Sanft und mild je nach Angelegenheit, klug in den Wissenschaften bis zur Eleganz und in der Art des Redens sanft und angenehm; geduldig in bezug auf Mühe und beim Schießen von Pfeilen wunderbar behende; Sieger über Speise, jedes Gelüst und über alle Begierden; fromm genug in der Verehrung seines Vaters und übertriebener Wächter seiner selbst, wohl wissend, daß durch das Leben guter Herrscher die Ruhe des Staates gelenkt wird.» Allerdings kritisiert Aurelius Victor die schlechte Auswahl der Diener des Kaisers.

Differenzierter formuliert Ammianus Marcellinus, der zum Teil zu einem genau entgegengesetzten Urteil kommt (21,16). Allerdings schrieb er auch nicht zu Lebzeiten des Kaisers, sondern etwa dreißig Jahre später. Seiner Meinung nach vergab Constantius gerade Posten bei Hof und bei den Truppen nur nach sorgfältiger Prüfung der Kandidaten; er sei eifrig in den Wissenschaften, in der Rhetorik jedoch ein Versager gewesen. Er habe sehr sparsam, fast asketisch gelebt, sei dabei aber körperlich durchtrainiert gewesen. Generell bescheinigt er ihm große Selbstdisziplin. Ammian kritisiert die oft allzu große Härte in der Verfolgung seiner Gegner, die Ausbeutung der Provinzen und die von ihm verschuldete Verwirrung des christlichen Glaubens. Der heidnische Redner Themistios, der dem Kaiser seine Aufnahme in den Senat von Konstantinopel verdankte, rühmte ihn in mehreren Reden unter anderem als wahren Philosophen.

Was oppositionelle Christen wie Lucifer von Calaris von Constantius gehalten haben, dürfte aus den oben angeführten Zitaten deutlich geworden sein.

Constantius einfach als byzantinischen Kaiser und typischen Vertreter des Caesaropapismus abzutun, wird ihm nicht gerecht. Als er an die Macht kam, war es gerade 26 Jahre her, daß das Christentum als *religio licita*, als erlaubte Religion, zugelassen worden war. Letztlich wußten die Vertreter der Kirche selbst nicht, wie sie sich zur weltlichen Macht stellen sollten, einer Macht, die in der bisherigen Religion die höchste Stelle eingenommen und daher auch religionspolitisch bestimmend gewesen war. Vor allem im Westen des Reiches fingen die Bischöfe früh an, sich gegen eine staatliche Einflußnahme zu wehren, wobei sie diesen Einfluß allerdings gerne in Anspruch nahmen, wenn es galt, eigene Konzilsentscheidungen durchzusetzen oder gegen ihrer Meinung nach falsche Entscheidungen zu protestieren. So wandten sich Athanasius und andere Bischöfe nach ihrer Vertreibung an Kaiser Constans, damit dieser zu ihren Gunsten bei seinem Bruder Constantius interveniere. Im Osten dagegen kam man mit dem Phänomen eines in die Kirche hineinregierenden Kaisers besser zurecht, was nicht zuletzt mit der arianischen Sichtweise des Verhältnisses von Gottvater und Gottsohn zusammenhing. Wenn Christus seinem Vater nur wesensähnlich, nicht wesensgleich war und auch nicht vor aller Zeit existiert hatte, sondern in der Zeit geschaffen worden war, dann konnten auch andere die gleiche Gotteskindschaft erlangen wie dieser: Dann konnte der Kaiser fast auf der gleichen Stufe stehen wie ein so verstandener Christus. Vor diesem Hintergrund ist es auch nicht verwunderlich, wenn ein Herrscher sich eher für diejenige Theorie entschied, die ihm die höhere Stellung verschaffte, wenn er schon nicht mehr so hoch stehen konnte wie in ‹vorchristlicher› Zeit.

So fühlte sich Constantius als Christ verpflichtet, für die Kirche und ihr Wohlergehen zu sorgen; deshalb wollte er die Einheit in der Lehre – wenn auch vielleicht mit fragwürdigen Mitteln – wiederherstellen. Bis zu einem gewissen Grad bemühte er sich, die kirchlichen Würdenträger zu bevorteilen, indem er ihnen beispielsweise Steuern erließ, sie von der Verpflichtung zur Übernahme städtischer – und teurer – Ämter befreite und die Bischöfe der weltlichen Gerichtsbarkeit entzog. Manchmal wurden ihm die Forderungen des Klerus aber auch zuviel. So hob er 360 die Steuerfreiheit der Kirchengüter auf und verfügte, daß ein städtischer Amtsträger, der Priester werden wollte, zwei Drittel seines Vermögens dem Staat überlassen müsse. Diese Maßnahme wurde nötig, weil immer mehr reiche Bürger sich den teuren Pflichten, die ein städtisches Amt mit sich brachte, zu entziehen versuchten, indem sie in den Klerikerstand eintraten.

Zahlreiche seiner Gesetze sind sicherlich christlich beeinflußt, so das Verbot willkürlicher Verhaftungen und die Aufstellung einer Liste der Kapitalverbrechen, bei denen jede Art von Amnestie oder Appellation ausgeschlossen war: Mord, Vergiftung, Raub, Ehebruch, Zauberei. Eine Witwe, die eine zweite Ehe einging, wurde mit Rechtsnachteilen bestraft, da Constantius die Keuschheit für eine der Haupttugenden hielt (letzteres galt nicht für Männer – zumindest nicht für ihn: er selbst heiratete dreimal). Der Raub von geweihten Jungfrauen und Witwen wurde mit schweren Strafen belegt. In der Münzprägung aber kam dieser christliche Charakter kaum zum Ausdruck. Nur das Kreuz und das Labarum – die Kaiserstandarte mit Christusmonogramm und Kaiserportrait(s) – deuteten auf das Bekenntnis des Kaisers hin, wobei die Labarum-Prägungen auch nur die Antwort auf die betont christliche Münzpropaganda des Usurpators Magnentius waren. Ansonsten herrschten traditionelle Themen wie die kaiserliche Freigebigkeit, Siegespropaganda und ähnliches vor. Auch Abbildungen des Kaisers als

Kosmokrator finden sich nicht selten, auf denen er frontal auf einem Triumphwagen sitzend mit segnend erhobener rechter Hand gezeigt wird – eine Darstellung der göttlichen Majestät des Herrschers. Münzen, auf denen eine aus den Wolken reichende Hand dem nach oben blickenden Kaiser zum Beispiel ein Diadem auflegt, sollten den engen Kontakt des Herrschers zur himmlischen Macht verdeutlichen; sie sind nicht spezifisch christlich zu interpretieren.

Constantius hat kaum eigene Kirchen gebaut, sondern sich im wesentlichen darauf beschränkt, die Bauten, die unter seinem Vater begonnen worden waren, zu Ende zu bringen. Bei der Ausstattung war er allerdings sehr freigebig. Eine Kirche, die mit Sicherheit von ihm gebaut worden ist, ist die der heiligen Sophia in Konstantinopel, obwohl die Planung noch aus der Zeit seines Vaters stammte.

In eine Beurteilung seiner Person darf jedoch nicht nur sein Verhalten in und gegenüber der Kirche einfließen, da er sich im Laufe seiner Regierung mit zu vielen anderen Problemen im Wortsinn herumschlagen mußte. Im Perserkrieg kämpfte er wenig glücklich, doch ist es eine Frage, ob andere an seiner Stelle erfolgreicher gewesen wären. An der unteren Donau drängten ‹Barbaren› über die Grenze. Mehrmals hatte er gegen Usurpatoren um seinen Thron zu kämpfen, einmal drohte ihm sogar sein eigener Bruder mit Bürgerkrieg, und er starb, als er auf dem Weg in den Kampf gegen seinen Cousin war, der sich gegen ihn erhoben hatte.

«Aus dem Glauben heraus nämlich wollen wir uns immer freuen und jubeln, da wir ja wissen, daß der Staat mehr durch die Gottesverehrung als durch Mühen und körperliche Arbeit zusammengehalten wird.» Diesem Text, der aus einem der letzten Gesetze des Constantius stammt (*Codex Theodosianus* 16,2,16), hat man oft ein Ennius-Fragment (*Annalen* Nr. 156 Skutsch) gegenübergestellt: «Auf den alten Sitten ruht die römische Sache und auf den Männern.» Doch war Constantius wirklich so weit von den alten Sitten entfernt, wie diese Gegenüberstellung glauben machen möchte? Auf den ‹Männern› beruhte die römische Sache, das heißt der römische Staat, schon lange nicht mehr, denn der Senat hatte nicht mehr viel zu sagen und das Heer war auch nicht mehr jenes, das Ennius gekannt hatte. Mit seiner Bewertung der Sitten gehörte Constantius nicht mehr der alten und noch nicht der neuen Zeit an.

Die (richtige) Gottesverehrung beispielsweise war auch früher ein wesentlicher Faktor bei der Regierung und Voraussetzung für das Wohlergehen des Staates gewesen. Daran hatte sich nichts geändert, aber aus den zahlreichen Göttern des griechisch-römischen Pantheons war ein einzelner Gott geworden, wenn auch noch nicht alle an ihn glaubten. Auch sonst hatte Constantius einen großen Teil der alten Traditionen übernommen, nur daß diese aufgrund veränderter äußerer Bedingungen ein anderes Gepräge bekamen oder sogar schwierig aufrechtzuerhalten waren. Ein Beispiel sind die Privilegien für die Amtsträger im Kult: Constantius behielt sie für die nichtchristlichen Kulte bei, verschaffte aber dem christlichen Klerus solche, die mindestens so weit gingen. Ein anderes bildet die Tatsache, daß der Kaiser immer noch *pontifex maximus*, oberster Priester, war, auch wenn er längst an einen anderen Gott glaubte. Gerade hieran zeigt sich, daß das Kaisertum durchaus noch in alten Traditionen verhaftet war, was notwendigerweise zu Konflikten führen mußte in einer sich wandelnden Gesellschaft. Noch Jahrhunderte später haben Kaiser versucht, in die Kirche hineinzuregieren beziehungsweise dieser ihren Willen aufzuzwingen; ein solcher Konflikt führte zur Abspaltung der anglikanischen Kirche unter Heinrich VIII. in England, der konsequenterweise verfügte, daß der jeweilige Monarch das Oberhaupt dieser Kirche sein solle.

Daß sich auch in der Verwaltungsstruktur des Reiches und im Hofzeremoniell Änderungen abzeichneten, kann hier nur angedeutet werden. Das Verhalten des Constantius bei seinem Einzug in Rom mag beispielhaft dafür stehen, daß sich die Auffassung des Kaisertums zu wandeln begann: Nicht mehr der Kaiser als Mensch stand im Vordergrund, sondern das Amt mit all seinem Prunk, aber auch seiner Unnahbarkeit, wie sie später in der byzantinischen Zeit sprichwörtlich werden sollte.

So sehen wir Constantius II., wie so viele Kaiser des 4. Jahrhunderts, als ‹Wanderer zwischen zwei Zeiten› vor uns, der versuchte, Altes mit Neuem zu verbinden. Daß ihm dies letztlich nicht gelingen konnte, kann ihm selbst, angesichts der zahlreichen Kriege, die er zu bestehen hatte, und der Intoleranz auf beiden Seiten der Gegner im innerkirchlichen Kampf, nur zu einem Teil angelastet werden.

IULIAN
361–363

Von Hans-Ulrich Wiemer

Der Mann, der sich anschicken sollte, die «Konstantinische Wende» rückgängig zu machen, war selbst ein Sproß der konstantinischen Dynastie. Sein Vater Iulius Constantius war ein Halbbruder Konstantins I., der bei Hofe eine angesehene Stellung innehatte, seine Mutter Basilina verstarb schon wenige Monate nach Julians Geburt. So wuchs das 331 oder 332 geborene Kind im Kaiserpalast des kurz zuvor eingeweihten Konstantinopel auf.

Die Fassade familiärer Eintracht zerbrach beim Tode Konstantins I. In einem Massaker wurden Iulians Vater und sechs weitere männliche Verwandte umgebracht, um den leiblichen Söhnen Konstantins I. die Thronfolge zu sichern; außer Iulian selbst wurde nur sein älterer Halbbruder Gallus verschont. Iulians Vetter Constantius (II.) hatte die Bluttat vermutlich angestiftet, jedenfalls billigte er sie nachträglich. Das Waisenkind wurde zunächst der Obhut eines unfreien Erziehers wohl gotischer Abkunft anvertraut, nach einigen Jahren aber von Konstantinopel in die abgelegene kaiserliche Domäne Macellum in Kappadokien abgeschoben, wo es zusammen mit Gallus insgesamt sechs Jahre verbrachte. Wie der Heranwachsende diese bedrückenden Vorgänge erlebt und verarbeitet hat, entzieht sich unserer Kenntnis. Sicher scheint, daß Iulian als Christ erzogen wurde, daß er eine gründliche Bildung in der klassischen griechischen Literatur erhielt und daß sein zukünftiger Lebensweg vom Wohlwollen des Constantius, des Augustus des Ostens, abhängig war.

348 erhielten Iulian und Gallus die Erlaubnis, Macellum zu verlassen. Während Gallus sich an den Hof begab, setzte Iulian zunächst in Konstantinopel, dann in Nikomedeia seine rhetorischen Studien fort. Doch die urbane und pragmatische Kunst der gepflegten Rede vermochte den Jüngling nicht dauerhaft zu fesseln; die für seine persönliche Entwicklung entscheidenden Einflüsse sollten vielmehr von einem Kreis kleinasiatischer Philosophen ausgehen, die in der Nachfolge ihres gemeinsamen Lehrers Iamblich eine Synthese zwischen der traditionellen Kultpraxis und der neuplatonischen Philosophie anstrebten. In einer seltsamen Mischung verbanden diese Philosophen eine asketische und

humanitäre Ethik, subtile metaphysische Spekulationen und obskure Magie; diejenigen unter ihnen, die überzeugt waren, die erstrebte Angleichung an Gott nur mit Hilfe magischer Praktiken erreichen zu können, nannten sich Theurgen.

Iulian hörte Vertreter beider Richtungen, bis er in Maximus von Ephesos einem Vertreter der theurgischen Richtung begegnete, den er fortan als seinen Herrn und Meister betrachtete. Die Begegnung mit Maximus wurde für ihn zu einer Erweckung, bei der sich das Eindringen in die philosophischen Lehren des «göttlichen Iamblich» in unentwirrbarer Weise mit dem überwältigenden Erlebnis der Macht und Wirksamkeit der Götter verband. Maximus selbst weihte seinen Jünger zu Ephesos in die Mysterien der Hekate ein; diejenigen der Großen Mutter folgten vermutlich wenig später. Iulian selbst hat diese Umkehr, die ihn vom Glauben seiner Kindheit zur Verehrung der traditionellen Götter führte, später rückblickend auf sein einundzwanzigstes Lebensjahr (351/52) datiert. Von da an betete er zu den Göttern, deren Verehrung seit Konstantin I. wiederholt verboten worden war. Die Bekehrung blieb darum ein Geheimnis, das Iulian nur wenigen Gleichgesinnten offenbarte; gegenüber Constantius wahrte er den Anschein, als ob er nach wie vor ein getreuer Sohn der Kirche sei.

Unterdessen war Gallus im März 351 von Constantius zum Caesar erhoben und in die syrische Metropole Antiochia entsandt worden. Die anfängliche Zufriedenheit des Mailänder Hofes schlug in Mißtrauen um, als der Caesar sich mit der Rolle eines untergeordneten Befehlsempfängers nicht bescheiden wollte. Der Konflikt eskalierte, bis es Constantius durch falsche Versprechungen gelang, seinen Neffen zunächst von seiner Machtbasis zu trennen und dann ohne Gerichtsverhandlung Ende 354 ermorden zu lassen. Es konnte nicht ausbleiben, daß Iulian in den Sturz seines Halbbruders hineingezogen wurde; man beschuldigte ihn, mit Gallus im Einvernehmen gestanden zu haben und bestellte ihn nach Italien, um ihn bei Hofe zu vernehmen. Hier war man sich lange unschlüssig, wie mit Iulian zu verfahren sei; mehrere Monate vergingen, bis ihm mitgeteilt wurde, daß er sich nach Athen begeben und dort seine Studien fortsetzen dürfe. Doch Iulian hatte noch kein Vierteljahr in der Universitätsstadt verbracht, als man bei Hofe schon wieder umdisponierte: Da in Gallien binnen weniger Jahre zweimal Generäle nach dem Purpurmantel gegriffen hatten, schien es ratsam, die Loyalität der dortigen Armee durch die Entsendung eines Verwandten des Kaiserhauses zu sichern. So wurde Iulian erneut nach Mailand berufen und dort am 6. November 355 von Constantius zum Caesar für die gallische Diözese (Gallien, Britannien, Spanien) proklamiert. Um ihn bei der Amtsführung zu unterstützen und von Eigenmächtigkeiten abzuhalten, erhielt er detaillierte Instruktionen und sorgfältig ausgewählte Berater; die Ehe mit Helena, einer Tochter Konstantins und frommen Christin, sollte die wiederhergestellte Eintracht besiegeln.

In Gallien warteten schwierige Aufgaben auf den politisch und militärisch völlig unerfahrenen Caesar. Germanische Stammesverbände waren auf der gesamten Strombreite über den Rhein vorgedrungen und hatten das westliche Ufer bis zu einer Tiefe von etwa 50 Kilometern in Besitz genommen; mehr als 40 Städte, darunter Köln, Mainz und Straßburg, befanden sich in ihrer Hand. Ein noch weit größeres Gebiet war ihren Plünderungszügen nahezu schutzlos preisgegeben. Iulian zeigte sich dieser Herausforderung in erstaunlicher Weise gewachsen. Im ersten Jahr waren die Verhältnisse noch so unsicher, daß der Caesar sich zur Winterszeit in der Stadt Sens einen Monat lang gegen barbarische Belagerer verteidigen mußte. Doch schon im Sommer 357 gelang es ihm nach einem Sieg über Alamannen bei Straßburg erstmals, den Krieg über den Rhein in das Stammland der Invasoren zu tragen. Weitere Kampagnen in den Jahren 358 und 359 gegen Salfranken und Chamaven im Gebiet des heutigen Brabant und gegen Alamannen am mittleren und oberen Rhein stabilisierten die Rheinfront, die durch Festungsbauten und Verpflegungslager zusätzlich gesichert wurde.

Die langen Wintermonate, die Iulian seit 358 in Paris verbrachte, waren ausgefüllt mit Verwaltung und Rechtsprechung sowie mit Lektüre, Korrespondenz und Schriftstellerei. Er trat gegenüber den Provinzialen in bewußtem Gegensatz zu Constantius als «volksnaher» Herrscher auf; er saß selbst zu Gericht, und er sorgte dafür, daß den durch die Barbareneinfälle erschöpften Provinzen spürbare Steuersenkungen gewährt wurden. Auch die Durchführung von Constantius' Kirchenpolitik, der die homöische Interpretation der Trinität auch im Westen verbindlich machen wollte, gehörte zu den Amtspflichten des Caesars. So führte Iulian ein Doppelleben: Als Caesar unterzeichnete er ein von Constantius erlassenes Gesetz, das die Verehrung derselben Götter mit der Todesstrafe bedrohte, die er insgeheim verehrte; gemeinsam mit ganz wenigen Eingeweihten beging er im Verborgenen heidnische Riten, während er sich in der Öffentlichkeit als Kirchgänger sehen ließ. Lobreden auf Constantius und auf Eusebia sollten das Mißtrauen des Vetters beschwichtigen, in dessen Umgebung sich nicht wenige Gegner des gallischen Caesars befanden.

Während Iulian durch seine erfolgreiche Kriegführung Selbstvertrauen und Popularität erwarb, war Constantius an die Grenze zum Perserreich gezogen, um eine für 359 bevorstehende Invasion abzuwehren. Der Feldzug verlief für die römische Seite unglücklich, die wichtige Festung Amida ging verloren. Da für 360 erneut mit einem persischen Angriff zu rechnen war, erging der Befehl an Iulian, einen Teil seiner schlagkräftigsten Truppen aus Gallien an die Ostfront zu entsenden.

Der Befehl erreichte Iulian zu Beginn des Jahres 360. Der Caesar gab widerstrebend seine Zustimmung, doch die überwiegend germanischen Soldaten weigerten sich, Gallien zu verlassen; anonyme Beschwerdeschreiben tauchten auf. Als die zum Abzug vorgesehenen Truppen in Paris mit Iulian zusammentrafen, kam ihre Unzufriedenheit offen zum Ausdruck. Bei einem Gastmahl, das Iulian für die Offiziere einer Eliteeinheit gab, wurden Klagen über Constantius laut. In derselben Nacht drangen Soldaten in den Palast auf der Seine-Insel ein und proklamierten Iulian zum Augustus. Er wehrte zunächst ab, wie es von einem guten Herrscher erwartet wurde, ließ sich dann aber mit einer Soldatenkette krönen und nach germanischem Brauch auf einem Schild in die Höhe heben. Sobald es Tag geworden war, trat er vor das versammelte Heer und gewährte ihm die bei einem Regierungsantritt fälligen Geldgeschenke. Der Hintergrund läßt sich im einzelnen nicht mehr aufklären. Iulian selbst beteuerte, daß er von den Vorgängen überrascht worden sei, und die Tatsache, daß bei der Krönung kein Diadem zur Hand war, scheint ihn zu bestätigen. Andererseits aber rühmte sich später einer seiner engsten Vertrauten, zu einer Gruppe von Verschwörern gehört zu haben, die Iulian zum Augustus erhoben habe, um den «Tyrannen» Constantius zu stürzen, und das Schicksal des Gallus war ein unübersehbares Menetekel.

Außer Zweifel steht, daß die Erhebung zum Augustus als Usurpation gelten mußte, wenn sie von Constantius nicht nachträglich gebilligt wurde. Iulian ließ durch eine Gesandtschaft das Angebot unterbreiten, daß die Ernennung der höchsten Zivil- und Militärbeamten für seinen Amtssprengel weiterhin bei Constantius liegen solle, falls er als Augustus bestätigt werde. Für Constantius aber kamen Verhandlungen mit einem unbotmäßigen Caesar nicht in Frage; er forderte Iulian ultimativ auf, die usurpierte Kaiserwürde niederzulegen. So verging das Jahr 360 mit dem ergebnislosen Austausch von Gesandtschaften.

Im Frühjahr 361 entschloß sich Iulian, der inzwischen von Constantius zum Staatsfeind erklärt worden war, mit militärischen Mitteln eine Entscheidung herbeizuführen. Von Kaiseraugst aus stieß er binnen weniger Wochen entlang der Donau nach Illyricum vor; er nahm die Kaiserresidenzen von Sirmium und Naissus ein und bemächtigte sich des strategisch wichtigen Passes von Succi zwischen Sofia und Philippopolis. Hier aber kam sein Vorstoß wohl im Juni 361 zum Stehen; es folgten ungewisse Monate des Abwartens, während Constantius von Osten her anrückte. Afrika blieb in der Hand des legitimen Augustus; der Senat von Rom verhielt sich abweisend. Nur wenige zweifelten daran, daß es Constantius wie schon so oft zuvor auch diesmal gelingen werde, sich gegen einen Usurpator durchzusetzen. In dieser Situation legte Iulian alle Verstellung ab und begann, durch öffentlich dargebrachte Opfer den Beistand der unsterblichen Götter zu erbitten.

Seine Gebete wurden erhört: Am 3. November 361 starb Kaiser Constantius an einem plötzlich aufgetretenen Fieber; seine Generäle trugen Iulian die Thronfolge an. So zog er am 11. Dezember 361 als alleinregierender Augustus in seiner Heimatstadt Konstantinopel ein, wo er sich bis Mai 362 aufhielt; dann reiste er durch Kleinasien nach Antiochia, um persönlich die Führung des Perserkrieges zu übernehmen.

Die nächste Sorge war die Sicherung der Herrschaft. Der tote Constantius wurde in der Apostelkirche feierlich beigesetzt, um die Legitimität der Thronfolge und die dynastische Kontinuität zu demonstrieren. Constantius' Generäle, denen Iulian die reibungslose Thronfolge zu verdanken hatte, behielten ihre Kommandos, auch wenn sie Christen waren. Die Spitzen der kaiserlichen Verwaltung hingegen wurden ausgetauscht: Die großen Hofämter und die Prätorianerpräfekturen vertraute Iulian nur Männern an, die seine religiöse Haltung teilten. Einigen der engsten Mitarbeiter des Constantius, die sich durch tatsächliche oder angebliche Untaten Feinde gemacht hatten, wurde von einem Sondergerichtshof in Chalkedon der Prozeß gemacht.

Ein neuer Herrschaftsstil wurde gepflegt und zur Schau gestellt. Der asketische Kaiser reduzierte den Hofstaat drastisch und lehnte es ab, nach dem Tode der Helena, die während der Auseinandersetzung mit Constantius verstorben war, erneut eine Ehe einzugehen. Bischöfe und Eunuchen verschwanden aus der Umgebung des Kaisers; ihr Platz wurde von Priestern, Philosophen und Rhetoren eingenommen, die bald nach dem Tode des Constantius mit oder ohne Einladung Iulians an den Hof geeilt kamen. In Aussehen und Verhalten gab sich der Kaiser, der seit 361 den Bart eines Philosophen trug, als einer der Ihren; seinem ‹Guru› Maximus bereitete er einen triumphalen Empfang.

Ein Regierungsantritt war die Zeit großer Gesten und großer Versprechungen. Man erwartete, daß der neue Kaiser sich der Sorgen und Nöte seiner Untertanen annahm, indem er ihnen durch Vergünstigungen insbesondere steuerlicher Art großzügig unter die Arme griff. Iulian hatte um so mehr Grund, diese Erwartung nicht zu enttäuschen, als seine eigene Usurpation große zusätzliche Belastungen für die Provinzialen des Ostens verursacht hatte; besonders freigebig zeigte er sich gegenüber seiner zukünftigen Residenz Antiochia. In programmatischer Weise bekundete Iulian seinen Willen, die finanzielle Leistungskraft der Kommunen zu stärken; Personen von hinreichendem Vermögen, die bis dahin an der Finanzierung kommunaler Leistungen nicht beteiligt gewesen waren, sollten in die Pflicht genommen und städtische Immobilien, die in fremde Hände gelangt waren, den Stadträten zurückerstattet werden.

Ein Ziel aber überragte für Iulian an Bedeutsamkeit alle anderen: Der Kult der Götter, die ihn so oft gerettet und nun auf wunderbare Weise zum Alleinherrscher gemacht hatten, mußte unverzüglich und überall wiederhergestellt werden, um Bestand und Gedeihen des Reiches zu sichern. Dem verderblichen Wirken des Christentums, das Götter und

Menschen entzweit hatte, mußte Einhalt geboten werden, indem es als Lehre und als Organisation zurückgedrängt, letztlich vernichtet wurde.

Als eine der ersten Regierungsmaßnahmen verfügte Iulian daher die Wiederherstellung des Götterkultes; die Heiligtümer sollten wieder eröffnet bzw. wieder aufgebaut und Opfer dargebracht werden. Um die finanziellen Voraussetzungen dafür zu schaffen, gab Iulian den Heiligtümern und Priestern alle materiellen Zuwendungen und rechtlichen Privilegien zurück, die ihnen seit Konstantin genommen worden waren. Gleichzeitig entzog er der Reichskirche die Unterstützung des Staates; um die «Galiläer», wie er die Christen verächtlich nannte, auch durch innere Streitigkeiten zu schwächen, gestattete er allen Klerikern, die unter Constantius als Irrlehrer oder Störenfriede verbannt worden waren, die Rückkehr in ihre Heimatgemeinden. Darüber hinaus bevorzugte er konsequent heidnische gegenüber christlichen Bewerbern um die kaiserliche Gunst und war geneigt, Straftaten seiner Untertanen zu verzeihen, wenn sie gegen Christen, insbesondere Kleriker, begangen wurden. Bei alledem aber hütete Iulian sich wohlweislich, einen Opferzwang einzuführen oder den christlichen Gottesdienst einzuschränken; wiederholt betonte er, daß sich Gewissensentscheidungen nicht erzwingen ließen.

Ihren prägnantesten und provozierendsten Ausdruck fand die «heidnische Restauration» in dem im Juni 362 erlassenen Schulgesetz. Iulian untersagte damit Christen die Ausübung des Lehrberufes, ohne aber christliche Schüler vom Unterricht auszuschließen. Denn Christen seien als Lehrer untauglich, weil sie das heidnisch geprägte Bildungsgut nicht vermitteln könnten, ohne mit ihrem Gewissen in Konflikt zu geraten; christliche Schüler hingegen bedürften der Belehrung, damit sie zum wahren Glauben zurückgeführt würden.

In seiner Eigenschaft als *pontifex maximus*, oberster Priester, wollte der Kaiser überall mit gutem Beispiel vorangehen. Täglich brachte er den Göttern mehrfach Opfer dar. Zum Jahresfest der Großen Mutter verfaßte er eine Hymne auf die Göttin, in der er ihren als anstößig empfundenen Mythos als Allegorese neuplatonischer Philosopheme deutete; auf dem Zug durch Kleinasien besuchte er das Stammheiligtum im phrygischen Pessinus und kümmerte sich persönlich um die Wiederherstellung ihres Kultes. In Antiochia verfaßte er eine Hymne auf den Sonnengott Helios, dem er sich besonders verbunden fühlte, und arbeitete an einer «Gegen die Galiläer» betitelten Verteidigung des Götterkultes, die unvollendet blieb und nur bruchstückhaft überliefert ist. Zugleich leitete er in Sendschreiben an Priester Reformen ein, die eine organisatorische Vereinheitlichung und spirituelle Verinnerlichung der traditionellen Kulte bezweckten. Einen Plan des Maximinus Daia aufgreifend, setzte er für jede Provinz einen Oberpriester ein, der Amtsführung und Lebenswandel der Priesterschaft überwachen sollte. Um den Einfluß der «Galiläer» auf die Besitzlosen einzudämmen, ahmte er kirchliche Wohlfahrtseinrichtungen nach und forderte seine Glaubensgenossen dazu auf, tätige «Menschenfreundlichkeit» zu üben.

Eine so einschneidende und so plötzliche Umkehr konnte nicht reibungslos vonstatten gehen. Die geringsten Probleme machte das Militär; nach der Gallienarmee paßte sich auch das Ostheer sehr rasch den Wünschen seines Dienstherrn an. Konflikte gab es vor allem in den Städten des Ostens, von denen viele seit geraumer Zeit mehrheitlich christlich waren. Die «heidnische Restauration» stieß hier auf den Widerstand etablierter Gemeindestrukturen. Auch führte die Rückgabe des Tempeleigentums, das inzwischen nicht selten mehrfach den Besitzer gewechselt hatte, zu Streitigkeiten und unbilligen Härten. Doch auch unter den Heiden hielten sich nicht wenige zurück und warteten ab, zumal die alten Riten mancherorts seit langem außer Übung gekommen waren. Besonnenen Geistern schien der Enthusiasmus des Kaisers forciert und exzessiv. Iulian selbst äußerte Unzufriedenheit mit dem Fortgang der «heidnischen Restauration», die ihm nicht schnell und nicht tief genug ging. Doch waren angesichts der kurzen Zeit beachtliche Erfolge zu verzeichnen, die er in seinem ungeduldigen Überschwang wohl unterschätzte; an vielen Orten wurden Heiligtümer restauriert, Altäre geweiht und kultische Handlungen vollzogen.

Für Iulian besonders enttäuschend gestaltete sich das Verhältnis zu den Antiochenern, in deren Mitte er neun Monate residierte. Sein missionarischer Eifer stieß hier bei weiten Kreisen auf Unverständnis und Ablehnung, zumal die unverhohlene Abneigung des Kaisers gegen Theater und Zirkus und das Verbot des ausgelassenen Maiuma-Festes gegen traditionelle Erwartungen und Ansprüche der großstädtischen Bevölkerung verstießen. Zudem war sein Aufenthalt überschattet von einer Versorgungskrise, die der Kaiser durch Getreideimporte und ein Höchstpreisedikt vergeblich in den Griff zu bekommen versuchte. Als er während des Neujahrsfestes zur Zielscheibe von Spottversen wurde, beklagte er sich in einer ironisch als Selbstpersiflage drapierten Invektive öffentlich über die Undankbarkeit und das Unverständnis seiner Untertanen, bevor er am 5. März 363 zum Perserkrieg aufbrach.

Der Perserfeldzug Iulians, eine der größten Militäroperationen der Spätantike, stieß bereits bei Zeitgenossen auf Kritik und war in der Tat ambitioniert und riskant, wenn auch die Absicht, es Alexander gleichtun zu wollen, Iulian erst postum unterstellt wurde: Ein Vorstoß auf die persische Hauptstadt war seit mehr als zwei Generationen nicht mehr versucht worden, und die persische Seite hatte sich zu Verhandlungen bereit erklärt. Doch Iulian wollte wie in Gallien mit einem überraschenden Feldzug ins feindliche Gebiet militärische Stärke demonstrieren. Die Offensive war als Zangenoperation geplant: Während Iulian entlang des Euphrat vorrückte, sollte eine zweite Heeresgruppe den Persern von Armenien aus in den Rücken fallen. Die Planung scheiterte gründlich:

Die Unterstützung aus dem Norden blieb aus, die Heeresgruppe Iulians kam im überfluteten Zweistromland nur mühsam vorwärts und mußte die Belagerung Ktesiphons ergebnislos abbrechen. Der Rückzug tigrisaufwärts war für die Truppen, die von persischen Überfällen bedrängt wurden, entbehrungs- und verlustreich. Am 26. Juni 363 wurde Iulian bei einem Gefecht mit persischen Reitern von einer Lanze getroffen und starb noch am selben Tag, ohne einen Nachfolger bestimmt zu haben.

Das von Feinden umstellte Heer schritt unverzüglich zur Wahl eines neuen Kaisers. Die Wahl fiel zunächst auf den heidnischen Prätorianerpräfekten Salutius. Der lehnte unter Hinweis auf sein fortgeschrittenes Alter ab. So einigte man sich auf einen bis dahin kaum hervorgetretenen Gardeoffizier christlicher Religion, den Pannonier Iovian. Um das Heer sicher ins Reichsgebiet zurückführen zu können, sah Iovian sich gezwungen, den Persern beispiellose Konzessionen zu machen: Er verzichtete vertraglich auf umfangreiche Gebiete jenseits von Tigris und Euphrat einschließlich der vielumkämpften, befestigten Stadt Nisibis. Wieder auf Reichsboden angelangt, machte Iovian die religionspolitischen Maßnahmen Iulians einschließlich des umstrittenen Schulgesetzes rückgängig. Der Kult der Götter blieb zunächst noch erlaubt, doch die «heidnische Restauration» Iulians war auf immer gescheitert.

VALENTINIAN I.
364–375

Von Christine van Hoof

Valentinian I. war einer der letzten militärisch erfolgreichen Kaiser des spätrömischen Reiches. Dennoch haben seine Leistungen, die nicht zuletzt auch auf dem Gebiet der Religionspolitik lagen, in der antiken historiographischen Tradition keine angemessene Würdigung erfahren: Das heidnische Idol Iulian und der «allerchristlichste Kaiser» Theodosius I. haben die Phantasie der Zeitgenossen und die der modernen Forschung weitaus stärker bewegt. Ammianus Marcellinus, der als die wichtigste Quelle für die Zeit Valentinians gilt, verdanken wir immerhin ein literarisches Portrait des Kaisers, das als Anregung genügen mag: «Sein Körper war muskulös und kräftig, sein Haar glänzte leuchtend, und seine Gesichtsfarbe war hell. Er besaß blaugraue Augen, die immer etwas schräg und grimmig blickten, seine Gestalt war schön, seine Glieder hatten die richtigen Proportionen. Im ganzen vermittelte er im höchsten Maße ein prachtvolles Bild kaiserlicher Hoheit» (30,9,6).

Jugend und militärische Karriere bis zur Thronbesteigung

Geboren wurde Valentinian im Jahr 321 in Cibalae an der mittleren Donau. Er stammte aus einer wenig bekannten Familie, und daher war ihm eine Karriere, die in dem höchsten Staatsamt gipfelte, durchaus nicht in die Wiege gelegt. Seine Kindheit und Jugend verbrachte er im Feldlager, wo er schon früh eine militärische Ausbildung unter Aufsicht seines Vaters Gratian erfuhr, der zu dieser Zeit als Militärkommandant in der Provinz Africa diente. Dadurch waren gute Voraussetzungen für eine solide Militärlaufbahn geschaffen, aber Valentinian sagte später bedauernd über sich selbst, daß es ihm an Bildung mangele; er verfügte u.a. nur über ganz geringe Griechischkenntnisse. Valentinians militärische Karriere verlief allerdings nicht so geradlinig, wie er es sich gewünscht haben mochte. Zur Zeit Constantius' II. mußte er nach einer Intrige aus dem Heeresdienst ausscheiden, unter Iulian wurde er – womöglich aus religionspolitischen Gründen – auf einen unbedeutenden Posten abgeschoben. Auf seinen Gütern in Pannonien, wohin er sich zurückgezogen hatte, gebar seine Ehefrau Marina Severa im Jahre 359 den ältesten Sohn Gratian. An Kaiser Iulians Feldzug gegen die Perser, der bekanntlich mit einem militärischen Desaster für die Römer endete, hat er dann wieder teilgenommen. Doch gerade in dieser Situation nahm sein Schicksal eine positive Wende, denn der in dieser prekären Lage ernannte christliche Herrscher Iovian übertrug ihm 363 – zu Beginn seiner kurzen Regierungszeit – die heikle Aufgabe, den im Westen stehenden Legionen seine Thronbesteigung bekanntzugeben. Da er das Problem mit Erfolg gelöst hatte, wurde er von dem dankbaren Iovian zum Befehlshaber über einen Teil der Palastwache ernannt und begleitete in diesem hohen Rang den neuen Herrscher auf dessen Weg nach Konstantinopel, blieb dabei allerdings selbst mit einem Teil der Truppen in Ankara zurück. Iovian seinerseits sollte die östliche Residenzstadt nie erreichen, denn er starb auf dieser Reise.

Von dieser neuen Katastrophe erschüttert, versammelten sich kurz darauf in Nicaea die wichtigsten zivilen und militärischen Amtsträger, um die Wahl eines neuen Kaisers zu beraten. Heidnische Anhänger Iulians und seiner Familie standen dabei gegen die Parteigänger einer christenfreundlichen Richtung aus der Umgebung Constantius' II., die wiederum auf germanenfreundliche Gruppierungen und deren Gegner stießen. In dieser Situation verfügte keine Gruppe über genügend Durchsetzungsvermögen, den eigenen Kandidaten nach germanischem Brauch realiter «auf den Schild» zu heben. Nach einem Vorschlag des hohen Zivilbeamten Salutius, der selbst schon mehrmals zum Kandidaten vorgeschlagen worden war, einigte man sich daher auf den Kompromißkandidaten Valentinian. Er wurde aus Ankara herbeigeholt, und am 25. Februar 364, zehn Tage nach dem Tod Iovians, rief ihn das Heer, das damit die Entscheidung der Würdenträger billigte, zum Kaiser aus. Während der traditionsgemäß folgenden Ansprache des neuen Augustus kam es zu Tumulten unter den Soldaten, die verlangten, daß Valentinian einen Amtskollegen bestimme. Sie ließen sich von dem verständlichen Wunsch leiten, nach den Wirren, die durch den Tod der beiden letzten Kaiser ausgelöst worden waren, ein höheres Maß an militärischer Sicherheit für das Gesamtreich gewährleistet zu sehen. Valentinian I. gab dem Druck nicht sofort nach, ernannte aber kurz darauf seinen jüngeren Bruder Valens zum Mitkaiser und entschied sich damit – wohl auch um Usurpationen vorzubeugen – für das dynastische Prinzip, um seine Herrschaft abzusichern.

Aufteilung der kaiserlichen Aufgabenbereiche

Noch in Konstantinopel erkrankten die Brüder an einem heftigen Fieber, das sie – und hier zeigt sich ein selbst für diese Zeit übersteigerter Glaube an magische Kräfte – dem zauberkräftigen Eingreifen politischer Anhänger Iulians zuschrieben. Ein gegen die Verdächtigten durchgeführtes strenges Gerichtsverfahren ergab jedoch keine Anzeichen für solche Nachstellungen. Nach ihrer völligen Genesung zogen die Kaiser dann im April zusammen in Richtung Balkan, wo in der Nähe der Stadt Naissus die künftigen Aufgabenbereiche festgelegt wurden. Für sich selbst wählte Valentinian die vor allem von den Germanen bedrohte westliche Präfektur, die damit eine gewisse Aufwertung erfuhr, denn zuvor hatten die ranghöchsten Augusti in aller Regel im östlichen Reichsteil residiert. Valens teilte er die zu diesem Zeitpunkt außenpolitisch weniger problematisch scheinende östliche Präfektur zu. Gleichzeitig trennten sie wahrscheinlich auch wieder die östlichen und westlichen Heeresabteilungen, die Iulian für seinen Feldzug nach Persien zusammengeführt hatte. In Sirmium, der nächsten Station ihrer Reise, teilten sie dann den Hofstaat und trafen schließlich noch eine Vereinbarung über die territoriale Ausdehnung der jeweiligen Zuständigkeitsbereiche. Diese Maßnahmen werden in der Forschung häufig als «Reichsteilung» bezeichnet. Zu Unrecht: Aus der Sicht der Zeitgenossen kam es keineswegs zur Bildung von zwei Teilreichen; denn die wichtigsten Kriterien, wie Amtssprache Latein, Datierung nach Konsuln, Währung, Gesetzgebung, die unmißverständlich deutlich machen, daß es zu diesem Zeitpunkt noch ein römisches Gesamtreich gab, blieben auch während der ganzen Regierungszeit dieser beiden Kaiser bestehen. Nachdem auf diese Weise die Zuständigkeiten der beiden Kaiser geklärt worden waren, trennten sie sich. Sie sahen einander nie wieder.

Kriege am Rhein und in Britannien

«Zu dieser Zeit schmetterten fast im ganzen römischen Erdkreis die Kriegstrompeten. Die wildesten Völker wurden dadurch angefeuert und durchstreiften die Grenzgebiete in ihrer Nähe. Die Alamannen verheerten gleichzeitig Gallien und Raetien, die Sarmaten und Quaden die pannonischen Gebiete, die Pikten und Sachsen, die Scotten und Attacotten plagten ständig die Britannier, die Austorianer und andere Maurenstämme fielen heftiger als gewöhnlich in Afrika ein, und Thrakien plünderten Räuberbanden der Goten aus.» So beschreibt Ammianus Marcellinus (26,5,4) die höchst bedrohliche außenpolitische Situation, der sich Valentinian während seiner gesamten Regierungszeit gegenübersah. Nur der militärischen Tüchtigkeit des Kaisers und den von ihm mit teilweise meterdicken Mauern und massiven Kastellen ausgebauten Grenzbefestigungen war es in dieser Anfangszeit der Völkerwanderung zu verdanken, daß unter seiner Herrschaft zumindest der Westen des Reiches und mit ihm seine Residenzstadt Trier noch einmal eine kurze Blütezeit erleben durften. Als gefährlichste Gegner erwiesen sich dabei die Alamannen. Diese schickten eine Gesandtschaft nach Mailand, wo Valentinian bis 365 residierte. Sie baten den neu ernannten Kaiser um die bisher üblichen Jahrgelder – eine Art von «Schutzgeld» in Form von Edelmetallen oder Naturalien, mit dem sich das römische Reich bis dahin die Ruhe vor den Einfällen dieser Stammeskoalition erkauft hatte. Valentinian war jedoch nicht mehr bereit, die Leistungen in der bisherigen Höhe zu erbringen. Unmittelbar darauf fielen die Alamannen über den Oberrhein in Gallien ein. Die Folge war eine ganze Serie von chronologisch nicht immer sicher einzuordnenden Kriegszügen des Kaisers.

Im Sommer des Jahres 367 wurde Valentinian nach mehreren Siegen gegen die in Gallien eingedrungenen Alamannen von einer so schweren Krankheit befallen, daß schon bald hinter vorgehaltener Hand potentielle Nachfolgekandidaten gehandelt wurden. Seine unerwartete Genesung beendete jede Unsicherheit, zumal er am 24. August 367 seinen erst achtjährigen Sohn Gratian zum Augustus bestimmte. Inzwischen überfielen und plünderten die Alamannen unter der Führung ihres Königs Rando die Hauptstadt der Provinz Germania I, Mainz. In verlustreichen Kämpfen gegen diesen Stammesverband und die am Niederrhein eingefallenen Franken und Sachsen gelang es dem Kaiser, vorerst den Rhein wieder als Reichsgrenze zu gewinnen. In Britannien, wo ein Pannonier, der ebenfalls Valentinian hieß, einen Umsturz geplant hatte, konnte dieser entmachtet und das römische Herrschaftsgebiet durch den neu befestigten Hadrianswall gesichert werden.

Währenddessen kulminierte im römischen Africa ein sich schon lange anbahnender Konflikt. Schon vor der Regierungszeit Valentinians waren die tripolitanischen Städte von Einbrüchen nomadisierender Berberstämme heimgesucht worden. Sie verlangten daher von dem Militärkommandanten Romanus Hilfe, die dieser jedoch nur gegen bedeutende Zahlungen in die eigene Tasche leisten wollte. Die bedrohten Städte sahen sich dazu nicht imstande und nutzten die Gelegenheit, der zum Regierungsantritt eines neuen Kaisers üblichen Gesandtschaft 364 einen Brief mit Beschwerden über Romanus mitzugeben. Doch vergeblich, denn der einflußreiche General konnte eine Untersuchungskommission zu seinem eigenen Vorteil erwirken. Nachdem im Winter 367 Austorianer in Lepcis Magna eingefallen waren, reiste erneut eine Gesandtschaft zum Kaiser, der daraufhin seinen Notar Palladius zur Untersuchung der Vorfälle nach Nordafrika schickte. Da dieser aber bestochen worden war, kam es zu einem Prozeß, in dem die Bürger von Lepcis Magna unter Zwang ihre Anklagen widerriefen. Wahrscheinlich noch 371 erhob sich dann der mauretanische Fürstensohn Firmus gegen die Römer. Der Aufstand breitete sich rasch in Mauretanien und Numidien aus, so daß Valentinian seinen Heermeister Theodosius den Älteren zwischen 372 und 374 nach Afrika schicken mußte. Zwar bot Firmus, «der sich vom Reich losgesagt hatte» (Ammianus Marcellinus 29,5,4), daraufhin seine Unterwerfung an, sie wurde aber nicht angenommen. Die anschließende militärische Auseinandersetzung endete mit einem römischen Sieg. Firmus selbst wurde nach einer Verfolgungsjagd soweit in die Enge getrieben, daß er Selbstmord beging. Gleichzeitig klärte Theodosius, der seinerseits 375 einer Palastintrige zum Opfer fiel, aber die Machenschaften der römischen Beamten auf und zog die Schuldigen zur Verantwortung.

Valentinian blieb in den Rheinregionen, die nach einem von römischer Seite nicht eingehaltenen Vertrag 370 erneut durch die Burgunder gefährdet waren, und begann schon 369 mit dem systematischen Ausbau der Grenzbefestigungen von den Alpen bis zur Nordsee. «Den Rhein ließ er in seiner ganzen Länge... mit großen Wällen befestigen, an höher gelegenen Stellen ließ er Lager und Kastelle, sowie an dafür besonders geeigneten Orten in ununterbrochener Reihe Türme errichten» (Ammianus Marcellinus 28, 2,1).

Kämpfe in der Donauregion

Von einer Reise nach Mailand wieder zurückgekehrt, inspizierte Valentinian im Frühjahr 374 von Trier aus mehrfach die Ausbauarbeiten am Limes. In der Nähe von Basel erreichte ihn die Nachricht vom Einfall der Quaden und Sarmaten an der mittleren Donau in Pannonien. Bis dahin waren die dort in den Grenzgebieten heimischen Stämme noch nicht in größeren Verbänden in Reichsgebiet eingedrungen, da auf kaiserlichen Befehl auch die Befestigungsanlagen an diesem Fluß verstärkt oder neu ausgebaut worden waren.

Von Trier aus, wo er wieder den Winter verbracht hatte, zog Valentinian daraufhin nach Carnuntum, das er halb zerfallen vorfand und als umsichtiger Feldherr vor seinem Weiterzug in das Quadengebiet neu befestigen ließ. Auf diesem Feldzug begleitete den Kaiser seine Gattin Iustina, die er 370 nach der Scheidung von Marina geheiratet hatte und deren in Konz an der Mosel geborener Sohn Valentinian II. nach dem Tod des Vaters zum Augustus erhoben werden sollte. An der Donau angekommen, ließ er bei Aquincum eine Schiffsbrücke bauen, überquerte aber selbst den Fluß an einer anderen Stelle und verheerte das Gebiet der Quaden. Da diese sich einer entscheidenden Schlacht durch Flucht entzogen, kehrte er um und schlug in Brigetio im heutigen Ungarn sein Winterlager auf. Dort erreichte ihn eine Abordnung der Quaden mit der Bitte um Frieden. Als die Gesandten zur Entschuldigung für den Einfall ihres Stammes in das Reichsgebiet angaben, daß der Ausbau der Grenzbefestigung sie aufgebracht habe, wurde der Kaiser von einem solchen Wutanfall gepackt, daß er einen Hirnschlag erlitt und nach mehrstündigem Todeskampf am 17. November 375 mit 55 Jahren starb.

Religionspolitik

Gleich zu Beginn seiner Amtszeit erließ Valentinian ein religionspolitisches Edikt, das allerdings nicht im Original erhalten ist. Aus Anspielungen in einem Edikt von 371 können wir aber entnehmen, daß es allen Bürgern Religionsfreiheit gewähren sollte: «Die zu Beginn meiner Herrschaft erlassenen Gesetze bezeugen, daß jeder die Religion ausüben darf, die ihm gefällt» (*Codex Theodosianus* 9, 16,9). Unter dieser Voraussetzung empfanden die Zeitgenossen offensichtlich nach den Antipoden Constantius II. und Iulian die tolerante Religionspolitik ihres Herrschers als wichtigstes Element einer möglichst konfliktarmen Innenpolitik, die auf fast allen Ebenen bemüht war, Extreme zu vermeiden.

Selbst Ammianus Marcellinus, der in seinem Werk Valentinian größtenteils negativ beurteilt, mißt dessen Religionspolitik unter dem Eindruck des von Theodosius I. im Jahre 380 erlassenen Glaubensedikts einen sehr hohen Stellenwert bei; denn er schreibt sinngemäß, daß in der Regierungszeit dieses Herrschers am meisten Anerkennung verdiene, daß weder eine der Religionen bevorzugt noch eine benachteiligt wurde. Damit ging Valentinian, im Gegensatz zu seinem Bruder Valens, in die Geschichte ein als letzter christlicher Kaiser, der seinen Untertanen Religionsfreiheit gewährte. «In dieser Hinsicht fiel er niemandem lästig und befahl auch nicht, diesen oder jenen Kult auszuüben. Er versuchte nicht, durch Drohungen und Verbote den Nacken seiner Untertanen zu beugen» (Ammianus Marcellinus 30, 9,6).

Gesellschaftspolitik

Valentinians Haltung gegenüber der etablierten Führungsschicht erfuhr hingegen scharfen Tadel. Ammianus Marcellinus schreibt den lapidaren Satz: «Er haßte die Gutgekleideten: Gebildete, Reiche und Adlige» (30,8,10). Daher verwundert es nicht, daß der Kaiser mit dem Senatsadel in Rom in Konflikt geriet. Die alte Reichshauptstadt hat er nicht ein einziges Mal betreten. Seine dem Senat im Jahr 364 schriftlich zugesandte und dort verlesene Rede, in welcher er sich u.a. gegen nächtliche Kulte und die uralten Riten der Opferschau äußerte, führte zu Verstimmungen in den wohl noch überwiegend heidnischen Kreisen des Senats. Die Frontstellung wurde noch dadurch verschärft, daß Valentinian Hofstellen, die unter früheren Kaisern auch diesen Adligen offengestanden hatten, vorwiegend mit pannonischen Landsleuten, die Generalsstellen mit Germanen besetzte und daß in Rom zahlreiche Prozesse gegen Angehörige des Senatorenstandes geführt wurden.

Demgegenüber empfand Valentinian für die breite Masse der Landbevölkerung offensichtlich Sympathien: «Er ging äußerst schonungsvoll mit den Provinzialen um» (Ammianus Marcellinus 30,9,1). Zur Finanzierung der militärischen Bedürfnisse benötigte er aber dringend Steuermittel, die er u.a. gewann, indem er das von Iulian abgeschaffte «Kranzgeld» – goldene Kränze der Stadträte und Grundbesitzer aus Anlaß kaiserlicher Regierungsjubiläen – wieder einführte und in der zweiten Hälfte seiner Regierungszeit massiv die Steuern erhöhte. Dabei legte er Wert auf eine insgesamt gerechtere Steuererhebung: «Eine Vergünstigung, die Einzelpersonen gewährt wird, fügt dem Gesamtvolk Unrecht zu» (Codex Theodosianus 13,1,9). Der bereits unter Konstantin eingeführte Gold-Solidus wurde unter ihm als Grundlage für die Berechnung von Steuerzahlungen festgesetzt und mit dem auf der Rückseite angegebenen Feingehalt des Goldes von Byzanz Jahrhunderte lang unverändert weiter geprägt.

Zusammenfassend wird man sagen können, daß Valentinians Innenpolitik das Bemühen erkennen läßt, durch Zurückhaltung in der Religionspolitik, das Streben nach einer gerechten Steuerpolitik und Reformen im Bereich des weithin korrupten Beamtenwesens ein höheres Maß an Stabilität zu erreichen. In weiten Teilen war diese Politik aber wesentlich bedingt durch die drängenden außenpolitischen Probleme, die er weniger auf dem Verhandlungswege als mit militärischer Gewalt zu lösen versuchte. Auf diesem Gebiet jedenfalls kam er zu den wohl beständigsten und für das Gesamtreich wichtigsten Erfolgen.

Valens
364–378

Von R. Malcolm Errington

Kaiser Flavius Valens verlor ebenso wie der größte Teil des römischen Heeres sein Leben in der großen Völkerschlacht zwischen Römern und Goten am 9. August 378 bei Adrianopel. Sein Leichnam wurde nie gefunden. Anläßlich seines Todes wurden, wie gewöhnlich, sehr unterschiedliche Darstellungen über seine Regierungszeit verbreitet. Wirklich extrem aber war jene des zwei Generationen später schreibenden christlichen Bischofs und Publizisten Theodoret, der den Tod des Kaisers als gerechte Strafe Gottes für dessen vermeintlich gotteslästerliches Verhalten in religiösen Angelegenheiten darstellte; am nüchternsten war die Meinung des zeitgenössischen Profanhistorikers Ammianus Marcellinus, der in einem ausführlichen Kapitel sowohl positive als auch negative Charakteristika des Kaisers anführt, vernünftigerweise aber darauf verzichtet, die einen gegen die anderen aufzurechnen, um ein letztlich bloß konstruiertes und damit unhaltbares Mischurteil zu vermeiden.

Wenn man von Theodorets abweichender Meinung absieht, die keineswegs von allen christlichen Zeitgenossen geteilt wurde – nach Hieronymus wurde Valens von «später Reue» erfaßt und nahm selbst die religionspolitischen Maßnahmen, die Theodoret zu seinem so negativen Urteil bewogen, zurück – entsteht das Bild eines Durchschnittskaisers, eines ehrlich bemühten Soldaten, der, in einem Amt, das er nie angestrebt hatte, sein Bestes tat, um die Belange des Reiches und der Reichsbevölkerung zu fördern. Wie so viele seiner Vorgänger und Nachfolger war er nicht allen Anforderungen des Amtes gewachsen. Weder vermochte er seine charakterlichen Schwächen noch seine problematischen zeit- und karrierebedingten Verhaltensweisen stets zu überwinden. Andererseits entsprach seine Haltung als die eines uncharismatischen Durchschnittsoffiziers, der keinen revolutionären Gedanken anhing, aber Ordnung, Einheitlichkeit und Sicherheit auf pragmatische Weise zu bewerkstelligen beabsichtigte und auf eine ideologische Untermauerung seines Tuns völlig verzichtete, doch gerade dem, was man von einem Herrscher des Ostreiches nach den Turbulenzen der letzten Jahre der konstantinischen Dynastie erhoffen mochte. Intellektuelle und Theoretiker aller Richtungen hatten an Valens keine Freude.

Geboren wurde Valens als jüngerer Sohn des pannonischen Karriereoffiziers Gratian in Cibalae um 328. Genau wie sein älterer Bruder Valentinian schlug er die militärische Laufbahn ein, und schon unter Iulian hatte er es zum Mitglied der kaiserlichen Garde gebracht. Eher praktisch als theoretisch veranlagt, wäre er wohl nicht wesentlich höher gestiegen. In der Krise nach dem plötzlichen Tod des Kaisers Iovian im Februar 364 wurde aber sein Bruder vom Heer zum Kaiser ausgerufen und ernannte ihn zum Mitkaiser für den Osten des Reiches. Denn nachdem innerhalb eines Jahres zwei Kaiser, Iulian und Iovian, gestorben waren, bestanden die Verantwortlichen im Heer darauf, daß Valentinian nicht alleine regieren sollte. Valens wurde also am 28. März 364 in Konstantinopel feierlich in die höchste Würde des Staates eingewiesen. Einige Wochen später begleitete er seinen Bruder auf der alten Heeresstraße über Naissus bis Sirmium, wo eine endgültige Aufteilung des Reiches und der Reichsverwaltung, einschließlich des Militärs, vorgenommen wurde. Valens übernahm die alleinige Verantwortung für den Osten, der auch die europäische Diözese Thrakien mit umfaßte. Daraufhin trennten sich die zwei Kaiser und sahen einander nicht wieder.

Valens' darauf folgender, etwa einjähriger Aufenthalt in Konstantinopel blieb vor allem wegen der skrupellosen Geldeintreibung durch seinen Schwiegervater Petronius, einen ehemaligen Offizier, der von Valens zu einem hohen Ehrenrang befördert wurde, lange in schlechter Erinnerung. Dies trug dazu bei, daß Valens kurz nach seiner Abreise von Konstantinopel im Sommer 365 mit dem Ziel Antiochia in Syrien, von wo aus er sich um die Ostgrenze des Reiches kümmern wollte, mit einer Usurpation konfrontiert wurde.

Der Usurpator, ein gewisser Procopius, war deswegen als Gegner ernstzunehmen, weil er ein Verwandter des Iulian und damit Mitglied des konstantinischen Hauses war. Nach einer Karriere als Diplomat und Kommandeur unter Constantius II. und Iulian hatte er sich nach Iulians Tod ins Privatleben auf seine Ländereien in Kappadokien zurückgezogen, doch drohte seine alte Prominenz ihm unter dem neuen Regime gefährlich zu werden. Ein Gerücht war um diese Zeit in Umlauf, daß Iulian ihn sogar für die Nachfolge vorgesehen hatte – wenn dies nicht bloß Teil seiner eigenen späteren Propaganda war. Gesichert ist, daß er nach Valens' Abreise im Herbst 365 nach Konstantinopel kam und dort Unterstützung von ehemaligen Anhängern der konstantinischen Dynastie erhielt, etwa von Faustina, der Frau des Constantius, deren vielleicht dreijährige Tochter Constantia dem Heer von Procopius publikumswirksam präsentiert wurde, sowie von Abenteurern und anderen Bewohnern der Hauptstadt, die mit dem ungebildeten Pannonier auf dem Kaiserthron und der Tätigkeit seines Schwiegervaters in Konstantinopel schon unzufrieden waren. Am wichtigsten waren aber zwei Heereseinheiten, die auf der Durchreise waren und sich von der Unterstützung eines Usurpators zusätzliche Einnahmen versprachen – denn jeder Usurpator war gezwungen, den Truppen gegenüber besonders großzügig zu sein, wollte er überleben.

Die Sache schien also für Valens, der sich bei Caesarea in Kappadokien aufhielt, ernst zu sein, denn in einem ersten Handstreich konnten sich Procopius' Männer nicht nur Konstantinopels, sondern auch weiter Teile des reichen kleinasiatischen Nachbarraumes Bithynien bemächtigen, einschließlich der bedeutenden Städte Nicaea und Kyzikos. Doch viel weiter kam Procopius nicht. In zwei Konfrontationen mit Valens' Heer in Phrygien unterlag er, wurde dann zuletzt von den eigenen Leuten verraten und an Valens ausgeliefert. Nach seiner Hinrichtung versuchte sein Verwandter Marcellus, der Nicaea noch hielt, den Aufstand fortzusetzen, ließ sich zum Kaiser ausrufen und nahm Chalkedon, am Bosporusufer gegenüber von Konstantinopel gelegen, ein. Doch war die anfänglich breite Unterstützung für die Usurpation schon verschwunden. Auch er wurde bald gefangengenommen und sogleich hingerichtet.

Ammianus Marcellinus berichtet von der grausamen und ungerechten ‹Säuberungsaktion›, die Valens und sein Stab in der Folge der Usurpation konsequent durchführten. Er kritisiert dabei die seines Erachtens unverhältnismäßige Härte und die exzessive Ausdehnung der Maßnahmen auf unbeteiligte Personenkreise. Doch in Hinblick auf die im Vordergrund stehende Frage der Sicherung des Reiches sowie der Macht des Kaisers auch gegen den nunmehr deutlich verkündeten Willen derjenigen hochgestellten Kreise im Osten, insbesondere in Konstantinopel, die der Herrschaft des Pannoniers nichts abgewinnen konnten, war in jenem Zeitalter die Härte, mit der gegen den besiegten Usurpator und seine Anhänger vorgegangen wurde, eine Selbstverständlichkeit. Procopius hätte sich als Sieger sicherlich nicht anders verhalten. Ammianus Marcellinus äußert keinen Zweifel an der Rechtmäßigkeit von Valens' Herrschaft, und der Rhetoriklehrer Libanius konnte sogar des Kaisers Milde loben, selbst nach dem Tode des Valens, und die offenbar nicht zu leugnende Härte – selbst zu Ungunsten eines seiner eigenen Schüler – wie selbstverständlich auf das Konto seiner Helfershelfer schieben.

Der Procopius-Aufstand hatte aber auch eine bedeutsame außenpolitische Dimension erhalten, denn Procopius hatte versucht, Soldaten außerhalb der Reichsgrenzen im heutigen Rumänien anzuwerben. Seit Konstantins Zeit lebten dort Goten einvernehmlich mit dem Reich, erhielten regelmäßige Geschenke vom Kaiser und ließen sich gewiß nicht ungern als Soldaten anwerben. Immer wieder kam es zwar zu kleineren, wenn auch für die Römer immer ärgerlicheren Streifzügen der Goten durch die thrakischen Provinzen des Reiches, aber erst nach dem Procopius-Aufstand schien das Problem für das Reich akut zu sein, denn 3000 gotische Procopius-Helfer wurden nach dem Aufstand in Thrakien gefangengenommen – sie waren allerdings zu spät gekommen, um gegen Valens eingesetzt zu werden. Sie boten aber Anlaß, an eine grundsätzliche Neuordung des seit Konstantin bestehenden und nicht mehr veränderten Verhältnisses zu den transdanubischen Goten zu denken. Denn Procopius' Zugehörigkeit zur konstantinischen Dynastie hatte offenbar für die Goten eine erhebliche Rolle gespielt bei ihrer Entscheidung, ihm zu helfen. So leicht wie gedacht war diese Neuordnung jedoch nicht zu erreichen, denn obwohl Valens persönlich von 367 bis 369 an der unteren Donau tätig war, gelang es ihm nicht, die Goten zu einer entscheidenden Schlacht zu zwingen – 368 verhinderte ein ungewöhnlich lang anhaltendes Hochwasser jede effektive militärische Unternehmung. Da der Kaiser zeitlich nicht unbegrenzt an der Donau verweilen wollte oder konnte – die Ostgrenze verlangte immer dringender seine Anwesenheit in Syrien –, kam es 369 zwar erneut zum Frieden mit den Goten, aber nicht zur angestrebten Neuordnung der Verhältnisse. Der Frieden war ein Kompromiß, der es dem Gotenführer Athanarich erlaubte, das Gesicht zu wahren. Athanarich bestand darauf, daß das neue Abkommen auf neutralem Boden, nämlich auf einem Schiff mitten auf der Donau, förmlich abgeschlossen wurde; und Valens ließ sich auf diese symbolhafte Handlung ein.

Die nächsten Jahre bis Frühjahr 378 verbrachte Valens zumeist in Antiochia in Syrien und dessen Umgebung, die er als Ausgangspunkt für eine ausgedehnte diplomatische und militärische Tätigkeit an der Ostgrenze nutzte, wo insbesondere in Armenien der Perserkönig Sapor seinen Vorteil suchte. Die regelmäßige Anwesenheit des Kaisers und seines Hofes im syrischen Raum hatte zwangsläufig Auswirkungen auf die inneren Verhältnisse dort, insbesondere in seinem Aufenthaltsort Antiochia selbst. Im kirchlichen Bereich konnte ein Kaiser wie Valens keine Unruhe tolerieren. Er war zwar kein Theologe, doch in der Praxis Anhänger der von Constantius II. geförderten sogenannten homöischen Reichskirche, die im Osten vorherrschte. Daß gerade in Konstantinopel und in Antiochia Vertreter einer anderen kirchlichen Richtung den Bischöfen des kaiserlichen Vertrauens das Kirchenvolk und den Kirchenbesitz streitig zu machen versuchten, war einfach nicht hinnehmbar. Unruhestifter wurden aus ihren Ämtern entlassen, ohne jedoch weiter verfolgt zu werden. Es war schicksalhaft und für Valens' späteren Ruf ausgesprochen schädlich, daß seine kirchenpolitischen Gegner unter seinem Nachfolger Theodosius bald den Sieg davontrugen, da sie so selbst ‹orthodox› wurden und die Geschichte des Valens in ihrem Sinne festschreiben konnten. Vorhersehbar war das aber nicht. Spätere Berichte von massiven Verfolgungen sogar mit Todesfällen sind nur bösartige fromme Legenden der später vorherrschenden Orthodoxie, zu der auch der Kirchenhistoriker Theodoret gehört. Für die Diözese Oriens sind nur fünf verbannte Bischöfe bekannt – darunter der charismatische Antiochener Meletios –, aber ihre Abwesenheit sollte nicht von Dauer sein, denn schon 376 wurde daran gedacht, ihnen eine Rückkehr zu ermöglichen, was Ende 377 noch unter Valens tatsächlich auch geschah. Theodoret hat dies aber nicht in seine Geschichte aufgenommen.

Während Valens' Aufenthalt in Antiochia wurde eine weitere Verschwörung aufgedeckt, in deren Zentrum diesmal magische Praktiken standen – die Frage: Wer wird der nächste Kaiser? wurde an die Zukunftsdeuter gestellt. Valens, erst knapp über vierzig Jahre alt, wurde zornig, als diese hinterhältigen Machenschaften publik wurden, und veranstaltete unter der Leitung seines Präfekten Modestus eine lange Reihe von Prozessen. Diese Untersuchungen ergaben, daß nicht nur der unmittelbar im Zentrum des Verdachts stehende Kreis um den Kanzleisekretär Theodorus, der offensichtlich von seinen Freunden als nächster Kaiser favorisiert wurde, eine Verschwörung vorbereitet hatte. Nach Auskunft von Informanten wurden nun auch viele andere, insbesondere aus intellektuellen und philosophisch gefärbten Gruppen, illoyaler Tätigkeiten verdächtigt. Der Antiochener Ammianus Marcellinus wirft dem Kaiser hier nochmals vor, wie bei der Verfolgung der Procopius-Sympathisanten, die Prozesse mit übermäßigem Eifer und exzessiver Brutalität geführt zu haben. Doch vorausgesetzt, daß der Kaiser selbst für Magie ebenso anfällig war wie seine Untertanen – woran eigentlich kein Zweifel bestehen dürfte –, so stand er in einer Tradition, die so alt war wie das Kaisertum selbst. Zukunftsdeutung in politischen Fragen stellte eine genauso große und ernstzunehmende Herausforderung des regierenden Kaisers dar wie ein unmittelbares Attentat – und einem solchen war Valens gerade entkommen. Auch die Angeklagten dürften sehr wohl gewußt haben, wie gefährlich ihre Aktivitäten für sie waren und welche Bedeutung ihnen der Kaiser beilegen würde. Eines aber machen diese Ereignisse in Antiochia deutlich: Der pannonische Kaiser genoß zwar kein großes Vertrauen bei den traditionell meinungsführenden intellektuellen Kreisen im Osten des Reiches – Kreise, die erst kürzlich unter Iulian viel Aufwind gespürt hatten –, doch war das Mißtrauen gegenseitig und letztlich lag die Macht doch bei dem Herrscher.

Die Katastrophe der Schlacht bei Adrianopel bahnte sich schon an, als Valens sich noch in Antiochia aufhielt. Im Jahre 376 fragten Führer der transdanubischen Goten an, ob sie nicht den Fluß überqueren und sich auf Reichsgebiet in der Diözese Thrakien niederlassen dürften, denn sie wurden von den Hunnen bedrängt, die vom Norden her kommend in ihr bisheriges Siedlungsgebiet in Rumänien eindrangen. Nach längeren Verhandlungen wurde vereinbart, daß einige gotische Gruppen ins Reich kommen durften. Doch gestalteten sich die praktischen Bedingungen an der Donau bei der Überfahrt so chaotisch – die am Ort für die Aufnahme der Gotenfamilien zuständigen Reichsoffiziere waren sowohl korrupt als auch überfordert –, daß die Gotenführer trotz anfänglichen guten Willens ihr Schicksal in die eigenen Hände nahmen. Dadurch provozierten sie aber die Römer auf Reichsboden so sehr, daß bis Ende 377 auch dem Kaiser in Antiochia klar geworden war, daß die in Thrakien weilenden Goten im Moment nicht nur nicht im Sinne ihrer Vereinbarung mit dem Reich zufriedenstellend angesiedelt werden konnten, sondern daß sie vielmehr eine Bedrohung gewaltigen Ausmaßes für die Sicherheit und Ordnung Thrakiens und des ganzen Balkanraumes darstellten.

Valens war gezwungen, seine Prioritäten erneut zu ändern und die Lage in Thrakien zur Chefsache zu erklären. Da aber auch die westliche Präfektur von Illyricum, für die er nicht zuständig war, inzwischen gleichermaßen bedroht erschien, forderte er seinen in Trier residierenden Neffen Gratian auf – Valentinian war 375 gestorben –, mit dem kaiserlichen Heer des Westens nach Thrakien zu ziehen. Während des Frühjahres 378 sammelten sich dort die Heere der Goten und der Römer, doch bevor das westliche Heer überhaupt angekommen war, entschied sich Valens, eine Schlacht in der Nähe der Festung Adrianopel zu riskieren. Ob er bloß den Ruhm des Sieges für sich alleine beanspruchen wollte oder ob er die bis Anfang August entstandene taktische Lage für so besonders günstig hielt, daß er auf Gratians Heer verzichten zu können meinte, wird sein Geheimnis bleiben. Denn die Schlacht, am 9. August ausgetragen, endete für Valens mit einer Niederlage, die Goten siegten auf der ganzen Linie. Unter den Tausenden von getöteten Soldaten – fast alle höheren Offiziere des Ostheeres waren gefallen – war auch der Kaiser. Valens' Leiche wurde nie gefunden. Durch seine verheerende Fehleinschätzung der militärischen Lage vor Adrianopel hinterließ er seinem Neffen und allen weiteren Nachfolgern den Konflikt mit den Goten, der die künftige Geschichte des römischen Reiches, insbesondere in dessen europäischen Teilen, bis zu dessen Auflösung wesentlich mitprägte.

GRATIAN
367–383

Von Klaus Martin Girardet

Gloria novi saeculi – das Kind als Kaiser

‹Ruhm des Neuen Zeitalters›: mit dieser Parole feierte man in der römischen Welt auf mehreren Münzserien erwartungsvoll die Erhebung eines Kindes von acht Jahren zum Augustus. Die Proklamation geschah am 24. August 367 in Amiens während einer Heeresversammlung. Das Kind hieß Gratian, geboren am 18. April 359 in Sirmium, Sohn des Kaisers Valentinian I. und seiner Ehefrau Marina Severa. Die Aufnahme Gratians in das Kaiserkollegium, welches derzeit von seinem Vater und seinem im Osten des Reiches residierenden Onkel Valens gebildet wurde, war allerdings unter wenig glücklichen Umständen erfolgt.

Valentinian befand sich auf einem Kriegszug durch das heutige Nordwestfrankreich gegen die dort von Osten her eingedrungenen Alamannen. Nach einer schweren Erkrankung, die fast tödlich verlaufen wäre, wollte er umgehend allen Spekulationen über die Zukunft des Herrscherhauses wie auch den Usurpationsgelüsten ehrgeiziger Generale ein Ende machen. Daher entschloß er sich, im Sinne des dynastischen Gedankens, dem schon sein Bruder Valens die Herrschaft über die östlichen Teile des Reiches verdankte, seinen Sohn Gratian in das Kaiserkollegium aufzunehmen. Er tat dies aber nicht, wie es zuletzt in der konstantinischen Dynastie geschehen war, indem er Gratian mit dem lediglich die Anwartschaft auf Nachfolge dokumentierenden Rang eines Caesar bekleidete, sondern indem er den Sohn sogleich zum Augustus erhob. Eine Überraschung dürfte die Proklamation des ‹Kindkaisers› für die Zeitgenossen jedoch kaum gewesen sein. Denn schon dessen Konsulat im vorangehenden Jahr 366 hatte gewiß eine dynastische Demonstration sein sollen. Dynastischem Denken, aber auch und gerade ideologischer Standortbestimmung im Sinne einer Wahrung der Kontinuität des seit Konstantin I. christlichen Kaisertums, die durch die ‹Iulianische Wende› nur kurz unterbrochen war, entspricht dann auch die spätere Heirat des jugendlichen Herrschers mit Constantia, der 361 geborenen Tochter des Kaisers Constantius II., Sohn Konstantins. Aus dieser Ehe ging ein Sohn hervor, der aber, ebenso wie seine Mutter, bereits vor dem

Vater starb; eine zweite Ehe Gratians, mit einer Frau namens Laeta, ist offenbar kinderlos geblieben.

Die Parole vom ‹Neuen Zeitalter› sollte die gebildete und politisch einflußreiche Führungsschicht an die vierte Ekloge Vergils erinnern und nun das dort prophezeite ‹Goldene Zeitalter› in Aussicht stellen, welches nach Auskunft der Sibyllinischen Bücher ‹das Kind› heraufführen werde. Aber natürlich war der – erste – ‹Kindkaiser› vorerst noch nicht regimentsfähig. So kam alles darauf an, ihm eine auf die Aufgaben eines christlichen Weltherrschers vorbereitende Erziehung und Bildung angedeihen zu lassen. Valentinian I. gewann zum Lehrer seines Sohnes einen politisch versierten Literaten und Professor aus Bordeaux, Ausonius. Offenbar erhielt der junge Kaiser mit betont christlicher, am Dogma von Nicaea orientierter Ausrichtung zunächst eine umfassende, den traditionellen Kanon der Lehrfächer ausschöpfende Bildung, die von allen Zeitgenossen, auch von seinen Kritikern, gerühmt wurde. Wie eng aber literarische, politische und militärische Erziehung in der Umgebung Valentinians miteinander verzahnt waren, mag die Tatsache verdeutlichen, daß der kaum neun Jahre alte Kaiser, wohl zusammen mit seinem Lehrer, im Stab des Vaters 368 nach Mainz, der gerade von den Alamannen geplünderten Hauptstadt der Provinz Germania I, reiste und von dort aus an den militärischen und diplomatischen Aktionen am Rhein teilnahm.

Praeclarae indolis adolescens – der Schritt in die Selbständigkeit

‹Ein Jüngling mit hervorragenden Anlagen›, die ihn zum Rivalen der besten Herrscher der römischen Geschichte hätten werden lassen können: Mit diesen Worten stellt Ammianus Marcellinus seinen Lesern Gratian vor. Die Lehr- und Lernzeit des hochbegabten jugendlichen Kaisers unter der Obhut seines Vaters und seines Erziehers Ausonius in Trier fand ein unvorhersehbares Ende, als am 17. November 375 Valentinian I. im Alter von fünfundfünfzig Jahren an einem Schlaganfall starb. Fünf Tage danach, am 22. November, nahm die in Aquincum versammelte Generalität eigenmächtig, aber doch im Sinne der regierenden Dynastie, die Proklamation von Gratians erst vierjährigem Halbbruder Valentinian zum Augustus – zum zweiten ‹Kindkaiser› – vor; ihm wurde, natürlich vorerst nur nominell, das Regiment über Illyrien, Italien und Nordafrika zugeteilt. Das Kaiserkollegium umfaßte somit wieder drei Augusti, in der Reihen- bzw. Rangfolge Valens – Gratian – Valentinian II.

Gratian, dem eine Lebenszeit von nur 24 Jahren beschieden war, zählte gerade 17 Jahre, als er die Rolle seines Vaters übernehmen mußte, von Trier und Mailand aus gemeinsam mit dem in Konstantinopel residierenden Valens das Weltreich zu regieren. Sogleich, noch rechtzeitig zum Jahresbeginn 376, schickte er eine wohl von Ausonius redigierte

Erklärung an die nach wie vor angesehenste Körperschaft des Römerreiches, den Senat in Rom, in welchem der Anteil der Christen inzwischen wohl auf eine starke Minderheit angewachsen war. Politisches Ziel war es, das Verhältnis zwischen Kaiser und Senat, das zu Zeiten Valentinians I. denkbar angespannt, ja von Feindseligkeit geprägt war, auf eine neue Grundlage zu stellen. Das kaiserliche Schreiben löste im Senat Begeisterung aus: tatsächlich, so sah es der berühmte, bei Heiden und Christen höchst angesehene Senator Symmachus, begann nun mit dem vor Jahren schon angekündigten ‹Neuen Zeitalter› endlich ein ‹Goldenes Zeitalter›. Verurteilte und Verbannte wurden amnestiert, darunter vielleicht auch der Spanier Magnus Maximus, der spätere, für Gratians Tod verantwortliche Usurpator; kompromittierte Beamte und Berater Valentinians I., die dem Senat besonders verhaßt waren, wurden aus dem Amt entlassen, einige sogar hingerichtet, und prominente Senatoren, darunter Familienangehörige des Symmachus, erhielten hohe Ehrungen und Ämter. Auch seinem Lehrer Ausonius und mehreren Mitgliedern seiner Familie erwies Gratian Ehre und Dankbarkeit, indem er ihnen seit 377 systematisch die hohen und höchsten zivilen Reichsämter des Westens anvertraute.

Aller Wahrscheinlichkeit nach kam er im August 376 auch persönlich nach Rom, wo er, gemäß dem traditionellen Protokoll eines Kaiserbesuches in der Reichshauptstadt, mit dem Senat zusammengetroffen sein dürfte. Mehrere Gesetze sind aus diesem Jahr überliefert, die den Status der Senatoren wie auch das Prestige Roms als Reichshauptstadt und die Versorgung mit Grundnahrungsmitteln verbessern sollten. Angenommen werden darf ferner, daß auch das geistliche Oberhaupt der christlichen Kirchen Roms und Italiens, der Bischof Damasus, die Begegnung mit Gratian gesucht hat. Schon Valentinian I. hatte den nicht nur innerkirchlich umstrittenen Mann – es ging immerhin um Anklagen auf Anstiftung zu vielfachem Totschlag im Zusammenhang mit den blutigen Kämpfen des Jahres 366 zwischen Ursinus und Damasus um den römischen Bischofsstuhl – nachhaltig gestützt. Damasus wird nun den Besuch Gratians als Gelegenheit wahrgenommen haben, durch intensivierten Kontakt mit dem jungen Kaiser sein tief gesunkenes Ansehen entscheidend weiter zu verbessern. Vielleicht ist es seinem Einfluß zuzuschreiben, daß der fromme Christ Gratian sich schon 376 während des Rombesuches zu einem in der Geschichte des römischen Kaiserreiches einzigartigen Schritt entschloß: zur Niederlegung des seit Augustus im Jahre 12 v. Chr. dem Kaisertum inhärenten Amtes und Titels des *pontifex maximus*, d. h. des höchsten Aufsichtführenden über die ordnungsgemäße Praktizierung der Staatsreligion und über die im Reich zugelassenen Kulte. Wie alle – auch die christlichen – Kaiser vor ihm ist Gratian inschriftlich als Träger dieses genuin heidnischen Titels bezeugt. Aber unabhängig von dem Datum seiner, vielleicht auch erst einige Jahre später erfolgten Absage an das Amt: gesichert ist, daß er das Amt niedergelegt und daß kein anderer Kaiser es je wieder angenommen hat. Durch seinen Schritt aber war demonstrativ und endgültig die religionspolitisch entscheidende Trennung des Kaisertums von den nichtchristlichen Göttern und ihren Kulten vollzogen. Es wird aber noch an die tausend Jahre dauern, bis einer der Renaissancepäpste sich den Titel eines *pontifex maximus* beilegt und damit eine bis heute beibehaltene Tradition der Bischöfe von Rom begründet.

Christianissimus/fidelissimus princeps – Christen und Heiden unter der religiösen Aufsicht des Kaisers

‹Allerchristlichster›, ‹Allerfrömmster› Herrscher: So wurde, als erster der christlichen Kaiser, Gratian von dem Mailänder Bischof Ambrosius angeredet, auch wenn er, was in der Spätantike aber nichts Auffälliges ist, nicht getauft war. Ja, Ambrosius ging sogar soweit, den jungen Kaiser als einen ‹Lehrer des Glaubens› zu bezeichnen. Auch dies indessen erscheint nur dem heutigen Betrachter als höchst ungewöhnlich. Denn seit mit Konstantin und dessen Hinwendung zum Christentum Religionspolitik das wichtigste Feld der Innenpolitik geworden war, hatte auch die vom herrscherlichen Amt des *pontifex maximus* herrührende Rolle des christlichen Kaisers als eine Art ‹Bischof der Bischöfe› ihren Anfang genommen. Von den etablierten Rechten im Bereich der Religionspolitik, die aus Pflichten gegenüber der den Staat und das Reich erhaltenden Gottheit erwuchsen, machte auch Gratian je nach Erfordernis Gebrauch, so etwa als er eine im Herbst 381 in Aquileia tagende Bischofsversammlung einberief und deren Beschlüsse ausführte, als er durch Gesetz den Übergang vom Christentum zu Manichäismus, Judentum und Heidentum unter Strafe stellte oder als er ein generelles Verbot aller Ketzereien erließ und namentlich gegen die schismatische Bewegung des Donatismus in Nordafrika sowie gegen die Priscillianer in Spanien und Gallien vorging. Wichtig für die Geschichte der Entstehung des Papsttums im Westen des Reiches ist schließlich die durch Kaisergesetz erfolgte Festlegung eines innerkirchlichen Instanzenzuges, mit welcher Gratian dem Bischof von Rom eine zentrale Rolle zugesprochen und feste Regularien für staatliche Hilfe bei der Durchführung kirchlicher Verfahren wie auch bei der Vollstreckung kirchlicher Urteile geschaffen hat.

Nicht zuletzt das schockartige Erlebnis der ‹Iulianischen Wende› vom christlichen Kaisertum der konstantinischen Zeit zurück zu einem pronociert heidnisch-polytheistischen Kaisertum kurze Zeit vor seiner eigenen Erhebung zum Augustus dürfte Gratians Vater Valentinian I., der selber ein Christ der nicaenischen Richtung war, zu religionspolitischer Vorsicht gegenüber den Nichtchristen veranlaßt haben. Damit war auch für seinen Sohn der Kurs bis zu einem gewissen Grade vorgezeichnet. Denn zunächst folgten noch keine direkt gegen das Heidentum bzw. die stadtrömischen, vom senatorischen Adel getragenen Götterkulte gerichteten Verbote. Auf anderer Ebene indessen blieb Gratian religionspolitisch nicht untätig: Im Bereich der höchsten westlichen Reichsbeamtenschaft und der Generalität, wo uns die antiken Quellen einen gewissen Einblick gewähren, läßt sich eine intensive Personalpolitik in gezielt christlichem Sinne mit dem Ergebnis beobachten, daß erstmals in der Geschichte des römischen Kaiserreiches der größte Teil dieser hochrangigen Funktionsträger aus Christen bestand, die Nichtchristen hier also weitgehend verdrängt waren. Doch im Jahre 382 hat Gratian die taktisch bedingte Zurückhaltung aufgegeben und einen Kurs der direkten Konfrontation eingeschlagen. Vorausgegangen waren seit 379/80 mehrfache briefliche Kontakte und persönliche Begegnungen mit dem politisch erfahrenen und wortgewaltigen Bischof Ambrosius, und maßgebend dürften ferner die Vorstellungen und Anregungen des römischen Bischofs Damasus gewesen sein. Vorausgegangen war aber auch, im Jahre 380, jenes Edikt des Theodosius, welches allen Reichsbewohnern den nicaenischen Christenglauben zudiktierte. Die Reichshauptstadt Rom aber war bisher noch immer, rechtlich unangetastet, das Zentrum polytheistischer Kulte, die von den großen heidnischen Familien des senatorischen Adels in liebevoller Anhänglichkeit an die in der frühesten Zeit Roms begründeten Traditionen der Staatsreligion sorgfältig gepflegt wurden.

Vor diesem Hintergrund erfolgte nun im Herbst/Winter 382/83 die scharfe Wendung Gratians gegen die stadtrömischen Kulte. Als erstes wurde die Entfernung des Altars der Siegesgöttin Victoria aus dem Senatssaal in Rom verfügt. Die Göttin, deren Kultbild und Opferaltar seit Augustus in der Kurie am Forum Romanum ihren Platz hatten, verkörperte die Sieghaftigkeit des römischen Volkes, seines Kaisers und seines Imperiums. Der symbolträchtige Akt war von weiteren Verfügungen begleitet: Die staatliche Finanzierung des Unterhalts der Vestalinnen, deren Fürsorge für das heilige Herdfeuer als Unterpfand der Ewigkeit Roms gegolten hatte, wurde ebenso eingestellt wie die Zahlungen für die stadtrömischen Götterfeste, die Opfer und die Aufwendungen der Priester, und die Vestalinnen und die übrigen stadtrömischen Priesterschaften verloren sämtliche Steuerprivilegien. Eine Gesandtschaft heidnischer Senatoren, an ihrer Spitze kein anderer als der enttäuschte Symmachus, wurde von Gratian in der Residenz Mailand um die Jahreswende 382/83 nicht einmal vorgelassen. Damit war das Ende der religionsgeschichtlichen Sonderstellung Roms als Zentrum der paganen Kulte besiegelt.

Maximus victor et triumphator – der Kaiser im Kampf gegen die fremden Völker

‹Größter Sieger und Triumphator› über Germanen, über Alamannen, Franken, Goten – ‹Zähmer der Barbaren›, diese und ähnliche Titel wurden Gratian wie schon anderen Kaisern vor und nach ihm auf Inschriften und offiziellen Dokumenten beigelegt. Mit dem außenpolitischen Problem der ‹Barbarenkriege› an Rhein und Donau, der beginnenden Völkerwanderung, war Gratian die kurze Zeit seiner Regierung hindurch ständig konfrontiert. Allein schon sein Itinerar, soweit es sich rekonstruieren läßt, spricht eine deutliche Sprache. Es zeigt eine überaus hektische, durch die militärische Spannungssituation auf weit voneinander entfernten Kriegsschauplätzen erzwungene Reisetätigkeit. Denn in den Jahren 377 und 378 spitzte sich die Lage vor allem im Reichsteil des Valens dramatisch zu. Ambrosius von Mailand faßte die Lage an der unteren Donau so zusammen: «Die Hunnen stürzten sich auf die Alanen, die Alanen auf die Goten, die Goten auf die Taifalen und Sarmaten.» Gratian, 377 zeitweilig wohl wegen der Alamannengefahr in Mainz, schickte daraufhin seinem Onkel Valens in Gallien stehende Truppen zu Hilfe. Die Alamannen im Westen aber nutzten dies, als der Kaiser wieder in Trier war, zu einem erneuten Einfall in das Reich, der Gratian nach einem Sieg bei Colmar bis in den Sommer 378 zu einem über den Rhein hinweg in den Schwarzwald führenden Feldzug nötigte; es war historisch der letzte Zug eines römischen Kaisers in rechtsrheinische Gebiete. Sodann marschierte Gratian mit seiner Armee zu der gefährdeten Donauregion. Doch bevor er eingreifen konnte, hatte Valens am 9. August 378 in der Schlacht bei Adrianopel eine vernichtende Niederlage erlitten und war getötet worden, mit ihm die meisten Generäle und Offiziere sowie etwa zwei Drittel der auf 30 000 bis 40 000 Mann geschätzten römischen Armee.

Das Weltreich besaß nunmehr in dem erst neunzehnjährigen Gratian, dessen ‹Mitregent› Valentinian II. ganze sieben Lebensjahre zählte, den einzigen politisch und militärisch wenigstens bis zu einem gewissen Grade handlungs- und entscheidungsfähigen Herrscher. Angesichts dessen erwies es sich als ein Glücksfall, daß Gratian dem Rat folgte, den derzeit in seinem Heimatland Spanien weilenden Theodosius, dessen gleichnamiger Vater, ein vielfach erfolgreicher General, verstrickt in eine Intrige auf Befehl Valentinians I. hingerichtet worden war, nach Illyrien zu berufen. Dieser stellte, schon 374 an der Donau gegen die ‹Barbaren› bewährt und mit jetzt 32 Lebensjahren doch bedeutend älter und politisch wie militärisch erfahrener als Gratian, im Herbst und Winter 378 erneut siegreich seine militärische Leistungsfähigkeit unter Beweis. Daraufhin erhob ihn der junge Kaiser in der Residenz Sirmium am 19. Januar 379 zum Augustus und übertrug ihm die Aufgabe, die gefährdeten

Donaugebiete zu sichern und die östlichen Reichsteile zu regieren. Gratian selbst mußte sich, da in seiner Abwesenheit erneut die Alamannen am Oberrhein ins Reich eingedrungen waren, noch 379 eilends in den Westen begeben. In der Donauregion hat er aber danach noch mehrfach, so 380 und 382, diplomatisch und militärisch eingegriffen. Den Winter 382/83 verbrachte er in seiner Residenz Mailand, von wo aus er, wohl in Absprache mit Ambrosius und dem römischen Bischof Damasus, jenen Frontalangriff gegen das stadtrömische Heidentum einleitete, der die religionspolitische Sonderstellung Roms für alle Zeiten beendete.

Odia militum – Attentat in Lyon und Urteil der Zeitgenossen

Ein anonymer Autor des 4. Jahrhunderts sprach von ‹Haßgefühlen der Soldaten›, als er seinen Lesern erklärte, warum Gratian, konfrontiert mit einem Usurpator, im entscheidenden Augenblick die Loyalität seiner Truppen verlor. Im Frühsommer 383, auf dem Weg von Mailand aus über den Brenner zum Kampf gegen die Alamannen, hatte den jungen Kaiser nämlich die Nachricht erreicht, daß in Britannien der Oberkommandierende der römischen Truppen, ein Christ spanischer Herkunft mit Namen Magnus Maximus, von der dortigen Armee zum Augustus ausgerufen worden war und bereits das gallische Festland betreten hatte. In Eilmärschen zog Gratian dem Usurpator nach Westen entgegen. Als dann im Sommer 383 die Heere in der Gegend von Paris einander einige Tage nahezu kampflos gegenüberlagen, gingen Gratians Offiziere mit ihren Soldaten zu Maximus über. Dem Kaiser blieb nur die Flucht, die ihn mit kleiner Begleitung über die Alpen in das sichere Oberitalien hätte führen sollen. Angeblich wollte Maximus, der Trier zu seiner Residenz erkor, sein Leben schonen. Doch abgefangen und verhaftet bei Lyon, durch Hinterlist zeitweilig in Sicherheit gewiegt, wurde er von dem General Andragathius am 25. August 383 im Alter von 24 Jahren bei einem Gastmahl ermordet.

Gratian, in tiefer Frömmigkeit der nicaenischen Orthodoxie ergeben, ist nach Ansicht aller antiken Autoren ein hervorragend begabter und außergewöhnlich gebildeter junger Mann gewesen. Einig war man sich in der Antike aber auch darin, daß er die für einen Herrscher angesichts extremer Krisenlage des Weltreiches notwendige Ernsthaftigkeit, politische Einsichts- und Entscheidungsfähigkeit sowie den unabdingbaren Gestaltungswillen nicht besessen bzw. nicht ausreichend entwickelt habe. Er soll, um politische Dinge wenig bekümmert und zu juvenilem Überschwang neigend, ziemlich albern gewesen und in exaltierter Leidenschaftlichkeit und fast hysterischem Aktionismus – darin von Ammianus Marcellinus mit Kaiser Commodus verglichen – allzu häufig mit Pfeil und Bogen in Wildgehegen auf die Jagd gegangen sein. Schwerer ins Gewicht fiel wohl, daß er offenbar auch ein gewisses Fingerspitzengefühl beim Umgang mit römisch-traditionsbewußten Generälen und Armeen vermissen ließ: Es heißt, er habe für gewaltige Mengen Goldes barbarische Krieger, Alanen, angeheuert, weil sie als treffsichere Bogenschützen bekannt waren, habe diese – deren Stammesgenossen immerhin als Feinde des Reiches zusammen mit anderen an der Donau für dauernde Unruhe sorgten – in seine persönliche Umgebung aufgenommen, sie mit Freundschaftsbezeigungen auf provozierende Weise den römischen Militärs vorgezogen und sei schließlich sogar noch in alanischer Tracht statt im Ornat des römischen Kaisers einhergegangen. So habe er durch ‹unrömisches› Benehmen die Loyalität seiner Truppen verspielt.

Aber auch der von der Anciennität im Kaiseramt her ihm nachgeordnete, ihm dem Lebensalter und der Erfahrung nach freilich überlegene Theodosius I. dürfte für seinen frühen Untergang indirekt mitverantwortlich gewesen sein. Denn in der Religionspolitik untergrub dieser durch demonstrative Eigenmächtigkeiten das Ansehen des jungen Kollegen, indem er ohne Absprache in Saloniki das für alle Reichsbewohner verbindliche Glaubensedikt vom 20. Februar 380 ergehen ließ und indem er der von Gratian 380 hochoffiziell als Universalkonzil angekündigten Synode von Aquileia im September 381 ohne Konsultation durch das – später als zweites Ökumenisches gezählte – Konzil von Konstantinopel im Mai 381 zuvorkam. Noch schwerer im Sinne destabilisierender Signalwirkung dürfte die Tatsache gewogen haben, daß Theodosius I., obwohl im Rang nachgeordnet, völlig eigenmächtig am 19. Januar 383 seinen erst sechsjährigen Sohn Arcadius zum Augustus machte und damit den Vorrang und die dynastischen Rechte Gratians öffentlich grob verletzte, was dieser nur mit der hilflosen Geste beantworten konnte, daß er in seiner Münzprägung den neuen ‹Kindkaiser› ignorierte. Wohl nicht zu Unrecht wies schließlich der erfolgreiche Usurpator Magnus Maximus, der zuvor in Britannien und in Nordafrika zum Stab Theodosius' des Älteren gehört hatte, auf familiäre, politische und landsmannschaftliche Verbindungen zum Herrscher im Osten des Reiches hin. Jedenfalls wurde er zumindest zeitweilig von Theodosius I. anerkannt und konnte sich nach der Ermordung Gratians sogar nicht weniger als fünf Jahre auf dem Thron halten. Als er dann aber doch, im Jahre 388, gestürzt worden war, trat der noch jugendliche Valentinian II. auf Geheiß Theodosius' I. in Trier die Nachfolge seines ermordeten Halbbruders an. Er war Roms letzter Kaiser, der in der Moselmetropole Residenz genommen hat.

Valentinian II.
375–392

Von Angela Pabst

Ein Kind, das mit vier Jahren seinen Vater verliert und zum Kaiser erhoben wird – ein zwanzigjähriger Jugendlicher, den man erhängt in seinem Palast findet: Bereits diese beiden Momentaufnahmen aus der Biographie Valentinians II. lassen erahnen, daß er kaum zu jenen Herrschern zählt, welche die Geschichte ihrer Zeit in ihrem Sinn nachhaltig gestalteten. Zu interessieren vermag er dennoch und zwar keineswegs allein durch seinen rätselhaften Tod, den schon die antiken Quellen teils seiner eigenen, teils fremder Hand zuschreiben. Denn sein Leben, so wenig es vorrangig seinem Willen unterlag, ist für die Entwicklung am Ende des 4. Jahrhunderts durchaus nicht ohne Einfluß geblieben und zugleich ein Spiegel, der einige Züge der Epoche mit bemerkenswerter Klarheit wiedergibt. Nicht zuletzt freilich begegnet uns in dem römischen Jungen, der sich bemüht, den Erwartungen der Mitwelt an das Oberhaupt des Reiches zu entsprechen und der schließlich daran stirbt, diese Rolle tatsächlich erfüllen zu wollen, eine Figur, bei der es schwerer fällt, historische Distanz zu wahren als sie zu überbrücken.

Valentinian schlicht als römischen Kaiser vorzustellen, könnte leicht ein falsches Bild evozieren. Daß er vielmehr stets einer von mehreren – in diesem Fall drei bis vier – römischen Kaisern war, ist für die Zeit gewiß nicht singulär, erweist sich aber bei näherer Betrachtung als jenes Element, das gerade seine Regierung ganz entscheidend prägte.

Ein Kollegium von Herrschern existierte bereits, als Valentinian im Herbst 371, mutmaßlich in Trier, geboren wurde. Neben seinem Vater, dem am 25. Februar 364 erhobenen Valentinian I., besaßen seit dem 28. März 364 Valens, sein Onkel väterlicherseits, und seit dem 24. August 367 Gratian, sein um zwölf Jahre älterer Halbbruder, kaiserlichen Rang, Valens zudem mit der Osthälfte des Reiches ein Gebiet, um das er sich bald ebenso selbständig kümmerte wie Valentinian I. um den Westen.

Objektiv bedeutete es folglich nicht den Anbruch einer kaiserlosen Zeit, als Valentinian I. am 17. November 375 einem Schlaganfall erlag, während er in Brigetio mit den Quaden verhandelte – einem Germanenstamm, der in diesen Jahren die Region an der Donau bedrohte. Subjektiv allerdings fühlten sich die Legionen, die den Verstorbenen auf seinem Unternehmen begleitet hatten, ohne Herrscher vor Ort verlassen. Und so ist es nach fünf hektischen Tagen am 22. November 375 zur Proklamation eines neuen Kaisers gekommen. Daß dies der gerade vierjährige Valentinian sein würde, war keineswegs zwangsläufig, resultierte vielmehr aus dem Geschick von Vertrauten der Familie sowie dem Umstand, daß das Kind seinen Vater im Troß des Heeres begleitet hatte. Dadurch konnte man es zusammen mit der Kaiserwitwe von jenem befestigten Anwesen holen, wo es, etwa 140 Kilometer von Brigetio entfernt, während des Feldzugs untergebracht worden war, und der nach Aquincum vorgerückten Armee präsentieren.

So sehr das exzeptionell niedrige Alter des Kandidaten Ausdruck der exzeptionellen Situation war, so normal darf man es für das 4. Jahrhundert nennen, daß Soldaten nicht nur faktisch, sondern de iure das Kaisertum vergaben. Daß Valentinian in einer solchen Versammlung, welche die Zeit als abstimmungsbefugte Zusammenkunft römischer Bürger interpretierte, zum Kaiser gemacht wurde, ist demnach das reguläre Verfahren. «Ganz korrekt, ordnungsgemäß», wie das wohl noch unter seiner Regierung publizierte Werk des Historikers Ammianus Marcellinus hervorhebt, konnte die Aktion auch deshalb heißen, weil man gewiß all jene Formvorschriften einhielt, denen die Spätantike die schon früher zu findende Initiative von Heeren bei der Einsetzung von Kaisern unterworfen und die sie zu wesentlichen Kriterien der Legitimität entwickelt hatte. Ob Valentinian als rechtmäßiger Herrscher oder als Usurpator einzuordnen sei, war freilich erst dann zugunsten von ersterem entschieden, als die beiden anderen Kaiser ihn als Kollegen akzeptierten. Sie behoben damit bestmöglich den Makel, der dem 22. November fraglos anhaftete und der darin bestand, daß die Ermittlung des neuen Kaisers ohne Beteiligung der bereits bestellten kaiserlichen Mandatare des Volkes erfolgt war. An eine Zugehörigkeit des Prätendenten zur Familie der übrigen Herrscher war diese Lösung, wie sich am Fall des Magnus Maximus noch zeigen wird, nicht gebunden, wenngleich sie dadurch sicher einerseits erleichtert, andererseits jedoch auch zwingend notwendig wurde. Denn eine Ablehnung des Kaisertums eines Neffen bzw. Bruders hätte mehr bedeutet, als bloß die direkt beteiligten Truppen zu verstimmen. Sie hätte als Verletzung der Norm liebevoller Fürsorge für die Angehörigen befremdet, vor allem aber eine der zentralen ideellen Grundlagen römischen Herrschertums angetastet. Wie nämlich der Kaiser selbst nicht nur Inhaber einer vom Volk eingeräumten Befugnis und Aufgabe war, sondern seine Führungsstellung mittels einzigartiger politischer Leistungen permanent zu rechtfertigen hatte und seitens der Mitwelt als der erste und beste Mann akzeptiert werden mußte, so bewirkte das Axiom einer Vererbbarkeit von Eigenschaften zweierlei: Es erhob die Abstammung vom ersten und besten Mann zu einem Faktor, der als Empfehlung wirkte und kleine Kinder als Kaiser überhaupt erst argumentativ vermittelbar machte. Zugleich aber bedingte es, daß kein Herrscher die Würdigkeit seines Geschlechts in einem seiner Mitglieder in Zweifel ziehen konnte, ohne selbst Schaden zu nehmen. Das dürfte nach dem Abklingen des ersten Ärgers auch Gratian erkannt haben. Daß er ohne Rücksprache mit Valens, dem nun dienstältesten Kaiser, handelte, gibt dessen – freilich fruchtlosem und ebenfalls vorübergehendem – Unmut ein zusätzliches Motiv und deutete bereits an, daß der Sechzehnjährige gesonnen war, eine selbständige Herrschaft über jene Regionen auszuüben, die vordem seinem Vater unterstanden.

Indem Valentinian durch seine Existenz und Präsenz die Erhebung eines Kandidaten aus der Generalität und damit das Entstehen einer gefährlichen Situation, vielleicht eines Bürgerkrieges verhinderte, hatte er für lange Zeit seine wichtigste politische Funktion erfüllt. Obschon er 376 und 378 mit dem nach wie vor prestigeträchtigen ordentlichen Konsulat die höchste, jetzt allerdings auf wenige Repräsentativaufgaben beschränkte republikanische Magistratur bekleidete und als Träger des Kaisertums und solcher Ämter trotz seines Alters als mündig galt, trat er bis 383 so wenig in Erscheinung, daß die meisten Quellen ihn ganz aus dem Blick verlieren oder nur marginal wahrnehmen. Am einprägsamsten ist wohl das Bild, das der Redner und Philosoph Themistios benutzt: Hier darf – in einer der vielen historisch aufschlußreichen Varianten der für das Mehrkaisertum gern verwendeten Metapher des Pferdegespanns – Valentinian als Beipferd neben den beiden tatsächlich regierenden Kaisern mittraben.

Die ersten Jahre seines Kaisertums knapp zu charakterisieren, sind recht gut jene Formeln geeignet, welche Gratians Erzieher und Berater, der Dichter Ausonius sowie der Kirchenhistoriker Philostorgios, gebrauchen: Vaterstelle und Vaterrang habe der ältere bei dem jüngeren Bruder voll und ganz innegehabt, an Sohnes Statt habe er ihn zum Mitkaiser genommen.

Das war alles andere denn vage Rhetorik. Die fiktive Umgestaltung der Verwandtschaftsgrade hatte nämlich immer politische Qualität, indem sie einer internen Hierarchie im Kollegium der Kaiser mittels der für die Römer selbstverständlichen Subordination des Sohnes gegenüber dem Vater Ausdruck verlieh. Zudem ähnelte Valentinians Rolle der Position Gratians unter Valentinian I. wirklich darin, daß er zwar prinzipiell im Besitz höchster Herrschergewalt war, diese jedoch faktisch nicht ausübte. So war ihm auch noch kein eigener Herrschaftsbereich zugewiesen. Vielmehr dürfte der junge Kaiser am Hof des Bruders bzw. in dessen bevorzugten Residenzorten, zunächst vor allem in Trier, dann in Mailand gelebt haben. Ob Gratian ihn derart innig liebte, wie die offiziöse Publizistik behauptet, oder ob es das Verhältnis der beiden belastete, daß ihr gemeinsamer Vater sich wegen Valentinians Mutter

Iustina von seiner ersten Gattin Marina Severa, der vom Sohn jetzt in den Palast zurückgeholten Mutter Gratians, getrennt hatte, vermögen wir nicht mehr zu entscheiden.

Nach dem Gesagten wird es gewiß nicht überraschen, daß nicht der Tod des Valens, sondern der Tod Gratians Valentinians Lage fundamental veränderte. Dennoch war es ein Jahre zurückliegendes, kausal an das Ableben des Onkels gebundenes Ereignis, das in diesem Moment zum entscheidenden Faktor seines Lebens avancierte.

Anfang 379, exakt am 19. Januar dieses Jahres, hatte sich Gratian nämlich genötigt gesehen, das Kollegium wieder um einen dritten Kaiser zu erweitern, der ihn bei der Bewältigung der Aufgaben, vor welche die beginnende Völkerwanderung Rom stellte, dadurch unterstützen konnte, daß er den Osten betreute. Wenn er sich für den gut dreißigjährigen, als Feldherrn bestens ausgewiesenen Theodosius entschied, so war das insofern eine glückliche Wahl, als dieser militärisch wie diplomatisch wesentlich zu einer Konsolidierung der prekären außenpolitischen Situation beitrug. Schon damals freilich zeigte sich, daß der neue Partner nicht gesonnen war, den Vorrang gelten zu lassen, den Gratian als der dienstälteste Kaiser wie als derjenige beanspruchen durfte, der die Erhebung des Kollegen initiiert hatte – der sogenannte «Urheber des Kaisertums». Daß er statt dessen eine gänzlich unabhängige Stellung und die freie Verfügung über seinen Herrschaftsbereich reklamierte und ihr beispielsweise in der allein auf ihn zurückgehenden Proklamation seines Sohnes Arcadius als vierter Kaiser am 19. Januar 383 klaren Ausdruck verlieh, steht außer Frage. Daß seine Pläne auch zu dieser Zeit auf eine Einflußnahme im Westen, wo er Kontakte zu unzufriedenen Gruppen unterhielt, und auf eine exakte Umkehr der Hierarchie zielten, macht eine Reihe von Indizien mehr als wahrscheinlich.

Vor diesem Hintergrund deutet sich bereits an, welchen Problemen sich der nun zwölfjährige Valentinian gegenüberfand, als sein Bruder bei der Bekämpfung der Usurpation des Magnus Maximus, die, von Britannien aus, auf Gallien und Spanien übergegriffen hatte, am 25. August 383 in Lyon sein Leben verlor. Obschon er jetzt automatisch in die Position an der Spitze des Kollegiums aufrückte, schwebte den erwachsenen Mitkaisern viel eher vor, dem «Kleinen», dem «Jungen» als neuer «Vater» entgegenzutreten. Immerhin ließ sich das Faktum, daß eine Veränderung der Situation für alle Beteiligten unkalkulierbare Risiken oder erhebliche Nachteile barg, auch von Seiten Valentinians nutzen. So konnte er sich dem Ansinnen des Magnus Maximus, zu ihm nach Trier zu kommen, widersetzen und, statt in Gallien bestenfalls eine Stellung wie unter Gratian einzunehmen, die Gebiete der Verwaltungseinheit der italischen Präfektur – Italien, Teile Nordafrikas und des Balkan – als Raum einer eigenständigen Herrschaftsausübung behaupten. Mit der vertraglichen Festlegung dieser Aufteilung des Westens ging 384 die Anerkennung des Magnus Maximus als legitimen Kaisers einher. Wie das labile Gleichgewicht für Regierungshandlungen Valentinians nicht bloß die Voraussetzung schuf, sondern sie mitbestimmte, wird an einem Ereignis sichtbar, das zu den bekanntesten seiner Herrschaftszeit rechnet. So mußte er das Bestreben, eine der Kirchen Mailands zu Ostern 386 der Glaubensrichtung der Arianer zu übereignen, die im Unterschied zu den auf dem Konzil von Nicaea 325 siegreichen Anhängern des Athanasius statt der Gottesgleichheit die Gottesähnlichkeit Christi lehrten, nicht zuletzt auf Druck seiner beiden Kaiserkollegen aufgeben. Mit der Religion, mit Bischöfen und Gläubigen tritt dabei zugleich ein weiterer Faktor des politischen Lebens der Spätantike zutage. Toleranz gegenüber dem Arianismus zu verordnen, mag Valentinian teils das Vorbild seines in solchen Dingen neutralen Vaters, vor allem jedoch die Affinität seiner Mutter – und vielleicht seine eigene – zu diesem Bekenntnis veranlaßt haben. Daß er sogar gegenüber den traditionellen Göttern eher den Kurs Valentinians I. als den Gratians, der ihre Entfernung aus dem öffentlichen Leben in Angriff genommen hatte, einschlagen würde, erschien führenden nichtchristlichen Kreisen Roms als eine – letztlich freilich nicht realisierte – Möglichkeit. In Ambrosius aber, Gratians geistlichem Führer und Oberhaupt der Mailänder Gemeinde, gewann neben dem Bischof als Berater der Bischof als potentieller Widerpart des Kaisers Gestalt. So fand sich Valentinian zu Ostern 386, noch vor dem Protest der Mitkaiser, auf den Ambrosius indirekt einwirkte, mit der direkten Gegenwehr des Kirchenvaters und erheblicher Teile der Bevölkerung konfrontiert. Daß er davon absah, seine kaiserliche Autorität um den Preis eines Blutbades zu wahren – darin nicht ganz unähnlich Iulian und deutlich unterschieden von Theodosius –, wird man heute zögern, Schwäche zu nennen.

Eine neue – die letzte – Phase im Leben des jungen Herrschers war eingeleitet, als Magnus Maximus 387 versuchte, durch einen Einmarsch in Italien doch noch den ganzen Westen in seine Hand zu bringen. Wie ihm dazu der religionspolitische Dissens den Vorwand lieferte, so könnte er ihn auch zu der Annahme verführt haben, Theodosius werde das Geschehen tatenlos hinnehmen. Daß er sich verrechnete, bedeutete im Sommer 388 sein Ende. Weshalb sein Kalkül nicht aufging, wird rasch einsichtig. So ist es, was Valentinian betrifft, sowohl auf der emotionalen wie rationalen Ebene verständlich, daß er, der nicht ungeschickt einen Zugriff des Aggressors auf seine Person durch den Rückzug in die Ostgebiete der italischen Präfektur verhinderte, sich eher für den Kontakt mit Theodosius als mit Magnus Maximus entschied, sprach gegen letzteren doch die Ermordnung Gratians, der Bruch des Abkommens von 384 sowie die Tatsache, daß keinerlei Chance bestand, an seiner Seite selbständiger Herrscher zu bleiben. Theodosius hinwiederum bot sich nun eine schon lange ersehnte Gelegenheit, denn die Situation erlaubte ihm nicht nur, von Valentinian eine Kursänderung in Glaubensfragen zu erzwingen. Aus seiner Hilfe bei der Vernichtung des Magnus Maximus vermochte er vielmehr abzuleiten, «Urheber» von Valentinians Kaisertum zu sein.

Das war fraglos ein wirksames Instrument, um die nach wie vor am Dienstalter orientierte Rangfolge auf offiziellen Dokumenten jeden Sinnes zu entleeren und zur reinen Äußerlichkeit zu degradieren, während die wahre Hierarchie des Kollegiums sich dahingehend umgestaltete, daß Theodosius, kaum anders als für Arcadius, der während des Italienzuges als sein Vertreter im Osten erstmals formal eine politische Rolle spielte, für Valentinian beanspruchen konnte, übergeordneter ‹Vater› zu sein. Auch sein zweites Ziel, die Gewinnung der Macht über das gesamte Reich, nahm im Gefolge der Ereignisse der späten achtziger Jahre Gestalt an. Zwar verlangte die Fiktion der uneigennützigen Rettungstat, irgendein Gebiet an Valentinian zurückzuerstatten. Sie schloß jedoch nicht aus, daß dies dann 389 nur ein Teil des Westens, Magnus Maximus' gallische Präfektur, war. Wenn Theodosius zudem seinen Vorrang darin umsetzte, daß er die Schlüsselpositionen in Armee und Verwaltungsstab des ‹Sohnes› an Leute seines Vertrauens vergab, so hatte er die Sachzwänge mit seinen Wünschen optimal zur Deckung gebracht.

Für Valentinian freilich begann in Gallien der zunehmend verzweifelte Kampf um seine Selbstachtung, dessen Dramatik sogar in unserer lückenhaften Überlieferung noch zu erkennen ist. Fruchtlose Beschwerdebriefe an Theodosius, der seine Funktionäre gewähren läßt; eine Ohnmacht, die, so ein antiker Autor, selbst die eines einfachen Bürgers übersteigt und die in zwei Konfrontationen mit dem General Arbogast ihre Klimax findet, als der Militär einen von Valentinians Freunden, der es wagt, ihm im Kronrat Paroli zu bieten, vor den Augen und trotz der Intervention des jungen Kaisers ermordet und dem Herrscher kurz darauf das Entlassungsdekret mit den Worten vor die Füße wirft, ein Amt, das er ihm nicht zugewiesen habe, könne er ihm nicht nehmen; schließlich Pläne, nach Italien zu ziehen, und die Hoffnung, dort Unterstützung zu finden, welche durch Kontaktpersonen genährt wird, ehe deren zögerliche Haltung sie auf eine harte Probe stellt – all das endet am 15. Mai 392 in Vienne mit Valentinians gewaltsamem Tod. Fremdverschuldet ist sein Sterben auch dann gewesen, falls der Zwanzigjährige selbst darin seine letzte Zuflucht sah.

Ob er, wie Quellen der Zeit vermuten, bei einem längeren Leben seinen Vater sogar übertroffen hätte, vermag niemand sicher zu sagen. Dennoch dokumentiert das Urteil einen nicht unverdienten Respekt. So gehören zu dem Bild seiner Person, das sich uns mit erstaunlicher Klarheit aus einer Fülle von Einzelteilen zusammenfügt, der Mut, die Zähigkeit und die nicht unklugen politischen Überlegungen der Jahre 389–392 ebenso wie das Fehlen von Brutalität und Skrupellosigkeit aus den Ostertagen von 386, sodann die Ernsthaftigkeit und der Fleiß, mit denen er sich seinen Herrscherpflichten widmet, und das mitunter rührende Bestreben, die Erwartungen seiner Mitbürger auch um den Preis des Verzichts auf geliebte Vergnügungen wie Zirkus und Jagd zu erfüllen. Daß seine pubertäre Neugierde auf eine in Rom umworbene Schauspielerin einmal siegt, ist samt der Umdeutungsmanöver der Überlieferung eine nette Arabeske.

Gewiß in einer schwachen Position, ist Valentinian mithin kein Mensch ohne innere Stärke gewesen. Unter den vielfältigen Figuren der Kaiserzeit aber ist seine Gestalt zugleich eine der sympathischsten.

Theodosius I.
379–395

Von Adolf Lippold

Kaiser Theodosius hat das auf dem Konzil von Nicaea formulierte und seither mehrfach modifizierte Glaubensbekenntnis im Jahre 380 als für alle Untertanen – zumindest die Christen – verbindlich erklärt und blieb bemüht, die Reichsbevölkerung im Glauben zu einen. Daher wurde ihm bald nach seinem Tode von kirchlicher Seite der Beiname «der Große» zuteil. Gerade hinsichtlich der Religionspolitik jedoch entzündete sich moderne Kritik an Theodosius. Man warf ihm vor, auf die religiöse Einheit der Reichsbevölkerung mit zwangsstaatlichen Mitteln hingearbeitet und den Glaubenszwang als Mittel der Politik christlich orientierter und sich auf eine Staatskirche stützender Machthaber eingeführt zu haben. Ein weiterer Vorwurf gegen Theodosius besteht seit jeher darin, daß er durch falsche Politik die Überflutung des Reiches durch barbarische Völkermassen gefördert habe. Schließlich wird ihm angelastet, daß er bei der Ordnung seiner Nachfolge die Teilung des Reiches gleichsam institutionalisiert habe. Noch ein weiterer, gewissermaßen universalhistorischer Aspekt ist mit der Zeit des Theodosius verbunden: Damals, in der Lebenszeit heidnischer Autoren wie Ammianus Marcellinus, Libanius, Symmachus, Themistios sowie der Kirchenväter Ambrosius, Augustinus, Basilius, Johannes Chrysostomos und Hieronymus trat die Auseinandersetzung zwischen christlicher und antikheidnischer Gedankenwelt, aber auch ihre gegenseitige Durchdringung in eine entscheidende Phase ein.

Geboren wurde Theodosius am 11. Januar 347 zu Cauca, Nordwestspanien, als Sohn eines gleichnamigen, später zu den Spitzen der Generalität gehörenden, christlichen Großgrundbesitzers. Über den Bildungsgang des Theodosius erfahren wir nichts, doch dürfte ihm die für die soziale Oberschicht übliche Ausbildung zuteil geworden sein. Von 368 an finden wir ihn im Gefolge seines Vaters auf Feldzügen gegen Briten, Alamannen und Sarmaten. 373/74 bewährte er sich als Militärbefehlshaber in Moesien. Als sein Vater des Hochverrates verdächtigt und hingerichtet wurde, zog sich Theodosius 376 in die Heimat zurück und heiratete dort die aus dem Provinzialadel stammende Aelia Flacilla. Aus dieser Ehe stammen die späteren Kaiser Arcadius und Honorius. Nachdem am 9. August 378 die Goten und andere Barbaren unter Fritigern die oströmische Armee bei Adrianopel vernichtend geschlagen hatten und dabei auch Valens, der Kaiser des Ostens, ums Leben gekommen war, ernannte Kaiser Gratian Theodosius zum Heermeister und erhob ihn dann am 19. Januar 379 in Sirmium zum Mitregenten.

Neben Theodosius, dem als Herrschaftsbezirk die Präfektur Oriens einschließlich der in den letzten Jahren heimgesuchten Balkanprovinzen zugewiesen wurde, amtierten als dienstältere Kaiser der erst neunzehnjährige Gratian und dessen achtjähriger Halbbruder Valentinian. Theodosius wurde wohl deshalb zum Kaiser erhoben, weil man ihm die Sicherung der von Barbaren überfallenen Provinzen und den Wiederaufbau der Reichsverteidigung im Balkanraum zutraute. Er war zunächst vorwiegend damit beschäftigt, sich mit den Barbaren auseinanderzusetzen und die in ihrer Disziplin stark angeschlagene Armee des Ostens wieder aufzubauen. Mangelnde Wehrbereitschaft und feste Bindung vieler Bürger an andere Berufe bzw. Stände ließen ihn bei der Rekrutierung in hohem Maße auf Überläufer zurückgreifen. Allerdings war die Barbarisierung der Armee bereits 379 sehr weit gediehen. Als Theodosius am 24. November 380 triumphierend in seine Hauptstadt Konstantinopel einziehen konnte, hatte er zwar eine Stabilisierung der Lage erreicht, zugleich aber erkannt, daß es nicht möglich war, die Barbaren wieder zu vertreiben. Aus dem Zwang, Möglichkeiten der Koexistenz zu suchen, resultierte unter anderem ein im Oktober 382 mit dem Gros der Westgoten abgeschlossener Bündnisvertrag. Den Goten, die sich zur Waffenhilfe verpflichteten, wurde Siedlungsland zwischen der unteren Donau und dem Balkangebirge zugewiesen. Neuartig war, daß in geschlossenem Verband auf Reichsboden angesiedelte Barbaren ihre Autonomie behielten. Das mit Erwartung auf Stärkung der römischen Wehrkraft und auf Rekultivierung verödeter Landstriche 382 praktizierte Verfahren wurde jedoch nicht allgemein üblich. Vielmehr ergriff der Kaiser, unter dessen Regierung das Reich keine Gebietsverluste hinnehmen mußte, energische Maßnahmen gegen das Eindringen weiterer Germanen.

Schon sehr bald wurde erkennbar, wie sehr dem Kaiser daran gelegen war, die seit dem Konzil von Nicaea (325) oft hart geführten und zu einer innenpolitischen Belastung gewordenen Auseinandersetzungen zwischen den Christen zu beenden und auch den nichtchristlichen Teil der Bevölkerung zum christlichen Bekenntnis zu bewegen: Am 27. Februar 380 erließ der christlich gesonnene, aber erst im Sommer 380 getaufte Theodosius in Saloniki ein an die Bevölkerung von Konstantinopel gerichtetes, aber doch für alle Reichsbewohner verbindlich gedachtes Edikt (*Codex Theodosianus* 16, 1): «Alle Völker, welche unserer gnädigen Milde Leitung regiert, sollen ... in dem Glaubensbekenntnis verharren, welches der göttliche Apostel Petrus, wie bis heute der von ihm verkündete Glaube dartut, den Römern überliefert hat, und dem sichtbar der Bischof Damasus folgt und Petrus, der Bischof von Alexandria, ein Mann von apostolischer Heiligkeit. Die diesem Gesetz folgen, sollen ... die Bezeichnung katholische Christen beanspruchen, die anderen aber ... sollen die schimpfliche Ehrenminderung der Häresie erleiden, und ihre Konventikel sollen nicht die Bezeichnung von Kirchen führen.» Mit der Konstitution von 380 scheint das Prinzip des Glaubenszwanges verkündet, und dennoch ist nichts von Protesten dagegen bekannt. Dies wird verständlich, wenn man sich von modernen Vorstellungen löst und bedenkt, daß Theodosius für seine Untertanen, einschließlich der christlichen Geistlichkeit, Kaiser von Gottes Gnaden war, er als Stellvertreter Gottes handelte und er den Erlaß des Ediktes im Rahmen seiner Verpflichtung, den wahren Glauben zu schützen, sehen durfte.

Am 11. Januar 381 schärfte Theodosius in einem Edikt gegen die Häretiker dieses Bekenntnis ein. Ungefähr gleichzeitig lud der Kaiser, der offenbar die Zustimmung möglichst vieler Bischöfe für wichtig hielt, zu einem Konzil nach Konstantinopel ein. Das als Versammlung der Bischöfe des Ostens geplante, seit 451 jedoch als ökumenisch geltende Konzil trat im Mai 381 zusammen. Theologisch folgenreichstes Ergebnis des Konzils war das im ersten Kanon formulierte Bekenntnis, das dem Sinne nach ganz den eben genannten Erlassen entspricht und das heute noch – ungeachtet aller Diskussionen über Herkunft und endgültige Formulierung des Textes – als nicaenisch-konstantinopolitanisches Glaubensbekenntnis für alle Christen verbindlich ist. Seine gleichsam amtliche Bestätigung ist ein kaiserlicher Erlaß vom 30. Juli 381, wonach alle Kirchen den Bischöfen zu übergeben seien, die sich zu der einen Majestät von Gott Vater, Sohn und Heiligem Geist bekennen. Man kann natürlich darüber rechten, welchen Anteil der an den Beratungen selbst nicht teilnehmende Kaiser am Ergebnis des Konzils hatte, doch abgesehen davon, daß er das Konzil einberufen hat und die theologisch bedeutsamste Entscheidung dem von ihm kundgetanen Willen entspricht, wird im dritten Kanon unterstrichen, wie sehr man bemüht war, Wünschen des Herrschers zu entsprechen. Der Bischof der erstmals als Neues Rom bezeichneten Hauptstadt Konstantinopel sollte künftig den Ehrenrang unmittelbar nach dem Bischof von Rom einnehmen. Obwohl man im Westen kühl reagierte und auf der durch Ambrosius von Mailand beherrschten Synode von Aquileia im September 381 die Beschlüsse von Konstantinopel ignorierte, so erhob sich doch kein Widerspruch gegen das dort formulierte Bekenntnis. Theodosius, dem spätestens 382 klar geworden war, wie schwer die Bekenntniseinheit zu erreichen war, berief zum Juni 383 ein weiteres Konzil nach Konstantinopel, vor allem auch, weil er dem dann vor Konzilsbeginn verstorbenen Gotenbischof Ulfila eine erneute Diskussion über Glaubensfragen versprochen hatte. Als es zu heftigem Streit kam, ließ sich Theodosius die verschiedenen Bekenntnisse vorlegen und erkannte nur das die Formel von 381 bietende Bekenntnis des Nectarius von Konstantinopel sowie das die Wesensgleichheit ebenfalls enthaltende Bekenntnis des Novatianers Agelius an.

Die Bischöfe des Ostens respektierten also 381 die Autorität des Kaisers in Glaubensfragen. Dies gilt auch für die am Edikt von 380 ausgerichtete Gesetzgebung gegen die Häretiker. Die aus der Zeit bis 384 überlieferten Gesetze zeigen, daß der Kaiser zwar entschieden vorging, es aber offenbar mit Rücksicht auf Vermeidung übermäßiger Spannungen nicht darauf anlegte, seine Intentionen mit aller Gewalt durchzusetzen. Der Schwerpunkt lag darauf, die Häretiker vom Gottesdienst auszuschließen und eigene Zusammenkünfte zu verbieten. Wie sehr es Theodosius bei seinem Engagement vornehmlich um die Bekenntniseinheit ging, ergibt sich daraus, daß wir, abgesehen vom Streit um den Bischofsstuhl von Antiochia, wo Theodosius dem seit 381 von ihm begünstigten Flavianus zum Sieg verhalf, nichts von Einmischung des Kaisers in innerkirchliche Fragen erfahren.

Noch im Herbst 382 zeichnete sich auch eine Lösung des Konfliktes mit Persien um Armenien ab. Mitten in der Phase der Stabilisierung entstand jedoch erneut eine große Gefahr, als Anfang 383 die Truppen in Britannien ihren Kommandeur Magnus Maximus zum Kaiser erhoben hatten. Gratian mußte vor dem auf das Festland übergesetzten Usurpator fliehen und kam am 25. August ums Leben. Wenig später war Maximus – ein orthodoxer Christ – Herr über Britannien, Gallien und Spanien und erhob seinen Sohn Victor zum Mitkaiser. Da sich weder Valentinian noch Theodosius stark genug fühlten, mußten sie Magnus Maximus anerkennen. Als dieser 387 Valentinian auch noch aus Italien vertrieb, griff Theodosius entschlossen ein und besiegte ihn 388. Magnus Maximus und sein Sohn wurden hingerichtet. Theodosius, der zwar Valentinian das Gesetzgebungsrecht in der gallischen Präfektur beließ, war nun de facto Herr des ganzen Reiches. Etwa drei Jahre blieb er im Westen, residierte meist in Mailand, erwies aber auch Rom durch einen längeren Besuch seine Reverenz.

Hatte Theodosius schon von 381 an zu spüren bekommen, daß Bischof Ambrosius von Mailand nicht gewillt war, kaiserliche Autorität auch in Glaubensfragen hinzunehmen, so kam es im Winter 388/89 zu einem schweren Konflikt. Theodosius hatte den Bischof von Callinicum am Euphrat und etliche Mönche gemaßregelt, weil sie Bürger von Callinicum zur Zerstörung der Synagoge angetrieben bzw. das Heiligtum einer gnostischen Sekte niedergebrannt hatten. Ambrosius forderte vom Kaiser Widerruf der Maßnahmen und weigerte sich, das Meßopfer in Gegenwart des Kaisers darzubringen, bevor ihn dieser anhöre. Da der Kaiser fromm war, stellte er das Verfahren gegen Bischof und Mönche ein, zog aber nun nicht, wie ihm Ambrosius vorgeschlagen hatte, verstärkt geistliche Berater zur Regierung heran, sondern gebot im Gegenteil, Beschlüsse seines obersten Beratungsgremiums künftig vor Ambrosius geheimzuhalten. Ferner hielt der Kaiser weiterhin an seiner Schutzpolitik gegenüber den Juden fest.

Weitreichende Deutungen in den Konsequenzen für die Entwicklung des Verhältnisses zwischen Staat und Kirche erfuhr der zweite herausragende Konfliktfall zwischen Theodosius und Ambrosius: Nach Verhaftung eines Zirkuskutschers gab es 390 in Saloniki einen Aufruhr, bei dem der Militärbefehlshaber von Illyricum, der Gote Butherich, erschlagen wurde. Aufgrund eines brutalen, zu spät widerrufenen kaiserlichen Befehls kam es zu einem Blutbad unter der Bevölkerung der Stadt. Ambrosius forderte den Kaiser auf, sich von seiner Sünde zu reinigen und teilte ihm zugleich mit, daß er erst dann wieder das Meßopfer in seiner Gegenwart darbringen könne. Erst nach längerer Zeit, in der er u.a. Gesetze erließ, in welchen er materielle Interessen des Staates gegenüber dem Klerus zu wahren suchte, lenkte der Kaiser ein. Er leistete an Weihnachten 390 in Mailand vor allem Volk in der Kirche Buße und wurde daraufhin von Ambrosius wieder zur Kommunion zugelassen. Man bezeichnete gelegentlich diesen Bußakt als Wendepunkt in der Kirchengeschichte, als Anfangspunkt einer Entwicklung, die hinführte zum Gang Heinrichs IV. nach Canossa (1066). Mit Recht folgt man aber jetzt meist der Ansicht, daß das Geschehen von 390 keinen Sieg der Kirche über den Kaiser, sondern der Bußgewalt über den reuigen Sünder darstellte. Nicht vom Bußakt des Jahres 390, sondern erst aus der durch die Schwäche der Nachfolger des Theodosius geförderten, schon bei dem Kirchenhistoriker Theodoret vorliegenden Legendenbildung zu diesem Ereignis konnten später Ansprüche auf die Überordnung der Kirche über die weltliche Gewalt hergeleitet werden.

Das Geschehen von 390 könnte Theodosius mit dazu bestimmt haben, nun auch stärker gegen die Heiden, die immer noch einen erheblichen Teil der Reichsbewohner ausmachten, vorzugehen. Nachdem der für 391 zum Konsul ernannte Heide Symmachus gegenüber Theodosius die 384 in Mailand vorgetragene und vor allem durch Intervention des Ambrosius abgelehnte Bitte des Senates um Wiederaufstellung des Altars der Siegesgöttin in Rom und Zahlung der Subsidien für die alten Kulte vergeblich wiederholt hatte, erließ Theodosius am 24. Februar 391 von Mailand aus eine Verfügung, wonach der Besuch von Tempeln und Opfer streng verboten sein sollten. Nach weiteren heidenfeindlichen Aktionen verbot dann Theodosius am 8. November 392 alle Arten von Götterkult. Dabei wurden die Behörden zur strengen Durchführung des Erlasses ermahnt. Der heidenfeindliche Kurs war ausschlaggebend dafür, daß der drei Monate nach dem Tod Valentinians II. durch Arbogast zum Gegenkaiser erhobene und bei der Ausdehnung seiner Macht nach Italien selbst von Ambrosius anerkannte Eugenius, ein ehemaliger Lehrer der Rhetorik, Unterstützung bei der heidnischen Senatsaristokratie fand. Theodosius seinerseits blieb um der Erhaltung der Einheit des Reiches willen nichts anderes als Krieg. Als er im Mai 394 zu dem schon von den Zeitgenossen auch als Entscheidungskampf zwischen Christen und Heiden gesehenen Feldzug aus Konstantinopel aufbrach, vertraute er die Regierung des Ostens dem 383 zum Kaiser erhobenen Arcadius an, dem er als maßgeblichen Berater den aus Spanien stammenden Prätorianerpräfekten Rufinus an die Seite stellte. Theodosius besiegte Eugenius bzw. Arbogast am 5./6. September 394 am Frigidus, unweit der Straße Emona – Aquileia. Um des inneren Friedens willen zeigte der Kaiser Milde und ergriff auch keine Sanktionen gegenüber Gegnern und Abtrünnigen. In Mailand präsentierte der durch die Strapazen des Feldzuges erkrankte Theodosius seinen Sohn Honorius als Herrscher des Westens. Überraschend starb der bereits genesende Herrscher schon am 17. Januar 395. An dem seit über 100 Jahren verankerten Prinzip der Regierung des Reiches durch mehrere Kaiser festhaltend, vertraute Theodosius auf dem Sterbelager dem zum Generalissimus aufgestiegenen und mit des Kaisers Nichte verheirateten Stilicho die Sorge für seine beiden Söhne an. Die am 25. Februar 395 von Ambrosius gehaltene Leichenrede deutet darauf hin, daß man die Nachfolge für aufs beste geregelt hielt und es keine Zweifel am Fortbestand der Einheit des Reiches gab.

Außer in der Religionspolitik war Theodosius, der sich vor allem als Bewahrer des Bestehenden sah, sehr aktiv im Bereich des Heerwesens und der Rechtsprechung. Theodosius, bemüht, den Adel für die Mitarbeit im Staat zu engagieren, die Moral der Beamten zu heben und die Lasten der für das Steueraufkommen haftbaren Ratsherren in Grenzen zu halten, scheint es ungeachtet mancher Mißerfolge insgesamt gelungen zu sein, im wirtschaftlichen und sozialen Bereich wenigstens weiteren Niedergang zu verhindern. Wie die Literatur erlebte auch die Kunst zur Zeit dieses Herrschers eine gewisse Blüte. Theodosius, der im Gegensatz zu anderen Kaisern die wesentlichen Entscheidungen selbst traf, war neben Konstantin I. und Iustinian die bedeutendste Herrschergestalt der Spätantike.

ARCADIUS
395–408

Von Johannes Hahn

Am 19. Januar 383 spielte sich unter den Mauern von Konstantinopel, der Hauptstadt des Ostens des Römischen Reiches, eine prunkvolle Zeremonie ab. In ihrem Mittelpunkt stand ein kleines, gerade sechsjähriges Kind, Arcadius. Sohn Theodosius' I., wurde er hier vom Vater, dem regierenden Kaiser, feierlich zum Mitregenten erhoben: Ein Kinderkaiser bestieg unter den Augen der städtischen Bevölkerung und zahlreicher Truppen den Thron. Später durfte ihm hierin sein jüngerer Bruder Honorius folgen.

Die Bedeutung des Ereignisses, das natürlich der Öffentlichkeit vor allem den Willen des Theodosius, eine Dynastie zu begründen, verkünden sollte, wurde den Zeitgenossen nachdrücklich nahegebracht: Ein umfangreicher Steuererlaß wurde am selben Tag verkündet und, wie bei Kaisererhebungen weiter üblich, der hauptstädtischen Bevölkerung großzügige Nahrungsmittelspenden und Spiele ausgebracht. Diese durfte in den Jahren 392 und 394 dann den jungen Arcadius auch als Konsul feiern, mithin ein Amt wahrnehmen sehen, das aufgrund einer über 900jährigen Tradition immer noch höchstes Ansehen, wenn auch keinerlei reale Macht mehr vermittelte.

Die frühe Bestimmung des Arcadius zur Herrschaft schlug sich, wie nicht anders zu erwarten, in einer entsprechenden Erziehung nieder, über deren Details wir aber so gut wie nichts wissen. Es hat allerdings den Anschein, als ob sie keine reichen Früchte getragen hätte. Denn der Sohn des so energischen und fähigen Theodosius wird in den Quellen – wenn diese ihn überhaupt einer eingehenderen Erwähnung für wert befinden – als eine eher klägliche Erscheinung geschildert: Der Beschreibung eines Historikers zufolge ist Arcadius ein kleiner, zarter und – auch geistig – schwächlicher Jüngling gewesen, mit dunklem Teint und immer gesenkten, schläfrigen Augen. Die Schilderung ist auch sonst aufschlußreich, kontrastiert sie doch das Erscheinungsbild des jungen Kaisers im selben Atemzug mit dem stattlichen Eindruck eines Mächtigen an seiner Seite: Rufinus, den Theodosius noch vor seinem Tod in weiser Voraussicht seinem Sohn als Vormund bestellt hatte. Hochgewachsen, mit raschem Blick, scharfem Verstand und gewandter Rede habe der welterfahrene und machtbewußte Prätorianerpräfekt den Inhaber der Herrschaft überstrahlt. Unserem Gewährsmann zufolge habe der Präfekt sogar mit dem Gedanken kokettiert, daß er sich nur dem Heer – immer schon Ausgangspunkt aller Macht im römischen Kaiserreich – hätte zeigen müssen, um Arcadius den Purpur zu entreißen.

Die zeitgenössische Schilderung wirft ein programmatisches Licht ebenso auf die Person wie auf die Regierungszeit des Arcadius. Sein Schicksal sollte es sein, als willenloses Instrument stärkerer Persönlichkeiten in seiner Umgebung zu dienen, den steten Brennpunkt des vielfältigen Antichambrierens wechselnder Konstellationen einer verfeindeten Hofkamarilla abzugeben und so kaum mehr als eine Marionette auf dem Thron des Ostreiches darzustellen. Die gerade zu seiner Person überaus dürftigen Aussagen in den Quellen erlauben es uns kaum, dieses vernichtende Urteil zu differenzieren, etwa dem jungen Kaiser doch einen partiellen Reife- oder Emanzipationsprozeß oder gelegentlichen eigenen Willen auf politische Entscheidungen zuzubilligen. Sollte es solche Ansätze gegeben haben, so wurden sie von den Chronisten ignoriert oder aber sie fielen der Ungunst der Überlieferung zum Opfer.

So überrascht es nicht, daß wir ungeachtet einer Reihe schwerster politischer Krisen in der Regierungszeit des Arcadius über ein knappes Dutzend handelnder Personen – Eunuchen, Generäle, Bischöfe und Kaiserinnen – weit mehr biographische Informationen und zeitgenössische Äußerungen besitzen als gerade über den Herrscher des Ostreiches und ‹älteren› Kaiser des Imperium Romanum – vor Honorius, dem jüngeren Bruder, dem Herrscher im Westen –, der eben nur nominell die Politik bestimmte. War unmittelbar nach dem Tod des Theodosius jener Rufinus zunächst am Kaiserhof von Konstantinopel nahezu allmächtig, so folgten nach seinem Sturz noch im Jahre 395 andere Höflinge, die entscheidenden Einfluß auf Arcadius auszuüben wußten, vor allem aber auch sich hemmungslos zu bereichern und ihre jeweiligen Gegner zu verfolgen verstanden. Die eigentlichen politischen Entscheidungsprozesse entziehen sich dagegen fast durchgängig dem Blick des Historikers; für ihn, der angesichts des weitgehenden Mangels an dokumentarischen Zeugnissen vor allem auf die oft parteiischen Wahrnehmungen von Zeitgenossen und auf Notizen späterer Chronisten angewiesen ist, entfaltet sich in erster Linie ein – allerdings allzu fragmentarisches – Bild unaufhörlicher persönlicher Fehden am Hof des Arcadius, die bereits jene schillernden Züge des Hoflebens und Byzantinismus aufweisen, die üblicherweise erst mit späteren Jahrhunderten des oströmischen Reiches verbunden werden.

Ein glücklich bewahrtes, aufgrund seines Detailreichtums einmaliges Zeugnis vermittelt uns einen kostbaren Einblick in jene von Beziehungsgeflechten und Intrigen überwucherten politischen Entscheidungsprozesse am Kaiserhof. In dessen Zentrum befand sich zwar der Herrscher, Arcadius; ihn zu erreichen und zu einem Bescheid zu bewegen, war aber ohne höchste Patronage, Bestechung und Zähigkeit kaum möglich. Die Heiligenvita eines Bischofs von Gaza, Porphyrius, schildert die wiederholten Bemühungen dieses Klerikers in Konstantinopel, zu Arcadius vorzudringen und von diesem die Zerstörung der heidnischen Tempel in Gaza zu erwirken. Erfolgreich war er schließlich erst, als er – nach beschwerlicher Seereise in der Hauptstadt angelangt – auf Empfehlung hin die Unterstützung des dortigen Erzbischofs gewinnen konnte, dieser wiederum ihn unter Einschärfung diverser Verhaltensregeln an den Kammerdiener der Kaiserin Eudoxia weitervermittelte: Auf einer eigens arrangierten Audienz konnte diese für das Anliegen gewonnen werden; ihre reichen Geldgeschenke verteilten die klugen Bischöfe beim Verlassen des Palastes aber sogleich an die herumstehenden Höflinge. Zunächst allerdings scheiterte das nunmehr von Eudoxia selbst dem Kaiser vorgetragene Bittgesuch. Um Arcadius zu einer Initiative zu veranlassen, bedurfte es eines weiteren Anlaufes und vor allem einer kunstvoll inszenierten Intrige: Porphyrius postierte sich am Tag der Taufe des einjährigen Thronfolgers vor der Taufkirche, warf sich diesem beim Verlassen der Kirche zu Füßen und präsentierte zugleich seine Bittschrift. Der in das Vorhaben eingeweihte Würdenträger, der das Kleinkind auf dem Arm trug, ließ dieses mit einer unauffälligen Handbewegung mit dem Kopf nicken – ein quasi frühherrscherliches Zeichen der Zustimmung, dem sich auch der danebenstehende Kaiser nicht verschließen wollte. So konnte nun, von detaillierten Instruktionen des Arcadius und eigens bestimmten Exekutivbeamten befördert, das Unternehmen der Zerstörung der Tempel Gazas seinen Gang nehmen.

Die geschilderten Abläufe lassen einmal mehr die Manipulierbarkeit des Arcadius erkennen. Sie provozierte Äußerungen wie die, daß er sich «wie ein Ochse» von seinen Ministern leiten lasse oder aber «wie eine Eidechse» im Dunkel des Palastes sich verberge. Die Kontrolle des unmittelbaren persönlichen Umfeldes des Kaisers und des Zugangs zu diesem war somit zwangsläufig höchstes Ziel seiner Umgebung, und kein Mittel wurde dabei ausgelassen.

Rufinus hatte den Plan betrieben, seine Machtposition durch die Verheiratung seiner Tochter mit Arcadius zu befestigen; solche Überlegungen waren aber auch anderen Höflingen nicht fremd. Eine Hochzeit des Kaisers wurde tatsächlich binnen Monaten, ja noch vor Beisetzung des Theodosius arrangiert: Doch fand sie während einer Reise des Rufinus statt, und die Hochzeitskarosse holte – zur Überraschung der Bevölkerung – nicht die Tochter des Präfekten zur Zeremonie ab, sondern eine schöne, in Konstantinopel lebende Halbbarbarin, nämlich Aelia Eudoxia, Tochter eines fränkischen Generals. Dieses Arrangement war vom Hofeunuchen Eutrop eingefädelt worden, der so seinen Einfluß auf Arcadius sichern wollte. Eudoxia wurde in der Folge den in sie gesetzten Erwartungen in einer Hinsicht reichlich gerecht: Sie gebar dem Arcadius in zügiger Folge fünf Kinder, darunter am 10. April 401 den einzigen Sohn, Theodosius, der – wiewohl noch in Windeln – umgehend zum Mitkaiser erhoben wurde. Fraglich ist, ob Eudoxias Förderer auch mit ihrem Selbstbewußtsein und Machtinstinkt, die ihrer Schönheit nicht nachstanden, gerechnet hatte. Eutrop sollten diese jedenfalls schon nach wenigen Jahren zunächst die Stellung, dann das Leben kosten. Der Eunuch, zweifellos der einflußreichste Vertraute des Arcadius, vermochte sich zwar anderer Intrigen erfolgreich zu erwehren, nicht aber der Einflußmöglichkeiten der Eudoxia auf seinen Herrn: Mit ihren Babies unter dem Arm, und wie diese in Tränen, erschien sie vor Arcadius, behauptete, der Eunuch habe ihr gedroht, sie aus dem Palast zu vertreiben, und beschwor ihren Gatten – «mit allen einer verletzten Frau zu Gebote stehenden Waffen», wie es heißt –, sie zu schützen und zu rächen. In dieser Situation, so heißt es, habe sich Arcadius einmal als Kaiser erwiesen und seinen Günstling und Kammerdiener endlich verstoßen.

Prominentestes Opfer des empfindlichen Stolzes der Eudoxia war allerdings ein Priester und Bischof, Johannes Chrysostomos, der wohl bedeutendste Kirchenmann der Zeit. Nach seiner Berufung auf den Bischofsstuhl der Hauptstadt gegen Ende des Jahres 397 gehörte Eudoxia noch zu seinen eifrigsten Verehrerinnen, unterstützte seinen Kampf gegen Häretiker und Heiden und stärkte ihm auch gegen innerkirchliche Gegner den Rücken. Nach ersten Mißstimmungen zog sich der große Kanzelredner und Moralist jedoch mit einer wortgewaltigen Predigt gegen die Putzsucht der Frauen, die allgemein auf die eitle Kaiserin bezogen wurde, endgültig ihren Zorn zu, der alsbald in Haß umschlug. Johannes Chrysostomos mußte – ungeachtet der ungeheuren Popularität, die er in der hauptstädtischen Bevölkerung genoß – nach allerlei von Eudoxia betriebenen Winkelzügen im Winter 402/03 in die Verbannung gehen. Seine vorübergehende, begeistert gefeierte Rückkehr endete mit erneuter Verbannung auf Betreiben Eudoxias und der Verfolgung seiner treuen Anhänger, der ‹Johanniten›. Als Ausdruck göttlicher Strafe betrachteten es aber nicht nur diese, daß Eudoxia unmittelbar darauf, am 3. Oktober 404, unerwartet bei einer Fehlgeburt verstarb und zugleich ein gewaltiger Hagelsturm die Stadt verwüstete.

Man mag die geschilderten, in den zeitgenössischen Quellen so beachteten Auseinandersetzungen als zwangsläufige Auswüchse eines Herrscherhofes – wie er sich als Institution ja gerade in der Spätantike maßgeblich herauszubilden begann – betrachten und daher jenes Innenleben des Machtzentrums als historisch nachrangig qualifizieren wollen. Doch spiegeln diese Verhältnisse, wie sich zeigen ließe, mehr als nur die Stellung eines Arcadius oder die Bedingungen machtpolitischer Realitäten im spätantiken Imperium. Allerdings trifft es zu, daß entscheidende Auseinandersetzungen außerhalb Konstantinopels – und eben verschiedentlich fast ohne Handlungsmöglichkeiten des Hofes – geführt wurden.

Die überwältigende Mehrheit der Zeitgenossen fernab von Hof und Hauptstadt erlebte die Herrschaft des Arcadius so jedenfalls vor allem als eine Zeit der Unsicherheit, ja der Not. Das Römische Reich hatte nicht erst im Verlauf des 4. Jahrhunderts einen tiefgreifenden Wandel in nahezu allen Bereichen von Staat, Gesellschaft und Wirtschaft erlebt. Dieser Wandel und nicht wenige der hierbei aufgestauten Spannungen traten nun – und dies gleich in den ersten Regierungsjahren des jungen Arcadius – auf einem besonders sensiblen Feld unvermutet zutage: im Militär.

Das römische Heer, das ursprünglich die gesamte waffenfähige Bürgerschaft der extrem militarisierten römischen Gesellschaft umfaßt und deren kriegerischer Identität nicht zuletzt Ausdruck in einer unwiderstehlichen Schlagkraft gegeben hatte, zeigte sich jetzt weitgehend barbarisiert: Die leistungsfähigsten Truppenteile, ja sogar die Mehrzahl der Heerführer waren außerhalb der Reichsgrenzen rekrutiert und – nicht selten gegen Stammesverwandte – nur im Dienste der römischen Außenpolitik eingesetzt worden. Die Identifikation jener Soldaten und Offiziere vorwiegend germanischen Ursprunges mit ihrer neuen ‹Heimat› war allerdings gering; im Reich meist zentrumsfern in den gefährdeten Grenzregionen angesiedelt, mißtrauisch beäugt und nicht selten auch betrogen, galt ihnen reiche Besoldung, ein charismatischer Führer und ihr Gruppengefühl allemal mehr als Römertum und Traditionen eines verkrusteten Staatswesens oder die Gehorsamsverpflichtung auf die entrückte Herrscherfigur eines Arcadius.

Die politischen Ambitionen, oft aber allein materielle Eigeninteressen einzelner germanischer Heerführer oder ihrer soldatischen Klientel erwiesen sich nun als tödliche Risiken für die Sicherheit, ja die Fortexistenz des Imperium, drohten sie doch das Reich innerlich zu paralysieren statt es vor dem stetig wachsenden Druck auf seine Außengrenzen durch wandernde Völker zu schützen. Die westgotischen Hilfstruppenkontingente unter Alarich, die in Illyricum faktisch Plünderungszüge unternahmen, konnten 395 und 397 nur mühsam – und nicht auf Dauer – in Schach gehalten werden; 410 sollten sie gar Rom, die Ewige Stadt, einnehmen und plündern. 399 fiel Tribigild, ein Ostgote in römischen Diensten, ab und zog mit seinen Truppen marodierend durch Kleinasien. Der ihm dort mit einem Heer entgegengestellte Gainas, gleichfalls ein Gote, brachte den Aufständischen weniger mit Waffengewalt als durch Verhandlungen wieder zurück in die Dienste des Kaisers – um anschließend mit diesem gemeinsam durch die kleinasiatischen Provinzen Richtung Konstantinopel zu ziehen. Für die betroffenen Regionen, die ausgeraubt und verheert wurden, war schwerlich feststellbar, jedenfalls ohne Belang, ob es sich hierbei um loyale kaiserliche Truppen oder eine meuternde Soldateska handelte.

In Konstantinopel mußte der kaiserliche Hof hilflos erleben, wie nun Gainas, eben noch ‹Retter› vor Tribigild, unter den Toren der Stadt angelangt, Forderungen erhob. Von Arcadius erfahren wir nur, daß er die schließlich getroffenen Abmachungen in einer Kirche eidlich zu bestätigen hatte – Initiativen oder Widerstand gingen von seiner Person nicht aus. Die Lösung des Problems des unbotmäßigen Gotenführers, der mit seinen Männern gewaltlos die Hauptstadt in Besitz nahm und dem Kaiser hier auch weiter seinen Willen diktierte, nahm einen unerwarteten Weg: Die städtische Bevölkerung, die ihren orthodoxen Glauben durch die Anwesenheit der gotischen Besatzer, die allesamt der arianisch-christlichen Glaubensrichtung anhingen, gefährdet sah, nahm eine solchermaßen feindselige Haltung an, daß Gainas es vorzog, mit seiner Hauptstreitmacht die Stadt zu verlassen. Die zunächst noch verbliebenen Goten, 7000 Bewaffnete an der Zahl, massakrierte der Mob wenig später.

Auch nach der Abwendung dieser unmittelbaren Gefahr für Herrscher und Imperium und der im Jahre 400 erfolgten endgültigen Beseitigung des Gainas durch den Hunnenkönig Uldin setzte sich das Wechselspiel von Meutereien barbarischer Hilfstruppen, Plünderungszügen durch einzelne Provinzen des Ostens, der Mobilisierung neuer Truppen unter anderen germanischen Kommandeuren zur Unterdrückung jener Aufstände fort. Arcadius selbst spielte hierbei keinerlei Rolle: Das Soldatenblut seines Vaters pulsierte nicht in seinen Adern, die Zeit der in eigener Person ins Feld ziehenden und sieghaften Kaiser war Vergangenheit. So ging auch die Aufforderung eines zeitgenössischen Redners, der Kaiser möge doch endlich den Palast mit dem Heerlager vertauschen, an der Wirklichkeit vorbei. Und kaum weniger realitätsfremd war die zugleich propagierte Hoffnung, Arcadius möge die Germanen aus dem Reichsdienst entfernen, da diese sich nicht zivilisieren ließen, vielmehr nur über die römische Toga höhnten, die das Ziehen des Schwertes verhindere.

Selbst militärische Auseinandersetzungen mit dem Westen schienen zeitweise nicht ausgeschlossen. Das Verhältnis der beiden von den Theodosius-Söhnen regierten Reichsteile war – vornehmlich wegen Differenzen um die territoriale Zugehörigkeit von Illyricum – seit 395 von Spannungen wechselnder Intensität bestimmt. Als Stilicho, die maßgebliche politische Persönlichkeit im Westen, in die inneren Verhältnisse des Ostreiches einzugreifen und später auch Illyricum einzugliedern versuchte, verhinderten nur andere militärische Verwicklungen einen Bürgerkrieg.

Doch das Jahr 395 als das der endgültigen Teilung des Imperiums zu bezeichnen und so mit dem Regierungsantritt des Arcadius – und Honorius – einen Epochenschnitt anzusetzen, wie dies häufig geschieht, ist kaum zulässig. Seit Diocletian, also weit über ein Jahrhundert, hatte es fast ständig unterschiedliche territoriale Zuständigkeiten der jeweils regierenden Kaiser im Westen und Osten gegeben, und selbst Theodosius hatte nur die letzten vier Monate seines Lebens als alleiniger Augustus über ein ungeteiltes Reich geherrscht. Allein die militärische, von den Germanen-Invasionen diktierte Entwicklung bewirkte den schließlichen Zerfall des Imperium; weder ein Arcadius oder Honorius noch deren Ratgeber haben dies gewollt oder dürfen die historische ‹Größe› beanspruchen, die Spaltung bewerkstelligt zu haben – wenn auch, im historischen Rückblick, das eigendynamische Moment in der separaten Hofführung und konkurrierenden politischen Lenkung dieser Kinderkaiser einen nicht zu unterschätzenden Beitrag zum Auseinanderdriften der Reichsteile geleistet hat.

Als am 1. Mai 408 Arcadius einunddreißigjährig starb, waren keinerlei Auswirkungen auf den Gang der Ereignisse in Konstantinopel oder andernorts im Reich zu spüren. Sein Sohn, Theodosius II., füllte die durch den Tod des Vaters entstandene Lücke ohne erkennbare Schwierigkeiten aus: Erneut bestieg ein Kinderkaiser, diesmal sieben Jahre alt, den Thron.

Honorius
395–423

Von Dieter Timpe

Flavius Honorius wurde am 9. September 384 als jüngerer Sohn des Kaisers Theodosius I. und seiner Frau, der 386 verstorbenen Augusta Aelia Flavia Flacilla, in Konstantinopel geboren, seine Stiefmutter wurde Galla, die Schwester Kaiser Valentinians II., die Theodosius 387 heiratete. Mit seinem 377, noch vor der Thronbesteigung des Vaters, geborenen älteren Bruder Arcadius erhielt auch Honorius eine sorgfältige, von Anfang an auf dynastische Erbfolge abzielende, orthodoxe Erziehung und eine exzeptionelle Stellung. Der Knabe bekam bereits 386 nominell seinen ersten Konsulat, und in einem 389 in Rom auf den Kaiser gehaltenen Panegyricus weist der Redner auf die minderjährigen Prinzen und die Hoffnung hin, daß der Vater ihr Heranwachsen erleben möge. Der hochgebildete Mönch Arsenios wurde zu ihrem Erzieher bestellt. Arcadius war sechs Jahre alt, als Theodosius ihn 383 zum Augustus ausrufen ließ; Honorius durfte im Sommer 389 am Triumph des Vaters über den Usurpator Maximus in Rom teilnehmen, wohl um bei dieser Gelegenheit als künftiger Westherrscher präsentiert zu werden, und erhielt ebenfalls die Augustus-Würde 393 im Alter von neun Jahren. Gewiß wünschte Theodosius keine Nachfolge Unmündiger, wohl aber die Nachfolge seiner Söhne.

Als er 394 in den Krieg gegen den Usurpator Eugenius zog, ließ er Arcadius als legitimen Herrscher des Ostens unter der Leitung des Prätorianerpräfekten Rufinus in Konstantinopel zurück; Honorius und seine Halbschwester Galla Placidia wurden nach dem Sieg, im Herbst 394, vom Hauptquartier in Aquileia aus nach Mailand beordert. Eine hier wohl beabsichtigte öffentliche Designation verhinderte das schwindende Leben des Kaisers; er empfahl in der Kirche seine Kinder der Obhut des Bischofs Ambrosius und verpflichtete auf dem Sterbebette den Heermeister Flavius Stilicho, Gatten seiner Nichte und Adoptivtochter Serena, der nach der Schlacht am Frigidus die westlichen Truppen kommandierte, auf gewissenhafte Fürsorge für die Söhne. Damit war keine förmliche Vormundschaft begründet, die es im Rechtssinne für einen Kaiser nicht gab, aber die Loyalität gegenüber der Dynastie eingefordert.

Theodosius mögen manche Sorgen gedrückt haben, diejenige, daß mit ihm die Einheit des römischen Reiches zu Ende gehen könnte, gehörte sicherlich nicht dazu: Die Einheit des Imperiums vertrug sich seit Diocletian mit dem kollegialen Regiment mehrerer Kaiser, deren Zahl, Rang und Herrschaftsbereich sich ändern konnten; die Mehrzahl brüderlicher Augusti stärkte die Herrschaft eher, als daß sie sie spaltete, und wurde darum gewünscht, nicht gefürchtet. Als Honorius 395 unter der faktischen Geschäftsführung Stilichos in Mailand, der Hauptstadt des Westens, Residenz nahm, tat er also nur, was erwartet werden durfte, und die kaiserlichen Brüder traten auch in ihrer Gesetzgebung und Beamtenernennung nach außen hin als Gesamtherrschaft in Erscheinung. Die persönlich unbedeutenden Söhne des Theodosius haben aber auch, als sie erwachsen waren, ihrer Regierung kein Gepräge gegeben, und historisch bemerkenswert ist daran zunächst, daß sich ein solcher Zustand nicht von selbst verbot, die Kaiserherrschaft vielmehr mit Unmündigkeit und Indolenz ihres Trägers vereinbar geworden war. Die fast dreißigjährige Regierungsdauer des Honorius ergibt deshalb doch keine ‹Zeit des Honorius›; Prätorianerpräfekten, Bischöfe oder Usurpatoren griffen bestimmend in den Lauf der Dinge ein, während der Träger des Purpurs sich mehr auf die Vorstellung der Legitimität stützte als auf seine autoritätsbegründende Leistung. Seine Herrschaft gliedern deshalb die wechselnden Leiter der Politik – Stilicho in der frühen Phase, in der späteren vor allem Constantius III. –, nicht aber persönliche Entscheidungen oder Erfahrungen des Kaisers, und auch der Umriß einer politischen Biographie des Honorius kann sich nur am äußeren Gerüst, nicht am inneren Kern seines Lebens orientieren.

Das Regiment Stilichos war durch den persönlichen Ehrgeiz des Aufsteigers bei voller Loyalität gegenüber der kaiserlichen Familie, durch Festhalten an den politischen Prinzipien des Theodosius und – wahrscheinlich eben darum – durch eine aktive, aber auch konfliktreiche Gesamtreichspolitik bestimmt. Der Sohn eines Vandalen, der im Heeresdienst aufgestiegen war, ohne eigentlich die Gaben eines Heerführers bewährt zu haben, den aber schon Theodosius in die kaiserliche Familie aufgenommen hatte, gab 398 seinem damals fünfzehnjährigen kaiserlichen Schützling seine Tochter Maria und nach deren Tod 408 die zweite, Thermantia, zur Frau; seinem noch unmündigen Sohn Eucherius war die Kaisertochter Galla Placidia verlobt worden, und der naheliegende Verdacht, er wolle ihn zum Kaiser machen, trug zu seinem Sturz und Untergang wesentlich bei. Eine authentische Willensregung des Hauptbetroffenen, des jungen Kaisers Honorius, zu alldem ist nicht zu erkennen.

In Konstantinopel übte beim Tode des Theodosius eine der Stilichos vergleichbare Stellung der Prätorianerpräfekt des Orients, Rufinus, aus – dem Regenten des Westens durch ähnlichen dynastischen Ehrgeiz und seine gleichfalls von Theodosius begünstigte Laufbahn verwandt und ihm in alter Feindschaft verbunden. Aber Stilicho gebot 395 über das Reichsheer, das nach dem Sieg über den Usurpator Eugenius am Frigidus im Westen stand, während der von Truppen entblößte Reichsosten zu Barbareninvasionen einlud und zudem den Plünderungen der arianischen Westgoten Alarichs ausgesetzt war. Die hatten als Foederierte des Kaisers am Krieg teilgenommen und waren nach enormen Schlachtverlusten in ihre donauländische Heimat entlassen worden, zogen vor Konstantinopel und erzwangen so einen neuen Bündnisvertrag. Er lieferte ihnen die Diözesen der illyrischen Präfektur (Macedonia, Dacia) aus, die Stilicho für den Westen beanspruchte, und gab so dem Westherrscher den Anlaß zu einem Zug nach Thessalien. Aber anstatt hier seine Ansprüche zu realisieren oder die Goten in seinen Dienst zu nehmen, fügte er sich dem von Arcadius autorisierten Befehl, die oströmischen Truppen zurückzugeben und die strittigen Diözesen zu räumen. Stilicho konnte zwar die Ermordung seines Rivalen Rufinus durch heimkehrende gotische Truppen im November 395 als politischen Erfolg verbuchen, aber das Bündnis mit dem neuen ‹Minister›, dem obersten Hofeunuchen Eutrop, hielt nicht lange vor. Das Vordringen der Goten in die Peloponnes nötigte im folgenden Jahr die Regierung des Ostens, Stilicho wieder zu Hilfe zu rufen, der Alarich in Westarkadien einschloß, aber seinen militärischen Vorteil nicht ausnutzte und die Goten nach Epirus abziehen ließ. Daraufhin legalisierte Eutrop notgedrungen die Goten erneut als Foederaten, räumte ihnen Sitze in Makedonien ein und machte Alarich zum Heermeister für Illyrien.

In Konstantinopel wurde nun Stilicho zum Reichsfeind erklärt und die Unterstellung der Diözese Africa unter Arcadius angenommen. Hier hatte der Heerführer Gildo die Usurpation des Eugenius unterstützt, dann zwar Honorius anerkannt, aber durch brutale Konfiskationen, Rüstungen und Drosselung der Getreideexporte nach Italien seine Selbständigkeit erhöht und demonstriert; seine Abberufung durch Stilicho beantwortete er nun mit der Aufkündigung des Gehorsams. Vor allem die prekäre Versorgungslage in Rom und Italien zwang den Westherrscher zu einer Expedition zur Wiederunterwerfung Afrikas. Sie hatte 398 dank dem unerwarteten Abfall der Truppen Gildos schneller und leichter Erfolg, als man hatte erwarten können.

Jede der beiden Regierungen bereitete also der anderen elementare innere Schwierigkeiten, mit denen man hier wie dort fertig wurde, aber darüber den Urheber nicht vergaß. In gegenseitiger Nichtanerkennung der Hoheitsakte wie Gesetzgebung und Konsulnernennung kam die Feindseligkeit zwischen den beiden Reichsteilen offen zum Ausdruck, die jedoch nicht auf ein negatives persönliches Verhältnis der kaiserlichen Brüder zurückzuführen und nicht zuletzt deshalb auch nicht unwiderruflich war.

Die großen Themen der Regierung Stilichos hängen miteinander zusammen: Der Reichsfeldherr des Westens und Verwandte des Kaisers Honorius konnte dem Osten nicht indifferent gegenüberstehen, konnte dynastisches Interesse und Reichspolitik nicht trennen, Selbstbehauptung und Sachentscheidungen nicht auseinanderhalten. Die Sicherung der Grenzen und die Bändigung der Foederaten, die Erhaltung der Herrschaftslegitimität und die Stellung zur Religion, die kluge Verteilung der Lasten und die gerechte Belohnung der Verdienste lieferten den bleibenden Kreis der Probleme, deren Bewältigung die Zeit aufgab. Der Regent des Westens war ihnen gegenüber zunächst in der günstigeren Lage, hat seinen Vorteil aber nicht behaupten können. Ob dafür persönliche Unzulänglichkeiten oder die Herkunft des *semibarbarus*, ‹Halbbarbaren›, oder die größeren Schwierigkeiten im Reichswesten verantwortlich zu machen sind, bleibt eine kaum zu entscheidende und durch die lauttönende Verherrlichung Stilichos bei Claudian nicht erleichterte Frage.

Bedrohungen der westlichen Reichsgrenzen hatte Stilicho schon 396 am Rhein abzuwehren; der Sieg über Gildo und die Konfiskation seiner Schätze erlaubten ihm dann, eine Truppenstärke zu unterhalten, die den Franken Respekt einflößte und sogar das bedrohte Britannien schützen konnte. Dagegen löste 401 ein Einfall von Vandalen und Alanen in Raetien eine nicht recht durchsichtige, aber weitreichende Reaktion aus; er scheint nämlich für Alarich das Signal gewesen zu sein, unter Bruch des

Vertrags mit Arcadius Italien heimzusuchen. Die Goten zogen über die ungeschützten Pässe der iulischen Alpen und bedrohten Aquileia und Mailand; hier konnte der Kaiser – die persönliche Reaktion ist bezeugt – von panischer Flucht abgehalten werden, aber der Hof zog sich daraufhin in das besser geschützte Ravenna zurück. Ein eiliger Friedensschluß an der raetischen Grenze machte aus den dortigen Invasoren römische Hilfstruppen, mit deren Unterstützung Stilicho die Goten in Oberitalien mehrfach soweit besiegen konnte, daß sie sich zum Rückzug nach Illyricum bequemten. Aber drei Jahre später nahm der Regent den kirchenpolitischen Streit um die Absetzung des Patriarchen Johannes Chrysostomos in Konstantinopel zum Anlaß, die Autorität seines Kaisers im Osten offensiv zur Geltung zu bringen und, als der Leiter der östlichen Politik, der Prätorianerpräfekt Anthemius, die Intervention zurückwies, Illyricum für den Westen zu beanspruchen. Und nun provozierte Stilicho den Bruch mit dem Osten, indem er Honorius seinerseits ein Abkommen mit den Westgoten schließen und Alarich zum Heermeister für Illyrien ernennen ließ. Ein neuer furchterregender Barbarenhaufe aus Goten und Alamannen unter Führung des ‹Skythen› Radagaisus unterbrach die aggressiven Pläne. Aber Stilicho konnte durch hunnische und gotische Verbündete der dreigeteilten Radagaisus-Invasion 406 Herr werden und versuchte noch einmal, sein Ziel im Osten zu erreichen. Er schickte sich an, mit einer Flotte von Italien nach Illyricum überzusetzen, um sich mit dem dorthin beorderten Verbündeten Alarich zu vereinigen. Doch eine weitere und noch schwerere Barbareninvasion aus vandalischen und alanischen Kontingenten ergoß sich nach Durchbrechung der Rheingrenze plündernd und Städte zerstörend über das wehrlose Gallien, und in Britannien, wo jeder Schutz des Reiches vollends versagte, erhob sich ein Usurpator, Constantin III., der auch in Gallien Hilfe brachte und Anerkennung fand.

Diese verzweifelte Lage zwang Stilicho zum Abbruch des Konfrontationskurses, was nun Alarich als Bruch des Bündnisses verstanden haben muß; er wandte sich erneut nach Italien, besetzte die iulischen Alpen und Noricum und forderte die riesige Abstandszahlung von 4000 Pfund Gold, etwa die Kosten für den jährlichen Lebensunterhalt seines Stammes. Stilicho drängte zwischen der Bedrohung im Westen und der Erpressung im Osten auf Annahme der Bedingung; dabei spielten die römischen Senatoren als Legitimations- und als Geldquelle eine untypische, aber auch durch den Aufenthalt des Kaisers in Rom bedingte Rolle. Hatten die erfolglose Konfrontationspolitik im Osten und noch mehr der damit zusammenhängende Abfall Britanniens und Galliens Stilicho dem Kaiser entfremdet, so erreichte die Kontribution dies in der italischen Oberschicht, bei der das irreale Programm einer nationalrömisch-antibarbarischen Politik Oberhand gewann, das freilich wieder dem kirchenpolitischen Kurs des Kaisers nicht konform war. In dieser

Situation ließ der Tod des Kaisers Arcadius im Frühjahr 408 den Konflikt des Honorius mit Stilicho darüber aufbrechen, wie die Aufgaben der dynastischen Interessenwahrung in Konstantinopel und der Barbarenpolitik in Italien zu verteilen und zu lösen wären. Daß sich Stilicho mit seiner Absicht, selber nach dem Osten zu gehen, durchsetzte, gab dem Hofbeamten Olympius Gelegenheit, den zu den Truppen nach Pavia reisenden Honorius gegen ihn einzunehmen; Sturz und Hinrichtung Stilichos und seines Sohnes im August des Jahres 408, Verfolgung seiner Parteigänger, Verstoßung der Thermantia und politischer Kurswechsel waren die Folge.

Doch die antigermanische Reaktion am Hof und im Heer provozierte Alarich zum Zug gegen Rom; viele barbarische Kontingente des bisherigen Reichsheeres hatten sich ihm nach dem Umsturz angeschlossen. Der vom Hunger bedrohten Stadt und besonders dem Senatsadel preßte der Gotenführer nun eine noch größere Kontribution als die kurz vorher geforderte ab, aber nahm auch den Senat als Friedensvermittler in Anspruch: Auf die Dauer war die ethnische Existenz der Goten auf Reichsboden nur im Einvernehmen mit dem Kaiser möglich. Daß darauf auch Honorius und seine derzeitigen Ratgeber rechneten, erklärt das wechselvolle politische Spiel der Jahre 409–410, bei dem Honorius die Anerkennung des Usurpators Constantin III., die Versöhnung mit dem oströmischen Reichsteil und die Anwerbung neuer, vor allem auch hunnischer Foederaten zum Einsatz brachte. Alarich dagegen setzte auf die Strangulierung Roms, gotische Verstärkungen und die Aufstellung – schließlich wieder die Preisgabe – des heidnischen Stadtpräfekten Priscus Attalus als Gegenkaiser. Attalus aber verhandelte zwar mit Ravenna und machte den Goten zum Heermeister, widersetzte sich aber gotischer Beherrschung der Kornkammer Afrika beharrlich – und dies selbst, als der honoriustreue Statthalter seinerseits die Versorgung Roms unterband. Honorius, der zeitweise zur Anerkennung des Attalus als Mitregent bereit war, ja an Abdankung und Flucht nach Konstantinopel dachte, scheint zwischen wechselnden Hofparteien laviert zu haben und entschied sich schließlich unter dem Eindruck eines ephemeren Erfolges zum Abbruch der Verhandlungen, der Alarich im August 410 zur Einnahme und Plünderung Roms bewog. So sehr dieses Ereignis die Zeitgenossen erschütterte und als eschatologisches Zeichen gedeutet wurde, es verdeckte nur das strategische und politische Scheitern der Goten, denen der Übergang nach Afrika auch von Süditalien aus mißlang; nach dem Tode des Alarich noch im gleichen Jahre und weiteren Verheerungen Italiens hat sein Nachfolger Athaulf die Goten nach Gallien geführt.

Die Jahre zwischen dem Sturz Stilichos und Alarichs Ende lassen am ehesten ein politisches Profil des Honorius erkennen. Sicherlich war der Kaiser immer abhängig von überlegenen Ratgebern, unentschlossen, zaudernd und zuweilen kopflos, doch ein bloßer Repräsentant der Legitimität ist er deshalb wohl nicht gewesen. Hofluft und enge Frömmigkeit müssen ihn von früh an in einer Weise geprägt haben, die sich modernen Vorstellungen schwer erschließt. Das dynastische Interesse und das selbstverständliche Denken im Gesamtreichsmaßstab ließen vermutlich die Konflikte mit dem Osten nicht wünschen, aber als relative Störungen hinnehmen; eine Wahl zwischen pro- und antibarbarischer Politik gab es für ihn sicherlich nicht, weil an der potentiellen Macht der Barbaren nichts zu ändern war, sie aber auch durch Kompromisse gebändigt, durch Klugheit gegeneinander ausgespielt werden konnten. Usurpatoren werden dem Kaiser größere Sorgen bereitet haben als gotische Könige. Daß einem in die Dynastie aufgenommenen Heerführer wie Stilicho seine Herkunft als politischer Makel anhaftete, dürfte eine anachronistische Anschauung sein, aber in religionspolitischen Auseinandersetzungen, bei der Entscheidung für oder gegen einen Foederatenvertrag oder wenn der Machthaber mit dem Hochmut, dem Reichtum und dem Traditionsstolz der Senatoren zusammenstieß, konnte die Herkunft zum Kampfargument werden. Für Honorius kann die Fülle der – in modernen Analysen systematisch aufgefächerten – politischen Probleme, denen seine Herrschaft gegenüberstand, ein gleichmäßiges Feld persönlicher Herausforderung und Bewährung nicht ergeben haben: Er wäre solchem Anspruch nicht gewachsen gewesen. Vielmehr setzt die anerkannte Herrschaft unmündiger und unfähiger Kaiser ein anderes Verständnis der kaiserlichen Rolle voraus. Gefordert waren Einsatz und persönliche Entscheidung vor allem auf religionspolitischem Gebiet.

Honorius hatte seine Herrschaft als Knabe unter der Obhut des Mailänder Bischofs Ambrosius angetreten, und zu den ersten Verlautbarungen seiner Regierung gehörten die Anerkennung der Privilegien der Kleriker und die Verordnungen gegen heidnische Kulte. Unter allen Günstlingen hat der Kaiser der Orthodoxie seine Macht geliehen, Heiden und Ketzer bekämpft, und es spricht alles dafür, daß er persönlich für diese Politik einstand. Konzessionen an die heidnische Aristokratie hat es zeitweilig gegeben, aber sie waren situationsbedingt und wurden bei passender Gelegenheit wieder zurückgenommen. Seinem kaiserlichen Bruder gegenüber setzte sich Honorius im Konflikt um die Absetzung des Bischofs Johannes Chrysostomos für die vom römischen Papst vertretene Linie ein, und er dürfte dabei mehr als bloßes Werkzeug der stilichonischen Ostpolitik gewesen sein. Die Vorstellung, in den kontingenten Ereignissen der eigenen Gegenwart den göttlichen Willen unmittelbar erfahren zu können, muß – obwohl Heiden und Christen gemeinsam – einen starken persönlichen Handlungsimpuls geliefert haben. Aber auch die kaiserliche Religionspolitik ist überwiegend nur im objektiven Niederschlag der Gesetzgebung faßbar, und für andere Bereiche staatlicher Tätigkeit – etwa die Finanz- oder Sozialpolitik – gilt das noch viel mehr, so daß es kaum möglich ist, hier vom Kaiser persönlich ausgehende Entscheidungen herauszufinden. Daß dieses Verhaltensmuster nicht als zeittypisch zu erklären ist, zeigt der Vergleich mit der willensstarken, klugen und politisch aktiven Galla Placidia.

Die zweite Phase der Regierung des Honorius (410–423) ist dank der Quellenlage ungleich schlechter und summarischer bekannt als die erste. Damals gelang es vor allem, mit einer Reihe von Usurpationen fertig zu werden, die sich teilweise gegenseitig neutralisierten. Constantin III. endete 411 bei der Belagerung von Arles durch die kaiserlichen Feldherrn Constantius und Ulfilas, sein in Spanien von ihm abgefallener General Gerontius, der in dem Heerführer Maximus einen eigenen Gegenkaiser aufgestellt hatte, scheiterte, als seine Truppen von ihm abfielen. Der Gallier Iovinus, der mit burgundischer, alamannischer und fränkischer Hilfe Gallien gewinnen konnte, stürzte schließlich 413 über den Bruch mit dem zeitweiligen Verbündeten Athaulf, der Heerführer Heraclianus, der Mörder Stilichos, der Afrika zunächst für Honorius gegen Alarich und Attalus verteidigt hatte, scheiterte mit einer Flotteninvasion gegen Italien im gleichen Jahr. Fast alle diese Krisen gingen mit Barbareninvasionen und dem Taktieren mit wenig loyalen und immer abfallbereiten Foederaten einher, in deren wachsender Selbständigkeit in den westlichen Diözesen sich die Auflösung des Westreiches ankündigte. Denkwürdig und folgenreich ist in diesem Zusammenhang die Gefangennahme der Galla Placidia durch die Goten, die 414 Athaulfs Frau wurde, was jedoch den Frieden mit dem nach sicheren und garantierten Verhältnissen strebenden Wanderverband nicht gewährleistete. Unter Athaulfs Nachfolger Valia traten die Goten erneut in ein Foederatenverhältnis, das ihnen endlich die Integration in das Imperium und Sitze in Spanien, dann in Aquitanien, verschaffte.

Ihr letzter Bezwinger, der erfolgreiche Heermeister Flavius Constantius III., war der letzte große Regent der honorianischen Herrschaft; dem zweiten Gemahl der Galla Placidia und 421 Mitaugustus des Honorius gelang die dauerhafte Verbindung mit dem Kaiserhaus; beider Sohn war der spätere Kaiser Valentinian III. Doch ergab sich aus dieser dynastischen Erweiterung auch ein neuer Gegensatz zum Ostherrscher, Theodosius II., den nur der Tod Constantius' III. noch im gleichen Jahre nicht zum Ausbruch kommen ließ. Dieser Konflikt erhielt eine unerwartete Wendung, als Honorius und seine Halbschwester, angeblich unerwiderter Neigung des Kaisers wegen, in politischen Dissens gerieten; dies mobilisierte die gotische Anhängerschaft der Galla Placidia, führte zu Straßenkämpfen in Ravenna und endete mit Placidias Flucht nach Konstantinopel. Bald darauf starb Honorius im August 423 kinderlos mit 39 Jahren. Sein Tod hat formell die Alleinherrschaft Theodosius' II. herbeigeführt, tatsächlich aber den Parteienkampf der Anhänger und Gegner der Galla Placidia und die Usurpation des Schreibers Johannes Primicerius ausgelöst; erst die neue Bedrohung der dynastischen Herrschaft im Westen eröffnete Galla Placidia und Valentinian III. die Anerkennung des Ostens als Herrscher.

Honorius trat auch in der späteren Phase seiner Herrschaft aus dem Schatten seiner Minister und Generäle nicht heraus. Constantius III. ist es gewesen, der in den wichtigsten kirchenpolitischen Streit der Zeit, das römische Schisma zwischen Eulalius und Bonifatius 419, eingriff und schließlich Bonifatius anerkannte, obschon beides im Namen des Honorius geschah. Und Galla Placidia, nicht ihr kaiserlicher Bruder, hat am Ende politische Initiativen entwickelt, die den Handlungsspielraum auch eines Herrschers des 5. Jahrhunderts beleuchten. Die persönlichen Schwächen und die Farblosigkeit des Kaisers waren den Zeitgenossen bewußt; sie haben wie bei Unmündigen zur Regierung von Prätorianerpräfekten, Heermeistern und Eunuchen geführt, was aber nicht als Weg zu einer Art von Konstitutionalismus mißverstanden werden darf.

Theodosius II.
408–450

Von Wolfgang Schuller

Man könnte es ganz kurz machen. Theodosius II., am 10. April 401 als Sohn des Kaisers Arcadius geboren, wurde bereits 402 Mitregent und regierte nach seines Vaters Tod 408 als alleiniger Augustus im Ostteil des Reiches. 414 wurde seine zwei Jahre ältere Schwester Pulcheria, die großen Einfluß auf ihn ausübte, *Augusta*, 421 heiratete er die zum Christentum übergetretene Athenais, die den Namen Eudocia annahm und ebenfalls politische Wirksamkeit entfaltete. Theodosius war ein freundlicher und frommer Mann, der sich kaum aus seinem Palast und aus Konstantinopel entfernte und am liebsten religiöse Bücher las, gerne auch Bücher eigenhändig kopierte und im übrigen großes Augenmerk auf die Würde seines Amtes und sein entsprechendes Auftreten legte. Am 28. Juli 450 ist er nach einem Sturz vom Pferd gestorben. Viel mehr weiß man nicht von ihm – um so mehr aber von den Personen, die neben und hinter ihm standen, sowie von den Problemen, die in seiner Regierungszeit auftraten und wenn nicht von ihm, so doch von den ihn umgebenden Personen gelöst werden mußten.

Zuerst zu den Personen. Wenn je in der römischen Kaisergeschichte

Frauen eine entscheidende politische Tätigkeit entfaltet haben, dann hier: Pulcheria war eine sehr energische Persönlichkeit, deren Energie sich nicht nur anderen gegenüber auswirkte, sondern die auch ihre eigene Lebensführung bestimmte. Zwei Jahre älter als Theodosius, übernahm sie nach dem Tod des Vaters dessen Erziehung und die ihrer beiden jüngeren Schwestern ganz in streng christlich-asketischem Sinn. Die Tage vergingen mit Gebeten, Hymnensingen, frommer Lektüre und für die Frauen mit Handarbeit; der Bruder wurde in der Literatur und den Herrscherpflichten unterrichtet und über das Zeremoniell aufgeklärt. Pulcheria war nur die Schwester des Kaisers, und diese Position allein hätte nicht ausgereicht, um ihr denjenigen festverankerten politischen Einfluß zu sichern, den sie als seine Ehefrau gehabt hätte. Da traf es sich gut, daß ihr christlicher Glaube so tief in ihr verwurzelt war, daß sie, gewiß auch aus innerer Überzeugung, das asketische Gelübde der Jungfräulichkeit ablegte. Im Jahrhundert vorher waren ja durch die Askesebewegung gleichzeitig das männliche und weibliche Mönchtum entstanden, und es waren auch außerhalb des Klosterlebens Formen der Einzelaskese entwickelt worden, wozu die ewige Jungfrauschaft gehörte.

Das verschaffte ihr so großes Prestige, daß sie, für eine bloße Schwester ungewöhnlich, zur *Augusta* erhoben werden und so auch institutionell abgesichert regieren konnte; ihr Portrait wurde neben dem ihres Bruders und dem des Westkaisers Honorius im Senat aufgestellt. Als Mitregentin und als um die Dynastie besorgte Schwester bemühte sie sich möglicherweise auch darum, daß ihr Bruder eine passende Frau bekam. Das wäre dann eine sehr uneigennützige Wahl gewesen, denn die dazu ausersehene, nicht nur schöne, sondern auch kluge und gebildete Athenais war eine Frau, deren Rolle als Konkurrentin vorauszusehen gewesen sein dürfte. Daher wird auch vermutet, daß Athenais die Wahl anderer Kreise gewesen sei, die Pulcherias Macht beschneiden wollten. In den so entstehenden Auseinandersetzungen zwischen den beiden Frauen verließen beide abwechselnd Konstantinopel, und daß es schließlich Pulcheria war, die in der Hauptstadt blieb, zeigt, daß sie in diesen Kämpfen Siegerin geblieben war. Die Quellen sprechen übereinstimmend und glaubhaft davon, daß sie, sogar mit schriftlichen Instruktionen, praktische Politik trieb und tatsächlich regierte, also nicht bloß im Hintergrund Einfluß ausübte. Zuletzt zeigte sich das an ihrem persönlichen Eingreifen beim Konzil von Chalkedon 451 sowie daran, daß sie mit Papst Leo I. in Briefwechsel stand. Nach dem Tod ihres Bruders erwies sie sich noch einmal als diejenige, die, mit der Autorität der heiligen Jungfrauschaft versehen, die Politik bestimmte. Da Theodosius keinen männlichen Erben hatte, suchte sie selber den Nachfolger Marcian aus, heiratete ihn mit der – angesichts ihres vorgerückten Alters gewiß eingehaltenen – Verpflichtung, sie unberührt zu lassen und setzte ihm selber das Diadem auf. 453 ist sie gestorben.

Nun zu ihrem Gegenbild, zu Athenais, die als Kaiserin Eudocia hieß. Viel Romantik kommt bei ihrer Lebensgeschichte ins Spiel. Sie wurde als Tochter des heidnischen Sophisten Leontios in Athen geboren, und wir wollen gerne glauben, daß es Pulcheria war, die, auf welche Weise immer, dieses Mädchen für ihren Bruder entdeckte. Jedenfalls trat sie zum christlichen Glauben über, und die Taufe war dann die gute Gelegenheit, ihr den neuen, Frömmigkeit evozierenden Namen zu geben. Eudocia war nicht nur gebildet und kenntnisreich, sondern sie war auch selber produktiv. Schon ein Jahr nach ihrer Hochzeit, 422, besang sie das Ende eines Perserkrieges ihres Mannes als großen Sieg in Hexametern, und dieses Versmaß war es, in dem sie auch weitere Werke verfaßte, die teilweise erhalten sind. Deren Themen sind christliche Legenden und die Inhalte einzelner Bücher der Bibel; das Leben Jesu selbst besang sie in einer in der Spätantike beliebten Gedichtform, dem Cento: Sie setzte Verse Homers in neuer Anordnung zusammen.

Mag Pulcheria die junge Athenais nun irrig für ein fügsames Dummchen gehalten haben oder mag das, was jetzt folgte, von allerlei Männern hinter den Kulissen vorausgeplant gewesen sein, jedenfalls kam es zu heftigen Rivalitäten zwischen beiden. Das zeigte sich zuerst in der Erhebung Eudocias zur *Augusta*, die 423 nach der Geburt ihrer – nach der Großmutter benannten – Tochter Eudoxia stattfand. Zwei weitere Kinder starben, was aber nichts daran änderte, daß Theodosius nun für einige Zeit seiner Schwester entfremdet wurde, die sich sogar vom Hof zurückzog und, wie auch ihre Schwestern, in eigenen Palästen wohnte. Möglicherweise auf Initiative Eudocias, aber auch wegen der literarischen Neigungen des Kaisers selber, wurde 425 die staatliche Hochschule Konstantinopels reorganisiert, auf der Grammatik, Philosophie, Rhethorik und Jurisprudenz gelehrt wurden. Welches Renommee Eudocia aber – im Gegensatz zu Pulcheria – gehabt hat, das zeigt sich an der Art der Intrigen, die gegen sie gesponnen wurden und denen sie schließlich auch erlag. Ihre eheliche Treue wurde angezweifelt: In einem Fall hatte sie dem hohen Beamten Paulinus einen besonders schönen Apfel verehrt – in unschuldiger Absicht, sagte sie; als Zeichen der Liebe, sagten ihre Gegner; Paulinus wurde hingerichtet.

Ob nun in diesem Zusammenhang oder aus anderem Grunde, jedenfalls begleitete Eudocia ihre Tochter Eudoxia 438 auf einer Wallfahrt nach Jerusalem, und gewiß nicht ohne deutliche Signalwirkung war es, daß sie das in Begleitung der jüngeren Melania tat, einer wegen ihrer asketischen Heiligkeit hochberühmten römischen Aristokratin. Nach ihrer Rückkehr förderte sie den wie Paulinus offenbar gutaussehenden Cyrus aus Panopolis in Ägypten, der es bis zum Stadt- und Prätorianerpräfekten brachte. Cyrus war nicht nur Verwaltungsfachmann, sondern auch Dichter, wie sich die Kaiserin selber auch als Dichterin verstand. Nicht unverständlich ist es daher, daß böse Zungen mehr als eine bloße

Seelenfreundschaft annahmen. All das ist für uns heute natürlich noch weniger auf seinen Wahrheitsgehalt zu überprüfen, als es damals war; aber der äußere Ablauf der Ereignisse ist der, daß Eudocia 443 endgültig nach Jerusalem zog und daß Cyrus unter der Beschuldigung des Heidentums alsbald seinen Posten verlor und in ein anatolisches Dorf versetzt wurde. Pulcheria kam zurück, hatte freilich nicht mehr freie Bahn wie früher, sondern mußte gegen den Einfluß angehen, den ein hochgestellter Eunuch, Chrysaphius, jetzt beim Kaiser ausübte; nach dem Tod Theodosius' II. wurde er sofort hingerichtet. Eudocia lebte bis zu ihrem Tod 460 in Jerusalem, aber nicht als eine Verbannte oder gar Ausgestoßene, sondern, nach einem vergeblichen Versuch ihres Mannes, sie zurückzuholen, als hochgeehrte Kaiserin, die sich mit christlichen Intellektuellen umgab und viel für den Ausbau der Stadt tat. Anscheinend wollte sie aus eigenem Entschluß gar nicht mehr zu Theodosius zurückkehren, was über die Attraktivität seiner Person einiges aussagt.

Skandalgeschichten, so schön sie sind, machen nur einen Teil des Bildes aus; gleichwohl soll noch eine letzte erzählt werden, die dann zu den sachlichen Problemen überleitet. 431 fand in Ephesos ein Konzil statt, auf welchem über einen dogmatischen Streit entschieden werden sollte, der, wie meistens, in bestimmten Personen seinen Ausdruck fand. In diesem Fall waren es der Patriarch Nestorios von Konstantinopel sowie Kyrill von Alexandria. In den Konzilsakten ist festgehalten, was Kyrill an Bestechungen aufgewandt hat, um eine Entscheidung zu seinen Gunsten herbeizuführen. Neben Sachwerten in Gestalt von Teppichen, Stoffen, Gemälden, Elfenbeinarbeiten und Straußenbälgen wurden auch erhebliche Summen gezahlt. Der Vorsteher der kaiserlichen Hofhaltung Paulus erhielt 50 Pfund Gold, sein Kollege Chryseros 200, zwei Kammerfrauen Eudocias je 50 Pfund, drei Kammereunuchen 30, 50 und 100 Pfund, einer ihrer Diener 50 Pfund; zwei Spitzenbeamte erhielten je 100, ein weiterer einflußreicher Mann abermals 100 Pfund, und dieselbe Summe erhielten die Frau des Prätorianerpräfekten und dessen Gehilfe. Bei allen Empfängern ist der Zweck der Zahlung vermerkt: «damit er oder sie uns in unserer Sache hilft», nur bei der Frau des Prätorianerpräfekten heißt es, «damit, von ihr überredet, der Präfekt uns hilft.» Letztere Bemerkung mag ein Licht auf das Eheleben des Prätorianerpräfekten werfen, aber allgemein betrachtet sind diese Angaben in mehrerer Hinsicht bemerkenswert für den Charakter der Zeit. Zunächst fällt auf, daß diese Bestechungen in den Kongreßakten vermerkt sind, was zeigt, daß sie keine Vorgänge waren, die man glaubte, mit dem Siegel tiefster Verschwiegenheit versehen zu müssen; auch der staatliche Ämterkauf war ja, obgleich durch Kaisergesetze bekämpft, eine weit verbreitete Erscheinung. Zweitens folgt aus dem Kreis der Empfänger, daß die Entscheidung in Glaubensfragen in hohem Maße von weltlichen Personen abhing. Immerhin gehörten Kaiser und Kaiserinnen nicht zu den Empfängern, aber daß Kammerfrauen Eudocias versorgt wurden, zeigt, daß diese Kaiserin ein Wort mitzureden hatte; sie stand in der Tat auf der anderen Seite und mußte, anders als die Nestorios-Feindin Pulcheria, bearbeitet werden. Drittens macht die Höhe der Summe deutlich, wie wichtig es dem streitbaren Kyrill war, eine Entscheidung in seinem Sinne herbeizuführen; diese Beträge waren nicht leicht aufzubringen. Worum ging es also?

Die Religionspolitik stellte einen wichtigen, konstitutiven Teil der oströmischen Innenpolitik dar, und in diesem Rahmen muß auch dieser Konflikt gesehen werden. Es gab eine sich immer mehr verschärfende Gesetzgebung gegen Juden, Heiden und Häretiker, wobei aber immer private Gewaltanwendung scharf bekämpft wurde und in bestimmten Fällen stillschweigende Ausnahmen Platz griffen: Heiden konnten gelegentlich hohe Ämter innehaben, und die arianischen Germanen wurden deshalb in Frieden gelassen, weil sie einschließlich ihrer Oberbefehlshaber den Großteil des Heeres ausmachten. Der Streit zwischen Nestorios und Kyrill verschärfte sich nun so, daß der Häresievorwurf in der Luft lag, und es lief schließlich nur darauf hinaus, welchen von beiden er treffen sollte. Dabei muß deutlich gesagt werden, daß Kyrill ein bedeutender Theologe war, dessen Schriften erhebliche dogmatische Bedeutung zukommt. Er war aber auch ein Machtmensch par excellence, der vor kaum etwas zurückschreckte, gewiß nicht vor der Anwendung physischer Gewalt. Eine Schlägertruppe fanatischer ägyptischer Mönche, die sonst als Krankenträger eingesetzt wurden, war ihm bedingungslos ergeben, und ihr ist es zuzuschreiben, daß 416 die letzte heidnische Philosophin Alexandrias, Hypatia, auf offener Straße totgeschlagen wurde.

428 wurde Nestorios, der aus Antiochia kam, Patriarch von Konstantinopel, ein theologischer Gegner Kyrills in christologischen Fragen. Nestorios, seinerseits durchaus auch fanatisch, wandte sich gegen die Bezeichnung Marias als «Gottesgebärerin», weil in Jesus zwei klar voneinander getrennte Naturen existierten, die menschliche und die göttliche, und Maria nur den Menschen geboren habe. Kyrill war entschieden anderer Ansicht, der römische Papst Coelestin I. ebenfalls, und im Jahre 430 stellte dieser dem Nestorios ein Ultimatum von zehn Tagen, widrigenfalls er exkommuniziert werde. Dazu kam es nicht, aber Theodosius sah sich dann doch veranlaßt, für das Jahr 431 ein Konzil nach Ephesos einzuberufen.

Das kann auf seinen eigenen Entschluß zurückgeführt werden, da er in diesen Dingen trotz seiner Indolenz doch auch eigene Positionen vertrat. Seine beiden *Augustae* standen in verschiedenen Lagern. Pulcheria war gegen Nestorios, Eudocia wie ihr Mann für ihn. Kyrill erschien in Ephesos mit einer Bedeckung aus schlagbereiten Mönchen und berief die Versammlung ein, bevor noch alle Gegner erschienen waren. Nestorios wurde abgesetzt, eine spätere, antiochenisch majorisierte Versammlung setzte ihrerseits Kyrill ab – Theodosius, offensichtlich hilflos, erkannte beide Absetzungen an, von denen aber nur die des Nestorios ausgeführt wurde. Dieser zog sich in sein altes Kloster zurück und wurde später in eine Oase in Ägypten verbannt, während Kyrill sich der Überwachung entziehen konnte und in Alexandria stürmisch gefeiert wurde. Inzwischen hatte auch Eudocia die Seite gewechselt, anscheinend wegen des Todes ihrer kleinen Tochter Flacilla, der mit den Auseinandersetzungen in Verbindung gebracht wurde. Wir wollen wirklich stark annehmen, daß ihr Umschwenken auch nicht mittelbar durch alexandrinisches Gold verursacht wurde. Nach dem Tod Kyrills 444 spitzte sich der dogmatische Streit erneut zu, und die alexandrinische Position näherte sich nun schon derjenigen Lehrmeinung, die später als Monophysitismus gekennzeichnet wurde. Theodosius berief für 449 wieder nach Ephesos ein, aber der Nachfolger Kyrills terrorisierte jetzt die Teilnehmer derart, daß Papst Leo I. von einem *latrocinium* sprach, einer «Räubersynode», und unter diesem Namen ist sie in die Kirchengeschichte eingegangen.

Auch sonst hatte es der inoffensive Theodosius gelegentlich mit einigermaßen furchteinflößenden Gegenspielern zu tun. Im Perserreich begannen unter dem König Bahram wieder die Christenverfolgungen, die sein Vater Isdigerdes I. eingestellt hatte. Das römische Heer unter dem germanischen Heermeister Ardabur kämpfte mit wechselndem Erfolg, bis wegen einer neuen Bedrohung Frieden geschlossen werden mußte: Ab 422 begann nämlich das mittelasiatische Reitervolk der Hunnen in der Balkanhalbinsel weiter vorzudringen, setzte sich in Thrakien fest und erwies sich als immer bedrohlicher. Zunächst unter Ruga, dann unter den Brüdern Bleda und Attila und schließlich ab 445 unter Attila alleine – er hatte seinen Bruder ermordet – griffen sie zusammen mit ihren germanischen Vasallenvölkern immer wieder an und ließen sich ihr zeitweiliges Stillhalten mit riesigen Summen bezahlen, die sie zu Recht als einen Tribut des ehemals so mächtigen römischen Reiches auffaßten. Das römische Heer unter Aspar, dem Sohn Ardaburs, war ihnen nicht mehr gewachsen, und erst der Häuptling des kleinasiatischen Stammes der Isaurier, Zeno, konnte sie 447 für einige Zeit aufhalten. Eine gefährliche Situation entstand noch, als Attila ein Mordplan des Eunuchen Chrysaphius bekannt wurde, doch wurden seine Pläne schließlich nach Westen abgelenkt. Dieser Chrysaphius war die bestimmende politische Persönlichkeit der letzten Regierungsjahre des Kaisers. Erst gegen deren Ende wurde er, wohl durch den Einfluß Pulcherias, gestürzt und nach dem Tod des Theodosius auf ihre Veranlassung umgebracht.

Die Beziehungen zum Westreich waren in der ersten Hälfte von Theodosius' Regierungszeit manchmal kritisch, dann problemlos. Dort regierte zunächst sein Onkel Honorius, dessen Schwester Galla Placidia nach einem abenteuerlichen Leben den Heermeister Constantius III. heiratete und von diesem einen Sohn, Valentinian III., bekam. Theodosius – oder wer immer hinter ihm stand – wollte Galla Placidia zunächst den Titel Augusta nicht zuerkennen, änderte seine Haltung jedoch nach deren Zerwürfnis mit Honorius. Dieser verbannte sie mit ihren Kindern nach Rom, sie floh jedoch 422 nach Konstantinopel. Nach dem Tod des Honorius 423 wäre an sich Theodosius nun Kaiser des Gesamtreiches gewesen, jedoch erhob sich im Westen der Usurpator Johannes Primicerius, und um ihn zu bekämpfen, entsandte Theodosius Truppen unter Ardabur und Aspar und erkannte Galla Placidia und Valentinian III. an. Der Usurpator wurde besiegt und der oströmische Leiter der kaiserlichen Büros Helio setzte Galla Placidia und Valentinian III. im Auftrag des Kaisers als Augusta und Augustus des Westens ein. Theodosius hatte diesmal sogar selber kommen wollen, er wurde aber krank und blieb in Konstantinopel; es wird ihm nicht unlieb gewesen sein. So unproblematisch war nun das Verhältnis zwischen West und Ost, daß Theodosius sogar zweimal Truppen nach Westen schickte, die helfen sollten, die Vandalen in Nordafrika niederzuringen, was freilich nicht gelang.

Einen jedenfalls für uns heute bedeutenden Erfolg aber hat Theodosius auf dem Gebiet der Gesetzgebung errungen. Er oder seine Berater oder auch eine seiner Augustae zogen die Konsequenz aus dem unerträglichen Zustand, daß die geltenden Kaisergesetze durch ihre immer weiter anwachsende Menge und durch die Verwilderung der Archive eine immer unübersichtlicher werdende Masse darstellten. Schon im Jahrhundert zuvor waren daher private Sammlungen entstanden, nach deren Vorbild Theodosius jetzt durch eine Juristenkommission eine amtliche Zusammenstellung derjenigen Kaisergesetze anlegen ließ, die seit 312 erlassen worden waren und die weitergelten sollten. Der Versuch gelang erst beim zweiten Anlauf und auch das nur mit einigen Unvollkommenheiten sowie unter Verzicht auf eine systematisch geordnete Blütenlese der Juristenschriften. Dieser 438 in Kraft gesetzte *Codex Theodosianus* stellte aber gleichwohl einen gewaltigen Fortschritt dar, indem er nun Rechtssicherheit gewährte; erst hundert Jahre später wurde er durch das *Corpus Iuris* Iustinians abgelöst. Für unsere Kenntnis der inneren Verhältnisse der späten Kaiserzeit stellt er eine Hauptquelle dar.

Das Bild des blassen und konturlosen Theodosius wird dadurch ausbalanciert, daß er mit den Kaiserinnen Pulcheria und Eudocia zwei farbige und ausgeprägte Persönlichkeiten an seiner Seite hatte; mit Chrysaphius, mit Nestorios und Kyrill, mit Attila werden diesem Bild weitere dramatische Figuren hinzugefügt. Unter seiner Regierung, die fast ein halbes Jahrhundert dauerte, blieb Ostrom alles in allem von existenzbedrohenden Krisen verschont, und der Kaiser konnte sich, ohne ein allzu schlechtes Gewissen haben zu müssen, seinen kalligraphischen Neigungen und der Lektüre frommer Bücher hingeben. Unfreiwillig amüsant ist die zornlodernd-absprechende Charakterisierung des Kaisers, die zu

Beginn unseres Jahrhunderts Otto Seeck an diesem angeblich degenerierten Purpurgeborenen und seiner Weiberherrschaft geübt hat. Wahr daran mag sein, daß seine geringe Aktivität Raum für das Hervortreten der Kaiserinnen oder eines eunuchischen Günstlings gegeben hat. Aber dumm oder sachwidrig war diese Politik nicht, jedenfalls nicht dümmer oder verfehlter als die Politik manch anderer Kaiser.

VALENTINIAN III.
425–455

Von Edgar Pack

Als vor gut zwei Generationen, zwischen den beiden Weltkriegen, ein internationales Historikergremium in einer an das breitere, gebildete Publikum gerichteten Sammlung von Zeit- und Lebensbildern «viertausend Jahre Weltgeschichte» unter dem Titel «Menschen, die Geschichte machten» sichtete, da wurde von den Herrschern des spätantiken Römerreiches außer den epochalen Gestalten des Anfangs – Diocletian und Konstantin – und des Endes – Iustinian und Heraklius – sowie dem obligaten Iulian allein Valentinian III., mit dem die letzte bedeutende Dynastie, die valentinianisch-theodosische, im Mannesstamm ausstarb, eines eigenen Porträts für würdig befunden. Das war und ist, gemessen an den Maßstäben seiner Zeitgenossen und der Nachwelt, viel Ehre für einen Mann, der noch weit über seine kinderkaiserlichen Anfänge hinaus in Abhängigkeiten befangen blieb: von der aktiveren Führung Theodosius' II., von seiner übermächtigen Mutter Galla Placidia und schließlich von der dominierenden Figur des Reichsheermeisters Aëtius. Wer wie Valentinian III. sein oft ehrlich bemühtes herrscherliches Tagwerk, das für uns noch vor allem in einer von den Nöten der Zeit diktierten Serie von Gesetzen aufscheint, als Pendler zwischen den Residenzen von Ravenna und Rom verrichtete, wer nie selbst als Kriegsherr den bedrohten Außenländern des Westreichs zu Hilfe eilte, ja als Erwachsener sein Kernland Italien nur einmal verlassen hat, um 437 die Tochter seines kaiserlichen Kollegen vom Hof Konstantinopels als Gattin heimzuführen, wer schließlich das eine Mal, da er tatsächlich selbst das Schwert führte, dieses gegen seinen ‹besten Mann›, den ambitionierten Generalissimus Aëtius, richtete und sich damit – nach dem Dictum eines

Zeitgenossen – «mit der linken seine rechte Hand abschlug», der kann nur dann zu den «Menschen» zählen, «die Geschichte machen», wenn er als Chiffre des Geschobenwerdens, als nominelle, legitimistische Klammer einem bis zur Unregierbarkeit komplexer gewordenen politisch-militärisch-gesellschaftlichen Reichsgefüge für die entscheidende Zeit einer Generation seinen Namen leihen muß. In eben diesem Sinne hat Valentinian III. allerdings in der Tat ‹Geschichte gemacht›, bezeichnet doch seine Regierungszeit im gängigen Geschichtsbild die Phase der Entwicklung, in der sich die Struktur des weströmischen Reiches aufzulösen beginnt. Wie sehr freilich auch in dieser krisengeschüttelten Zeit gerade das Kaisertum weiterhin ein, wenn nicht der Angelpunkt der Reichsentwicklung bleibt, erhellt recht deutlich aus dem Faktum, daß viele jener äußeren Vorgänge und Ereignisketten, die die politisch-militärische Konstellation des Westreichs in den Jahren Valentinians III. bestimmen und bei denen das Verhalten der zahlreichen reichsfremden Völkerschaften und Stämme einerseits, das Agieren und Reagieren der miteinander um Rang, Einfluß und Macht rivalisierenden Militärs auf der anderen Seite im Vordergrund stehen, in unmittelbarem Bezug zur jeweiligen Situation im Zentrum der Legitimität, dem dynastischen Kaisertum, eintreten oder gar von dieser ausgelöst werden.

Geboren wurde Valentinian in Ravenna am 2. Juli 419 als zweites Kind der Galla Placidia, einer Tochter des Theodosius und Halbschwester des Honorius, und ihres zweiten Gatten, des Reichsheermeisters Flavius Constantius, der seit 411 für den schwachen Kaiser die nötigen Kriege gegen die wie Pilze aus dem gallischen, britannischen und afrikanischen Boden schießenden Usurpatoren und gegen die Burgunder und Westgoten in Gallien geführt hatte. Der vollständige Name des Knaben – Flavius Placidus Valentinianus – zeigte mit seiner Anknüpfung an den kaiserlichen Großvater der Mutter die dynastischen Ansprüche, die dem Sprößling durch seine Eltern zugedacht waren. Solche Erwartungen waren nicht unbegründet, denn der regierende Kaiser Honorius war kinderlos und bestimmbar. Daß Valentinians Vater 421 in aller Form von Honorius zum Mitkaiser erhoben wurde und seine Mutter damit zur Augusta aufrückte, mußte die Aussichten und Prätentionen noch einmal steigern, selbst wenn der oströmische Kaiser Theodosius II., womöglich in der Hoffnung auf die Wiederherstellung der Herrschaft über das Gesamtreich, dieser Entscheidung seine Zustimmung versagte und der nunmehr kaiserliche Vater nach wenigen Monaten im September 421 starb.

Der dynastische Rahmen der theodosischen Familie blieb freilich auch verpflichtend, als sich die zum zweiten Mal verwitwete Galla Placidia infolge eines unhaltbar gewordenen Verhältnisses zu Honorius gezwungen sah, mit ihren Kindern am Hof ihres Neffen Theodosius II. in Konstantinopel Schutz zu suchen. Die Unsicherheit und Perspektivlosigkeit der schwierigen Zeit in der Hauptstadt des Ostens, während derer die Interessen im Westen vor allem von dem Tribunen Bonifatius wahrgenommen wurden, beendete freilich nicht so sehr der Tod des Westkaisers im August 423 als die durch die sich hinziehende Vakanz hervorgerufene Usurpation des Johannes Primicerius, der im November 423 in Rom erhoben wurde und alsbald die Unterstützung des Heeres in Ravenna fand: Nach einigem Zögern fand sich Theodosius zu einer Revision seiner bisherigen Haltung bereit und entsandte seine Tante und ihre Kinder im Gefolge eines von Ardabur und Aspar geführten Expeditionskorps nach Westen. Die durch eine Gesandtschaft überbrachte Bitte des Johannes um Anerkennung wurde schroff abgewiesen, der gerade fünfjährige Valentinian noch auf der Reise zum Caesar erhoben und gleichzeitig mit der zweijährigen Tochter des Theodosius, Eudoxia, verlobt. Genau ein Jahr später, nach der Beseitigung des wenig entschlossen agierenden Usurpators, wurde dem Knaben am 23. Oktober 425 in Rom das Diadem des Augustus aufgesetzt.

Für den einstweilen allenfalls als Signator kaiserlicher Verfügungen heranzuziehenden Knaben führte seine Mutter die Geschäfte, bemüht, das Einvernehmen mit dem Ostkaiser zu wahren und gute Beziehungen zu führenden Familien des römisch-westlichen Senatsadels zu pflegen. Wiewohl auf einzelne Maßnahmen hier nicht eingegangen werden kann, verdient doch das berühmte ‹Zitiergesetz› vom November 426 mit seinem Versuch, in der Fülle oft einander widersprechender Lehrmeinungen der Juristenschriften Orientierungshilfen zu schaffen, Erwähnung. Gemessen an den ‹außenpolitischen› Stürmen der Zeit erscheint die innere Situation Italiens unseren Quellen von sekundärem Interesse, ohne daß daraus auf eine vorläufige Festigung und Ruhe geschlossen werden könnte. Von förmlichen Usurpationen scheint der Westen des Reiches in der dreißigjährigen Regierungszeit des Valentinian jedenfalls verschont geblieben zu sein, und ob der in der jüngeren Literatur aufgrund einer Notiz der sogenannten Ravennater Annalen als ‹Tyrann› apostrophierte Pirrus (Pyrrhus?), der am 23. Juli 428 in Rom getötet (hingerichtet?) wurde, tatsächlich ein Usurpator war, steht durchaus dahin.

Das Ausbleiben der für die Zeit des Honorius so charakteristischen Usurpationsversuche findet allerdings eine plausible Erklärung in der Natur des Agierens jener Männer, denen mit der Verteidigung des Reiches die Macht der Heere anvertraut wurde und deren sich über mehrere Jahre hinziehendes, bürgerkriegsähnliches Rivalisieren um die Stellung des ersten Heermeisters Wirkungen hervorrief, die denen früherer, auf den Kaisertitel zielender Usurpationen vollauf vergleichbar waren.

Von den drei Männern, die hier zu nennen sind, bleibt der 425–430 die erste Heermeisterschaft einnehmende Flavius Felix vergleichsweise blaß. Zwar konnte er 427 den Hunnen Pannonien wieder abringen, doch führte ihn seine Stellung in Italien unweigerlich in unfruchtbare und für alle Beteiligten und das Reich riskante Auseinandersetzungen mit den beiden eigentlich starken Männern der Jahre nach 425: Bonifatius und dem mit diesem rivalisierenden Mann der Zukunft, Aëtius. Intrigen des Felix und des Aëtius und der von Felix herbeigeführte regelrechte Krieg gegen den Militärbefehlshaber Afrikas, Bonifatius, veranlaßten diesen, sich um Unterstützung an die in Spanien sitzenden Vandalen zu wenden. Diese setzten 429 tatsächlich in großer Zahl unter Führung ihres bedeutendsten Königs Geiserich nach Afrika über, ohne freilich an Hilfe für den Römer zu denken. Zwar blieben noch größere Teile des Landes, darunter auch die Hauptstadt Carthago, die erst 439 erobert wurde, von der Inbesitznahme verschont, doch machte die erbitterte Belagerung der alten Königsstadt Hippo Regius, in der sich Bonifatius verschanzt hatte und die 431 trotz oströmischer Entsatzversuche fiel, deutlich, daß die Versorgung Roms und Italiens mit afrikanischem Getreide und Öl nunmehr davon abhängig sein würde, ob sich ein friedliches Verhältnis zu dem neuen Reich auf afrikanischem Boden aufbauen lassen würde.

Trotz seiner fatalen Initiative von 428/9 und der vergeblichen Versuche, ihre Folgen einzudämmen, wurde Bonifatius 432 ehrenvoll nach Italien zurückgerufen und in den Rang des ersten Heermeisters erhoben, allem Anschein nach, weil Galla Placidia dem übermächtig werdenden Aëtius, der schon 430 Felix in Ravenna hatte ermorden lassen, nicht mehr traute. Dieser hatte sich eine Hausmacht geschaffen und sollte nun, da er zum faktischen Machthaber des Westens aufzusteigen drohte, mit der Prämie eines Konsulats 432 in Pension geschickt werden. Daß ein Aëtius sich dergleichen nicht bieten ließe, konnte wohl erwartet werden, doch bei der unausweichlichen militärischen Konfrontation bei Rimini, die die beiden Feldherrn auch im persönlichen Zweikampf gegenüberstellte, unterlag Aëtius' Heer. Als der siegreiche Bonifatius nach drei Monaten an der im Kampf empfangenen Wunde starb, heiratete Aëtius zwar auf dessen Wunsch die Witwe und trat somit privatrechtlich dessen Erbe an; das Heermeisteramt aber gab Galla Placidia an Sebastianus, den Schwiegersohn des Verstorbenen. Aëtius besorgte sich erneut ein Leihheer bei seinen alten Bekannten, den Hunnen des Ruas; mit diesen trieb er 433 den Sebastianus zur Flucht und erpreßte für sich, im dritten Anlauf, die Stellung des ersten Heermeisters in Italien, die 435 mit dem stolzen Patricius-Titel abgerundet wurde. Für zwanzig Jahre hat er aus dieser Position heraus die Zügel des westlichen Reichsteils geführt, formal der zweite Mann, der Macht nach von keinem übertroffen, auch nicht von dem Kaiser Valentinian.

Spätestens seit seinem 18. Geburtstag übernahm Valentinian von seiner Mutter die selbständige Wahrnehmung der kaiserlichen Pflichten. Äußeres Zeichen des Übergangs ist gewiß die Vermählung mit der ihm seit langem verlobten Tochter des Ostkaisers, Eudoxia. Es war freilich ein sprechendes Symbol der Verhältnisse zwischen Ost und West, daß bei dieser Gelegenheit der schon bei der Verlobung erzwungene Verzicht des Westens auf das östliche Illyricum nunmehr auf das durch die Hunnen vom Westen abgeschnittene Sirmium ausgedehnt werden mußte.

Die Abwehr oder Eindämmung der äußeren Bedrohung des Westreiches oblag wesentlich dem Generalissimus Aëtius; der Kaiser hatte, als einzige Quelle des Rechts, in dieser Hinsicht vor allem das eine zu tun, dafür zu sorgen, daß die gesetzlichen Bestimmungen den soziopolitischen Notwendigkeiten eines verteidigungsfähigen und -willigen Staates entsprachen. Dieser Erwartung hat sich auch Valentinian III. durchaus nicht entzogen, wie insbesondere eine relativ dichte Serie von fiskalischen und Rekrutierungsverordnungen zeigt, die sichtlich auf das durch die Einnahme Carthagos durch Geiserich am 19. Oktober 439 ausgelöste Gefühl der Bedrohung Italiens antwortet und in Teilen geradezu wie eine Notstandsgesetzgebung wirkt.

Trotz solcher Bemühungen und trotz der diplomatisch-militärischen Fähigkeiten des Aëtius und seiner Unterfeldherren gelang es nicht, mehr als den italischen und gallischen Kernbereich des Westimperiums einigermaßen zu sichern. In Afrika konnte der arianische Christ Geiserich sein faktisch souveränes, von Rom anerkanntes Vandalenreich zu Lasten der römischen Grundbesitzer und der katholischen Bevölkerungsteile errichten. Die iberische Halbinsel entglitt ebenfalls zusehends dem Machtanspruch des Reiches. Das von Iren, Picten und Scoten und schließlich den germanischen Sachsen besetzte Britannien wurde offenbar staatlicherseits schon ganz sich selbst überlassen.

Schauplatz der aëtianischen Kriegskunst war vor allem Gallien, wo es gelang, die im Südwesten sitzenden Westgoten unter Theoderich I. an Übergriffen auf die römischen Zentren Narbonne und Arles zu hindern. Dagegen separierte sich die Aremorica unter einem Bagaudenführer zeitweise vom Reich; fränkische Stämme stießen von Norden nach Südwesten vor und nahmen Köln. Als die seit einer knappen Generation im Gebiet um Worms ansässigen Burgunder in die Belgica zu ziehen drohten, ließ Aëtius große Teile von ihnen durch Hunnenkontingente niedermachen – ein Vorgang, der in der Nibelungensage zu mythischer Größe ausgesponnen wurde.

Gallien war auch der Schauplatz der Auseinandersetzung mit den Hunnen Attilas, der 451 aus Pannonien nach Gallien überwechselte; er erhob Anspruch auf die Hälfte des Westreiches. Was immer er sich darunter vorgestellt haben mag, die entscheidende ‹Völkerschlacht› auf den Katalaunischen Feldern (in der Gegend von Troyes) endete mit einem strategischen Sieg des Aëtius, der es freilich verabsäumte, die Alpenfront zu decken, so daß die abziehenden Hunnen 452 von Aquileia, das sich von diesem Schlag nicht mehr erholte, bis Mailand und Pavia die oberitalische Tiefebene plündern konnten. Daß eine vom römischen Bischof Leo geführte Bittgesandtschaft Attila von einem Vormarsch auf

Rom abgehalten haben soll, wird oft als symbolkräftiger Vorgang gedeutet, in dem sich die Ablösung eines handlungsunfähigen Kaisertums durch eine neue Zentralmacht, das römische Papsttum, spiegele, doch überschätzt ein solches Verständnis die Szene bei weitem. Jedenfalls zogen sich die Hunnen in die Theißebene zurück, wo ihr Reich nach dem plötzlichen Tode Attilas schnell zerfiel.

Valentinian mochte sich bei der augenblicklichen äußeren Ruhe der Illusion hingeben, das Reich mit weniger eigenwilligen Männern regieren zu können, und es für richtig halten, dem Anspruch auf eine starke Stellung, dem er als dienstältester Kaiser schon nach dem Tode seiner einflußreichen Mutter und des Ostkaisers Theodosius II. (450) in der für längere Zeit ablehnenden Haltung gegenüber dessen Nachfolger Marcian – vergeblich – Respekt zu verschaffen gesucht hatte, Nachdruck zu verleihen. Mit eigener Hand fügte er dem unter dem Vorwand notwendiger Finanzprüfungen in den Palast gerufenen Aëtius am 21. oder 22. September 454 schwere Verletzungen zu; der intrigante Oberkämmerer Heraclius machte ihn vollends nieder. Zwar gelang es kurzfristig, durch Gesandte die wichtigsten Barbarenreiche – Westgoten, Sueben und Vandalen – ruhig zu halten, doch ein alter Kampfgefährte des Aëtius, Marcellinus, nahm im benachbarten Dalmatien die Bluttat nicht hin. In den Monaten nach der Ermordung des Aëtius beschleunigte sich die Entwicklung ganz erheblich, und als, kaum ein halbes Jahr später, am 16. März 455 zwei Angehörige der früheren persönlichen Leibgarde des Aëtius den Kaiser in Rom bei militärischen Übungen erschlugen, da wußten sie offenbar sofort, wem sie das Diadem und das Leibpferd des Ermordeten zuzuführen hatten: Petronius Maximus, dem knapp sechzigjährigen ersten Mann des Senats, dem zweimaligen Stadtpräfekten, Prätorianerpräfekten Italiens und Konsuln, der vor nunmehr fast einer Generation den heranwachsenden Valentinian als *praeceptor* in die Kunst des Kaisertums eingeführt hatte. Trotz gewisser Widerstände aus dem Kaiserhaus wurde Petronius Maximus in Rom schon am folgenden Tag anerkannt, wohingegen der Oströmer Marcian ihm dies immer verweigerte. Die Ermordung des Aëtius und das damit in Frage gestellte Kräfteverhältnis in Rom rief die Vandalen auf den Plan, die schon Ende Mai 455 mit einer Flotte vor der Mündung des Tiber auftauchten. Jedenfalls erscheint Petronius Maximus, dem es nie gelungen war, auch nur einen der valentinianischen Kommandeure auf seine Seite zu ziehen, kaum 70 Tage nach Ausrufung seiner Herrschaft jeden Rückhalts am Hof, bei Senat und Volk von Rom und bei den Heeren bar: Es wirkt wie eine tragikomisch theaterhafte Geste, wenn dieser Nichtherrscher, der sich über vierzig Jahre im Glanz einer durch die Macht anderer geschützten Zivilkarriere gesonnt hatte, am 31. Mai den Römern feierlich die Erlaubnis erteilte, ihre Stadt vor den eintreffenden Vandalen zu verlassen. Als er auf der Flucht erkannt wurde, fand er, was auch immer seine ehrgeizigen Vorstellungen von Kaiserherrschaft in schwierigster Zeit gewesen sein mögen, das schmähliche Ende eines Tyrannen: Gesteinigt und in Stücke zerrissen von den Soldaten und dem Pöbel, trieb sein Leichnam im Tiber den an seiner Mündung kampierenden Vandalen des Geiserich entgegen.

Als den Westgotenkönig Theoderich II. die Nachricht vom vorzeitigen Tode des Petronius Maximus erreichte, drängte er einen Angehörigen der gallischen Aristokratie, Flavius Eparchius Avitus, den Heermeister des Petronius Maximus, die Kaiserwürde zu übernehmen. Eine eilends nach Arles auf den 9. Juli 455 einberufene gallische Provinzialversammlung und die anwesenden Heereskontingente vollzogen diese von einem ‹Barbarenkönig› angeregte Proklamation. Eine Gesandtschaft suchte in Konstantinopel – vergeblich – um Anerkennung der Erhebung durch Marcian nach, derweil Avitus über Oberitalien und Pannonien, wo er seine Stellung durch demonstrative Präsenz zu behaupten hoffte, nach Rom zog.

Der Folgen des vandalischen Einfalls in Rom und Italien Herr zu werden, gelang dem wohlmeinenden, soignierten Herrn aus der Auvergne freilich auf keine Weise. Als der in Rom auf Anerkennung durch Konstantinopel wartende Avitus unter dem Druck der hungernden Bevölkerung seine gallisch-gotischen Truppen, deren einstweilen untätige Anwesenheit das Ernährungsproblem noch steigerte, entlassen mußte, kehrte sich der neue starke Mann, Ricimer, gegen Avitus und ließ diesen durch den Senat zur Rückkehr nach Gallien bewegen. Nach einer Niederlage in der Schlacht bei Piacenza am 17. Oktober 456 konnte Avitus der Hinrichtung nur dadurch entgehen, daß er sich zum Bischof der Stadt weihen ließ. Auf der Flucht nach Gallien ist er zu Tode gekommen.

Die wirre Geschichte des Westreichs zwischen 454 und 456, zwischen der Ermordung des Aëtius und dem Tod des Avitus, bestätigte einmal mehr, daß das Gesetz des Handelns, sofern man von einem solchen noch sprechen kann, vom Kaisertum auf die Heermeister übergegangen war, deren Agieren sich aber, zwischen Kaisertum und mehreren Barbarenreichen ‹eingeklemmt›, nicht wirklich zu gestalterischer Freiheit mit dem Ziel der Rettung des Reiches aufschwingen konnte. Insoweit hat der über zwei Generationen später schreibende Chronist Marcellinus Comes Verständnis bewiesen, wenn er urteilte, mit der Ermordung des Aëtius sei das *Hesperium regnum*, das Westreich, gefallen.

Marcian
450–457

Von Andreas Gutsfeld

Als im Jahr 421 ein Krieg mit Persien und Rom ausbrach, zog Marcian, damals ein Offizier mittleren Ranges, mit seiner Einheit an die Ostfront. Auf dem Weg dorthin erkrankte er und mußte Quartier bei einer vornehmen Familie in Sidyma in Lykien nehmen. Doch dank der Pflege von Iulius und Tatianus, den Söhnen der Familie, genas er rasch. Eines Tages gingen die drei gemeinsam auf die Jagd. Während sie sich erschöpft ausruhten, bemerkten die Brüder plötzlich, daß ein großer Adler über Marcian schwebte und ihm mit seinen Flügeln Schatten spendete. Zuerst erschraken sie, nahmen den Vogelflug dann jedoch als gutes Omen, daß Marcian Kaiser werden würde.

Diese von einem byzantinischen Chronisten erzählte Geschichte steht beispielhaft für die Überzeugung mehrerer spätantiker Autoren, daß das Leben des Marcian unter einem glücklichen Stern stand. Anfangs hatte freilich wenig vermuten lassen, daß Marcian zum Kaiser berufen war. 392 in Thrakien geboren, wuchs er als Sohn eines Soldaten orthodoxen Glaubens in einfachen, aber finanziell gesicherten Verhältnissen auf. Seine Ausbildung beschränkte sich auf die Grammatikerschule, weil er wie sein Vater Soldat werden sollte. Marcian trat den Militärdienst in Thrakien an, machte schnell Karriere und war in dem oben erwähnten Perserkrieg bereits Truppenführer. Mit diesem Krieg scheint sein Leben die entscheidende Wende genommen zu haben. Der am Kaiserhof von Konstantinopel wirkende Heermeister Ardabur bestimmte ihn etwa um die Mitte der zwanziger Jahre zu seinem Adjutanten. Später betraute ihn auch Ardaburs Sohn Aspar, der gleichfalls Heermeister war, mit dieser Vertrauensstellung. Anfang der vierziger Jahre schied Marcian, der inzwischen dem Senatorenstand angehörte, aus dem Dienst des Heermeisters, hielt aber weiter engen Kontakt zu ihm.

Als Theodosius II. am 28. Juli 450 starb, ohne einen männlichen Erben zu hinterlassen, spielte Aspar, der die Armee hinter sich wußte, die entscheidende Rolle bei der Wahl des neuen Kaisers. Der mächtige Heermeister, der selbst für eine Thronbesteigung nicht in Frage kam, weil er ‹Barbar› war, schlug seinen langjährigen Vertrauten Marcian vor. Um diesen auf den Kaiserthron bringen zu können, sorgte Aspar für die dynastische Legitimation seines Kandidaten. Er überredete Pulcheria, die einundfünfzigjährige Schwester Theodosius' II., zur Heirat mit Marcian. Pulcheria erklärte sich unter der Bedingung zur Ehe bereit, daß ihr Gatte ihre Jungfräulichkeit, die sie aus religiösen Gründen bewahrt hatte, nicht antasten dürfe. Marcian gab ihr dieses Versprechen und wurde daraufhin am 25. August 450 in Konstantinopel zum Kaiser ausgerufen.

Marcian trat die Herrschaft über Ostrom mit 58 Jahren an. Er war ein großer, grauhaariger Mann, dem sein Alter bereits zu schaffen machte: Er litt an Gicht. Zeitgenossen und spätere Chronisten äußern sich anerkennend über die guten Anlagen des Kaisers. Sie loben seine Gottesfurcht, Ernsthaftigkeit und Gerechtigkeit. Ihnen zufolge zeichnete Marcian sich durch Weisheit, Maßhalten und insbesondere durch Tatkraft aus.

Gestützt auf einen kleinen Kreis von Beratern, aus dem seine Frau Pulcheria und der Heermeister Aspar herausragten, wuchs Marcian rasch in seine Rolle als Kaiser hinein. Schon im ersten Jahr seiner Herrschaft brach er radikal mit der Politik seines Vorgängers Theodosius II. So setzte er sofort eigene Vertrauensleute auf wichtige Stellen in der Zivilverwaltung am Hof und in den Provinzen. Zu ihnen zählten die oben erwähnten Iulius und Tatianus, deren dreißig Jahre zurückliegende Verdienste Marcian mit höchsten Posten vergalt. Der Kaiser tauschte außerdem wichtiges Personal in der Armee aus, wobei er Verwandte des Aspar besonders förderte. Doch obwohl Marcian seit Theodosius I. der erste Militär auf dem Thron Ostroms war, baute er nicht nur auf die Armee, sondern sicherte sich auch die Unterstützung des Senatsadels, den er politisch aufwertete und wirtschaftlich förderte.

Unterstützt von allen maßgeblichen Kräften des Reiches, machte der Kaiser sich an die Lösung der zentralen Probleme seiner Zeit. Die größte außenpolitische Gefahr stellten die Hunnen dar, die Angst und Schrecken im Mittelmeerraum verbreiteten. Während Theodosius II. ihr Stillhalten mit gewaltigen Tributen hatte erkaufen wollen, suchte Marcian sofort nach seiner Thronbesteigung die Konfrontation: Er weigerte sich, dem Hunnenkönig Attila die verlangten Zahlungen zu entrichten. Dabei spielte er taktisch geschickt auf Zeit, denn er wußte, daß Attila sich militärisch zunächst gegen Westrom wenden würde. Doch auch der Umstand, daß er militärisch den Rücken im Osten frei hatte, begünstigte Marcians aggressive Hunnenpolitik. Als Attila sich 453 nach zum Teil verlustreichen Schlachten in Gallien und Italien wieder gegen Ostrom wandte und Tribute forderte, lehnte Marcian erneut ab. Bevor die Hunnen aber einen großen Angriff gegen Ostrom führen konnten, geschah etwas Unerwartetes: Attila starb. Marcian profitierte stark von diesem glücklichen Umstand, denn sofort nach dem Tod des Königs fiel das Hunnenreich auseinander und stellte keine Bedrohung mehr für

Ostrom dar. Marcian nutzte die Friedenszeit, die er seinem Reich schenken konnte, klug zur Sanierung der Reichsfinanzen. Bemerkenswerterweise geschah dies nicht durch Vermehrung der Einnahmen wie etwa durch Steuererhöhungen, sondern durch Senkung der Ausgaben: Die Kosten für das Militär wurden relativ niedrig gehalten und die gewaltigen Tributzahlungen an die Hunnen eingestellt. So konnte Marcian seinem Nachfolger Leo I. einen mit mehr als 100000 Pfund Gold gut gefüllten Reichsschatz hinterlassen, obwohl er kurz nach seinem Herrschaftsantritt alle Steuerschulden von 437 bis 447 und die senatorische Klassensteuer kassiert hatte.

Moderne Historiker werfen Marcian vor, daß er sich zu sehr auf den Osten konzentriert und darüber den Westen vernachlässigt habe. Dieser Vorwurf ist insoweit berechtigt, als der Kaiser das Imperium Romanum nicht mehr als politische Einheit verstand. So verzichtete er auf die Ausübung von Hoheitsrechten in Westrom, obwohl er sich nach der Ermordung des weströmischen Kaisers Valentinian III. 455 als Alleinherrscher des römischen Reiches betrachtete. Desgleichen unternahm er keine militärischen Anstrengungen, Westrom im Kampf gegen die Vandalen und Hunnen beizustehen. Dabei wird ihm der Satz zugeschrieben, ein Kaiser dürfe nie einen Krieg beginnen, solange es irgend möglich sei, Frieden zu halten. Wenn Marcian sich also in politischer und militärischer Hinsicht zurückhielt, bedeutet dies nicht, daß er Westrom überhaupt keine Aufmerksamkeit geschenkt hätte: Seinem Reichsverständnis nach bildete es mit Ostrom nach wie vor eine geistige, insbesondere aber religiöse Einheit.

Um die Mitte des 5. Jahrhundert wurde Ostrom von einen heftigem Streit darüber erschüttert, ob die menschliche und die göttliche Natur Christi nach seiner Menschwerdung zu einer untrennbaren göttlichen Einheit verschmolzen seien oder nicht. Auf dem Konzil von Ephesos, das von Theodosius II. 449 einberufen worden war, hatte die Einnaturlehre triumphiert; andersgläubige Bischöfe waren abgesetzt worden. Kaum war aber Marcian an die Macht gekommen, wich er unter dem Einfluß seiner Frau Pulcheria, einer Anhängerin der Zweinaturenlehre, von der Religionspolitik seines Vorgängers ab, wobei ihm insbesondere die Beschlüsse von Ephesos ein Dorn im Auge waren. Doch ihre Revision lag nicht in seiner Macht. Nur ein großes, ein ökumenisches Konzil war zur Überprüfung und Änderung solcher Beschlüsse befugt, und dieses konnte ohne die Zustimmung Leos, des Bischofs von Rom und ranghöchsten Würdenträgers der orthodoxen Kirche, nicht einberufen werden. Der Kaiser bedrängte deshalb den Papst, der nach einiger Bedenkzeit schließlich sein Einverständnis erklärte.

Das Konzil, das als viertes ökumenisches in die Annalen der Kirche einging, fand 451 in Chalkedon statt. Marcian sorgte mit kaiserlichen Kommissaren dafür, daß die Bischöfe dogmatisch wie kirchenrechtlich

Entscheidungen in seinem Sinne trafen. Sie setzten die in Ephesos ihres Amtes enthobenen Bischöfe wieder ein und verabschiedeten eine neue christologische Formel, derzufolge von zwei Naturen Christi, einer menschlichen und einer göttlichen, auszugehen sei, die unantastbar in einer Person vereint seien. Der Kaiser erklärte die Konzilsbeschlüsse 452 per Gesetz für verbindlich und setzte sie gegen heftigen Widerstand – in Syrien und Ägypten teilweise mit Waffengewalt – durch. Orthodoxe Autoren schreiben, daß Marcian sich mit dem Konzil von Chalkedon ein Denkmal gesetzt habe. Tatsächlich darf es als die größte politische Leistung des Kaisers gelten, den Streit über die Einnaturlehre in der oströmischen Kirche zumindest zeitweise beendet und die dogmatische Einheit zwischen der west- und oströmischen Kirche wiederhergestellt zu haben.

Nach dem Tod der Pulcheria 453 verfolgte Marcian kirchenpolitische Fragen nicht mehr mit demselben Schwung wie früher, blieb aber, als Wächter des Glaubens gepriesen, ein eifriger Förderer der orthodoxen Kirche. Am 26. Januar 457 nahm er in Konstantinopel an einer Prozession teil, die von der Hagia Sophia bis zum Vorort Hebdomon führte. Auf dem langen Weg, den er trotz seiner Gicht zu Fuß zurücklegte, erlitt er einen Schlaganfall und starb am folgenden Tag im Alter von 65 Jahren in seinem Palast. Zur letzten Ruhe wurde er neben seiner Frau Pulcheria in Konstantinopel in der Kirche der Heiligen Apostel, der Grablege der oströmischen Kaiser, gebettet.

Nachfolgende Generationen sahen Marcians Regierungszeit als goldenes Zeitalter an, ein Eindruck, der sich im Vergleich mit den politisch wirren Regierungszeiten eines Theodosius II. und der zur selben Zeit in Westrom herrschenden Kaiser fast zwangsläufig einstellen mußte. Durch geschickte Diplomatie, entschlossene Militärpolitik und kluge Verwaltung schenkte Marcian Ostrom äußeren Frieden und nahm finanzielle Lasten von der Bevölkerung. Bei aller Tüchtigkeit des Kaisers darf aber das Glück nicht übersehen werden, das ihm in manchen Situationen hold war. Wie bleibend der gute Eindruck war, den Marcians Regierung insgesamt hinterließ, zeigte die Reaktion des Volkes von Konstantinopel, das dem Kaiser Anastasius 491 bei seinem Herrschaftsantritt zurief: Herrsche wie Marcian!

Leo I.
457–474

Von Eckhard Wirbelauer

Kommt die Rede auf eine historische Persönlichkeit des 5. Jahrhunderts namens Leo, die sich durch ihr Eintreten für die Orthodoxie den Beinamen «der Große» verdiente, so denkt man zunächst an den bekannten römischen Bischof (440–461), dessen Name so eng mit dem Konzil von Chalkedon, aber auch mit der Abwehr der Hunnen verbunden ist. Doch Kämpfe um den rechten Glauben und um die äußere Sicherheit waren auch zwei der zentralen Themen, mit denen der gleichnamige Kaiser zwischen seiner Erhebung 457 und seinem Tod 474 befaßt war.

Leo stammte aus Thrakien und gehörte zu dem Volk der Bessen, denen in Leos Kindertagen der Bischof von Remesiana, Niceta, in ihrer eigenen bessischen Sprache das Christentum nahegebracht hatte. Vor diesem Hintergrund ist es nicht unwahrscheinlich, daß der Missionserfolg des Niceta auch die bezeugte Frömmigkeit Leos erklärt. Als Kaiser Marcian zu Beginn des Jahres 457 starb, war der wohl schon über 50 Jahre alte Leo gewiß nicht der von allen erwartete Nachfolger auf dem Kaiserthron. Die familiäre Stellung favorisierte Marcians Schwiegersohn Anthemius, während die tatsächlichen Machtverhältnisse für den bisherigen militärischen Oberbefehlshaber, den Heermeister und Patrizier Aspar, sprachen. Dies zeigt auch eine Anekdote, die Theoderich der Große im Jahre 502 zur Erklärung seiner Politik zum besten gab und die ihre Entstehung der Situation von 457 verdanken dürfte (*Monumenta Germaniae Historica, Auctores Antiquissimi* 12, 415): Als der Senat Aspar einst vorschlug, er solle sich selbst zum Kaiser ausrufen, habe dieser folgendes geantwortet: «Ich fürchte, daß durch mich (diese) Gewohnheit in der Herrschaft einreißt.» Dieses Bonmot läßt sich so verstehen, daß Aspar die Rolle des den Kaiser Erhebenden der des zum Kaiser Erhobenen vorzog. Aspar wählte jedoch nicht Anthemius, sondern beorderte seinen Vermögensverwalter Leo, der damals als Tribun die Garnison in Selymbria leitete und von dieser Hafenstadt am Marmarameer binnen Tagesfrist in Konstantinopel sein konnte, zu sich in die Hauptstadt, um ihn am 7. Februar 457 von den Truppen zum Kaiser ausrufen zu lassen. Der neue Herrscher wurde mit einem Zeremoniell in sein Amt eingeführt, welches noch ein halbes Jahrtausend später Kaiser

Konstantin VII. Porphyrogennetos für so paradigmatisch hielt, daß er es in sein Buch über die Zeremonien aufnahm. Seiner Darstellung zufolge versammelten sich die Würdenträger des Reiches, die Soldaten und auch der Patriarch Anatolius auf dem Marsfeld vor der Stadt und empfingen Leo mit Segenswünschen. Nach zwei Bekrönungen und weiteren Segensrufen bildeten die ihn umgebenden Soldaten mit ihren Schilden eine sogenannte Schildkröte, so daß Leo, von den Blicken der übrigen abgeschirmt, das kaiserliche Gewand und das Diadem anlegen konnte. Mit Schild und Speer in der Hand zeigte er sich anschließend den Versammelten und ließ seine erste Amtshandlung, das Geldgeschenk für die Soldaten, verkünden.

Dieser Feier vor den Toren folgte nun die Einholung des Kaisers in die Stadt auf einem genau beschriebenen Weg, der ihn nach dem Besuch etlicher Plätze schließlich in die Hauptkirche, in die Hagia Sophia, führte, wo ihn der Patriarch Anatolius empfing. Im Unterschied zu den vorangegangenen Kirchenbesuchen setzte der Kaiser sich hier die bei Eintritt in die Kirche abgelegte Krone nicht selbst wieder auf, sondern ließ sich vom Patriarchen krönen. Auch wenn der Anlaß, der zu dieser herausgehobenen Beteiligung des Patriarchen am Zeremoniell von 457 führte, aus den Quellen nicht deutlich wird, so handelte es sich doch um ein neues Element im Erhebungsakt, das die religiöse Legitimation von Leos Kaisertum verstärkte. Vermutlich sind die Ereignisse von 457 durch das Zusammenwirken mehrerer Faktoren zu erklären, unter denen das christliche Selbstverständnis des Gekürten ebenso wichtig gewesen sein dürfte wie das Interesse des Patriarchen, seiner gerade erst im 28. Kanon des Konzils von Chalkedon bestimmten Position entsprechend in die Feierlichkeiten einbezogen zu werden. Auf die persönliche Einstellung Leos läßt sich wohl auch sein Verhalten gegenüber dem gescheiterten Konkurrenten Anthemius zurückführen: Leo ließ ihm nicht nur das Leben, er zog ihn bereits wenige Jahre später wieder für militärische Unternehmungen heran.

Die ersten Ereignisse, mit denen Leo als Kaiser konfrontiert wurde, ergaben sich aus den Glaubenskämpfen, die auch das Konzil von Chalkedon nicht zu beenden vermocht hatte. Vielleicht ermutigt durch den Kaiserwechsel, griffen in Alexandria die Chalkedon-Gegner unter Führung des Timotheus Aelurus am Karfreitag 457 ihren Bischof Proterius an und erschlugen ihn samt einiger Anhänger im Baptisterium der Bischofskirche. Timotheus wurde zum neuen Bischof erhoben und verwarf als erste Amtshandlung die Beschlüsse von Chalkedon. Leo reagierte in differenzierter Weise. Während einige Gefolgsleute des Timotheus auf seine Anordnung hin bestraft wurden, überließ er das Urteil über den neuen Bischof dessen Amtsbrüdern. Um deren Urteil zu erhalten, verschickte er im Spätsommer ein Rundschreiben, dem er die Stellungnahmen der beiden Parteien beifügte. In ihren Antworten widersetzten sich allerdings Papst Leo und andere Bischöfe vehement den Forderungen des Timotheus nach einer Revision der Chalkedon-Beschlüsse und verlangten seine Bestrafung durch den Kaiser. Diese erfolgte nach weiteren Briefwechseln schließlich im Sommer 460: Timotheus wurde abgesetzt und verbannt. Eine vergleichbare Episode ereignete sich 469, als in Antiochia der Chalkedon-Befürworter Martyrius von Petrus verdrängt wurde. Zwar endete auch sie mit der Verbannung des Eindringlings, doch ließ die Mitwirkung Zenos auf seiten des Petrus bereits ahnen, daß der spätere Kaiser eine andere, Partei ergreifende Kirchenpolitik verfolgen würde.

Leo dagegen scheint sich in kirchlichen Angelegenheiten weniger um eine inhaltliche Vermittlung zwischen den konträren Ansichten als um die Garantie äußerer Umstände bemüht zu haben. So brachte er etwa Gesetze über das Asylrecht der Kirchen oder die Vermeidung öffentlichen Aufruhrs in Erinnerung, verbot Simonie und Veräußerung von Kirchengut und veröffentlichte Bestimmungen zum Eintritt in den Klerus. Häretikern sollte ein ordentliches Begräbnis gestattet sein; andererseits wurde die Zulassung zur Advokatur auf Orthodoxe beschränkt und die Veräußerung von Grundstücken, auf denen sich kirchliche Gebäude befanden, an Häretiker untersagt. Unter den recht zahlreichen Gesetzen aus der Kaiserherrschaft Leos sei noch eines über die Feiertagsheiligung hervorgehoben, von der auch dann keine Ausnahme gestattet sein sollte, wenn der kaiserliche Regierungsantritt oder Geburtstag mit einem Feiertag zusammenfiele.

Die Zeiten, in denen römische Kaiser weitab von der Hauptstadt in Britannien, im Zweistromland oder nördlich der Donau Kriege führten, waren längst vorbei. Leo mußte sich auf dem Balkan, also in seiner unmittelbaren Nähe, vor allem mit den Ostgoten auseinandersetzen. Diese siedelten seit 454 mit Erlaubnis des Kaisers in Pannonien und hatten nach dem Ausbleiben des jährlich an sie zu entrichtenden Tributs um 460 einen Raubzug in das östliche Illyrien unternommen. Leo verpflichtete sich 461 in einem Vertrag mit dem ostgotischen König Valamer zur Fortsetzung der Zahlungen. Zu den Sicherheitsklauseln des Vertrags zählte die Überstellung des jungen Theoderich, des Sohnes von Valamers Bruder Thiudimer, als Geisel. Das Zusammentreffen ganz unterschiedlicher Persönlichkeiten am kaiserlichen Hof – es seien nur der Kaisermacher Aspar, die Kaiserin Verina und ihre Familie, die Aristokraten Anthemius und Olybrius und der Isaurier Zeno genannt – muß für den ostgotischen Prinzen eine prägende Erfahrung gewesen sein, wie nicht nur die oben zitierte Aspar-Anekdote belegt.

Theoderich erhielt so gewissermaßen Anschauungsunterricht, wie man in einem territorial immer noch ausgedehnten und ethnisch wie sozial heterogenen Reich eine Zentralherrschaft mit Wort und Gewalt aufrechterhalten konnte. Leo verstand es nämlich durchaus, auf beiden

Wegen Erfolge zu erzielen. Es gelang ihm nach mehrjährigen Verhandlungen, die Freilassung der ehemaligen Kaiserin Eudoxia zu erreichen, die der Vandalenkönig Geiserich zusammen mit ihren Töchtern Eudocia und Placidia 455 aus Rom nach Afrika entführt hatte. Freilich handelte es sich um einen Kompromiß, denn die Tochter Eudocia verblieb als Faustpfand und Ehefrau von Geiserichs Sohn Hunerich in Afrika; zudem konnten die Vandalen dadurch jetzt ihren Anspruch auf den Westteil des Römischen Reiches, also vor allem Italien, als Erbteil der Eudocia rechtfertigen. Geiserich unterstrich seine Forderungen immer wieder mit Raubzügen nach Italien. Diese Verwüstungen nahm Leo nur wenige Jahre nach dem vertraglichen Kompromiß zum Anlaß für eine Großoffensive gegen die Vandalen: Er legte dem römischen Senat nahe, von ihm, Leo, einen Nachfolger für den am 14. November 465 verstorbenen Kaiser Libius Severus zu erbitten. Als der Senat sich darauf einließ, sandte Leo den bereits zuvor auf dem Balkan militärisch erfolgreichen Anthemius als seinen Stellvertreter nach Rom. Zugleich teilte er dies Geiserich mit, verbunden mit der deutlichen Warnung, daß weitere Plünderungen den zwischen ihnen vereinbarten Frieden beenden würden.

Kaum traf Anthemius in Rom ein, wurde er dort zum Kaiser ausgerufen. Im Gegensatz zu den beiden letzten Kaisererhebungen im Westen, die Leo nicht anerkannt hatte – 457 Maiorian sowie 461 Libius Severus – akzeptierte Leo Anthemius als Mitkaiser, sei es, weil er Anthemius ein besonderes Vertrauen entgegenbrachte, sei es, weil er die militärischen Pläne gegen die Vandalen nicht gefährden wollte oder nur deswegen, weil er ein Gegengewicht gegen Aspar schaffen wollte. Geiserich nahm seinerseits die Herausforderung des römischen Kaisers an und dehnte seine Raubzüge nun auch auf die Ionischen Inseln und die Westküsten Griechenlands aus. Daraufhin führte Leo den großen Schlag gegen die Vandalen, den er bereits seit längerem mit hohem finanziellem Aufwand durch den Bau einer Flotte vorbereitet hatte.

Das westliche Mittelmeer sollte durch den Heermeister Marcellinus, den Leo 467 dem Anthemius zur Seite gestellt hatte, der kaiserlichen Herrschaft unterworfen werden, während ein Landheer unter Führung des Heraklius und des Isauriers Marsus von Ägypten aus die Tripolitania angriff. Die Hauptmacht, eben die neue Flotte, schickte Leo unter dem Oberbefehl seines Schwagers Basiliskos direkt nach Afrika mit dem Auftrag, Carthago zu erobern. Statt dies auszuführen, ging Basiliskos jedoch am Kap Bon östlich von Carthago vor Anker und schloß mit Geiserich einen fünftägigen Waffenstillstand, den dieser freilich zur Vorbereitung seiner Flotte für den Angriff nutzte. In der für die Römer völlig überraschenden Seeschlacht vernichteten die Vandalen einen Großteil der römischen Schiffe und schlugen die übrigen in die Flucht. Das offensichtliche Desaster brachte Basiliskos zudem noch in den Verdacht des Hochverrats, so daß er nach seiner Rückkehr in die Hauptstadt im Asyl der Hagia Sophia wartete, bis seine Schwester Verina ihren Gemahl besänftigt hatte. Erst durch sein loyales Verhalten gegenüber Leo während der späteren Kämpfe gegen Aspar und Theoderich Strabo konnte Basiliskos seine frühere Position am Hof wiedererlangen. War dem Vandalenfeldzug Leos durch den Untergang der Flotte schon eine Spitze genommen, wurde er durch die Ermordung des Marcellinus in Sizilien im August 468 zusätzlich geschwächt. Leo ging nun auf das Ansinnen Geiserichs um Frieden ein und gab damit seine ehrgeizigen Pläne auf, obgleich die Gelegenheit wegen der weitgehenden Ruhe an der Ostgrenze des Reiches besonders günstig gewesen zu sein schien. Es sollte noch zwei Generationen dauern, bis Nordafrika von Iustinian (533/534) für das römische Reich zurückgewonnen wurde.

Der militärische Mißerfolg verstärkte die ohnehin schon große Konkurrenz an Leos Hof noch zusätzlich. Insbesondere trachteten die Kontrahenten danach, Positionen im Kampf um die Nachfolge des bereits alten Kaisers zu besetzen. Aspar vermochte seinem vom arianischen zum katholischen Glauben konvertierten zweiten Sohn Patricius den Caesarentitel und die jüngere Tochter Leos namens Leontia als Verlobte zu verschaffen. Andererseits war Aspars Einfluß nicht mehr so groß wie zu jenen Zeiten, als er Leo das Diadem verschafft hatte. Inzwischen hatte sich Leo auch andere Personen durch militärische Kommanden, Ämter und Heiraten verpflichtet und zu Stützen seiner Herrschaft gemacht, darunter den bereits mehrfach genannten Anthemius, der schon wegen der Ereignisse von 457 zu den Gegnern Aspars gerechnet werden muß. Zu diesem ‹inner circle› gehörte auch ein Isaurier namens Tarasikodissa alias Zeno, der wohl 466 mit großem Gefolge in Konstantinopel erschienen war und den ältesten Sohn Aspars, den Heermeister Ardabur, des Hochverrats bezichtigt hatte, da dieser heimliche Briefkontakte mit den Persern unterhalten habe. Leo hatte daraufhin Ardabur durch Iordanes ersetzt und Zeno eine herausragende Position am Hofe eingeräumt, indem er ihn zum Chef der Haustruppen befördert und ihm seine ältere Tochter Ariadne zur Frau gegeben hatte. Daß dieser Verbindung zudem bald darauf ein Sohn entsprossen war, der den Namen des Großvaters, Leo, erhalten hatte, dürfte Aspar und seine Familie zusätzlich beunruhigt haben.

Die Spannungen, die sich seit der Ankunft Zenos und der Erhebung des Anthemius und des Marcellinus aufgebaut hatten, spitzten sich 470/471 zu, als der entmachtete Sohn Aspars, Ardabur, einen Aufstand vorbereitete. Die Pläne, die auch die Abwerbung der Isaurier von Zeno und Leo umfaßten, kamen diesen zur Kenntnis und ließen sie nun ihrerseits gegen Aspar und seine Familie vorgehen. Aspar flüchtete in die Konzilskirche in Chalkedon und ließ sich erst nach persönlichem Erscheinen des Kaisers durch dessen Wort zum Verlassen des Gebäudes bewegen. Als er jedoch mit seinen Söhnen Ardabur und Patricius nach Konstantinopel in den Palast zurückkehrte, wurden sie dort – vielleicht unter Mitwirkung Zenos – überfallen und niedergemacht. Lediglich Patricius überlebte den Anschlag schwerverletzt und durfte sich – allerdings unter Aufgabe seiner Ämter und nach seiner Entlobung von Leontia – in das Privatleben zurückziehen. Die Position Aspars beanspruchte in der Folgezeit der Ostgote Theoderich Strabo, der sie nach militärischen Auseinandersetzungen in Thrakien 473 auch erhielt.

Sein Wortbruch brachte Leo allerdings nicht nur größere Klarheit in der Frage der Nachfolge, sondern auch den wenig rühmlichen Beinamen *Makelles*, «Schlächter», ein. Als 472 Anthemius in Rom ermordet worden und somit endgültig aus dem Kreis der potentiellen Nachfolger ausgeschieden war, blieb der Isaurier Zeno als einzig ernstzunehmender Kandidat übrig. Leo trug der Situation im Oktober 473 Rechnung, erhob jedoch nicht Zeno selbst, sondern dessen und seiner Tochter Ariadne Sohn Leo zunächst zum Caesar und etwas später zum Mitkaiser. Am 18. Januar 474 starb der ältere Leo. Seine Nachfolgeregelung hatte freilich keinen langen Bestand: Leo II., der seinen Vater Zeno am 9. Februar 474 zum Mitkaiser angenommen hatte, erkrankte bald darauf und verstarb im November desselben Jahres im Alter von sieben Jahren.

Angesichts der trümmerhaften Quellenlage ist es schwierig, die einzelnen Nachrichten zu einem Gesamtbild zusammenzufügen und die Herrschaft Leos I. abschließend zu bewerten. Doch wird man ihm, auch wenn nicht alle seine Handlungen von Erfolg gekrönt waren, Ambitionen und ein gewisses Geschick im Umgang mit äußeren wie inneren Gegnern nicht absprechen können. Mag er also auch nicht der welthistorischen Bedeutung seines päpstlichen Namensvetters gleichkommen, so verdient er doch Beachtung als ein Kaiser, zu dessen Lebzeiten sich die römische Mittelmeerherrschaft völlig wandelte und dessen Regierungsstil in der Herrschaftspraxis eines Theoderich nachwirkte.

ZENO
474–475, 476–491

Von Gregor Weber

Zeno erwirkte am 9. Februar 474 durch Senatsbeschluß in Konstantinopel seine Ernennung zum Kaiser; er fungierte dabei vorerst als Mitregent seines sieben Jahre alten Sohnes Leo II., der von Januar bis November Nachfolger seines Großvaters Leo I. war. Geboren um 425/30, war Zeno im Jahre 466 als eine Art Häuptling von Kämpfern aus der Landschaft Isaurien, einem Bergland im Inneren Kleinasiens zwischen Pisidien, Lykaonien und Kilikien, in die Hauptstadt gekommen. Er hatte dabei seinen früheren Namen Tarasikodissa abgelegt und sich nach einem Landsmann benannt, der 447 mit den Isauriern erfolgreich Konstantinopel gegen die Hunnen verteidigt hatte. Von Leo wurde er gefördert, um ein Gegengewicht zu den übermächtigen Germanen an seinem Hof zu bilden, vor allem zu dem Alanen Aspar mit seinem Anhang: Zeno heiratete Leos Tochter Ariadne und erhielt bis 474 die höchsten militärischen und zivilen Ämter; die Kraftprobe mit Aspar, der wegen einer angeblichen Verwicklung in ein Komplott gegen Leo im Jahre 471 ermordet wurde, entschied er zu seinen Gunsten. Aufgrund seiner persönlichen Unbeliebtheit wurde Zeno nicht direkter Nachfolger seines Schwiegervaters.

Als Alleinherrscher war er sogleich bedrohlichen Situationen ausgesetzt. Die Ostgoten verwüsteten Thrakien und Makedonien, die vandalische Flotte bedrohte die Adria, Syrien und die Donaugrenze waren gefährdet. Der schnell ausgehandelte Friedensschluß mit dem Vandalenkönig Geiserich war deshalb ein großer Erfolg. Bereits Ende 474 kam es zu einem erfolgreichen Komplott gegen den Kaiser. Unterstützt von Theoderich Strabo, dem isaurischen Heerführer Illus, dem früheren Chef der Hofkanzlei Patricius und ihrem Neffen Armatus nützte Zenos Schwiegermutter Verina die anti-isaurische Stimmung und setzte ihren Bruder Basiliskos durch, einen prominenten Heerführer. Zeno entkam am 9. Januar 475 nach Isaurien; Basiliskos I. wurde am 12. des Monats gekrönt und erhob seinen Sohn Marcus zum Caesar und Mitkaiser. Nachteilig wirkte sich nicht nur seine harte Steuerpolitik aus, den entscheidenden Prestigeverlust erbrachte der Versuch, Monophysiten und Nestorianer zu gewinnen bzw. zu begünstigen, indem er in einem Edikt die Entscheidungen des Konzils von Chalkedon annullierte. Dagegen erhob sich in Konstantinopel Widerstand, angeführt von dem Patriarchen Akakios und Daniel Stylites; durch die Ermordung von Verinas Liebhaber Patricius verlor Basiliskos I. deren Gunst. Entscheidend war der Frontwechsel von Illus und Armatus, die sich von Zeno offenbar mehr versprachen. Der diplomatisch geschickte Zeno konnte Ende August/Anfang September 476 in die Hauptstadt zurückkehren; Basiliskos I. wurde aus dem Kirchenasyl entlassen und später mit seiner Familie zu Tode gebracht.

Für Zeno begann eine Regierungszeit, in der er mit Hofintrigen, einer angespannten Finanzlage, der Gotengefahr auf dem Balkan und kirchenpolitischen Streitigkeiten befaßt war. Die zumindest äußerliche Festigkeit im Osten stellte sich dabei zu dem Zeitpunkt ein, als mit Romulus Augustulus der letzte weströmische Kaiser von Odovacar abgelöst wurde. Zunächst belohnte Zeno seine Retter Illus und Armatus mit hohen Ämtern; darüber hinaus wurde der minderjährige Sohn des Armatus, ebenfalls Basiliskos (II.) mit Namen, in Nicaea zum Caesar und Mitkaiser gekrönt; Armatus' Hilfe wurde jedoch aufgrund des Sukzessionsrechts seines Sohnes zunehmend als gefährlich empfunden. Zeno ließ ihn bereits im folgenden Jahr ermorden und den Thronfolger in ein Kloster verbringen; er wurde später Bischof von Kyzikos.

Die Schwierigkeiten im Innern waren damit nicht beseitigt, denn die Isaurier wurden noch immer von vielen als Eindringlinge empfunden. Gegen den mächtigen und beliebten Illus richteten sich mehrere Anschläge, hinter denen die Kaiserinmutter Verina stand. Auf Illus' Betreiben wurde sie vom Hof entfernt; man zwang sie, Nonne zu werden, und setzte sie in Isaurien fest. Dagegen erhob sich im Jahre 479 ihr anderer Schwiegersohn Marcianus, Sohn des Westkaisers Anthemius (467–472) und seit etwa 470 mit Leontia verheiratet. Als Konsul, Heerführer und Patrizier hatte er Unterstützung des Theoderich Strabo und berief sich auf die ‹Purpurgeburt› seiner Gattin, die, anders als Ariadne, während Leos Regierungszeit zur Welt gekommen war.

Illus konnte die Eroberung Konstantinopels verhindern, zumal Marcianus bei seiner Proklamation zum Kaiser zögerte; er entkam zunächst, wurde dann aber von Illus' Bruder Trocundes festgesetzt, zum Priester geweiht und nach Kappadokien verbannt. Nach einem Fluchtversuch wurde er mit Leontia festgesetzt; er sollte später noch eine Rolle spielen. Denn Illus hatte seit 481 als Heermeister in Antiochia fungiert und Bundesgenossen um sich geschart, bis er sich 484 von Zeno lossagte; mit Illus verbanden sich auch Hoffnungen auf eine Restituierung der alten heidnischen Religion. Mit Leontios sandte Zeno einen anderen Isaurier gegen Illus. Beide arrangierten sich, und da der befreite Marcianus die ihm angebotene Kaiserwürde ablehnte, wurde Leontios am 19. Juli 484 in Tarsos von Verina gekrönt. Zwar wurde er schon im Herbst von Zenos Truppen, unter denen Theoderich, der spätere Ostgotenkönig, mit seinen Leuten vorzeitig zurückberufen wurde, geschlagen, konnte sich aber zusammen mit Illus in Papyrios halten. Nach Beendigung einer längeren Belagerung, während der Verina starb, wurden im Jahre 488 die Köpfe von Illus und Leontios nach Konstantinopel gebracht.

Die Usurpationen haben bereits die Verstrickung mit den in Thrakien, Makedonien und auf dem Balkan marodierenden Goten angedeutet. Deren wichtigste Anführer, Theoderich Strabo, der unter Basiliskos seine Position ausbauen konnte, und sein Neffe Theoderich der Große, der an Zenos Rückkehr aus dem Exil beteiligt war, kämpften mehrfach gegeneinander, bedrohten aber wiederholt die Hauptstadt. Nach Strabos Tod im Jahre 481 war Theoderich der Große mächtigster Mann auf dem Balkan. Zeno versuchte ihn als Bundesgenossen einzubinden, indem er ihm 483 wichtige Ämter zukommen ließ. Aber nach seiner vorzeitigen Abberufung von der Strafaktion gegen Illus wurde Theoderich wieder zu einer Gefahr für den Kaiser. In dieser Situation kam es Zeno gelegen, daß Odovacar sich Dalmatien aneignete. Zeno konnte Theoderich offenbar mit dem Versprechen der Herrschaft über Italien überreden, von einer Verwüstung Illyriens Abstand zu nehmen. Bereits ein Jahr nach dem Aufbruch 488 erreichte Theoderich mit den unter seiner Führung vorrückenden Stämmen Italien. Damit war beiden gedient: Theoderich konnte mit der Eroberung Ravennas 493 seine Herrschaft über Italien festigen; Zeno gelang es durch diese Konstellation, seinen Reichsteil vor einer ernsthaften Bedrohung zu bewahren.

Die kirchenpolitischen Aktivitäten Zenos führten letztlich zum ‹Akakianischen Schisma› der Jahre 484 bis 519 zwischen dem Patriarchen von Konstantinopel und Papst Felix III. sowie seinem Gefolgsmann und späteren Nachfolger Gelasius in Rom. Zeno war um einen Ausgleich mit den Monophysiten in Syrien und Ägypten bemüht und hat deshalb 482 nach einer Vorlage des Patriarchen Akakios das ‹Henotikon›, eine Einheitsformel, erlassen; die Formel sowie das Taktieren anderer Patriarchen verschärften nur die Gegensätze. Weil wichtige Aussagen über die Natur Christi verschwiegen bzw. zweideutig wiedergegeben wurden, war der Westen, der an der Glaubensformel von Chalkedon festhielt, verstimmt, ebenso der Osten, dem die neue Formel nicht weit genug ging.

Nach dem Urteil der Quellen war Zeno wenig populär, was an seiner Glaubenshaltung lag und daran, daß er nicht zögerte, unliebsame Gegner rasch zu beseitigen. Eine Reihe hochpolitischer Horoskope während seiner Regierungszeit belegen Attraktivität und Einfluß der Astrologie. Zeno hat sich stets um die Kooperation mit der Oberschicht des Reiches, ebenso um Reformen in der Verwaltung und Bestandssicherung der Städte, nicht zuletzt um den Ausbau der Hauptstadt bemüht. Da er mit den im Norden und Osten bedrohten Sassaniden u.a. durch Subsidienzahlungen Frieden schließen konnte, kam es nicht zu Gebietsverlusten, trotz der inneren Krisen. Letztere verhinderten aber, daß Zeno die Chance zu einer erneuten Einigung des römischen Reiches nach den Vorgängen des Jahres 476 wahren konnte. Den Anspruch auf das Gesamtreich gab Zeno allerdings bis zu seinem Tod am 9. April 491 in Konstantinopel nie auf.

Romulus Augustulus
475–476

Von Maria H. Dettenhofer

Die Absetzung des Romulus Augustulus als weströmischer Kaiser im Jahr 476 durch den germanischen Heerführer Odovacar wurde sowohl von spätantiken Chronisten als auch von modernen Historikern als die Zäsur betrachtet, die das Ende des weströmischen Reiches bedeutete. Allein dieser Bewertung aus einer Perspektive ex eventu verdankt der damals noch kindliche Kaiser seine historiographische Bedeutung als angeblich letzter weströmischer Kaiser, denn die theodosianische Dynastie im Westen war bereits 455 erloschen und Vakanzen auf dem weströmischen Kaiserthron hatte es seitdem bereits mehrfach gegeben. Davon ganz abgesehen, hatte der oströmische Kaiser Zeno den Iulius Nepos, der zwar 475 aus Rom geflohen war, aber noch bis 480 von Dalmatien aus regierte, immer als den rechtmäßigen Kaiser des Westens angesehen. Nepos, nicht Romulus, gilt daher als der letzte legitime Westkaiser.

Tatsächlich hatte im Westen bereits seit 457 der zum Patrizier erhobene germanische Heermeister Ricimer mit Hilfe einer Reihe von Schattenkaisern regiert. Er ließ noch im Dezember desselben Jahres den verhältnismäßig jungen Illyrer Maiorian, der am selben Tag wie er vom oströmischen Kaiser zum zweiten Heermeister des Westens erhoben worden war, in Ravenna zum Kaiser ausrufen. Kaiser Leo I. verweigerte diesem jedoch die Anerkennung. Nach militärischen Mißerfolgen gegen Geiserich und seine Vandalen, die die Kornversorgung Italiens sperrten, wurde Maiorian im August 461 von Ricimer hingerichtet. Nicht zuletzt diese Strafaktion dokumentierte die tatsächlichen Machtverhältnisse. Drei Monate später, im November, ließ Ricimer einen neuen Kaiser erheben: Libius Severus (461–465). Severus war ein Mitglied der italischen Senatorenschicht, hat aber anscheinend nie wirklich regiert und wurde ebenfalls von Leo nicht anerkannt. Er starb – möglicherweise wurde er von Ricimer vergiftet – im November 465 in Rom. Nach einem erneuten Interregnum des germanischen Heermeisters von immerhin zwanzig Monaten erbat dieser nun von Ostrom einen neuen Herrscher. Leo wählte den aus Konstantinopel stammenden sowie militärisch erprobten und loyalen Anthemius (467–472). Er war der Schwiegersohn des Kaisers Marcian, Leos Vorgänger, gewesen und hatte bereits aufgrund dieser Heirat Ansprüche auf die Nachfolge im Osten erhoben, sich jedoch nicht durchsetzen können. Anthemius' einzige Tochter heiratete nun 467 offenbar umgehend Ricimer. Drei Jahre später, 470, als sich Romanus zum Kaiser ausrufen lassen wollte, wandte sich Ricimer gegen Anthemius, der wegen seiner östlichen Abstammung im Westen ohnehin unbeliebt war; 472 kam es zum Bürgerkrieg, wobei Anthemius nach mehrmonatiger Belagerung Roms von Gundobad, Ricimers Neffen und künftigem Nachfolger im Amt des Heermeisters, im Juli getötet wurde. Noch während der Belagerung hatte Leo den Senator Olybrius 472 als Vermittler zwischen Anthemius und Ricimer nach Rom gesandt. Im April erhob ihn Ricimer statt dessen zum Gegenkaiser. Olybrius, der aus einer der reichsten und vornehmsten Familien stammte und darüber hinaus über gute Kontakte zu Geiserich verfügte, starb jedoch bereits Anfang November desselben Jahres eines – wie es scheint – natürlichen Todes. Inzwischen war auch Ricimer gestorben, und Gundobad, von Olybrius zum Patrizier erhoben, verwaltete als Reichsfeldherr das Westreich einige Monate ohne einen Kaiser, um schließlich im März 473 in Ravenna Glycerius (473–474) zum Herrscher ausrufen zu lassen.

Der oströmische Kaiser Leo unterstützte jedoch Nepos. Er hatte ihn zum Patrizier und Heermeister erhoben und mit einer Nichte der Kaiserin Verina vermählt. Jetzt, im Jahr 473, beorderte er ihn nach Italien. Nach der Landung nahm Nepos den von Leo als weströmischen Kaiser nicht anerkannten Glycerius gefangen und wurde um den 20. Juni 474 in Rom zum Herrscher ausgerufen. Damit hatte Westrom erstmals seit langem einen vom Osten anerkannten Kaiser, der seine Stellung nicht der Protektion durch einen germanischen Heermeister verdankte.

Um die römische Autorität in Gallien gegenüber dem Westgotenkönig Eurich zu erneuern, machte Nepos 475 Orestes zum Patrizier und Heermeister und übertrug ihm das Kommando über die römischen Truppen in Gallien. Orestes war Pannonier und hatte Attila mehrere Jahre als Sekretär gedient. Nach dem Fall des Hunnenreichs scheint er in den weströmischen Raum gegangen zu sein, während seine Brüder in Ostrom dienten. Seiner besonderen Kenntnis des pannonischen Raums dürfte er seine Erhebung zum Heermeister verdankt haben. Anstatt nach Gallien zu ziehen, revoltierte er jedoch gegen Nepos, der nach Dalmatien floh, und erhob am 31. Oktober 475 seinen Sohn Romulus in Ravenna zum Kaiser.

Den symbolträchtigen Namen Romulus, der an den mythischen Gründer und ersten König Roms erinnerte, hatte der neue Herrscher nach seinem Großvater mütterlicherseits, Orestes' Schwiegervater, erhalten. In seiner neuen Stellung wurde er aufgrund seines jugendlichen Alters Augustulus, Kaiserlein, genannt. Der wahre Machthaber mußte also auch in den Augen der Zeitgenossen ohne jeden Zweifel Orestes sein. Er war jedoch offenbar nicht in der Lage, die für die Hilfe gegen Nepos versprochenen Leistungen gegenüber den aus verschiedenen Völkerschaften kommenden germanischen Söldnern zu erfüllen, und die von ihnen geforderten Landzuteilungen, die etwa ein Drittel des italischen Bodens ausmachten, verweigerte Orestes. Daraufhin revoltierten die Soldaten. Der Germane Odovacar übernahm schließlich ihre Führung und wurde von ihnen am 23. August 476 zum König ausgerufen. Er besiegte Orestes, der wenige Tage später in Piacenza erschlagen wurde. Von Ostrom ohnehin nie anerkannt, wurde Romulus Augustulus, nachdem Odovacar auch Ravenna eingenommen hatte, am 4. September 476 abgesetzt.

Seine Schonung verdankte der Knabe, wie es heißt, seiner Jugend und seiner Schönheit. Er erhielt zusammen mit einigen seiner Verwandten bei Neapel einen Wohnsitz sowie eine Jahresrente von 6000 Goldstükken. Noch zu Beginn des 6. Jahrhunderts war er offenbar am Leben, denn Theoderich I. bestätigte einem Mann namens Romulus und seiner Mutter finanzielle Zuwendungen. Politisch scheint er jedoch nie wieder hervorgetreten zu sein.

Romulus Augustulus war zwar nicht der erste Kindkaiser, aber der erste, der nicht aus einem Herrscherhaus stammte. Aus welchem Grund Orestes es vorzog, seinen Sohn als Marionettenkaiser vorzuschieben, anstatt sich selbst zum Herrscher ausrufen zu lassen, ist daher nicht ersichtlich. Möglicherweise spielten verwandtschaftliche Beziehungen von dynastischer Bedeutung eine Rolle, worauf die Namensgebung nach dem Großvater mütterlicherseits hindeuten könnte. Jedenfalls führte Orestes das von seinen Vorgängern im Amt praktizierte Beispiel der Einsetzung eines Schattenkaisers in einer noch offensichtlicheren Variante weiter. Erst Odovacar vertrat schließlich die Ansicht, daß man keinen neuen Kaiser im Westen benötige und ersuchte bei Zeno, Leos Nachfolger auf dem oströmischen Thron, um die Verleihung des Patrizier-Ranges. Allerdings hatte zum Zeitpunkt der Absetzung des Romulus Augustulus – wenn auch nur für wenige Monate – Odovacars Onkel Basiliskos auf dem oströmischen Thron gesessen. Anfang September 476 war jedoch Zeno zurückgekehrt, und der verwies Odovacar auf Nepos als regierenden weströmischen Kaiser. Dieser wurde erst vier Jahre später durch seinen alten Widersacher Glycerius, der als frommer Christ galt und nun Bischof von Salona war, ermordet. Danach wurde für den Westen kein neuer Kaiser mehr bestellt.

In Anbetracht der Ereignisse der letzten zwanzig Jahre ist es verständlich, daß die Absetzung des Romulus Augustulus den Quellen zufolge von den Zeitgenossen offenbar keineswegs als epochaler Einschnitt empfunden wurde. Erst im nachhinein erscheint sie als der Endpunkt eines langwierigen Prozesses, der bereits mit Theodosius I. begann, als dieser seine beiden jugendlichen Söhne testamentarisch der Obhut seines germanischen Heermeisters Stilicho anvertraute und das weströmische Kaisertum Schritt für Schritt zur bloßen Staffage hatte werden lassen.

ANASTASIUS
491–518

Von Linda-Marie Günther

«Anastasio ist schwach. Er will die Macht genießen. Man traut ihm kaum zu, daß er sie erobert hat. Vielleicht hat man ihn geschoben. Vielleicht hat Arianna, die Kaiserin, eine wichtige Rolle gespielt. Nun blicken alle Augen auf Anastasio. Und der versagt vom ersten Augenblick an ... Der Feind steht vor der Stadt ... Die Kaiserin mahnt zur Besonnenheit, ... Planmäßigkeit im Vorgehen scheint des Kaisers Sache nicht zu sein. Im Gegenteil, er ist beeinflußbar, manipulierbar, unbesonnen ... Von solch einem Manne goldene Zeiten zu erwarten, ist eine Illusion» (H.J. Genzel [Hrsg.], Programmheft ‹Giustino›, Berlin 1984, 8–9).

Dies ist nicht das historische Bild desjenigen Kaisers, der sich mit 27 Regierungsjahren der bis dahin zweitlängsten Herrschaft im Ostteil des Imperium Romanum erfreuen konnte, sondern das Bild eines barocken Bühnendespoten, nämlich in Georg Friedrich Händels Oper ‹Giustino›, resümiert in einem aktuellen Programmheft. Als moderne Informationen über den historischen Hintergrund des Libretto, freilich entnommen einem obskuren Buch aus der Mitte des 19. Jahrhunderts, finden sich ebendort: Anastasius sei von geringem Stande gewesen und hätte sich in keiner Weise ausgezeichnet; der Grundzug seines Charakters sei Heuchelei gewesen; er habe große Frömmigkeit zur Schau getragen, pharisäisch Almosen mit vollen Händen verteilt; seine Neffen seien zu hohen Würden emporgestiegen; der zurückgesetzte Isaurier Longinus habe sich mit einem sechsjährigen Bürgerkrieg gerächt; Kriege gegen die Bulgaren, die Sarazenen, die Perser, sodann Heuschreckennot, Erdbeben, Hungersnöte und Krankheiten hätten seine Regierungszeit begleitet; Volksaufstände, Unruhen und ein gräßlicher Aufruhr in Konstantinopel seien die unmittelbare Folge gewesen. Anastasius demnach ein Katastrophenkaiser – schwach, heuchlerisch, unfähig, unbesonnen, unselbständig? Aber war nicht gerade er es, der bei seinem Tode den größten bekannten römischen Staatsschatz hinterlassen hat, angeblich 320000 Goldpfund, umgerechnet etwa 105 Tonnen? Also doch ‹goldene Zeiten›?

Als im April 491 das Volk zu Konstantinopel den neuen Kaiser Anastasius begrüßte, rief es ihm zu, seine Herrschaft möge so glücklich sein wie die einstige Marcians. Und als er einige Wochen später die Witwe seines Vorgängers, Ariadne, heiratete, da mochte sich in der Hoffnung auf neue glückliche Zeiten bestärkt sehen, wer eine der frisch geprägten Festmünzen in die Hand bekam und sie mit der gleichartigen Münze Marcians verglich: Beide Goldstücke zeigten auf der Rückseite ein kaiserliches Brautpaar, gesegnet von Christus. Marcian, im Jahr 450 zum Nachfolger des verstorbenen Theodosius II. ausersehen, hatte dessen Schwester Pulcheria geheiratet. Ob 491 die kaiserliche Braut Ariadne berechtigten Anlaß zum Optimismus bot, ist nicht so sicher, übernahm doch Anastasius mit ihr – der Witwe Zenos, der Tochter Leos I., der Mutter des Kindkaisers Leo II. – nicht nur dynastische Legitimation, sondern vor allem die Probleme, die gerade ihre Familie seit dem Tode Marcians 457 provoziert hatte. Der mächtige Zeno-Clan hatte seit einer Generation das oströmische Kaisertum in eine Krise gewirtschaftet – jetzt sollte Anastasius alles wieder zum Guten wenden!

Daß Senat, Volk, Heer und Kirche von dem neuen Kaiser einen wirklichen Wandel erhofften, ist ganz eindeutig. Sonst hätte man ja Ariadnes Schwager, den Isaurier Longinus, einen zweifachen Konsul, mit dem Diadem beehren können. Im Vergleich mit dem Konkurrenten war Anastasius zur Zeit seiner Wahl recht unbekannt, nicht einmal Senator, sondern nur einer der drei Personalchefs zur Überwachung der Dienerschaft im Kaiserpalast. Immerhin war er Beamter der zweiten Rangklasse mit zahlreichen Privilegien und lebte dank seiner Position in direkter Nähe der kaiserlichen Familie. Seine eigenen Angehörigen – er war der Sohn eines gewissen Pompeius aus Dyrrhachium – hatten den Aufstieg in die Reichsaristokratie gleichfalls bereits geschafft, rechneten aber kaum zu den ‹Prominenten›. Am 11. April 491 forderte das im Hippodrom zu Konstantinopel versammelte Volk von der Kaiserwitwe unzweideutig: «Gib dem Reich einen orthodoxen Kaiser! Gib dem Reich einen römischen Kaiser!» Die hohe Dame, damals wohl knapp vierzig Jahre alt, begütigte in Begleitung des Patriarchen Euphemios von der Kaiserloge aus das Volk, während im Palast der Senat und die führenden Männer des ‹Staatsrates› aus dem Kabinett des Verstorbenen über die Nachfolge berieten.

Als sie sich nicht einigen konnten, überließen sie Ariadne die Kaiserwahl. Ihre Entscheidung fiel nun auf den sechzigjährigen Hofbeamten Anastasius – und alle waren einverstanden. Bevor er vom Patriarchen in feierlicher Zeremonie gekrönt wurde, legte er den Eid ab, stets politisch besonnen zu handeln. In einigen anderen historischen Berichten ist allerdings davon die Rede, er habe schwören müssen, die Orthodoxie zu wahren, da nämlich der Kirchenfürst an der rechten theologischen Haltung des neuen Kaisers gezweifelt und seine Zustimmung zu seiner Inthronisierung von dem dezidierten Bekenntnis zur Glaubensformel von Chalkedon abhängig gemacht habe. In der Tradition dieser kirchengeschichtlichen Überlieferung stehen schließlich alle späteren Vorwürfe, Anastasius habe seine monophysitischen Neigungen als großer Heuchler geschickt verborgen. Vielleicht trug zu einer derartig mißgünstigen Beurteilung auch die physiognomische Auffälligkeit bei, daß Anastasius verschiedenfarbige Augen hatte, ein dunkles und ein blaues; daher wurde er ‹Dikoros› beigenannt. Über sein Äußeres ist ansonsten nur bekannt, daß er keinen Bart trug und ein großgewachsener stattlicher Mann war. Jüngere Zeitgenossen beschrieben den Kaiser zudem als wohlerzogen, klug, großzügig und langmütig; voreiliges Handeln sei ihm fremd gewesen. In der Tat spiegeln seine politischen Entscheidungen bei unvoreingenommener Betrachtung die genannten Qualitäten wider. Insbesondere wird man dem historischen Anastasius – anders als dem Opernkaiser – besonnene Zielstrebigkeit attestieren können.

Die erste schwere Aufgabe, der sich der neue Kaiser gemäß der allgemeinen Erwartung stellen mußte, war die Eliminierung des Isaurier-Clans. Schon auf die ersten Gerüchte eines Komplotts hin wurde der bei Senat und Volk keineswegs unbeliebte Longinus verhaftet und an einen sicheren Verbannungsort in Mittelägypten gebracht. Sodann wurden alle Isaurier, die durch die Protektion Zenos in wichtige Positionen gelangt waren, ihrer Ämter enthoben, enteignet und aus der Hauptstadt ausgewiesen. Indessen brach im südlichen Kleinasien eine isaurische Privatarmee zum Marsch auf Konstantinopel auf; sie traf jedoch in Nordwestanatolien, in der Ebene beim heutigen Kütahya, auf die vereinigte kaiserliche Ost- und Palastarmee und wurde vernichtend geschlagen. Allerdings sollte es noch sechs Jahre dauern, bis alle Widerstandsnester in den kilikischen Bergen ausgehoben und die Isaurier größtenteils nach Thrakien umgesiedelt worden waren.

Auf dem Balkan war jede Verstärkung des Wehrbauerntums willkommen. Hier griff seit 439 ein neuer Feind von jenseits der Donau die Reichsbevölkerung mit Raubzügen an, nämlich die ersten Bulgaren, ein in Zentralasien beheimatetes Turkvolk. Sie hatten nicht nur im nordpontischen Raum die restlichen Hunnen mitgerissen, sondern agierten bei den Übergriffen über den Grenzfluß auch gemeinsam mit dem ersten slavischen Volksstamm auf dem Balkan, den Anten. Nach schweren Niederlagen der römischen Armee drangen die Barbaren schließlich im

Jahr 502 bis nach Thrakien vor und schienen Konstantinopel angreifen zu wollen. Hier hatte Anastasius zum Schutze der Hauptstadt ein spektakuläres Bollwerk erbauen lassen, die ‹Lange Mauer›, die etwa 50 Kilometer westlich der Metropole vom Marmarameer bis zum Schwarzen Meer reichte und die thrakische Halbinsel durchschnitt, gewissermaßen eine Vorgängerin der Catalça-Linie des jungen türkischen Nationalstaates. Diese Mauer scheint ihren Zweck erfüllt zu haben, von weiteren Bulgarenzügen ist für die nächsten 15 Jahre nichts bekannt.

Vom Balkan her drohten freilich noch andere Gefahren, namentlich von den Ostgoten, deren König Theoderich zwar nach Italien gezogen war und Odovacar besiegt hatte, nunmehr aber seit 490 auf seine diplomatische Anerkennung durch den römischen Kaiser wartete. Zu seinem Herrschaftsgebiet gehörte ja nicht nur Italien, sondern auch Dalmatien und Teile Pannoniens im westlichen Balkan. Anastasius vollzog 497 den überfälligen Akt, ließ dem gotischen König die erbetenen Insignien überbringen und konzedierte ihm das Recht, jeweils einen der beiden römischen Jahreskonsuln zu benennen. Daß nach dem Reichsverständnis des Anastasius noch immer das ganze vormalige Westreich einschließlich Galliens zum Imperium Romanum gehörte, demonstrierte er einige Jahre später gegenüber dem Frankenkönig Chlodwig, indem er ihn mit dem höchsten Hoftitel ‹Patrizier› beschenkte und ihn für das Jahr 508 zum Ehrenkonsul ernannte. Wie selbstverständlich ließ Chlodwig Goldmünzen mit dem Portrait des Kaisers Anastasius prägen! Und der Nachbar Sigismund, der gleichfalls Patrizier werden durfte, beeilte sich, nach Konstantinopel zu schreiben, es sei ihm eine größere Ehre, dem römischen Kaiser untertan zu sein, als über die Burgunder zu herrschen.

In der Zwischenzeit griff allerdings Theoderich doch weiter in Illyrien aus und beanspruchte die Save-Stadt Sirmium, die ihm Anastasius in der Tat um 510 überließ – nicht ahnend, daß er vom Gotenkönig schon bald Undank ernten sollte. Jener unterstützte nämlich den Usurpationsversuch Vitalians, eines gebürtigen Goten und römischen Militärkarrieristen, der in den Jahren 513 bis 515 dreimal vor die Mauern Konstantinopels zog, um Anastasius zu stürzen. Dieser Bürgerkrieg, der schließlich doch mit dem Sieg des inzwischen fünfundachtzigjährigen Kaisers endete, hatte – ganz anders als im Händelschen Opernlibretto, wo die Liebe zu Ariadne das Motiv ist – seinen Ausgang von einer Meuterei der Foederatentruppen, die er befehligte, genommen, darunter viele Germanen und Bulgaren. Dann aber hatte sich Vitalian sehr schlau einer höheren Sache angedient, indem er sich als Protektor der Orthodoxie gegen den als Häretiker bezichtigten Kaiser empfahl.

Seinem ersten Angriff auf die Hauptstadt war ein gewaltiger Volksaufstand im November 512 vorangegangen, der Höhepunkt einer schon länger schwelenden kirchenpolitischen Krise. Entzündet hatte sich der Aufruhr an einer kleinen Veränderung des liturgischen ‹Dreimalheilig›, dem Einschub «für uns gekreuzigt», den die orthodoxen Gläubigen als erzwungenes Bekenntnis zur Lehre von der nur Einen Natur Christi auffaßten. Es kam zu regelrechten Straßenschlachten zwischen ‹rechtgläubigen› und monophysitischen Mönchtrupps; es wurden die Häuser einiger hochrangiger Beamter angezündet; Männer wie der Prätorianer- und der Stadtpräfekt flohen in Panik. Verantwortlich für die folgenschwere Einführung der liturgischen Formel war der Patriarch Timotheos, den der Kaiser erst im Vorjahr eingesetzt hatte. Zuvor hatte er freilich den Patriarchen Makedonios des Amtes enthoben und ihn an die kleinasiatische Schwarzmeerküste verbannt, ganz ähnlich wie im Jahr 496 bereits dessen Vorgänger Euphemios, welcher ihn einst gekrönt hatte. Man mag darüber streiten, ob jene drastischen kirchenpolitischen Maßnahmen Anastasius wirklich als den feurigen Anhänger des Monophysitismus entlarven, als der er geschmäht wird, desgleichen darüber, inwiefern er erst im Laufe seiner Regierung unter den Einfluß radikaler Kirchenlehrer, etwa des Severus von Sozopolis, geraten war. Einen kompromißlosen Kurs gegen die Orthodoxie und die Glaubensformel von Chalkedon hat er nachweislich nicht gesteuert, wiewohl er dazu bei diversen Nachfolgeregelungen in den Patriarchaten Jerusalem und Antiochia Gelegenheit gehabt hätte.

Die Krise des Jahres 511 war offensichtlich von radikal-orthodoxen Kreisen geschürt worden. Wie aber reagierte nun der Kaiser, der gerade sein zwanzigjähriges Regierungsjubiläum beging? Er, den man ja einst als ersehnten ‹römischen und orthodoxen› Kaiser erwählt hatte und der sich jetzt als Häretiker geschmäht sah, bot in einer Versammlung des Senats und des Staatsrates seine Demission an – wenn man ihn denn für nicht rechtgläubig hielte! Alle Anwesenden sollen in Tränen ausgebrochen sein; man verurteilte nun den Patriarchen Makedonios ob der lancierten Majestätsbeleidigung. Als dann 15 Monate später jener Volksaufstand losbrach, wurde von den Drahtziehern ein Gegenkaiser proklamiert: Areobindus, General der Ostarmee und Gatte der Iulia Anicia, einer Dame aus vornehmster Familie, nämlich der Urenkelin Theodosius' II.! Doch dieser lehnte das Diadem rundweg ab, sicherlich in der richtigen Einschätzung der politischen Kräfteverhältnisse; sein Sohn Olybrius, Konsul bereits 491, war ausgerechnet mit einer Nichte des Anastasius verheiratet.

Einem erfahrenen Mann wie Areobindus war sicherlich nicht verborgen geblieben, daß der betagte Kaiser ungeachtet der Agitationen in Konstantinopel weithin beliebt war, denn er hatte das Reich nach innen wie nach außen konsolidiert. Er hatte einen dreijährigen Perserkrieg so erfolgreich geführt, daß der im Jahr 506 mit dem Perserkönig Kahvades vereinbarte siebenjährige Waffenstillstand seither eingehalten wurde. Er hatte nicht nur das umkämpfte Amida zurückgewonnen, sondern auch das nahe der persischen Grenze gelegene Dorf Daras gegen alle gültigen

Vertragsklauseln eiligst zur Festungsstadt Anastasiopolis ausgebaut. Der durch die Feldzüge und die Versorgung einer rund 60 000 Mann starken Armee schwer belasteten Provinz Mesopotamien hatte er Steuernachlässe gewährt und den Wiederaufbau direkt gefördert. Im ganzen Reich hatte er die herkömmliche Einziehung der Kopf- und Bodensteuer durch die lokalen Honoratiorenverwaltungen dahingehend reformiert, daß jetzt von der Reichszentrale bestellte Funktionäre die Aufbringung der Steuersummen in den Städten zu überwachen hatten. Vor allem aber hatte er eine weitreichende Steuerreform durchgeführt, indem er drükkende, weil de facto willkürlich und unregelmäßig erhobene Abgaben der Gewerbetreibenden abschaffte und den Ausfall für die Staatskasse dadurch ausglich, daß er aus der Privatschatulle entsprechende Pachterträge kaiserlicher Ländereien als öffentliche Gelder auswies.

Dies und eine Reihe weiterer fiskalischer Neuordnungen bezweckten zwar weniger eine allgemeine Steuerentlastung als vielmehr eine größere Steuergerechtigkeit, doch profitierten davon – wie auch von Maßnahmen zur Effizienz der Verwaltung   vornehmlich die einfachen Bürger. Nicht zuletzt auf diese und ihren Alltag zielte eine finanzwirtschaftliche Neuerung ab, die fast zwei Jahrhunderte Bestand haben sollte: die Einführung des *follis*, der bronzenen Scheidemünze, in vier gut unterscheidbaren Nominalen, die den allzulange ignorierten Bedarf an Kleingeld befriedigte. Die Idee dazu verdankte Anastasius zweifellos einem seiner Berater; daß der langjährige Hofbeamte auf dem Kaiserthron eine offenbar glückliche Hand bei der Wahl seiner ‹Minister› und Ratgeber hatte, ist freilich ihm selbst als Verdienst anzurechnen.

Dies alles mag Areobindus bedacht haben an jenem Novembertag, als er vor den Aufständischen, die ihn zum Kaiser machen wollten, aus Konstantinopel floh. Und der bedrohte Kaiser? War es seine Popularität aufgrund der skizzierten Politik, war es seine imposante Greisengestalt – als Anastasius sich der empörten, ja rasenden Volksmenge im Hippodrom ohne Diadem zeigte und seinen Rücktritt anbot, da verstummten die Sprechchöre, die ihn der Häresie bezichtigt hatten, der rabiate Zorn der Masse ebbte ab. So meisterte Anastasius die schwere Krise des Jahres 512.

Als dann in den folgenden Jahren Vitalian mit seinen meuternden Truppen vor der Hauptstadt erschien, suchte der Kaiser eine Verhandlungslösung. Er machte materielle Zugeständnisse, ernannte den Rebellen wunschgemäß zum Heermeister für Thrakien und ging schließlich sogar auf dessen Forderung ein, den dogmatischen Streit um das Chalkedonense von keinem Geringeren als dem Papst Hormisdas schlichten zu lassen. Als freilich ein entsprechendes Konzil bereits im Vorfeld an der Intransigenz der römischen Gesandten scheiterte, sprachen wieder die Waffen. Doch diesmal unterlag Vitalian, der sogar mit einer Flotte am Goldenen Horn aufzog, den kaiserlichen Truppen, die – bemerkenswert genug – unter dem Befehl eines Zivilbeamten standen. Der Rebell tauchte unter, seine Bewegung zerfiel.

Moderne Historiker sehen in der gravierenden Schwächung der römischen Regionalverteidigung auf dem Balkan nicht nur eine fatale direkte Folge des Bürgerkriegs bzw. der kirchenpolitischen Krise, sondern sogar eine unmittelbare strategische Belehrung der Bulgaren für neue Einfälle, wie sie dann auch 517 erfolgten. Die Barbaren drangen bis nach Mittelgriechenland vor und verschleppten Abertausende Gefangene. Der Kaiser stellte für den Loskauf der menschlichen Beute 1000 Goldpfund bereit – es war eine seiner letzten generösen Gesten. Anastasius, der seit 515 verwitwet war, starb in der Nacht zum 10. Juli 518 während eines infernalischen Gewitters, wie orthodoxe Geschichtsschreiber vermerken. Er wurde in der Apostelkirche neben Ariadne beigesetzt. Die Nachfolgeregelung war offen, denn der Kaiser war kinderlos. Ein illegitimer Sohn war schon 501 bei Unruhen in der Hauptstadt ums Leben gekommen, hatte aber keine politische Rolle gespielt. Eigenartigerweise scheint sich auch keiner der Neffen und Großneffen des Verstorbenen für den Purpur interessiert zu haben. Sollte die langjährige und besonnene Herrschaft des greisen Regenten dem Kaisertum neuen Respekt verschafft haben? Dies wäre eine weitaus denkwürdigere Leistung als die Sanierung der Staatsfinanzen!

Iustin I.
518–527

Von Werner Portmann

Als Anastasius I. am 9. Juli 518 in Konstantinopel starb, hinterließ er keinen Nachfolger. Am Tag danach setzte Iustin, der fast siebzigjährige Leiter der Palastwache, seine Wahl zum Kaiser des oströmischen Reiches durch. Dies gelang ihm möglicherweise dadurch, daß er Bestechungsgelder, die ihm von dem Kämmerer Amantius für die Wahl des Theokritos, eines anderen Kandidaten, anvertraut worden waren, im eigenen Interesse nutzte. Ein Iustin freundlich gesonnener Gewährsmann berichtet, daß jener zweimal versucht habe, die ihm angetragene Kaiserwürde abzulehnen, schließlich aber seinen Widerstand aufgegeben habe. Der Regierungswechsel vollzog sich jedenfalls tumultuarisch, wobei offenbar die Konkurrenz zwischen Palast- und Leibwache eine Rolle spielte. Im kaiserlichen Palast waren die hohen Würdenträger, der Patriarch und der Senat versammelt und berieten über mögliche Kandidaten. Die Vorschläge wurden dem im Hippodrom versammelten Volk unterbreitet, das seine Meinungsverschiedenheiten in Schlägereien austrug und schließlich auch die Versammlung im Palast bedrohte. Nachdem unter anderem auch Iustinian, ein Neffe Iustins, die Wahl abgelehnt hatte, soll schließlich Iustin selbst den Bitten des Senats nachgegeben haben, sich vom Volk als Kaiser bestätigen zu lassen, da anzunehmen war, daß er von diesem als Kompromißkandidat gebilligt werden würde. Im Hippodrom wurde er nach der von den Oströmern übernommenen germanischen Sitte auf einen Schild gehoben und von dem Goten Godila mit einem goldenen Wendelring als Machtsymbol gekrönt. Anschließend folgte die Krönung mit dem Diadem durch den Patriarchen Johannes II.

Damit war ein Mann Inhaber des höchsten Amtes geworden, der etwa fünfzig Jahre zuvor völlig mittellos aus seinem thrakischen Heimatdorf Bederiana in der Präfektur Illyrien aufgebrochen war, um zusammen mit zwei Freunden in Konstantinopel eine Soldatenkarriere zu machen. Er hatte zunächst in der Garde gedient und dann als hoher Militär an den Feldzügen des Anastasius gegen die kleinasiatischen Isaurier und die Perser teilgenommen. Im Jahre 515 schließlich übernahm er die Leitung der Palastwache.

Nach seiner Regierungsübernahme beseitigte Iustin einige hochgestellte Beamte, die unter Anastasius einflußreich gewesen waren, so auch den Kämmerer Amantius. Andere, die wie etwa der General Diogenianus von Anastasius verbannt worden waren, ließ er an den Hof zurückkehren. Damit wurde deutlich, daß Iustin gewillt war, politisch eine andere Richtung als sein Vorgänger zu verfolgen. Die Familienangehörigen des Anastasius wurden allerdings geschont, zum Teil sogar, wie Anastasius' Neffe Pompeius, mit verschiedenen politischen Aufgaben betraut.

Die entscheidende Wende vollzog Iustin auf religionspolitischem Gebiet. Er beendete die seit 484 bestehende Kirchenspaltung zwischen Morgen- und Abendland, das sogenannte «Akakianische Schisma», eine Auseinandersetzung zwischen Rom und Konstantinopel, bei der es nicht um Glaubens-, sondern um Personalfragen ging. Iustin befahl allen Bischöfen, die orthodox-katholischen Beschlüsse des Konzils von Chalkedon anzunehmen. Schon im Sonntagsgottesdienst am 15. Juli versuchte eine von Mönchen angeführte Volksmasse vergeblich, den Patriarchen Johannes dazu zu zwingen, das Chalkedonense zu akzeptieren. Bei dem am darauffolgenden Montag vom Patriarchen zugestandenen weiteren Gottesdienst willigte Johannes ein, die Sache der Synode von Konstantinopel zu übergeben. Diese gab ihren zustimmenden Beschluß am 20. Juli an den Kaiser weiter, der ihn bestätigte. Er schickte eine Gesandtschaft nach Rom, wo Papst Hormisdas die kaiserlichen Beschlüsse entgegennahm.

Im März 519 erhielt die päpstliche Gegengesandtschaft in Konstantinopel die Unterschrift des Johannes unter die Bekenntnisformel, die Hormisdas schon 514 einem geplanten Unionskonzil vorgelegt hatte. Der Papst erlangte jedoch keinen vollständigen Sieg. Sein Sondergesandter in Saloniki wurde von der aufgebrachten Menge fast gelyncht. Treibende Kraft hierbei war der monophysitische Metropolit Dorotheus, dessen Sprengel dem römischen Stuhl unterstellt war. Politisch gehörte aber Saloniki zum Ostreich. Iustin war jedoch nicht bereit, Dorotheus, wie es päpstlicher Wunsch war, bestrafen zu lassen.

Im Ostteil seines Reiches aber nahm Iustin mit seiner Stellungnahme für die «Zwei-Naturen-Lehre» Christi den Konflikt mit den verschiedenen monophysitischen Richtungen seines Reiches in Kauf, die in Christus nur die eine, göttliche Natur anerkannten. Der Führer der radikalen Richtung, Patriarch Severus von Antiochia, entzog sich der drohenden Strafe der Verstümmelung an der Zunge durch Flucht nach Alexandria, wo er mit einer regen schriftstellerischen Tätigkeit den monophysitischen Widerstand organisierte. Über fünfzig monophysitische Bischöfe wurden vertrieben, die Klöster wurden aufgelöst. Der zeitgenössische Kirchenhistoriker Zacharias schreibt, die syrische Wüste sei von der Menge der Flüchtenden schier übergeflossen. So erklärt sich auch der Beiname «der Schreckliche», den Iustin bei den späteren Monophysiten erhielt. Immerhin war die Macht des alexandrinischen Patriarchats aber schon so groß, daß Iustin den dortigen Bischof Timotheos III. nicht abzusetzen wagte.

Der religionspolitische Umschwung führte zur Einigung des Kaisers mit dem gotischen Truppenführer Vitalian, der vergeblich versucht hatte, Anastasius zum Einlenken gegenüber dem Papst zu bewegen, und immer noch mit einer ansehnlichen Truppenmacht in Thrakien weilte. Er erhielt nun ein Generalskommando und wurde zu einem der beiden Konsuln für 520 ernannt. Noch im selben Jahr wurde er dann allerdings auf Betreiben Iustinians beseitigt, der dessen Heereskommando erhielt.

Der Grund für die anti-monophysitische Politik Iustins ist wohl in seiner Herkunft zu suchen. Sein Heimatdorf gehörte zum lateinisch sprechenden Teil des Mittelmeerraumes, der sich kirchenpolitisch traditionell an Rom orientierte. Bederiana war dem römischen Patriarchat unterstellt. Das Einvernehmen mit Rom wurde durch die gemeinsame Verurteilung des als «Henotikon» bezeichneten Bekenntnisses des Patriarchen Akakios von Konstantinopel, der versucht hatte, eine Vermittlungsposition einzunehmen, wiederhergestellt. Die Folge aber war, daß sich in Italien die katholische Bevölkerung und insbesondere die senatorische Aristokratie gegenüber der Herrschaft Theoderichs des Großen gestärkt fühlte. Iustin hatte jedoch schon vor der Einigung mit dem Papst

Hormisdas zu erkennen gegeben, daß er mit den Ostgoten in Frieden leben wollte: Er adoptierte Theoderichs Schwiegersohn Eutharich als Waffensohn und übernahm mit ihm zusammen den Konsulat für das Jahr 519. Vier Jahre später jedoch ging Theoderich gegen eine angebliche Verschwörung in senatorischen Kreisen vor. Das bekannteste Opfer dieser Maßnahmen war sein Hofminister Boëthius, der während der langen Haft sein berühmtes Werk vom «Trost der Philosophie» verfaßte. Verständlich wird Theoderichs Mißtrauen vor dem Hintergrund der Ereignisse in Africa. 523 war im Vandalenreich Hilderich König geworden. Er beendete die Verfolgung der katholischen Untertanen und schloß sich politisch eng an Ostrom an. Er ließ Amalafrida, die Witwe seines Vorgängers Thrasamund und Schwester Theoderichs, sowie alle Ostgoten, die einst mit ihr nach Africa gekommen waren, ermorden.

Ein Jahr später, 524, ergriff Iustin Maßnahmen gegen die Häretiker. Davon betroffen waren auch arianische Gemeinden im Osten des Reiches. Alle arianischen Kirchen in Konstantinopel wurden geschlossen. Theoderich fühlte sein Reich von den katholisierenden Tendenzen im oströmischen und vandalischen Reich bedroht und ordnete als Schutzmaßnahme den Bau von über tausend Schiffen an.

Ende 525 schickte er Johannes I., Hormisdas' Nachfolger, nach Konstantinopel mit dem Auftrag, von Iustin die Rücknahme der gegen die Arianer gerichteten Maßnahmen zu verlangen. Johannes wurde in Konstantinopel äußerst ehrenvoll empfangen. Der Kaiser begrüßte ihn mit Kuß und Verbeugung, das heißt dem eigentlich ihm selbst vorbehaltenen Ritual der Proskynese. Am Ende des Ostergottesdienstes des Jahres 526 durfte Johannes – stellvertretend für Epiphanius, den Patriarchen Konstantinopels – dem Kaiser die während der Messe abgelegte Krone wieder aufsetzen. Iustin ließ die arianischen Kirchen wieder öffnen, verbot aber konvertierten Arianern die Rückkehr zu ihrem alten Glauben.

Theoderich empfing den zurückgekehrten Johannes wegen der ihm in Konstantinopel erwiesenen hohen Ehren voller Mißtrauen. Er ließ ihn wohl sogar gefangensetzen, und der schon schwerkranke Papst starb nach kurzer Zeit. Als seinen Nachfolger setzte Theoderich den Gotenfreund Felix IV. ein. Johannes' Besuch in Konstantinopel hatte zwar das Verhältnis zwischen Iustin und Theoderich nicht gebessert, zum offenen Konflikt wollte es der Gotenkönig jedoch nicht kommen lassen. Vor seinem Tod am 30. August 526 empfahl er den gotischen Führern und seinem zum Nachfolger bestimmten, noch minderjährigen Enkel Athalarich, sich das Wohlwollen des Kaisers zu erhalten. Zu dieser Zeit fanden schon Kampfhandlungen Ostroms gegen das Perserreich der Sassaniden statt.

Der 506 unter Anastasius geschlossene Friede mit den Persern war zunächst nicht in Frage gestellt worden, da der Sassanide Kahvades im Inneren seines Reiches mit starken oppositionellen Kräften zu kämpfen hatte. Seine Gegner waren die Anhänger des Propheten Mazdak, der unter anderem die Abschaffung des Eigentums empfahl. Der Friede zwischen Rom und Persien war auch nicht bedroht, als im Jahre 519 der arabische Lachmide Mundar von Hira in römisches Gebiet in Mesopotamien einfiel. Der persische Vasall handelte wohl unabhängig von Kahvades, denn die Römer unternahmen nichts gegen die Perser. Vielleicht wurde Mundar sogar von seiten Kahvades' zur Besonnenheit gemahnt, denn ohne daß von einem römischen Sieg etwas verlautete, kam es bei Verhandlungen mit Mundar im Jahre 524 zu einem diplomatischen Erfolg Ostroms: Mundar ließ zwei von ihm gefangengesetzte römische Heerführer frei.

Schon im Jahre 522 hatte Kahvades einen Erfolg der Byzantiner hinnehmen müssen, der ihn seines Untertanengebietes Lazistan am Ostufer des Schwarzen Meeres beraubte. Nach dem Tode seines Vaters Damnazes hatte Tzath als König der Lazen sich nach Konstantinopel begeben, um sich von Iustin in seine Thronrechte einsetzen zu lassen. Außerdem ließ er sich hier taufen und heiratete Valeriana, die einer der führenden Familien Ostroms entstammte.

Kahvades protestierte zwar in einem Brief an Iustin, aber anstatt Feindseligkeiten zu eröffnen, unterbreitete er 525 dem Kaiser den Vorschlag, seinen Sohn und künftigen Nachfolger Chosroës zu adoptieren, um dessen Stellung zu festigen. Der Vorschlag war nicht ganz ungewöhnlich, denn immerhin hatte der Perser Isdigerdes I. schon ein Jahrhundert zuvor die Vormundschaft über den unmündigen Theodosius II. übernommen. Auf Anraten seines Justizministers Proculus beschloß Iustin jedoch, Kahvades' Vorschlag abzulehnen. Proculus befürchtete, daß Chosroës nach dem Tod des Kaisers, der kinderlos geblieben war und noch keinen Nachfolger ernannt hatte, eventuell Ansprüche auf den byzantinischen Thron erheben werde. Diplomatisch geschickt wurde vordergründig das persische Angebot akzeptiert, jedoch mit der Forderung verbunden, daß die Adoption in der Form der Waffenleihe erfolgen sollte, wie sie gegenüber den von Rom abhängigen Germanenstaaten üblich war. Für die persische Seite war dieses Angebot unannehmbar. Die Verhandlungen zwischen den Gesandten beider Reiche endeten ergebnislos.

Zu Feindseligkeiten kam es erst, als Gurgenes, der König der christlichen Iberer im Kaukasus, die Römer gegen seinen Oberherrn Kahvades um Hilfe bat. Anlaß war die von Gurgenes vielleicht nur behauptete Absicht der Perser, sein Volk mit Gewalt zum Zoroastrismus bekehren zu wollen. Die Oströmer benutzten nun die neuerdings dem Reich angegliederte Stadt Bosporus auf der Krim als strategische Ausgangsbasis. 525 kam es auf dem Gebiet der den Iberern benachbarten Lazen zu ergebnislosen Kampfhandlungen zwischen den von Hunnen unterstützten römischen und den persischen Truppen. Gurgenes konnte sich in Iberien nicht mehr halten und floh nach Konstantinopel. Insgesamt drei römische Heeresteile wurden nun an verschiedene Stellen der Grenze zu Persien geschickt. Ihre Einfälle auf das feindliche Gebiet waren aber entweder ergebnislos oder führten zu schweren Niederlagen. Außerdem entstanden zwischen den in Lazika stationierten römischen Truppen und der einheimischen Bevölkerung Spannungen, da die Lazen sich weigerten, Hilfsdienste zu leisten. Die Auseinandersetzungen dauerten noch an, als Iustin 527 starb.

Zu den diplomatischen Erfolgen Ostroms in Lazistan und Iberien gesellten sich zusätzliche, das christliche Einflußgebiet im Osten erweiternde Erfolge. Daß hierbei zunächst vor allem der Einfluß der monophysitischen Kirche größer wurde, nahm die Regierung in Kauf. So wurde im Gebiet des heutigen Jemen der dortige himjaritische Herrscher Dhu-Nuwas entmachtet, ein jüdischer Adliger, der versucht hatte, sein Gebiet dem Einfluß des äthiopischen Reiches Axum zu entziehen. Vom alexandrinischen Patriarchen war der axumitische König Ella Atsbeha aufgefordert worden, im Jemen zu intervenieren. Nach dessen siegreichem Feldzug wurde Dhu-Nuwas hingerichtet.

Mit Unterstützung der Regierung kam die christliche Mission auch bei den Hunnen voran. Um 525 gelang es einem monophysitischen Bischof aus dem kaukasischen Albanien, die nördlich des Schwarzen Meeres wohnenden hunnischen Sabiren zu bekehren. Hilfe erhielt er dabei vom byzantinischen Adligen Probus, einem Neffen des verstorbenen Kaisers Anastasius, dem die Aufgabe zugefallen war, Hunnen für die römische Armee zu rekrutieren.

Prägten auch weitgehend religionspolitische und militärische Entscheidungen die Regierung Iustins, so sind doch darüber hinaus auch Nachrichten über andere herrscherliche Maßnahmen überliefert. In seine Zeit fallen zahlreiche schwere Naturkatastrophen. Edessa wurde 525 durch eine Überschwemmung fast vollständig zerstört; 30000 Menschen sollen dabei ertrunken sein. Zahlreiche Erdbeben waren zu verzeichnen. Das schlimmste Beben suchte Antiochia heim und soll 50000 Menschen das Leben gekostet haben. Überliefert wird, daß der Staat bei den Katastrophen großzügig Hilfe geleistet habe.

Dennoch ist das Bild, das die Quellen von Iustin zeichnen, insgesamt sehr schlecht, wobei die negative Beurteilung durch die monophysitische Tradition unmittelbar einsichtig ist. Besonders abfällig ist die Beurteilung in der Geheimgeschichte des Zeitgenossen Prokop. Iustin erscheint hier als einfältiger Bauer, der noch nicht einmal seinen Namen schreiben konnte. Die Regierungsgeschäfte seien in Wahrheit von Iustins Neffen Petrus Sabbatius, der nach der Adoption durch seinen Onkel Iustinian hieß und dessen Nachfolger wurde, geleitet worden. Ob diese Einschätzung des Verhältnisses von Iustinian zu Iustin zutrifft, scheint zweifelhaft, gleichwohl ist deutlich, daß Iustinian immer wieder handelnd in wichtiger Position erscheint, wie zum Beispiel bei den Unruhen in Konstantinopel zwischen den Zirkusparteien der Blauen und Grünen. Die Blauen, die wußten, daß Iustinian hinter ihnen stand, gingen seit 522 immer wieder gewaltsam gegen die Grünen vor, ohne daß die Regierung einzuschreiten gewillt war. Erst während einer schweren Krankheit Iustinians ließ Iustin den Stadtpräfekten Theodotus gegen die Blauen vorgehen. Sobald jedoch Iustinian wieder genesen war, ließ er Theodotus absetzen und verbannen. Die Ausschreitungen fanden ihre Fortsetzung und wurden erst durch ein gemeinsames Edikt von Iustin und Iustinian im Sommer 527 beendet.

Einen weiteren Hinweis darauf, wie groß Iustinians Einfluß auf Iustin war, gibt ein Gesetz, das zwischen den Jahren 520 und 524 veröffentlicht wurde. Es bestimmte, daß es ehemaligen Schauspielerinnen, die nun ein anständiges Leben zu führen gewillt waren, erlaubt sein sollte, eine legitime Ehe selbst mit hochgestellten Männern einzugehen. Wohl zu Recht wird dieses Gesetz auf die ehemalige Schauspielerin Theodora bezogen, der damit die Ehe mit Iustinian ermöglicht werden sollte.

Sollte Iustinian tatsächlich den von Prokop behaupteten Einfluß gehabt haben, so ist zugunsten Iustins immerhin zu bedenken, daß er die Regierung als fast Siebzigjähriger übernommen hatte. Es war gewiß ein weiser Entschluß, seinen Neffen schon bald als möglichen Nachfolger heranzuziehen. Zum Mitregenten hat er ihn allerdings erst nach einigem Zögern, selbst schon schwer krank, am 1. April 527 ernannt. Genau vier Monate später starb Iustin. Er hinterließ keine Kinder. Bestattet wurde er an der Seite seiner schon früher verstorbenen Gemahlin Euphemia in einem von beiden begründeten Frauenkloster in Konstantinopel.

Unabhängig von der Frage, ob in den Jahren nach 518 Iustin oder Iustinian die Politik maßgeblich bestimmt hat, ist zumindest deutlich zu erkennen, daß die oströmische Regierung trotz ihres Entgegenkommens gegenüber dem Papst mögliche Konflikte keineswegs gescheut hat. So nahm man für die Einigung mit Hormisdas Spannungen mit der machtvollen ägyptischen Provinz in Kauf. Die Investitur Tzaths und die Ablehnung des persischen Adoptionsangebotes bildeten die Vorstufen zum Krieg mit Persien. Die Verfolgung der Arianer und der übertrieben ehrenvolle Empfang des Papstes machten Theoderich mißtrauisch. Die Annäherung des Vandalenreiches ließ immerhin die Gefahr von seiten des Ostgotenkönigs klein erscheinen.

Ob, wie immer wieder vermutet wurde, bei der Einigung mit dem Papsttum schon das spätere Vorgehen Iustinians gegen die Ostgoten geplant war, läßt sich für die Jahre bis zu Iustins Tod nicht entscheiden. Deutlich wird jedoch, daß die militärischen Kräfte zunächst gegen Persien konzentriert werden sollten. Im Hintergrund mag dabei die Absicht gestanden haben, Kahvades' Zustimmung zur Anbindung der Lazen und Iberer an Ostrom zu erhalten.

Iustinian I.
527–565

Von Klaus Bringmann

Iustinian wurde 482 in Taurisium, einem kleinen Ort 30 Kilometer südlich von Naissus, geboren. Sein ursprünglicher Name war Petrus Sabbatius. Iustinian nannte er sich nach römischem Brauch, nachdem er von seinem Onkel, Kaiser Iustin, adoptiert worden war. Er stammte nicht aus dem Kreis reicher, senatorischer Magnatenfamilien, sondern er war vermutlich wie sein Onkel bäuerlicher Herkunft. Seine Heimat gehörte zu jenen Balkanprovinzen des Ostreiches, in denen nicht das Griechische, sondern das Lateinische die Sprache des täglichen Lebens war, und sie war seit Jahrhunderten eines der wichtigsten Rekrutierungsgebiete der römischen Armee. Aus den Balkanprovinzen stammende Offiziere waren seit dem 3. Jahrhundert, der Zeit der Soldatenkaiser, immer wieder zur Kaiserwürde aufgestiegen. Der Korpsgeist der Armee und die Zugehörigkeit zum lateinischen Sprachraum bildeten den Nährboden eines Reichspatriotismus, der aus dem Stolz auf die große Vergangenheit Roms die Verpflichtung ableitete, das Ererbte zu bewahren und das Verlorengegangene wiederzugewinnen.

Die großen Kaiser, die am Anfang und am Ende der Spätantike standen, Diocletian, Konstantin I. und Iustinian, entstammten dem gleichen Milieu: Ihre Heimat waren die romanisierten Balkanprovinzen, ihre Familien kamen aus kleinen, bäuerlichen Verhältnissen, und es war die Armee, der sie in der einen oder anderen Weise den Aufstieg an die Spitze des Reiches verdankten. Sie alle hatten die Idee vom römischen Kaiser als dem Bewahrer und Mehrer des Reiches tief verinnerlicht. Seit Konstantin hatte diese Idee eine neue, eine christliche Dimension gewonnen. Dem christlichen Kaiser war aufgegeben, für die klare Bestimmung des wahren Glaubens und für seine universale Geltung bei allen Reichsangehörigen zu sorgen. In Iustinian sollte das Ideal des christlichen römischen Kaisers seine vielleicht eindrucksvollste Verkörperung finden.

Iustinians Aufstieg in Konstantinopel, dem Neuen Rom des Ostreiches, begann unter der Ägide seines Onkels. Iustin war als Analphabet in die Armee eingetreten und hatte es unter Kaiser Anastasius bis zum Kommandeur der kaiserlichen Palastwache gebracht. Vermutlich verdankte Iustinian dem Einfluß seines Onkels, daß er eine Stellung in der näheren Umgebung des Kaisers fand. Im Gegensatz zu Iustin erwarb er sich in Konstantinopel eine gediegene Bildung. Als Kaiser Anastasius 518 starb, war sein Ruf schon so gefestigt, daß er als Kandidat für die Nachfolge im Gespräch war. Er verzichtete jedoch zugunsten seines Onkels, der sich als Kommandeur der Palastwache ohnehin in der stärkeren Position befand. Zweifel an der Loyalität seines Neffen hatte der neue Kaiser offensichtlich nicht. Er adoptierte ihn, ernannte ihn zum Heermeister und Konsul und machte ihn zu seinem vertrauten Ratgeber. Als er ernstlich erkrankte, ließ er Iustinian am 1. April 527 zum Mitkaiser ausrufen, und so konnte dieser, als Iustin starb, ohne Schwierigkeiten am 1. August 527 die Nachfolge antreten.

Kaiserin wurde Theodora, mit der Iustinian 525 die Ehe eingegangen war. Die neue Kaiserin war die Tochter eines Tierwärters am Zirkus von Konstantinopel. Nach dem frühen Tod ihres Vaters hatte sie sich in dem damals ehrenrührigen Beruf einer Schauspielerin versucht, war ein Liebesverhältnis mit einem Statthalter der Kyrenaika eingegangen und hatte dann, nach Konstantinopel zurückgekehrt, den Neffen des Kaisers kennengelernt. Um die ebenso schöne wie kluge junge Frau heiraten zu können, setzte Iustinian bei seinem Onkel die Aufhebung jener Bestimmung der augusteischen Ehegesetze durch, die die Ehe zwischen Senatoren und Schauspielerinnen verbot. Heirat und Proklamierung Theodoras zur Augusta änderten nichts daran, daß sie in den Augen der vornehmen Familien durch ihre anrüchige Vergangenheit gezeichnet blieb. Als Kaiserin behauptete Theodora ihre neue Stellung und forderte auch von den Hochgestellten die Gesten der Unterwerfung, die dem spätantiken Hofzeremoniell entsprachen. Sie erwies sich zudem als kluge, einflußreiche Beraterin ihres Mannes, und als starke Persönlichkeit zeigte sie Mut und Entschlossenheit in Krisen und Konflikten, in die auch Angehörige der senatorischen Elite verwickelt waren. Die Antwort darauf war die Verunglimpfung der unliebsamen Kaiserin. In der Invektive, die Prokop, der bedeutendste Historiker der Epoche, gegen das Kaiserpaar verfaßte, der sogenannten *Geheimgeschichte*, ist uns diese Verunglimpfung noch unmittelbar greifbar.

In der Stunde höchster Gefahr zeigte sich, daß Theodora aus härterem Holz geschnitzt war als der Kaiser. Im Januar 532 schlug der Stadtpräfekt einen der üblichen Krawalle zwischen den Zirkusparteien der Grünen und der Blauen nieder. Daraufhin vereinigten sich die verfeindeten Parteien, ein allgemeiner Aufruhr, bei dem große Teile der Stadt in Flammen aufgingen, brach aus und mündete sogleich in politische Forderungen. Die Aufständischen verlangten die Entlassung des Stadtpräfekten sowie der zwei wichtigsten zivilen Mitarbeiter des Kaisers, des Prätorianerpräfekten Johannes von Kappadokien und des Quästors Tribonian; der eine war für die Besteuerung zuständig, der andere für die kaiserliche Gesetzgebung. Beide waren der Senatsaristokratie unbequem, und es mag sein, daß unzufriedene Angehörige der Aristokratie sich des Nika-Aufstandes (*Nika*, ‹Sieg›, war die Parole der Aufständischen) bedienten, um ihn in ihrem Interesse zu lenken. Der Kaiser beging den Fehler nachzugeben. Er entließ seine Mitarbeiter und provozierte damit nur die Erhebung des Hypatius, eines Neffen des Kaisers Anastasius, zum Gegenkaiser. Die Haltung der Garde erschien unsicher. Iustinian dachte an Flucht, doch die Kaiserin stärkte ihm den Rücken und riet, zu bleiben und auf die Gefahr des Untergangs hin den Kampf aufzunehmen. Die Heermeister Belisar und Mundus, die Befehlshaber der römischen Armeen im Orient und in Illyricum, befanden sich gerade in Konstantinopel, und mit den sie begleitenden Einheiten schlugen sie den Aufstand brutal nieder. Hypatius und sein Bruder wurden hingerichtet, eine Reihe von Senatoren, die den Gegenkaiser unterstützt hatten, wurde mit Verbannung und Vermögenseinzug bestraft. Die Abschreckung wirkte. Gefährliche Erhebungen gab es nicht mehr, die Opposition ging grollend in den Untergrund.

Kaiser Iustinian setzte seine ungeheure Arbeitskraft für die Verwirklichung einer großen Vision ein: das römische Reich in seinem territorialen Bestand nicht nur zu bewahren, sondern in seiner alten Größe wiederherzustellen, die innere Ordnung dieses Reiches auf das in einem mit Gesetzeskraft ausgestatteten Rechtsbuch kodifizierte, reformierte römische Recht zu gründen und den christlichen Glauben in der Form eines verbindlichen Dogmas bei allen Reichsangehörigen zu verbreiten. Dieses Programm hatte in der Geschichte des römischen Kaisertums ältere Wurzeln, aber die konsequente Realisierung, die es durch Iustinian erfuhr, trägt unverkennbar die persönliche Handschrift des Kaisers.

Der wichtigste politische Legitimationsgrund, dem sich das römische Kaisertum unterstellt hatte, war die Sicherung des äußeren und inneren Friedens der im römischen Reich zusammengefaßten zivilisierten Menschheit. Dieser Legitimationsgrund entfaltete sich nach zwei Seiten: in der durch militärische Siege über eine barbarische Außenwelt geschützten territorialen Integrität sowie in der Durchsetzung und Erhaltung des Rechtsfriedens im Inneren. Hinzu trat ein dritter Gesichtspunkt: Schon in der Zeit der römischen Republik galt die Aufrechterhaltung des Götterfriedens mittels peinlicher Erfüllung religiöser Pflichten als Grundlage des äußeren Erfolgs und des inneren Gedeihens. Aus diesem Grund hatte Augustus seine Erneuerung des römischen Gemeinwesens auf die Wiederherstellung der Tempel und die Wiederbelebung alter, in Vergessenheit geratener Kulte gestützt. Es gehört in diesen Zusammenhang, daß alle heidnischen Kaiser Titel und Funktion eines Vorstehers der römischen Staatsreligion, des *pontifex maximus*, übernahmen. Auch wenn die christlichen Kaiser seit Gratian den Titel nicht mehr führten: Auf die Wahrnehmung vergleichbarer, den veränderten religiösen Verhältnissen angepaßter Funktionen verzichteten sie nicht. Sie waren es, die die Reichskonzilien organisierten und für die Einheit im wahren Glauben Sorge trugen. Zu dem alten Motiv, den Segen der Gottheit für Kaiser und Reich zu sichern, war als neues die Fürsorge für das Seelenheil der Untertanen getreten. Iustinian hat diesen traditionellen Hintergrund kaiserlicher Politik in den zahlreichen Erlassen seiner Gesetzgebung eindrucksvoll zum Ausdruck gebracht und damit dokumentiert, wie großen Wert er darauf legte, die allgemeinen Maximen, auf denen seine Regierungstätigkeit beruhte, den Adressaten seiner Erlasse ins Bewußtsein zu heben. Da ist zunächst die grundlegende Überzeugung, daß der Kaiser von Gottes Gnaden herrscht und im kosmischen Heilsplan Gottes einen festen Platz als irdischer Herrscher über die rechtgläubige Christenheit innehat. Diese besondere Stellung des Kaisers legte ihm die Verpflichtung zu Gott wohlgefälliger Herrschaft auf, und in ihr sah er das Unterpfand seiner Sieghaftigkeit und seiner ordnungsstiftenden Kraft. In diesem Sinne schrieb er an den Quästor Tribonian, seinen Justizminister: «Mit Gottes Ermächtigung lenken wir das Reich, das uns von der himmlischen Majestät übergeben worden ist, führen wir erfolgreich Kriege, geben dem Frieden Zierde und erhalten das Gemeinwesen in seinem Zustand: Und so sehr richten wir unser Sinnen und Trachten auf die Hilfe des allmächtigen Gottes, daß wir weder auf Waffen vertrauen noch auf unsere Soldaten noch auf die Führer im Felde noch auf unseren planenden Geist, sondern unsere ganze Hoffnung setzen wir einzig und allein auf die lenkende Voraussicht der höchsten Dreieinigkeit: Denn von dort sind die Elemente des gesamten Kosmos ausgegangen und ist ihre Verteilung bis herab zum Erdkreis fortgeführt worden» (*Codex Iustinianus* 1,17 pr.).

Der Kaiser als siegreicher Triumphator war ein traditionelles Thema der Kaiserideologie. Realer Hintergrund war die sich aus der strategischen Lage des Reiches ergebende Aufgabe der Selbstbehauptung durch Demonstration kriegerischer Überlegenheit. Solange die territoriale Integrität des Reiches gesichert war, war es Teil eines prinzipiell defensiven Konzepts. Aber seitdem im 5. Jahrhundert der Westen unter die Herrschaft germanischer Könige gefallen und das westliche Kaisertum erloschen war, stellte sich für den Kaiser in Konstantinopel die Frage nach seiner Rolle als Herr der zivilisierten Welt und der Christenheit auf neue Weise. Iustinian hatte zwei Optionen: Er konnte sich auf die Verteidigung und Konsolidierung des Ostreiches beschränken, oder er konnte versuchen, den verlorenen Westen zurückzugewinnen. Er entschied sich für die risikoreiche zweite Option. Angesichts der Bedrohung, die an der unteren Donau und im Orient auf den Reichsgrenzen lastete, vertraten die hohen Militärs und die Spitzen der Zivilverwaltung, die die Grenzen der Belastbarkeit des Reiches kannten, das defensive Konzept. Als Iustinian 532 die Frage der Rückeroberung des germanischen Vandalenrei-

Iustinian I. 435

ches in Nordafrika auf die Tagesordnung des Kronrats setzte, gab er zwar zunächst den sachlichen Einwänden des tüchtigen, für das Finanz- und Nachschubwesen zuständigen Prätorianerpräfekten Johannes von Kappadokien statt. Doch dann wog, angeblich nach Intervention von kirchlicher Seite, der Gesichtspunkt der Befreiung der katholischen romanischen Bevölkerung von der Herrschaft der vandalischen Ketzer schwerer als die Furcht vor den Risiken einer Expedition nach Nordafrika. Dieses sollte der erste Schritt auf dem Wege zu einer Wiederherstellung der Herrschaft des rechtgläubigen Kaisers im Westen sein.

Die Mittel für eine Offensive im Westen waren nur aufzubringen, wenn es gelang, die Grenzen an der unteren Donau und im Orient mit einem reduzierten Kräfteaufwand zu halten. Leicht war das nicht. Die untere Donau war seit Jahrhunderten dem Druck barbarischer Völker ausgesetzt. Hier waren die Goten in das Reich eingebrochen – der Anfang vom Ende der Kaiserherrschaft im Westen. Nach Goten und Hunnen kamen die Turkvölker der Bulgaren und Awaren – und mit ihnen die Slawen. Die unübersichtliche, barbarische Völkerwelt jenseits der Donau hatte seit langem die zivilisierte Welt des römischen Reiches in Angst und Schrecken versetzt. Da Sicherheit durch Vorwärtsverteidigung nicht zu erreichen war, verfiel der Kaiser auf das Konzept tiefgestaffelter Befestigungsanlagen, die von der Donau bis nach Griechenland reichten. Diese Befestigungen, schreibt Prokop, «entsprachen der Nachbarschaft des Donaustromes und der Bedrohung, die von dorther durch die Angriffe der Barbaren auf dem Land lastet. Denn als Nachbarn hausen dort Hunnen- und Gotenstämme, und auch im Taurer- und Skythenland (d.h. in dem weiten Land nördlich des Schwarzen Meeres) wohnende Völker erheben ihre Waffen, und was es an Slawen und sonstigen Stämmen noch gibt, mögen diese von den Darstellern der ältesten Geschichte die auf Wagen lebenden oder die ihre Wohnsitze wechselnden Sarmaten genannt werden, und wenn sonst noch ein tierähnlicher Menschenschlag dort herum zieht oder in festen Wohnsitzen lebt» (Prokop, *Bauten* 4,1,4–5).

Die Anlage der Befestigungen erlaubte zwar eine Reduzierung der Truppenstärke, aber diese hatte ihren Preis. Auf Plünderungszügen überschwemmten die Barbaren das flache Land. 559 erreichten Hunnen, Bulgaren und Slawen die Thermopylen, und sie durchbrachen die langen Mauern, die Konstantinopel und das die Stadt umgebende Gebiet zur größten Landfestung der Antike machten. Die Behauptung der Festungen verhinderte jedoch, daß die Eindringlinge sich auf Dauer auf römischem Reichsboden niederlassen konnten. Immerhin mußte 559 ihr Abzug durch jährliche Tributzahlungen erkauft werden, und als 561 die Awaren die Ansiedlung auf dem Territorium des Reiches forderten, wendete der Kaiser die Gefahr wieder durch die Zahlung jährlicher Subsidien ab.

Gegenüber dem Neupersischen Reich der Sassaniden, der rivalisierenden Großmacht im Osten, setzte Iustinian die traditionelle, auf Erhaltung des Status quo im Orient gerichtete Politik fort. Forciert wurde auch hier die Defensivstrategie der befestigten Linien und Plätze, und auch hier kam das Mittel zur Anwendung, Frieden oder doch Waffenstillstand durch Goldzahlungen zu erkaufen. Dennoch gelang die Selbstbehauptung gegenüber dem Neupersischen Reich nicht ohne Krieg. Iustinian mußte einen Krieg führen, den sein Vorgänger bereits begonnen hatte; doch hatte keine der Kriegsparteien diesen bislang für sich entscheiden können. Als 531 Chosroës den persischen Thron bestieg, fand Iustinian Gelegenheit, durch einen Friedensschluß den Rücken für die Verwirklichung seiner Westpläne freizubekommen. Chosroës befürchtete wegen der umstrittenen Thronfolge Schwierigkeiten im Inneren, und so ging er auf den Vorschlag des Kaisers ein, einen Ewigen Frieden gegen Zahlung von 11 000 Pfund Gold auf der Grundlage des territorialen Status quo vor Kriegsausbruch zu schließen. Aber Iustinians militärisches Engagement im Westen und die dort errungenen Erfolge veranlaßten Chosroës seit 540 zu einer Serie von Offensiven, und erst als sie sich festliefen und nennenswerte Beute nicht mehr zu erwarten war, stimmte er gegen Zahlung von 5000 Pfund Gold einem Waffenstillstand von fünf Jahren zu. Nicht eingeschlossen war die strategisch wichtige, im Südosten des Schwarzen Meeres gelegene Landschaft Lazika. Hier wollte Chosroës nicht auf seine Eroberungen verzichten, und umgekehrt konnte der Kaiser nicht hinnehmen, daß sein Gegner sich am Schwarzen Meer festsetzte. Der Krieg ging also auf diesem Schauplatz weiter. 551 konnten Iustinians Truppen Petra, die Hauptfestung des Landes, einnehmen, aber bei der Erneuerung des Waffenstillstandes blieb wiederum Lazika ausgenommen. Erst bei der zweiten Erneuerung wurde auch diese Landschaft in das Abkommen eingeschlossen. Bei Abschluß des fünfzigjährigen Friedens von 561 räumte Chosroës alle ihm noch verbliebenen Gebiete und versprach, die Kaukasuspässe gegen Barbareneinfälle zu schützen. Im Gegenzug verpflichtete sich der Kaiser zu einer jährlichen Zahlung von 30000 Goldstücken. Aufs Ganze gesehen, war es Iustinian gelungen, mit einer flexiblen Kombination diplomatischer, finanzieller und militärischer Mittel gegen einen so bedeutenden Gegner wie Chosroës den territorialen Bestand des Reiches nicht nur zu wahren, sondern die römische Position im Osten des Schwarzen Meeres sogar zu verbessern.

Diese Erfolge sind um so bemerkenswerter, als Iustinian spätestens seit 530 der Rückgewinnung des Westens Priorität einräumte. Den ersten Anlaß zur Initiative boten die Absetzung des alten Vandalenkönigs Hilderich und die Thronbesteigung des nächstberechtigten Verwandten Gelimer. Hilderich hatte sich im Gegensatz zu seinen Vorgängern an den Kaiser angelehnt und die den Katholiken feindliche Kirchenpolitik des arianischen Königshauses aufgegeben. Als er gegen die maurischen

Stämme, die sich großer Teile des ehemals römischen Nordafrika bemächtigt hatten, eine Niederlage erlitt, wurde er von der vandalischen Heeresversammlung abgesetzt und Gelimer zum König erhoben. Dieser setzte seinen Vorgänger und dessen Anhang gefangen. Daraufhin forderte der Kaiser die nominelle Wiedereinsetzung Hilderichs und, nach der Ablehnung dieser Forderung durch Gelimer, in ultimativer Form die Auslieferung des rechtmäßigen Königs. Während dieser diplomatischen Kriegsvorbereitungen schloß Iustinian mit Persien Frieden, überwand den Widerstand, den der Kriegsplan bei Generalität und Reichsadministration fand, und betraute den Heermeister des Ostens Belisar, seinen fähigsten General, mit der Expedition. Das Unternehmen wurde durch den Umstand begünstigt, daß das Vandalenreich durch den Abfall Sardiniens und Tripolitaniens geschwächt war.

Innerhalb eines Jahres eroberte Belisar das vandalische Nordafrika, und der Kaiser ordnete im folgenden Jahr die militärische und administrative Reorganisation des Gebietes an. Das Triumphgefühl, das ihn erfaßte, war umso stärker, als die Vandalen seit der verheerenden Niederlage, die Geiserich 467 einer kombinierten ost- und weströmischen Flotte beigebracht hatte, *die* Angstgegner des römischen Reiches waren. Aufs deutlichste spricht dieses Gefühl aus dem Erlaß, mit dem der Kaiser 534 die *Institutionen*, das neugeschaffene Lehrbuch des römischen Rechts, in Kraft setzte. Schon in der Titulatur weist die Aufzählung der Siegesbeinamen aller spätantiken Kaiser auf den programmatischen Anspruch, als Sieger über die Barbaren die Herrschaft des Rechts innerhalb des zivilisierten Binnenraumes des Reiches zu garantieren: «Im Namen unseres Herrn Jesus Christus. Der Imperator Caesar Flavius Iustinian, Besieger der Alamannen, der Goten, der Franken, der Germanen, der Anten, der Alanen, der Vandalen und Afrikaner, der Fromme, Glückliche, Ruhmreiche, der Sieger und Triumphator, der allzeit Erhabene, der nach Rechtskenntnis verlangenden Jugend.» Und mit Bezug auf das wiedergewonnene Nordafrika heißt es: «Haben doch die unter unsere Botmäßigkeit gebrachten barbarischen Völkerschaften unsere gewaltigen kriegerischen Anstrengungen erfahren, und sowohl Afrika als auch zahllose andere Provinzen, die nach so langer Zeit dank unserer vom himmlischen Willen gewährten Siege wieder der römischen Herrschaft und unserem Reiche einverleibt worden sind, geben davon Zeugnis. Auch werden nunmehr alle Völker durch Gesetze regiert, die wir neu verkündet oder verfaßt haben» (Konstitution *Imperatoriam* 1).

Mit der Verwirklichung dieses Anspruchs hatte es freilich noch gute Weile. Die Gelegenheit, das Kernstück des westlichen Reichsteils, das ostgotische Italien mit seinen Nebenländern, zurückzugewinnen, kam jedoch schnell. Auch hier boten Thronwirren den Vorwand zum Eingreifen. Sie waren nach dem Tod Theoderichs des Großen 526 ausgebrochen, und sie traten in ein entscheidendes Stadium, als Theoderichs

Tochter Amalasuntha ihren Vetter Theodahat heiratete und im Oktober 534 den Königstitel annahm. Theodahat verbündete sich mit der ostgotischen Opposition gegen die römerfreundliche Königin und ließ sie gefangensetzen. Im April 535 wurde sie umgebracht. Amalasuntha hatte, bevor sie zur Königin proklamiert worden war, Geheimverhandlungen mit Iustinian angeknüpft und mit Rücksicht auf ihre gefährdete Stellung angeboten, für die Gewährung des Asyls dem Kaiser das Ostgotenreich zu überlassen. Als die Nachricht von der Ermordung Amalasunthas in Konstantinopel eintraf, erhob Iustinian Protest und ließ die Nebenländer des Ostgotenreichs, Dalmatien und Sizilien, besetzen. In den gleichzeitig geführten diplomatischen Verhandlungen unterzeichnete Theodahat den Entwurf einer Vereinbarung, die ihn zum tributpflichtigen Vasallen des Kaisers gemacht hätte. Zusätzlich machte er die geheime Zusage, daß er letztlich dem Kaiser die Herrschaft über Italien im Tausch gegen eine Abfindung mit Landgütern im Osten des Reiches überlassen werde. Iustinian sah seine Chance, verwarf die schriftlich festgelegte Vereinbarung und nahm das mündliche Angebot an. Als Theodahat sich davon distanzierte, ordnete der Kaiser die Invasion Italiens an und betraute wiederum Belisar mit dem Oberbefehl.

Belisar eroberte schnell Süditalien und Rom. Aber unter dem neuen König Witigis – Theodahat war als Verräter hingerichtet worden – versteifte sich der ostgotische Widerstand. Als dann 539 der Perserkönig in Absprache mit den Ostgoten an der Ostgrenze des Reiches anzugreifen drohte, schlug Iustinian der ostgotischen Seite vor, daß sie gegen Auslieferung der Hälfte des Königsschatzes in Besitz des transpadanischen Italien bleiben sollte. Das Abkommen scheiterte an der Haltung Belisars, der die Gelegenheit gekommen sah, Italien bis zum Alpenrand zurückzugewinnen.

Die Goten waren bereit, sich ihm gegen die Garantie ihrer persönlichen Sicherheit zu unterwerfen. Ja, sie boten an, ihm loyale Untertanen zu sein, wenn er sich zum Kaiser des Westreiches ausrufen lasse. Was den ersten Punkt anbelangt, so leistete Belisar den Garantieeid, vermied aber, sich in der Kaiserfrage festzulegen. Die Goten lieferten jedoch im guten Glauben an sein Einverständnis Ravenna und die übrigen von ihnen gehaltenen Plätze aus. Belisar dachte nicht daran, die Kaiserwürde zu usurpieren. Er blieb Iustinian gegenüber loyal. Als dieser ihn mit dem Kommando im Osten gegen die Perser betraute, verließ er im Frühjahr 540 mit dem ostgotischen Königsschatz, König Witigis und prominenten Goten Ravenna. Die Eroberung Italiens schien abgeschlossen zu sein.

Die Rechnung war jedoch ohne die enttäuschten Goten und ohne die schwierige strategische Lage des Reiches gemacht, das seit 540 mit wenigen Unterbrechungen in einen Mehrfrontenkrieg verwickelt war. Der Krieg mit Persien kam erst 561 zu einem definitiven Ende, und im selben

Jahr fielen die letzten von den Goten gehaltenen Festungen in die Hand des Kaisers. Unmittelbar nach 540 eroberte der neue Ostgotenkönig Totila den Süden größtenteils zurück und nahm 546 sogar Rom ein. Belisar, der ohne nennenswerte Verstärkungen 544 auf den gefährdeten italischen Kriegsschauplatz zurückgekehrt war, gewann zwar die völlig verödete Stadt zurück, war aber wegen seiner beschränkten Mittel zu einer effizienten Kriegsführung nicht in der Lage. 549 ließ er sich enttäuscht nach Konstantinopel zurückberufen.

Alles schien für den Kaiser verloren zu sein. Totila eroberte Rom und bereitete die Invasion Siziliens vor. Aber Iustinian war nicht bereit aufzugeben. Er konzentrierte alle vorhandenen Kräfte auf Italien und schickte unter dem Oberbefehl des Vorstehers des kaiserlichen Hofes, des Eunuchen Narses, der sich bereits in anderen Kommandostellen bewährt hatte, ein großes Heer nach Italien – unter den germanischen Kontingenten befanden sich auch Langobarden, und diesen sollte nach Iustinians Tod der größte Teil Italiens anheimfallen. 552 und 553 errang Narses die entscheidenden Siege über die Goten, aber im Norden zogen sich die Kämpfe noch bis zum Fall von Verona und Brixia 561 hin.

Schon 554 ordnete Iustinian mit der ‹Pragmatischen Sanktion› die Rechts- und Lebensverhältnisse in dem zurückgewonnenen Italien. In Rom sollten die Kornzuteilungen an das Volk wiederaufgenommen, Lehrer und Professoren an den öffentlichen Schulen wieder besoldet und die Unterhaltung und Reparatur der Aquädukte und der öffentlichen Bauten finanziell neu fundiert werden. Um der Senatsaristokratie den Übergang unter die Herrschaft des im fernen Konstantinopel residierenden Kaisers zu erleichtern, bestimmte Iustinian, daß in Italien die Provinzgouverneure auf Vorschlag der lokalen Bischöfe und Großgrundbesitzer ernannt werden sollten. Diese Neuerung war vermutlich als Kompensation für die Verluste gedacht, die Italien durch die Aufhebung der zentralen Ämter des weströmischen Kaisertums erlitt. Diese hatten auch unter ostgotischer Herrschaft fortbestanden. Es war Iustinians Wille zur Wiederherstellung der Reichseinheit, der die letzten Reste des seit 364 bestehenden Doppelkaisertums beseitigte.

Noch während Narses mit der endgültigen Eroberung Italiens beschäftigt war, ergriff Iustinian die sich ihm bietende Gelegenheit, seine Herrschaft auf das Gebiet der alten Prätorianerpräfektur des Westens auszudehnen. Im spanischen Westgotenreich waren innere Wirren ausgebrochen, und der Usurpator Athanagild rief 551 Iustinian gegen König Agila I. zu Hilfe. Im folgenden Jahr setzte ein kaiserliches Heer von Nordafrika nach Spanien über. Der Süden mit Carthago Nova, Malaca und Cordoba fiel wieder unter die Herrschaft des Kaisers. Weitere Eroberungen scheiterten am Widerstand der Westgoten, die alarmiert über Iustinians Intervention Agila töteten und sich auf Athanagild als ihren König einigten. Der Kaiser hatte mit dem Oberbefehl in Spanien

Liberius, ein Mitglied der italischen Senatsaristokratie, betraut. Dieser hatte unter Theoderich dem Großen die Prätorianerpräfektur des Westens innegehabt und sich hohes Ansehen erworben. Zu seinem Amtssprengel hatte auch Spanien gehört. Daß der Kaiser diesen Mann trotz seines fortgeschrittenen Lebensalters mit der Inbesitznahme Spaniens betraute, war programmatischer Ausdruck des Willens, die Kaiserherrschaft auch in den verlorengegangenen Gebieten des Westens zu erneuern. Realisiert werden konnte die Absicht nicht. Im fernen Westen zeigten sich die Grenzen, die der Macht des Kaisers gesetzt waren.

Die äußere Wiederherstellung des römischen Reiches war freilich nur ein, wenn auch wichtiger Aspekt einer von großer persönlicher Energie des Kaisers gespeisten Regierungstätigkeit, die sich das Wohl des Reiches und das Wohl der Reichsangehörigen – in der subjektiven Vorstellung Iustinians zwei Seiten derselben Sache – zur obersten Handlungsmaxime gesetzt hatte. Die Instruktion, mit der Iustinian die Aufgaben des Statthalters von Kappadokien umschrieb, endet in einer Darstellung des kaiserlichen Regiments: «Er (der Statthalter) hat also, wie wir schon oft ausgesprochen haben, unsere Untertanen menschlich zu behandeln. Es ist uns jederzeit hieran gelegen gewesen, und wir haben *deshalb* den größten Aufwand in den schweren Kriegen nicht gescheut, durch welche uns Gott den Persern Frieden gewähren, die Vandalen, Alanen und Mauren unterwerfen, ganz Afrika und Sizilien wiedererobern und die Hoffnung gewinnen ließ, daß er unser Reich bis zu den Völkern erstrecken werde, welche von den Römern bis an den Saum beider Meere beherrscht, aber durch Nachlässigkeit wieder verloren worden sind. Im Vertrauen auf göttliche Hilfe werden wir hierin eine Änderung bewirken; denn wir scheuen keine Schwierigkeit, wir unterwerfen uns für unsere Untertanen jederzeit dem Wachen, dem Hunger und jeder anderen Belastung» (*Novelle* 30,11,2). Es ist dieses Ethos, das dem Kaiser auferlegte, sich in gleicher Weise um die Wiederherstellung des Reiches in seinem alten, der Völkerwanderungszeit vorausgehenden Umfang, um die Verbesserung und Durchsetzung des Rechts, um die innere Sicherheit und um eine gerechte Verteilung der Lasten sowie um das Wohl der Kirche, den wahren Glauben und das Seelenheil der Reichsangehörigen zu kümmern.

Iustinian ist nicht müde geworden, diese Grundsätze zu verkünden und, nach den Möglichkeiten seines besten Wissens, auch zu verwirklichen. Als er in einem Edikt das von einer Juristenkommission geschaffene Lehrbuch des römischen Rechts mit Gesetzeskraft ausstattete und so für das Studium verbindlich machte, da betonte er den engen Zusammenhang der beiden traditionellen Aufgaben des römischen Kaisers, über äußere Feinde zu siegen und den Rechtsfrieden im Inneren zu wahren: «Die kaiserliche Majestät muß nicht nur mit Waffen geschmückt, sondern auch mit Gesetzen gerüstet sein, damit zu jeder Zeit, im Kriege wie im Frieden, auf rechte Weise regiert werden kann und der römische Kaiser nicht nur in den Kämpfen gegen die Feinde als Sieger in Erscheinung tritt, sondern auch dadurch, daß er auf den Pfaden des Rechts den Unredlichkeiten der Verdreher des Rechts wehrt. Beide Wege haben wir in unermüdlichem Wirken und durch sorgfältige Planung mit Gottes Hilfe zurückgelegt» (Konstitution *Imperatoriam* pr.).

Grund- und Eckstein der kaiserlichen Regierungstätigkeit aber war die Sorge für Kirche und wahren Glauben. In einem Edikt, das Versammlungen von Ketzern verbot, erklärte der Kaiser: «Wir glauben, daß das erste und höchste Gut für alle Menschen das rechte Bekenntnis des wahren und untadelhaften christlichen Glaubens sei, damit er überall befestigt, alle heiligen Priester des ganzen Erdkreises zur gleichen Gesinnung vereinigt werden und einstimmig den rechten christlichen Glauben bekennen und verkündigen und jeder von den Ketzern ausgesonnene Scheingrund entkräftet werde, was sich aus verschiedenen von uns erlassenen Gesetzen und Edikten ergibt» (*Novelle* 132 pr.).

Im Gegensatz zur ehemaligen heidnischen Staatsreligion war das Christentum nicht mit dem römischen Staat entstanden, und dementsprechend waren Priestertum und Kirche eine neben dem Staat und der Staatsgewalt angesiedelte Größe. Prinzipiell erkannte auch der Kaiser die Trennung beider Bereiche an. Aber er war auch der Erbe einer Tradition, der zufolge der Kaiser für alle Fragen der Religion zuständig war. Kaisertum und Priestertum mochten unterschiedliche Größen sein: Dies bedeutete jedoch nicht die Autonomie beider Bereiche oder gar die Unterordnung der weltlichen unter die geistliche Gewalt. Im Gegenteil: Die Fürsorge des Kaisers erstreckte sich auch auf die Reglementierung aller Angelegenheiten der Kirche. Die Rechtfertigung dieses kaiserlichen Kirchenregiments lag in der Lehre von der göttlichen Stiftung des Kaisertums. In Iustinians Verordnung über die Wahl der Kleriker heißt es dementsprechend: «Die zwei höchsten Gaben, die den Menschen von der göttlichen Gnade verliehen worden sind, sind das priesterliche und das kaiserliche Amt. Das eine dient dem Gottesdienst, das andere steht den menschlichen Angelegenheiten vor und trägt Sorge für sie. Beide gehen von demselben Ursprung aus und sind eine Zierde des menschlichen Lebens. Deshalb wird nichts so sehr den Kaisern am Herzen liegen als die Würde der Geistlichen, zumal diese auch immer für jene zu Gott beten ... Also gilt unsere Sorge den wahren Glaubenslehren Gottes und der Würde der Kleriker: Denn wenn sie diese bewahren, so glauben wir, daß durch sie uns große Geschenke von Gott zuteil werden, und wir bewahren, was wir haben, und erwerben, was wir noch nicht besitzen» (*Novelle* 6 pr.). Vom Seelenheil bis zur göttlichen Gewährung des Erfolgs auf Erden reicht somit ein unzerreißbares Band, und das Kaisertum, dessen göttlicher Ursprung ausdrücklich betont wird, wäre seiner göttlichen Mission untreu geworden, wenn es sich nicht um Glauben und Kirche gekümmert hätte.

Die wirkungsmächtigste und bedeutendste der inneren Reformen Iustinians war die Kodifikation des römischen Rechts im – später so genannten – *Corpus Iuris Civilis*. Das gigantische Unternehmen beruhte auf zwei sachlichen Voraussetzungen: auf dem praktischen Bedürfnis, aus einer jahrhundertealten Rechtsentwicklung die Summe eines von Widersprüchen gereinigten geltenden Rechts zu ziehen, und auf der akademischen Neubelebung der klassischen und spätklassischen Jurisprudenz in den großen Rechtsschulen von Beirut und Konstantinopel. Das erwähnte praktische Bedürfnis hatte sich zunächst auf dem weiten Feld der kaiserlichen Gesetzgebung zu Wort gemeldet. Um 300 waren zwei große private Sammlungen entstanden, der *Codex Gregorianus* und der *Codex Hermogenianus*, die kaiserliche Konstitutionen von Hadrian bis Diocletian enthielten. Im 5. Jahrhundert folgte die offizielle Sammlung der Kaisergesetze von Konstantin I. bis Theodosius II., der sogenannte *Codex Theodosianus*. Weitere Sammlungen im Ost- wie im Westreich folgten, von denen nur die aus dem Westen stammenden Novellen aus den Jahren 438–468 erhalten sind.

Seit dem 4. Jahrhundert machte sich das gleiche Bedürfnis für die gewaltige Masse des juristischen Schrifttums geltend, die einerseits Zeugnis eines wissenschaftlichen Diskurses, andererseits Quelle der Rechtsordnung war. Niederschlag fand das in den sogenannten Zitiergesetzen des 4. und 5. Jahrhunderts, in denen im einzelnen festgelegt war, was aus dieser Masse juristischer Literatur vor Gericht rechtliche Geltung beanspruchen durfte. In der Praxis des spätantiken Rechtslebens verlor freilich das anspruchsvolle Juristenrecht der klassischen und spätklassischen Periode rasch an Bedeutung. Diese Entwicklung wurde dann auf akademischem Felde an den großen Juristenschulen des Ostreiches konterkariert. Die Schulung des juristischen Nachwuchses erfolgte hier an dem der Vergessenheit wieder entzogenen weitverzweigten Schrifttum, dessen Entstehungszeit von der späten Republik bis tief in das 3. Jahrhundert reichte. Aus dieser Konstellation ergab sich für die Praxis große Rechtsunsicherheit, und dieses Problem zu beseitigen war das Motiv, das den Kaiser zu dem mit aller Energie vorangetriebenen Jahrhundertunternehmen seiner Rechtskodifikation bestimmte. Ermöglicht wurde es durch die Wiederbelebung der klassischen Jurisprudenz im Ostreich. An den Rechtsschulen und an den großen Gerichten, vor allem an dem zentralen Gerichtshof des Prätorianerpräfekten des Orients in Konstantinopel, gab es ein Reservoir wissenschaftlich gebildeter und praktisch erfahrener Juristen, ohne das der Kodifikationsplan auf Sand gebaut gewesen wäre. Iustinian hatte die Einsicht und das Glück, in der Person des Tribonian den richtigen Mann an die richtige Stelle zu setzen. In verschiedenen amtlichen Stellungen, meist in der unserem Justizminister vergleichbaren Position des *quaestor sacri palatii*, verbürgte er durch Organisationstalent, Sachverstand und Arbeitsenergie die Effizienz der Kommission, der die Kodifikation des geltenden Rechts übertragen wurde. Schon ein Jahr nach Gründung der ersten Kommission wurde am 7. April 529 die Sammlung der Kaisergesetze publiziert und damit allen älteren Sammlungen der Charakter der Rechtsverbindlichkeit entzogen. Dann folgte in der unwahrscheinlich kurzen Zeit von drei Jahren die Bearbeitung und Kodifikation des Juristenrechts in den sogenannten *Digesten*, die 2000 Bücher im Sinne antiker Bucheinteilungen mit mehr als 3 Millionen Zeilen auf den fünfzehnten bis zwanzigsten Teil dieser Masse reduzierte und auf eine systematische Gliederung des Stoffes verteilte. Das Fortschreiten der Arbeit veranlaßte den Kaiser, zahlreiche Gesetze zu erlassen, die das ältere Kaiserrecht vereinfachten und dem neuen Rechtszustand anpaßten. Daraus ergab sich die Notwendigkeit einer Revision der ersten Sammlung der Kaiserkonstitutionen. Bereits am 16. November 534 wurde die unter dem Namen *Codex Iustinianus* auf uns gekommene Neufassung publiziert. Schon vorher, am 21. November 533, hatte der Kaiser ein offizielles Lehrbuch zum Gebrauch in den Rechtsschulen mit Gesetzeskraft ausgestattet und bei dieser Gelegenheit nicht ohne Stolz auf das Geleistete Rückschau gehalten: «Und nachdem die früher ganz verworrene Masse der kaiserlichen Konstitutionen von uns in lichtvolle Übereinstimmung gebracht worden ist, haben wir unser Bemühen dann auf die unzähligen Schriften der alten Rechtswissenschaft erstreckt und dieses geradezu aussichtslos erscheinende Unternehmen, sozusagen ein tiefes Meer durchschreitend, dank der Gunst des Himmels soeben vollendet.» Das juristische Lehrbuch, die *Institutionen*, war von Tribonian und zwei Professoren der Jurisprudenz im Auftrag des Kaisers erarbeitet und von Iustinian geprüft und autorisiert worden: «Und nachdem sie uns von den drei gelehrten Männern vorgelegt worden war, haben wir sie gelesen, geprüft und mit der vollen Kraft unserer Konstitutionen ausgestattet» (Konstitution *Imperatoriam* 2).

Die Vorstellung, daß mit dem Riesenwerk des *Corpus Iuris* ein vollständiges, widerspruchsfreies System des geltenden Rechts geschaffen sei, erwies sich indes als trügerisch. Die Kette der Änderungen und Klarstellungen riß nicht ab. Die Serie der neuen Konstitutionen, die sogenannten *Novellen*, verfolgte das Ziel, das geltende Recht zu konsolidieren, und wahrscheinlich beabsichtigte der Kaiser, die beiden Rechtsmassen, das Kaiserrecht und das Juristenrecht, in einem einheitlichen System miteinander zu vereinen. Doch ist es dazu nicht mehr gekommen.

Zu der Ausgestaltung und Konsolidierung der Rechtsordnung traten administrative und finanzielle Reformen. Sie erstreckten sich über die gesamte Regierungszeit des Kaisers, und es ist offensichtlich, daß Iustinian, wie es in der Tradition des Regierungsstils römischer Kaiser lag, auf bekannt gewordene Mißstände reagierte und ihnen mit pragmatischen Lösungen beizukommen versuchte. In der auf den ersten Blick verwirrenden Fülle der Maßnahmen ist gleichwohl eine in sich konsistente Linie erkennbar. Der Kaiser beabsichtigte, die innere Sicherheit und die fiskalische Leistungs*kraft* unter Berücksichtigung der Leistungs*fähigkeit* der Untertanen zu verbessern.

Auch auf diesem Feld bewies Iustinian eine glückliche Hand in der Auswahl seiner führenden Helfer, für die Zeit bis 541 mit dem Prätorianerpräfekten des Orients Johannes von Kappadokien und später mit Petrus Barsymes in den Funktionen eines Finanzministers und Prätorianerpräfekten des Orients.

In der ersten Phase bis 541 stand der Kampf gegen die Korruption und Ineffizienz des komplizierten administrativen Apparats im Mittelpunkt der Reformbemühungen. Bis 535 wurden die Posten der Provinzstatthalter aufgrund von Empfehlungen einflußreicher Würdenträger verkauft. Für Empfehlung und Kauf mußten große Summen aufgewendet werden, und es versteht sich, daß die Statthalter ihre Unkosten mit Zins und Zinseszins den Steuerpflichtigen ihres Amtssprengels abpreßten. An diese für die Staatskasse wie für die Untertanen schädliche Fehlentwicklung knüpfte die Reform von 535 an: Der Postenkauf wurde verboten, und der Kaiser begann mit der Ausarbeitung von Standardmandaten, in denen die Pflichten und Befugnisse der Statthalter genau festgelegt waren. Zwischen 535 und 539 wurde die Administration durch Abschaffung der Mittelinstanzen zwischen Prätorianerpräfektur und Provinzen vereinfacht. Weiterhin wurde im Interesse einer Verbesserung der inneren Sicherheit und der Durchsetzungsfähigkeit der Administration die bestehende Trennung von ziviler und militärischer Gewalt außerhalb der Grenzregionen aufgehoben. Entsprechend dem kasuistischen Charakter der Reformen besaß auch die zur allgemeinen Tendenz gegenläufige Maßnahme eine Realisierungschance: Im Interesse der Versorgung der an der Donau stationierten Armee wurde 536 in Gestalt eines Heereskommandos eine neue Mittelinstanz zwischen der Prätorianerpräfektur des Orients und einzelnen Provinzen geschaffen. Das neue Amt umfaßte die Provinzen Moesia II und Scythia an der unteren Donau sowie die Ägäisinseln, Karien sowie Zypern. Die Ausnahme erklärt sich aus der Notwendigkeit, den Nachschub der Grenzverteidigung an der gefährdeten Donaufront zu sichern. Als Ausgleich für die Beschneidung der Möglichkeiten, aus ihrem Amt illegale Gewinne zu ziehen, und mit Rücksicht auf die Vermehrung ihrer Kompetenzen gewährte der Kaiser den Provinzstatthaltern Rang- und Besoldungserhöhungen. Die finanzielle Belastung der Untertanen wurde zusätzlich durch die Verminderung der ruinösen Kosten der Zivilgerichtsbarkeit gesenkt. Der Kaiser ordnete an, daß bis zu einem bestimmten Streitwert Prozesse nicht vor dem Statthaltergericht, sondern vor dem des Stadtpräsidenten geführt werden sollten, und er setzte darüber hinaus einen Streitwert fest, bis zu dem Appellationen an das Gericht bestimmter ranghoher Provinzstatthalter und nicht mehr an das Gericht des Prätorianerpräfekten bzw. des Kaisers erfolgten. Das sparte den Prozessierenden Kosten und entlastete die einzelnen Instanzen.

Die traumatische Erfahrung des Nika-Aufstandes von 532 war Anlaß, Vorsorge für die innere Sicherheit im Bereich der Hauptstadt zu treffen. Nicht nur, daß in dem großen, durch die langen Mauern gebildeten Festungsbezirk die zivile Administration mit dem Militärkommando unter dem neu geschaffenen Amt des Prätors für Thrakien vereinigt wurde: Konstantinopel erhielt einen Polizeipräsidenten, und eine Fremdenpolizei sorgte für die Ausweisung von Fremden sowie für die Beseitigung des arbeitslosen Proletariats als eines gefährlichen Unruhepotentials.

Die unter Leitung des Johannes von Kappadokien durchgeführten Reformen zeitigten Nebenwirkungen, die eine Reform der Reformen nach sich zogen. Die Aufhebung der Mittelinstanzen schuf erhebliche Sicherheitsprobleme. Organisierte Räuberbanden überquerten die Provinzgrenzen und entzogen sich damit einer effektiven Verfolgung. Deshalb wurden nach 541 neue, der Koordination der Bekämpfung des Bandenunwesens dienende Zwischeninstanzen in Syrien, Kleinasien und auf dem Balkan gebildet.

Einen wichtigen Aspekt aller inneren Reformen stellte die Sicherung des Finanzbedarfs unter Wahrung der Steuergerechtigkeit dar. Zu Beginn seiner Regierung konnte Iustinian noch auf die von Kaiser Anastasius angesammelten Reserven zurückgreifen. Sie wurden für den Perserkrieg aufgebraucht, dessen Anfänge noch in die Regierungszeit Iustins zurückreichten. Die Eroberungen im Westen brachten zwar den Königsschatz der Vandalen und der Ostgoten in die Hand des Kaisers. Doch im übrigen erwiesen sich die Rückerwerbungen in finanzieller Hinsicht eher als eine Belastung. In Nordafrika wurden zwar Kataster und Steuersystem wiederhergestellt, aber die Erträge blieben wegen Einfällen der Mauren und Meutereien des Heeres – sie waren nicht zuletzt durch Besoldungsrückstände bedingt – hinter den Erwartungen zurück. Obwohl die Prätorianerpräfektur Italiens schon 537 reorganisiert wurde, gingen die Steuern und Abgaben, bedingt durch den wechselvollen Kriegsverlauf, nur unregelmäßig ein. Die Regierung ging fälschlicherweise davon aus, daß die zurückeroberten Provinzen für ihre Ausgaben selbst aufkommen könnten, und dies war einer der Hauptgründe für die Schwierigkeiten, die zeitweise die Truppen ihren Kommandeuren bereiteten.

Dennoch konnte letztlich das Geld für die großen Ausgabeposten – Armee, Bauten, Administration, Subsidien- und Tributzahlungen – aufgebracht werden, und dies war vor allem dem Finanzgenie eines Johannes von Kappadokien und eines Petrus Barsymes zu verdanken. Johannes war der Erfinder der sogenannten Luftsteuer, eines Zusatzes zur regulären Bodensteuer, die jährlich 3000 Pfund Gold einbrachte. Vor allem aber: Steuern und Abgaben wurden mit Konsequenz und Härte, d.h. ohne Rücksicht auf mächtige Magnaten und Großgrundbesitzer, eingetrieben, und was einging, unterlag strengen Vorkehrungen gegen Unterschlagung. Hinzu kamen Sparmaßnahmen. Nicht nur, daß die Kosten für die militärisch wertlosen Nobelgarden der Hauptstadt eingespart wurden; auch an der Bezahlung der im Osten stationierten Grenztruppen wurde nach Abschluß des ersten Friedens mit Persien gespart, was sich 540 bei Wiederausbruch der Feindseligkeiten sehr nachteilig auswirkte. Generell ließ der Prätorianerpräfekt die Rechnungsführung von Städten und Truppenteilen einer strengen Kontrolle durch Rechnungsprüfer unterziehen. Freilich eröffnete sich hier schnell eine neue Quelle der Korruption. Nach Aufdeckung eines spektakulären Falles ordnete Iustinian an, daß die Rechnungsprüfer durch ein persönliches Patent des Kaisers bestellt werden mußten, anderenfalls waren die Städte nicht verpflichtet, ihre Rechnungsführung offenzulegen. Alles in allem rettete jedoch die neue Einrichtung der kaiserlichen Kasse große Geldsummen – nicht zuletzt, weil den Rechnungsprüfern ein Zwölftel der durch ihre Tätigkeit an die kaiserliche Kasse fließenden Beträge als Erfolgsprämie zustand.

Unter diesen Umständen ist es kein Wunder, wenn der senatorischen Aristokratie und den Großgrundbesitzern die an der Spitze des kaiserlichen Fiskus stehenden Männer noch verhaßter als der Kaiser selbst waren. Der Historiker Prokop zeichnet von Petrus Barsymes das Bild eines skrupellosen Verbrechers, aber zwei erhaltene, an Barsymes adressierte und wahrscheinlich von ihm entworfene kaiserliche Instruktionen zeigen ihn als sorgfältigen Administrator, der die Interessen der Staatskasse und des gewöhnlichen Steuerzahlers auszutarieren versuchte. Die eine ordnet an, daß die Höhe der jährlichen Steuerforderung nicht nur vorher angekündigt und die Steuerquittungen nicht nur Summe und Datum der Zahlung, sondern auch die Kalkulationsgrundlage der Forderung enthalten mußten; die andere legt genaue Regeln für die Modalitäten der Zwangsverkäufe fest, die die Administration zugunsten der Versorgung durchziehender Truppen anordnen konnte. Petrus Barsymes nutzte die durch den Perserkrieg bedingte Verknappung der Seideneinfuhr zur Begründung eines gewinnbringenden, die Oberschichten finanziell belastenden Seidenmonopols. Andere Monopole wurden an Vereinigungen von Ladenbesitzern verkauft, zuerst in Konstantinopel, dann auch in anderen Städten, so 546 in Alexandria. Das alles brachte dem Kaiser und seinen Hauptratgebern, Tribonian, Johannes von Kappadokien oder Petrus Barsymes, den Ruf skrupelloser Habgier in der damaligen Historiographie ein. Aber es ist unverkennbar, daß alle Maßnahmen in den Grenzen des in der spätantiken Klassengesellschaft Möglichen eine gerechtere Verteilung der Steuerlast bezweckten und dabei eine Deckung der Ausgaben letzten Endes erreichten. Trotz aller Schwierigkeiten konnten so 551 die Mittel für die Offensive des Narses in Italien aufgebracht werden, und das gleiche gilt für die 7500 Pfund Gold für die Waffenstillstandsverträge bzw. den Frieden mit Persien.

Der kein Detail aussparende Pflicht- und Arbeitseifer, der Iustinian auszeichnete, fand seine Ergänzung im Glaubenseifer des christlichen, rechtgläubigen Kaisers. Er beschränkte sich keineswegs nur auf die Beseitigung einzelner Mißstände, die seiner Aufmerksamkeit nicht entgangen waren: auf die Probleme der Zweckentfremdung von Kirchengut, der Simonie, der Kirchendisziplin, der Wahl von Bischöfen und Klerikern. Der Kaiser sorgte für den Kirchenbau. Er war der Bauherr der großartigsten Kirche der spätantiken Christenheit, der Hagia Sophia in Konstantinopel. Der Neubau ersetzte die im Nika-Aufstand 532 niedergebrannte Vorgängerkirche und wurde durch die geniale Verbindung von Zentralkuppelbau und Basilika – Architekten waren Anthemius von Tralles und Isidor von Milet – zum steinernen Abbild der Majestät der göttlichen Weisheit. Das Hauptinteresse Iustinians galt jedoch der Einheit im wahren Glauben. Konkret bedeutete das: Unterdrückung des Heidentums, Kampf gegen Häresien und eine möglichst konsensfähige Ausgestaltung des Dogmas der Kirche. In allen diesen Fragen gab der Kaiser seinen Führungsanspruch niemals auf.

529 wurden alle Heiden bei Strafe der Konfiskation und des Exils aufgefordert, sich zu bekehren. Die Aristokratie von Konstantinopel erfuhr eine ‹Säuberung›. Prominente Personen, die heidnischer Praktiken überführt worden waren, wurden hingerichtet. 542 nahm der ‹Missionsbischof› Johannes von Ephesos im westlichen Kleinasien etwa 70000 Taufen vor. Manichäer und Ketzer wurden scharfen Verfolgungen ausgesetzt. Eine Serie von Gesetzen stellte Heiden, Juden, Samaritaner und Häretiker unter Sonderrecht. Sie wurden von allen öffentlichen Ämtern und Würden, aber nicht von den mit dem Ratsherrenstand verbundenen persönlichen und Vermögenslasten ausgeschlossen, und sie unterlagen, was Advokatur und höheres Lehramt anbelangte, einem Berufsverbot. Bestimmte bürgerliche Rechte wurden ihnen entzogen: die freie Verfügung über ihr Eigentum, das Recht, Schenkungen oder Vermächtnisse außerhalb der Intestaterbfolge zu empfangen, oder das Recht, vor Gericht gegen Katholiken auszusagen.

Während den Juden freie Religionsausübung – von gewissen Beschränkungen im zurückeroberten Nordafrika abgesehen – erhalten blieb, ging Iustinian scharf gegen die Samaritaner vor. Als sie auf die Zerstörung ihrer Synagogen mit einer Erhebung antworteten, wurden gegen alle, die sich nicht taufen lassen wollten, harte Strafen verhängt, viele wurden hingerichtet.

Daß der Sieg über die Germanenreiche des Westens das Ende des Arianismus bedeutete – mittelfristig auch bei den Westgoten in Spanien –, ist bereits erwähnt worden. Das eigentliche dogmatische und kirchenpolitische Problem war mit der Frage nach der Göttlichkeit Jesu und der auf dem Konzil von Chalkedon besiegelten Spaltung in eine dyophysitische Mehrheit und eine monophysitische Minderheit gegeben. Das dyophysitische Dogma von den zwei Naturen Christi ging davon aus, daß Christus «vollkommen in Gottheit und derselbe vollkommen in Menschheit, wahrer Gott und wahrer Mensch, ... wesensgleich dem Vater, der Gottheit nach, und wesensgleich auch uns, seiner Menschheit nach; in zwei Naturen unvermischt, unverwandelt, ungeteilt und ungetrennt (sei). Niemals wird der Unterschied der Naturen durch die Einigung aufgehoben, es wird vielmehr die Eigenart beider Naturen gewahrt und läuft in eine Person und einen Bestand zusammen» (*Acta Conciliorum Oecumenicorum* 2,1,2 S. 129). Gegen diese Position machten die Monophysiten Front. Ihnen kam alles darauf an, daß die göttliche Natur Christi die menschliche Jesu gewissermaßen zudecke. Die Streitfrage berührte den innersten Kern des Erlösungsbedürfnisses der damaligen Gläubigen. Die Göttlichkeit Christi war das Unterpfand der Erlösung des Menschen von seiner Sterblichkeit, und auf Teilhabe an der göttlichen Unsterblichkeit richtete sich das primäre Glaubensinteresse. Der Streit um diese Kernfrage hatte eine gefährliche Kirchenspaltung zur Folge. Ägypten, aber auch weite Teile des Vorderen Orients waren fest in der Hand der Monophysiten, aber der Glaubenskonflikt ging, wie auch die Glaubensverschiedenheit des Kaiserpaares zeigt, bis in die einzelnen Familien hinein. Theodora war eifrige Monophysitin, Iustinian Anhänger der chalkedonensischen Zweinaturenlehre. Er war theologisch interessiert und gebildet – neben dem heidnischen Iulian ist er der einzige als theologischer Schriftsteller hervorgetretene Kaiser –, und dementsprechend betrachtete er es nicht nur als eine Aufgabe kirchenpolitischer Opportunität, die Einheit des Glaubens durchzusetzen.

532 arrangierte er eine Disputation zwischen dyophysitischen und gemäßigten monophysitischen Theologen. Das Ergebnis faßte er in einem Edikt zusammen, dessen Glaubensformel die eigentlichen Streitpunkte eher überspielte als löste. Der neue Kirchenkurs scheiterte, von den voraussehbaren Schwierigkeiten in Alexandria abgesehen, an der intransigenten Haltung des Papstes Agapetus, der bei seinem Besuch in Konstantinopel 536 den Kaiser veranlaßte, wieder auf einen streng chalkedonensischen Kirchenkurs umzuschwenken. Das führte vor allem in Alexandria zu bürgerkriegsähnlichen Zuständen und zur Verfolgung der Monophysiten in Ägypten. Das Scheitern des Versuchs, einen Ausgleich zu vermitteln, hatte in eine Sackgasse geführt.

543 versuchte Iustinian einen Neuanfang. Anknüpfungspunkt war der Umstand, daß das Konzil von Chalkedon zwei Theologen rehabilitiert und die Lehren eines dritten ausdrücklich gebilligt hatte, während Monophysiten diese drei Theologen des Nestorianismus, einer verur-

teilten Variante der Zweinaturenlehre, beschuldigten. Iustinian kam zu der Auffassung, daß die Argumente der Monophysiten teilweise berechtigt seien, und er verurteilte in einem Edikt Werke der betreffenden Theologen und erklärte einen von ihnen zum Häretiker. Die Bischöfe des Ostens wurden dazu gebracht, dem Edikt zuzustimmen, aber im Westen regte sich heftiger Widerstand. 547 zitierte Iustinian Papst Vigilius nach Konstantinopel, hielt im folgenden Jahr ein Konzil ab und publizierte das Urteil, das die drei ‹Häupter› (*capitula*: gemeint sind die drei Theologen) verdammte.

Die Publikation dieses Urteils erregte im Westen einen Proteststurm, und daraus entwickelte sich der langwierige Dreikapitelstreit zwischen Kaiser und Papst, zwischen den Kirchen des Ostens und des Westens. Der Papst schwankte zwischen der Furcht vor dem Kaiser und der vor den Bischöfen im Westen. Erst unterschrieb er das Urteil, dann zog er seine Unterschrift zurück, um sie schließlich wieder zu bekräftigen. 553 berief Iustinian ein ökumenisches Konzil nach Konstantinopel ein und setzte hier die Billigung seines theologischen Standpunkts durch. Papst Vigilius verweigerte die Teilnahme, erneuerte aber unter Drohungen seine Unterschrift unter die Verurteilung der Drei Kapitel. Als dem Führer der westlichen Opposition gegen die Verurteilung der Drei Kapitel, dem Diakon Pelagius, der Stuhl Petri nach dem Tod des Vigilius angeboten wurde, unterdrückte dieser seine theologischen Bedenken und nahm die Konzilsbeschlüsse an.

Der Kaiser hatte also dogmatisch und kirchenpolitisch gesiegt – und doch hatte er nur einen Pyrrhussieg errungen. Die Kirchen von Afrika, Spanien und Gallien lehnten die Annahme der Beschlüsse von Konstantinopel ab, und in Italien verweigerten die Metropoliten von Aquileia und Mailand dem Papst den Gehorsam. Vor allem aber: Die Ergebnisse des Konzils verfehlten ihren Zweck, den Monophysiten goldene Brücken auf dem Weg zur orthodoxen Einheit zu bauen. Sie hatten in der Zeit der Verfolgung, geführt von einem mesopotamischen Mönch namens Jakob Baradaios, eine mächtige Untergrundkirche in Syrien und Ägypten aufgebaut. Dem Kaiser wurden so die Grenzen der weltlichen Gewalt auf dem Felde der Glaubensüberzeugungen demonstriert.

Ja, mehr noch: Wenige Jahre vor seinem Tod gefährdete der Theologe in ihm das kirchenpolitische Ziel der Einheit im Glauben. Er kam zu der Auffassung, daß die extreme Position der Monophysiten, der zufolge der Leib Christi unzerstörbar und leidensfrei sei, mit der chalkedonensischen Zweinaturenlehre vereinbar sei. 564 erklärte er in einem Edikt dieses monophysitische Dogma für orthodox und forderte die Zustimmung der Kirche. Nur der Tod des Kaisers am 11. November 565 verhinderte einen neuen Glaubensstreit.

Kein Kaiser der Spätantike hat sich so wie Iustinian dem Anspruch des römischen Kaisertums in seiner spätantiken christlichen Ausprägung unterworfen, und er hat ernst gemacht mit der Lösung der Aufgaben, die sich nach den Umständen der Zeit aus dem Ideal des guten Kaisers ergaben: die Einheit des Reiches wiederherzustellen, seine innere Ordnung auf die endgültige Gestalt des römischen Rechts zu stellen und die Einheit des wahren Glaubens durchzusetzen. Seine ungeheure Arbeitskraft setzte er für diese Ziele ein, und er suchte und fand auf den meisten Gebieten, auf die sich seine Regierungstätigkeit erstreckte, kompetente, energische und zugleich loyale Helfer. Seine Erfolge, die das Maß des Erwartbaren weit überstiegen, haben schon die Zeitgenossen in Erstaunen gesetzt: «Viele Länder, die zu seiner Zeit nicht (mehr) dem Römerreich angehörten, fügte er diesem (wieder) zu ... Des weiteren fand er, daß vor seiner Zeit die Lehre von Gott in Irrtümern gefangen und gezwungen war, in viele Richtungen zu gehen. Doch er hat sämtliche zu den Irrtümern hingehende Pfade völlig beseitigt und glücklich erreicht, daß die Lehre auf der besten Grundlage eines einzigen Glaubens ruht. Außerdem übernahm er auch die Gesetze infolge ihrer unnötigen Vielzahl verdunkelt und verwirrt durch gegenseitige Widersprüche. Indem er sie nun von dem Wust trügerischer Worte reinigte und ihre Abweichungen nachdrücklich beseitigte, gab er ihnen dauernden Bestand» (Prokop, *Bauten* 1,1,8–10).

Tatsächlich fällt die Bilanz jedoch zwiespältig aus. Die Rückgewinnung des Westens blieb unvollständig, und das Erreichte war mit einem großen Aufwand an Zeit und Ressourcen erkauft worden. Mit Recht ist auch gesagt worden, daß das wiederhergestellte römische Reich Iustinians trotz der Vergrößerung des Heeres von geringeren Streitkräften geschützt wurde als von denen, die seinerzeit im 5. Jahrhundert den Westen gegen die Germanen nicht hatten halten können. Die Kodifikation des römischen Rechts, das wirkungsmächtige Erbe, das Iustinian der Nachwelt hinterlassen hat, war eine gewaltige Leistung, und doch zeitigte die Verbindung der historisch gewachsenen Rechtsmasse mit dem Konzept eines in sich abgeschlossenen geltenden Rechts nicht das Ergebnis, das ihr zugemutet wurde. Von der Einheit des Glaubens war die Christenheit am Ende der Regierungszeit Iustinians trotz der Erfolge, die der Kaiser auch hier errang, weiter entfernt als vor seiner Thronbesteigung. Die Fragen, die Dogma und Kircheneinheit aufwarfen, entwickelten eine Eigendynamik, der auch die Macht des sakral überhöhten Kaisertums, der Sachverstand und die rastlose Energie eines Iustinian letztlich nicht beikommen konnten.

Anhang

Karte der im Text genannten Orte

Karte 453

Karte der im Text genannten Provinzen und Landschaften

Karte

Liste der Kaiser

Caesar
Augustus 27 v.–14 n. Chr.
Tiberius 14–37
Caligula 37–41
Claudius 41–54
Scribonianus 42
Nero 54–68
Galba 68–69
Vitellius 69
Otho 69
Vespasian 69–79
Titus 79–81
Domitian 81–96
Saturninus 89
Nerva 96–98
Traian 98–117
Hadrian 117–138
Antoninus Pius 138–161
Marc Aurel 161–180
Lucius Verus 161–169
Avidius Cassius 175
Commodus 180–192
Pertinax 192–193
Didius Iulianus 193
Septimius Severus 193–211
Pescennius Niger 193–194
Clodius Albinus 195–197
Caracalla 211–217
Geta 211
Macrinus 217–218
Diadumenianus 218
Elagabal 218–222
Gellius Maximus 219
Verus 219
Seleucus 220
Uranius 220
Severus Alexander 222–235
Taurinus 230
Maximinus Thrax 235–238
Magnus 235

Quartinus 235
Gordian I. 238
Gordian II. 238
Balbinus 238
Pupienus 238
Gordian III. 238–244
Sabinianus 240
Philippus Arabs 244–249
Philippus II. 247–249
Pacatianus 248
Silbannacus 248
Sponsianus 248
Iotapianus 248/49
Decius 249–251
Licinianus 250/51
Priscus 250
Herennius Etruscus 251
Hostilianus 251
Trebonianus Gallus 251–253
Volusianus 251–253
Valerian 253–260
Aemilianus 253
Gallienus 253–268
Uranius Antoninus 253/54
Ingenuus 258/59
Postumus 260–269
Macrianus Iunior 260
Quietus 260–261
Saloninus 259–260
Regalianus 260
Aemilianus 261
Valens 261
Mussius 261
Aureolus 262 und 268
Zenobia 267–272
Claudius II. Gothicus 268–270
Laelianus 269
Marius 269
Victorinus 269–271
Quintillus 270

Liste der Kaiser

Urbanus 270
Felicissimus 270/71
Aurelian 270–275
Tetricus I. 271–274
Domitianus 271/2
Urbanus 271/2
Septimius 271/2
Tetricus II. 272–274
Vaballathus 272
Antiochus 273
Faustinus 273
Tacitus 275–276
Florianus 276
Probus 276–282
Saturninus 279/80
Bonosus 280
Proculus 280
Carus 282–283
Carinus 283–284
Aurelius Iulianus 283
Numerian 283–284
Diocletian 284–305
Aelianus 285/86
Amandus 285/86
Maximian 286–305, 306–308, 310
Carausius 286–293
Allectus 293–297
Domitius Domitianus 296/97
Aurelius Achilleus 297/98
Eugenius 303
Constantius I. Chlorus 305–306
Galerius 305–311
Konstantin I. 306–337
Severus 306–307
Maxentius 306–312
Licinius 308–324
Domitius Alexander 308–309/10
Maximinus Daia 310–313
Valens 316
Martinianus 324
Calocaerus 333/34
Constantin II. 337–340
Constans 337–350
Constantius II. 337–361
Magnentius 350–353
Vetranio 350
Nepotianus 350
Silvanus 355

Iulian 361–363
Iovian 363–364
Valentinian I. 364–375
Valens 364–378
Procopius 365–366
Marcellus 366
Gratian 367–383
Valentinian 368
Firmus 370–374
Valentinian II. 375–392
Theodosius I. 379–395
Magnus Maximus 383–388
Victor 384–388
Eugenius 392–394
Arcadius 395–408
Honorius 395–423
Marcus 406/407
Gratianus II. 407
Constantin III. 407–411
Theodosius II. 408–450
Maximus 409–411
Attalus 409–410, 414–415
Constans 409/10–411
Sebastianus 411–412
Iovinus 412–413
Heraclianus 413
Maximus 420–422
Constantius III. 421
Johannes Primicerius 423–425
Valentinian III. 425–455
Pirrus 428
Arcadius II. 438
Marcian 450–457
Avitus 455–456
Petronius Maximus 455
Leo I. 457–474
Maiorianus 457–461
Libius Severus 461–465
Anthemius 467–472
Romanus 470
Olybrius 472
Glycerius 473–474
Leo II. 474
Zeno 474–475, 476–491
Nepos 474–475
Romulus Augustulus 475–476
Basiliskos 475–476
Marcus 475/76

Marcianus 479
Leontios 484–488
Anastasius 491–518

Iustin I. 518–527
Iustinian I. 527–565
Hypatius 532

ZEITTAFEL

100 v. Chr.	Caesar geboren
44 v. Chr.	Caesar ermordet
43 v. Chr.	Antonius, Octavian und Lepidus erhalten als Triumvirn diktatorische Vollmachten
42 v. Chr.	Die Caesarmörder werden bei Philippi geschlagen
31 v. Chr.	Agrippa und Octavian siegen über Antonius und Kleopatra bei Aktium
30 v. Chr.	Selbstmord des Antonius und der Kleopatra
27 v. Chr.	Octavian legt die außerordentlichen Gewalten aus der Bürgerkriegszeit nieder und erhält den kultischen Beinamen Augustus
12 v. Chr.	Tod des Agrippa
4	Augustus adoptiert Tiberius
9	Niederlage des Varus in Germanien
14	Tod des Augustus, Tiberius Kaiser
23	Konzentration der Prätorianerkohorten in Rom
26	Tiberius zieht sich nach Capri zurück
29	Tod der Livia
31	Hinrichtung Seians
37	Tod des Tiberius, Caligula Kaiser
41	Caligula ermordet, Claudius Kaiser
42	Usurpation des Scribonianus
43	Britannienfeldzug des Claudius
50	Claudius adoptiert Nero
54	Tod des Claudius, Nero Kaiser
64	Brand Roms
65	Pisonische Verschwörung, Selbstmord Senecas
68	Selbstmord Neros, Galba Kaiser
69	Vitellius Kaiser, Galba ermordet, Otho Kaiser, Selbstmord Othos, Vespasian Kaiser, Vitellius ermordet
70	Eroberung Jerusalems durch Titus
79	Tod Vespasians, Titus Kaiser, Vesuvausbruch zerstört Pompeji
81	Tod des Titus, Domitian Kaiser
83	Germanenfeldzug Domitians
89	Usurpation des Saturninus
96	Ermordung Domitians, Nerva Kaiser
97	Adoption Traians durch Nerva
98	Tod Nervas, Traian Kaiser
101	Erster Dakerkrieg
105	Zweiter Dakerkrieg
113	Partherkrieg
117	Tod Traians, Hadrian Kaiser

121	Beginn der ersten Provinzrundreise Hadrians
128	Beginn der zweiten Provinzrundreise Hadrians
132	Jüdischer Aufstand
135	Ende des jüdischen Aufstands
136	Hadrian adoptiert L. Aelius Caesar
138	Tod des L. Aelius Caesar, Hadrian adoptiert Antoninus Pius, Tod Hadrians, Antoninus Pius Kaiser
143	Aelius Aristides hält seine Rede ‹Auf Rom›
161	Tod des Antoninus Pius, Marc Aurel und Lucius Verus Kaiser
162	Partherfeldzug
167	Markomannen und Quaden fallen in Italien ein
169	Tod des Lucius Verus, Beginn der Markomannenkriege
175	Usurpation des Avidius Cassius
176	Commodus wird Mitkaiser
180	Tod Marc Aurels, Commodus Kaiser
193	Die Kaiser Pertinax und Didius Iulianus werden nach kurzer Regierungszeit ermordet; Septimius Severus, Pescennius Niger und Clodius Albinus erheben Ansprüche auf den Thron
194	Septimius Severus besiegt Pescennius Niger
195	Clodius Albinus proklamiert sich zum Kaiser
197	Caracalla wird Mitkaiser, Septimius Severus besiegt Clodius Albinus
211	Tod des Septimius Severus, Caracalla und Geta Kaiser, Geta ermordet
212	Constitutio Antoniniana
217	Caracalla ermordet, Macrinus Kaiser
218	Diadumenianus und Elagabal Kaiser, Macrinus und Diadumenianus ermordet
219	Usurpation des Gellius Maximus und Verus
220	Elagabal erhebt den Sonnengott von Emesa zum obersten Reichsgott, Usurpation des Seleucus und Uranius
222	Elagabal ermordet, Severus Alexander Kaiser
226	Ardaschir I. begründet das neupersische Reich
230	Usurpation des Taurinus
235	Severus Alexander ermordet, Maximinus Thrax, Magnus und Quartinus Kaiser
236	Magnus und Quartinus ermordet
238	Gordian I. und Gordian II. Kaiser, Gordian I. fällt im Kampf, Gordian II. begeht Selbstmord; Pupienus und Balbinus Kaiser; Maximinus Thrax, Pupienus und Balbinus ermordet, Gordian III. Kaiser, Einfall der Goten ins römische Reich
240	Usurpation des Sabinianus
243	Sapor I. persischer Großkönig
244	Gordian III. fällt im Kampf gegen die Perser, Philippus Arabs Kaiser
247	Philippus II. Kaiser
248	Tausendjahrfeier Roms, Usurpation des Pacatianus, Iotapianus, Silbannacus und Sponsianus

Zeittafel

249	Tod des Philippus Arabs in der Schlacht, Philippus II. ermordet, Decius Kaiser, Opferdekret
250	Usurpation des Licinianus und Priscus
251	Hostilianus und Herennius Etruscus Kaiser; Decius und Herennius Etruscus fallen im Kampf gegen die Goten, Trebonianus Gallus und Volusianus Kaiser
253	Perser erobern Antiochia; Uranius Antoninus und Aemilianus Kaiser, Tod des Aemilianus, Valerian und Gallienus Kaiser
258	Usurpation des Ingenuus
260	Valerian gerät in Gefangenschaft der Perser, kurze Regierungszeit des Kaisers Regalianus, Postumus Kaiser, Saloninus wird Kaiser, aber nach kurzer Zeit von Postumus ermordet, Macrianus und Quietus Kaiser
261	Valens wird Kaiser und bald darauf von Macrianus beseitigt, Tod des Macrianus, Aemilianus und Mussius Kaiser, Tod des Aemilianus, Mussius und Quietus
262	Usurpation des Aureolus
267	Einfall der Heruler in Reichsgebiet, Odaenathus und Herodianus ermordet, Usurpation der Zenobia
268	Tod des Postumus, Ermordung des Gallienus und Aureolus, Claudius II. Gothicus Kaiser
269	Laelianus und Marius Kaiser, die nach kurzer Zeit ermordet werden, Victorinus Kaiser
270	Tod Claudius' II., Usurpation des Quintillus, Urbanus und Felicissimus, Aurelian Kaiser
271	Baubeginn der Aurelianischen Mauer, Tetricus I. Kaiser, Usurpation des Domitianus, Urbanus und Septimius
272	Tetricus II. wird Mitregent; Usurpation des Vaballathus
273	Usurpation des Antiochus und Faustinus
274	Tetricus I. und II. ergeben sich Aurelian
275	Tod Aurelians, Tacitus Kaiser
276	Tacitus ermordet, Probus und Florianus Kaiser, Florianus ermordet
279	Saturninus wird zum Kaiser ausgerufen und wenig später ermordet
280	Usurpation des Bonosus und Proculus
282	Probus ermordet, Carus Kaiser
283	Tod des Carus, Numerian Kaiser, Usurpation des Aurelius Iulianus
284	Numerian und Carinus ermordet, Diocletian Kaiser
285	Usurpation des Aelianus und Amandus
285	Diocletian ernennt Maximian zum Caesar
286	Maximian Kaiser, Carausius Kaiser in Britannien
293	Galerius und Constantius I. Caesares, Tod des Carausius, Allectus Kaiser
294	Verwaltungsreform Diocletians
296	Aufstand in Ägypten, Usurpation des Domitius Domitianus, Edikt gegen die Manichäer

297	Usurpation und Tod des Aurelius Achilleus
298	Perserkrieg des Galerius
301	Höchstpreisedikt Diocletians
303	Usurpation des Eugenius, Beginn der Christenverfolgung
305	Diocletian und Maximian danken ab, Constantius I. und Galerius werden Kaiser, Severus und Maximinus Daia Caesares
306	Tod Constantius' I.; Severus, Konstantin, Maxentius und Maximian (erneut) Kaiser
308	Kaiserkonferenz in Carnuntum, Licinius Kaiser, Usurpation des Domitius Alexander
309	Maximinus Daia wird Augustus
310	Maximian zum drittenmal Kaiser, Tod des Domitius Alexander und Maximians
311	Toleranzedikt und Tod des Galerius
312	Sieg Konstantins über Maxentius an der Milvischen Brücke, Tod des Maxentius
313	Absprachen zwischen Konstantin und Licinius in Mailand, Licinius besiegt Maximinus Daia
315	Einweihung des Triumphbogens Konstantins in Rom
316	Krieg zwischen Konstantin und Licinius, Tod Diocletians, Usurpation des Valens
317	Crispus, Licinius Iunior und Constantin II. werden Caesares
319	Beginn der Auseinandersetzungen um Arius
324	Martinianus Kaiser, Sieg Konstantins über Licinius, Constantius II. wird Caesar, Gründung Konstantinopels; Martinianus und Licinius ermordet
325	Konzil von Nicaea
326	Ermordung des Crispus und der Fausta, Rombesuch Konstantins
330	Einweihung Konstantinopels
332	Gotenkrieg
333	Usurpation des Calocaerus, Constans wird Caesar
335	Dalmatius wird Caesar
337	Vorbereitungen zum Perserfeldzug, Tod Konstantins; gemeinsame Herrschaft Constantius' II., Constantins II. und Constans'
340	Constantin II. fällt im Kampf gegen Constans
343	Synode von Serdica
345	Synode von Mailand
350	Tod des Constans, Usurpation des Magnentius, Vetranio und Nepotianus
351	Sieg Constantius' II. über Magnentius bei Mursa, Synode von Sirmium, Gallus wird Caesar
353	Tod des Magnentius
354	Ermordung des Gallus
355	Usurpation des Silvanus, Iulian wird Caesar
356	Constantius II. verfügt die Schließung der heidnischen Tempel
357	Rombesuch Constantius' II., Synoden von Sirmium und Ankara
359	Synode von Seleukia/Rimini
361	Tod Constantius II., Iulian Kaiser

Zeittafel

363	Tod Iulians während des Perserkrieges, Iovian Kaiser
364	Tod Iovians, Valentinian I. und Valens Kaiser
365	Usurpation des Procopius
366	Blutige Kämpfe um den römischen Bischofsstuhl, Usurpation des Marcellus und Procopius
367	Gratian Kaiser
368	Usurpation Valentinians
370	Usurpation des Firmus
374	Tod des Firmus
375	Tod Valentinians I., Valentinian II. Kaiser
378	Tod des Valens in der Schlacht bei Adrianopel
379	Theodosius I. Kaiser
380	Theodosius I. macht den Glauben von Nicaea verpflichtend
381	Konzil von Konstantinopel
382	Vertrag mit den Goten
383	Entfernung des Altars der Victoria aus dem Versammlungsraum des Senats, Usurpation des Magnus Maximus
384	Proklamation Victors
388	Tod des Magnus Maximus und Victor
390	Blutbad von Saloniki
391	Generelles Verbot heidnischer Opfer
392	Verbot der heidnischen Kulte, Usurpation des Eugenius
394	Tod des Eugenius in der Schlacht am Frigidus
395	Tod Theodosius' I., Arcadius und Honorius Kaiser
401	Einbruch von Vandalen in Raetien
404	Verbannung des Johannes Chrysostomos
406	Usurpation des Marcus
407	Usurpation Gratians II., Constantin III. Kaiser
408	Tod des Arcadius, Theodosius II. Kaiser, Hinrichtung Stilichos
409	Usurpation des Priscus Attalus, Constans und Maximus
410	Plünderung Roms durch die Goten Alarichs, Tod Alarichs
411	Tod Constantins III. und des Maximus, Usurpation des Sebastianus
412	Tod des Sebastianus, Usurpation des Iovinus
413	Tod des Iovinus, Usurpation des Heraclianus
414	Gefangennahme Galla Placidias durch die Goten
415	Tod des Attalus
416	Ermordung der heidnischen Philosophin Hypatia
420	Usurpation des Maximus
421	Constantius III. Kaiser, stirbt im selben Jahr
422	Tod des Maximus
423	Tod des Honorius, Johannes Primicerius Kaiser
425	Tod des Johannes Primicerius, Valentinian III. Kaiser
428	Usurpation des Pirrus
429	Vandalen setzen unter Geiserich nach Afrika über
431	Konzil von Ephesos
438	Veröffentlichung des Codex Theodosianus, Arcadius II. Kaiser
449	‹Räubersynode› von Ephesos

450	Tod Theodosius' II., Marcian Kaiser
451	Schlacht auf den Katalaunischen Feldern, Konzil von Chalkedon
453	Tod Attilas
454	Aëtius ermordet, Ansiedlung von Ostgoten in Pannonien
455	Valentinian III. ermordet, Petronius Maximus Kaiser, wird rasch ermordet; Avitus Kaiser
456	Avitus stirbt auf der Flucht
457	Tod Marcians, Leo I. Kaiser, Maiorianus Kaiser
461	Tod des Maiorianus, Libius Severus Kaiser
465	Tod des Libius Severus
467	Anthemius Kaiser
470	Usurpation des Romanus
472	Olybrius Kaiser, Ermordung des Anthemius, Tod des Olybrius
473	Glycerius Kaiser
474	Tod Leos I. und des Glycerius, Leo II. Kaiser, Tod Leos II., Zeno und Nepos Kaiser
475	Basiliskos Kaiser, Nepos flieht, Usurpation des Marcus, Romulus Augustulus Kaiser
476	Basiliskos abgesetzt und getötet, Absetzung des Romulus Augustulus durch Odovacar
479	Usurpation des Marcianus
484	Usurpation des Leontios
488	Leontios ermordet
491	Tod Zenos, Anastasius I. Kaiser
493	Erste Einfälle der Bulgaren auf dem Balkan
497	Theoderich der Große von Anastasius I. anerkannt
502	Bau der ‹Langen Mauer› zum Schutz Konstantinopels
506	Siebenjähriger Waffenstillstand mit den Persern
508	Frankenkönig Chlodwig von Anastasius I. zum Ehrenkonsul ernannt
518	Tod Anastasius' I., Iustin Kaiser
526	Tod Theoderichs des Großen
527	Tod Iustins I., Iustinian I. Kaiser
529	Codex Iustinianus
532	Nika-Aufstand, Usurpation des Hypatius, Chosroës Perserkönig
534	Publikation der ‹Institutionen›, Amalasuntha nimmt den Königstitel an
535	Tod Amalasunthas
551	Beginn der Rückeroberung Italiens durch Iustinian
552	Versuch der Rückeroberung Spaniens
553	Konzil von Konstantinopel
561	Frieden mit den Persern
565	Tod Iustinians I.

Ausgewählte Literatur

Generell

K. Baus – H.-G. Beck – E. Ewig – H. J. Vogt (Hgg.), Handbuch der Kirchengeschichte, 7 Bde., Freiburg 1965–1979
Z. Yavetz, Plebs und Princeps, London 1969
F. Vittinghoff (Hg.), Europäische Wirtschafts- und Sozialgeschichte der römischen Kaiserzeit, Stuttgart 1990
F. Zosso – C. Zingg, Les empereurs romains 27 av. J.-C.–476 ap. J.-C., Paris 1994
F. Jacques u. a. (Hgg.), Rom und das Reich in der Hohen Kaiserzeit 44 v. Chr.–260 n. Chr., 2 Bde., München – Leipzig 1998–2001
F. Kolb, Rom. Die Geschichte der Stadt in der Antike, München ³2004
W. Dahlheim, Die Antike. Griechenland und Rom von den Anfängen bis zur Expansion des Islam, Paderborn ⁶2002
H. Temporini-Gräfin Vitzthum (Hg.), Die Kaiserinnen Roms. Von Livia bis Theodora, München 2002
R. Stepper, Augustus et sacerdos. Untersuchungen zum römischen Kaiser als Priester, Stuttgart 2003
D. Kienast, Römische Kaisertabelle. Grundzüge einer römischen Kaiserchronologie, Darmstadt ³2004
K.-J. Hölkeskamp – E. Stein-Hölkeskamp (Hgg.), Erinnerungsorte der Antike. Die römische Welt, München 2006
De Imperatoribus Romanis. An online encyclopedia of Roman emperors (zugänglich im World Wide Web unter der Adresse: http://www.roman-emperors.org)

Frühe Kaiserzeit

W. Weber, Römisches Herrschertum und Reich im zweiten Jahrhundert, Stuttgart – Berlin 1937
P. Kneissl, Die Siegestitulatur der römischen Kaiser. Untersuchungen zu den Siegerbeinamen des ersten und zweiten Jahrhunderts, Göttingen 1969
W. Eck, Die staatliche Organisation Italiens in der hohen Kaiserzeit, München 1979
H. Bengtson, Grundriß der römischen Geschichte mit Quellenkunde, Bd. 1: Republik und Kaiserzeit bis 284 n. Chr., München ²1982
H. Castritius, Der Römische Prinzipat als Republik, Husum 1982
H. Halfmann, Itinera principum. Geschichte und Typologie der Kaiserreisen im Römischen Reich, Stuttgart 1986
R. Rillinger, Humiliores-honestiores. Zu einer sozialen Dichotomie im Strafrecht der römischen Kaiserzeit, München 1988

W. Dahlheim, Geschichte der römischen Kaiserzeit, München ²1989
F. Millar, The emperor in the Roman world (31 B.C.–A.D. 337), London ²1992
C. Scarre, Die römischen Kaiser. Herrscher und Dynasten von Augustus bis Konstantin, Düsseldorf 1996
G. Weber, Kaiser, Träume und Visionen, Stuttgart 2000
A. Heuß, Römische Geschichte, Braunschweig ⁸2001
M. Clauss, Kaiser und Gott. Herrscherkult im römischen Reich, München – Leipzig 2001
P. Eich, Zur Metamorphose des politischen Systems in der römischen Kaiserzeit, Berlin 2005
A. Demandt, Das Privatleben der römischen Kaiser, München 2007
K. Christ, Geschichte der römischen Kaiserzeit. Von Augustus bis zu Konstantin, München ⁶2010

3. Jahrhundert

A. Alföldi, Studien zur Geschichte der Weltkrise des 3. Jh. n. Chr., Darmstadt 1967
G. C. Brauer, The age of the soldier emperors. Imperial Rome A.D. 244–284, Park Ridge 1988
M. Peachin, Roman imperial titulature and chronology A.D. 235–284, Amsterdam 1990
K. Strobel, Das Imperium Romanum im «3. Jahrhundert»: Modell einer historischen Krise? Zur Frage mentaler Strukturen breiterer Bevölkerungsschichten in der Zeit von Marc Aurel bis zum Ausgang des 3. Jh.s n. Chr., Stuttgart 1993
M. Zimmermann (Hg.), Geschichtsschreibung und politischer Wandel im 3. Jh. n. Chr., Stuttgart 1999
C. Witschel, Krise – Rezession – Stagnation? Der Westen des römischen Reiches im 3. Jahrhundert n. Chr., Frankfurt am Main 1999
M. Sommer, Die Soldatenkaiser, Darmstadt 2004
K.-P. Johne (Hg.), Die Zeit der Soldatenkaiser. Krise und Transformation des römischen Reiches im 3. Jahrhundert n. Chr. (235–284), 2 Bde., Berlin 2008

Spätantike

E. Stein, Geschichte des spätrömischen Reiches, Bd. 1: Vom römischen zum byzantinischen Staate (284–476 n. Chr.), Wien 1928 – Bd. 2: Histoire du Bas-Empire 2, Paris – Brüssel – Amsterdam 1949
A. H. M. Jones, The later Roman empire 284–602. A social, economic and administrative survey, Oxford 1964
J. Wytzes, Der letzte Kampf des Heidentums in Rom, Leiden 1977
W. Goffart, Barbarians and Romans A.D. 418–584. The techniques of accomodation, Princeton 1980
P. Brown, Die letzten Heiden, Berlin 1986
J. Matthews, Western aristocracies and imperial court A.D. 364–425, Oxford ²1990
P. S. Barnwell, Emperor, prefects & kings. The Roman west 395–565, London 1992

A. Cameron, The mediterranean world in late antiquity A.D. 395–600, London 1993
F. Kolb, Herrscherideologie in der Spätantike, Berlin 2001
J. Martin, Spätantike und Völkerwanderung, München ⁴2001
A. Demandt, Die Spätantike. Römische Geschichte von Diocletian bis Justinian 284–565 n. Chr., München ²2007
K. Rosen, Die Völkerwanderung, München ⁴2009

Einzelne Kaiser

Caesar
Ed. Meyer, Caesars Monarchie und das Principat des Pompeius, Stuttgart ³1922 (Nachdruck 1978)
M. Gelzer, Caesar. Der Politiker und Staatsmann, Wiesbaden ⁶1960 (Nachdruck 1983)
C. Meier, Caesar, Berlin 1982 (als Taschenbuch München ⁴1997)
K. Christ, Caesar. Annäherungen an einen Diktator, München 1994
W. Dahlheim, Julius Caesar. Die Ehre des Kriegers und die Not des Staates, Paderborn 2005
W. Will, Veni, vidi, vici. Caesar und die Kunst der Selbstdarstellung, Darmstadt 2008
M. Jehne, Caesar, München ⁴2008
W. Will, Caesar, Darmstadt 2009

Augustus
J. Bleicken, Augustus. Eine Biographie, Berlin 1998
D. Kienast, Augustus. Princeps und Monarch, Darmstadt ³1999
K. Bringmann, Augustus, Darmstadt 2007
P. Zanker, Augustus und die Macht der Bilder, München ⁵2008
C. Kunst, Livia. Macht und Intrigen am Hof des Augustus, Stuttgart 2008
W. Eck, Augustus und seine Zeit, München ⁵2009
W. Dahlheim, Augustus, München 2010

Tiberius
E. Kornemann, Tiberius, Stuttgart 1960
W. Eck u. a., Das senatus consultum de Cn. Pisone patre, München 1996
B. Levick, Tiberius the politician, London ²1999
G. Rowe, Princes and political culture. The new Tiberian senatorial decrees, Ann Arbor 2002
R. Seager, Tiberius, London ²2005

Caligula
J. P. V. D. Balsdon, The emperor Gaius, Oxford 1934 (Nachdruck 1964)
R. Auguet, Caligula ou le pouvoir à vingt ans, Paris 1984
D. Wardle, Suetonius' life of Caligula. A commentary, Brüssel 1994
A. A. Barrett, Caligula. The corruption of power, London 2000
A. Winterling, Caligula, München ³2004

Claudius
V. M. Scramuzza, The emperor Claudius, Cambridge/Mass 1940
B. Levick, Claudius, London – New York 1990
V. M. Strocka (Hg.), Die Regierungszeit des Claudius (41–54 n. Chr.). Umbruch oder Episode, Mainz 1994
H. Botermann, Das Judenedikt des Kaisers Claudius, Stuttgart 1996

Nero
M. T. Griffin, Nero. The end of a dynasty, London 1984 (Nachdruck 2001)
J. Malitz, Nero, München 1999
M. Heil, Die orientalische Außenpolitik des Kaisers Nero, München 1997
E. Champlin, Nero, Cambridge/Mass 2003
G. Waldherr, Nero. Eine Biografie, Regensburg 2005

Vespasian
K. Scott, The imperial cult under the Flavians, Stuttgart – Berlin 1936
L. Homo, Vespasien. L'empereur du bon sens, 69–79 ap. J.-C., Paris 1949
H. Bengtson, Die Flavier. Vespasian, Titus, Domitian. Geschichte eines römischen Kaiserhauses, München 1979
C. L. Murison, Galba, Otho und Vitellius. Careers and controversies, Hildesheim 1993
B. Levick, Vespasian, London 1999
S. Pfeiffer, Die Zeit der Flavier. Vespasian, Titus, Domitian, Darmstadt 2009

Titus (s. Vespasian)
B. Wolff-Beckh, Kaiser Titus und der Jüdische Krieg, Berlin 1905
B. W. Jones, The emperor Titus, London 1984

Domitian (s. Vespasian)
R. Urban, Historische Untersuchungen zum Domitianbild des Tacitus, München 1971
B. W. Jones, Domitian and the senatorial order. A prosopographical study of Domitian's relationship with the senate, A.D. 81–96, Philadelphia 1979
K. Strobel, Die Donaukriege Domitians, Bonn 1989
B. W. Jones, The emperor Domitian, London 1992 (Nachdruck 1993)
C. Urner, Kaiser Domitian im Urteil antiker literarischer Quellen und moderner Forschung, Augsburg 1993
J. Leberl, Domitian und die Dichter. Poesie als Medium der Herrschaftsdarstellung, Göttingen 2004

Traian
H. Temporini, Die Frauen am Hofe Trajans. Ein Beitrag zur Stellung der Augustae im Principat, Berlin – New York 1978
K. Strobel, Untersuchungen zu den Dakerkriegen Trajans. Studien zur Geschichte des mittleren und unteren Donauraumes in der hohen Kaiserzeit, Bonn 1984
M. Fell, Optimus Princeps? Anspruch und Wirklichkeit der imperialen Programmatik Kaiser Traians, München ²2001

J. Bennett, Trajan. Optimus princeps, London ²2001
J. D. Grainger, Nerva and the Roman succession crisis of A.D. 96–99, London 2003
G. Seelentag, Taten und Tugenden Traians. Herrschaftsdarstellung im Principat, Stuttgart 2004

Hadrian
R. Lambert, Beloved and God, London 1984
M. T. Boatwright, Hadrian and the cities of the Roman empire, Princeton 2000
J. Fündling, Kommentar zur Vita Hadriani der Historia Augusta, 2 Bde., Bonn 2006
A. R. Birley, Hadrian. Der rastlose Kaiser, Mainz 2006
T. Opper, Hadrian. Empire and conflict, London 2008
A. Everitt, Hadrian and the triumph of Rome, New York 2009

Antoninus Pius
W. Hüttl, Antoninus Pius, 2 Bde., Prag 1933–1936 (Nachdruck 1975)
H. Hammond, The Antonine monarchy, Rom 1959
M. Grant, The Antonines. The Roman empire in transition, London – New York 1994
S. Walentowski, Kommentar zur Vita Antoninus Pius der Historia Augusta, Bonn 1998
B. Rémy, Antonine le Pieux, 138–161. Le siècle d'or de Rome, Paris 2005

Marc Aurel und Lucius Verus
J. Spieß, Avidius Cassius und der Aufstand des Jahres 175, München 1975
A. Birley, Mark Aurel. Kaiser und Philosoph, München ²1977
G. Schindler-Horstkotte, Der ‹Markomannenkrieg› Mark Aurels und die kaiserliche Reichsprägung, Köln 1985
P. Grimal, Marc Aurèle, Paris 1991
U. Schall, Marc Aurel. Der Philosoph auf dem Caesarenthron, Esslingen – München 1991
C. Motschmann, Die Religionspolitik Marc Aurels, Stuttgart 2002
K. Rosen, Marc Aurel, Reinbek ³2004
J. Fündling, Marc Aurel. Kaiser und Philosoph, Darmstadt 2008

Commodus (s. Marc Aurel)
J. C. Traupman, The life and reign of Commodus, Princeton 1956
F. Grosso, La lotta politica al tempo di Commodo, Turin 1964
M. Gherardini, Studien zur Geschichte des Kaisers Commodus, Wien 1974
O. Hekster, Commodus, Amsterdam 2002
F. v. Saldern, Studien zur Politik des Commodus, Rahden 2003

Pertinax (s. Septimius Severus)

Septimius Severus
J. Hasebroek, Untersuchungen zur Geschichte des Kaisers Septimius Severus, Heidelberg 1921

A. Calderini, I Severi. La crisi dell'impero nel III secolo, Bologna 1949
E. Kettenhofen, Die syrischen Augustae in der historischen Überlieferung, Bonn 1979
F. Ghedini, Giulia Domna tra oriente e occidente. Le fonti archeologiche, Rom 1984
A. R. Birley, The African emperor Septimius Severus, London – New Haven ²1988
M. Grant, The Severans. The changed Roman empire, London 1996
J. Spielvogel, Septimius Severus, Darmstadt 2006

Caracalla (s. Septimius Severus)
H. B. Wiggers, Das römische Herrscherbild. Caracalla, Geta, Plautilla, Berlin 1971
H. Wolff, Die Constitutio Antoniniana und Papyrus Gissensis 40 I, 2 Bde., Köln 1976
Z. Rubin, Civil-war propaganda and historiography, Brüssel 1980
A. Mastino, Le titolature di Caracalla e Geta attraverso le iscrizioni, Bologna 1981

Elagabal
T. Optendrenk, Die Religionspolitik des Kaisers Elagabal im Spiegel der Historia Augusta, Bonn 1969
R. Turcan, Héliogabale et le sacre du soleil, Paris 1985
M. Frey, Untersuchungen zur Religion und Religionspolitik des Kaisers Elagabal, Stuttgart 1989

Severus Alexander
R. Soraci, L'opera legislativa e amministrativa dell'imperatore Severo Alessandro, Catania 1974
C. Bertrand-Dagenbach, Alexandre Sevère et l'Histoire Auguste, Brüssel 1990
J. Sünskes Thompson, Aufstände und Protestaktionen im Imperium Romanum, Bonn 1990

Gordian III.
T. Spagnuolo Vigorita, Seda temporum meorum. Rinnovamento politico e legislazione fiscale agli inizi del principato di Gordiano III, Palermo 1978
K. Dietz, Senatus contra principem. Untersuchungen zur senatorischen Opposition gegen Kaiser Maximinus Thrax, München 1980
A. Nicoletti, Sulla politica legislativa di Gordiano III, Neapel 1981

Philippus Arabs
R. Görgs, Kaiser Marcus Julius Philippus, Marburg 1922
C. Körner, Philippus Arabs. Ein Soldatenkaiser in der Tradition des antoninisch-severischen Prinzipats, Berlin u. a. 2002

Decius (s. Valerian)
R. Selinger, Die Religionspolitik des Kaisers Decius. Anatomie einer Christenverfolgung, Frankfurt am Main u. a. 1995

Valerian
G. Pugliese Carratelli, L'età di Valeriano e Gallieno, Pisa 1951
W. Kuhoff, Herrschertum und Reichskrise. Die Regierungszeit der römischen Kaiser Valerianus und Gallienus (253–268 n. Chr.), Bochum 1979
R. Selinger, The mid-third century persecutions of Decius and Valerian, Frankfurt am Main u. a. ²2004

Gallienus (s. Valerian)
E. Manni, L'impero di Gallieno, Rom 1949
H. J. Willger, Studien zur Chronologie des Gallienus und Postumus, Saarbrücken 1966
R. Grunwald, Studies in the literary sources for the reign of the emperor Gallienus 253–268 A.D., Minnesota 1969
L. de Blois, The policy of the emperor Gallienus, Leiden 1976

Postumus (s. Gallienus)
P. Bastien, Le monnayage de bronze de Postume, Wetteren 1967
I. König, Die gallischen Usurpatoren von Postumus bis Tetricus, München 1981
B. Schulte, Die Goldprägung der gallischen Kaiser von Postumus bis Tetricus, Frankfurt am Main u. a. 1983
J. F. Drinkwater, The Gallic empire. Separatism and continuity in the northwestern provinces of the Roman empire A.D. 260–274, Stuttgart 1987

Zenobia
E. Equini Schneider, Septimia Zenobia Sebaste, Rom 1992
R. Stoneman, Palmyra and its empire. Zenobia's revolt against Rome, Ann Arbor 1992
U. Hartmann, Das palmyrenische Teilreich, Stuttgart 2001

Aurelian
G. Halsberghe, The cult of Sol invictus, Leiden 1972
R. T. Saunders, A biography of the emperor Aurelian, Cincinnati 1991
E. Cizek, L'empereur Aurélien et son temps, Paris 1994
A. Watson, Aurelian and the third century, London 1999
P. Jacob, Aurelians Reformen in Politik und Rechtsentwicklung, Göttingen 2004

Probus
E. Dannhäuser, Untersuchungen zur Geschichte des Kaisers Probus (276–282), Jena 1909
E. A. Pond, The inscriptional evidence for the Illyrian emperors: Claudius Gothicus through Carinus (268–284 A.D.), Minnesota 1970
D. Romano, Marco Aurelio Probo. Luci ed ombre. Attraverso una nuova indagine storicopsicologica, Mailand 1972
G. Kreucher, Der Kaiser Marcus Aurelius Probus und seine Zeit, Stuttgart 2003

Diocletian
T. D. Barnes, The new empire of Diocletian and Constantine, Cambridge/ Mass – London 1982
F. Kolb, Diocletian und die Erste Tetrarchie. Improvisation oder Experiment in der Organisation monarchischer Herrschaft?, Berlin – New York 1987
W. Kuhoff, Diokletian und die Epoche der Tetrarchie. Das römische Reich zwischen Krisenbewältigung und Neuaufbau (284–313 n. Chr.), Frankfurt am Main 2001
A. Demandt – A. Goltz – H. Schlange-Schöningen (Hgg.), Diokletian und die Tetrarchie. Aspekte einer Zeitenwende, Berlin u. a. 2004
R. Rees, Diocletian and the tetrarchy, Edinburgh 2004

Maximian (s. Diocletian)
A. Pasqualini, Massimiano Herculius. Per un'interpretazione della figura e dell'opera, Rom 1979

Galerius
H. B. Laubscher, Der Reliefschmuck des Galeriusbogens in Thessaloniki, Berlin ²1975

Konstantin I.
J. Burckhardt, Die Zeit Constantins des Großen, Basel 1853/80 (seither zahlreiche Nachdrucke)
R. MacMullen, Constantine, London 1969
J. Bleicken, Constantin der Große und die Christen, München 1992
B. Bleckmann, Konstantin der Große, Reinbek 1996
A. Demandt – J. Engemann (Hgg.), Konstantin der Große. Geschichte – Archäologie – Rezeption, Trier 2006
H. Brandt, Konstantin der Große. Der erste christliche Kaiser, München ²2007
E. Herrmann-Otto, Konstantin der Große, Darmstadt ²2009
M. Clauss, Konstantin der Große und seine Zeit, München ⁴2010

Maxentius
M. Cullhed, Conservator urbis suae. Studies in the politics and propaganda of the emperor Maxentius, Stockholm 1994
H. Leppin – H. Ziemssen, Maxentius. Der letzte Kaiser in Rom, Mainz 2007

Licinius
H. Feld, Der Kaiser Licinius, Saarbrücken 1960

Maximinus Daia
H. Castritius, Studien zu Maximinus Daia, Kallmünz 1969
T. Christensen, C. Valerius Maximinus, Kopenhagen 1974

Constans (s. Konstantin I.)
M. Fortina, La legislazione dell'imperatore Costante, Novara 1955
H. Schlunk – A. Arbeiter, Die Mosaikkuppel von Centcelles, Mainz 1988

Constantius II. (s. Konstantin I.)
R. Klein, Constantius II. und die christliche Kirche, Göttingen 1977
C. Vogler, Constance II et l'administration impériale, Straßburg 1979
T. D. Barnes, Athanasius and Constantius: theology and politics in the Constantin empire, Cambridge – London 1993
P. Barceló, Constantius II. und seine Zeit. Die Anfänge des Staatskirchentums, Stuttgart 2004

Iulian
J. Bidez, La vie de l'empereur Julien, Paris 1965
G. W. Bowersock, Julian the apostate, London 1978
H.-U. Wiemer, Libanios und Julian. Studien zum Verhältnis von Rhetorik und Politik im vierten Jahrhundert n. Chr., München 1995
K. Bringmann, Kaiser Julian, Darmstadt 2004
K. Rosen, Julian. Kaiser, Gott und Christenhasser, Stuttgart 2006

Valentinian I.
W. Heering, Kaiser Valentinian der Erste, Jena 1927
R. Soraci, L'imperatore Valentiniano I., Neapel 1971
M. Fasolino, Valentiniano I. L'opera e i problemi storiografici, Neapel 1976
F. Pergami, La legislazione di Valentiniano et Valente (364–375), Mailand 1993
S. Schmidt-Hofner, Reagieren und Gestalten. Der Regierungsstil des spätrömischen Kaisers am Beispiel der Gesetzgebung Valentinians I., München 2008

Valens (s. Valentinian I.)
F. J. Wiebe, Kaiser Valens und die heidnische Opposition, Bonn 1995
N. Lenski, Failure of empire. Valens and the Roman state in the fourth century A.D., Berkeley 2002

Gratian
M. Fortina, L'imperatore Graziano, Turin 1953
G. Gottlieb, Ambrosius von Mailand und Kaiser Gratian, Göttingen 1973
N. B. McLynn, Ambrose of Milan. Church and court in a Christian capital, Berkeley – London 1994

Valentinian II.
K. Groß-Albenhausen, Imperator christianissimus. Der christliche Kaiser bei Ambrosius und Johannes Chrysostomus, Frankfurt am Main 1999

Theodosius I.
A. Lippold, Theodosius der Große und seine Zeit, München ²1980
J. Ernesti, Princeps christianus und Kaiser aller Römer. Theodosius der Große im Lichte zeitgenössischer Quellen, Paderborn u. a. 1998
H. Leppin, Theodosius der Große. Auf dem Weg zum christlichen Imperium, Darmstadt 2003

Arcadius (s. Theodosius I.)
A. Güldenpenning, Geschichte des oströmischen Reiches unter den Kaisern Arcadius und Theodosius II., Halle 1885
A. Cameron – J. Long, Barbarians and politics at the court of Arcadius, Berkeley 1993
W. Hagl, Arcadius Apis Imperator. Synesios von Kyrene und sein Beitrag zum Herrscherideal der Spätantike, Stuttgart 1997

Honorius (s. Theodosius I.)
A. Cameron, Poetry and propaganda at the court of Honorius, Oxford 1970
M. Meier – S. Patzold, August 410. Ein Kampf um Rom, Stuttgart 2010

Theodosius II. (s. Arcadius)
F. Millar, A Greek Roman empire. Power and belief under Theodosius II (408–450), Berkeley 2006

Valentinian III.
F. de Marini Avonzo, La politica legislativa di Valentiniano III e Teodosio II, Turin 1975
I. Bona, Das Hunnenreich, Stuttgart 1991
T. Stickler, Aëtius. Gestaltungsspielräume eines Heermeisters im ausgehenden Weströmischen Reich, München 2002

Marcian
R. L. Kohlfelder, Marcian's gamble. A reassessment of eastern imperial policy toward Attila A.D. 450–453, American Journal of Ancient History 9, 1984, 54–69
R. W. Burgess, The accession of Marcian in the light of Chalcedonian apologetic and monophysite polemic, Byzantinische Zeitschrift 86/87, 1993/1994, 47–68

Leo I. (s. Zeno)
G. Schramm, Anfänge des albanischen Christentums. Die frühe Bekehrung der Bessen und ihre langen Folgen, Freiburg 1994
B. Croke, Dynasty and ethnicity. Emperor Leo I. and the eclipse of Aspar, Chiron 35, 2005, 147–203

Zeno
P. Heather, Goths and Romans 332–489, Oxford 1991

Romulus Augustulus
M. A. Wes, Das Ende des Kaisertums im Westen des römischen Reiches, Amsterdam 1967
A. Murdoch, The last Roman. Romulus Augustulus and the decline of the west, Stroud 2006

Anastasius
D. M. Metcalf, The origins of the Anastasian currency reform, Amsterdam 1969

F. K. Haarer, Anastasius I. Politics and empire in the late Roman world, Leeds 2006
M. Meier, Anastasios I. Die Entstehung des Byzantinischen Reiches, Stuttgart 2009

Iustin I. (s. Iustinian I.)
A. A. Vasiliev, Justin the first. An introduction to the epoch of Justinian the Great, Cambridge/Mass 1950
B. Croke, Justinian under Justin. Reconfiguring a reign, Byzantinische Zeitschrift 100, 2007, 13–56

Iustinian I.
W. Schubart, Justinian und Theodora, München 1943
H.-G. Beck, Kaiserin Theodora und Prokop. Der Historiker und sein Opfer, München – Zürich 1986
J. A. S. Evans, The age of Justinian. The circumstances of imperial power, London – New York 1996
O. Mazal, Justinian I. und seine Zeit, Köln u. a. 2001
M. Meier, Justinian. Herrschaft, Reich und Religion, München 2004
M. Meier, Das andere Zeitalter Justinians. Kontingenzerfahrung und Kontingenzbewältigung im 6. Jahrhundert n. Chr., Göttingen ²2004
M. Maas (Hg.), The Cambridge companion to the age of Justinian, Cambridge 2005

Personen- und Ortsregister

Die Koordinaten bei den Ortsangaben beziehen sich auf die Karten der Städte (S. 452–453) und Provinzen (S. 454–455).

Abgar IX., Herrscher von Osrhoëne 179–216: 181
Abrittus (f 3): 221
Achaia (E 4): 120
Achill, sagenhafter griechischer Held: 190
P. Acilius Attianus s. Attianus
Acilius Glabrio, Konsular zur Zeit Domitians: 113, 124
Acte, Geliebte Neros: 80
Adria (D 3): 21, 412
Adrianopel (f 3): 287, 308, 310, 314, 348, 352f., 359, 369
Aelia Eudoxia s. Eudoxia
Aelia Flacilla, Ehefrau Theodosius' I.: 369, 380, 393
Aelia Paetina, Ehefrau des Claudius: 69
Aelianus, Usurpator 285/86: 260
Aelius Aristides, Redner im 2. Jhdt.: 141f.
L. Aelius Caesar, Caesar 136–138: 12, 136, 138
L. Aelius Seianus s. Seian
Aemilianus, Kaiser 253: 223f., 229
Aemilianus, Usurpator 261: 232
M. Aemilius Aemilianus s. Aemilianus, Kaiser 253
Q. Aemilius Laetus s. Laetus
M. Aemilius Lepidus s. Lepidus
Aemilius Papinianus s. Papinian
Aeneas, sagenhafter Stammvater Roms: 45
Aëtius, Heermeister Valentinians III.: 395, 398–401

Afranius, röm. Politiker im 1. Jhdt. v.Chr.: 21
Sex. Afranius Burrus s. Burrus
Africa, Afrika (C 4): 33f., 38, 58, 66, 86, 108, 120, 132, 163f., 170, 173, 179, 182–184, 198, 202, 204, 207, 223, 231, 263, 267, 269, 274, 292, 294, 302–304, 316, 319, 337, 342, 344f., 383, 385, 387, 398f., 409, 427, 437, 440, 449
Africa proconsularis (C 5): 319
Ägäis (E 4): 84, 130, 134, 199, 235
Agamemnon, sagenhafter König von Mykene: 174
Agapetus, Bischof von Rom 535–536: 448
Agelius, Novatianer: 371
Agila I., Westgotenkönig 549–555: 439
Agricola, Feldherr Domitians: 93
Agrippa, Schwiegersohn des Augustus: 28, 36, 47, 51f., 61, 132
Agrippa Postumus, Enkel des Augustus: 54, 60
Agrippina, Ehefrau des Tiberius: 51
Agrippina, die Ältere, Mutter Caligulas: 47, 61–64
Agrippina, die Jüngere, Schwester Caligulas, Ehefrau des Claudius: 65, 74–76, 78–80, 86
Ägypten (F 5): 8, 35, 49, 61, 90f., 123, 135, 143, 155, 179, 183, 186, 197, 200, 232, 243, 248, 250, 255f., 263–265, 274, 278, 316, 319, 322f., 390, 393, 405, 409, 414, 448
Aias, sagenhafter griechischer Held: 130
Akakios, Patriarch von Konstantinopel 472–489: 413f., 426
Aktium (e 4): 34f., 37f., 40f., 48

Personen- und Ortsregister 477

Alarich, Westgotenkönig 391–410: 378, 382–385, 387
Alba (b 5): 42
Albanerberge: 27, 137
Albaner See: 100
Albanien: 429
Albinus s. Clodius Albinus
Alesia (c 2): 19
Alexander d. Gr., Makedonenkönig 336–323 v.Chr.: 26, 123, 180, 189–191, 233, 278, 340
Alexandria (f 5): 33, 35, 49, 70, 90, 133f., 156, 183, 190, 220, 243, 246, 250, 264, 296, 319f., 327f., 370, 391, 393, 407, 426, 446, 448
Alexandria Troas (f 3): 130
Alkibiades, athenischer Politiker im 5. Jhdt. v.Chr.: 133
Allectus, Herrscher im britannischen Sonderreich 293–297: 264, 274
Allgäu: 255
Alpen: 43, 51, 89, 99, 113, 153, 178, 223, 230, 345, 360, 384
Aluta (E 2): 221
Amalafrida, Schwester Theoderichs I.: 427
Amalasuntha, Tochter Theoderichs I.: 438
Amandus, Usurpator 285/286: 260
Amantius, Hofbeamter Iustins: 424f.
Ambiorix, Anführer der Eburonen im 1. Jhdt. v.Chr.: 18
Ambrosius, Bischof von Mailand 374–397: 357–360, 366, 368, 371–373, 381, 386, 469
Amida (h 3): 336, 422
Amiens (c 1): 354
Ammianus Marcellinus, Geschichtsschreiber um 330–400: 325, 330, 341, 344–348, 350, 352, 355, 360, 363, 368
T. Ampius, Geschichtsschreiber zur Zeit Caesars: 23
Anastasiupolis s. Daras
Anastasius, Kaiser 491–518: 405, 418–427, 429, 431, 470
Anatolien: 167, 391, 420 Anatolius,

Patriarch von Konstantinopel 449–458: 407
Ancona (d 3): 119
Ancus Martius, sagenhafter römischer König: 15
Andragathius, Heerführer Gratians: 360
Ankara (f 3): 328, 342f.
Annia Faustina, Ehefrau Elagabals: 194
Annia Galeria Faustina s. Faustina die Ältere
Annius Verus, Urgroßvater Marc Aurels: 146
Annius Verus, Großvater Marc Aurels: 138, 146f., 150
Annius Verus, Vater Marc Aurels: 146
Anthemius, Prätorianerpräfekt des Arcadius: 384
Anthemius, Kaiser 467–472: 406–411, 413, 416
Anthemius von Tralles, Architekt Iustinians: 447
Antinoopolis (e 5): 133
Antinoos, Geliebter Hadrians: 133, 464
Antiochia (g 4): 126, 133, 152, 156, 175, 180f., 183, 186, 190f., 200f., 208f., 223, 225, 228, 243, 249, 264, 268, 314, 320, 327, 335, 338f., 349, 351f., 371, 392, 408, 413, 422, 426, 429
Antiochus, Herrscher im Palmyrenischen Sonderreich 273: 244, 250
Antium (d 3): 77
Antonia, Großmutter Caligulas, Mutter des Claudius: 62, 64, 67, 70
Antonia, Tochter des Claudius: 69
Antoninus Pius, Kaiser 138–161: 8, 136–144, 146–149, 151f., 169, 181, 238, 273, 464
Antonius, röm. Politiker im 1. Jhdt. v.Chr.: 16, 23, 26, 28–35, 78
M. Antonius Gripho, Redner im 1. Jhdt. v.Chr.: 16
Antonius Primus, Feldherr Vespasians: 91
L. Antonius Saturninus s. Saturninus

Antyllos, Sohn des Antonius: 35
Anullinus, Feldherr des Septimius Severus: 179f.
Apameia (g 4): 133, 174, 255
Apennin, Gebirgszug in Italien: 13, 119
Aper, Prätorianerpräfekt des Numerianus: 173, 259
Apollinaris, Bischof von Hierapolis 161–180: 155
Apollodor von Damaskus, Architekt Traians: 120, 122
Apollonia (e 3): 27
Apollonios Molon, Redner im 1. Jhdt. v.Chr.: 16
Apollonius von Chalkedon, Philosoph im 2. Jhdt.: 141, 150f.
C. Appius Silanus, Senator zur Zeit des Claudius: 71
Apsaeus, Bürger von Palmyra im 3. Jhdt.: 250
Aptungi (c 4): 293
Aquileia (d 2): 52, 153, 206, 214, 235, 246f., 263, 318, 357, 361, 371, 373, 381, 384, 399, 499
Aquincum (d 2): 346, 355, 363
Aquitania (B 2): 18, 237
Arabia, Arabien (G 5): 123, 155, 210, 213, 248
Aragua (f 3): 213
Arbela (h 4): 191
Arbogast, Heermeister Theodosius' I.: 367, 373
Arca-Caesarea (g 5): 195
Arcadius, Kaiser 395–408: 361, 365, 369, 373–385, 388, 469
Ardabur, Vater des Aspar: 393f., 397, 402
Ardabur, Sohn des Aspar: 410
Ardaschir I., Perserkönig 226–242: 199f., 208f., 242f.
Aremorica, die heutige Bretagne und Normandie: 399
Areobindus, Feldherr des Anastasius: 422f.
Ariadne, Ehefrau Zenos: 410–43, 419, 421, 424
Aricia (b 5): 27

Ariovist, Suebenkönig 71–58 v.Chr.: 18
Aristobulus, Prätorianerpräfekt Diocletians: 259
Arius, Presbyter in Alexandria 260–336: 295f., 329
Arles (c 3): 285, 387, 399, 401
Armatus, Neffe Verinas: 412f.
Armenien (H 3): 33, 51, 53, 58, 61, 75, 83, 123, 142, 152, 190, 199f., 210, 212, 261, 264, 278, 316, 323, 340, 351
Arminius, Cheruskerfürst 9: 44, 55
Arrecina Tertulla, Ehefrau des Titus: 95
T. Arrius Antoninus, Großvater des Antoninus Pius: 136f.
L. Arruntius Camillus Scribonianus s. Sribonianus
Arsenios, Erzieher des Honorius: 381
Artabanos V., Partherkönig 216–227: 191
Artaxes, armenischer König 20 v.Chr.: 51
Asellius Aemilianus, Feldherr des Pescennius Niger: 179
Asia, Asien (F 4): 17, 38, 130, 138, 180, 190f., 213, 316, 322
Asinius Gallus, röm. Politiker und Redner 41 v.–30 n.Chr.: 68
Asowsches Meer (G 2): 234
Aspar, Heermeister 431–471: 393f., 397, 402f., 406, 408–410, 412
Athalarich, Ostgotenkönig 526–534: 427
Athanagild, Westgotenkönig 551–567: 439
Athanarich, Westgotenkönig 381: 351
Athanasius, Bischof von Alexandria 328–373: 319f., 326–329, 331, 366, 468
Athaulf, Westgotenkönig 410–415: 385, 387
Athen (e 4): 125, 128, 130–132, 134, 141, 156, 164, 175, 233, 245, 258, 335, 390
Athenais s. Eudocia
Äthiopien: 183, 429

Personen- und Ortsregister

Atia, Mutter Octavians: 27f.
Atius Balbus, Großvater Octavians: 27
Atlas (A 4): 70, 208
Ätna (D 4): 131, 136
Attalus, Usurpator 409–419: 385, 387
Attianus, Prätorianerpräfekt Traians: 124, 126f.
Attika (E 4): 230
Attila, Hunnenkönig 434–453: 393f., 399, 403, 416, 469
Augsburg (d 2): 70, 224, 230, 237, 255, 261
Augustinus, Kirchenvater 354–430: 77, 150, 368
Augustus, Kaiser 27 v. – 14 n.Chr.: 7f., 10, 23–61, 63, 65, 67f., 74, 76, 78f., 83, 93, 101, 106, 108, 111, 116, 118, 120, 128, 130, 132, 135, 139, 141, 145, 165f., 182, 199, 233, 287, 290, 298, 330, 433, 461f.
Aurelian, Kaiser 270–275: 235f., 238, 240, 243–251, 257, 270, 272, 276, 466f.
Aurelius Achilleus, Usurpator 297–298: 264
M. Aurelius Antoninus s. Caracalla
T. Aurelius Antoninus s. Antoninus Pius
M. Aurelius Cleander s. Cleander
M. Aurelius Epagathus, Statthalter des Severus Alexander: 197
T. Aurelius Fulvus, Großvater des Antoninus Pius: 136f.
Aurelius Heraclianus, Prätorianerpräfekt des Gallienus: 245
M. Aurelius Iulianus, Usurpator 283: 259
Aurelius Victor, Geschichtsschreiber im 4. Jhdt.: 184, 236, 239f., 245, 247, 255, 258, 330
Aureolus, Usurpator 262 und 268: 230, 232, 234, 239, 245f.
Ausonius, Dichter im 4. Jhdt.: 12, 97, 355, 364
Autun (c 2): 239, 319, 323
Auvergne: 401
Avaricum (b 2): 19

Avidius Cassius, Usurpator 175: 152, 155, 464
Avitus, Kaiser 455–456: 401
Axum, antike Landschaft im heutigen Sudan: 429

Babylonien (H 4): 211
Baetica (A 3): 111, 115, 173
Bahram II., Perserkönig 276–293: 261
Bahram V., Perserkönig 421–439: 393
Baiae (d 3): 65, 136
Balbinus, Kaiser 238: 205, 217
Balbus, röm. Politiker im 1. Jhdt. v.Chr.: 20, 28
Balkan: 43, 52, 200, 209, 224f., 227, 229, 231, 235, 322, 325, 343, 365, 408f., 413f., 420f., 424, 445
Bar Kochba, Anführer der Juden im 2. Jhdt.: 134
Basel (c 2): 345
Basilina, Mutter Iulians: 334
Basiliskos I., Usurpator 475–476: 409f., 412f., 414, 417
Basiliskos II., Kaiser 476: 413
Basilius, Kirchenvater 330–379: 368
Bassianus, Schwager Konstantins I.: 309
Bederiana (e 3): 425f.
Beirut (g 4): 442
Belgica (C 1): 58, 237, 240, 399
Belgrad (e 3): 179
Belisar, Heermeister Iustinians: 433, 437–439
Benevent (d 3): 100, 119
Berenike, Geliebte des Titus: 97
Beroea (e 3): 221
Bethlehem (g 5): 49
Bibracte (c 2): 18
Bibulus, röm. Politiker im 1. Jhdt. v.Chr.: 17
Bithynien (F 3): 15, 118, 120, 129f., 179f., 180, 186, 226, 284, 350
Bleda, Hunnenkönig 434–445: 393
Boëthius, Philosoph und Staatsmann 480–524: 427
Böhmen: 43
Boiotien (E 4): 131
Bologna (d 3): 261

Bonifatius, Bischof von Rom 418–422: 388
Bonifatius, Heermeister Valentinians III.: 397f.
Bonosus, Usurpator 280: 255
Bordeaux (b 2): 240, 355
Bosporanisches Reich (G 2): 75, 226
Bosporus (F 3): 307, 313, 350
Bosporus (g 2): 428
Boulogne-sur-Mer (c 1): 71f.
Brabant: 336
Brenner (D 2): 247, 360
Bretagne: 18
Brigantium (c 2): 16
Brigetio (d 2): 189, 362f.
Brindisi (d 3): 26–29, 32, 46, 119
Britannia, Britannien (B 1): 18f., 71f., 75, 83, 86, 92, 129, 132, 134, 142, 163, 170, 177, 181f., 184–187, 189, 231, 250, 261, 263f., 274, 284f., 316, 318, 335, 344, 360f., 365, 371, 383, 399, 408
Britannicus, Sohn des Claudius: 69, 72, 75f., 78–80, 95
Brixia (c 2): 439
Brutus, Mörder Caesars: 23, 31, 46, 60
Bubon (f 4): 163
Budalia, Dorf bei Sirmium (e 3): 216
Bulla (c 4): 163
Burrus, Prätorianerpräfekt des Claudius und Nero: 75, 79–81
Butherich, Heerführer Theodosius' I.: 372
Byzanz (f 3, Konstantinopel): 178–181, 186, 249, 251, 287–290, 301, 310, 347

Caecilianus, Bischof von Carthago 312–340: 294
Caecina, Feldherr des Vitellius: 91
Caenis, Geliebte Vespasians: 98
Caesar, 100–44 v.Chr.: 7, 9–31, 33, 34, 37, 39, 43, 55, 78, 462
Caesarea (g 3): 196, 258, 283, 350
Caesarion vgl. Ptolemaios XV.
Calaris (c 4): 326, 329, 330

Caligula, Kaiser 37–41: 7, 9, 57, 63–71, 78, 83, 160, 463
Callinicum (h 4): 372
Callistus, Freigelassener des Claudius: 71
Callistus, Feldherr des Gallienus: 231
Calocaerus, Usurpator 333/34: 289
C. Calpurnius Piso, Konsular zur Zeit Neros: 82, 114
Cn. Calpurnius Piso Licinianus, röm. Politiker im 1. Jhdt.: 88
Campanien (D 3): 29, 62, 97, 251, 275
Candidus, Feldherr des Septimius Severus: 179f., 182
Canossa (c 3): 372
Capelianus, Statthalter Gordians III.: 204, 207
Capri (D 3): 48, 53, 62, 64f.
Caracalla, Kaiser 211–217: 144, 175, 181, 183–193, 196, 465
Carausius, Herrscher im britannischen Sonderreich 286–293: 261, 263f., 274
Carinus, Kaiser 283–284: 259, 467
Carnuntum (d 2): 153, 177, 270, 275, 279, 303, 307, 313, 346
Carrhae (g 4): 20, 43, 191, 264, 278
Carthago (c 4): 163, 194, 202, 205, 220, 227, 268, 294, 310, 321, 398, 409
Carthago Nova (b 4): 439
Carus, Kaiser 282–283: 259, 261, 272
Cassius, Mörder Caesars: 23, 46, 60
Cassius Chaerea, Tribun unter Caligula: 66
Cassius Dio, Geschichtsschreiber um 160–230: 77, 105, 158f., 170–172, 175f., 180, 184f., 186, 188f., 195, 197f., 200, 460
C. Cassius Longinus s. Cassius
Cassius Longinus, Philosoph im 3. Jhdt.: 243f., 249
Castor, Freigelassener des Septimius Severus: 187
Catilina, röm. Politiker im 1. Jhdt. v.Chr.: 16
Catilius Severus, Großvater der Domitia Lucilla: 147

Cato, röm. Politiker und Schriftsteller im 2. Jhdt. v.Chr.: 14, 136
Cato, röm. Politiker im 1. Jhdt. v.Chr.: 17f., 21, 24
Cauca (a 3): 369
Cecropius, fiktive Persönlichkeit der Zeit Aurelians: 246
L. Ceionius Commodus s. L. Aelius Caesar
Celer, Architekt Neros: 84
Chaironeia (e 4): 150
Chalkedon (f 3): 141, 150, 350, 389, 404, 406f., 410, 413f., 420, 422, 425, 448
Châlons-sur-Marne (c 2): 240, 250
Chlodwig, Frankenkönig 482–511: 421
Chosroës, Perserkönig 531–578: 428, 436
Chrysaphius, Eunuch des Arcadius: 391, 393f.
Chryseros, Hofbeamter Theodosius' II.: 391
Chrysopolis (e 3): 310
Cibalae (e 2): 309, 342, 349
Cicero, röm. Staatsmann 106–43 v.Chr.: 20, 24, 28–31, 40–42, 136
Q. Cicero, Heerführer Caesars: 18
Cilo, Feldherr des Septimius Severus: 179f., 186, 188
Cinna, röm. Politiker im 1. Jhdt. v.Chr.: 14f.
Circensium (h 4): 209
Cirta (c 4): 141
Civitavecchia (a 5): 119
Claudian, Dichter um 400: 383, 461
Claudius, Kaiser 41–54: 67–76, 78–80, 86, 95, 99, 111, 463
Ti. Claudius Candidus s. Candidus
Claudius II. Gothicus, Kaiser 268–270: 234f., 239, 245f., 252, 270, 287, 467
Claudius Iulianus, Stadtpräfekt des Severus Alexander: 197
Claudius Maximus, Soldat zur Zeit Traians: 122
Tib. Claudius Nero, Ehemann der Livia: 46, 50

Claudius Pompeianus, Schwiegersohn Marc Aurels: 154, 170, 175, 177
Claudius Quintillus s. Quintillus
Cleander, Freigelassener des Commodus: 165, 175f.
Clodius, röm. Politiker im 1. Jhdt. v.Chr.: 23
Clodius Albinus, Usurpator 195–197: 176f., 186
Cniva, Gotenkönig im 3. Jhdt.: 221
Coelestin I., Bischof von Rom 422–432: 392
Coelius Antipater, röm. Historiker im 2. Jhdt. v.Chr.: 136
Coenophrurium, Ort bei Perinth (f 3): 251
Colchester (b 1): 71
Colmar (c 2): 359
Commodus, Kaiser 180–192: 8, 144, 147, 151, 156–171, 174–176, 182, 188, 360, 465
Constans, Kaiser 337–350: 290, 315–324, 327, 329, 331, 468
Constantia, Schwester Konstantins I.: 307, 309f.
Constantia, Tochter Constantius' II.: 349, 354
Constantin II., Kaiser 337–340: 290, 309, 315–320, 327
Constantin III., Usurpator 407–411: 384f., 387
Constantina, Tochter Konstantins I., 316, 323f.
Constantius I. Chlorus, Kaiser 305–306: 262–264, 267, 269, 271, 274–277, 279, 284, 287, 302, 306
Constantius II., Kaiser 337–361: 11, 283, 288, 290, 315–339, 342, 346, 349, 351, 354,
Constantius III., Kaiser 421: 382, 387f., 393, 396, 468
Cordoba (a 3): 274, 319
Cornelia, Ehefrau Caesars: 15
Cornelia Salonina Chrysogone, Ehefrau des Gallienus: 225, 229
Cornelius, Hauptmann des Augustus: 30

P. Cornelius Anullinus s. Anullinus
L. Cornelius Balbus s. Balbus
Cornelius Fronto s. Fronto
Cn. Cornelius Lentulus Gaetulicus, Heerführer Caligulas: 66
Cornelius Nigrinus, Konsular zur Zeit Domitians: 114–116
Crassus, röm. Politiker im 1. Jhdt. v.Chr.: 16f., 20, 43
Cremona (c 2): 89, 91
Crispus, Caesar 317–326: 280, 283, 287f., 309, 315, 322
Curio, röm. Politiker im 1. Jhdt. v.Chr.: 21
Cyprian, Bischof von Carthago 258: 227
Cyrill, Patriarch von Jerusalem 351–386: 324

Dacia, Dakien (E 2): 118, 120, 122, 124, 126, 154, 170, 178, 189, 217, 221, 249, 309, 316, 382
Dalmatien (D 3): 43, 52, 71, 122, 248, 400, 414–416, 421, 438, 467
Dalmatius, Neffe Konstantins I., Caesar 335–337: 316, 323
Damaskus (g 4): 120, 122
Damasus, Bischof von Rom 366–384: 356, 358, 360, 370
Damnazes, Lazenkönig im 6. Jhdt.: 428
Daniel Stylites, Asket im 5. Jhdt.: 413
Daras (h 4): 191, 422
Dardanellen (F 3): 249, 251, 287
Dareios, Perserkönig 521–486 v.Chr.: 180
Decebalus, Dakerkönig 106: 103f., 118, 121f.
Decentius, Caesar des Magnentius: 324
Decius, Kaiser 249–251: 199, 205, 215–224, 227, 466
Delphi (e 4): 131
Dexippus, Geschichtsschreiber im 3. Jhdt.: 245f., 249
Dhu-Nuwas, Herrscher des Jemen im 6. Jhdt.: 429

Diadumenianus, Kaiser 218: 191f.
Didius Iulianus, Kaiser 193: 172, 177f., 185
M. Didius Severus Iulianus s. Didius Iulianus
Didyma (f 4): 132
Diocles s. Diocletian
Diocletian, Kaiser 284–305: 10, 168, 257–280, 284f., 288, 290f., 302–304, 306, 309, 312, 329, 380, 381, 395, 431, 442, 467
Diogenianus, Feldherr Iustins: 425
Dionysius, Bischof von Rom 260–267: 227
Dokimeion (f 4): 121
Domitia Longina s. Longina
Domitia Lucilla, Mutter Marc Aurels: 146f.
Domitian, Kaiser 81–96: 87, 91, 93, 96–115, 117f., 121, 137f., 142, 463f.
Domitianus, Usurpator 270: 248
Domitius Ahenobarbus, röm. Politiker im 1. Jhdt. v.Chr.: 34
Cn. Domitius Ahenobarbus, Vater Neros: 77
L. Domitius Ahenobarbus s. Nero
Domitius Alexander, Usurpator 308–310: 307
Cn. Domitius Corbulo, Feldherr Neros: 75, 83
Domitius Domitianus, Usurpator 296–297: 264
Donatus, Bischof von Carthago 313–355: 294
Donau (D 2): 44, 52, 70, 90, 102–104, 121f., 126, 129, 153–156, 159, 162, 170, 177f., 185, 203, 208, 212, 215, 217f., 221–223, 227, 229, 235f., 245–251, 261–263, 272, 277, 308, 317f., 332, 337, 342, 345f., 351f., 359, 361f., 369, 408, 420, 434f., 444
Dorotheus, Bischof von Saloniki im 6. Jhdt.: 426
Drau (D 2): 230, 247
Drobeta (e 3): 122
Drusilla, Schwester Caligulas: 65f.

Drusus, Bruder des Tiberius, Vater des
 Claudius: 46, 50f., 53, 55, 62, 67
Drusus, Sohn des Tiberius: 52, 55, 61
Drusus, Bruder Caligulas: 64
Duero (A 3): 16
Dura Europos (h 4): 209, 226
Dyrrhachium (e 3): 21f., 131, 419

Eclectus, Kämmerer des Commodus:
 160, 169f., 172, 176
Edessa (g 4): 126, 181, 191, 200, 228,
 230, 429
Egnatia Mariniana, Ehefrau Valerians:
 224, 229
Elagabal, Kaiser 218–222: 174,
 190–196, 223, 225, 244, 249
Elbe (D 1): 43
Eleusis (e 4): 156, 161, 233
Emesa (g 4): 174f., 193–196, 223,
 225, 244, 249
Emona (d 2): 373
Ennius, röm. Dichter 239–169 v.Chr.:
 136, 332
Ephesos (f 4): 14, 130, 132, 138, 335,
 392, 404f., 447
Epiphanius, Patriarch von Konstanti-
 nopel 520–535: 427
Epirus (E 3): 21, 382
Eros, Sekretär Aurelians: 251
Etrurien (C 3): 216, 224
Eucherius, Sohn Stilichos: 382
Eudocia, Frau Theodosius' II.: 388,
 390, 392, 394
Eudocia, Tochter der Eudoxia: 409
Eudoxia, Frau des Anadius: 376f.
Eudoxia, Tochter Theodosius' II.: 390,
 397f., 409
Eugenius, Usurpator 303: 264
Eugenius, Usurpator 392–394: 373,
 381–383
Eulalius, Bischof von Rom 419: 388
Eunapius, Geschichtsschreiber im 4.
 Jhdt.: 249, 258
Euodus, Erzieher Caracallas: 187
Euphemia, Ehefrau Iustins: 430
Euphemios, Patriarch von Konstanti-
 nopel 490–496: 419, 422
Euphrat (H 4): 126, 152, 200, 208f.,
 212, 217, 226, 229f., 249, 261, 263,
 272, 340f., 372
Eurich, Westgotenkönig 466–484: 416
Eusebia, Ehefrau Constantius' II.:
 324, 336
Eusebius von Caesarea, Bischof und
 Kirchenhistoriker im 4. Jhdt.: 49,
 251, 258, 267, 281, 283, 293, 297f.,
 300, 316
Eusebius, Bischof von Nikomedeia im
 4. Jhdt.: 283, 327
Eutharich, Schwiegersohn Theode-
 richs I.: 427
Eutrop, Geschichtsschreiber im 4.
 Jhdt.: 233, 236, 240f., 245, 255,
 258, 292
Eutrop, Hofeunuch des Arcadius:
 377, 382

L. Fabius Cilo s. Cilo
Falco, Konsular zur Zeit des Pertinax:
 171
Falerii Novi (a 4): 224
C. Fannius, röm. Rechtsanwalt und
 Biograph im 1./2. Jhdt.: 77
Fanum Fortunae (d 3): 247f.
Fausta, Ehefrau Konstantins I.: 274f.,
 283, 288, 303, 315, 322
Faustina die Ältere, Ehefrau des Anto-
 ninus Pius: 138f., 144, 146
Faustina die Jüngere, Ehefrau Marc
 Aurels: 138–140, 148, 151,
 154–156, 175, 181
Faustina, Ehefrau Constantius' II.:
 326, 349
Faustinus, Statthalter Tetricus' I.: 240
Felicissimus, Usurpator 270/71: 247
Felix, Heermeister Valentinians III.:
 397f.
Felix, Bischof von Aptungi im 4. Jhdt.:
 293
Felix III., Bischof von Rom 483–492:
 414
Felix IV., Bischof von Rom 526–530:
 427
Festus, Freigelassener Caracallas: 190
Festus, Geschichtsschreiber im 4.
 Jhdt.: 190

Firmus, Usurpator 370–374: 345
Firth of Forth: 142
Flacilla, Ehefrau Theodosius' I.: 369, 380
Flacilla, Tochter der Eudocia: 393
Flavia Domitilla, Mutter des Titus: 95
Flavia Domitilla, Nichte Domitians: 105
Flavianus, Bischof von Antiochia 381–404: 371
T. Flavius Clemens, Cousin Domitians: 105
Flavius Constantius s. Constantius III.
Flavius Eusebius, Vater der Eusebia: 324
Flavius Felix s. Felix, Heermeister
Flavius Heracleo, Feldherr des Severus Alexander: 200
Flavius Josephus, jüdischer Historiker im 1. Jhdt.: 77, 96
Flavius Sabinus s. Sabinus
Florianus, Kaiser 276: 251, 254f.
Friedrich der Große, 1712–1786: 145
Friedrich von Logau, Schriftsteller 1604–1655: 257
Frigidus (D 2): 373, 381f.
Fronto, Lehrer Marc Aurels: 141, 149–151, 464
Fuciner See (D 3): 70, 76
Fulvia Pia, Mutter des Septimius Severus: 173
Fulvia Plautilla, Ehefrau Caracallas: 183, 186
Fulvius Macrianus s. Macrianus C.
Fulvius Plautianus s. Plautianus
Furia Sabinia Tranquillina, Ehefrau Gordians III.: 208

Gainas, Heermeister des Arcadius: 378f.
Gaius s. Caligula
Gaius Caesar, Enkel des Augustus: 52–54
Galatien (F 3): 93
Galba, Kaiser 68–69: 12, 70, 85, 87–90, 92, 463
Galeria Lucilla s. Lucilla
Galerius, Kaiser 305–311: 262–264, 267, 269f., 274, 276–281, 284–286, 302–308, 312f., 467
Galilaea (G 5): 96
Galla Placidia, Schwester des Honorius: 381f., 387f., 393, 395f., 398, 469
Gallaecien (A 3): 16
Gallia, Gallien (B 2): 17, 20, 24, 26, 38, 43, 45, 51–53, 58, 79, 113, 129, 137, 175, 185, 189, 227, 233, 236, 238–241, 250f., 254, 259–261, 263, 267, 270, 272, 274, 285f., 303, 316, 318, 322, 324f., 335–337, 340, 344, 357, 359, 365, 367, 371, 384f., 387, 396, 399, 401, 403, 416, 449, 462
Gallia Lugdunensis (B 2): 52, 175, 185, 238
Gallia Narbonensis s. Narbonensis
Gallienus, Kaiser 253–268: 214, 224, 226–238, 241f., 245, 248f., 266, 281, 466
Gallus, Bruder Iulians: 322, 324f., 329, 334
Gardasee (C 2): 234
Gaza (g 5): 133, 376, 470
Geiserich, Vandalenkönig 428–477: 398f., 401, 409, 412, 415, 437
Gelasius, Bischof von Rom 492–496: 414
Gelimer, Vandalenkönig 530–533: 436
Gellius Maximus, Usurpator 219: 193
Geminius Chrestus, Prätorianerpräfekt des Severus Alexander: 197
Gerasa (g 5): 133
Gergovia (c 2): 19
Germanicus, Vater Caligulas: 47, 55, 57, 60–64, 67, 70, 74, 78
Germanien (C 1): 19, 43, 52f., 55, 58, 60, 70, 95, 99, 103, 132, 142, 206, 215, 223, 261
Gerontius, Heermeister des Honorius: 387
Gessius Bassianus Alexianus s. Severus Alexander
Gessius Marcianus, Vater des Severus Alexander: 195

Geta, Kaiser 211: 173, 176, 179, 183–188, 465
Gildo, Feldherr des Honorius: 383
Glycerius, Kaiser 473–474: 416f.
Godila, Heerführer Iustins: 425
Golan (G 5): 210
Gordian I., Kaiser 238: 202, 204f., 217
Gordian II., Kaiser 238: 202, 205, 217
Gordian III., Kaiser 238–244: 202–211, 214f., 217, 225, 228, 242, 466
Gracchen, Tiberius und Gaius, römische Politiker im 2. Jhdt. v.Chr.: 14
Gratian, Kaiser 367–383: 341, 349, 353–362, 364f., 369, 371, 433, 469
Gregor XIII., Papst 1572–1585: 22
Gregorios, Bischof von Alexandria 339–348:
Griechenland: 77, 84, 130, 154, 232–234, 264, 316, 460
Gundobad, Burgunderkönig 474–516: 416

Hadrian, Kaiser 117–138: 12, 124–140, 143, 146–148, 151f., 162, 233, 442, 464
Hadrumetum (c 4): 176
Hagenbach (c 2): 237
Halala (g 4): 156
G.F. Händel, Komponist 1685–1759: 421
Hannibalianus, Neffe Konstantins I.: 316
Hatra (h 4): 199, 208
Hauran (G 4): 209f.
Heinrich IV., deutscher Kaiser 1056–1106: 372
Heinrich VIII., englischer König 1509–1547: 333
Helena, Mutter Konstantins I.: 288, 301
Helena, Tochter Konstantins I., Ehefrau Iulians: 335, 338
Helenopolis (f 3): 298
Helio, Hofbeamter Theodosius' II.: 394

Hellespont s. Dardanellen
Helvidius Priscus, röm. Politiker im 1. Jhdt.: 92
P. Helvius Pertinax s. Pertinax
Helvius Successus, Vater des Pertinax: 169
Heraclianus, Beamter des Honorius: 387
Heraclius, Hofbeamter Valentinians III.: 400
Heraklius, Heerführer Leos I.: 409
Heraklius, oström. Kaiser 610–641: 395
Herennius Etruscus, Kaiser 251: 221–223
Hermopolis (e 5): 133
Herodes Atticus, Redner im 2. Jhdt.: 141, 149
Herodian, Geschichtsschreiber im 3. Jhdt.: 161, 177, 181, 184, 187, 189, 191, 195
Herodianus, Sohn des Odaenathus: 242
Hieronymus, Kirchenvater 347–420: 348, 368
Hilarius, Bischof von Poitiers im 4. Jhdt.: 319, 329
Hilderich, Vandalenkönig 523–530: 427, 436
Hippo Regius (c 4): 398
Hispania, Hispanien (A 3): 16, 21, 85, 113, 115, 137, 274, 316; vgl. Spanien, Tarraconensis
Hispania citerior (A 3): 113
Hispania ulterior (A 3): 16, 21
Historia Augusta, Geschichtswerk des 4. Jhdts.: 148, 150, 166, 174, 180, 184, 186, 189, 195, 202, 236, 238–241, 245–247, 250, 252–258, 460f.
Homer, griechischer Dichter im 8./7. Jhdt. v.Chr.: 174
Honorius, Kaiser 395–423: 369, 373–375, 380–389, 393, 396f., 469
Horaz, röm. Dichter 65–8 v.Chr.: 43, 45
Hormisdas, Bruder Bahrams II.: 261

Hormisdas, Bischof von Rom 514–523: 423, 426f., 430
Hostilianus, Kaiser 251: 221f.
Hunerich, Vandalenkönig 477–484: 409
Hypatia, Philosophin 415: 392
Hypatius, Usurpator 532: 433

Iamblich, Philosoph im 4. Jhdt.: 334f.
Iberien (H 2): 428f.
Ilerda (b 3): 22
Ilion (f 3): 130, 190
Illus, Heermeister Zenos: 412–414
Illyricum, Illyrien (D 2): 17, 26, 55, 197, 199, 216, 233, 258, 263, 269, 316, 322, 337, 353, 355, 359, 372, 378f., 383f., 399, 408, 421, 425
Immae (g 4): 249
Indien: 242
Ingenuus, Usurpator 258/59: 227, 230
Interamna (b 4): 178
Ionische Inseln: 409
Iordanes, Heermeister Leos I.: 410
Iotapianus, Usurpator 248/49: 215
Iovian, Kaiser 363–364: 341f., 349
Iovinus, Usurpator 412–413: 387
Isaurien (G 4): 412f.
Isdigerdes I., Perserkönig 399–420: 428
Isidor von Milet, Architekt Iustinians: 447
Isny (c 2): 255
Issos (g 4): 180
Istrien (D 2) 288
Italica (a 3): 111, 124, 135
Italien (D 3): 21, 32–34, 37, 39, 41, 44, 46, 70, 83f., 91, 108, 113, 115, 118–120, 124, 131, 138, 141, 153f., 170, 175, 183f., 197, 204f., 212, 216, 223, 231, 233, 247f., 256, 259, 263, 265, 267, 269, 286, 303f., 306, 316, 318, 324, 335, 355, 365–367, 371, 373, 383f., 384, 387, 395, 397f., 401, 403, 409, 414, 416, 421, 426, 437–439, 447, 449
Iulia, Tante Caesars: 15
Iulia, Schwester Caesars: 27
Iulia, Tochter Caesars: 20

Iulia, Tochter des Augustus: 47, 51f., 54f., 60
Iulia, Enkelin des Tiberius: 62
Iulia, Tochter des Titus, Geliebte Domitians: 102, 104
Iulia Agrippina s. Agrippina, die Jüngere
Iulia Anicia, Ehefrau des Areobindus: 422
Iulia Aquilia Severa, Ehefrau Elagabals: 194
Iulia Avita Mamaea s. Mamaea
Iulia Cornelia Paula, Ehefrau Elagabals: 194
Iulia Domna, Ehefrau des Septimius Severus: 174f., 185, 187, 192, 195, 465
Iulia Maesa, Schwester der Iulia Domna: 174, 190, 192–194, 196
Iulia Soaemias, Mutter Elagabals: 190, 192f.
Iulian, Kaiser 360–363: 10, 202, 226, 284, 310, 322, 325, 329, 334–343, 346f., 349, 352, 366, 395, 448, 468
Iulianus, Jurist im 1. Jhdt.: 141
Iulius, Hofbeamter Marcians: 402f.
Tib. Iulius Alexander, Statthalter Vespasians: 90
Iulius Aurelius Zenobius, Vater der Zenobia: 243
C. Iulius Avitus Alexianus, Großvater des Severus Alexander: 195f.
Iulius Bassianus, Vater der Iulia Domna: 174
Iulius Civilis, Bataverführer im 1. Jhdt.: 99
Iulius Constantius s. Constantius I.
Iulius Flavianus, Prätorianerpräfekt des Severus Alexander: 197
Sex. Iulius Frontinus, Konsular zur Zeit Traians: 115
Iulius Marinus, Vater des Philippus Arabs: 210
C. Iulius Maximinus s. Maximinus Thrax
Iulius Nepos s. Nepos
Iulius Paulus, Jurist zur Zeit des Severus Alexander: 197

Personen- und Ortsregister

Iulius Priscus, Bruder des Philippus Arabs: 212
L. Iulius Servianus, Konsular zur Zeit Traians: 115
Iulius Severus, Feldherr Hadrians: 134
L. Iulius Ursus, Konsular zur Zeit Traians: 115
Iulius Valens Licinianus s. Licinianus
C. Iulius Vindex, Statthalter Neros: 85, 87
M. Iunius Brutus s. Brutus
Iustin, Kirchenvater im 2. Jhdt.: 141
Iustin I., Kaiser 518–527: 424–432
Iustina, Ehefrau Valentinians I.: 346, 364
Iustinian I., Kaiser 527–565: 10, 374, 395, 410, 425, 429–450, 470

Jakob Baradaios, Mönch im 6. Jhdt.: 449
Japha (g 5): 96
Jemen (G 5): 429
Jerusalem (g 5): 93, 96, 133, 299, 324, 390, 422
Johannes I., Bischof von Rom 523–526: 427
Johannes II., Patriarch von Konstantinopel 518–520: 425f.
Johannes Chrysostomos, Patriarch von Konstantinopel, Kirchenvater 350–407: 368, 377, 384, 386
Johannes Primicerius, Kaiser 423–425: 387, 394, 397
Johannes von Ephesos, Monophysit 542: 447
Johannes von Kappadokien, Prätorianerpräfekt Iustinians: 432, 435, 444–446
Jotapatha (g 4): 96
Juba, König von Mauretanien um 26 v.-24 n.Chr.: 21
Judaea (G 4): 83, 87, 90, 93, 96, 112, 133–135, 155

Kahvades, Perserkönig 488–496, 499–531: 422, 427f., 430
Kaiseraugst (c 2): 337
Kap Bon: 409

Kappadokien (G 3): 93, 133, 152, 167, 200, 226, 249, 310, 315, 349f., 413, 432, 435, 440, 444–446
Karien (F 4): 444
Karpaten (E 2): 121
Kasion (G 4): 133
Kaukasus (H 3): 142, 264, 278, 428
Kilikien (G 4): 15, 412
Kleinasien: 20, 84, 101, 105, 121, 126, 156, 179, 190, 199f., 209, 215, 225f., 231, 243, 248–251, 254f., 269, 279, 307f., 312, 322, 338f., 378, 420, 447
Kleopatra, ägyptische Königin 52–30 v.Chr.: 21, 23, 34f.
Köln (c 1): 63, 74, 88, 113, 227, 230f., 236, 238, 255, 336, 399
Kommagene (G 3): 70
Konstantin I., Kaiser 306–337: 10f., 145, 168, 235, 269f., 274f., 280, 282–317, 320, 322, 326, 335, 339, 347, 351, 354, 357, 374, 395, 406, 431, 442, 461, 467f.
Konstantin VII. Porphyrogennetos, Kaiser 945–959: 407
Konstantinopel (f 3): 289f., 293, 298f., 301, 322f., 325, 327, 329f., 332, 334, 338, 342f., 349–351, 355, 361, 369–371, 373–377, 379–385, 387–389, 391f., 394, 396, 401–403, 405f., 410–416, 419–435, 438f., 442, 447–449
Konz (c 2): 346
Korinth (e 4): 84
Korsika (C 3): 74
Kreta (E 4): 197, 235
Krim (F 2): 226, 428
Ktesiphon (h 4): 123, 183, 209, 232, 242
Kütahya (f 3): 420
Kyrenaika, Kyrene (E 5): 123, 432
Kyrill, Bischof von Alexandria 412–444: 391f., 394
Kyzikos (f 3): 130, 246, 350, 413

Laelianus, Usurpator im gallischen Sonderreich 269: 236, 239, 241

Laeta, Ehefrau Gratians: 355
Laetus, Prätorianerpräfekt des Commodus: 160, 169–171, 176, 182f.
Lago di Bracciano (a 5): 120
Laktanz, Kirchenhistoriker im 4. Jhdt.: 251, 258, 263, 265–267, 275, 280f., 312, 315
Lambaesis (c 4): 132, 255
Lanuvium (b 5): 137, 160
Laodikeia (g 4): 133
Latium (D 3): 45
Laurentius, Diakon in Rom 258: 227
Lazika, Lazistan (H 2): 428f., 436
Lecce (d 3): 26
Leo I., Kaiser 457–474: 406–412, 415f., 419
Leo I., Bischof von Rom 440–461: 389, 393, 399, 404
Leo II., Kaiser 474: 411f., 419
Leontia, Ehefrau Marcians: 410f., 413
Leontios, Vater der Athenais: 390
Leontios, Usurpator 484–488: 413f.
Lepcis Magna (d 5): 173f., 180, 183, 345
Lepidus, röm. Politiker im 1. Jhdt. v.Chr.: 26, 28, 31f.
Lepidus, Schwager Caligulas: 65f.
Lesbos (E 4): 15
Libanius, Schriftsteller und Redner 314–393: 350, 368
Libanon (G 4): 196
Liberius, Bischof von Rom 352–366: 328
Libius Severus, Kaiser 461–465: 409, 416
Licinianus, Usurpator 251: 221
Licinius, Kaiser 308–324: 270, 279, 282, 285, 287–289, 297, 299, 303–315, 468
Licinius iunior, Caesar 317–324: 309f.
P. Licinius Cornelius Valerianus, ältester Sohn des Gallienus: 226, 230
P. Licinius Egnatius Gallienus s. Gallienus
Licinius Hierocles, Feldherr des Severus Alexander: 199
C. Licinius Mucianus s. Mucianus

P. Cornelius Licinius Saloninus Valerianus s. Saloninus
L. Licinius Sura, Konsular zur Zeit Traians: 115
P. Licinius Valerianus, jüngerer Sohn Valerians: 225
Ligurien (C 2): 169
Lipara (D 4): 186
Liria (b 3): 115
Livia, Ehefrau des Augustus: 46–48, 50f., 53–57, 60, 64, 67, 70, 86, 461
Livia Drusilla s. Livia
Livilla, Gattin des Tiberiussohnes Drusus: 61
Livilla, Schwester Caligulas: 65
Livius Drusus, Großvater des Tiberius: 51
Longina, Ehefrau Domitians: 99, 104
Longinus, Heerführer des Anastasius: 418–420
Lorch (c 2): 142
Lorium (a 5): 137, 143
Luca (c 3): 20
Lucan, Dichter gest. 65: 82
Lucanien (D 3): 269
Lucifer, Bischof von Calaris 371: 326, 329f.
Lucilla, Tochter Marc Aurels: 138, 146, 151
Lucius, Enkel des Augustus: 52
Lucius Verus, Kaiser 161–169: 136, 138, 140f., 143–154
Lugdunensis s. Gallia Lugdunensis
Lukas, Evangelist: 49
Lusitanien (A 3): 88
Lusius Quietus, Heerführer Traians: 123
Lydien (F 4): 130
Lykaonien (F 4): 412
Lykien (F 4): 163, 225, 402
Lykos (G 4): 133
Lyon (c 2): 67, 73, 100, 129, 156, 175, 181f., 185, 360, 365

Macedonius, Bischof von Konstantinopel 341–346, 351–360: 327
Macellum, Ort in Kappadokien (G 3): 334

Macrianus, Heerführer des Gallienus: 231
Macrianus der Jüngere, Usurpator 260: 231
Macrinus, Kaiser 217–218: 191–193, 196, 203
Macro, Prätorianerpräfekt des Tiberius: 64
Maecenas, röm. Politiker im 1. Jhdt. v.Chr.: 199
Maghreb, Gebiet im Westen Nordafrikas: 204
Magnentius, Usurpator 350–353: 319, 323f., 327, 331
Magnus, Usurpator 235: 204
Magnus Maximus, Usurpator 383–388: 356, 360f., 363, 365–367, 371
Mailand (c 2): 234, 239, 245f., 260, 262f., 268f., 275, 308, 311, 318, 320, 325, 335, 344f., 355, 358–360, 364, 371–373, 381, 384, 399, 449
Main (D 2): 189, 251
Mainz (c 2): 66, 101, 201, 203, 239, 336, 344, 355, 359
Maiorian, Kaiser 457–461: 409, 415
Maiorinus, Bischof von Carthago, 312–313: 294
Makedonien (E 3): 26–29, 134, 212, 234, 316, 383, 412, 414
Makedonios, Patriarch von Konstantinopel 496–511: 422
Malaca (a 4): 439
Malalas, Geschichtsschreiber im 6. Jhdt.: 248, 289
Mamaea, Mutter des Severus Alexander: 192, 194f., 197f., 201
Mamertinus, Lobredner unter Diocletian: 273
Mamurra, röm. Politiker im 1. Jhdt. v.Chr.: 23
Marathon (e 4): 209
Marbod, Markomannenkönig 9–19: 43
Marc Aurel, Kaiser 161–180: 8, 49, 136–162, 164f., 169f., 173–175, 198, 217, 225, 233, 262, 273, 277, 461, 464f.

Marbod, Markomannenkönig 9–19: 43
Marc Aurel, Kaiser 161–180: 8, 49, 136–162, 164f., 169f., 173–175, 198, 217, 225, 233, 262, 273, 277, 461, 464f.
Marcellinus, Heerführer des Aëtius: 400
Marcellinus, Heermeister Leos I.: 409f.
Marcellinus Comes, Geschichtsschreiber im 6. Jhdt.: 401
Marcellus, Sohn der Octavia: 47, 51f.
Marcellus, Usurpator 366: 350
C. Marcellus, Ehemann der Octavia: 32
Marcia, Geliebte des Commodus: 160, 169, 176
Marcia Furnilla, Ehefrau des Titus: 95
Marcian, Kaiser 450–457: 389, 400–406, 416, 419, 469
Marciana, Schwester Traians: 125
Marcianopolis (f 3): 120, 215
Marcianus, Feldherr des Gallienus: 234
Marcianus, Usurpator 479: 413
Q. Marcius Turbo s. Turbo
Marcus, Kaiser 475–476: 412
Margus (E 3): 259
Maria, Tochter Stilichos, Gattin des Honorius: 382
Marina Severa, Ehefrau Valentinians' I.: 342, 346, 354, 365
Marinianus, Sohn des Gallienus: 234
Marius, röm. Politiker 156–86 v.Chr.: 14f., 44
Marius, Usurpator im gallischen Sonderreich: 236, 239, 241
L. Marius Maximus, Feldherr des Septimius Severus, Geschichtsschreiber: 179, 182
Marmarameer (F 3): 179, 406, 421
Marseille (c 3): 21, 71, 275, 285
Marsus, Heerführer Leos I.: 409
Martinianus, Kaiser 324: 310
Martyrius, Priester in Antiochia um 460: 408
Massada (g 5): 91
Matidia, Nichte Traians: 127

Mauretania, Mauretanien (A 4): 70, 126, 129, 199
Mauretania Caesariensis (B4): 70, 199
Mauretania Tingitana (A 4): 70, 199
Maxentius, Kaiser 306–312: 270, 275, 277, 279, 285–287, 297, 302–308, 314f., 468
Maximian, Kaiser 286–305, 306–308, 310: 260–263, 267–270, 272–277, 279, 284f., 287, 302f., 306f., 312, 467
Maximilla, Tochter des Galerius, Ehefrau des Maxentius: 277
Maximinus Daia, Kaiser 310–313: 269, 279f., 285, 287, 303, 306–308, 312, 339, 468
Maximinus Thrax, Kaiser 235–238: 201, 203–206, 208, 217, 256
Maximus, Sohn und Caesar des Maximinus Thrax: 203, 205
Maximus von Ephesos, Philosoph im 4. Jhdt.: 335, 338
Mazdak, persischer Prophet im 5./6. Jhdt.: 428
Medien, Gebiet im heutigen Iran: 152, 191, 200, 228
Medway (B 1): 71
Meherdates, persischer Prinz im 1. Jhdt.: 75
Meletios, Priester in Antiochia um 370: 352
Melito, Bischof von Sardes im 2. Jhdt.: 49
Mesopotamia, Mesopotamien (H 4): 43, 123, 152, 181, 183, 199f., 208–212, 228, 242, 250, 264, 278, 423, 428
Messalina, Ehefrau des Claudius: 69, 71, 73, 75, 78
Metaurus (D 3): 247
Milet (f 4): 132, 447
Milonia Caesonia, Ehefrau Caligulas: 66
Miltenberg (c 2): 142
Milvische Brücke: 286
Minucius Thermus, röm. Politiker im 1. Jhdt. v.Chr.: 15

Misenum (d 3): 62, 64, 81
Mithradates VI., König von Pontus 111–63 v.Chr.: 14
Mithridates VII., König des Bosporanischen Reiches 41: 75
Mithridates, Ibererfürst im 1. Jhdt.: 75
Mlava, Fluß bei Viminacium (e 3): 215
Modestus, Prätorianerpräfekt des Valens: 352
Moesia, Moesien (E 3): 102, 125f., 134, 212, 215, 218, 223, 229, 246, 249, 259, 284, 369, 444
Monte Salviano, Berg am Fuciner See (D 3): 70
Mopsukrenai (g 4): 326
Mosel (C 2): 346
W.A. Mozart, Komponist 1756–1791: 97
Mucianus, Feldherr Vespasians: 87, 90, 96, 99
Munda (a 3): 21, 24
Mundar, Araberfürst im 6. Jhdt.: 428
Mundus, Heermeister Iustinians: 433
Mursa (d 2): 324
L. Mussius Aemilianus s. Aemilianus, Usurpator
Mysien (F 3): 130
Mytilene (f 4): 15

Naissus (e 3): 179, 235, 284, 325, 337, 343, 349, 431
Naqš-i Rustam: 211, 228
Narbonensis (B 3): 26, 116, 137, 189, 238–240
Narbonne (b 3): 399
Narcissus, Freigelassener des Claudius: 71, 74, 86
Narcissus, Trainer des Commodus: 176
Narnia (a 4): 114
Narses, Perserkönig 293–302: 263, 278
Narses, Feldherr Iustinians: 439, 447
Naulochos (d 4): 33
Neapel (d 3): 81, 417
Neckar (C 2): 101
Nectarius, Patriarch von Konstantinopel 381–397: 371

Nemisee (b 5): 65
Nepos, Kaiser 474–475: 415–417
Nepotianus, Usurpator 350: 323
Nero, Bruder Caligulas: 64
Nero, Kaiser 54–68: 9, 75, 77–88, 90, 93, 95, 105, 111, 114, 145f., 160, 463
Nerva, Kaiser 96–98: 109–111, 114–116, 119, 125, 182
Nestorios, Patriarch von Konstantinopel 428–431: 391f., 394
Nestos (E 3): 234
Nicaea (f 3): 179, 186, 295–297, 342, 350, 355, 366, 368, 370, 413
Niceta, Bischof von Remesiana um 400: 406
Nikomedeia (f 3): 129, 190, 259f., 262f., 267–269, 272, 277, 281, 283, 298, 308, 310, 314, 322, 327, 334
Nikomedes IV., König von Bithynien 94–74 v.Chr.: 15
Nikopolis (f 3): 131, 221
Nil (G 5): 21, 133, 198
Nimes (c 3): 129, 136f.
Nisibis (h 3): 152, 180, 182, 200, 264, 278, 341
Nola, Ort bei Neapel (d 3): 55
Nordsee (C 1): 345
Noricum (D 2): 153f., 182, 247, 250, 277, 307, 384
Normandie: 18
Novae (e 3): 221
Numerian, Kaiser 283–284: 452
Numidia (C 4): 58, 204, 208, 319, 345
Nymphidius Sabinus, Prätorianerpräfekt Neros: 85

Octavia, Schwester des Augustus: 32, 34, 47, 67, 78
Octavia, Tochter des Claudius, Ehefrau Neros: 69, 74, 80, 83
Octavian s. Augustus
Odaenathus, Herrscher im palmyrenischen Sonderreich 262–267: 232, 241f., 244, 248
Odovacar, König Italiens 476–493: m413–415, 417, 421

Oescus (e 3): 221
Ofonius Tigellinus, Prätorianerpräfekt Neros: 81
Olybrius, Kaiser 472: 416
Olybrius, Sohn des Areobindus: 422
Olympia (e 4): 84
Olympius, Hofbeamter des Honorius: 385
Opitergium (d 2): 153
C. Oppius, röm. Politiker im 1. Jhdt. v.Chr.: 20, 28
Orestes, Heermeister 475–476: 416f.
Oriens, Orient (G 4): 27, 61, 96, 199, 261, 263, 269, 279, 312, 316, 322–324, 351, 369
Origenes, Kirchenvater 182–254: 201, 295f.
Orontes (G 4): 174
Orosius, Kirchenhistoriker im 5. Jhdt.: 251
Osrhoëne (G 4): 152, 181, 183, 199
Ossius, Bischof von Cordoba im 4. Jhdt.: 319
Ostia (a 5): 119
Otacilia Severa, Ehefrau des Philippus Arabs: 211f., 216
Otho, Kaiser 69: 80, 87–89, 463
Oxyrhynchus (e 5): 246

Pacatianus, Usurpator 248: 215
Paccia Marciana, Ehefrau des Septimius Severus: 174f.
Palästina: 70, 95, 134, 261
Palladius, Beauftragter Valentinians I.: 345
Pallas, Hofbeamter Neros: 78
Palmyra (g 4): 12, 129, 174, 200, 232, 241f., 244, 248–250
Pamphylien (F 4): 225
Pandateria (D 3): 81
Pannonia, Pannonien (D 2): 43, 52, 55, 58, 153f., 182, 197, 218, 227, 230f., 247, 250, 253, 258, 261, 269, 272, 279, 287, 304, 307, 342, 345, 397, 401, 408
Panopolis (e 5): 390
Papinian, Jurist und Prätorianerprä-

fekt des Septimius Severus: 183f., 187f.
Papyrios (f 3): 414
Paris, Schaupieler im 1. Jhdt.: 102
Paris (c 2): 336f., 360
Parthien (H 4): 75, 124, 180, 191
Patricius, Sohn Aspars, Hofbeamter Zenos: 410–412
Patroklos, sagenhafter griechischer Held: 190
Paulinus, Bischof von Nola 410–431: 390
Paulus, Hofbeamter Theodosius' II.: 391
Paulus, Bischof von Konstantinopel 337–351: 327
Paulus von Samosata, Bischof von Antiochia 260–268: 243
Pausanias, gr. Reiseschriftsteller im 2. Jhdt.: 77
Pavia (c 2): 247, 254, 385, 399
Pelagius, Bischof von Rom 556–561: 449
Peloponnes (E 4): 131, 230, 382
Pelusion (g 5): 133
Perennis, Prätorianerpräfekt des Commodus: 165, 170, 175
Pergamon (f 4): 190
Perinth (f 3): 179, 251
Persepolis, Stadt im heutigen Iran: 211
Persien: 211, 257, 261, 263f., 324, 343, 371, 402, 428–430, 437f., 446f.
Persis, Landschaft im heutigen Iran: 228
Pertinax, Kaiser 193: 169–179, 188, 465
Perugia (d 3): 223
Pescennius Niger, Usurpator 193–194: 172, 177, 186
Pessinus (f 3): 339
Petra (g 5): 436
Petreius, röm. Politiker im 1. Jhdt. v.Chr.: 21
Petronius, Schwiegervater des Valens: 349
Petronius Maximus, Kaiser 455: 400f.

Petrus, Bischof von Alexandria 300–311: 370
Petrus Barsymes, Prätorianerpräfekt Iustinians: 444–446
Petrus der Walker, Priester in Antiochia um 460: 408
Petrus Sabbatius s. Iustinian
Pharnakes II., König von Pontus 63–47 v.Chr.: 21
Pharsalos (e 4): 21f., 24
Philadelphia (f 4): 225
Philippi (e 3): 23, 31, 46
Philippopolis (e 3): 221, 309
Philippus Arabs, Kaiser 244–249: 209–218, 228, 242, 466
Philippus II., Kaiser 247–249: 216
Philostorgios, Kirchenhistoriker im 5. Jhdt.: 364
Phokis (E 4): 131
Phraates IV., Partherkönig 37–2 v.Chr.: 43
Phrygien (F 4): 130, 213, 350
Piacenza (c 2): 119, 247, 401, 417
Piraeus, Hafen Athens (e 4): 287
Pirrus, Usurpator 428: 397
Pisaurum (d 3): 248
Pisidien (F 4): 412
Placidia, Tochter der Eudoxia: 409
Plato, gr. Philosoph 427–347 v.Chr.: 158
Plattensee (D 2): 277
Plautia Urgulanilla, Ehefrau des Claudius: 68
Plautianus, Prätorianerpräfekt des Septimius Severus: 179, 182f., 186
A. Plautius, Feldherr des Claudius: 71f.
Plinius der Ältere, röm. Politiker und Schriftsteller 23–79: 77
Plinius der Jüngere, röm. Politiker und Schriftsteller 61–113: 97f., 105, 107, 110, 113, 117f., 164
Plotin, gr. Philosoph 205–270: 233f., 295
Plotina, Ehefrau Traians: 125, 127
Plutarch, Schriftsteller im 1./2. Jhdt.: 32, 150

Po (D 2): 81, 88
Poetovio (d 2): 324
Poitiers (b 2): 319, 329
Pola (d 3): 288, 324
Polybius, Freigelassener des Claudius: 71, 74
Pompeia, Ehefrau Caesars: 23
Pompeius, röm. Politiker 106–48 v.Chr.: 14–17, 20f., 25, 27, 74, 133
Pompeius, Vater des Anastasius: 419
Pompeius, Neffe des Anastasius: 425
Cn. Pompeius Magnus, Schwiegersohn des Claudius: 74
Sex. Pompeius, röm. Politiker im 1. Jhdt. v.Chr.: 33
Pontische Inseln, Inselgruppe vor Puteoli (d 3): 66
Pontus (G 3): 14, 21, 118, 120, 226, 316, 322
Poppaea Sabina, Ehefrau Neros: 80, 83
C. Poppaeus Sabinus, Großvater der Poppaea Sabina: 80
Porphyrius, Bischof von Gaza 347–420: 376
Postumus, Kaiser im gallischen Sonderreich 260–269: 231, 233f., 236–240, 242, 245, 248, 255, 466
Praxagoras von Athen, Geschichtsschreiber im 4. Jhdt.: 258
Praxiteles, griechischer Künstler im 4. Jhdt. v.Chr.: 325
Prisca, Ehefrau Diocletians: 258, 309
Priscillian, Asket im 4. Jhdt.: 357
Priscus, Usurpator 250: 215, 221
Priscus Attalus s. Attalus
Probus, Kaiser 276–282: 248, 252–257, 270, 272, 276, 467
Probus, Feldherr Iustins: 429
Procopius, Usurpator 365–366: 349f., 352
Proculus, Usurpator 280: 255
Proculus, Hofbeamter Iustins: 428
Prokop, Historiker im 6. Jhdt.: 429f., 432, 435, 446, 470
Proterius, Bischof von Alexandria 451–457: 407

Ptolemaios XIII., Herrscher Ägyptens 50–47 v.Chr.: 21
Ptolemaios XV., Sohn Caesars, Herrscher Ägyptens 45–30 v.Chr.: 35
Pulcheria, Schwester Theodosius' II., Ehefrau Marcians: 388–392, 394, 403–405, 419
Pupienus, Kaiser 238: 205., 217
Puteoli (d 3): 42, 48, 65

Quartinus, Usurpator 235: 204
Quietus, Usurpator 260–261: 231f.
Quinctilius Varus s. Varus
Quintillus, Kaiser 270: 235, 246

Rabbi Akiba, jüdischer Gelehrter im 2. Jhdt.: 134
Radagaisus, Skythenführer im 5. Jhdt.: 384
Raetien (C 2): 154, 182, 189, 201, 224, 230f., 233, 237, 247, 250, 254, 263, 307, 344, 383
Rando, Alamannenkönig im 4. Jhdt.: 344
Ravenna (d 3): 20, 178, 269, 384f., 387, 395f., 396–398, 415–417, 438
Regalianus, Usurpator 260: 231
Regensburg (d 2): 224
Remesiana (e 3): 406
Rems (C 2): 142
Reschenpaß (C 2): 70
Rhein (C 1): 44, 63, 66, 85, 103f., 113, 115, 129, 177, 204, 215, 217, 223, 229–231, 233, 236, 238, 259, 264, 272f., 285, 318, 336, 344f., 355, 359, 383
Rhodos (F 4): 16, 47, 53, 72, 130
Rhône (C 2): 240
Ricimer, Heermeister 456–472: 401, 415
Rimini (d 3): 328, 398
Rom (a 5, d 3): 11, 13, 16, 18f., 22, 24, 26–28, 31–37, 40, 42f., 45, 47f., 50, 54f., 58f., 62–64, 66, 69, 71–73, 75, 79, 81, 83f., 86–91, 93, 95, 97–106, 108–112, 114–118, 120–127, 129, 131f., 134, 137–139, 141–143,

145f., 149, 152f., 155–157, 160, 163–165, 167–170, 172–176, 178–183, 185–189, 192–194, 196f., 200f., 204–206, 209, 211–214, 216, 218, 220f., 223f., 227–229, 232–235, 237, 240, 243f., 246–253, 256f., 260, 264f., 268, 270, 275, 278f., 282f., 286f., 289, 301–306, 316, 318, 320, 325, 327f., 333, 337, 347, 356–358, 365, 368, 371–373, 378, 380, 383–385, 394f., 397, 399–402, 404, 409, 411, 414–416, 425f., 428, 431, 438f.
Romanus, Heerführer Valentinians I.: 345
Romanus, Usurpator 470: 416
Romula, Mutter des Galerius: 276
Romulianum (e 3): 276, 280
Romulus, sagenhafter Gründer Roms: 35, 39, 48, 278
Romulus Augustulus, Kaiser 475–476: 10, 413, 415–418, 470
Ruas, Hunnenkönig 424–435/440: 398
Rubicon (D 3): 20
Rufinus, Prätorianerpräfekt des Honorius: 373, 375f., 381f.

Sabinianus, Usurpator 240: 207
Sabinus, Bruder Vespasians: 86, 91, 99
Sabinus, Vetter Domitians: 101f.
Sahara (B 5): 208
Sahba, Ort im Hauran (G 4): 210
Sallust, röm. Politiker und Schriftsteller im 1. Jhdt. v.Chr.: 23, 136
Sallustia Orba Barbia Orbiana, Ehefrau des Severus Alexander: 198
C. Sallustius Crispus Passienus, Ehemann Agrippinas der Jüngeren: 78
Salonae (d 3): 268, 279
Saloniki (e 3): 229, 263, 278–280, 310, 361, 370, 372, 426
Saloninus, Sohn des Gallienus, Kaiser 259–260: 227, 230f., 237f.
Salutius, Prätorianerpräfekt Iulians: 341, 343
Salvidienus Rufus, Feldherr des Augustus: 28

Salvius Iulianus, röm. Jurist im 2. Jhdt.: 135
M. Salvius Otho s. Otho
Samnium (D 3): 29
Samosata (g 3): 226, 243
Sapor I., Perserkönig 241–272: 209–212, 217, 223, 228, 242, 248
Sapor II., Perserkönig 309–379: 323, 351
Sardes (f 4): 49, 249, 258
Sardinien (C 3): 34, 173
Sarmizegetusa (e 2): 120, 122
Saturninus, Usurpator 89: 103, 113–115
Saturninus, Usurpator 279/80: 255
Save (D 2): 230, 253, 421
Schipka-Paß (E 3): 221
Schottland: 93, 182, 187
Schwäbische Alb: 254
Schwarzes Meer (F 3): 70, 153f., 284, 421f., 428f., 435f.
Schwarzwald: 359
Scipio, röm. Politiker im 2. Jhdt. v.Chr.: 14, 143
Scribonia, Ehefrau Octavians: 46
Scribonianus, Usurpator 42: 71
Scythia (F 3): 317, 444
Sebastianus, Heermeister Valentinians III.: 398
Seian, Prätorianerpräfekt des Tiberius: 61f., 64, 183
L. Seius, Caesar des Severus Alexander: 198
Seleucus, angeblicher Usurpator unter Elagabal: 193
Seleukia (g 4): 264, 328
Selinus (g 4): 120, 124f., 127
Selymbria, Ort bei Konstantinopel (f 3): 406
Seneca, röm. Philosoph 4 v.-65 n.Chr.: 74, 79–82
Senecio, Bruder des Bassianus: 309
Sens (c 2): 336
Septimius, Usurpator 271/72: 248
P. Septimius Aper, Vorfahr des Septimius Severus: 173
Septimius Bassianus s. Caracalla

P. Septimius Geta, Vater des Septimius Severus: 173
P. Septimius Geta, Bruder des Septimius Severus: 173
P. Septimius Geta s. Geta
C. Septimius Severus, Vorfahr des Septimius Severus: 173
Septimius Severus, Kaiser 193–211: 164, 172–188, 191f.
Serdica s. Sofia
Serena, Gattin Stilichos, Adoptivtochter des Honorius: 381
Sertorius, röm. Politiker im 1. Jhdt. v.Chr.: 14
Servilius Vatia, röm. Politiker im 1. Jhdt. v.Chr.: 15
Severianus, Feldherr unter Philippus Arabs: 212, 215
Severus, Architekt Neros: 84
Severus II., Kaiser 306–307: 269f., 279, 302f., 306, 308
Severus, Patriarch von Antiochia 465–538: 426
Severus von Sozopolis, Kirchenlehrer im 5. Jhdt.: 422
Severus Alexander, Kaiser 222–235: 191f., 194–203, 207f., 217, 242f.
Sevilla (a 3): 111
Sextus von Chaironeia, Philosoph im 2. Jhdt.: 150
Sidyma (f 4): 402
Sigismund, Burgunderkönig 516–523: 421
Silbannacus, Usurpator 248: 215
C. Silius, röm. Politiker im 1. Jhdt.: 74
Silvanus, Berater des Saloninus: 231, 237
Silvanus, Usurpator 355: 325
Silvester, Bischof von Rom 314–335: 282, 301
Simitthus (c 4): 121
Singara (h 4): 152, 323
Sirmium (e 3): 157, 204, 208, 216, 230, 235, 245f., 250, 253f., 257, 261–263, 272, 277, 287, 322, 328, 337, 343, 349, 354, 359, 369, 399, 421

Siscia (d 2): 246, 317
Sixtus II., Bischof von Rom 257–258: 227
Sixtus V., Bischof von Rom 1585–1590: 283
Sizilien (D 4): 33f., 38, 131, 175f., 410, 438, 440
Smyrna (f 4): 130
Socrates, Kirchenhistoriker im 5. Jhdt.: 296, 462
Sofia (e 3): 249–251, 276, 281, 309, 320, 323, 337
Solway: 129
Sosibios, Erzieher Neros: 75
C. Sosius, röm. Politiker im 1. Jhdt. v.Chr.: 34
Sozopolis (f 3): 422
Spalato (d 3, Salonae): 268–270
Spanien: 20–22, 24, 34, 38, 42, 45, 88, 108, 113–115, 124, 129, 138, 146, 173f., 205, 215, 217, 237, 239, 263, 285, 304, 335, 357, 359f., 365, 369, 371, 373, 387, 398, 439, 449; vgl. Hispania, Tarraconensis
Sparta (e 4): 131f., 189
Spoletium (b 4): 224, 229
Sponsianus, Usurpator 248: 215
Statius, röm. Dichter im 1. Jhdt.: 98, 107, 173
Stilicho, Heermeister des Honorius: 373, 379, 381–384, 386, 418
Straßburg (c 2): 86, 95, 336
Subrius Flavius, Soldat Neros: 82
Successianus, Prätorianerpräfekt Valerians: 228
Succi (E 3): 337
Sueton, Schriftsteller im 2. Jhdt.: 7, 9, 23, 28, 30f., 40, 43, 48f., 51, 54, 57, 59–62, 67, 71, 77, 84, 94, 96f., 107
C. Suetrius Sabinus, Senator zur Zeit Caracallas: 190
Sulla, röm. Politiker im 1. Jhdt. v.Chr.: 14, 23, 182
Sulpicia Dryantilla, Ehefrau des Regalianus: 231
Sulpicius Galba s. Galba
Symmachus, röm. Politiker und Redner im 4. Jhdt.: 356, 358, 368, 373

Syria, Syrien (G 4): 38, 61, 63, 87, 93, 96, 112, 115, 124f., 134, 152, 155, 169, 172, 174f., 180, 183, 190, 193, 199f., 209, 215, 225, 229, 232, 242f., 248, 250, 254f., 264, 298, 349, 351, 405, 412, 414, 445, 449
Syria Coele (G 4): 180
Syria Phoenice (G 4): 180

Tacfarinas, Führer der Gaetuler im 1. Jhdt.: 58
Tacitus, Historiker im 1./2. Jhdt.: 7, 28, 36, 46, 48f., 57, 62, 77, 82f., 96, 110, 460, 463
Tacitus, Kaiser 275–276: 251, 253f.
Tajo (A 3): 16
Tarasikodissa s. Zeno
Tarraconensis (B 2): 85, 115, 174, 181, 237
Tarragona (b 3): 129
Tarsos (g 4): 254, 315, 413
Tatianus, Hofbeamter Marcians: 402f.
Taunus (C 1): 203
Taurinus, Usurpator 230: 200
Taurisium, Ort bei Naissus (e 3): 431
Taurus (G 4): 179, 435
Terpnus, Lyraspieler zur Zeit Neros: 80
Tetricus I., Herrscher im gallischen Sonderreich 271–274: 236, 238, 240, 250
Tetricus II., Caesar im gallischen Sonderreich 273–274: 240
Tettius Iulianus, Feldherr Domitians: 103
Thamugadi (c 4): 120
Thapsus (c 4): 21f.
Theben (e 4): 134
Theißebene (E 2): 125, 154, 400
Themistios, griechischer Redner und Philosoph 317–388: 329f., 364, 368
Themse (B 1): 18, 71
Theocritus, Freigelassener Caracallas: 190
Theodahat, Ostgotenkönig 534–536: 438
Theoderich d. Gr., Ostgotenkönig 471–526: 406, 408, 414, 421, 426f., 430, 437, 440
Theoderich I., Westgotenkönig 418–451: 399, 417
Theoderich II., Westgotenkönig 453–466: 401
Theoderich Strabo, Ostgotenkönig 471–481: 410–414
Theodora, Stieftochter Maximians: 274
Theodora, Ehefrau Iustinians: 430, 432, 448, 470
Theodoret, Kirchenhistoriker 390–466: 348, 351, 372, 462
Theodorus, Hofbeamter des Valens: 352
Theodosius der Ältere, Vater Theodosius' I.: 345, 359
Theodosius I., Kaiser 379–395: 273, 341, 346, 351, 358f., 361, 365–382, 418, 469
Theodosius II., Kaiser 408–450: 387–396, 400, 402–405, 419, 422, 428, 442, 469
Theodotus, Stadtpräfekt Iustins: 430
Theokritos, Hofbeamter zur Zeit Iustins: 424
Thermantia, Tochter Stilichos, Gattin des Honorius: 382, 385
Thermopylen (E 4): 435
Thessalien (E 3): 382
Thiudimer, Sohn Valamers: 408
Thracia, Thrakien (E 3): 72, 120, 122, 134, 178f., 189, 234, 246, 248–250, 261, 269, 309f., 316, 344, 349f., 352f., 393, 402, 406, 411f., 414, 420–423, 426, 445
Thrasamund, Vandalenkönig 496–523: 427
P. Thrasea Paetus, Konsular zur Zeit Neros: 82
Thrasyllos, Astrologe zur Zeit des Tiberius: 53
Thysdrus (c 4): 202
Tiber (b 5): 35, 62, 120, 139, 195, 286, 304, 400
Tiberius, Kaiser 14–37: 7f., 46–65, 67–69, 78, 83, 162, 183, 463

Tiberius Gemellus, Enkel des Tiberius: 57, 64f.
Ticinum s. Pavia
Ticinus (C 2): 247
Tigidius Perennis s. Perennis: 165
Tigranes, armenischer König 20–12 v.Chr.: 51
Tigris (H 3): 152, 182, 200, 226, 228, 264, 278, 341
Timesitheus, Prätorianerpräfekt Gordians III.: 208f.
Timotheos III., Patriarch von Alexandria 517–535: 426
Timotheus Aelurus, Priester in Alexandria um 460: 407
Tinurtium (c 2): 182
Tiridates, armenischer König im 1. Jhdt.: 83
Tiridates III., armenischer König im 3./4. Jhdt.: 261, 278
Titus, Kaiser 79–81: 87, 90–92, 94–100
Titus Ampius s. Ampius
Tivoli (b 5): 132
Totila, Ostgotenkönig 541–552: 439
Traian, Vater Traians: 111
Traian, Kaiser 98–117: 93, 105, 108, 110–127, 139, 146, 152, 156, 198, 205, 218, 281, 464
Traianopolis s. Selinus
Tralles (f 4): 447
Trapezus (h 3): 129
Trebonianus Gallus, Kaiser 251–253: 221–224
Tribigild, Heerführer der Ostgoten um 400: 378f.
Tribonian, Hofbeamter Iustinians: 432, 434, 442
Trient (d 2): 70
Trier (c 2): 63, 238–240, 262f., 316–318, 320, 344–346, 353, 355, 359–362, 364f.
Tripolitania, Tripolitanien (D 5): 183, 409
Trocundes, Bruder des Illus: 413
Troia (f 3, Ilion), : 81
Troyes (c 2): 399
Turbo, Feldherr Hadrians: 126f.

Turin (c 2): 24
Tusculum (b 5): 24, 42
Tyana (g 4): 249, 251
Tzath, Lazenkönig im 6. Jhdt.: 428

Uldin, Hunnenkönig 400–408: 379
Ulfila, Gotenbischof im 4. Jhdt.: 371
Ulfilas, Heermeister des Honorius: 387
Ulpia Severina, Ehefrau Aurelians: 245
Ulpian, Jurist und Prätorianerpräfekt des Severus Alexander: 183, 196f.
Umbrien (D 3): 247
Uranius, Usurpator 220: 193, 200
Uranius Antoninus, Usurpator 253/54: 223, 225
Urbanus, Usurpator 270: 248
Ursinus, Gegenspieler des Damasus: 356
Utica (c 4): 21
Uxellodunum (b 2): 19

Vaballathus, Herrscher im palmyrenischen Sonderreich 272: 242f., 248f.
Valamer, Ostgotenkönig 447–465: 408
Valencia (b 3): 115
Valens, Usurpator 261: 232
Valens, Kaiser 316: 309
Valens, Kaiser 364–378: 343, 346, 348–355, 359, 362, 364f., 369, 468
Valens, Bischof von Mursa 350: 324
Valentinian I., Kaiser 364–375: 318, 343–347, 349, 353–357, 359, 362, 364, 468
Valentinian II., Kaiser 375–392: 346, 359, 361–368, 387, 469
Valentinian III., Kaiser 425–455: 394–401, 404
Valentinian, Usurpator 368
Valeria, Ehefrau Diocletians: 258
Valeria, Tochter Diocletians, Ehefrau des Galerius: 277, 309
Valeria Messalina s. Messalina
Valerian, Kaiser 253–260: 219, 223–231, 236, 238, 242, 266, 466

Valeriana, Ehefrau Tzaths: 428
Valerius Asiaticus, röm. Politiker im 1. Jhdt.: 74
Valerius Comazon, Stadtpräfekt des Severus Alexander: 197
Valia, Westgotenkönig 415–418: 387
Varius Avitus Bassianus s. Elagabal
Sex. Varius Marcellus, Vater Elagabals: 190
Varus, röm. Feldherr † 9: 44, 55
Veii (a 5): 173
Veleia, Stadt bei Piacenza (c 2): 119
Velitrae (b 5): 27
Velleius Paterculus, Geschichtsschreiber im 1. Jhdt.: 41
Vercingetorix, Anführer der Gallier im 1. Jhdt. v.Chr.: 19
Vergil, röm. Dichter 70–19 v.Chr.: 32, 35, 45, 136, 275
Verginius Rufus, Feldherr Neros: 85
Verica, König eines britannischen Stammes im 1. Jhdt.: 71
Verina, Ehefrau Leos I.: 408, 410, 412f., 416
Verona (c 2): 216, 218, 265, 439
Verus, Usurpator 219: 193
Vespasian, Kaiser 69–79: 86f., 90–100, 105, 112, 146, 463
Vesuv (D 3): 97
Vetranio, Usurpator 350: 323
Vibia Sabina, Ehefrau Hadrians: 125
Victor, Usurpator 384–388: 371
Victoria, Mutter des Victorinus: 240
Victorinus, Herrscher im gallischen Sonderreich 269–271: 236, 239–241
Vienne (c 2): 156, 367
Vigilius, Bischof von Rom 537–555: 449
Viminacium (e 3): 215, 315–317
M. Vinicius, röm. Politiker im 1. Jhdt.: 74

Vipsania Agrippina, Frau des Tiberius: 47, 51
M. Vipsanius Agrippa s. Agrippa
Vitalian, Heerführer Iustins: 421, 423, 426
Vitellius, Kaiser 69: 87, 89–91, 94, 99, 112, 463
L. Vitellius, röm. Politiker im 1. Jhdt.: 73
Vogesen (C 2): 285
Vologaeses III., Partherkönig 148–193: 152
Volusianus, Kaiser 251–253: 222, 224
L. Volusius Maecianus, Jurist und Lehrer Marc Aurels: 141

Wales (B 1): 92
Wetterau (C 1): 100
Wien (d 2): 153, 157, 159
Witigis, Ostgotenkönig 536–540: 438
Worms (c 2): 399

Xanten (c 1): 120

York (b 1): 184, 187, 189, 263, 269, 284

Zabdas, Feldherr Zenobias: 249
Zacharias, Kirchenhistoriker im 6. Jhdt.: 426
Zaitha (h 4): 209
Zenos Häuptling der Isaurier 393
Zeno, Kaiser 474–475, 476–491: 408, 410–415, 417, 419, 469f.
Zenobia, Herrscherin von Palmyra 267–272: 12, 241–244, 248–250, 466
Zonaras, Geschichtsschreiber im 12. Jhdt.: 245, 251, 284
Zosimus, Geschichtsschreiber im 5./6. Jhdt.: 245, 248f., 283
Zypern (F 4): 123, 289, 444

Verzeichnis der Autoren

Pedro Barceló, geb. 1950, Professor für Alte Geschichte an der Universität Potsdam
Heinz Bellen (1927–2002), Professor für Alte Geschichte an der Universität Mainz
Anthony R. Birley, geb. 1937, emer. Professor für Alte Geschichte an der Universität Düsseldorf
Hartwin Brandt, geb. 1959, Professor für Alte Geschichte an der Universität Bamberg
Klaus Bringmann, geb. 1936, emer. Professor für Alte Geschichte an der Universität Frankfurt am Main
Kai Brodersen, geb. 1958, Professor für Alte Geschichte, Präsident der Universität Erfurt
Heinrich Chantraine (1929–2002), Professor für Alte Geschichte an der Universität Mannheim
Karl Christ (1923–2008), Professor für Alte Geschichte an der Universität Marburg
Manfred Clauss, geb. 1945, emer. Professor für Alte Geschichte, Hennef
Werner Dahlheim, geb. 1938, emer. Professor für Alte Geschichte an der Technischen Universität Berlin
Maria H. Dettenhofer, geb. 1960, Professorin für Alte Geschichte an der Universität München
Karlheinz Dietz, geb. 1947, Professor für Alte Geschichte an der Universität Würzburg
Werner Eck, geb. 1939, emer. Professor für Alte Geschichte an der Universität Köln
Walter Eder (1941–2009), Professor für Alte Geschichte an der Universität Bochum
R. Malcolm Errington, geb. 1939, emer. Professor für Alte Geschichte an der Universität Marburg
Hans-Joachim Gehrke, geb. 1945, Professor für Alte Geschichte, Präsident des Deutschen Archäologischen Instituts
Klaus Martin Girardet, geb. 1940, emer. Professor für Alte Geschichte an der Universität des Saarlandes
Gunther Gottlieb, geb. 1935, emer. Professor für Alte Geschichte an der Universität Augsburg
Kirsten Groß-Albenhausen, geb. 1966, Althistorikerin
Thomas Grünewald, geb. 1959, Vizepräsident für Lehre und Studium an der Universität Potsdam
Linda-Marie Günther, geb. 1952, Professorin für Alte Geschichte an der Universität Bochum

Andreas Gutsfeld, geb. 1957, Professor für Alte Geschichte an der Universität Nancy
Raban von Haehling, geb. 1943, emer. Professor für Alte Geschichte an der Technischen Hochschule Aachen
Johannes Hahn, geb. 1957, Professor für Alte Geschichte an der Universität Münster
Helmut Halfmann, geb. 1950, Professor für Alte Geschichte an der Universität Hamburg
Matthäus Heil, geb. 1960, Wissenschaftlicher Mitarbeiter an der Berlin-Brandenburgischen Akademie der Wissenschaften
Christine van Hoof, geb. 1957, Wissenschaftliche Mitarbeiterin am Seminar für Alte Geschichte an der Universität des Saarlandes
Wilhelm Kierdorf, geb. 1938, emer. Professor für Klassische Philologie an der Universität Bochum
Richard Klein (1934–2006), Professor für Alte Geschichte an der Universität Erlangen
Hans Kloft, geb. 1939, emer. Professor für Alte Geschichte an der Universität Bremen
Jörn Kobes, geb. 1965, Verleger eines Fachbuchverlages
Ingemar König, geb. 1938, emer. Professor für Alte Geschichte an der Universität Trier
Wolfgang Kuhoff, geb. 1951, Professor für Alte Geschichte an der Universität Augsburg
Hartmut Leppin, geb. 1963, Professor für Alte Geschichte an der Universität Frankfurt am Main
Adolf Lippold (1926–2005), Professor für Alte Geschichte an der Universität Regensburg
Jürgen Malitz, geb. 1947, Professor für Alte Geschichte an der Katholischen Universität Eichstätt
Angela Pabst, geb. 1957, Professorin für Alte Geschichte an der Universität Erlangen
Edgar Pack, geb. 1951, Privatdozent für Alte Geschichte an der Universität Köln
Werner Portmann, geb. 1951, Studienrat in Berlin
Klaus Rosen, geb. 1937, emer. Professor für Alte Geschichte an der Universität Bonn
Alfons Rösger (1940–1999), Wissenschaftlicher Mitarbeiter am Seminar für Alte Geschichte an der Universität Bonn
Helmuth Schneider, geb. 1946, Professor für Alte Geschichte an der Universität Kassel
Wolfgang Schuller, geb. 1935, emer. Professor für Alte Geschichte an der Universität Konstanz
Leonhard Schumacher, geb. 1944, emer. Professor für Alte Geschichte an der Universität Mainz
Michael Stahl, geb. 1948, Professor für Alte Geschichte an der Universität Darmstadt
Ines Stahlmann, geb. 1956, Althistorikerin und Diplom-Psychologin
Hildegard Temporini-Gräfin Vitzthum (1939–2004), Professorin für Alte Geschichte an der Universität Tübingen

Verzeichnis der Autoren

Dieter Timpe, geb. 1931, emer. Professor für Alte Geschichte an der Universität Würzburg

Gregor Weber, geb. 1961, Professor für Alte Geschichte an der Universität Augsburg

Hans-Ulrich Wiemer, geb. 1961, Professor für Alte Geschichte an der Universität Erlangen

Eckhard Wirbelauer, geb. 1962, Professor für Alte Geschichte an der Universität Strasbourg

Christian Witschel, geb. 1966, Professor für Alte Geschichte an der Universität Heidelberg

Micheal Zahrnt, geb. 1940, emer. Professor für Alte Geschichte an der Universität Köln

Die Antike bei C.H. Beck – Eine Auswahl

Klaus Bringmann
Geschichte der römischen Republik
Von den Anfängen bis Augustus
463 Seiten mit 38 Abbildungen und Karten
2., durchgesehene Auflage. 2010. Leinen
Beck's Historische Bibliothek

Leonhard Burckhardt / Jürgen von Ungern-Sternberg (Hrsg.)
Große Prozesse im antiken Athen
2000. 301 Seiten mit 9 Abbildungen im Text. Leinen

Karl Christ
Pompeius
Der Feldherr Roms
2004. 246 Seiten mit 6 Abbildungen und 4 Karten. Leinen

Werner Dahlheim
Augustus
Aufrührer – Herrscher – Heiland
2010. 488 Seiten mit 33 Abbildungen und 11 Karten. Gebunden

Hans-Joachim Gehrke
Kleine Geschichte der Antike
1999. 243 Seiten mit 124 Abbildungen, davon 61 in Farbe,
sowie 3 Plänen und 2 farbigen Karten als Vor- und Nachsatz. Gebunden

Volkert Haas
Babylonischer Liebesgarten
Erotik und Sexualität im Alten Orient
1999. 208 Seiten mit 10 Abbildungen und einer Karte. Gebunden

Verlag C.H. Beck München

Die Antike bei C.H. Beck – Eine Auswahl

Elke Stein-Hölkeskamp / Karl-Joachim Hölkeskamp (Hrsg.)
Erinnerungsorte der Antike
Die römische Welt
2006. 797 Seiten mit 117 Abbildungen und Karten im Text sowie zwei farbigen Vorsätzen. Leinen

Niklas Holzberg
Ovid
Dichter und Werk
3., durchgesehene Auflage. 2006. 220 Seiten. Leinen

Martin Hose
Kleine griechische Literaturgeschichte
Von Homer bis zum Ende der Antike
1999. 261 Seiten. Paperback
Beck'sche Reihe Band 1326

Detlef Liebs
Vor den Richtern Roms
Berühmte Prozesse in der Antike
2007. 253 Seiten. Gebunden

Bernhard Maier
Die Kelten
Ihre Geschichte von den Anfängen bis zur Gegenwart
2. Auflage. 2003. 320 Seiten mit 13 Abbildungen und 6 Karten. Leinen
Beck's Historische Bibliothek

Reinhard Wolters
Die Schlacht im Teutoburger Wald
Arminius, Varus und das römische Germanien
2., durchgesehene Auflage 2008. 255 Seiten mit 19 Abbildungen, 2 Stammbäumen und 9 Karten. Gebunden

Verlag C.H. Beck München